Anton P. Čechov - der Dramatiker

Drittes internationales Čechov-Symposium
Badenweiler im Oktober 2004

DIE WELT DER SLAVEN
SAMMELBÄNDE · СБОРНИКИ

Herausgegeben von
Peter Rehder (München) und Igor Smirnov (Konstanz)

Band 44

Verlag Otto Sagner
München - Berlin - Washington, D.C. 2012

Anton P. Čechov – der Dramatiker

Drittes internationales Čechov-Symposium Badenweiler im Oktober 2004

Herausgegeben von
Regine Nohejl und Heinz Setzer

Verlag Otto Sagner
München – Berlin – Washington, D.C. 2012

Gedruckt mit freundlicher Unterstützung
der Kulturförderung des Bundesverwaltungsamtes,
der Vereinigung der Freunde der Universität Tübingen e.V. (Universitätsbund),
der Gemeinde Badenweiler,
der Deutschen Tschechow-Gesellschaft e.V.
und eines Mitglieds der Duma der Russischen Föderation (Privatspende)

Bibliografische Information der Deutschen Nationalbibliothek
Die Deutsche Nationalbibliothek verzeichnet diese Publikation in der
Deutschen Nationalbibliografie; detaillierte bibliografische Daten
sind im Internet über http://dnb.d-nb.de abrufbar

Vignette:
A. P. Čechov, *Tri sestry*, 2. Akt, Maša

ISBN 978-3-86688-230-0 ; ISBN (e-Book) 978-3-86688-231-7

Heßstr. 39/41 Friedrichstr. 200
80798 München 10117 Berlin
Telefon +49(0)8954218-107
Telefax +49(0)8954218-216
verlag@kubon-sagner.de

«Verlag Otto Sagner» ist ein Imprint der Kubon & Sagner GmbH
Druck und Bindung: Strauss GmbH, D-69509 Mörlenbach
Gedruckt auf alterungsbeständigem Papier

Gewidmet

Rolf-Dieter Kluge

zum 75. Geburtstag

in Anerkennung seiner jahrzehntelangen Verdienste
um die Erforschung und Würdigung
von Leben, Werk und Wirkung
Anton Pavlovič Čechovs

Vorwort der Herausgeber

Der vorliegende Band präsentiert siebzig Beiträge der Tagung „Anton P. Čechov – der Dramatiker“, die im Oktober 2004 in Čechovs Sterbeort Badenweiler im Schwarzwald stattfand. Die Tagung ist seinerzeit von Rolf-Dieter Kluge (Slavisches Seminar der Universität Tübingen) unter Mitarbeit von Heinz Setzer und Heide Willich-Lederbogen organisiert worden. Danach gingen alle Beteiligten neue wissenschaftliche Wege, sodass das Schicksal der zur Publikation eingesandten Tagungsbeiträge lange Zeit im Ungewissen blieb. Obwohl inzwischen viel Zeit verstrichen ist, haben die Herausgeber des vorliegenden Bandes an der Idee der Publikation der Texte festgehalten. Zwei Gründe waren hierfür ausschlaggebend:

1. Die Durchführung internationaler Čechov-Tagungen hat in Badenweiler inzwischen eine beachtliche Tradition. Fand das erste internationale Čechov-Symposium in Badenweiler 1985 am Ende der kommunistischen Ära statt[1], so reflektierte das zweite von 1994, das sich mit den philosophischen und religiösen Dimensionen im Schaffen Čechovs befasste[2], die Suche der internationalen Literatur- und Kulturwissenschaft nach neuen Werten und Orientierungsmaßstäben in einem Jahrzehnt, das für Russland und die gesamte Welt tiefgreifende Veränderungen mit sich brachte. Das dritte Symposium fand zu Beginn des 21. Jahrhunderts statt, einer Zeit der Konsolidierung, aber auch der ernüchternden Bilanzen. Mit dem thematischen Schwerpunkt „Čechov als Dramatiker“ sollte der in der literaturwissenschaftlichen Theoriebildung, der Dramatik, Ästhetik und Theaterpraxis einflussreichste Schaffensbereich des Čechovschen Gesamtwerks zur aktuellen Bewertung und Diskussion gestellt werden. Würden die Beiträge dieser Tagung nicht im Druck erscheinen, so würde ein „Glied in der Kette“ fehlen. Mit dem dritten Band ergibt sich ein beeindruckender, zusammenhängender Überblick über fast zwanzig Jahre internationaler Čechov-Forschung und über die Wandlungen, die das Bild Čechovs und das Verständnis seiner Werke in der turbulenten Zeit zwischen 1985 und 2004 erfahren hat.
2. Die Badenweiler Čechov-Tagungen sind Teil einer Čechov-Gedenktradition, die in Badenweiler seit mehr als hundert Jahren besteht, die zahlreiche Wechselfälle der Geschichte überdauert hat und u.a. im Jahre 2009 durch die Gründung der „Deutschen Tschechow-Gesellschaft e.V.“ (DTG) wichtige neue Impulse erhielt. Auch im Sinne der Aufrechterhaltung dieser Tradition lag den Herausgebern die Publikation der Beiträge des dritten internationalen Čechov-Symposiums in Badenweiler am Herzen.

Im Folgenden wird ein kurzer Überblick über die inhaltliche Gliederung des Bandes gegeben. Auf die Nennung einzelner Namen wird angesichts der großen Zahl der Beiträge verzichtet.

Nach einer **Einführung** des Tagungsveranstalters in das Thema wird in **Abschnitt I** dem Problem der **Verortung von Čechovs Dramatik auf der Grenze zwischen Realismus** (Ivan Turgenev als Vorläufer) **und Symbolismus/Moderne** nachgegangen. Die Frage, inwieweit Čechov als „Modernist“ betrachtet werden kann, wird dabei durchaus kontrovers diskutiert. Ein weiterer Schwerpunkt dieses Abschnitts liegt auf den intertextuellen Bezügen zwischen den Dramen Čechovs und Ibsens.

Die **Interpretationen von Čechovs Dramen** in **Abschnitt II** sind in erster Linie thematisch und erst in zweiter Linie nach einzelnen Werken geordnet.

---

[1] Anton P. Čechov: Werk und Wirkung. Vorträge und Diskussionen eines internationalen Symposiums in Badenweiler im Oktober 1985. Hg. Rolf-Dieter Kluge. Teil I und II. Wiesbaden 1990.

[2] Anton P. Čechov – philosophische und religiöse Dimensionen im Leben und im Werk. Vorträge des Zweiten Internationalen Čechov-Symposiums in Badenweiler, 20.-24. Oktober 1994. Hg. Vladimir B. Kataev, Rolf-Dieter Kluge, Regine Nohejl. München 1997.

In **II.1** finden sich Überlegungen zu Besonderheiten der **Sprache** im Čechovschen Drama ebenso wie Untersuchungen zur Bedeutung von **außersprachlichen Aspekten** (Bühnen- und Regieanweisungen, optische und akustische Effekte, außerszenische Motive), zur **Spezifik des Dramenaufbaus** sowie zu den **Problemen**, die sich daraus **für die Aufführungspraxis** ergeben.

Kapitel **II.2** enthält Untersuchungen zu **Raum und Zeit** in Čechovs Drama.

Kapitel **II.3** ist einzelnen **Themen und Motiven** gewidmet. Neben der zunehmenden Bedeutung, die Gesellschaft und Ökonomie für Čechovs Dramenhelden haben, werden hier auch existenzielle Fragestellungen (das Fremde, das Schicksal) erörtert.

In Kapitel **II.4** finden sich **Einzeluntersuchungen**, die bislang unbekannte, interessante Hintergründe der Entstehung und Rezeption von Čechovs Dramen beleuchten, etwa die Frage, inwieweit Čechovs Kenntnis des Schicksals der Geschwister Brontë Einfluss auf die Gestaltung der *Drei Schwestern* genommen haben könnte.

Kapitel **II.5** nähert sich der Spezifik von Čechovs Dramen aus der Sicht der **Genretheorie**. Die Beiträge dieses Kapitels befassen sich mit Čechovs Experimentierfreudigkeit in Bezug auf das Genre und mit der damit einhergehenden Verflüssigung der konventionellen Genregrenzen. Neben den vier großen Dramen kommen hier naturgemäß auch deren Vorläufer (*Platonov, Ivanov, Lešij*) sowie die kleinen Stücke vermehrt zur Sprache; selbst Čechovs Briefe lassen sich als Feld für die Erprobung dramatischer Sujets charakterisieren.

Abschnitt III des vorliegenden Bandes wendet sich schließlich der **Rezeption und Aufführungspraxis** von Čechovs Dramen in Ost und West, in diachroner wie synchroner Sicht zu.

Kapitel **III.1** befasst sich mit **intertextuellen Einflüssen** sowie **Bearbeitungen** von Čechovs Stücken im Drama und in der Bühnenrealisation, aber auch in Lyrik und Prosa sowie im Medium des Films. Das Spektrum reicht in Russland von Vsevolod Mejerchol'd bis Boris Akunin und Iosif Brodskij, in Westeuropa von Per Olov Enquist bis Thomas Bernhard.

Kapitel **III.2** enthält **historische Übersichtsdarstellungen** über die Čechov-Rezeption in ost- und westeuropäischen Nationen, die bisher weniger in den Fokus der Čechov-Forschung gerückt wurden (Tschechien, Kroatien; Dänemark, Finnland).

Kapitel **III.3** präsentiert **Momentaufnahmen der Aufführungspraxis** von Čechovs Dramen **an der Wende zum 21. Jahrhundert** in West- und Osteuropa sowie in Israel. Dabei zeigt sich deutlich, wie stark das jeweilige Čechov-Bild mit den zeitgeschichtlichen kulturellen und politischen Anliegen der jeweiligen Rezipientengruppen korreliert (Auseinandersetzung um das Regietheater in Westeuropa, Suche nach neuer Identität in Osteuropa, Problematik der Emigration in Israel).

In **Abschnitt IV** werden die Spuren verfolgt, die Čechov und der „Čechov-Clan", d.h. Mitglieder der Familie Čechov, in der deutschen Kultur und Theaterwelt und im deutschen Film hinterlassen haben.

Die Herausgeber haben sich bemüht, die individuelle formale Gestaltung, die die Verfasser für ihre Beiträge gewählt haben, beizubehalten, soweit das einheitliche Erscheinungsbild dadurch nicht gestört wurde. In zwei Fällen wurde allerdings konsequent vereinheitlicht:

a) In allen deutsch- und englischsprachigen Artikeln wird die wissenschaftliche Transliteration des Kyrillischen verwendet. Eine Ausnahme bildet hier lediglich der Beitrag von Renata Helker, in dem viele „eingedeutschte" russische Namen vorkommen.

b) In allen deutsch- und englischsprachigen Artikeln wird den russischen Originalzitaten eine Übersetzung beigegeben, sodass diese Beiträge auch nicht russischsprachigen Lesern zugänglich sind.

Die Erstellung eines Namens- und Werkregisters hätte, so sehr es die systematische Nutzung des Bandes erleichtert hätte, die knapp bemessenen Zeitressourcen, die den Herausgebern für die umfangreichen Redaktionsarbeiten blieben, bei weitem überschritten und musste aus diesem Grunde leider unterbleiben.

Noch mehr als sonst üblich, gilt es im Falle des vorliegenden Bandes, denjenigen Dank zu sagen, die seine Publikation nach so langer Zeit schließlich doch noch ermöglicht haben. Für die großzügige Finanzierung ebenso wie für die erwiesene Geduld danken wir

- der Kulturförderung des Bundesverwaltungsamtes
- der Vereinigung der Freunde der Universität Tübingen e.V. (Universitätsbund)
- der Gemeinde Badenweiler
- der Deutschen Tschechow-Gesellschaft e.V. (DTG)
- einem Mitglied der Duma der Russischen Föderation für eine private Spende

Heide Willich sei dafür gedankt, dass sie alle eingesandten Textbeiträge und Finanzierungsunterlagen sorgfältig aufbewahrt und dadurch die Aufnahme der Redaktionsarbeiten und die Aufrechterhaltung der Kontakte zu den Sponsoren ermöglicht hat.

Die kompetente Beratung und die effektive, unkomplizierte Zusammenarbeit mit Prof. Dr. Peter Rehder (Verlag Otto Sagner) hat dafür gesorgt, dass das Unmögliche schließlich ganz schnell möglich wurde und das umfangreiche Textkorpus nach so langer Anlaufzeit in kürzester Zeit in Druck gehen konnte. Peter Rehder sei an dieser Stelle für sein Entgegenkommen und seine tatkräftige Unterstützung ganz herzlich gedankt.

Ein ehrendes Andenken soll mit diesem Band Prof. Dr. Aleksandr Čudakov und Prof. Dr. Aleksandar Flaker bewahrt werden, die zu seiner Entstehung beigetragen, seine Veröffentlichung jedoch leider nicht mehr erlebt haben. Beide Forscher waren Säulen der Erforschung und Verbreitung von Čechovs Werk in ihren Ländern – Russland und Kroatien. Aleksandr Čudakov verstarb im Oktober 2005, Aleksandar Flaker im Oktober 2010.

Wir hoffen, dass der vorliegende Band die internationale Auseinandersetzung um Čechovs Schaffen und dessen vielfältige zeitgeschichtliche Implikationen beleben und bereichern und dass die Tradition der Čechov-Tagungen in Badenweiler ihre Fortsetzung finden wird.

Freiburg und Badenweiler, im März 2012 — Regine Nohejl, Heinz Setzer

Technische Anmerkungen der Herausgeber

Für die vier großen Dramen Čechovs werden in den deutsch- und englischsprachigen Beiträgen folgende Übersetzungen verwendet:

Чайка	Die Möwe	The Seagull
Дядя Ваня	Onkel Vanja	Uncle Vanja
Три сестры	Die drei Schwestern	The Three Sisters
Вишневый сад	Der Kirschgarten	The Cherry Orchard
Леший	Der Waldschrat	The Wood Demon
Медведь	Der Bär	
Предложение	Der Heiratsantrag	
Юбилей	Das Jubiläum	

Die Titel aller anderen literarischen Werke Čechovs sowie anderer russischer resp. slavischer Autoren werden vor Ort übersetzt.

Die Originalzitate aus Čechovs Werken und Briefen folgen, falls nicht ausdrücklich anders vermerkt, der Ausgabe:
A.P. Čechov: Polnoe sobranie sočinenij i pisem v tridcati tomach. Moskva 1974-83.
Die erste Zahl bezeichnet dabei den Band, die zweite die Seitenzahl; Briefbände sind zusätzlich mit P./П. gekennzeichnet.

Die deutschen Übersetzungen stammen, falls nicht speziell gekennzeichnet, von den Verfassern oder den Herausgebern. In manchen Fällen wurde die Übersetzungen von Peter Urban herangezogen:
Anton Čechov: Gesammelte Stücke. Übers. u. hg. v. Peter Urban. Zürich 2003 (zitiert als „Urban…“ mit Angabe der Seitenzahl).
Anton Čechov: Briefe. 5 Bände. Übers. u. hg. v. Peter Urban. Zürich 1979 (zitiert als „Urban, Briefe…“, mit Angabe der Band- und der Seitenzahl).

INHALTSVERZEICHNIS

Vorwort der Herausgeber.. 7

Zur Einleitung
Rolf-Dieter Kluge: A.P. Čechovs dramatische Dichtungen.. 15

I. Realismus, Symbolismus, Moderne – Čechov und seine literarischen Vorläufer und Zeitgenossen

Regine Nohejl: „...иногда мы с вами разговариваем, точно кружево плетем...“
Die Symptomatik gestörter Kommunikation zwischen Männern und Frauen
in den Dramen Ivan Turgenevs und Anton Čechovs.. 29
Peter Thiergen: Allianzdispositiv und Sexualitätsdispositiv.
Kann man Turgenevs und Čechovs Dramen von Foucault her lesen?......................... 42

Maria Deppermann: Polyphones Drama – Molekulare Revolution.
Čechov als Integrationsfigur der Theatermoderne.. 51
Dietrich Wörn: Čechovs Dramen und das Theater der Symbolisten.................................. 79
Oleg Kling: *Правда небесная* и *правда земная* в *Вишневом саде*:
Чехов и русские символисты... 89
Margarita Odesskaja: Ибсен и Чехов: миф и реальность... 98
Ekaterina Kataeva-Mäkinen: Жить или не жить? О выборе героинь Ибсена и Чехова....... 105
Danuše Kšicová: Орнитологическая символика в творчестве Ибсена, Чехова
и Метерлинка.. 110

II. Čechovs dramatisches Schaffen

II.1. Struktur

Harai Golomb: Dramaticality, Theatricality and Dual Fictionality
in Čechov's Major Plays.. 121
Ėmma Polockaja: Принцип неопределенности в пьесах Чехова.................................. 144
Aleksandr Čudakov (†): Вторая реплика.. 152
Vladimir Kataev: Пьесы Чехова как резонантное пространство................................ 161
Ljudmila El'nickaja: «Болтовня» в пьесах А.П. Чехова.. 168
Aleksandr Krinicyn: Поэтика и семантика пауз в драматургии Чехова......................... 176
Jochen Raecke: „Warum tragen Sie immer Schwarz?“ –
Čechovs Dialoge als Regie- und Sehanweisungen.. 186
Elena Strel'cova: Внесценические мотивы драматургии Чехова
(*Чайка* и *Три сестры*).. 191

Vadim Čupasov: Пришел, увидел, погубил: зримое и слышимое в *Чайке* А.П. Чехова...... 198
Horst-Jürgen Gerigk: Experimentelles Erzählen in Čechovs *Möwe*................................ 206
Ruth Wyneken: Gedanken zu einer theaterpraktisch orientierten dramaturgischen
Strukturanalyse am Beispiel von Anton Čechovs Stück *Die Möwe*............................ 216

Reinhard Lauer: *Die drei Schwestern* in Čechovs Sicht.. 223
Jenny Stellemann: Čechov's *Tat'jana Repina* and His *Tri sestry*................................ 233

Richard Peace: *The Cherry Orchard* – Settings and Directions........ 244
Jurij Domanskij: Финал *Вишнёвого сада*: драма и театр........ 249
Viktor Gul'čenko: Пятое действие *Вишневого сада*........ 256

II.2. Raum und Zeit

Alena Petrova: Zu Čechovs Muster der Raumgestaltung in seinen vier großen Bühnenstücken........ 265
Lana Garon: Дом в пьесах Чехова – центр притяжения или точка отталкивания?........ 275
Aleksej Grjakalov: Феномен «выпадения времени»: драматизация современности (Заметки о метафизике времени в творчестве Чехова)........ 280
Maja Volčkevič: Настоящая жизнь прошлого как драматургический прием Чехова........ 288
Nikolaj Kapustin: Прошлое, настоящее и будущее в драме А.П. Чехова *Три сестры* и в творчестве В.А. Жуковского........ 294
Andreas Ebbinghaus: Zeitproblem und Dramenstruktur in Anton Čechovs *Die drei Schwestern* und *Der Kirschgarten*........ 301
Robert Louis Jackson: What Time is it? Where are we Going? Čechov's *Cherry Orchard*: The Story of a Verb........ 313

II.3. Einzelne Themen und Motive

Gerhard Bauer: Gesellschaft auf Čechovs Bühne: dezimiert / sublimiert / imaginiert........ 329
Wasilij Szczukin: Исчислимое и невыразимое. О драме А.П. Чехова *Три сестры*........ 337
Andreas Guski: Ökonomien des *Kirschgartens*........ 345

Małgorzata Świderska: Изображение «чужого» в пьесах А.П. Чехова........ 352
Anatolij Sobennikov: Драматургия А.П. Чехова в свете античных представлений о роке........ 358

II.4. Besondere Aspekte

Donald Rayfield: Семейство Бронтэ (Brontë), Гейша, и *Три сестри*........ 365
Gordon McVay: Три сестры и Наташа........ 370
Angelina Chanilo: К характеристике действующих лиц пьесы А.П. Чехова *Вишневый сад*: О.Р. Васильева как прототип персонажа пьесы (по неопубликованной статье Н.А. Брыгина)........ 381

II.5. Die Eigenart von Čechovs Dramen im Spiegel der Genreproblematik

Irina Gitovič: Драматургия прозаика, или Гениальные *непьесы* Чехова........ 389
Nina Iščuk-Fadeeva: Заглавие как точка зрения........ 396
Svetlana Evdokimova: Unmelodramatizing Drama: Čechov's Experiment........ 404
Wolfgang Stephan Kissel: Scheitern als Signum der Moderne: Anton Čechovs Monolog *Über die Schädlichkeit des Tabaks* und das russische Theater des Absurden........ 413
Ruslan Achmetšin: Драматические этюды Чехова: особенности композиции........ 425
Alfred Sproede: „Lustspiel" bei Čechov? Elemente des Komischen und Strukturen der Komödie in *Lešij* und *Djadja Vanja*........ 431
Rudolf Neuhäuser: Von der Komödie zum Drama: *Ivanov*........ 443
Natalija Grjakalova: *Цицикар или Война языков*: К поэтике трагикомического в поздней драматургии А.П. Чехова........ 452
Alevtina Kuzičeva: Драматические сюжеты в письмах Чехова........ 459

III. Rezeption und Aufführungpraxis

III.1. Intertextuelle Bezüge und Bearbeitungen

Friederike Carl: *33 obmoroka* (33 Ohnmachten) – Mejerchol'ds Inszenierung von Čechovs Einaktern *Medved'*, *Predloženie* und *Jubilej*........ 471
Larisa Davtjan: На чем сыграть «звук лопнувшей струны»? 478
Christine Engel: Transformation als Aktualisierung: Zwei Filmadaptionen von *Djadja Vanja*........ 483
Dagmar Burkhart: Die Wirkungsgeschichte Čechovscher Dramen als Paradigma der Intertextualität. Am Beispiel von Aleksandr Vampilovs *Prošlym letom v Čulimske* (Letzten Sommer in Čulimsk)........ 493
Norbert Franz: Who shot K.G.? Akunin ermittelt........ 501
Maja Turovskaja: О Чехове и Бродском. Очевидное и вероятное........ 513

Raffaella Fortarel: Per Olov Enquists *Čechovs Drei Schwestern* – Wiederschrift oder Gegenschrift? 523
Klavdia Smola: Thomas Bernhards intertextueller Dialog mit dem Drama Čechovs (am Beispiel des Stücks *Die Jagdgesellschaft*)........ 533

III.2. Internationale Rezeption und Aufführungspraxis – Überblicksdarstellungen

Aleksandar Flaker (†): Чеховский театр в Хорватии (по репертуару и личному опыту) 543
Oldřich Richterek: Der tschechische Weg zur gegenwärtigen Rezeption, Aufführung und Interpretation von Čechovs Dramen........ 550
Kjeld Bjørnager: Драматургия А.П. Чехова в Дании........ 557
Liisa Byckling: Чеховские постановки в Финляндии........ 562

III.3. Internationale Rezeption und Aufführungspraxis an der Wende zum 21. Jahrhundert – Momentaufnahmen

Tat'jana Boldova: Антон Павлович Чехов на московской сцене........ 571
Małgorzata Jurska-Semczuk: О новых интерпретациях произведений Чехова на польских сценах (1989–2000) 578
Wojciech Dudzik: Anton Čechovs Dialog mit dem gegenwärtigen Theater – am Beispiel der Inszenierung der *Möwe* von Krystian Lupa in Warschau (2004) 582
Tat'jana Šach-Azizova: *Чайка* во времени и пространстве........ 587
Stefan Tigges: *Die Möwe* als Schauplatz ästhetischer Diskurse. Tendenzen in der europäischen Aufführungspraxis........ 594
Gudrun Goes: *Drei Schwestern* auf deutschen Bühnen. Übersetzungen, Bühnenfassungen, Wirkungsstrategien und Zuschauer........ 609
Sophia Gurvich: Театр Чехова в Израиле на рубеже веков........ 618

IV. Die Rolle Čechovs und der Čechov-Familie in der deutschen Kultur

Heinz Setzer: Tod und Wiedergeburt. Anton P. Čechov in Badenweiler........ 627
Renata Helker: Olga Tschechowa – schöne Matriarchin einer deutsch-russischen Künstlerfamilie........ 636

Zur Einleitung

Rolf-Dieter Kluge

A.P. Čechovs dramatische Dichtungen

Als am Ende des 19. Jahrhunderts sich Čechovs große Dramen allmählich auf russischen und wenig später auch auf ausländischen Bühnen durchzusetzen begannen, begegnete ihnen die Kritik und das Publikum weiterhin mit erheblichen Vorbehalten. Denn nahezu alles, was man bisher von guter Theaterdichtung gewohnt war und dementsprechend auf der Bühne auch erwartete: eine spannende dramatische Handlung, die zu einem Höhepunkt mit kathartischer Wendung und daraufhin zu einer tragischen oder versöhnlichen Konfliktlösung strebt, dargestellt in antagonistischen großen Rollen, die in scharfen geschliffenen Dialogen miteinander um Liebe, Anerkennung und Triumph ringen, in außergewöhnlichen Situationen für ihre Gefühle, Überzeugungen, Werte oder Ideen einstehen und in extremen, ja ausweglosen Lagen zu Opfern bis zum Tode bereit sind – alle diese für die Gattung Drama scheinbar konstitutiven Kriterien fehlen in Čechovs großen Stücken. Das sind in der Reihenfolge ihres Erscheinens das Drama *Ivanov* (1887), die Komödie *Die Möwe* (Čajka, 1896), die „Szenen aus dem Landleben" *Onkel Vanja* (Djadja Vanja, 1897), das Drama *Drei Schwestern* (Tri sestry, 1901) und die Komödie *Der Kirschgarten* (Višnevyj sad, 1904). Die wechselnden Gattungsbezeichnungen verweisen schon rein äußerlich darauf, dass die traditionelle Unterscheidung der Antitypen Komödie und Tragödie auf Čechovs neues Theater nicht mehr zutrifft. Das verwirrte seine Zeitgenossen.

Über die Uraufführung der *Möwe*[1] zwei Jahre zuvor im St. Petersburger Aleksandrinskij Teatr, die noch ein völliger, ja skandalöser Misserfolg war, schrieb ein sich als wohlwollend verstehender Kritiker:

> [Das Stück ist] ohne Beachtung jener Regeln und Gesetze geschrieben, die seit den Zeiten Lessings nicht angetastet wurden und bis heute die Grundlage jedes echten dramatischen Werks bilden. Der Aufbau der „Möwe" ist gekünstelt, es gibt wenig Handlung. [...] In einem Roman oder in einer Erzählung mit dem gleichen Sujet wären diese Figuren zweifellos besser herausgearbeitet und daher lebendiger und interessanter, doch im Drama [...] sind sie größtenteils blaß, verwaschen und zuweilen widersprüchlich.[2]

Natürlich kannte Čechov diese „Regeln" und „Gesetze" und beherrschte sie, er hat neben seinen großen Stücken eine Reihe von einaktigen, äußerst bühnenwirksamen, schwankhaften Komödien nach traditionellem Muster geschrieben, die auch heute noch zum internationalen Repertoire gehören, wie zum Beispiel der Schwank *Der Bär* (Medved', 1888) in dem sich die trauernde junge Witwe Popova schrittweise von der Untreue ihres verstorbenen Ehemannes überzeugen muss, so dass sie am Ende anstatt sich mit dem cholerischen Gläubiger Smirnov

---

[1] Wir wollen diese Komödie in den Mittelpunkt unserer den Symposiumsband einleitenden Betrachtungen stellen, sie wurde während des Symposiums durch das Moskauer Künstlertheater in Badenweiler aufgeführt. Es sei daran erinnert, dass die Moskauer Erstaufführung dieses Stückes in der Regie von Konstantin Stanislavskij, einstudiert von Vladimir Nemirovič-Dančenko im Dezember 1898, den Durchbruch für das neue Čechovsche Drama brachte und den Ruhm des Künstlertheaters begründete, das seither das Möwen-Symbol in seinem Logo hat.

[2] Zit. nach: Aleksandr Čudakov: Die Möwe. In: Interpretationen. Tschechows Dramen. Hg. Bodo Zelinsky. Stuttgart 2003, S. 25.

zu duellieren, diesen zum zweiten Ehemann nimmt und damit ihre finanziellen wie erotischen Probleme löst.

Diese parodistische Komödie in einem Akt gehörte damals wie heute zum Bühnenrepertoire: Smirnov, der 21 gescheiterte Liebschaften hinter sich gebracht hat, ist ein missratener Don Juan, in der Popova wird die literarische Gestalt der treuen Ehefrau persifliert, das nicht zustande kommende Duell ist nicht nur eine Parodie auf klassische Konfliktgestaltung in Drama und Roman, sondern bietet Gelegenheit zu ironischen Seitenhieben auf Frauenemanzipation und Gleichberechtigung. Der Konflikt entspringt keiner Intrige, sondern dem Unterschied der Charaktere und vom Milieu bedingten Verhaltensschemata, ja die Komik ensteht aus Missverständnissen, Affekten, überzogenen Reaktionen und Übertreibungen.

Čechov hat ganz bewusst an der Schaffung einer neuen, anderen Theaterdichtung gearbeitet. In Selbsteinschätzungen gegenüber seinem Freund und Verleger Suvorin hat er bereits während der Arbeit an der *Möwe* exakt die gleichen Kriterien benannt, die ihm sein oben zitierter wohlmeinender Kritiker als Fehler angekreidet hat:

> Я напишу что-нибудь странное. (P. 6, 58)
>
> Ich werde etwas Befremdliches schreiben.
>
> Пишу ее [пьесу] не без удовольствия, хотя страшно вру против условий сцены. [...] много разговоров о литературе, мало действия, пять пудов любви. (P. 6, 87)
>
> Ich schreibe es nicht ohne Vergnügen, obwohl ich schrecklich gegen die Bedingungen der Bühne verstoße. [...] Viele Gespräche über Literatur, wenig Handlung, fünf Zentner Liebe.
>
> Начал ее [пьесу] forte и кончил pianissimo – вопреки всем правилам драматического искусства. Вышла повесть. (P. 6, 100)
>
> Ich habe [mein Stück] forte begonnen und pianissimo enden lassen – gegen alle Regeln der dramatischen Kunst. Eine Erzählung ist dabei herausgekommen.

Was den Zeitgenossen zunächst störend auffiel, war die handlungsarme und schwer überschaubare Alltäglichkeit des Geschehens auf der Bühne.

In Čechovs Dramen ereignet sich ein Ausschnitt aus dem alltäglichen Leben, der auf die Faszination des Außergewöhnlichen verzichtet und meist ohne lösenden Schluss endet. Die Akteure sind desorientierte, normale, oft leidende oder frustrierte Menschen, in deren Alltag sich tragische und komische Vorfälle nebeneinander ereignen. Was aber im Spiel deutlich hervortritt, sind ihre psychischen Probleme. Insofern entspricht Čechovs Theater dem realistischen psychologischen Roman; es ist nicht nur ein „Theater des Alltags", sondern zugleich ein „Theater des inneren Menschen".

Das vermochte selbst ein Lev Tolstoj nicht zu erkennen; vielleicht durch die stark auf illusionistische Äußerlichkeit ausgerichtete Regie Stanislavskijs beeinflusst, erklärte der Autor der *Anna Karenina* sarkastisch:

> Если пьяный лекарь будет лежать на диване, а за окном идет дождь, то это, по мнению Чехова, будет пьеса, а по мнению Станиславского – настроение; по моему же мнению, это скверная скука, и, лежа на диване, никакого действия драматического не вылежишь...[3]
>
> Wenn ein betrunkener Arzt auf dem Sofa liegt und es draußen regnet, so wird das, nach Meinung Čechovs, ein Theaterstück, und, nach Meinung Stanislavskijs – Stimmung. Meiner Meinung nach

[3] Tolstoj o Čechove. In: Literaturnoe nasledstvo. T. 68. Moskva 1960, S. 874.

wird das nur schrecklich langweilig, und auf dem Sofa liegen kann man, solange man will – eine dramatische Handlung wird niemals daraus…

Čechov war kein radikaler oder gar provozierender Neuerer. Seine Änderungen, Erweiterungen und Vertiefungen der Gattung des Dramas fanden in einem literarhistorischen und geistesgeschichtlichem Kontext statt, auf den der außerordentlich belesene Autor mit geradezu seismographischer Sensibilität reagierte. Neueste Forschung zeigt, welch dichtes Geflecht direkter und verborgener intertextueller Bezüge in Čechovs Texten stecken. Turgenev selbst hielt seine Dramen für bühnenunwirksam, nur Lesestücke, und erst am Ende des Jahrhunderts kamen sie zu szenischen Erfolgen; seine Komödie *Ein Monat auf dem Lande* (Mesjac v derevne, 1850) ist nun bis heute im Repertoire und steht dem Čechovschen Drama durchaus nicht nach. Nicht zufällig wird in der *Möwe* wiederholt der Name Turgenev in Vorbildfunktion genannt!

Im kulturgeschichtlichen Kontext ist auf das skandinavische Theater im letzten Viertel des 19. Jahrhunderts, auf Strindberg und Ibsen, dessen *Wildente* jedenfalls motivisch das Signal zur *Möwe* gegeben haben dürfte, aber auch auf Gerhart Hauptmann und das Theater des europäischen Symbolismus zu verweisen. Und ganz im Hintergrund ist noch an das Konzept des Gesamtkunstwerks von Richard Wagner zu denken. Allen genannten Komponenten ist die Verdrängung der Handlung, realisiert im dramatischen Dialog als Medium der antagonistischen Auseinandersetzung, ist die Verdrängung des dramatischen Wortes aus seiner dominierenden Funktion im Stück gemeinsam. An die Stelle klar herausgestellter Hauptheldеn als Sprecher und Akteure eines zentralen Konfliktes treten eine Vielzahl von in sich unschlüssigen, unsicheren und widersprüchlichen, suchenden und fragenden Figuren, von denen keine eine führende Rolle gewinnt, die viel mehr auf äußere Einwirkungen reagieren oder zu reagieren versuchen, als dass sie intentional handeln. Das Ensemble löst den Helden ab. Und aus der symbolistischen Poetik kommt die Überzeugung, dass die Sprache nicht in der Lage ist, wesentliche innere, psychische und metaphysische Wahrheiten und Erfahrungen auszudrücken, sondern nur oberflächliche, dass sie Hinweis für wesentlich dahinter Verborgenes ist. Wenn die Sprache allein nicht mehr ausreicht, bedarf es anderer, nicht sprachlicher, nonverbaler Mittel, um Andeutungen, Hinweise, verborgene Vorgänge aufzuzeigen. Der Begründer des polnischen Symbolismus und Zeitgenosse Čechovs, Stanisław Przybyszewski, der lange in Berlin gelebt hat, hat an der Hervorbringung einer neuen Dramatik mit nonverbalen Ausdrucksmitteln und Mystifikationen an Stelle sprachlicher Analytik hervorragenden Anteil.

Man könnte diesen Vorgang um die Jahrhundertwende einen Wandel vom *Wort*theater zum *Spiel*theater nennen, übertrieben gesagt: Der Text gibt nur noch den Rahmen des Stückes, das sich erst in der Aufführung auf der Bühne vervollständigt und realisiert durch Improvisationen, Technik und Können der Schauspieler, den Einsatz von Bühnenbild und Requisiten, von optischen und akustischen Effekten.

In Russland hatte die Tradition des *Wort*theaters besonders starre Formen angenommen: Bühnenstars *präsentierten* sich und *deklamierten* ihre Rollen.

Mit dem Aufstieg des *Spiel*theaters, mit der Visualisierung des aufgeführten Dramas, fällt demjenigen, der die Vorstellung einrichtet, organisiert und leitet, größere künstlerische Bedeutung zu: dem *Regisseur*. Aus der bisherigen Geschichte des russischen Theaters kennen wir kaum bedeutende Namen, jetzt, in der Čechov-Zeit, treten sie mächtig hervor: Stanislavskij, Nemirovič-Dančenko, Mejerchol'd, der auch am Künstlertheater debütierte, Tairov, Vachtangov und viele andere. Bis heute beherrscht das *Regie*theater, begünstigt von den technischen und medialen Möglichkeiten, mit seiner Verdinglichung und Visualisierung die szenische Realisierung dramatischer Dichtung, meist zu Lasten des für die literarische Gattung des Dramas konstitutiven dramatischen Wortes oder Textes, der mitunter nur noch als Strukturimpuls für die Inszenierung eines Stückes zu dienen hat. Aber ich will nicht abschweifen. Es geht um den Umgang Čechovs mit den hier grob skizzierten Wandlungen im Drama und Theater seiner Zeit.

Die immer wieder diskutierte Handlungsarmut in seinen Stücken ergibt sich aus der Untätigkeit der *dramatis personae*. Zentrale Bedeutung gewinnt das Thema des *Wartens*, im Verlauf des Geschehens ergeben sich Spannungen, Beziehungen und Konflikte unterschiedlichster Art zwischen verschiedenen Personen, die sich aber nie zu einem handlungsführenden zentralen Antagonismus oder gar entscheidenden Konflikt verdichten; vielmehr stellt sich an seiner Stelle ein allgemeiner Spannungszustand ein, den weniger die oft ungewollten und ins Leere laufenden Aktionen der handelnden Figuren erzeugen als vielmehr ihre *Erwartungshaltung*. Sie erwarten, was eigentlich geschehen sollte, aber keiner tut. Eine solche Konstellation bietet Voraussetzungen für gleichermaßen komische und tragische Situationen.

Warten ist eine passive Lebenshaltung, es wendet sich bei Čechov entweder illusionär in eine verklärte Vergangenheit, deren Wiederkehr man erträumt, oder in eine vage und ferne Zukunft. Für die drei Schwestern verschmilzt beides in der Sehnsucht nach Moskau, für Gaev und die Ranevskaja ist es das Landgut ihrer Kindheit, der Kirschgarten, Treplev wartet in der *Möwe* auf die Rückkehr seiner ersten Liebe Nina.

Wer wartet, handelt nicht, entscheidet nicht, für ihn verliert die Gegenwart an Wert, sein Zeitbezug orientiert sich an Vergangenheit und Zukunft. Wenn die Rollen eines Stückes nicht mehr handelnde, sondern wartende Figuren sind, büßt das Drama eben eine seiner traditionell wesentlichen (konstitutiven) Kategorien ein: die Handlung. *Kommen und Gehen* ist ein Stück von Samuel Beckett betitelt, auf Kommen und Gehen reduziert sich die rudimentäre „Handlung“ in Čechovs großen Dramen: Es ist die Ankunft und Abreise des Professors Serebrjakov mit seiner Frau in *Onkel Vanja*, es ist die Ankunft und Abreise der Schauspielerin Arkadina mit dem Schriftsteller Trigorin in der *Möwe*, es ist die Ankunft und Abreise der Ranevskijs im *Kirschgarten*, und auch in den *Drei Schwestern* markieren Ankunft und Abzug des Leutnants Veršinin mit seiner Kompanie den dürftigen Handlungsrahmen. Keine Figur in Čechovs Stücken kommt als Handlungsträger in Frage, sie ähneln alle dem Helden in Sorins Sujet, das er dem angehenden Schriftsteller Treplev in der *Möwe* anbietet: „L'homme, qui a voulu“ – Der Mensch, der wollte – und nicht konnte, lässt sich ergänzen. Die Handlungsarmut des Geschehens ist also durch die Handlungsunfähigkeit der Personen bedingt. Auf der Bühne selbst findet keine intentionelle Aktion einer einzelnen Figur statt, es sind nur gescheiterte Versuche und Wünsche zu erkennen. Abgesehen von zwanghaft getroffenen, frustrierten Entscheidungen als Folge abgewiesener Liebe wie durch Maša in der *Möwe* oder Irina in den *Drei Schwestern*.

Der Ablauf des Geschehens ist in Čechovs Stücken schon im Anfang festgelegt, überraschende Kehren oder Veränderungen zu Neuem finden nicht statt. Nina schwärmt gleich bei ihrem ersten Auftritt von Trigorin (*Möwe*, 1. Akt); Vojnickij verachtet Professor Serebrjakov und dessen Arbeiten (*Onkel Vanja*, 1. Akt); die drei Schwestern träumen gleich am Anfang von Moskau, und für die Sanierung des Landgutes muss der Kirschgarten in jedem Fall geopfert werden. Alles Weitere kann nur als eine Ausbreitung der Verhältnisse, der Charaktere und ihrer Beziehungen untereinander begriffen werden.

Dabei enthält das Geschehen ein reiches Spannungs- und Konfliktpotenzial, das sich aber entweder gar nicht oder folgenlos entlädt; so kommt es in der *Möwe* zu Eifersuchtsszenen, einem Selbstmordversuch, einer Flucht aus der Familie, aber alle diese Ereignisse haben im Fortgang des Stückes keinerlei Folgen, nicht einmal das tragische Ende der „Komödie“ *Die Möwe* lässt auf Änderung schließen:

> Направо за сценой выстрел; все вздрагивают.
> Аркадина *(испуганно)*. Что такое?

Дорн. Ничего. Ято, должно быть, в моей походной аптеке что-нибудь лопнуло. Не беспокойтесь. *(Уходит в правую дверь, через полминуты возвращается.)* Так и есть. Лопнула склянка с эфиром. *(Напевает.)* „Я вновь пред тобою стою очарован..."
Аркадина *(садясь за стол)*. Фуй, я испугалась. Это меня напомнило, как... *(Закрывает лицо руками.)* Даже в глазах потемнело...
Дорн *(перелистывая журнал, Тригорину)*. Тут месяца два назад была напечатана одна статья... письмо из Америки, и я хотел вас спросить, между прочим... *(берет Тригорину за талию и отводит к рампе)*... так как я очень интересуюсь этим вопросом... *(Тоном ниже, вполголоса.)* Уведите отсюда куда-нибудь Ирину Николаевну. Дело в том, что Константин Гаврилович застрелился... (13, 60)

Rechts hinter der Bühne ein Schuß; alle fahren zusammen.
Arkadina *(erschrocken)*. Was war das?
Dr. Dorn. Nichts. Vermutlich ist was in meinem Medikamentenkoffer geplatzt. Beunruhigen Sie sich nicht. *(Geht zur rechten Tür hinaus. Nach einer halben Minute kommt er zurück)*. So war es auch. Ein Ätherfläschchen ist geplatzt. *(Singt leise.)* „Ich stehe aufs Neue vor Dir ganz bezaubert..."
Arkadina *(setzt sich an den Tisch)*. Pfui, ich bin ganz erschrocken. Dabei erinnere ich mich, wie damals... *(Bedeckt ihr Gesicht mit den Händen)*. Mir ist sogar schwarz vor den Augen geworden...
Dr. Dorn *(blättert in der Zeitung, zu Trigorin)*. Vor zwei Monaten war hier ein Artikel abgedruckt... ein Brief aus Amerika, und da wollte ich Sie unter anderem fragen... *(fasst Trigorin um die Taille und führt ihn an die Rampe)*... da ich mich für diese Frage sehr interessiere... *(Mit leiser Stimme, halblaut.)* Bringen Sie Irina Arkadina irgendwohin fort von hier. Die Sache ist nämlich die: Konstantin Treplev hat sich erschossen...

Die Art, in der Dr. Dorn – hier muss man genau auf seine Ausdrucksweise achten! – den Freitod Treplevs zynisch marginalisiert und bagatellisiert, lässt nur den einen Schluss zu: An der Befindlichkeit, an den Verhältnissen und am Zustand der vorgeführten Gesellschaft wird sich nichts ändern, nach kurzer konventioneller Trauer und entsprechendem Selbstmitleid wird die Arkadina ihr gewohntes Leben im gewohnten Kreise der Freunde und Verwandten fortsetzen wie bisher.

Čechov gibt als einzige Untergliederung seiner Stücke die Einteilung in Akte an. Die gerade Anzahl der Akte ist unklassisch – das auf Symmetrie aufgebaute klassische Drama besitzt eine ungerade Anzahl – fünf oder drei – mit dem Höhepunkt im mittleren Akt und spiegelbildlicher Anordnung der anderen: Exposition und steigende Handlung vor dem Höhepunkt, fallende Handlung und Lösung danach. Dem Verzicht auf diese Symmetrie entspricht eine Dramenkonstruktion von *geringerer Zentriertheit*. Dennoch lässt sich in Čechovs Dramen eine deutliche Funktionszuweisung an die einzelnen Akte erkennen: Der *erste* Akt ist die Exposition zur Darstellung der Personen und ihrer individuellen Probleme; im *zweiten* Akt wird die Situation weiter entfaltet, die Lage der Personen wird problematisiert; der *dritte* Akt bringt Lösungen im Sinne des schon längst Absehbaren; der *vierte* Akt bestätigt in Form eines Epilogs nochmals die Situation. Überprüfen wir diese Feststellung an Čechovs Komödie *Die Möwe*.

1. Akt: Die eitle Diva Arkadina ist mit ihrem Liebhaber, dem Erfolgsautor Trigorin, zum Sommerurlaub auf ihrem Landgut eingetroffen, wo ihr kränkelnder Bruder Sorin, ihr schriftstellernder Sohn Konstantin Treplev und der Verwalter Šamraev mit Frau und erwachsener Tochter leben. Ständige Gäste sind der zynische Arzt Dr. Dorn, der arme, etwas einfältige Lehrer Medvedenko und Nina, die naive, reizvolle Tochter des reichen Nachbarn Zarečnyj.

Treplev hat eine Liebhaberaufführung seines allegorischen Theaterstücks über die Weltseele als Symbol des Geistes und des Lebens im ewigen Kampf mit dem Teufel, dem Symbol der Materie, vorbereitet, dessen tragende Rolle Nina spielt. Taktlos geäußertes Unverständnis der Arkadina und Trigorins führt zum vorzeitigen Abbruch der Vorstellung. Die gereizte Stimmung wird durch ein Netz komplizierter Verhältnisse gespeist: Fast jede Person liebt eine andere, die aber wiederum eine andere liebt, was zusammen mit manchen leicht absonderlichen Verhaltensweisen einen Anflug von Komik erzeugt: Maša, die in Schwarz gekleidete frustrierte Tochter des Verwalters, liebt Konstantin Treplev, der jedoch Nina verehrt, die sich aber erfolgreich Trigorin an den Hals wirft, sehr zum Ärger der Arkadina. Der biedere Lehrer Medvedenko liebt Maša, ihre Mutter Polina läuft Dr. Dorn nach. Eine Ausgangssituation, die einiges an Intrigen und Verwicklungen erwarten lassen könnte, aber dazu kommt es nicht.

Im 2. Akt ergeben sich keine Änderungen, teilweise lange Gespräche über das Leben und das Altern und vor allem über die Kunst enthalten belanglos-banale und wichtige Inhalte unmittelbar nebeneinander, ein möglicher Störfall – der Verwalter verweigert wegen Erntearbeiten die Herausgabe der Pferde für eine Ausfahrt in die Stadt – wird schnell beigelegt. Der unglückliche Treplev hat eine Möwe geschossen, die er Nina mit den beziehungsreichen Worten: „Bald werde ich mich auf die gleiche Weise umbringen" zu Füßen legt. Die tote Möwe dient im weiteren Verlauf des Stückes als symbolisches Leitmotiv. Nina zieht es indessen vor, sich von den langen Auslassungen Trigorins über Literatur und Erfolge, mehr aber noch von seiner Person gefangen nehmen zu lassen.

3. Akt: Treplev hat – allerdings hinter der Szene – tatsächlich einen Selbstmordversuch unternommen, sich jedoch nur einen Streifschuss verpasst. Der Vorgang macht Maša endgültig das Aussichtslose ihrer Liebe klar und sie entschließt sich zur Ehe mit dem ungeliebten Lehrer Medvedenko. Sorin versucht vergeblich, seine Schwester zu größerer finanzieller Unterstützung ihres Sohnes zu überreden und erleidet einen Schwächeanfall. Ein Streit zwischen Mutter und Sohn wegen Trigorin, den Treplev als erfolgreichen Rivalen in literarischen und Liebesdingen zum Duell fordern will, endet in Versöhnung. Nina bietet sich unzweideutig dem entzückten Trigorin an, so dass dieser sich sogar von der Arkadina trennen will, was diese ihm aber relativ mühelos wieder ausreden kann. Vor ihrer Abreise vereinbart Trigorin jedoch hinter dem Rücken der Arkadina heimliche Rendezvous mit Nina, die in Moskau Schauspiel studieren will. Trotz einer Reihe von Ereignissen bestätigen sich also nur die bereits im 1. Akt dargestellten Konstellationen.

4. Akt: Nach zwei Jahren treffen sich alle Protagonisten noch einmal am gleichen Ort: Während die Arkadina und Trigorin weiterhin ihre Erfolge genießen, werden Veränderungen bei anderen Personen, wie Sorins Hinfälligkeit, marginalisiert und nur beiläufig, bruchstückhaft in Unterhaltungen erwähnt: Nina ist von Trigorin verlassen worden, ihr Sohn gestorben, sie liebt Trigorin weiterhin, wird aber weder zu ihm noch zu Treplev zurückkehren, sondern ihren eigenen Weg als mittelmäßige Provinzschauspielerin gehen. Treplev ist als Autor zu mäßiger Anerkennung gekommen, wird aber weder von seiner Mutter noch von Trigorin gelesen. Er ist enttäuscht, gescheitert. Während sich die Protagonisten unterhalten, fällt hinter den Kulissen ein Schuss. Den Rest kennen wir.

Das Geschehen zwischen Beginn und Schluss des Stückes verkommt ohne Höhepunkte zur Belanglosigkeit, denn die Situation am Ende kehrt als Ergebnis zum Anfang zurück. Das ist bedrückend, bedeutet es doch, dass gelebtes Leben folgenlos vergeht. Der uralte Firs sagt in der Schlussszene des *Kirschgartens*: „So ist das Leben vorübergegangen, als ob man es gar nicht gelebt hätte" (Жизнь-то прошла, словно не жил...; 13, 254).

Der Rezipient ist der Beobachter eines Ausschnitts zufälligen, nicht exemplarischen Lebens, in dem sich komische Episoden neben tragischen Vorfällen, Wichtiges neben Unwichtigem ereignet hat. Ist das reizvoll, interessant?

Wir sind keinen großen Ideen, vorbildlichem Verhalten, mitreißendem Pathos begegnet, aber wir können in einem solchen Stück viel über uns selbst, unser reales, inneres und potenzielles Leben, über die Normalität unseres Lebens erfahren, und das ist gewiss allemal von Interesse!

Um das zu erkennen, müssen wir allerdings genauer auf einen solchen Text schauen, wir müssen ihn mitdenkend und mitdeutend aufnehmen. Was in der Lektüre nachsinnend erschlossen und erklärt werden kann, muss auf der Bühne vorgespielt und zur Anschauung gebracht werden.

Ereignet sich Normalität, die auch voller Zufälle, Irrtümer und Sprachlosigkeit steckt, kann sie nicht in perfekten, klaren und eindeutigen Dialogen und Diskussionen dargeboten werden; das würde nämlich bedeuten, über die Sache zu reden, darüber zu räsonieren. Aber sie soll sich ja selbst, in ihrer Unsicherheit, in ihrem Suchen, Irren, Vortasten und Zurückziehen artikulieren, und dazu bedarf es einer anderen, offenen und flexiblen Ausdrucksform, die die Sprache zerlegt und übersteigt.

Wenn die Sprache keine Handlung trägt, sondern Befindlichkeit, etwa die des Wartens, aussagt, verselbstständigt sie sich, lockert den kommunikativen Bezug: Gespräche und Dialoge lösen sich auf, die Personenrede verselbstständigt sich, nimmt monologischen Charakter an, wird zum Geständnis, zur Bitte, zur Reflexion – mit einem Wort: zur lyrischen Selbstaussage. Čechov, der keine lyrische Verszeile geschrieben hat, hat in entsprechender psychischer Lage seine Helden eine Sprache finden lassen, die in rhythmisch-strukturierten Phrasen zu reinen Gefühlsbekenntnissen wird. Einen der letzten Monologe Sonjas in *Onkel Vanja* hat Sergej Rachmaninov als zarte Romanze vertont.

Wo Dialoge und Gespräche in Monologe übergehen, wie übrigens häufig, aber kaum bemerkt auch im Alltag, verliert sich der kommunikative Bezug, es kommt zum reduzierten und oft verstummenden Dialog, zu dem für Čechov typischen „Aneinandervorbeireden" (*dialog vne partnera*) oder „Nichtzuendesprechen" (*nedoskazannost'*). Wie sich die kommunikativen Bezüge lockern, zeigt ein Auszug aus der Spielszene im letzten Akt der *Möwe*.

Маша. Поставили три? Восемь! Восемьдесят один! Десять!
Шамраев. Не спеши.
Аркадина. Как меня в Харькове принимали, батюшки мои, до сих пор голова кружится!
Маша. Тридцать четыре!
[...]
Полина Андреевна. Костя играет. Тоскует, бедный.
Шамраев. В газетах бранят его очень.
Маша. Семьдесят семь!
Аркадина. Охота обращать внимание.
Тригорин. Ему не везет. Все никак не может попасть в свой настоящий тон. Что-то странное, неопределенное, порой даже похожее на бред. Ни одного живого лица.
[...]
Маша. Двадцать восемь!
Тригорин. Поймать ерша или окуня – это такое блаженство!
Дорн. А я верю в Константина Гаврилыча. Что-то есть! Что-то есть! Он мыслит образами, рассказы его красочны, ярки, и я их сильно чувствую. Жаль только, что он не имеет определенных задач. Производит впечатление, и больше ничего, а ведь на одном впечатлении далеко не уедешь. Ирина Николаевна, вы рады, что у вас сын писатель?
Аркадина. Представьте, я еще не читала. Все некогда.
Маша. Двадцать шесть!
[...]
Треплев [...] Как темно! Не понимаю, отчего я испытываю такое беспокойство.
[...]
Маша. Восемьдесят восемь! (13, 53/54)

Maša. Haben Sie drei gesetzt? Acht! Einundachtzig! Zehn!
Šamraev. Nicht so schnell.
Arkadina. Wie man mich in Char'kov aufgenommen hat, o mein Gott, mir ist noch immer ganz schwindlig davon!
Maša. Vierunddreißig!

> [...]
> Polina Šamraeva. Kostja spielt. Er ist traurig, der Arme.
> Šamraev. In den Zeitungen beschimpft man ihn sehr.
> Maša. Siebenundsiebzig!
> Arkadina. Er schenkt dem zu viel Aufmerksamkeit!
> Trigorin. Er hat kein Glück. Er findet einfach nicht den richtigen, seinen eigenen Ton. Er schreibt so merkwürdig und verschwommen, manchmal erinnert das sogar an Fieberphantasien. Nicht ein einziger lebendiger Mensch.
> [...]
> Maša. Achtundzwanzig!
> Trigorin. Einen Kaulbarsch zu fangen oder einen Barsch – das ist ein großes Vergnügen!
> Dr. Dorn. Und ich glaube an Konstantin Treplev. Er hat etwas. Ja, ... er hat etwas! Er denkt in Bildern, seine Erzählungen sind farbig und lebendig, sie sprechen mich sehr an. Schade nur, dass er sich keine bestimmten Aufgaben stellt. Es macht Eindruck und sonst nichts, doch mit Ein-drücken allein kommt man nicht weit. Irina Nikolaevna, freuen Sie sich, dass Ihr Sohn Schriftstel-ler ist?
> Arkadina. Stellen Sie sich vor, ich habe noch nichts von ihm gelesen, keine Zeit.
> Maša. Sechsundzwanzig!
> [...]
> Konstantin Treplev. Wie dunkel es ist. Ich weiß nicht, warum ich eine solche Unruhe verspüre.
> [...]
> Maša. Achtundzwanzig!

Die Gesprächspartner sind mit dem Lottospiel bzw. mit sich selbst beschäftigt und reagieren nur gelegentlich auf Ansprache. In den späteren Stücken wie in den *Drei Schwestern* oder im *Kirschgarten* ereignet sich das Aneinandervorbeireden im vielstimmigen Personengespräch noch eindrucksvoller, wenn es sich mit Schweigen im Sinne von Verstummen und Verschweigen, von bewusstem oder unbewusstem Verhüllen paart.

Wie das Sprechen, so kann auch das Verschweigen und Nicht-Verstehen-Wollen zu kommunikativen Zwecken eingesetzt werden. Die Effekte sind oft komischer Natur, Čechov hat sie gern genutzt, wie z.B. in den *Drei Schwestern* in einem Pseudodialog zwischen dem affektierten Offizier Solenyj und dem Militärarzt Čebutykin über ein kaukasisches Gericht:

> Соленый. Черемша вовсе не мясо, а растение вроде нашего лука.
> Чебутыкин. Нет-с, ангел мой. Чехартма не лук, а жаркое из баранины.
> Соленый. А я вам говорю, черемша – лук.
> Чебутыкин. А я вам говорю, чехартма – баранина.
> Соленый. А я вам говорю, черемша – лук.
> Чебутыкин. Что же я буду с вами спорить! Вы никогда не были на Кавказе и не ели чехартмы.
> Соленый. Не ел, потому что терпеть не могу. От черемши такой же запах, как от чеснока. (13, 151)

> Solenyj. Tscheremscha ist überhaupt kein Fleisch, sondern ein Gewächs ähnlich unserer Zwiebel.
> Čebutykin. Nein, mein Bester. Tschechartma ist keine Zwiebel, sondern Hammelbraten.
> Solenyj. Und ich sage Ihnen: Tscheremscha ist etwas wie Zwiebel.
> Čebutykin. Und ich sage Ihnen: Tschechartma ist Hammelfleisch.
> Solenyj. Und ich sage Ihnen: Tscheremscha ist etwas wie Zwiebel.
> Čebutykin. Was soll ich mich mit Ihnen streiten! Sie waren niemals im Kaukasus und haben nie Tschechartma gegessen.
> Solenyj. Ich habe es nicht gegessen, weil ich es nicht ausstehen kann. Tscheremscha riecht wie Knoblauch.

Das hat natürlich mit echter Kommunikation nichts mehr zu tun; die sprachlichen Äußerungen als Selbstaussage oder konventionelle, sogar ritualisierte Kundgabe charakterisiert den neuen passiven Dramenhelden, der entweder nichts zu sagen hat oder unfähig ist, seine Gedanken zu versprachlichen.

Bekanntlich ist es schwierig, im spontanen Gespräch das, was eigentlich gesagt werden soll, adäquat und genau auszudrücken. Wir suchen nach Worten, brechen ab, korrigieren uns, reden in unvollständigen Sätzen, in Ellipsen – wie Čechovs Dramenhelden. Die Literaturwissenschaft benennt diese Verlegenheit mit „gebrochener Syntax". Aber natürlich unterwer-
wissenschaft benennt diese Verlegenheit mit „gebrochener Syntax". Aber natürlich unterwer-
fen wir uns nicht dieser „gebrochenen Syntax", wir nehmen zur Verdeutlichung unserer Inhalte und Absichten andere, nicht sprachliche Mittel zu Hilfe, zunächst unsere Stimme: Wir reden laut oder leise, heftig mit Nachdruck oder flüsternd, beschwörend, wir setzen unsere Mimik ein und schließlich benutzen wir unseren ganzen Körper, ballen die Hände zu Fäusten, reiben sie aneinander oder glätten sie beschwichtigend, wir stampfen mit den Füßen und gestikulieren. Das sind nonverbale, außersprachliche Kommunikationsverfahren; die Symbolisten hatten ganz recht, wenn sie sagten, die ausgesprochene Formulierung ist ungenau, der „ausgesprochene Gedanke eine Lüge" (Tjutčev), weil er das, was dahinter liegt, nicht vollständig zum Ausdruck bringt.

Čechov ist der Erste, der diesen Sachverhalt auf die Bühne bringt: Hinter fast jeder Replik in der *Möwe* steht in seinem Text eine Anweisung, wie der Schauspieler sprechen und sich bewegen soll: laut, abgerissen, flüsternd, entfernt sich mit schuldbewusstem Gang, schreit auf usw. Und nicht nur dies...

Zu den außersprachlichen Verfahren gehören bei Čechov auch die Bühnenanweisungen. Sie sind so ausführlich, dass sie mitunter zu ganzen Genre- und Stimmungsbildern geraten. Oftmals sind sogar entscheidende Vorgänge in die Regieanweisungen verlegt: Tuzenbachs Tod im Duell (*Drei Schwestern*) wird durch den Knall eines Schusses hinter den Kulissen mitgeteilt, wie schon Treplevs Selbstmord, auch die Katastrophe im *Kirschgarten* soll man nur aus den Axtschlägen beim Fällen der Bäume wahrnehmen.

Andere außersprachliche Gestaltungsmittel sind *Pausen* als auffällige Unterbrechungen im Dialog oder Monolog. Sie desavouieren die Sprache als inadäquat und fruchtlos, so dass das Sprechen gelegentlich bloß als *Unterbrechung des Schweigens* erscheint. Somit sind Pausen ein Gestaltungsmittel mit Bedeutungswert.

Aktionen ohne Sprache (etwa Šarlottas Clownerien im *Kirschgarten*) sind zwar nicht wie Königsmord oder Apfelschuss für den Fortgang des Stückes von entscheidender Bedeuung, sie leisten aber zur Gesamtheit des Geschehens ihren Beitrag, so dass die Sprache weitgehend nur als die *lautliche Seite* des Spiels erscheint.

Aktionen zur Sprache, also Handlungen, die das Sprechen begleiten, modifizieren und relativieren den Aussagewert des gesprochenen Wortes, man denke an Lopachins fuchtelnde Gestik mit beiden Armen, die Trofimov verspottet!

Gegenstände sind schließlich nicht mehr bloße Requisiten, sondern als eigenständige Bestandteile des Stückes zu interpretieren, sie können symbolische Bedeutung erlangen wie die Möwe, die Kirschbäume oder – ohne titelgebende Auffälligkeit – ein vertrockneter Baum in Tuzenbachs letztem Monolog.

Auch akustische außersprachliche Mittel wie Töne (der Klang vom Himmel oder die Axtschläge im *Kirschgarten*), Gitarrenmusik und Lieder, das Geigen- und Klavierspiel in den *Drei Schwestern* und in der *Möwe* erhalten wie die Gegenstände eine Bedeutungsdichte, die von den Personenreden nicht mehr voll ausgeschöpft werden kann.

Wie diese nonverbalen Mittel und Verfahren zu gestalten und einzusetzen sind, ist Aufgabe der Regie, die somit eine Funktionszuweisung zur *gleichwertigen* Mitgestaltung der szenischen Vollendung, der Aufführung des Stückes erhält. Aber wohlgemerkt: zur *gleichwertigen* Mitgestaltung an der Realisierung des Spiels, nicht zur dominierenden! Schon Stanislavskij tendierte – sehr zum Ärger Čechovs – zu einer Verstärkung des außersprachlichen Spiels: Wenn es z.B. im 1. Akt der *Möwe* heißt, dass am stillen abendlichen Seeufer die Hammerschläge der Hofknechte, die die Bühne für Treplevs Aufführung aufrichten, zu hören sein sollen, so wollte Stanislavskij dem zum Zweck der atmosphärischen Echtheit noch Froschquaken und die Schreie von Nachtvögeln hinzutun. Čechov hat nicht zugestimmt. Ihm ging es um ein ausgeglichenes Verhältnis von verbalen und nicht verbalen Verfahren, von *Wort-* und *Regie*theater. Er hätte wohl kaum einer Reduktion des dramatischen Wortes zugunsten der Visualisierung und Verdinglichung in Inszenierungen, wie es heute üblich geworden ist, zugestimmt, weil das Drama als literarische Gattung letztlich doch an das Wort, an die Sprache gebunden bleibt. Die bahnbrechende Leistung Čechovs liegt in der Erweiterung des Dramas zum Gesamtkunstwerk, in dem Wort und Spiel zusammenwirken. Er hat eine neue dramatische Redeführung, einen Polyperspektivismus, eine Polyvalenz der Weltanschauungen und ein nicht heldenzentriertes, sondern zentrifugales, kollektives Personensystem auf die Bühne gebracht.[4]

Entgegen verbreiteter Ansicht hat Čechov auch nicht die Geltung von Ideen und Werthaltungen beseitigt. Er hat sie nur – realistisch – in ihrem Geltungsbereich begrenzt, relativiert, ohne damit ihre stimulierende, positive Kraft zu beschneiden.

Deutlich kristallisieren sich die Ideen seiner handelnden Figuren als Reflexe der eigenen Lebenssituation heraus. Entweder übernimmt man fremde Gedanken oder man entwickelt sie für sich allein oder in Gesellschaft, wie Veršinin und Tuzenbach oder Trofimov. Alle diese Figuren *stoßen aber nicht auf objektiv gültige Prinzipien des Lebens.* Sie ergreifen Gedanken, die ihnen in ihrer *eigenen Lebenssituation*, aufgrund ihrer *eigenen Erfahrungen* am ehesten geeignet erscheinen, den aufgegebenen Problemen einen plausiblen Lösungsrahmen zu geben. Die Verschiedenheit der jeweiligen Situationen führt zu einem Nebeneinander von solchen Ideen oder besser: Sinnmustern; keines hat Anspruch auf mehr Wahrheitswert, alle sind genuin subjektiv. Die Ideen füllen im Grunde nur diejenigen Stellen im Leben aus, die sonst leer blieben. An Suvorin 1892:

> [...] писатели, которых мы называем вечными или просто хорошими [...], имеют один общый признак: они куда-то идут и Вас зовут туда же, и Вы чувствуете не умом, а всем своим существом, что у них есть какая-то цель [...]. Лучшие из них реальны и пишут жизнь такою, какая она есть, но оттого, что каждая строчка пропитана, как соком, сознанием цели, Вы, кроме жизни, какая есть, чувствуете еще ту жизнь, какая должна быть, и это пленяет Вас. А мы? Мы! Мы пишем жизнь такою, какая она есть, а дальше – ни тпрру ни ну... Дальше хоть петлями нас стегайте. У нас нет ни ближайших, ни отдаленных целей, и в нашей душе хоть шаром покати. Политики у нас нет, в революцию мы не верим, бога нет, привидений не боимся, а я лично даже смерти и слепоты не боюсь. Кто ничего не хочет, ни на что не надеется и ничего не боится, тот не может быть художником. Болезнь это или нет – дело не в названии, но сознаться надо, что положение наше хуже губернаторского. (P., 133/34)

> [....] Schriftsteller, die wir ewig oder einfach gut nennen, [...] besitzen ein gemeinsames und sehr wichtiges Merkmal: sie gehen irgendwohin und rufen Sie auch dorthin, und Sie spüren nicht mit dem Verstand, sondern mit Ihrem ganzen Wesen, dass sie ein bestimmtes Ziel haben [...]. Die besten von ihnen sind Realisten und beschreiben das Leben so, wie es ist; weil aber jede Zeile wie von Saft durchtränkt ist von dem Bewusstsein des Ziels, spüren Sie außer dem Leben, wie es ist, auch noch dasjenige Leben, wie es sein soll, und das fesselt Sie. Wir dagegen? Wir! Wir beschreiben das Leben, so wie es ist, und weiter weder piep noch pup... Und wenn sie uns auch mit der Peitsche weiterprügeln würden. Wir haben weder Nah- noch Fernziele, unser Herz ist wie leer gefegt. Wir haben keine Politik, an die Revolution glauben wir nicht, wir haben keinen Gott, haben keine Angst vor Gespenstern, und ich persönlich habe nicht einmal Angst vor dem Tod oder vor dem Erblinden. Wer nichts will, auf nichts hofft und vor nichts Angst hat, der kann kein Künstler sein. Ob

[4] Vgl. Herta Schmid: Visualität und politische Dimension im Drama – von Ibsen über Čechov, Bulgakov, Brecht, Hochhuth, Gombrowicz und Mrożek zu Havel. In: Bühne und Öffentlichkeit. Drama und Theater im Spät- und Postsozialismus (1982–1993). Hg. Norbert Franz, Herta Schmid. München 2002 (= Sammelbände. Sborniki 17), S. 57.

dies eine Krankheit ist oder nicht – es geht nicht um die Bezeichnung, sondern um das Eingeständnis unserer schlechten Lage.

Enttäuschte Hoffnungen nach wirkungslosen oder gar gescheiterten Reformen sind kein Nährboden für Utopien. Čechov war Zeuge des Bankrotts von Ideologien mit Absolutheitsanspruch, von religiösen Heilslehren und vielversprechenden Utopien. Er sah um sich Stagnation, Hoffnungslosigkeit und soziales Elend. Als Arzt war er beständig mit menschlichem Leiden konfrontiert, auch mit der eigenen unheilbaren Krankheit. Als Psychologe begriff er in einer Epoche des Ideologie- und Glaubensverlustes die Isolation des Einzelnen. Čechov geht es um den *einzelnen* Menschen in einer Welt ohne Orientierung, in der sogar die zwischenmenschliche Kommunikation nicht funktioniert und sich manch einer erst im geschützten Futteral des Sarges geborgen glaubt! Čechovs Helden sind einsam. Sie verfügen aber über eine innere (kantische) Fähigkeit, sich gut und menschlich zu verhalten, ohne dass sie wissen, wie das Gute und das Humane zu definieren wäre. Weil sie ihre *innere Moralität* als *Normalität* begreifen, machen sie kein Aufhebens davon.

Sie sind im Labyrinth des Alltags gefangen, die Helden in Čechovs Stücken. Und da sie keine leitende Idee, kein motivierendes unbezweifelbares Ideal, keinen Glauben haben, wissen nur wenige, wie sie ihre Probleme lösen sollen. Daran leiden sie, aber sie *verzweifeln* nicht, bereits das Durchhalten bedeutet *moralische* Stärke. Sie verlieren ihre intimen Hoffnungen und Wünsche nicht, auch wenn sie eben nur auf deren Erfüllung in sympathischer Melancholie warten. Nur in Čechovs letzter Komödie, im *Kirschgarten*, entschließen sich Anja, Trofimov und Lopachin zum Handeln, dessen Möglichkeiten allerdings auch pragmatisch begrenzt bleiben, und die Ästhetik des Kirschgartens wird dabei zerstört!

Čechov hat unpathetische, analytische Stücke geschaffen, die eine orientierungslose Gesellschaft auf die Bühne bringen. Vladimir Nabokov hat Recht, wenn er beides, Čechovs Person und Čechovs Ästhetik, als *bescheiden* charakterisiert. Bescheiden und nachsichtig zeigt Čechov das Leben, wie es ist, und eben damit zeigt er, wie sehr dieses normale Leben *abweicht* von dem, was jedem Menschen an Freiheit von Vorurteilen, von Unwissenheit und Leiden zustehen sollte.

Literatur

Čudakov, Aleksandr: Die Möwe. In: Interpretationen. Tschechows Dramen. Hg. Bodo Zelinsky. Stuttgart 2003.

Schmid, Herta: Visualität und politische Dimension im Drama – von Ibsen über Čechov, Bulgakov, Brecht, Hochhuth, Gombrowicz und Mrożek zu Havel. In: Bühne und Öffentlichkeit. Drama und Theater im Spät- und Postsozialismus (1982–1993). Hg. Norbert Franz, Herta Schmid. München 2002 (= Sammelbände. Sborniki 17), S. 39-61.

Tolstoj o Čechove. In: Literaturnoe nasledstvo. T. 68. Moskva 1960, S. 871-875.

I. REALISMUS, SYMBOLISMUS, MODERNE – ČECHOV UND SEINE LITERARISCHEN VORLÄUFER UND ZEITGENOSSEN

Regine Nohejl

„... иногда мы с вами разговариваем, точно кружево плетем..."[1] Die Symptomatik gestörter Kommunikation zwischen Männern und Frauen in den Dramen Ivan Turgenevs und Anton Čechovs

Sprache resp. Sprechen erscheint in Anton Čechovs Dramen oft als eine selbstgenügsame Form der Lebensbewältigung; sie ist kein probates Mittel des intersubjektiven Austauschs und schon gar kein Medium zur Übermittlung handfester Botschaften oder zur Motivierung von Handlung. Diese Eigenart der Kommunikation, die den Anforderungen des traditionellen aristotelischen Dramas krass widerspricht und Čechov zu einem Pionier des modernen Theaters macht, näher zu beschreiben und zu durchdringen, ist bekanntlich ein Anliegen, dem sich die Čechov-Forschung immer aufs Neue zuwendet.

Im Zuge der Etablierung der Gender Studies ist in den letzten beiden Jahrzehnten auch eine ganze Reihe von Untersuchungen zur *Geschlechterproblematik* in Čechovs Werken entstanden, die sich allerdings überwiegend auf die Prosa und in Verbindung damit vorrangig auf inhaltliche Aspekte beziehen.[2] Was bislang kaum berücksichtigt wurde, ist eine *systematische Verknüpfung des sprachlich-kommunikativen und des Genderaspekts*.[3] Im Folgenden soll daher der Frage nachgegangen werden, ob sich in Struktur und Gestaltung der Kommunikation in Čechovs Dramen eine geschlechterspezifische Differenzierung beobachten lässt und welche literatur- und kulturgeschichtlichen Diskurse und Traditionen durch eine solche Differenzierungsstrategie bedient resp. unterlaufen werden. Um Entwicklungstendenzen besser sichtbar zu machen, wird dabei am Beispiel Ivan Turgenevs zunächst auf die Vorgeschichte des Čechovschen Dramas eingegangen.

1.

Das *„selbstzweckhafte" Sprechen*, das Čechov zum Bauprinzip seiner Dramen macht, hat in der russischen Literatur eine lange Tradition. Es ist seit der *Romantik* ein wesentliches – und eher negativ konnotiertes – Strukturmerkmal des *lišnij čelovek*, des überflüssigen Menschen, der im Reden über die Wirklichkeit, in der reflexiven Verdoppelung der Wirklichkeit wie in einer Endlosschleife hängenbleibt und dadurch nie zu definitiven Entscheidungen geschweige denn Handlungen gelangt. Im Sinne der Romantik signalisiert das „leere" Sprechen aber nicht nur das Verfehlen der empirischen Wirklichkeit, sondern darüber hinaus das *Verfehlen einer höheren Realität*, einer Sphäre der „realiora", des eigentlichen, authentischen, wesenhaften Seins, das als vor oder jenseits der Sprache liegend gedacht wird und sich im Medium der Sprache nur indirekt und unzureichend manifestieren kann: in den vorsemantischen Dimensionen des Sprechens, in den Lücken und Pausen, im Schweigen, oder aber einfach negativ,

---

[1] „... manchmal reden wir miteinander, als würden wir Spitzen klöppeln...": Zitat aus Turgenevs Drama *Mesjac v derevne* (vgl. Anm. 9).

[2] Die Arbeiten stammen aus verschiedenen Jahrzehnten und reflektieren unterschiedliche Stadien der Women bzw. Gender Studies. Vgl z.B. Virginia Llelewyn Smith: Anton Chekhov and the Lady With the Dog. London 1973; Carolina de Maegd-Soëp: Chekhov and Women. Women in the Life and Work of Chekhov. Columbus/Ohio 1987; Birgit Wetzler: Die Überwindung des traditionellen Frauenbildes im Werk Anton Cechovs (1886–1903). Frankfurt/M. u.a. 1992.

[3] Vgl. z.B. Peta Tait: Performing Emotions. Gender, Bodies, Spaces in Chekhov's Drama and Stanislavski's Theatre. Aldershot u.a. 2002.

im schmerzlichen Bewusstsein der Uneigentlichkeit und Unzulänglichkeit der Sprache.[4] Dass die Vielschichtigkeit des menschlichen Denkens und Fühlens in der Engführung des sprachlichen Ausdrucks unweigerlich verloren geht und somit der Mensch durch die Barriere der Sprache von der Fülle und Ganzheitlichkeit des Seins getrennt wird, ist auch für die russischen Romantiker ein zentrales Thema. Vladimir Odoevskijs Werke kreisen unentwegt um den „Abgrund, der den Gedanken vom [sprachlichen] Ausdruck trennt" („бездна, разделяющая мысль от выражения").[5] In Fedor Tjutčevs berühmtem Gedicht *Silentium* (1833) tritt uns die Botschaft von der Uneigentlichkeit des Sprechens und der Wesenhaftigkeit des Schweigens in programmatisch zugespitzter Form entgegen:

[...] Как сердцу высказать себя? Другому как понять тебя? Поймет ли он, чем ты живешь? Мысль изреченная есть ложь. Взрывая, возмутишь ключи, – Питайся ими – и молчи. [...][6]	[...] Wie schwer spricht doch ein Herz von sich! Und spricht's: Wie schwer versteht man dich! Zur Lüge wird, was du gedacht, Hast du in Worte es gebracht. Wer aus der Quelle trinken will, Rühr' sie nicht auf – er schweige still! [...]

Wo die *bipolare Konstruktion von Reden vs. Schweigen* Eingang in die Handlungs- und Personenkonstellation literarischer Werke findet, sind die *Geschlechterrollen* in der Regel *klar verteilt*: Der Repäsentant der uneigentlichen Geschwätzigkeit ist männlich; das „Eigentliche", das er notwendig verfehlt, wird durch die Frau verkörpert, die für diese erhabene Rolle mit dem Zwang zum Schweigen bzw. mit dem Verzicht auf eine eigene „Stimme" bezahlt.[7] In

---

[4] Ausgelöst durch das Dilemma des nur am Relationalen interessierten strukturalistischen Paradigmas setzt sich die Sehnsucht nach der Überwindung der „Wesenlosigkeit" der Sprache, nach einem „anderen", vorsemiotischen, noch mit dem „Wesen" der Dinge verbundenen Sprechen natürlich weit über das Ende des „metaphysischen" Zeitalters hinaus fort. Dazu gehören Heideggers Sprachkritik ebenso wie die der Kritischen Theorie (v.a. in Theodor W. Adornos Auslotungen der Möglichkeiten des Ästhetischen) und die Versuche der strukturalistisch geprägten Denker selbst, vor und neben der strukturell geprägten Sprache eine andere, „wesentlichere" Dimension des Sprechens zu erkennen – Jacques Lacans Differenzierung des vollen (parole plein) und des leeren (parole vide) Sprechens, Julia Kristevas verstärkte Hinwendung zu den vorsemiotischen Dimensionen der Sprache). Vgl. dazu etwa Erik Thomann: Die Entmündigung des Menschen durch die Sprache... und die Suche nach authentischer Subjektivität. Wien 2004; Bettina Schmitz: Arbeit an den Grenzen der Sprache: Julia Kristeva. Königstein/Taunus 1998.

Zur Bedeutung der signifikant unterbrochenen sprachlichen Kommunikation in der russischen Literatur der Moderne: Mirjam Goller: Gestaltetes Verstummen. Nicht-Sprechen als narrative Konstituente in der russischen Prosa der frühen Moderne. Frankfurt/M. u.a. 2003.

Zu Čechov vgl. Christine Gräfin von Brühl: Die nonverbalen Ausdrucksmittel in Anton Čechovs Bühnenwerk. Frankfurt/M. 1996; Jenny Stelleman: Aspects of Dramatic Communication: Action, Non-action, Interaction: A.P. Čechov, A. Blok, D. Charms. Amsterdam u.a. 1992; A.D. Stepanov: Problemy kommunikacii u Čechova. Moskva 2005. Vgl. auch die Beiträge des Kapitels „Die begrenzte Reichweite sprachlicher Kommunikation und die Möglichkeiten von Kommunikation jenseits der Sprache" im vorliegenden Band.

[5] Vladimir F. Odoevskij: Russkie noči. Nachdruck der Moskauer Ausgabe von 1913. München 1967 (= Slavische Propyläen, Bd. 24), S. 193. Vgl. dazu Bodo Zelinsky: Sprachprobleme und Sprachskepsis in Odoevskijs „Russkie noči" und Tjutčevs „Silentium!". In: Bodo Zelinsky: Russische Romantik. Köln, Wien 1975, S. 235-250.

[6] F.I. Tjutčev: Lirika. V 2 tt. Izdanie podg. K.V. Pigarev. T. I. Moskva 1965, S. 46. Übers. aus: Fedor I. Tjutčev: Im Meersrauschen klingt ein Lied. Ausgew. Gedichte. Russ. u. Dtsch. Hg. u. übers. v. Ludolf Müller. Thelem 2003, S. 47.

[7] Damit soll selbstredend nicht behauptet werden, dass es in der russischen Literatur keine geschwätzigen Frauen gäbe (ebenso wie es umgekehrt den Typus des schweigsamen Helden gibt, der die Uneigentlichkeit und Hilflosigkeit des Sprechens bereits erkannt und daher resigniert hat). Redefreudige weibliche Heldinnen sind je-

Lacanscher Sprache: Die Frau *ist*, was der Mann hingegen nur *hat*; er ist ein Rollenspieler, der sich seiner Identität ständig aufs Neue versichern muss.

Aufgrund der starken Lenkungsmöglichkeiten durch die Erzählinstanz eignet sich die *Prosa* besonders gut für die Gestaltung des soeben beschriebenen kommunikativen Rollenspiels. Durch einfache Verlagerung der Erzählperspektive auf die männliche Seite etwa lassen sich Auftreten und Sprechen der Helden so steuern und kanalisieren, dass der Leser Ungleichgewichte und schiefe Hierarchien in der Kommunikation, z.B. eine auffällige Unterrepräsentation des weiblichen Sprechens, nicht als „unnatürlich“, als Verstoß gegen die Logik des Erzählens registriert.

Anders verhält es sich beim *Drama*, in dem die vermittelnde, kontrollierende Instanz des Erzählers entfällt und die sprechenden Figuren – auch die weiblichen – in hohem Maße sich selbst überlassen werden müssen. Geschlechterstereotypen, die sich in Prosatexten mittels perspektivischer Verzerrung unauffällig „verstecken“ lassen, treten im Drama offen zu Tage – und damit auch ihr Klischeecharakter.

2.

So liegt es vielleicht auch in der Eigenart der Gattung begründet, dass Ivan *Turgenev* – in der Prosa ein Meister des subtilen weltanschaulichen Spiels mit Geschlechterstereotypen – schon um die Mitte des 19. Jahrhunderts einen seiner Zeit weit vorauseilenden neuen Dramentypus entworfen hat, in dem nicht nur das kommunikative Element dem Handlungselement den Rang streitig macht, sondern in dem auch die weiblichen Gestalten über traditionelle Rollenzuweisungen hinauszuwachsen scheinen. Eigentlich im Übergang von der Romantik zum Realismus entstanden, überspringt diese Form des Dramas in Manchem die realistische Epoche und nimmt Züge der Jahrhundertwende/Moderne vorweg.

Die Entwicklung lässt sich anhand der symptomatischen Verschiebungen der Geschlechterkonstellationen in Turgenevs Dramen *Gde tonko, tam i rvetsja* (Wo allzu fein gesponnen wird, reißt es; 1847) und *Mesjac v derevne* (Ein Monat auf dem Lande, 1850) veranschaulichen. In *Gde tonko...* verschiebt sich zwar bereits der Schwerpunkt des Geschehens von der Handlung auf die Kommunikation; dies geschieht jedoch noch im Rahmen konventioneller weltanschaulich-literarischer Muster und hochtypisierter Geschlechterverhältnisse. Der Held Gorskij kann sich in der Manier des *lišnij čelovek* nicht dazu durchringen, ein klares „Ja“ zu

---

doch auffallend häufig im Bereich des Unernsten, Komisch-Vaudevillehafte anzutreffen. In keinem Fall ist weibliche Redesucht mit (männlicherseits imaginierter) Idealität und Vorbildhaftigkeit der Frau vereinbar. Die Desillusionierung beginnt i.d.R., denkt man etwa an Gogol's unglücklichen Maler Piskarev in *Nevskij prospekt* (1835) oder an den weniger bekannten Helden aus Odoevskijs Persiflage *Skazka o tom, kak opasno devuškam chodit' tolpoju po Nevskomu prospektu* (Märchen darüber, wie gefährlich es für junge Mädchen ist, in Horden über den Nevskij Prospekt zu spazieren, 1833), genau in dem Augenblick, in dem die Frau den Mund öffnet: „Уста были замкнуты целым роем прелестнейших грез. Все, что остается от воспоминания о детстве, что дает мечтание и тихое вдохновение при светящейся лампаде, – все это, казалось, совокупилось, слилось и отразилось в ее гармонических устах. [...] Но красавица наскучила таким долгим молчанием [...]. [...] Она раскрыла свои хорошенькие уста и стала говорить что-то, но все это было так глупо, так пошло...“ ([Ihre] Lippen wurden verschlossen von einem ganzen Schwarm entzückendster Träume. Alles, was bleibt von den Erinnerungen der Kindheit, was das Träumen und die stille Ergriffenheit beim Schein einer Lampe hervorbringen, – all das, so schien es, versammelte sich, floss ineinander und spiegelte sich wider in ihren harmonischen Lippen. [...] Aber der Schönen wurde das lange Schweigen langweilig [...]. [...] Sie öffnete ihre schönen Lippen und begann etwas zu sagen, aber all das war so dumm, so banal...). Odoevskijs Held bringt dieselbe Erfahrung auf die kurze Formel: „Ах, лучше бы ты не говорила!“ (Ach, hättest du doch besser überhaupt nicht gesprochen!). (V.F. Odoevskij: Skazka o tom, kak opasno devuškam chodit' tolpoju po Nevskomu prospektu. In: V.F. Odoevskij: Povesti i rasskazy. Moskva 1959, S. 98).

sprechen und eine feste, endgültige Bindung mit seiner Angebeteten Vera einzugehen. Er kann sich aber auch nicht zu einem klaren „Nein" entschließen, d.h. er will Vera auch keinem anderen überlassen, obwohl er bereits einen passenden Freier im Auge hat. Letzteren hat er lediglich ausgesucht, um eine Art erregendes Spiel zu inszenieren und das Duell („страшная борьба" / schrecklicher Kampf, 82) zwischen Entscheidungszwang und Entscheidungsverweigerung, das zwischen ihm und Vera tobt, immer neu beleben und möglichst endlos fortsetzen zu können. Gorskijs Rechnung geht jedoch nicht auf. Vera *beendet* das Spiel nämlich vorzeitig, indem sie kurz entschlossen dem zwar weniger attraktiven, aber entscheidungsfreudigen Rivalen das Jawort gibt. „Я этого не ожидал, признаюсь. Хитрая девчонка! […] Вы прозрачны, как стекло, молоды, как двухлетний ребенок, и решительны, как Фридрих Великий" (Das habe ich, muss ich gestehen, nicht erwartet. Schlaue Göre! [...] Sie sind so durchsichtig wie Glas, so unschuldig wie ein kleines Kind, und so entschlossen wie Friedrich der Große)[8], muss der überrumpelte Gorskij zähneknirschend gestehen. Der „Sieg" scheint auf den ersten Blick ganz auf Veras Seite zu liegen. Doch der Schein trügt: Bei genauer Betrachtung hat sich Vera ja gar nicht auf das kommunikative Spiel mit ihrem männlichen „Gegner" eingelassen, sondern sich diesem entzogen. Sie zerschlägt das allzu komplexe, fein gesponnene Netz der Reflexion, das Gorskij gesponnen hat, durch eine Art Kierkegaardschen Sprung ins kalte Wasser der definitiven Handlungen und Entscheidungen. Sie tritt dem unzuverlässigen, aber vielschichtig-diskursiven Menschen/Mann als „ehrlicher", aber platt-eindimensionaler Mensch der Tat gegenüber. Auf diese Art wird zwar unzweifelhaft eine Lösung des Reflexionsproblems herbeigeführt, diese hat jedoch den unangenehmen, allzu plumpen Beigeschmack des „Ei des Kolumbus". Die Heldin erscheint dabei nicht als Partnerin oder gar Siegerin im kommunikativen Spiel des Mannes, sondern eher als „Spielverderberin". Zwar ist sie nicht mehr dazu verurteilt, die stumme passive Projektionsfläche für die Imagination des Mannes im romantischen Dualismus von Reden vs. *Schweigen* abzugeben; dafür wird sie postwendend zur Galionsfigur einer antiromantischen realistischen Kampagne gemacht, die sie im Rahmen eines neuen Dualismus – Reden vs. *Handeln* – in die Rolle der Handelnden hineinkomplimentiert: Reden ist Silber, Handeln ist Gold... Diese zweifelhafte Apotheose (auf deren Basis im Übrigen später zahlreiche der berühmten Turgenevschen Romanheldinnen konstruiert werden), lässt leicht vergessen, dass die Frau auf diese Weise erneut „ums Sprechen gebracht" wird; wiederum erhält sie keine Chance, ins männliche Spiel der Kommunikation einzutreten und *innerhalb dieses Spiels* eine eigene, gleichberechtigte Stimme zu entwickeln. Die Frau behält die Aufgabe, die schillernde diskursive Welt des Mannes aus der Perspektive einer „einfachen", „ehrlichen", essenziell-starren Welt- und Werteordnung zu be- bzw. verurteilen – nur dass sie dieser Pflicht nun nicht mehr schweigend, sondern handelnd nachkommt. Die realistische Handlungsrolle ist also letztlich nicht weniger „sprachlos" (im Sinne von nicht-diskursiv, vormodern) als die romantische Schweigerolle.

Inwieweit Turgenev bereits in *Gde tonko...* traditionelle Rollenmuster ironisiert und parodiert, sei dahingestellt. In dem Drama *Mesjac v derevne* jedenfalls, das als Turgenevs eigentliche Pionierleistung im Bereich der Dramatik und als Vorläufer der Dramen Čechovs gilt, haben sich die Geschlechterrollen in erstaunlicher Weise gewandelt. Hier begegnen wir einer Frau, die sich ungeniert das männliche Spiel der uneigentlichen, selbstzweckhaften Kommunikation angeeignet hat. Natal'ja Petrovna Islaeva ist eine „lišnjaja", ein weibliches Pendant des *lišnij čelovek*. Die Wirklichkeit kennt sie nur in extrem prosaischer Form, in Gestalt ihres Ehegatten, eines rechtschaffenen, aber langweiligen Gutsbesitzers. Natal'ja Petrovnas eigentliche Lebenswelt, das sind die endlosen Gespräche mit dem „Freund des Hauses" Rakitin, der ihr sklavisch ergeben ist und mit dem sie ihren Ehemann unausgesetzt betrügt – aber eben nur in

---

[8] I.S. Turgenev: Gde tonko, tam i rvetsja. In: Ders.: Polnoe sobranie sočinenij i pisem v 30 tt. Sočinenija. T. 2: Sceny i komedii 1843–1852. Moskva 1979, S. 108, 110.

der unverbindlichen Sphäre subtiler Andeutungen und Sprachspiele, nicht „wirklich“. Diese fragile Kommunikationssituation, in der die Botschaft sprachlicher Äußerungen sich verändert wie ein Chamäleon, in der ja nicht ja und nein nicht nein bedeutet und für die Natal'ja Petrovna die Metapher des Spitzenklöppelns, der komplexen Textur verwendet („словно кружево плетем...“[9]), gerät aus den Fugen durch die Ankunft des jungen, engagierten, von gesellschaftlicher Intriganz und kommunikativer Doppelbödigkeit gänzlich unbeleckten Hauslehrers Beljaev. Beljaev weckt in Natal'ja Petrovna ein Gefühl für das Unechte und Künstliche ihrer kommunikativen Lebensgemeinschaft mit Rakitin und verleitet sie dazu, einem Ideal vom „echten“, natürlichen, unverfälschten Leben nachzuträumen. Durch diese Konstellation – von des Gedankens Blässe angekränkelte ältere Frau stellt jungem, unverdorbenem Naturburschen nach – kommt es zu einer kuriosen Vertauschung konventioneller Geschlechterrollen, einer Art Klischeeinversion sozusagen. Eine katastrophale Wendung tritt ein, als Natal'ja Petrovna der Versuchung nicht mehr widerstehen kann, die ihr vertraute Welt der Worte zu verlassen und ihre Träume in die Wirklichkeit umzusetzen. Hierdurch gerät sie zunächst in den Zwang, ihre junge Ziehtochter Vera, die Beljaev ebenfalls begehrt, aus dem Feld schlagen zu müssen. Interessanterweise schaltet Natal'ja Petrovna die Nebenbuhlerin nicht durch eine definitive Handlung aus – indem sie sie, wie ursprünglich geplant, an einen älteren Freier verheiratet –, sondern durch einen sprachlichen Akt: Wohl ahnend, dass Beljaev die Liebe des jungen Mädchens nicht erwidert, gibt sie dessen Liebesgeheimnis preis (N.B.: Genauso wird später in Čechovs *Djadja Vanja* Elena mit Sonja verfahren!). Auf diese Weise kommt es wie bei einem Dominospiel zu einer fortgesetzten Kette von ungewollten „outings“: Vera verrät aus Rache Natal'ja Petrovnas Liebe zu Beljaev. Daraufhin sieht sich auch Rakitin gezwungen, Farbe zu bekennen und seine Liebe zur Dame des Hauses offen einzugestehen. All das hat zur Folge, dass das fein gesponnene Netz („словно кружево") halb oder unausgesprochener Andeutungen, das bisher ein Zusammenleben der Menschen ermöglicht hat, zerreißt und die Menschen förmlich auseinander getrieben werden (auch die Abreiseszene am Schluss von *Mesjac v derevne* erinnert an Čechovs Dramen). Die Gemeinschaft der Menschen scheitert paradoxerweise an ihrer Ehrlichkeit, an ihrem Bedürfnis, das Leben aus dem Bereich des Unausgesprochenen, der *nedoskazannost'*, in die Welt scheinbar unabänderlicher Tatsachen und eindeutiger, unumstößlicher Wahrheiten zu überführen. „Я? Я ничего не понимаю. У меня голова кругом идет. Что тут можно понять? Все улепетывают, кто куда, как куропатки, а всё потому, что честные люди...“[10] (Ich? Ich verstehe überhaupt nichts mehr. Mir dreht sich der Kopf. Was gibt es da zu verstehen? Alle laufen wild auseinander wie aufgescheuchte Hühner, und das nur darum, weil sie aufrichtige Menschen sind...), stellt Natal'jas Ehemann, der arglose Islaev, dem jedes Gespür für die Doppelbödigkeit menschlicher Kommunikation abgeht und der das Verhalten der Menschen an den ihm besser vertrauten Reaktionen der Wildtiere auf der Jagd misst, am Ende erstaunt fest.

Trotzdem ist *Mesjac v derevne* noch kein entschlossener, prinzipieller Angriff auf das Ideal des „einfachen“, „ehrlichen“ Menschen“, für den die Welt aus eindeutig feststehenden Wahrheiten und konsequenten Handlungen besteht. Die drastischen Bilder und Metaphern drohen den Dualismus von Sein und Schein, von „richtig/wahr“ und „falsch/unwahr“ zwar bisweilen in ihrer Klischeehaftigkeit und Hyperbolik zum Kippen zu bringen; andererseits erhalten sie ihn aber auch am Leben, denn die Wahrnehmung eines weniger ironisch und doppelbödig gesinnten Lesers wird zweifellos klischeeaffirmierend gesteuert, wenn er liest, dass der hyperreflektierte Intellektuelle hinter dem Traum vom Einfachen, Echten, Unverdorbenen herstolpert „wie ein parfümierter Marquis auf roten Absätzen hinter einer bäuerlichen Schönheit“

---

[9] I.S. Turgenev: Mesjac v derevne. In: Ders.: Polnoe sobranie sočinenij i pisem v 30 tt. Sočinenija. T. 2, S. 290.

[10] Ebda., S. 396.

(как раздушенный маркиз на красных каблучках за хорошенькой крестьянкой[11]), wohingegen die Vorstellung eines ehrlichen, geradlinigen, tatkräftigen Denkens und Lebens mit einem „Schluck frischen Wassers an einem heißen Tag“ (глоток свежей воды в жаркий день[12]) zu vergleichen sei.

Zugleich fällt auf, dass das Ideal der Geradlinigkeit in *Mesjac v derevne* von dem *raznočinec* Beljaev vertreten wird, der zwar keineswegs unsympathisch ist, der aber auch nicht gerade über herausragende intellektuelle Qualitäten verfügt und in Manchem auf die *šestidesjatniki*, die revolutionären Demokraten der 60er Jahre, vorausverweist – jene neue Generation allzu schnell entschlossener und allzu simpel denkender junger Männer, die Turgenev äußerst zwiespältig einschätzte (und deren spätere Vertreter bei Anton Čechov z.T. hart verurteilt werden; s.u.). Vielleicht ist es jener „homo novus“, jener neue, ihm suspekte Männertypus, der Turgenev veranlasst, in der Gestalt der Natal'ja Petrovna Islaeva noch einmal eine schillernde, ungewöhnliche, in die Maske des Weiblichen gekleidete Verkörperung seiner eigenen vielschichtig-faszinierenden, doch unaufhaltsam welkenden Generation zu schaffen.

3.

Der pathetische Rousseausche Dualismus von wahrem und falschem, „natürlichem“ und „künstlichem“ Leben, der in Turgenevs Drama – zum Beispiel über die Inversion von Geschlechterstereotypen – bereits ironisiert und in seiner unbedingten Gültigkeit hinterfragt wird, verschwindet in Čechovs Werken zur Gänze. Das bedeutet nicht, dass der Traum vom „wahren“ Leben und mehr noch das Leiden am „falschen“ Leben nicht auch für Čechovs Helden ein zentrales Thema wäre; doch werden solche Vorstellungen bei ihm überdeutlich als diskursive Produkte, als subjektive Konstruktionen, als Projektionen menschlicher Ängste und Sehnsüchte gekennzeichnet. Čechovs dramatisches Werk lässt sich als sukzessive programmatische Dekonstruktion der allzu einfachen essenziell-polaren Denkmuster des 19. Jahrhunderts lesen, darunter auch der Geschlechterklischees. Dies wird besonders deutlich, wenn man die viel zu wenig beachteten frühen Dramen *Platonov* (verf. 1880/81; Urauff. 1920) und *Ivanov* (1887; 2. Fassung 1889) mit berücksichtigt.

Platonov ist nicht nur – wie im ursprünglichen Titel „Bezotcovščina“ (Vaterlosigkeit) angedeutet – eine ironische Abrechnung mit dem Väter-und-Söhne-Thema, dem großen symbolischen Generationenkonflikt, der die russischen gesellschaftlichen Diskurse des 19. Jahrhunderts durchzieht. Der Held Platonov wird zugleich von einer ganzen Riege karikaturhaft überzeichneter Frauengestalten bedrängt – all jenen aus Romantik und Realismus sattsam bekannten Hüterinnen und Apologetinnen unanfechtbarer Lebensziele, Sinnvorstellungen und Handlungsmaximen, die sich eine regelrechte Schlacht um die Frage liefern, wer den Helden aus seiner uneigentlichen Existenz erlösen darf:

Platonovs Ehefrau Saša erscheint in der Rolle der aufopferungsvollen Naiven und wird vom eigenen Gatten demontiert:

> Ах ты, моя дурочка набитая! [...] Что было бы с тобой, если бы ты понимала меня, если бы у тебя не было твоего хорошего неведения? Была бы ты так женски счастлива, если бы умела постигать своей нетронутой головкой, что у меня нет ничего того, что можно любить? Не понимай, мое сокровище, не ведай, если хочешь любить меня! […] Самочка моя! И я счастлив по милости твоего неведения! […] Сокровище ты мое! Маленькая, глупенькая бабеночка! Не женой тебя иметь, а на столе под стеклом тебя держать нужно! И как это мы ухитрились с тобой Николку породить на свет божий? […] Сохрани тебя бог понимать! […] Где мы брали бы себе постоянных жен, если бы вас не было, Саши? (11, 96/97)

[11] Ebda., S. 318.
[12] Ebda., S. 290.

> Ach du, mein Dummchen! [...] Was würde bloß aus dir, wenn du mich verstehen würdest, wenn du nicht dein seliges Unwissen hättest? Wärst du wohl so auf Frauenart glücklich, wenn du mit deinem unschuldigen Köpfchen begreifen könntest, dass an mir nichts ist, was man lieben kann? Versuch nicht zu verstehen, mein Schatz, versuch nicht zu wissen, wenn du mich lieben willst! [...] Mein Weibchen! Mein Glück liegt in deinem Unwissen! [...] Du mein Schatz! Kleiner, dummer Schmetterling! Dich sollte man nicht als Frau haben, sondern auf dem Tisch unter Glas! Wie haben wir beide das nur geschafft, Nikolka in Gottes Welt zu setzen? [...] Gott bewahre dich davor, etwas zu verstehen! [...] Wo würden wir die treuen Ehefrauen hernehmen, wenn es euch Sašas nicht gäbe?

Die ehrgeizige, kompromisslose Idealistin Sof'ja wird von Platonovs Schwiegervater, dem alternden Gutsbesitzer Trileckij entthront:

> Воображает, что стоит ей только мизинцем шевельнуть – и земной шар рот разинет, человечество от радости шапку потеряет... Воображает... Гм... Ни в одном умном романе ты не найдешь столько белиберды, сколько в ней... А в сущности гроша медного не стоит. Лед! Камень! Статуя! Так и хочется подойти к ней и соскоблить с ее носа капельку гипса... А чуть что... сейчас истерика, глас и воздыхания... Силенок ни на грош... Умная кукла... (11, 74)[13]

> Sie bildet sich ein, sie müsse nur mit dem kleinen Finger schnippen – und schon sperrt das ganze Erdenrund das Maul auf, und der Menschheit fällt vor Freude die Kappe runter... Bildet sie sich ein... Hm... In keinem schlauen Roman findet man so viel Blödsinn wie in ihr... Und in Wahrheit ist sie keinen Groschen wert. Eis! Stein! Eine Statue! Am liebsten möchte man zu ihr hingehen und ihr ein Stückchen Gips von der Nase abkratzen... Und dann wieder... ständig Hysterie, Geschrei und Geseufze... Überhaupt kein Stehvermögen... Eine gebildete Puppe...

Der Blaustrumpf Grekova versucht, sich das Monopol auf die Zuwendung Platonovs gerichtlich zu erstreiten. Einzig die gewiefte Generalswitwe Anna Petrovna Vojniceva wäre dem Helden auch sprachlich gewachsen; allein, auch sie lässt keinerlei Zweifel daran, dass ihre Absichten gegenüber Platonov „handfester“ und keineswegs sprachlicher Natur sind und verkehrt mit ihren Gewaltdrohungen gegen den Mann in kurioser Weise die Geschlechterklischees:

> Невыносимый человек! Этак мы до страшного суда с тобой, друг милый, проболтаем! Не взяла честью, силой возьму... Сегодня же! Пора уже обоим выйти из этого глупого выжидательного положения... Надоело... Возьму силой... (11, 80)

> Unerträglicher Mensch! So, lieber Freund, werden wir noch bis zum Jüngsten Gericht quatschen! Wenn ich dich im Guten nicht kriegen kann, nehm ich dich eben mit Gewalt... Noch heute! Es ist Zeit, dass wir beide endlich aus dieser Abwartehaltung herauskommen... Ich hab's satt... Ich werde dich mit Gewalt nehmen...

Die Schlacht der Frauen um Platonov tobt vergeblich: Da der umschwärmte und umkämpfte Held kein Mensch der endgültigen Entscheidungen, der fixen Wahrheiten ist, sondern eine Art sprachliches Chamäleon, eine funktional reagierende Größe in einem diskursiven System, ist er für jede Frau das, was sie in ihm sehen möchte. Er liebt immer gerade die, die zu ihm in Beziehung tritt, aber eben nur so lange, bis die Nächste auftaucht. „Софи, Зизи, Мими, Ма-

---

[13] Noch wesentlich deutlicher und härter fällt das Urteil über die Idealistin in den von Čechov im Zuge der Kürzung des Stücks gestrichenen Stellen aus (die so aussagekräftig und wichtig sind, dass Peter Urban sie in seine Übersetzung des *Platonov* wieder aufgenommen hat): „Не люблю я ее […]. Тяжела для меня. От головы до пяток напичкана, засорена этими высокими материями, идеями, высшими идеалами, высшей, черт возьми, правдой [...]“ (11, 347; Ich mag sie nicht [...]. Sie ist mir zu schwer. Von Kopf bis Fuß vollgepropft, zugemüllt mit diesen höheren Gegenständen, Ideen, höheren Idealen, mit weiß der Teufel was für einer höheren Wahrheit).

ша... Вас много... Всех люблю... [...] У людей мировые вопросы, а у меня женщина! Вся жизнь – женщина! У Цезаря – Рубикон, у меня – женщина... Пустой бабник!“ (11; 177, 114/15; Sophie, Zizi, Mimi, Maša... Es gibt viele von euch... Ich liebe alle... [...] Die Menschen schlagen sich mit weltbewegenden Problemen herum, und ich mit der Frau! Das ganze Leben – die Frau! Bei Cäsar war's der Rubikon, bei mir – die Frau... Hohler Weiberheld!). Der Versuch, Platonov „festzulegen“, zur Entscheidung zu zwingen, lässt sich nur gewaltsam, „nur über ihre/seine Leiche“ bewerkstelligen: die enttäuschte Frau tötet entweder – zumindest versuchsweise – sich selbst (die konventionelle Lösung der naiven Saša) oder den untreuen Helden (die scheinemanzipative, da gleichfalls nicht diskursfähige Lösung der Idealistin Sof'ja). So erscheint die Frau einmal als Opfer und einmal als Täterin; in jedem Fall aber bleibt sie von diskursiven Lösungen ausgeschlossen.

Im Drama *Ivanov* folgt dann der endgültige Abgesang auf die Mär von der objektiven Wahrheit, von der großen, ewigen Entscheidung für das resp. die Eine. Čechov geht dabei ebenso einfach wie raffiniert vor. In einem ersten Schritt wird eine sympathische Frauengestalt aufgebaut, wieder eine jener mutig Entschlossenen, die spontan ihr ganzes Lebensglück dem Geliebten geopfert hat, und nun – an Schwindsucht erkrankt, im Sterben liegend, von ihrer jüdischen Familie verstoßen – hilflos zusehen muss, wie ihr Mann das Interesse an ihr verliert und sich einer Jüngeren zuwendet. Kaum scheint die Botschaft klar, kaum ist der Zuschauer von oben bis unten eingelullt in eine Stimmung sentimentalen Mitgefühls, tritt mit dem Arzt L'vov ein Mann auf, der sich (gegen deren Willen!) zum Anwalt der betrogenen Frau macht und versucht, ihr Leid und ihre moralischen Ansprüche zu verbalisieren. Was überzeugend wirkte, solange es am leidenden Mitmenschen einfach gezeigt wurde, verwandelt sich in der Welt der Worte in einen abstoßenden, menschenfeindlichen Dogmatismus. L'vov verfolgt Ivanov mit seiner für die russische Intelligenzija typischen „Redlichkeitspsychose“[14] bis in den Tod unablässig mit penetranten moralischen Vorhaltungen; L'vov ist – hierüber herrscht in der Forschung seltene Einigkeit – eine der wenigen Gestalten im Werk Čechovs Werk, die eindeutig und in extremer Weise negativ bewertet werden:

> На седьмом небе от счастья, прекрасно проживет до глубокой старости, а умрет со спокойною совестью. Нет, я выведу тебя на чистую воду! Когда я сорву с тебя проклятую маску и когда все узнают, что ты за птица, ты полетишь у меня с седьмого неба вниз головой в такую яму, из которой не вытащит тебя сама нечистая сила! Я честный человек, мое дело вступиться и открыть глаза слепым. Исполню свой долг [...]. (12, 63)

> Im siebten Himmel vor Glück, prima leben bis ins hohe Alter, und mit reinem Gewissen sterben. Nein, dir werd ich's zeigen! Wenn ich dir die verfluchte Maske herunterreiße und wenn alle erfahren, was du für einer bist, dann wirst du mir vom siebten Himmel herab in einen Abgrund stürzen, so tief, dass dich nicht einmal mehr der Böse selbst da herauszieht! Ich bin ein ehrenwerter Mensch, meine Pflicht ist es, sich zu engagieren und den Blinden die Augen zu öffnen. Und ich werde meine Pflicht erfüllen [...].

Auf diese Weise erreicht L'vov das genaue Gegenteil dessen, was er beabsichtigt: Indem er an die Stelle spontanen moralischen Empfindens bornierten Moralismus setzt, entlarvt er ungewollt die Mär von der objektiven, unumstößlichen Moral als das, was sie ist: eine ausgesprochen klägliche, abstoßende und keineswegs von Verlogenheit und von egoistischen Prätentionen und Eitelkeiten freie Form der „political correctness“, ein anmaßender Interessenstandpunkt unter vielen anderen. Die Folge ist, dass am Schluss des Stückes all seinen „unmoralischen“, verantwortungslosen Handlungen zum Trotz Ivanov als das Opfer erscheint.

---

[14] Nach einer Formulierung Sergej Gandlevskijs. Vgl. Masha Gessen: Auf den Erfolg unserer hoffnungslosen Mission. Die russische Intelligenzija. Aus d. Engl v. Esther Kinsky. München 1998, S. 25.

In *Ivanov* geht es nicht um die moralische Be- bzw. Verurteilung bestimmter Verhaltensweisen, sondern um die Infragestellung eindeutiger, verbindlicher moralischer Werturteile überhaupt. Mit *Ivanov* wird die (im Kantschen Sinne) „naive", „vorkritische" Phase in Čechovs Schaffen abgeschlossen; jetzt ist der Weg frei zu einer Welt „jenseits von Gut und Böse", in der nach kategorial anderen Wertmaßstäben gemessen wird als noch in der Epoche des Realismus, in der der Übergang von der Objektwahrheit zur Sinnwahrheit vollzogen ist.[15] Kein Mensch verfügt über die Wahrheit, aber jeder hat seine Wahrheit, und deren Gültigkeit gilt es beständig im jeweiligen Umfeld zu erproben und zu verhandeln. Die Helden der großen Dramen Čechovs wissen oder ahnen zumindest, dass das schillernde Diskursfeld der Sprache mit all seinen Widersprüchen, Inkonsequenzen und Unzuverlässigkeiten genau der Ort ist, aus dem sie ihren Lebenssinn, ihre Lebenswahrheit hervorbringen müssen – und nicht eine Mauer, die den Weg zu einem wie auch immer gearteten „echten" Leben, einer unabhängig vom Menschen existierenden absoluten Wahrheit verstellt. Unter diesen Bedingungen geraten auch traditionelle Polarisierungen und Klischees des Denkens ins Wanken. Vor der „großen Perspektivierung" sind alle gleich: Schweigsame und Geschwätzige, Handelnde und Untätige, Enthusiasten und Skeptiker, Triviale und Reflektierte, Natürliche und Gekünstelte, Arme und Reiche, und eben auch – Männer und Frauen.

Ein besonders auffälliges Motiv, das Čechovsche Helden und Heldinnen über klassische Klischeegrenzen hinweg verbindet und einander nahebringt, ist ihr verzweifeltes gemeinsames Ungenügen an der bestehenden Wirklichkeit. Dieses notorische Unbehagen, das klare Bewusstsein davon, dass etwas „nicht stimmt" (NE TO), zeigt auch, dass die Gestalten Čechovs offenbar durchaus bestimmten, indirekten, Wertmaßstäben folgen, obwohl sich für diese keine objektive Grundlage ausmachen lässt. Ulrich Busch hat in diesem Zusammenhang von einem „Sehnsuchts-Kompaß" gesprochen, der das Denken und Handeln der Figuren in geheimnisvoller Weise lenkt.[16] Sobald man den Blick von dem, was Männer und Frauen eint – das schiere Ungenügen am Status quo, am Hier und Jetzt – abwendet und ihn stattdessen auf die Art und Weise richtet, in der sie ihre Träume und Sehnsüchte formulieren, zeigen sich auch wieder deutliche geschlechtsspezifische Unterschiede. Präsentieren Čechovs Helden unterschwellig also doch gängige Geschlechterstereotypen? Warum haben wir oft das zwiespältige Gefühl, dass Čechov Klischees bedient und zugleich unterläuft?

Čechovs Männer verstehen ihre Sinnsuche gern als creatio ex nihilo. Sie halten sich in ihren Träumen bevorzugt in der Zukunft auf: „in 25-30 Jahren" (Tuzenbach in *Tri sestry*; 13, 123), „in zweihundert, dreihundert, schließlich in tausend Jahren" (Veršinin in *Tri sestry*; 13, 146), „in 200.000 Jahren" (Treplev in *Čajka*; 13, 13). Obwohl sie in der Gegenwart nicht untätig sind, interessiert die Männer der konkrete Weg aus der Gegenwart in die leuchtende Zukunft oft wenig, zwischen beidem klafft ein unübersehbarer Abgrund, ein großes Fragezeichen. Noch auffälliger ist das vollkommene Desinteresse vieler Männer an der Vergangenheit, die für sie oft nur ein „boulevard of broken dreams", ein Schauplatz verpfuschter Möglichkeiten und verpasster Chancen zu sein scheint: „Днем и ночью, точно домовой, душит меня мысль, что жизнь моя потеряна безвозвратно. Прошлого нет, оно глупо израсходовано на пустяки, а настоящее ужасно по своей нелепости. [...] из меня мог бы выйти Шопенгауэр, Достоевский..." (Vojnickij in *Djadja Vanja*: 13; 79, 102; Tag und Nacht be-

[15] „Sinn entsteht also ausschließlich aus dem subjektiven Blickwinkel, aus der subjektiven Stellung, die der Mensch zu den Sachen einnimmt. Die Wahrheit, die hierbei zutage kommt, ist eine Sinnwahrheit, keine Objektwahrheit." (Andreas Leitner: Nietzsches erkenntnistheoretischer und Čechovs ästhetischer Perspektivismus. In: Anton P. Čechov. Philosophie und Religion in Leben und Werk. Hg. Rolf-Dieter Kluge, Vladimir B. Kataev, Regine Nohejl. München 1997, S. 61).

[16] Ulrich Busch: Čechov und die literarische Kompetenz des Literaturwissenschaftlers. In: Anton P. Čechov. Werk und Wirkung. Hg. Rolf-Dieter Kluge. Teil II. Wiesbaden 1990. Teil II, S. 949.

drückt mich wie ein Alptraum der Gedanke, dass mein Leben unwiederbringlich verloren ist. Vergangenheit habe ich keine, sie ist für Nichtigkeiten verschwendet, und die Gegenwart ist entsetzlich verkorkst. [...] aus mir hätte ein Schopenhauer werden können, ein Dostoevskij...). Männer sind bei Čechov notorisch und pauschal vergesslich, notfalls helfen sie dem Prozess des Vergessens mit Alkohol u.Ä. nach: „Черт бы всех побрал... [...] Думают, я доктор, умею лечить всякие болезни, а я не знаю решительно ничего, все позабыл, что знал, ничего не помню, решительно ничего“ (Čebutykin in *Tri sestry*; 13, 160; Soll sie doch alle der Teufel holen... [...] Die denken, dass ich ein Arzt bin, sämtliche Krankheiten heilen kann, dabei weiß ich überhaupt nichts, hab' alles vergessen, was ich wusste, an nichts erinnere ich mich, an gar nichts). Lopachin betäubt sein schlechtes Gewissen, indem er den Kirschgarten, der zugleich für sein früheres Leben, seine ärmlich Kindheit steht, regelrecht „abhackt“: „Приходите все смотреть, как Ермолай Лопахин хватит топором по вишневому саду, как упадут на землю деревья! Настроим мы дач, и наши внуки и правнуки увидят тут новую жизнь...“ (13, 240; Kommt alle und schaut, wie Ermolaj Lopachin dem Kirschgarten mit der Axt zu Leibe rückt, wie die Bäume fallen! Datschen werden wir bauen, und unsere Enkel und Urenkel werden ein neues Leben sehen...). Der Dichter Trigorin kann sich im entscheidenden Augenblick einfach „nicht erinnern“ (Не помню. (Раздумывая.) Не помню!; 13, 55). Selbst der pedantische Spießer Kulygin hat vergessen, dass er seiner Schwägerin Irina die „fünzigjährige Geschichte unseres Gymnasiums“, die er ihr zum Namenstag überreicht, zu Ostern schon einmal geschenkt hat („Не может быть!“; 13, 133). Männer, die aus der Erinnerung schöpfen, erscheinen ihren Geschlechtsgenossen als peinliche „unmännliche“ Nostalgiker. So wird Gaev, der auch als alternder Mann ganz und gar der Welt seiner Kindheit, der Welt des Kirschgartens verhaftet bleibt, von Lopachin prompt als „altes Weib“ beschimpft („Баба вы!“; 13, 219). In der Missachtung der Vergangenheit, der Devise des „kein Zurück“ sind sich Čechovs männliche Dramenhelden – Idealisten wie Pragmatiker, Optimisten wie Skeptiker – erstaunlich einig. Der Dimension der Zeit kommt in Čechovs Dramen also nicht nur allgemein eine große symbolische Bedeutung zu, sie wird auch in hohem Maße „gegendert“, mit Geschlechtermetaphorik aufgeladen.

Die Sinnsuche der Čechovschen Frauen richtet sich selten in zukünftige Räume, sondern eher in die diametral entgegengesetzte Richtung: zurück in die Vergangenheit, in die Erinnerung, dorthin, wo man schon war und wo man gern wieder hinmöchte – „в Москву“, „nach Moskau“, wie der Wunsch der drei Schwestern lautet, der beinahe schon zum geflügelten Wort für die nostalgische Sehnsucht nach der Vergangenheit geworden ist. Die Vergangenheit ist für die Frauen Quelle der Hoffnung, des Trostes, der Inspiration, nicht der Verzweiflung. „Детская, милая моя, прекрасная комната... Я тут спала, когда была маленькой... *(Плачет.)* И теперь я как маленькая...“ (Ljubov' Andreevna in *Višnevyj sad*: 13, 199; Kinderzimmer, mein liebes schönes Zimmer... Hier habe ich geschlafen, als ich klein war... *(Weint.)* Auch jetzt bin ich wieder wie ein kleines Mädchen...). Vergessen wird von Frauen dementsprechend nicht als Palliativum empfunden, sondern als schmerzlicher Verlust, und sie erinnern sich auch genau daran, *was* sie alles vergessen haben: „Куда? Куда все ушло? Где оно? О, боже мой, боже мой! Я все забыла, забыла... [...] Я не помню, как по-итальянски окно [...] ... Все забываю, каждый день забываю, а жизнь уходит и никогда не вернется, никогда, никогда мы не уедем в Москву... (Irina in *Tri sestry*: 13, 16; Wohin? Wohin ist alles entschwunden? Wo ist es? Oh, mein Gott, mein Gott! Ich habe alles vergessen, vergessen... [...] Ich weiß nicht mehr, was Fenster auf Italienisch heißt [...]... Alles vergesse ich, jeden Tag vergesse ich, und das Leben vergeht und kommt nie zurück, nie, nie werden wir nach Moskau fahren... [...]). Frauen bauen ihre Sinnsuche nicht auf das Nichts; sie schöpfen hierfür zwar nicht aus einem objektiven Wahrheits- und Wertefundus, aber doch aus einem gemeinsamen kulturellen Gedächtnis. Als Repräsentantinnen einer hermeneutisch orientierten Sinnsuche sind Frauen auch für die leidigen Wozu- und Warum-Fragen zuständig – „Wenn man es nur wüsste [...]“ (Если бы знать? [...]; 13, 188) – Fragen, die von Männern niemals gestellt werden: „Жить и не знать, для чего журавли летят, для чего дети родятся, для чего звезды на небе... Или знать, для чего живешь, или же все пустяки, трын-трава“ (Maša in *Tri sestry*: 13, 147; Leben und nicht wissen, wozu die Kraniche fliegen, wozu die Kinder geboren werden, wozu die Sterne am Himmel stehen... Entweder man weiß, wozu man lebt, oder man kann alles vergessen, alles nur leeres Gewäsch).

So kann man sich des Eindrucks nicht erwehren, dass die Frauen in Čechovs Dramen in neuem gesellschaftlichem Gewand eine sehr traditionelle Aufgabe erfüllen: sie haben für die kühnen, abgehobenen (und leider meist mit einer beträchtlichen Realitätsuntüchtigkeit im Angesicht der prosaischen Gegenwart verbundenen) Zukunftspläne der Männer das „hermeneutische Kontinuum“, oder etwas platter gesagt: die Frustrationstoleranz und die Durchhalteparolen zu liefern. Es erübrigt sich an dieser Stelle, Sonjas berühmten Schlussappell an Onkel Vanja zu zitieren, der mit der kategorischen Feststellung „Что же делать, надо жить!“ (13, 115; Was soll man machen, man muss leben!) beginnt. Während Sonjas Appell erfolgreich scheint (zumindest für den Augenblick, denn der Leser hat nicht die Möglichkeit zu überprüfen, ob Sonjas Quietismus auf Dauer Wirkung auf Vojnickij zeigt), kann Nina in der *Möwe* ihre Erkenntnis, dass „das Wichtige nicht der Ruhm ist [...] sondern die Fähigkeit zu leiden. Versteh' es, dein Kreuz zu tragen und glaube“ ([...] главное не слава [...] а уменье терпеть. Умей нести свой крест и веруй; 13, 58), nicht mehr an ihren den verzagten, lebensmüden Treplev vermitteln: „[...] Константин Гаврилович застрелился...“ (13, 60; [...] Konstantin Gavrilovič hat sich erschossen...). In der Gesamtschau auf die Dramen Čechovs bestätigt sich dieser Entwicklungstrend: Männer leiden und sterben, Frauen leiden auch – und leben weiter. Nach Ivanov gibt es nur noch männliche, keine weiblichen Leichen (oder Fast-Leichen) mehr in Čechovs Dramen.

So sehr sich Čechovs Männer und Frauen in ihrem Leiden an der unvollkommenen Wirklichkeit ähneln, so sehr driften sie also in ihren Sehnsüchten und Lösungsstrategien auseinander. Frauen orientieren sich an der Vergangenheit und suchen nach Kompromissen mit dem Leben; Männer streben kompromisslos in die lichte Zukunft und bezahlen für ihre trotzige Unfähigkeit, sich mit der Gegenwart zu arrangieren, schon mal mit dem Leben. Es ist, als würden Männer und Frauen an den beiden Enden eines Seils ziehen. Als symptomatisch können hier die Worte gelten, mit denen Anja und Trofimov kurz vor ihrer Abreise das Ende des *Kirschgartens* und der damit verbundenen Lebensphase kommentieren: Beide jungen Menschen leben auf die Zukunft hin, aber die Richtungsvektoren, die Perspektiven, aus denen heraus sie ihre Zukunftsorientierung sprachlich formulieren, sind gewissermaßen entgegengesetzt: Er schaut nach vorne, sie zurück:

Аня. Прощай, дом! Прощай, старая жизнь!	Трофимов. Здравствуй, новая жизнь!... (Уходит с Аней.) (13, 253)
Anja. Leb' wohl, altes Haus! Leb' wohl, altes Leben!	Trofimov. Sei gegrüßt, neues Leben!... (Geht zusammen mit Anja.)

gemeinsame Zukunftsorientierung

unterschiedliche Perspektiven

Auf diese Weise spannen Männer und Frauen aus den Anstrengungen ihrer eigenen Sinnsuche bildlich gesprochen eine Art Richtschnur auf. Preis für diese Orientierungsmöglichkeit ist der Unterschied. Wären sie alle gleich, zögen sie – um im Bilde zu bleiben – alle am selben Ende des Seils, so käme keine Spannung und damit auch keine Richtschnur zustande. Es muss immer einer da sein, der am „anderen Ende des Seils" zieht. Obwohl kein Anspruch auf einen essenzialistischen Wahrheitsstatus stereotyper Verhaltensweisen mehr erhoben wird, kann nicht geleugnet werden, dass Čechovs Dramenhelden und -heldinnen aus ihrer eigenen gemeinsamen Sinnsuche heraus überkommene Rollendifferenzierungen, v.a. die Differenzierung von Geschlechterrollen, reproduzieren; bei genauer Betrachtung wirkt die „Arbeitsteilung" oft sogar erschreckend klischeehaft und traditionell. Čechov verändert so zwar in der Tat etwas in der Wahrnehmung von Geschlechterstereotypen, aber der Begriff bzw. die Intention der „Überwindung", wie ihn Birgit Wetzler unterstellt hat[17], scheint mir hierfür nicht ganz angebracht. Was wir vor uns haben, ist eher eine scharfsinnige Analyse, die die funktionale, die performative Bedeutung von Geschlechterunterschieden auch und gerade im auf sich selbst verwiesenen diskursiven Zusammenleben der Menschen offen legt. Auf diese Weise werden Geschlechterrollen kritisch durchleuchtet, in ihren Ursachen durchschaubar gemacht, aber das impliziert nicht notwendig die Botschaft, dass sie überflüssig und aufhebbar sind, oder dass eine solche Aufhebung auch nur denkbar bzw. wünschenswert wäre. Auf die Frage nach der Möglichkeit der Überwindung traditioneller Geschlechterklischees hätte Čechov (oder einer seiner Helden) vermutlich geantwortet: vielleicht – in 20, in 200, in 200.000 Jahren...

Literatur

Brühl, Christine Gräfin von: Die nonverbalen Ausdrucksmittel in Anton Čechovs Bühnenwerk. Frankfurt/M. 1996.

Busch, Ulrich: Čechov und die literarische Kompetenz des Literaturwissenschaftlers. In: Anton P. Čechov. Werk und Wirkung. Hg. Rolf-Dieter Kluge. Teil II. Wiesbaden 1990. Teil II, S. 948-960.

Gessen, Masha: Auf den Erfolg unserer hoffnungslosen Mission. Die russische Intelligenzija. Aus d. Engl v. Esther Kinsky. München 1998.

Goller, Mirjam: Gestaltetes Verstummen. Nicht-Sprechen als narrative Konstituente in der russischen Prosa der frühen Moderne. Frankfurt/M. u.a. 2003.

Leitner, Andreas: Nietzsches erkenntnistheoretischer und Čechovs ästhetischer Perspektivismus. In: Anton P. Čechov. Philosophie und Religion in Leben und Werk. Hg. Rolf-Dieter Kluge, Vladimir B. Kataev, Regine Nohejl. München 1997, S. 59-64.

Maegd-Soëp, Carolina de: Chekhov and Women. Women in the Life and Work of Chekhov. Columbus/Ohio 1987.

Odoevskij, V.F.: Skazka o tom, kak opasno devuškam chodit' tolpoju po Nevskomu prospektu. In: V.F. Odoevskij: Povesti i rasskazy. Moskva 1959, S. 93-100.

Odoevskij, Vladimir F.: Russkie noči. Nachdruck der Moskauer Ausgabe von 1913. München 1967 (= Slavische Propyläen, Bd. 2).

Schmitz, Bettina: Arbeit an den Grenzen der Sprache: Julia Kristeva. Königstein/Taunus 1998.

Smith, Virginia Llelewyn: Anton Chekhov and the Lady With the Dog. London 1973.

Stelleman, Jenny: Aspects of Dramatic Communication: Action, Non-action, Interaction: A.P. Čechov, A. Blok, D. Charms. Amsterdam u.a. 1992.

Stepanov, A.D.: Problemy kommunikacii u Čechova. Moskva 2005.

Tait, Peta: Performing Emotions. Gender, Bodies, Spaces in Chekhov's Drama and Stanislavski's Theatre. Aldershot u.a. 2002.

Thomann, Erik: Die Entmündigung des Menschen durch die Sprache... und die Suche nach authentischer Subjektivität. Wien 2004.

Tjutčev, F.I.: Lirika. V 2 tt. Izdanie podg. K.V. Pigarev. T. I. Moskva 1965.

Tjutčev, Fedor I.: Im Meersrauschen klingt ein Lied. Ausgew. Gedichte. Russ. u. Dtsch. Hg. u. übers. v. Ludolf Müller. Thelem 2003.

---

[17] Vgl. Anm. 2.

Turgenev, I.S.: Gde tonko, tam i rvetsja. In: I.S. Turgenev: Polnoe sobranie sočinenij i pisem v 30 tt. Sočinenija. T. 2: Sceny i komedii 1843–1852. Moskva 1979, S. 73-112.

Turgenev, I.S.: Mesjac v derevne. In: I.S. Turgenev: Polnoe sobranie sočinenij i pisem v 30 tt. Sočinenija. T. 2, S. 285-397.

Wetzler, Birgit: Die Überwindung des traditionellen Frauenbildes im Werk Anton Cechovs (1886–1903). Frankfurt/M. u.a. 1992.

Zelinsky, Bodo: Sprachprobleme und Sprachskepsis in Odoevskijs „Russkie noči“ und Tjutčevs „Silentium!“. In: Bodo Zelinsky: Russische Romantik. Köln, Wien 1975, S. 235-250.

Peter Thiergen

Allianzdispositiv und Sexualitätsdispositiv.
Kann man Turgenevs und Čechovs Dramen von Foucault her lesen?

1. Einleitung: Trieb und Gesetz

Michel Foucault hat in seiner großen *Geschichte der Sexualität* mit Blick auf Europa die – keineswegs umwerfende – These aufgestellt, dass in der Neuzeit ein gewaltiges Wissen um das sexuelle Sein entstanden sei und dass sich daraus, wie er sagt, neben dem „Natur-Sex" ein regelrechter „Diskurs-Sex" als Wissensformation entwickelt habe. Vor allem im ausgehenden 18. und dann im ganzen 19. Jahrhundert habe sich ein zunehmendes Bewusstsein der Allmacht und Allgegenwart der Sexualität etabliert. Alle Tabuisierungen und traditionellen Domestizierungsversuche seien gescheitert, und Foucaults Resümee für das 19. Jahrhundert lautet: Der Sex „ist lichterloh entflammt". Dieses Ausgreifen sexueller Bewusstheiten, Beziehungen und Darstellungen – darunter in der schönen Literatur – nennt Foucault das „Sexualitätsdispositiv".[1]

Dieses Dispositiv betont zunächst das Recht des Körperlichen, der lustvollen Begehrlichkeit und der emotionalen Individualität. Es unterminiert herkömmliche Ordnungs-, Reaktions- und Repressionsformen und schafft Aufmerksamkeit für Typologien wie die femme fatale, die nervöse Frau, die unbefriedigte oder hysterische Gattin, den impotenten Ehemann, den perversen Partner, den Inzestsucher oder das frühreife Kind.[2] Zugleich gehören zum Dispositiv Bändigungs- und Instrumentalisierungsversuche (= Streben nach Diskurshoheit, funktionalisierende Strukturgebungen, Moralisierungszwänge etc.), um die Sexualität in bestimmte Macht- und Regulativtechniken einzubinden.

In Korrelation dazu bilden sich im letzten Drittel des 19. Jahrhunderts Begleittheorien wie die Psychoanalyse, die Neuropathologie oder die Entartungslehre.[3] Das mächtige Potenzial der Sexualität kann ihre Träger, wie ja auch Arthur Schopenhauer (1788–1860) etwa zur gleichen Zeit nicht müde wird zu betonen, sogar in Gewaltausbrüche wie Notzucht, Mord oder Selbstmord treiben. Foucault formuliert: „Der Sex ist den Tod wohl wert."[4] Schopenhauer sagt in der *Metaphysik der Geschlechtsliebe*, dass der „feindselige Dämon" des Leidenschaftswahns jederzeit zu Ehebruch, Vergewaltigung, Mord und Suizid, zu Wahnsinn oder wirtschaftlichem Ruin führen könne. In diesem Desasterpotenzial stecke freilich ein „Anstrich des Erhabenen", dessen Protagonisten als Opfer und Täter bzw. als „dramatis personae" einen „würdigen Gegenstand der Dichtung" bilden könnten.[5] In diesen Formulierungen wird deutlich, dass das Sexualitätsdispositiv unmittelbar mit der Gattung des Dramas zu tun hat.

Dies auch deshalb, weil das Sexualitätsdispositiv als Gegenmacht und Sprengsatz zum sog. Allianzdispositiv auftritt. Unter Allianzdispositiv versteht Foucault nicht zuletzt das jahrhundertelang dominierende System der Vernunft- und Standesheirat, zu dem u.a. feste Erbfolgen sowie Besitz- und Vermögensstabilität, äußere Legitimitäts- und gewisse innere Moralorien-

---

[1] M. Foucault: Sexualität und Wahrheit. Bd. I: Der Wille zum Wissen. Frankfurt/M. 1983 u.ö. (= stw 716), Kap. IV: Das Dispositiv der Sexualität (S. 77-128); Zitate S. 79.

[2] Vgl. ebda., S. 104ff.

[3] Ebda., passim.

[4] Ebda., S. 150.

[5] A. Schopenhauer: Sämtliche Werke. Textkrit. bearb. u. hg. v. W. Frhr. von Löhneysen. Bd. II: Die Welt als Wille und Vorstellung, II. Darmstadt 1968, S. 682 u. 711.

tierungen, Rechtssicherheit und ein alles überwölbendes Statusdenken gehören.[6] Das Gleichgewicht des allgemeinen Gesellschaftskörpers ist wichtiger als die Lustmaximierung des konkreten physischen Individualkörpers.[7] Das Allianzsystem hält damit Ehe und Familie als Zweck- und Interessengemeinschaft auch dann noch in formaler Stabilität, wenn Liebe und Zuneigung selber instabil geworden sind. Das gilt gleichermaßen für adlige, bürgerliche und bäuerliche Sozialbereiche. Während das Sexualitätsdispositiv von vornherein in Nähe zu dramatisch-tragischen Konfliktstrukturen mit Tatneigung und gegebenenfalls Handlungsexplosion steht, steckt im Allianzdispositiv eine eher kalmierende, tatverhindernde und also Zustände perpetuierende Option.

Die Erklärungsmuster von Foucault und Schopenhauer lassen sich durch eine weitere Heuristik untermauern. Der Züricher Germanist Peter von Matt hat 1989 in seinem vielbeachteten Buch *Liebesverrat* drei Grundformen menschlicher und also auch literarisch gestalteter Lebenswirklichkeiten unterschieden.[8] Es gibt erstens die Übereinstimmung von Trieb und Gesetz. Hierfür steht die Chiffre Hochzeit und gelingende Liebe. Sie bietet wenig Möglichkeiten für peripetiegesättigte Dramen und ist daher mit dem gewissermaßen ‚epischen' Allianzdispositiv verwandt. Zweitens gibt es den fundamentalen Konflikt zwischen Trieb und Ordnung, gipfelnd in Normzerstörung und Gewaltausbrüchen wie Mord oder Selbstmord. Dieser Subversionsstruktur kommt das dramenanfällige Sexualitätsdispositiv nahe.[9] Als dritte Möglichkeit sieht Peter von Matt den Wahnsinn als Austritt aus jeglicher Ordnung, als ihre Entwertung und prinzipielle Negation durch Indifferenz. Ich vermute, dass diese dritte Chiffre gleichermaßen zum Allianz- wie Sexualitätsdispositiv gehören kann. Und Wahnsinn im Drama ist ein bekanntes Phänomen.

Das Sexualitätsdispositiv hat in der Literatur des 19. und beginnenden 20. Jahrhunderts eine vielfältige Widerspiegelung und Variation erfahren. Ich erinnere nur an die großen Ehebruchromane von *Madame Bovary* bis zu *Effi Briest*, an die zahlreichen Niedergangs- und Familienzerstörungsromane (Thomas Manns *Buddenbrooks* tragen den Untertitel „Verfall einer Familie"), an die Prostitutions- und Süße-Mädel-Geschichten eines Maupassant oder Schnitzler, an Duelltode aus Eifersucht, an Lolita- und Professor-Unrat-Entwürfe, an provokante Homosexualitätsdarstellungen und manches andere mehr.[10] In Westeuropa findet sich diese Evidenz des Sexualitätsthemas in allen drei Grundgattungen, mit Schwerpunkten in Prosa und Drama. Zu Letzterem vergleiche man die Naturalismus- und Fin-de-siècle-Dramen von Ibsen oder Hauptmann, Strindbergs *Fräulein Julie*, Oscar Wildes *Salome*, Schnitzlers *Reigen* usw. usf. Zumeist steckt in ihnen eine zumindest indirekte Anerkennung des Sexualitätsdispositivs. Wie provokant diese Texte waren, zeigen die häufigen Zensureingriffe bzw. Publikations- oder Aufführungsskandale, die Furore machten. Der sozialgeschichtliche Hintergrund für diese Entwicklungen liegt, wie vielfach gezeigt worden ist, in allgemeinen Auflösungstendenzen der Adels- und Bürgergesellschaften, die mit Großstadtbildung, Industrialisierung, Pauperismus, Religionsverlust, Werteverfall, sozialistischen Freie-Liebe-Parolen, Frauenfrage und anderen Subversionsphänomenen zusammenhingen. Das Allianzdispositiv hatte an Geltung verloren, das Sexualitätsdispositiv in seinen sprengenden Komponenten an Wirkung gewonnen. Dies ist zugleich eine Entwicklung weg von geschlossenen Gemeinschaften und hin zu offenen Gesellschaften.

---

[6] Aus rechtshistorischer Sicht vgl. hierzu D. Willoweit: Standesungleiche Ehen des regierenden hohen Adels in der neuzeitlichen deutschen Rechtsgeschichte. München 2004 (= Bayer. Akad. d. Wiss./Philos.-hist. Klasse. Sitzungsberichte, Jg. 2004, H. 5).

[7] Vgl. Foucault, S. 105ff. u.ö.

[8] P. von Matt: Liebesverrat. Die Treulosen in der Literatur. München, Wien 1989.

[9] Peter von Matts Kapitel „Die Unvereinbarkeit von Liebe und Ehe" (S. 67-78) illustriert indirekt den Antagonismus von Sexualitäts- und Allianzdispositiv.

[10] Vgl. hierzu u.a. D. Wellershoff: Der verstörte Eros. Zur Literatur des Begehrens. Köln 2001 (als Taschenbuch 2004).

Etwas anders stellt sich die Situation in Russland dar. Es gab kaum ein Bürgertum[11], im Agrarstaat eine viel geringere Industrialisierung, eine erhebliche Ständestabilität und sogar Ständeharmonie-Ideale, eine starke Dominanz von Kirche und Orthodoxie, eine fest gefügte Sozialhierarchisierung (Stichwort Rangtabelle u.a.), eine hohe Traditionsfestigkeit von Sitte und Brauchtum, durch omnipräsenten Analphabetismus eine weitreichende Immunisierung gegen Veränderungs- und Umsturzideen und trotz aller Mängel in Staat und Gesellschaft eine frappante Zufriedenheit in den Bauernmassen. Indem Russland weitgehend aus Landadel und Bauernschicht bestand, dominierten hier vielfach slavophile Ideen und die sog. „Stände des Beharrens".[12] Russlandkenner haben später, unter Rückgriff auf Ferdinand Tönnies, für Russland die Einheitsstruktur der Gemeinschaftsbildung reklamiert. Viele russische Stimmen glaubten damit Russland gegen jegliche Revolutionsumtriebe gefeit. Oder anders formuliert: Die Vorherrschaft des Allianzdispositivs stabilisierte und konservierte für lange Zeit das russische Reich. Wer andererseits gegen das Allianzsystem opponierte, konnte sich auffällig schnell den Vorwurf des Nihilismus oder Anarchismus zuziehen.[13]

2. Turgenevs „Ein Monat auf dem Lande" als ‚Allianzdrama'

Diese Phänomene, so scheint mir nun, haben in unmittelbarer Weise mit Dramenstrukturen zu tun. In Turgenevs bedeutendstem Schauspiel *Ein Monat auf dem Lande* (*Mesjac v derevne*, Erstpublikation 1855) und in allen Čechov-Dramen findet eine Auseinandersetzung zwischen Allianz- und Sexualitätsdispositiv statt, wobei sich Ersteres zwar nicht von vornherein und durchweg, doch in der Summe als das stärkere Potenzial, mindestens aber als äußerst resistent erweist. In der Konkurrenz dieser beiden Dispositive und in spezifischen Verfahren ihrer Bühnenpräsentation zeigt sich eine weitere deutliche Verwandtschaft in Turgenevs und Čechovs Dramentechnik.[14] Der Schwerpunkt meiner folgenden Ausführungen wird bei Turgenev und seiner Vorläuferschaft für Čechov liegen. Als Čechovschen Referenztext habe ich vor allem die *Drei Schwestern* im Blick, ohne das Stück regelmäßig zu erwähnen.

Turgenevs *Ein Monat auf dem Lande* kreist um die Beziehungs- und Sexualitätsprobleme der Hauptheldin Natal'ja Petrovna, einer etwa 30-jährigen Gutsbesitzerin, die in unerfüllter Ehe verheiratet ist und seit vier Jahren einen platonisch-passiven Hausfreund zur Seite hat. Ihr erotikfreies Leben macht sie zu jener nervös-unbefriedigten Gattin, die Foucault beschrieben hat. Als ein junger Moskauer Student als neuer Hauslehrer auf dem Landgut eintrifft, scheint sich für Nataša die Chance zu eröffnen, ihrem ‚Erotikstau' zu entkommen. Sie zeigt sich bereit, trotz des Alters- und Standesunterschiedes mit diesem Studenten in eine normbrechende Beziehung zu treten. Kompliziert wird die Geschichte dadurch, dass sich ihre sehr junge Ziehtochter Vera (sie ist 17 Jahre alt) ebenfalls in den Studiosus verliebt, während zur gleichen Zeit ein fast 50-jähriger Nachbar um Veras Hand anhält. Dieses Suchspiel zwischen traditioneller Allianzbildung und neuer Sexualitätsoption erstreckt sich über fünf lange Akte, ohne dass es auch nur zu einer einzigen sexuellen Konkretisation oder echten in flagranti-Situation käme. Das Such- und Versuchungsspiel bleibt ein reines Theorie- und Vexierspiel ungenutzter Optionen ohne Klimax und Skandaleintritt.

Ja noch schlimmer: Im Schlussakt verlassen Student und Hausfreund das Gut, so dass Natal'ja Petrovna einsamer als zuvor zurückbleibt und sich in die Statik eines erzwungenen

---

[11] Vgl. M. Hildermeier: Bürgertum und Stadt in Russland 1760–1870. Rechtliche Lage und soziale Struktur. Köln, Wien 1986.

[12] Vgl. hierzu P. Thiergen: Wilhelm Heinrich Riehl in Rußland (1856–1886). Studien zur russischen Publizistik und Geistesgeschichte der zweiten Hälfte des 19. Jahrhunderts. Gießen 1978, S. 54ff., 95ff., 178-232 u.ö.

[13] Vgl. ebda., S. 158ff., 175ff. u.ö.

[14] Zu dieser Verwandtschaft vgl. u.a. P. Thiergen: Turgenjew: Ein Monat auf dem Lande. In: Das russische Drama. Hg. B. Zelinksy. Düsseldorf 1986, S. 88-102, bes. 101f. (ohne Rekurs auf Foucault).

Treuezustandes fügen muss. Die Mechanismen des Allianzdispositivs haben die Herausforderung des Sexualitätsdispositivs in die Schranken gewiesen. Dies auch deshalb, weil am Ende die junge Ziehtochter den Antrag des sehr viel älteren Freiers annimmt und eine Gesellschafterin des Hauses dem Werben eines Landarztes nachgibt. Beide Verbindungen entsprechen ihrerseits den damaligen Heiratsmustern und bestätigen damit das Allianzsystem. Die Paarbildungen der Nebenfiguren können allerdings nicht darüber hinwegtäuschen, dass die Hauptfiguren – und hier vor allem Nataša – lediglich eine Kreisbewegung der Stagnation vollzogen haben. Turgenev operiert, wie zumeist auch Čechov, mit einer im Grunde statischen Figurenkonzeption und -konstellation ohne konventionell-dramatische Handlungslösung.

Um dieses apyramidale Kreislaufspiel über fünf Akte, 120 Seiten und eine vierwöchige Zeitdehnung durchzuziehen, benutzt Turgenev zahlreiche jener Hinhalte- und Retardationsverfahren, die wir von Čechov her kennen. Ich habe darüber schon 1986 in dem von Bodo Zelinsky herausgegebenen Sammelband zum russischen Drama geschrieben (s. Anm. 14), so dass ich mich hier auf ausgewählte Aspekte beschränken kann; dies allerdings mit Ergänzungen und Vertiefungen.

Dem Nicht-zuende-Agieren entspricht auch bei Turgenev ein häufiges Nicht-zuende-Sprechen bzw. Aneinander-vorbei-Reden: Wir haben es mit Sprech-, nicht mit Tathandlungen zu tun. Die Sprechhandlungen wiederum sind in zahlreichen Fällen doppelbödig-taktierend (zum Beispiel ist das Gesagte nicht unbedingt das Gemeinte), und natürlich gibt es eine Überfülle von durch Pünktchen markierten Leerstellen und also Sprechpausen (allein der 1. Akt enthält über 250 davon!). Das Wortfeld „schweigen“ ist mit nahezu hundert Askriptionen, also im Autortext der überaus zahlreichen Bühnenanweisungen, vertreten! Wiederholt kommt es auf der Bühne zu sich indirekt kommentierenden Mehrgesprächen. Andererseits können gestische und mimische Signale jederzeit die direkte Rede ersetzen. Eine Fülle von Schlüsselwörtern wie *träge*, *müde*, *alt*, *krank* oder *langweilig* signalisiert Handlungsstau, und ein ganzes Geflecht von Verben reiner Pseudoaktivität verdeutlicht die Dominanz eines psychologisierenden Beinahe- und Als-ob-Agierens. Es geht um Verben wie *beobachten, ausforschen, nachspionieren, durchschauen, tricksen, täuschen, fintieren, sich verstellen, eine Komödie spielen*, russisch: *nabljudat', rassprosit', vyvedat', razbirat' ljudej, sledit', videt' naskvoz', lukavit', fintit', pritvorjat'sja, igrat' komediju.* Natal'ja Petrovna redet ihre Dialogpartner wiederholt mit „Herr Diplomat“ (господин дипломат) oder „Herr Beobachter“ (господин наблюдатель) an[15] und selbstanalytisch spricht sie von ihrer eigenen „Maskierung“ mit „Komödienspiel“ (Turgenev, 131/32). Čechov-Formeln wie „alles ist aus“ oder „wenn man's doch wüsste“ begegnen ebenso wie die wiederkehrende Thematisierung der Schuldfrage. Diese betrifft allerdings nur ein Intrigenspiel des Verhinderns, nicht den von Gustav Freytag in seiner Dramentheorie beschriebenen „Drang zur Tat“. Gleich zu Beginn des 1. Aktes wirft Nataša ihrem Hausfreund vor, er sei ein beflissen-langweiliger Ja-Sager, und auf dessen Frage, ob sie wolle, dass er mit ihr streite, faucht sie ihn an: „Ich will ... Ich will!... Ich will, dass *Sie* wollen...“ (Я хочу... Я хочу!.. Я хочу, чтоб *вы* хотели...; Turgenev, 44; Hervorhebung im Original – P.Th.). Doch die Welt dieses Stückes zeigt sich, um mit Schopenhauer zu sprechen, nicht im Willlen, sondern in bloßer Vorstellung. Es präsentiert mit den graphisch-sprachlichen zugleich eine voluntaristische Leerstelle.

Diesem weitreichenden Stagnationssystem entspricht eine seriell-zyklische Szenengestaltung eines im Grunde aporetischen Kommens und Gehens, indem ein eher handlungshemmendes als handlungsbeförderndes Auf- und Abtreten der Figuren ohne kenntlich gemachte Szeneneinteilung erfolgt. In den szenischen Abschnitten selber lauten häufige Bühnenanweisungen „bleibt stehen“, „hält inne“ oder „geht hin und her“ (*vzad i vpered*). Auch in diesem „Hin und Her“ bzw. „Vor und Zurück“ zeigt sich das, was Felix Philipp Ingold mit Blick

---

[15] I.S. Turgenev: Polnoe sobranie sočinenij i pisem v XXVIII tt. Sočinenija. T. III. Moskva, Leningrad 1962, S. 55, 74 u. 89 (künftig im Text mit der Angabe „Turgenev“ und Seitenzahl).

auf Čechov „desolate Nullsummenspiele" genannt hat.[16] Wenn Natal'ja Petrovna schon zu Beginn des 3. Aktes sagt: „пора прекратить всё это" (Turgenev, 97; es ist Zeit, das alles u begraben) bzw. „это так же скоро пройдет, как оно пришло скоро" (Turgenev, 95; das vergeht so schnell, wie es kam), dann liegt bereits hier – in einem Frühstadium des Geschehens – das dramatische Ende des Stückes. Alles Weitere ist nur noch szenische Auffüllung, und man könnte auch hier mit einer von Theresia Birkenhauer auf Čechov gemünzten Formulierung sagen: das Drama „verendet mehr als es endet".[17] Alle im Stück, nicht nur die Ziehtochter, sind – wie es im Text heißt – „Waisenkinder", allerdings Waisenkinder, die nur in einem idealistischen Sinn Mitleid verdienen, nicht auf der Vordergrundebene, wo sie sich selber und andere bespiegelnde Rollen- und Maskenschauspieler sind. Nicht zufällig dürfte ausgerechnet der diagnostisch erfahrene Arzt des Stückes den sprechenden Namen Špigel'skij tragen.

Turgenev zeigt uns nicht handlungsstarke Aktanten, sondern Figuren des Causeurs, des Räsoneurs, des Faiseurs und Finasseurs. Wir sehen zwar im Sinne Foucaults die nervös-unbefriedigte Gattin (Nataša selber äußert sich einmal ironisch über „нервические дамы" / nervöse Damen; Turgenev, 76), wir sehen den erotisch inaktiven Ehemann, den lavierenden Hausfreund und das ‚frühreife' Kind Vera, doch ein handlungsorientiertes Sexualitätsdispositiv kommt nicht zustande. Insofern sind innertextliche Verweise auf den pikant-frivolen Trivialschriftsteller Paul de Kock, auf George Sand, den Grafen von Monte Christo, auf den Libertin Lovelace oder am Ende auf Othello bloß ironisches Unterfutter[18], ebenso wie das rekurrente Wortfeld „Veränderung" (*peremena*, *peremenit'sja*), das zumeist nur auf sein Gegenteil verweist.

Wie Čechov verwendet Turgenev immer wieder kommentierende und häufig ironisch spiegelnde Dingsymbole[19], wobei erotische Anspielungen im Vordergrund stehen und besonders auf den neuen Hauslehrer-Studenten bezogen sind. Wenn dieser (gleichsam als Amor-Imitat) Pfeil und Bogen herstellt, ein Feuerwerk plant, über Gräben springt, den Frauen eine Schaukel baut (man vergleiche das Motiv bei Fontane und Čechov!) und einen Drachen steigen lässt (wobei wiederholt von dessen „Schwanz"/*chvost* die Rede ist), dann zielt das eindeutig auf erotisch-sexuelle Konnotationen. Leitmotivisch wird die Wendung „узнать друг друга" (sich gegenseitig erkennen) verwendet, allerdings als Formel des Scheiterns, was natürlich auch im biblischen Wortsinn zu verstehen ist. Ein wirkliches „und er erkannte sie" gibt es nicht, so sehr sich Nataša auch, wie es im Text heißt, einen „Schluck frischen Wassers" oder ein „Gewitter" wünscht. Dass Natašas Ehemann ständig damit beschäftigt ist, einen Damm oder Deich zu bauen (*plotina*), bekommt in diesen Kontexten natürlich ebenfalls eine verweisende Funktion. Das Motiv des Dammbaus kehrt in Leskovs *Lady Macbeth*-Novelle wieder, hier allerdings als Damm*bruch*, der für den ganz realen Dammbruch einer Sexualitätsexplosion steht. Bei Turgenev und Čechov hingegen werden die Leidenschaften eingedämmt und der Macht der Konvention unterworfen. Oder in Hotelzimmern versteckt, wie in der *Dame mit dem Hündchen* (Dama s sobačkoj).

---

[16] In: FAZ, Nr. 162 vom 15. Juli 2004, S. 30: „Aber wie man es auch dreht und wendet – bei Tschechow gibt es keinen Trost. All seine Werke [...] sind letztlich desolate Nullsummenspiele, man könnte auch sagen: Permanentszenen ohne Anfang und Ende – die Katastrophe in Permanenz, die Lüge in Permanenz, die Trivialität in Permanenz."

[17] Th. Birkenhauer: „Der Vorhang senkt sich langsam" – Zu Tschechows „Onkel Vanja". Zeitstrukturen dramatischer und szenischer Narration. In: Zeitlichkeiten – Zur Realität der Künste. Hg. Th. Birkenhauer, A. Storr. Berlin 1998 (= Traversen, Bd. 3), S. 50-84; Zitat S. 72.

[18] Vgl. Turgenev, S. 43, 78, 80, 81 u. 142. Solche ‚absurden' Verweistechniken kehren bei Čechov vielfach wieder. Wenn Vojnickij im *Onkel Vanja* sagt, aus ihm wäre, hätte er „normal" gelebt, ein Schopenhauer oder Dostoevskij geworden, ist das ein ähnlich täuschender Projektionshorizont (13, 102).

[19] Zu Dingen und Dingsymbolen auf der Bühne vgl. die ebenso lehrreiche wie amüsante Studie von Volker Klotz: Gegenstand als Gegenspieler. Widersacher auf der Bühne: Dinge, Briefe, aber auch Barbiere. Wien 2000. In komischen Stücken spielen ‚Dinge' eine größere Rolle als in tragischen.

Neben ironischen Spiegelungen gibt es in Turgenevs Schauspiel allerdings, ganz wie bei Čechov, Figurenrede, die der Rezipient im Wortsinn ernst zu nehmen hat. Nataša ebenso wie ihr Hausfreund nennen sich in Selbstcharakteristiken „kränkliche Wesen“ mit „schwindsüchtigen Beziehungen“ („болезненные существа“ bzw. „чахоточные отношения“; Turgenev, 76, 155). Sie empfinden gegenüber anderen und gegenüber sich selber „Überdruss“. Das Wortfeld „fremd“ (*čužoj*) verweist auf Entfremdung, und die Hauptfiguren konstatieren wiederholt „ist doch alles egal“ (все равно), „alles ist zuende“ (все кончено), „wie unerträglich ist das alles“ (как это несносно!). Das sind Formeln, die sich später rekurrent bei Čechov finden.

Wie häufig bei Čechov, besteht Turgenevs Schauspielanlage aus drei Schritten: Anreise (= Ankunft des neuen Hauslehrers), Verwirrung (= Intrige, Perturbation), Abreise. Natašas Hausfreund kommentiert die Verwirrungssituation gleich im 1. Akt mit einer entsprechend dreifach gestaffelten Frage. Sie lautet: „Was ist denn das? Der Anfang vom Ende oder einfach das Ende? (*Nach einigem Schweigen*) Oder der Anfang?“ (Что это такое? Начало конца или просто конец? *(Помолчав немного.)* Или начало?; Turgenev, 59). Diesem Rotationsbefund entspricht die Feststellung, man könne sehr schnell von der Avantgarde zur Arrieregarde degradiert werden (vgl. Turgenev, 90, 137). Kaum je gibt es für die Hauptpersonen durchgehaltene Zentrifugalität, weil alle größeren Geschehensvorgänge in Statik und Zentralität münden. Das (im übertragenen Sinn) Klaustrophobische kann nicht von Evasion und Experiment abgelöst werden. Das Serielle und Zirkulare, das sich kreisend Vertauschende gehört nicht zum finalisierten, geschlossenen Drama, sondern zur offen-endlosen Form, in der Konversation, Szenisches und Zustände, bloße Projektionen und perpetuiertes Warten dominieren. Turgenev als Dramatiker steht hier in großer Nähe zu Čechov, der gesagt hat: „Ich pfeife auf Sujets. Das Leben hat auch keine Sujets.“[20]

Stanislavskij (der selber in der Rolle des Hausfreundes Rakitin auftrat) hat in seinen Erinnerungen festgehalten, Turgenevs Dramatik verlange „eine neue Darstellungsmanier“, um die „psychologische Filigranarbeit“ und die „geistigen Feinheiten“ des Stückes adäquat auf die Bühne zu bringen. Der Regisseur habe auf Regietheater und der Schauspieler auf Schaueffekte zu verzichten.[21] Turgenev selber sagte, *Ein Monat auf dem Lande* sei „eigentlich keine Komödie, sondern eine Erzählung in dramatischer Form“. An anderer Stelle fügte er hinzu, seine dramatischen Versuche seien nicht für die Bühne, sondern nur zur Lektüre geeignet.[22] Ganz ähnliche Selbstcharakteristiken gibt es bekanntlich von Čechov, der zum Beispiel von der *Möwe* behauptete, es sei „eine Erzählung herausgekommen“. In beiden Fällen geht es um jene Struktur- und Aufführungsprobleme, die mit Begriffen wie Lesedrama, Konversationsstück, Atektonik, episches Theater, Milieubild oder Situationskomposition benannt werden. Der alte, am tektonischen Drama geschulte Gattungspurismus kam mit den neuen Verfahren nicht zurecht, und Turgenev selber empfand die Uraufführung von *Ein Monat auf dem Lande* von 1872 als „Fiasko“. Der endgültige Durchbruch des Stückes erfolgte erst 1909 mit einer Inszenierung des an Čechov geschulten Stanislavskij am Moskauer Künstlertheater.

3. Alte Ordnung und neue Dramenstruktur

In all dem zeigt sich ein paradoxaler Befund. Um diesen zu verdeutlichen, kehren wir nochmals zu Foucaults Begrifflichkeit zurück. Unsere Beobachtungen zeigen Folgendes: Das Schauspiel *Ein Monat auf dem Lande* kann, wie später so manches Čechov-Drama, das alte

[20] Vgl. G. Stadelmaier: Wir sind alle Russen [...] Warum Anton Pawlowitsch Tschechow unser absoluter dramatischer Lieblingszeitgenosse ist. In: FAZ, Nr. 158, 10.7.2004, S. 41.

[21] K.S. Stanislavskij: Moja žizn’ v iskusstve. Moskva 1980, S. 338-45 (Kapitel „Mesjac v derevne“).

[22] Vgl. hierzu Thiergen: Turgenjew: Ein Monat auf dem Lande, S. 102.

Allianzdispositiv nur bewahren, indem neue dramatische Verfahren eingesetzt werden. Triumph des Allianzsystems heißt, die tradierten Normen des Gesellschaftsgefüges werden – trotz aller Gefährdungen – bewahrt, weil die herkömmlichen Regeln der äußeren Moralsetzung, des Standesdenkens, des Ehearrangements, der Besitzverhältnisse[23] etc. in Kraft bleiben. Es gibt zwar vorübergehende Ordnungsstörungen durch individuelle Versuchungen, doch führen diese bloß verbalisierten Perturbationen nicht zu einem Sieg des neuen Sexualdispositivs. Das Allianzsystem wird am Ende durch – halb freiwillig geleistete, halb erzwungene – Affirmationsmechanismen bestätigt. Diese reichen vom inneren Zensor des Gewissens über marastische Prädispositionen mit Handlungsschwäche (der Psychiater spricht von „Dysbulie") bis zum äußeren Einfluss der staatlichen Zensur (auch unser Turgenev-Stück war ein regelrechtes Zensuropfer). Diese Macht des Allianzdispositivs wird in Turgenevs Schauspiel durch zahlreiche Äußerungen indirekt verdeutlicht: „Lasst uns wie früher leben..." (Станемте жить по-прежнему...) – „alles [...] wird in Ordnung kommen" (всё [...] придет в порядок) – „Alles flammt nur auf und verlischt wie ein Funke" (Вспыхнуло и погасло, как искра).[24] Hierher gehören auch die wiederkehrenden Erörterungen über Gewohnheit und Banalität (*privyčka, pošlost', pustjaki*) und vor allem das Thema der Erziehung, das – wie später bei Čechov – im Turgenev-Stück eine große Rolle spielt, von den Interpreten aber kaum je beachtet wird. Erziehung ist immer auf Integration und Allianzbildung gerichtet. Entsprechend wird das mit der *vospitannica* Vera und dem *Junglehrer* Beljaev verbundene Gefährdungspotenzial am Ende domestiziert. Auch Initiationsprozesse zähmen das Sexualitätsdispositiv, weil Trieb und Gesetz als konvergent begriffen werden.

Die Erhaltung des alten moralisch-sozialen Allianzgefüges gelingt nun aber nur mit Hilfe neuer Dramenstrukturen. In diesem Punkt wird die Allianz mit dem formalen Gattungspurismus aufgekündigt und die alte aristotelische Nomothetik außer Kraft gesetzt. Während die sozialen Verhaltensmuster häufig stagnativ bleiben, entwickelt sich auf formal-strukturell-sprachlicher Ebene ein Aufbrechen alter Muster. Das lateinische Wort Experiment bedeutet ja auch nichts anderes als „Heraustreten aus Erfahrung und Altbekanntem". (Die Wörter Empirie, Experiment und Piraterie sind etymologisch verwandt.) Die neuen Fragen lauten: Wie stelle ich Bühnengeschehen her, wenn am Ende doch – mehr oder weniger – die alte Ordnung siegt und die Aktanten bloße Kreisläufer sind? Wie stelle ich bloß transitorische, folgenlose Perturbationen dar und wie präsentiere ich bloß dilatorisches Übergangsgeschehen? Wie kann ich erotisches Begehren, das über weite Strecken nur latent vorhanden ist, dennoch zur Evidenz auf der Bühne bringen? Was muss der Autor anstellen, um vier oder fünf Akte lang plausibel zu machen, dass trotz aller erotischen Impulskräfte sexuelle Akte gerade nicht stattfinden werden? Dass am Ende im Überwiegen des Allianzdispositivs *System*verwirklichung und nicht *Selbst*verwirklichung der Protagonisten dominiert? Wie kann ich mit erotischer und existenzieller Unerfülltheit stundenlange Bühnendarbietungen und die Zuschauerränge füllen? Ein Moratorium ist undramatisch, es meidet Pathos und Peripetie.

Mit diesen und verwandten Fragen waren Turgenev und Čechov konfrontiert. Ihre Lösungen irritierten die Rezipienten, weil diese auf eine ‚Ent-Othelloisierung' der Handlung nicht vorbereitet waren. Man wollte, um es mit dem Regisseur Jan Bosse etwas provokant zu formulieren, agierende „Raubtiere" des Sexualitätsdispositivs, nicht aber theoretisierende Kastratensoftis sehen. Wer Beschleunigung erwartet, aber *zastoj* (Stillstand) antrifft, wird enttäuscht. Dies auch deshalb, weil die Bühne natürlich vielfach als Gegenentwurf zur Realität gesehen wurde. In der Realität Russlands dominierte, wie eingangs dargelegt, das Allianzdispositiv mit

[23] Zur Kohärenz von schöner Literatur und Geld bzw. Kommerz in Russland siehe das ergiebige Basler Nationalfonds-Projekt „Literatur und Geld", aus dem u.a. folgende Publikationen hervorgegangen sind: Literatur und Kommerz im Russland des 19. Jahrhunderts. Institutionen, Akteure, Symbole. Hg. A. Guski, U. Schmid. Zürich 2004 (= Basler Studien zur Kulturgeschichte Osteuropas, Bd. 8); A. Seljak: Ivan Turgenevs Ökonomien. Eine Schriftstellerexistenz zwischen Aristokratie, Künstlertum und Kommerz. Zürich 2004 (= Ebda., Bd. 6).

[24] Turgenev, S. 107, 110, 152 u.ö.

Veränderungsaversion. Darin liegt Nähe zur Gleichgewichtsstruktur des Tragikomischen[25], was wiederum zu dem Wechselspiel von gleicher Gültigkeit und Gleichgültigkeit führt. Das Tragikomische besitzt mehr Alltagsrealismus als die große Tragödie, weil der normale Lebenslauf ohne Meuchelmord und Leidenschaftsverbrechen auskommt und häufig sogar – aus Feigheit oder Mangel an Gelegenheit – auf harmlose Ausbruchsversuche wie zum Beispiel Seitensprungeskapaden verzichtet.

Es ist ein weiteres Paradoxon, dass russische tragikomische Schauspiele à la Turgenev oder Čechov zwar das alltägliche Allianzdispositiv abbilden[26], gleichwohl aber vom Publikum lange Zeit nicht geschätzt wurden. Eine Erklärung hierfür liegt sicher darin, dass sich die meisten Rezipienten mit dem Sexualitätsdispositiv lieber in der Theorie der schönen Literatur als in der Praxis der eigenen Biographie befassen. Čechov war dieses problematische Wechselspiel von Form und Inhalt sehr genau bewusst. In seinen Notizbüchern steht gleich zweimal folgender Eintrag: „Auf neue Formen in der Literatur folgen immer neue Formen des Lebens [...], und daher pflegen sie dem konservativen menschlichen Geist so zuwider zu sein" (17; 48, 158; За новыми формами в литературе всегда следуют новые формы жизни [...], и потому они бывают так противны консервативному человеческому духу). Ein Reflex dieser Feststellung findet sich bekanntlich in der *Möwe*. Ob die von Čechov gewählte Kausalitätsfolge so zutrifft, bleibe dahingestellt.

Wenn Sexualität, wie Foucault sagt, einer der wichtigsten „Dynamometer" von Gesellschaften ist[27], dann wird klar, weshalb das Sexualitätsdispositiv im prüden, konservativen, orthodoxen, zensurbeherrschten Russland innerhalb der offiziellen Literatur und vor allem im Drama einen schweren Stand hatte.[28] (Natürlich kann man diesen schweren Stand auch in anderen, sozusagen ‚viktorianischen' Systemen beobachten.) Das Drama ist von allen Gattungen die öffentlichste. Da kann das Sexualitätsdispositiv, wie bei Pisemskij, Ostrovskij oder Tolstoj, nur unter der Maßgabe zur Darstellung kommen, dass es moralisierend-kollektivierend abgewiesen und als „Bitteres Schicksal" oder „Macht der Finsternis" denunziert wird. Haben dagegen Autoren wie Turgenev oder Čechov durchaus einen Blick für die Individualitäts- und Erosrechte ihrer Protagonisten, konnten sie diese Rechte nur als gedämpft-theoretisches Eventualspiel und mit Hilfe einer diskursstarken aber handlungsschwachen szenischen Dehnung des Bühnengeschehens darstellen. Aus heutiger Sicht sind sie damit allerdings moderne Autoren.

---

[25] Sowohl Turgenev (S. 98) als auch Čechov (*Drei Schwestern*, 1. Akt) verwenden in den Regieanweisungen die Puškin-Gogol'-Formel „Lachen durch Tränen".

[26] Čechovs Erzählungen und Dramen zeigen freilich insofern eine Entwicklung, als Kennzeichen des Allianzdispositivs an Gültigkeit verlieren: man vergleiche *Die Dame mit dem Hündchen* (doppelter Ehebruch), *Die Braut* (Heiratsverweigerung; Nadja als ‚Braut einer neuen Zeit'), die *Drei Schwestern* (Allianzbedrohung durch die Andrej-Nataša-Geschichte) oder den *Kirschgarten* (unstandesgemäßer Besitzwechsel).

[27] Foucault, S. 141.

[28] Es wäre lohnend, die Geschichte der (schriftlichen) russischen Literatur nach der Heuristik des Wechselspiels von Allianz- und Sexualitätsdispositiv zu betrachten. Das Ergebnis könnte so aussehen: Im altrussischen Schrifttum dominieren Allianzmuster (*Domostroj* u.a.); seit dem 18. Jahrhundert (Zäsur durch Peter den Großen, Barkov etc.) entwickeln sich vermehrt Sexualitätsmuster (es kommt auch in Russland zu einer ‚Medizinierung' der literarischen Sichtweisen); nach 1917 bzw. 1934 tritt erneut das Allianzdispositiv hervor (Prüdisierung, Freud als *persona non grata*, Sozrealismus u.a.m.); mit der Perestrojka-Epoche reüssiert das Sexualitätsdispositiv. Solche Makrogliederungen sollten allerdings, wie angedeutet, nur als heuristische (Ver)Suche, nicht als reduktionistische Simplifizierungen eingesetzt werden.

Literatur

Birkenhauer, Th.: „Der Vorhang senkt sich langsam" – Zu Tschechows „Onkel Vanja". Zeitstrukturen dramatischer und szenischer Narration. In: Zeitlichkeiten – Zur Realität der Künste. Hg. Th. Birkenhauer, A. Storr. Berlin 1998 (= Traversen, Bd. 3), S. 50-84.

Foucault, M.: Sexualität und Wahrheit. Bd. I: Der Wille zum Wissen. Frankfurt/M. 1983 u.ö. (= stw 716).

Hildermeier, M.: Bürgertum und Stadt in Russland 1760–1870. Rechtliche Lage und soziale Struktur. Köln, Wien 1986.

Ingold, F.Ph. In: FAZ, Nr. 162 vom 15. Juli 2004, S. 30.

Klotz, Volker: Gegenstand als Gegenspieler. Widersacher auf der Bühne: Dinge, Briefe, aber auch Barbiere. Wien 2000.

Literatur und Kommerz im Russland des 19. Jahrhunderts. Institutionen, Akteure, Symbole. Hg. A. Guski, U. Schmid. Zürich 2004 (= Basler Studien zur Kulturgeschichte Osteuropas, Bd. 8).

Matt, P. von: Liebesverrat. Die Treulosen in der Literatur. München, Wien 1989.

Schopenhauer, A.: Sämtliche Werke. Textkrit. bearb. u. hg. v. W. Frhr. von Löhneysen. Bd. II: Die Welt als Wille und Vorstellung, II. Darmstadt 1968.

Seljak, A.: Ivan Turgenevs Ökonomien. Eine Schriftstellerexistenz zwischen Aristokratie, Künstlertum und Kommerz. Zürich 2004 (= Ebda., Bd. 6).

Stadelmaier, G.: Wir sind alle Russen [...] Warum Anton Pawlowitsch Tschechow unser absoluter dramatischer Lieblingszeitgenosse ist. In: FAZ, Nr. 158, 10.7.2004, S. 41.

Stanislavskij, K.S.: Moja žizn' v iskusstve. Moskva 1980.

Thiergen, P.: Wilhelm Heinrich Riehl in Rußland (1856–1886). Studien zur russischen Publizistik und Geistesgeschichte der zweiten Hälfte des 19. Jahrhunderts. Gießen 1978.

Thiergen, P.: Turgenjew: Ein Monat auf dem Lande. In: Das russische Drama. Hg. B. Zelinksy. Düsseldorf 1986, S. 88-102.

Turgenev, I.S.: Polnoe sobranie sočinenij i pisem v XXVIII tt. Sočinenija. T. III. Moskva, Leningrad 1962.

Wellershoff, D.: Der verstörte Eros. Zur Literatur des Begehrens. Köln 2001.

Willoweit, D.: Standesungleiche Ehen des regierenden hohen Adels in der neuzeitlichen deutschen Rechtsgeschichte. München 2004 (= Bayer. Akad. d. Wiss./Philos.-hist. Klasse. Sitzungsberichte, Jg. 2004, H. 5).

Maria Deppermann

Polyphones Drama – Molekulare Revolution.
Čechov als Integrationsfigur der Theatermoderne

1. Molekulare Revolution

> Bevor man sich eine Weltanschauung bildet, sollte man sich die Welt erst anschauen.
> Lebensmaxime Alexander von Humboldts
>
> „Denken ohne Geländer"
> Hannah Arendt[1]

Čechov hat keine kulturrevolutionären Konzepte für die Theatermoderne entworfen, wie Wagner und Nietzsche, keine programmatischen Vorworte verfasst, wie Hugo oder Strindberg, keine Theaterskandale provoziert, wie Jarry, und schon gar nicht lautstarke Manifeste der Theateravantgarde proklamiert wie die Futuristen. Er war kein eifernder Reformator, ästhetischer Programmatiker, *enfant terrible* mit gelber Weste, kein lautstarker Tribun auf Tribünen moderner Theatralität. Und vergebens sucht man in seinem Lexikon nach revolutionärer Kampfrhetorik; dafür trifft man allenthalben auf das Vokabular sanfter, aber hartnäckiger Subversion. Gewaltsamer Umsturz war seine Sache nicht.

Eine ihm verwandte Form gewaltloser Subversion begegnete ihm früh in Tolstojs Forderung des „непротивление злу насилием", dass man nämlich Böses nicht mit Gewalt bekämpfen dürfe, womit Tolstoj den Mechanismus der Gewalt zumindest gedanklich im Geiste der Bergpredigt durchbrechen wollte.[2] Čechov spürte sofort das grundlegend Andere in Tolstojs Ethik des Gewaltverzichts:

> Быть может, человек ошибается, наши приемы в противлении злу принадлежат числу предрассудков [...] Быть может, человек ошибается, думая, что он обязан и имеет право бороться со злом...[3]
>
> Es kann sein, dass unsere Methoden im Widerstand gegen das Böse den Vorurteilen zuzurechnen sind [...] Es kann sein, dass der Mensch irrt, wenn er denkt, dass er verpflichtet sei und das Recht habe, gegen das Böse Krieg zu führen...

Aber Čechov erkannte, dass hinter der drängenden Frage nach Gewalt und Gewaltlosigkeit das elementare *Problem des Konflikts antagonistischer Denk- und Machtpositionen* stand, die Konfliktlösung nur in Kampf, Krieg und tödlicher Vernichtung sehen können. So analysierte er das antithetisch strukturierte Konfliktproblem zunächst in *Erzählungen* seit *Sestra* (Die Schwester) von 1886, die er später *Chorošie ljudi* (Gute Menschen) nannte. Indem er diametrale Kontrapositionen wechselseitig infrage stellte, bildete er seine eigene *Denkform* der Sub-

---

[1] So Joachim Fest im Fernsehinterview Herbst 2004 über den hervorstechendsten Zug von Hannah Arendt. Vgl. Hannah Arendt: Gedanken zu Lessing. Von der Menschlichkeit in finsteren Zeiten. In: Hannah Arendt: Menschen in finsteren Zeiten. Hg. Ursula Ludz. München 1992, S. 22.

[2] Tolstojs Lehre vom Gewaltverzicht hatte entscheidenden Einfluss auf Gandhi und die politische Protestform des *civil disobedience*. Vgl. Maria Deppermann: Tolstoj und die Bergpredigt. In: „Anstöße". Zeitschrift der Evangelischen Akademie Hofgeismar 35 (1988) 2, S. 36-43.

[3] Elena Tolstaja: Poėtika razdraženija. Čechov v konce 1880-ch – načalo 1890-ch godov. Moskva 1994, S. 80.

version heraus: kritische Negation als doppelte Verneinung. Und er erfand die ihr angemessene neue *Erzähltechnik* wechselseitiger Enthüllung der Kontrahenten. Auf dieser Denk- und Stilbasis der Prosa baute auch seine neue Dramatik auf, die anstelle der starren Zweistimmigkeit antagonistischer Konflikte das Grundproblem der Kommunikation in polyphoner Vielstimmigkeit durchspielt.

Čechovs subversiver Blick erspäht Defizite in Rissen, Lücken, Spalten, diagnostiziert Absenzen, decouvriert Obsessionen und dekonstruiert Konflikte. Er hielt sich wie Tucholsky an „die Psychologie der Löcher".[4] Und doch hat Čechov mit dem „polyphonen Drama" im europäischen Maßstab – innovatorisch auf gleicher Höhe mit dem symbolistischen Theater und seinem avanciertesten Dramatiker Maurice Maeterlinck – um 1900 ein neues Theaterdispositiv geschaffen und eine dramenästhetische Revolution bewirkt, die den Alleinvertretungsanspruch des aristotelischen Gattungsparadigmas aushebelte und Maßstäbe setzte für Drama und Theater der Moderne bis hinein in die Postmoderne.[5]

Anscheinend beiläufig dispensierte er den Primat der beiden Basiskategorien des aristotelischen Dramas: die konfliktzentrierte Handlung und den handlungstreibenden Dialog. Damit griff er nachhaltig in die Tiefenstruktur der Gattung ein.[6] Nur eben fast lautlos. Umso erstaunlicher, dass Čechovs „samtene Revolution" eine so anhaltend weltweite Wirkung hat. Nicht nur die ältere Generation zeitgenössischer Regisseure wie Peter Stein, Peter Zadek oder Andrea Breth profilierte sich mit Čechov-Dramen, sondern gerade auch die „jungen Wilden" wie Stefan Pucher, Günter Kraemer, Falk Richter oder Luc Perceval wollen sich mit Čechov den Ritterschlag auf der Bühne verdienen.

Aber hat sich Čechovs „sanfte Subversion" im Drama wirklich auf so leisen Sohlen abgespielt? Oder hat man kontextblind übersehen, dass in den provokanten Yellow Nineties[7] nicht nur Maeterlincks Manifeste des „Androidentheaters" (1891) und des „tragique quotidien" (1896), nicht nur Jarrys *Ubu-Roi*-Groteske (1896), sondern auch ein mindestens ebenso brisantes russisches Bühnenmanifest erschienen ist: Čechovs *Möwe* mit Treplevs verstörendem Theaterfragment aus dem gleichen Jahr 1896, dem Schlüsseljahr der Geburt des modernen Dramas und Theaters? Tat der Russe doch nichts Geringeres, als dass er das experimentelle Theater des Symbolismus, Maeterlincks „drame statique", mit kühnem Griff auf die Milieubühne des Realismus stellte. Mit diesem dramaturgischen Kunstgriff setzte Čechov zwar das aristotelische Nachahmungsprinzip der Mimesis des Handelns „lebendiger" Menschen noch nicht generell außer Kraft, gab aber unmissverständlich zu verstehen, dass es künftig *zwei* Theatermodelle geben werde. Denn er erkannte nur allzu klar, dass der Bruch mit der Mimesis durch die Theaterrevolution des französischen Symbolismus eingeleitet war. Ihre Kunstfiguren, Eindringlinge, Androiden und Übermarionetten waren bereits im Anmarsch auf die Bühne des Bühnenillusionismus und stellten das herkömmliche Theater in Frage.[8] „Čechov und Maeterlinck sind weniger durch ihre Themen verwandt als durch ihre dramaturgischen Verfahren."[9]

Čechov verspürte diese tastende Subversion und machte in der *Möwe* zum ersten Mal in der Theatermoderne Europas das Theater selbst zum Thema und brachte die brennende Frage

---

[4] Gerhard Bauer: Lichtstrahl aus Scherben. Čechov. Frankfurt/M. 2000, S. 234.

[5] Vgl. Theresia Birkenhauer: Schauplatz der Sprache – das Theater als Ort der Literatur. Maeterlinck, Čechov, Genet, Beckett, Müller. Berlin 2005, S. 90, 27ff., 76ff.

[6] A. Derman: O masterstve Čechova. Moskva 1959, S. 7.

[7] Vgl.: Die „Nineties". Das englische Fin de siècle zwischen Dekadenz und Sozialkritik. Hg. Manfred Pfister, Bernd Schulte-Middelich. München 1983.

[8] „Maeterlincks Forderung eines ‚théâtre statique' ist die erste antiaristotelische Dramaturgie der europäischen Moderne, radikaler als viele nachfolgende, denn sie gibt das aristotelische Kernmoment der Definition, die Handlung (pragma), preis." (Hans-Peter Bayerdörfer: Maeterlincks Impulse für die Entwicklung der Theatertheorie. In: Drama und Theater der Jahrhundertwende. Hg. Dieter Kafitz. Tübingen 1991, S. 125).

[9] Birkenhauer, S. 29.

der „Repräsentation“ der Wirklichkeit auf die Bühne.[10] Čechov diskutierte sie nicht in theatrologischen Meta-Diskursen, sondern er theatralisierte sie. Damit fasste er die historische Wende in der Entwicklung des Dramas in programmatischer Klarheit zusammen und Šechtel's Emblem der Möwe fliegt bis heute als „Vogel Sturmverkünder“ nicht nur dem russischen, sondern dem modernen Theater überhaupt voran. Es ist die *Möwe* von 1896, mit der in Russland die Geburt eines neuen theatralen Systems[11] datiert, und nicht erst – wie oft behauptet – mit dem Balagan-Theater von Blok/Mejerchol'd von 1906.[12] Denn es war Čechov, der beiden nicht nur das Thema, sondern auch das dramaturgische und theatralische Verfahren geliefert hatte: Autoreferenz des Theaters mit den Mitteln des „Metatheaters“.[13] Das Metatheater, als Bühne auf der Bühne bzw. Spiel im Spiel, kann in der Moderne Funktionen der Tragödie übernehmen, allerdings nur in Allianz mit dramatischer Fiktionsironie.

Das Geschehen in der *Möwe* auf der Metabühne des Gartentheaters ohne dritte Wand mit freiem Ausblick auf See und Nachthimmel in Treplevs Fragment eines symbolistischen Dramas läuft ab als Monodrama, als „théâtre abstrait“[14] einer Kunstfigur, wie Dr. Dorn begreift, als Theater „abstrakter Ideen“. Ganz im Sinne Maeterlincks zeigt Čechov mit dem Auftritt der „Weltseele“ die „situation de l'homme dans l'universe“.[15] Er russifiziert die Kunstfigur und besetzt sie mit einer Idee des prominenten Philosophen Vladimir Solov'ev, dessen Gedankenwelt er aus dem Kreise des *Severnyj vestnik* (Nördlicher Bote), der avantgardistischen Zeitschrift des russischen Modernismus, kannte[16] und eröffnet auf der Naturbühne eine Brücke zur Transzendenz. Wie später in Arnold Schönbergs *Pierrot Lunaire* von 1912 lässt er schon hier „Luft von anderen Planeten“ wehen. Das kosmische Pathos der „Weltseele“ wird aber zugleich in ironische Distanz gerückt, ganz im Sinne der romantischen Ironie als „Epideixis der Unendlichkeit“.[17] Wie die Romantiker, die seinen ästhetischen Status erst validierten, nahm Čechov das Fragment als Kunstgriff poetologischer Innovation in Anspruch, aber nun erstmals auch auf der Bühne, um die neue dramaturgische Konstruktion in einer Versuchsanordnung experimentell durchzuspielen. Der Auftritt der Weltseele bleibt vorläufig ein Torso, ihr Theater verwittert zur Ruine.[18]

---

[10] Natürlich nicht ohne Seitenblick auf das „Spiel im Spiel“ in Shakespeares *Hamlet*, die Urszene selbstreflexiver Theatralität. Vgl. Thomas G. Winner: Chekhov's „Seagull“ and Shakespeare's Hamlet. A Study of a Dramatic Device. In: Slavic and East European Review XV, 1956, S. 103-111; Chekhov. New Perspectives. Hg. René Wellek, Nonna Wellek. Englewood Cliffs, N.J. 1984, S. 107-117; Franz Leithold: Studien zu A.P. Čechovs Drama „Die Möwe“. München 1989, S. 109ff.

[11] Vgl. B. Zingerman: Teatr Čechova i ego mirovoe značenie. Otv. red. A.A. Anikst. Moskva 1988, S. 249-318; Tolstaja, S. 279-324.

[12] Die epochemachende Uraufführung der *Schaubude* (Balagančik) von Aleksandr Blok in der Regie von Vsevolod Mejerchol'd fand am 30. Dezember 1906 am Theater von Vera Komissarževskaja in St. Petersburg statt, und zwar in Kombination mit Maeterlincks Stück *Das Wunder des Heiligen Antonius*, was man gern unterschlägt.

[13] Vgl. Lionel Abel: Metatheatre: A New View of Dramatic Form. New York 1963, S. 72: „metatheatre has replaced tragedy“; Susan Sontag: Kunst und Antikunst. Reinbek 1968, S. 160ff. Zum Unterschied von „metadrama“ und „metatheatre“ vgl. Keir Elam: The Semiotics of Theatre and Drama. London 1980, S. 59; Douglas Clayton: The Play-Within-the-Play as Metaphor and Metatheatre in Modern Russsian Drama. In: Theater and Literature in Russia, 1900–1930. Hg. Lars Kleberg, Nils Åke Nilsson. Stockholm 1984, S. 75f.

[14] Bayerdörfer: Maeterlincks Impulse..., S. 129f.

[15] Hans-Peter Bayerdörfer: Der totgesagte Dialog und das monodramatische Experiment. In: TheaterAvantgarde. Hg. E. Fischer-Lichte. Tübingen 1996, S. 242-290, hier S. 267.

[16] Vgl. Tolstaja, S. 57ff.

[17] Vgl. Maria Deppermann: „Epideixis der Unendlichkeit“. Das Fragment in der „ästhetischen Revolution“ der Frühromantik. In: Das Fragment im (Musik-)Theater. Zufall oder Notwendigkeit. Vorträge und Gespräche des Salzburger Symposiums 2002. Hg. Peter Csobádi u.a. Anif, Salzburg 2005, S. 56-80.

[18] Vgl. die Arbeiten von Brock, Frank, Neumann in: Fragment und Totalität. Hg. Lucien Dällenbach, Christiaan L. Hart Nibbrig. Frankfurt/M. 1984.

Indem Čechov in der *Möwe* das Theater selbst zum Thema des Dramas machte, vollzog er eine zukunftsweisende Wendung in seinem Werk und nahm zugleich eine Haupttendenz der Ästhetik des 20. Jahrhunderts vorweg, nämlich Kunst und Sprache zum Thema der Kunst zu machen. Mit diesem Schritt zur Selbstreferenzialität der Dramatik und Selbstbefragung des Theaters war er erstaunlich weitblickend, um nicht zu sagen prophetisch, lange ehe Pirandello am Horizont erschien. Darum greift auch zu kurz, wer die *Möwe* nur als ein Stück über den Generationenkonflikt unter rivalisierenden Künstlern und Treplevs Bühnenfragment lediglich als Parodie einstuft: „‚Чайка' становится программой для еще не родившегося русского модернизма, отнюдь не пародией – пародировать было в общем пока нечего, а парадигмой" (Die Möwe wird zum Programm des noch nicht geborenen russischen Modernismus, keineswegs eine Parodie – zu parodieren gab es im Allgemeinen vorläufig noch gar nichts – sondern ein Paradigma).[19]

Čechov hat in der Tat seit der *Möwe* der Gattung Drama ein neues Paradigma erschlossen. Und die Theatermoderne in Russland nahm ihren Ausgang *nicht* erst von Blok/Mejerchol'ds Balagantheater, sondern bereits von Čechovs *Möwe* in der Inszenierung von Stanislavskij und Nemirovič-Dančenko, selbst wenn diese der neuen Dramenform vorerst nur zum Durchbruch zu verhelfen, sie aber theaterästhetisch noch nicht angemessen zu realisieren vermochten. Das gelang der Regie erst in den avanciertesten Inszenierungen des 20. Jahrhunderts, denken wir nur an die makellose Jubiläums-Produktion der Schaubühne Berlin von 1996 in der Regie von Andrea Breth. Auf jeden Fall ist das Urteil von George Kalbouss: „Russians were ahead of their European contemporaries in the 1910's in creating this new self conscious theater"[20] zu revidieren und um zehn Jahre vorzudatieren in die Mitte der russischen Nineties des 19. Jahrhunderts.

Das bedeutet aber, dass das revolutionäre Potenzial genuiner Theateravantgardisten wie Maeterlinck und Čechov[21] in den Annalen der Forschung und im Bestand probater Handbücher präziser und fester verankert werden muss.[22] Junge Regisseure sind ihm heute im Falle Čechovs auf der Spur, wie z.B. Jens Roselt mit dem Text von „Treplevs Manifesto" in der *Möwe*-Inszenierung von Stefan Pucher am Deutschen Schauspielhaus Hamburg 2000.[23] Čechov treibt ihn um: „Das Theater weiß nichts" heißt sein Pamphlet, mit dem er Kostjas Theaterexperiment fortschreibt als Einschätzung bisherigen wie Chance künftigen Theaters. Im Falle Maeterlincks ließ das Engagement der Regie bedauerlicherweise lange auf sich warten. Eine Wiedererweckung der subversiven Dramen des frühen Maeterlinck scheint in den 1990er Jahren mit Aufführungen der Berliner Schaubühne, Peter Brooks *Impressions de Pellás* (Paris, Bouffes du Nord 1992), und Christoph Marthalers *Jubiläumskonzert / Der Eindringling* (Volksbühne Berlin 1994), eingeleitet, harrt aber junger, verständiger und wagemutiger RegisseurInnen, die Maeterlincks theatralische Modernität paradigmatisch erkennen und umsetzen.

---

[19] Tolstaja, S. 8; vgl. auch S. 279-324.

[20] George Kalbouss: The Plays of the Russian Symbolists. East Lansing/Mich. 1982, S. 79.

[21] Vgl. Maria Deppermann: Čechov und Maeterlinck. Vom Reiz überraschender Nachbarschaft. In: Wechselbeziehungen zwischen slawischen Sprachen, Literaturen und Kulturen in Vergangenheit und Gegenwart. Hg. Ingeborg Ohnheiser. Innsbruck 1996, S. 319-335; Dies.: Dramaturgie der Stille – Čechov und Maeterlinck. Prolegomena zu einem Vergleich. In: Anton P. Čechov – Philosophische und religiöse Dimensionen im Leben und im Werk. Hg. Vladimir B. Kataev, Rolf-Dieter Kluge, Regine Nohejl. München 1997, S. 151-174.

[22] Ein Markstein auf diesem Wege ist die neue Untersuchung von Theresia Birkenhauer (vgl. Anm. 5), die überzeugend auf die Linie Maeterlinck und Čechov, Beckett, Genet und Heiner Müller fokussiert ist.

[23] Diesen Hinweis verdanke ich Stefan Tigges (derzeit Universität Bochum), der über die *Möwe* promoviert hat. Vgl. Stefan Tigges: Von der Weltseele zur Über-Marionette. Čechovs Traumtheater als avantgardistische Versuchsanordnung. Bielefeld 2010. Vgl. den Beitrag von Stefan Tigges im vorliegenden Band (Anm. d. Hg.).

Was nun Čechovs ästhetische Subversion anlangt, so war er keineswegs *nur* Positivist aus Bescheidenheit, Meister des Understatements, wie Thomas Mann[24] befand, oder Genie der Beiläufigkeit, wie Nabokov[25] meinte, sondern auch ein Granit an Hartnäckigkeit, die der „gentle subversive" allerdings gern kaschierte. Čechov war radikal ohne zu schockieren. In seiner einzigartigen Fähigkeit, Bescheidenheit und Kühnheit im Sinne Pasternaks[26] zu verbinden, war er einer der subversivsten Schriftsteller aller Zeiten[27]. Und er stand dabei unter enormem Zeitdruck. Wie der todgeweihte Schiller wusste er, dass er alles, was er sagen wollte, schnell und mit größtmöglicher Deutlichkeit sagen, aber auch tun musste.[28]

Molekular nenne ich die präzis sondierende und bis in kapillare Feinstrukturen vordringende Genauigkeit des Dichter-Arztes, die Peter Brook als Čechovs „wesentliche Qualität"[29] erkannte. Ihr entspringt die erstaunliche Nuanciertheit seiner subversiven Ästhetik[30] und die Feinkörnigkeit seiner Poetik. Das gilt in thematischer und formaler Hinsicht. Thematisch meidet Čechov gezielt mit doppelter Verneinung die „leidigen Antithesen" (Schnitzler), indem er die inneren Widersprüche konfligierender Extrempole bloßlegt und damit die Großkontraste relativiert und als Klischees antagonistischer Ideologien entlarvt. Dachte Čechov wohl zuweilen wie Friedrich Nietzsche „Wehe mir! ich bin eine nuance –"[31]? Ich glaube, ja.

Anders als Bertolt Brecht ging es Čechov um „die Kunst der leisen Wahrheit"[32], die es nicht nötig hat, sich auffällig zu machen, zu plakatieren und didaktisch zu verfremden, und schon gar nicht, sich aller Emotion zu entkleiden.[33] Im Gegenteil, die lyrisch-musikalische Einstimmung (*nastroenie*)[34] des Zuschauers war für Čechov Katalysator aller Anagnorisis und

---

[24] Thomas Mann: Versuch über Tschechow [1954]. In: Thomas Mann: Gesammelte Werke. Bd. 11: Reden und Aufsätze 1. Oldenburg 1960, S. 852f.

[25] Vladimir Nabokov: A. Tschechow. In: Die Kunst des Lesens. Meisterwerke der russischen Literatur. Hg. F. Bowers. Frankfurt/M. 1984, S. 377.

[26] Vgl. Boris Pasternak: Bescheidenheit und Kühnheit: Gespräche, Dichtungen, Dokumente. Hg. R. E. Meister. Zürich 1959.

[27] Vgl. Simon Karlinsky: Anton Chekhov's Life and Thought. Selected Letters and Commentary. Transl. from the Russian by Michael Henry Heim, in Collaboration with Simon Karlinsky. Selection, Commentary and Introd. by Simon Karlinsky. Evanston/Ill. 1997, S. 12ff.

[28] Safranski beginnt mit Schillers Autopsie, die ergab, dass er schon seit zehn Jahren gar nicht mehr hätte leben dürfen. Vgl. Rüdiger Safranski: Schiller oder die Erfindung des Deutschen Idealismus. München 2004.

[29] Peter Brook: Der Kirschgarten. In: Über Čechov. Hg. Peter Urban. Zürich 1988, S. 338; vgl. auch Rilke: „Er war ein Dichter und haßte das Ungefähre." (Rainer Maria Rilke: Die Aufzeichnungen des Malte Laurids Brigge [1910]. Frankfurt/M. 1982, S. 13).

[30] Vgl. Karlinsky, S. 1ff.

[31] Friedrich Nietzsche: Sämtliche Werke. Kritische Studienausgabe in 15 Bd. Hg. G. Colli, M. Montinari. Berlin, New York 1981 (= KSA), S. 362. Überhaupt gibt es mehr Parallelen – und natürlich Unterschiede! – zwischen Čechov und Nietzsche, als man bisher zu untersuchen für nötig befand. Ein typologischer Vergleich wäre fällig.

[32] Siegfried Melchinger: Anton Tschechow. Velber ^{2}1974, S. 18.

[33] Es ist erstaunlich, dass Heiner Müller, einer der wachsamsten Sachwalter Brechts, angesichts der erschöpften „historischen Substanz" der ideologisch sakrosankten *traktovka* des Großmeisters, gerade aus der Renaissance von *Ibsen*, vor allem aber von *Čechov*, den Brecht ja mitsamt der Stanislavskij-Schule verachtete, einen Neuanfang im Drama erwartete. Nötig sei heute wieder das „Eingreifen ins Mikroskopische", das sich abspielt in der *Kommunikation* zwischen zwei oder drei Menschen hinter der Fassade und in den Geheimgängen ihrer anscheinenden Privatheit. Denn dort beginnt alles Soziale, worin sich auch Arthur Miller und Thomas Mann einig waren, der meinte, das Intimste sei das Allgemeinste. Vgl. Heiner Müller: Notate zu Fatzer. In: Die Zeit, 17.3.1978; Über Čechov, S. 406f. Arthur Miller fasste wie Čechov das Soziale weiter als gängige Sozialkritik: „Überall, wo die Frage gestellt wird, wie sollen wir leben?, ist das Drama sozial." Und zwar, wo „Fragen des konkreten Menschen, des unreduzierten, unangepaßten, des sich zur Freiheit der Opposition ermächtigenden Einzelnen berührt sind". (Siegfried Melchinger: Drama zwischen Shaw und Brecht. Ein Leitfaden durch das zeitgenössische Schauspiel. Berlin u.a. 1961, S. 58; Über Čechov, S. 301f.).

[34] Striedter weist zu Recht darauf hin, dass der Begriff „nastroenie" sowohl Stimmung als auch Einstimmung bedeutet und nicht allein im verengten Verständnis nostalgischen Stimmungstheaters in der Stanislavskij-Tradition verstanden werden darf. Vgl. Jurij Striedter: Drama als Spiel reflektierter Erwartungen: Tschechows „Drei

Katharsis im Drama: „Nicht die Wahrheit muß geschärft werden, sondern das Gehör, das sie wahrnimmt."[35] Čechovs Temperatur ist nicht der rationale Kälteschock[36], er will durchaus wie die griechischen Tragiker eine Erhitzung der tauben Gefühle: will Scham, Erschrecken, Empörung wecken, um kathartische Erschütterung zu bewirken. Aber er will auch kritisch-selbstkritische Distanz angesichts der Formen „beschädigten Lebens" auslösen, die er in „Versuchsanordnungen" auf der Bühne[37] vorführt. Adornos ethische Devise, mit der er den Rußspuren der objektiven Mächte bis hinein in die molekulare Tiefenstruktur der Psyche folgt: „Wer die Wahrheit übers unmittelbare Leben erfahren will, muß dessen entfremdeter Gestalt nachforschen, den objektiven Mächten, die die individuelle Existenz bis ins Verborgene bestimmen"[38], hätte auch Čechov eingeleuchtet, der sie ja als Künstler konzis vorwegnimmt. Auf nichts anderes als auf die „Wahrheit übers unmittelbare Leben" in seiner Gefährdung, zielt ja Treplevs Monolog der „Weltseele" in der *Möwe*, den einzig Dr. Dorn mit kathartischem Erzittern begreift.

Čechov wollte nicht wie die Naturalisten eine „tranche de la vie", determiniert vom „juste milieu", sondern die „Quintessenz des Lebens"[39] in Erzählungen und auf der Bühne durch Verdichtung von Alltagserfahrungen zum poetischen Konzentrat darstellen. Dabei war er wie die Naturalisten und die Symbolisten sehr wohl den „objektiven Mächten" auf der Spur, die bis in die Kapillargefäße des Individuellen hineinwirken.[40] Er war kein bloßer Beobachter, sondern ein Durchschauer, kein passionierter Milieuschilderer, sondern ein Diagnostiker von schmerzlichen Modernitätsverlusten, aber auch von erhofften Modernitätsgewinnen am Puls seiner Generation.[41]

Realist oder gar Naturalist war er dabei ebenso wenig wie Cézanne, dessen Unerbittlichkeit der „réalization" niemand mit „Realismus" verwechseln wird. Wieder ist es Peter Brook, der angemessen präzisiert:

> Es ist ein leicht zu begehender Fehler, daß man Tschechow als naturalistischen Schriftsteller versteht [...]. Tschechow hat niemals nur einen Ausschnitt aus dem Leben gemacht – er war ein Arzt, der mit unendlicher Zartheit und Sorgfalt Tausende und Abertausende dünner Schichten vom Leben entfernt hat. Diese hat er kultiviert und dann in einer ausgesucht schlauen und sinnvollen Ordnung arrangiert, wobei ein Teil der Schlauheit darin lag, daß er die Künstlichkeit so getarnt hat, daß das Ergebnis wie ein Blick durchs Schlüsselloch aussah, was es nie gewesen war.[42]

Schwestern". In: Dramatische und theatralische Kommunikation. Beiträge zur Geschichte und Theorie des Dramas und Theaters im 20. Jahrhundert. Hg. Herta Schmid, Jurij Striedter. Tübingen 1992, S. 198.

[35] Striedter, S. 19.

[36] Vgl. Peter von Matt: Brecht und der Kälteschock. In: Neue Rundschau 1976, VI, S. 613-629.

[37] Birkenhauer, S. 112.

[38] Theodor W. Adorno: Minima Moralia. Reflexionen aus dem beschädigten Leben. In: Theodor Adorno: Gesammelte Schriften. Bd. 4. Frankfurt/M. 1980, S. 13.

[39] Ė.A. Polockaja: Čechov i Mejerchol'd. In: Čechov. Hg. V.V. Vinogradov u.a. Moskva 1960, S. 419. Damit präfiguriert Čechov Peter Brooks Devisen „Theater concentrates life", „Life is more readable and intense, because it is concentrated". Vgl. Peter Brook: There are no Secrets. Thoughts on Acting and Theatre. London 1994; Allan Janik: Theater and Knowledge – Suffering Into Wisdom. Stockholm 2005, S. 17 u. passim, das ich im Manuskript einsehen durfte.

[40] Birkenhauer, S. 47, nach Arnaud Rykner: L'envers du théâtre. Dramaturgie du silence de l'âge classique à Maeterlinck. Paris 1996, S. 303.

[41] Damit ist er führenden Diagnostikern der Moderne wie Nietzsche und Freud, Schnitzler und Weber zuzuordnen. Vgl. Detlev J. K. Peukert: Max Webers Diagnose der Moderne. Göttingen 1989 (Kap. III, zum Janusgesicht des Modernisierungsprozesses).

[42] Peter Brook: Der leere Raum. Aus d. Engl. v. Walter Hasenclever. Hamburg 1969, S. 132/33.

Wie Cézannes Malerei ist Čechovs Dichtung eine Kunst des Zeigens und der Quintessenz.[43] Es war Il'ja Ėrenburg, der analog zu Cézannes ästhetischem Credo der „réalization" Čechovs Kunst des Zeigens in ihrer „modernité" erkannte: „Он не доказывал, даже не рассказывал, он показывал"[44] (Er bewies nicht, er erzählte nicht einmal, er zeigte). Es gehe ihm nicht ums Beweisen, ja nicht einmal ums Erzählen im traditionellen Sinne[45], sondern ums Zeigen, und zwar in einem spezifisch modernen Sinne. Čechovs poetologisches Verfahren des Zeigens verdankt sich der Spannung von Präsenz und Absenz, der Poetik der unrealisierten Potenziale und der präsenten Absenzen.[46] Čechov fokussiert unaufhaltsam bestimmte Formen der *Negativität*: das *Nicht*-Getane, das *Nicht*-Erfüllte, das *Nicht*-Ausgesprochene oder *Nicht*-Zuendegesprochene („nedoskazannost'"). Daraus ergibt sich aber nicht Stillstand oder Leerlauf, sondern ein Veränderungselan von eigentümlicher Radikalität: „Was fehlt, ‚ist' oft auf eine intensivere, aufdringlichere Weise als alles, was vorhanden ist."[47] Čechovs Insistieren auf dem Negativen wurde ihm nur allzu oft als lähmender Pessimismus angekreidet, ohne zu erkennen, dass Neinsagen ein positiver Akt sein kann, und das „Leben des Geistes" sich nicht in Befangenheit im Positiven erschöpfen darf, wenn es wahrhaftig bleiben will. Darauf legt Adorno den Finger, wenn er Hegels Appell zum Standhalten vor dem Negativen zitiert:

> Das Leben des Geistes gewinnt seine Wahrheit nur, indem er in der absoluten Zerrissenheit sich selbst findet. Diese Macht ist er nicht als das Positive, welches von dem Negativen wegsieht, wie wenn wir von etwas sagen, dies ist nichts oder falsch, und nun, damit fertig, davon weg zu irgend etwas anderem übergehen; sondern er ist diese Macht nur, indem er dem Negativen ins Angesicht schaut, bei ihm verweilt.[48]

Diese geistige Kraft spüren wir noch heute beim Lesen, besonders aber auf der Bühne. Denn Čechov war überzeugt: „In der Kunst kann man nicht lügen."[49] Dabei war er sich völlig bewusst, dass die Gesetze der Kunst von denen des Lebens grundsätzlich abweichen, denn die Kunst ist seinsheteronom. Gegen Stanislavskijs Theaterrealismus – der dem Vorbild des renommierten Meininger Hoftheaters unter Herzog Georg II.[50] nacheiferte, das durch Gastspielreisen in Russland ganz neue Maßstäbe detailgetreuer Inszenierung gesetzt hatte – wandte er ironisch ein: Realistisch? Aber die Bühne ist doch Kunst! Sie vergessen, dass Sie keine vierte Wand haben.[51] Und bei den Proben zur *Möwe* 1898 wies er analog zur Bedingtheit der Bühne

---

[43] Vgl. Maurice Merleau-Ponty: Der Zweifel Cézannes. In: Was ist ein Bild? Hg. Gottfried Boehm. München ^{2}1995, S. 39-59; Rainer Maria Rilke: Lettres sur Cézanne. Paris 1944 (Briefe über Cézanne. Frankfurt/M. 1962). Rilke begann seine Briefe nach der ersten Cezanne-Retrospektive 1907 in Paris während der Arbeit am *Malte Laurids Brigge*. Seine Äpfel habe Cezanne nur soweit „fertig" malen können, wie er sie in ontologischer Prägnanz erkennen konnte. Als er Cézannes *Montagne Saint Victoire* sah, sagte er, niemand habe Berge in solcher Weise gesehen seit Moses. Vgl. Harry Graf Kessler: Aus den Tagebüchern. In: Jahrbuch der deutschen Schillergesellschaft 12, 1968; Herman Meyer: Rilkes Cézanne-Erlebnis. In: Herman Meyer: Zarte Empirie. Stuttgart 1963, S. 244-286.

[44] Il'ja Ėrenburg: Perečityvaja Čechova. Moskva 1960.

[45] „Daß man erzählte, wirklich noch erzählte, das muß vor meiner Zeit gewesen sein." (Rilke: Die Aufzeichnungen des Malte Laurids Brigge, S. 118).

[46] Harai Golomb: Communicating Relationships in Chekhov's „Three Sisters". In: Anton Chekhov Rediscovered. A Collection of New Studies. With a Comprehensive Bibliography. Hg. Savely Senderovich, Munir Sendich. East Lansing/Mich. 1987, S. 16.

[47] Bauer, S. 232.

[48] Adorno, S. 15. Natürlich hängte sich Čechov im Unterschied zu Hegel nie „an den Triumphwagen der objektiven Tendenz", sondern optierte – wie Adorno – für die Eigengeltung des Besonderen, die Unantastbarkeit des Privaten und den Vorrang der Individualität, immer aber eingedenk der sozialen Verantwortung vor dem Ideal der Humanität.

[49] Melchinger: Anton Tschechow, S. 13.

[50] Vgl. Max Grube: Geschichte der Meininger. Berlin 1926.

[51] Melchinger: Anton Tschechow, S. 14.

auf die Kunstgesetze der Malerei hin: „Was, wenn man aus einem der Gesichter die Nase herausschneiden und eine lebendige einsetzen würde? Dann wäre die Nase ‚real', aber das Bild wäre verhunzt."[52] Čechovs Medienkompetenz und sein Beharren auf der Eigengesetzlichkeit des Theaters als semiotisches System ist frappierend in seiner Modernität.

Quintessenz als Ziel der Darstellung ist nicht nur eine poetologische Devise, sondern erfordert eine unabhängige Denkhaltung: sie duldet keinerlei Manipulation des Materials durch Ideologie, Philosophie oder Religion. Sie erfordert ein „Denken ohne Geländer"[53], um die Konkretheit und Heterogenität der Phänomene vor nivellierendem Zugriff zu retten. Čechov muss mit seinem methodischen Zweifel in die europäische Avantgarde der Dichter des Argwohns, des „ère du soupçon", eingeordnet werden.[54] Aus seiner Grundhaltung kritischer Distanz rührt die Abstinenz von ideologischen „Prinzipien", die Verweigerung jeglicher Dienstbarkeit für den sozialdidaktischen Wertekanon und sein Insistieren auf der freien Wahl seiner künstlerischen Thematik und écriture, d.h. seine Unbotmäßigkeit, die die Kritik ihm nicht verzieh und als Prinzipienlosigkeit diffamierte. Dabei hatte er sehr wohl von allem Anfang an ein zutiefst humanes Grundprinzip jenseits aller Ideologien. Selbst der junge Čechov war keineswegs nur „Zeitungsclown" und smarter Lieferant unterhaltender Feuilletons für Witzblätter oder Vaudevilles für die Boulevardbühne, bevor er sich – „erweckt" von Grigorovič – mit der Erzählung *Step'* (Die Steppe, 1888) der seriösen Literatur zuwandte. Und der seit Michajlovskij immer wieder gegen Čechov als Menschen und als Künstler erhobene Vorwurf des „Indifferentismus" ist eine grobe Verkennung und Diffamierung, die das Pathos der Distanz mit Gleichgültigkeit zusammenwürfelt.[55] Kritische Entlarvungskraft beweist schon schlagend seine ganz frühe, packende Erzählung *Za jabločki* (Für nichts als ein paar Äpfel) von 1880. Bereits hier stellte der Zwanzigjährige das Thema despotischer, sadomasochistisch unterfütterter Herrschaft mit ätzender Ironie und mythologischem Tiefgang bloß. Robert Louis Jackson wies mit bewährter Akribie nach, wie sehr sich die intertextuelle Unterströmung des „Sündenfalls" im russischen Garten Eden bis ins Detail Dostoevskij verdankt.[56] Das Archisujet des Despotismus aus dieser Debüterzählung fand schließlich seine archetypische Ausformung in der Meistererzählung *Palata № 6* (Krankensaal Nr. 6) von 1892, ausgelöst von der erschütternden Erfahrung seiner Einmann-Expedition auf die Sträflingsinsel Sachalin. So war

---

[52] Peter Urban: Čechov Chronik. Daten zu Leben und Werk. Zürich ^{2}2004 (^{1}1981), S. 266.

[53] Vgl. Hannah Arendt: Denken ohne Geländer. Texte und Briefe. München, Zürich 2006.

[54] Nathalie Sarraute: Zeitalter des Argwohns. Über den Roman. Aus d. Franz. v. Kyra Stromberg. Köln, Berlin 1963, S. 45 (L'ère du soupçon. Essais sur le roman. Paris 1956); Karl Heinz Bohrer: Die Ästhetik des Schreckens. Die pessimistische Romantik und Ernst Jüngers Frühwerk. München 1978. S. 519. Als grundlegende ästhetische Kategorie für moderne Dichtung geht der Begriff des Argwohns, des „soupçon", auf Stendhal zurück, der 1832 im Vorwort zu *Souvenirs d'Egotisme* schreibt: „Le génie poétique est mort, mais le génie du soupçon est venu au monde." (Stendhal: Souvenirs d'égotisme. Paris 1892 [postum]; dt. Erinnerungen aus dem Leben eines Egotisten, 1892; Bekenntnisse eines Egotisten, 1903; Bekenntnisse eines Ichmenschen, 1923). Vgl. Hans Robert Jauss: Das Ende der Kunstperiode – Aspekte der literarischen Revolution bei Heine, Hugo und Stendhal. In: Hans Robert Jauss: Literaturgeschichte als Provokation der Literaturwissenschaft. Frankfurt/M. ^{2}1970, S. 107-143. Nietzsche verwendete den Begriff des „soupçon" als kulturkritische Kategorie, für Čechov war die Haltung skeptischen Argwohns gegenüber jeder Ideologie und angemaßten Autorität Quelle seines poetologischen Verfahrens. Vgl. Tolstaja, S. 7ff.; Robert Louis Jackson: Dostoevsky in Chekhov's Garden of Eden: „Because of Little Apples" [1880]. In: Robert Louis Jackson: Dialogues with Dostoevsky. The Overwhelming Questions. Stanford 1993 [Kap. 4: Dostoevsky in Chekhov's Garden of Eden]), und für Sarraute, die Čechov hoch schätzte, die Basis der „Mikrologien" des „Nouveau roman".

[55] Das Gegenteil von Indifferentismus ist der Fall. Gehen doch die Genauigkeit des Positivisten, sein Streben nach größtmöglicher Objektivität und das Pathos der Distanz bei Čechov einher mit dem engagierten Protest des Arztes und Künstlers gegen jede Form von Gewalt und Lüge; mit dem Ziel leidenschaftlicher Verteidigung individueller, künstlerischer und gesellschaftlicher Freiheit und Würde mittels neuer Formen in der Kunst des Wortes und der Bühne, die er als Organon neuer Lebensformen verstand, womit er dem genuin russischen Konzept des „žiznetvorčestvo" (Lebenschaffen) zuzurechnen ist.

[56] Vgl. Jackson, S. 98-103.

es von Anfang an der Motor seiner nicht immer „sanften Subversion“, die „Freiheit von Gewalt und Lüge“, sein russisches Humanitätsideal, schreibend als freier Schriftsteller zu verwirklichen. Und wenn es trotz aller „Autobiographobie“ ein Archisujet seines Lebens gab, so ist es die berühmte Passage aus dem Brief an seinen Verleger und Freund Suvorin vom 7.1.1889:

> Что писатели-дворяне брали у природы даром, то разночинцы покупают ценою молодости. Напишите-ка рассказ о том, как молодой человек, сын крепостного, бывший лавочник, певчий, гимназист и студент, воспитанный на чинопочитании, целовании поповских рук, поклонении чужим мыслям, благодаривший за каждый кусок хлеба, много раз сеченный, ходивший по урокам без калош, дравшийся, мучивший животных, любивший обедать у богатых родственников, лицемеривший и богу и людям без всякой надобности, только из сознания своего ничтожества, – напишите, как этот молодой человек выдавливает из себя по каплям раба и как он, проснувшись в одно прекрасное утро, чувствует, что в его жилах течет уже не рабский кровь, а настоящая человеческая. (P. 3, 133)

> Was die adeligen Schriftsteller von der Natur umsonst bekommen haben, erkaufen sich die Raznočinzen mit dem Preis ihrer Jugend. Schreiben Sie doch mal eine Erzählung darüber, wie ein junger Mensch, Sohn eines Leibeigenen, seinerzeit Ladenschwengel, Kirchensänger, Gymnasiast und Student, erzogen zur Ehrfurcht vor Ranghöheren, zum Küssen von Popenhänden, zur Verbeugung vor fremden Gedanken, zur Dankbarkeit für jedes Stückchen Brot, oft verprügelt, ohne Galoschen zum Unterricht gegangen, der sich geprügelt, Tiere gequält, gern bei reichen Verwandten gegessen, ohne Notwendigkeit geheuchelt hat vor Gott und den Menschen, nur aus dem Bewusstsein seiner Minderwertigkeit, – schreiben Sie, wie dieser junge Mensch tropfenweise den Sklaven aus sich herauspresst und wie er eines schönen Morgens aufwacht und spürt, in seinen Adern fließt kein Sklavenblut mehr, sondern echtes, menschliches... (Urban, Briefe 1, 398/99)

Čechovs Subversion lag ein absolut unnachgiebiges, maximalistisches Credo zugrunde, das zur Quelle seiner Poetik der Freiheit wurde. Sein Allerheiligstes war die absolute Freiheit von Gewalt und Lüge[57], und zwar die persönliche Freiheit in allen drei Kernbereichen des humanum: in Religion, Politik und Erotik, deren Repression oder Befreiung eng zusammenhängen, und natürlich in der Kunst. In seinem Credo – „ein Fehdehandschuh, den er einer ganzen Epoche ins Gesicht schleuderte, eine Rebellion gegen alles, was ihr heilig war“[58] – war er radikal, ohne jedoch in der künstlerischen Repräsentation zu schockieren: Seine ästhetische Subversion trug das Gütesiegel persönlicher Souveränität – *suaviter in modo, fortiter in re*. Umso radikaler war er in der Dekonstruktion ideologisch verfestigter Diskurse und Falschmünzerei von Idealen im Sinne Nietzsches sowie in der Dehierarchisierung der gängigen Weltsicht und der „Ordnung der Dinge“ im Sinne Foucaults.

Čechovs *Denken der Diskontinuität* trägt mit seiner Passion für Vielfalt, Pluralität und Heterogenität der Koexistenz des Zufälligen mit dem Bedeutenden Rechnung, die das reale Leben kennzeichnet. „[...] das Zufällige existiert neben und zugleich mit dem Wichtigsten, als Selbständiges, als Gleichberechtigtes. Es ist ein unabdingbarer Teil des Čechov'schen Weltbildes.“[59] Sein hochsubversives Credo war nicht nur gefährlich für den russischen Staat und dessen doktrinären Dissens, es unterwanderte auch – wie das demaskierende Denken Nietz-

---

[56] „Mein Allerheiligstes – das sind der menschliche Körper, Gesundheit, Geist, Talent, Begeisterung, Liebe und absolute Freiheit, Freiheit von Gewalt und Lüge, worin sich beide auch äußern mögen. Das ist das Programm, an das ich mich halten würde, wenn ich ein großer Künstler wäre“ (Мое святая святых – это человеческое тело, здоровье, ум, талант, вдохновение, любовь и абсолютнейшая свобода, свобода от силы и лжи, в чем бы последние ни выражались. Вот программа, которой я держался бы, если бы был большим художником; an A.N. Pleščeev, 4.10.1888: P. 3, 11; Urban, Briefe 1, 299).

[58] So Kornej Čukovskij (vgl. Karlinsky, S. 110).

[59] „Случайное существует рядом с главным и вместе с ним – как самостоятельное, как равное. Оно – неотъемлемая часть чеховской картины мира.“ (A.P. Čudakov: Poėtika Čechova. Moskva 1971, S. 199 [engl.: Chekhov's Poetics. Transl. by Edwina Jannie Cruise and Donald Dragt. Ann Arbor 1983]).

sches – die gesamte jüdisch-christliche Zivilisation.[60] Doch „Dynamit" wie dieser[61] wollte er nie sein, wohl aber standhalten in „gottferner und prophetenloser Zeit", wie es sich Max Weber in seiner Diagnose der Moderne zur Aufgabe machte und als Ethos intellektueller Rechtschaffenheit einforderte[62]. Čechovs Credo wurzelt in seiner dreifachen geistigen Ausrüstung: er war Naturwissenschaftler wie Alexander von Humboldt, Arzt wie Doktor Živago und vor allem anderen ein freier Künstler.

Als Arzt am Krankenbett der Epoche stellte sich Čechov der Krankheit seiner Zeit, dem „mal du siècle"[63] und bestand unnachgiebig auf der *Richtigkeit der Diagnose*, ohne die es keine Heilung geben kann, und als Künstler auf der *Richtigkeit der Fragen*, die an das Material seiner Kunst zu stellen er verpflichtet ist.

> Требуя от художника сознательного отношения к работе, Вы правы, но Вы смешиваете два понятия: *решение вопроса* и *правильная постановка вопроса.* Только второе обязательно для художника. В „Анне Карениной" и в „Онегине" не решен ни один вопрос, но они Вас вполне удовлетворяют, потому только, что все вопросы поставлены в них правильно. Суд обязан ставить правильно вопросы, а решают пусть присяжные [...].
> An A.S. Suvorin, 27.10 1888 (P. 3, 46)

> Wenn Sie vom Künstler ein bewußtes Verhältnis zu seiner Arbeit verlangen, so haben Sie recht, aber Sie verwechseln zwei Begriffe: *die Lösung der Frage* und *die richtige Stellung der Frage.* Nur zum zweiten ist der Künstler verpflichtet. In „Anna Karenina" und im „Onegin" wird keine einzige Frage gelöst, aber beide befriedigen Sie völlig, nur weil in ihnen alle Fragen richtig gestellt sind. Das Gericht ist verpflichtet, die Fragen richtig zu stellen, lösen sollen sie die Geschworenen [...]. (Urban, Briefe 1, 325)

Sein Programm war nicht die verkündete, sondern die gesuchte und dargestellte Wahrheit. Und darin liegt der ganze Unterschied oder wie Puškin sagte – „это дьявольская разница"[64] (das ist ein teuflischer Unterschied). Um die Wahrheit seiner Personen sichtbar zu machen, genügt es nicht, sie „realistisch" abzubilden, sondern empirische Menschen müssen in einer ästhetischen Konstellation zur „cristallisation"[65] gebracht werden, um jene „Quintessenz des Lebens" zu zeigen, derer sie selbst sich gar nicht bewusst werden können.

---

[60] Karlinsky, S. 12.

[61] „Ich kenne mein Los. Es wird sich einmal an meinen Namen die Erinnerung an etwas Ungeheures anknüpfen – an eine Krisis, wie es keine auf Erden gab [...]. Ich bin kein Mensch, ich bin Dynamit." (Friedrich Nietzsche: Ecce homo. In: Ders.: KSA, 6, S. 365).

[62] Max Weber: Wissenschaft als Beruf [1919]. In: Max Weber: Gesammelte Aufsätze zur Wissenslehre. Hg. Johannes Winckelmann. Tübingen 1951, [4]1973, S. 610; Peukert, S. 28, zur Auseinandersetzung mit Nietzsche, wo Weber dessen kulturkritischem Habitus des Propheten den eigenen der Askese des Wissenschaftlers gegenüberstellt, der mit intellektueller Rechtschaffenheit seinem „Dämon" folgt.

[63] Čechov wählte den kulturkritischen Habitus des „Arztes" angesichts der Orientierungslosigkeit in den Verwerfungen des immer rapider ablaufenden Modernisierungsprozesses. Figur und Habitus des Arztes waren ebenso wie das Thema der Krankheit als Mittelglied zwischen Leben und Tod prominent im Realismus. Vgl. Igor' P. Smirnov: Megaistorija. K istoričeskoj tipologii kul'tury. Moskva 2000, S. 63. Zugleich stand Čechov im geistigen Horizont von Paul Bourget, dem einflussreichen und sofort ins Russische übersetzten Kritiker der europäischen Décadence und Wertekrise, zu dessen aufmerksamen Lesern Nietzsche und Čechov gehörten (vgl. Paul Bourget: Essais de psychologie contemparaine. 2 t. Paris 1883, 1885; [9]1893; erste russ. Übers. P. Burge: Očerky sovremennoj psichologii. Ėtudy o vydajuščichsja pisateljach našego vremeni, s priloženiem stat'i o Burge Polja Lemetra. Perevod E. K. Watsona. Žurnal „Panteon literatury". SPb. 1888; dt.: Psychologische Abhandlungen über zeitgenössische Schriftsteller. Übers. A. Köhler. Minden 1903), ein Problemzusammenhang, der dringend der komparatistischen Erforschung bedarf.

[64] A.S. Puškin an A.A. Bestužev, Mai/Juni 1825. In: A.S. Puškin: Polnoe sobranie sočinenij. T. 13: Perepiska 1815–1827. Moskva 1937, S. 179.

[65] Den Begriff der „cristallisation" als Methode ästhetischer Erkenntnis, die „exakte und wissenschaftliche Beschreibung" auf physiologische und psychische Affektzustände anwendet, die „seltenen Krankheiten" gleichen, prägte Stendhal, sein Beispiel waren die verschiedenen Stadien jenes Gefühlskomplexes, den man „Liebe"

Čechovs *Methode als Schriftsteller* besteht darin, dass nichts aus dem Leben so übernommen werden kann, wie es ist. Es muss verwandelt werden ins ästhetische Gebilde nach Gesetzen, die das Leben nicht kennt.[66] Seine écriture beginnt mit der ästhetischen Wahrnehmung: sein distanzierter Blick unterbricht den Fluss des Lebens und fokussiert den signifikanten Ausschnitt im richtigen Augenblick auf der Zeitachse; ihr folgt die poetologische Selektion: „Man muß alles Überflüssige hinauswerfen“[67], und die poetische Baugesinnung, d.h. die selektierten Elemente, müssen neu zusammengefügt und komponiert werden, was schon Baudelaire im *Salon* von 1859 als ästhetisches Grundgesetz der Kunst der Moderne erkannt hatte – eine typologische Analogie, nicht etwa ein „Einfluss“, die indessen Čechovs Modernität belegt. Das poetologische „Bauen“ beginnt mit dem richtig konstruierten Satz: „Man muß einen Satz konstruieren, darin liegt die ganze Kunst“[68], und setzt sich fort in der Architektur des Ganzen: durch Kontrast und Gleichgewicht, Rhythmus und Synkope, Ironie und Pathos, Übersicht und Konzision. Das sind Bauformen der Rhetorik, die Čechovs Prosa, insbesondere aber die neue Dramenform steuern, und zwar stärker, als man bislang bemerkte oder gar untersucht hätte. Denn wie die Gerichtsrede ist das Drama auf Wirkung beim Publikum angelegt. Und so gibt es auch eine spezifische Rhetorik des Dramas gerade in den streng gebauten und durchproportionierten späten Stücken. Was zählt ist die Konstruktion, – denn Schauplatz des Geschehens ist nicht das Leben sondern die Bühne[69] – und eine neue Theatersprache von erstaunlicher Poesie und Ökonomie:

> Der extrem dichte Stil Čechovs benutzt ein Minimum an Wörtern, ein bißchen wie Pinter oder Beckett. Wie bei ihnen ist es die Konstruktion, die zählt, der Rhythmus, diese rein theatralische Dichtung des richtigen Worts im richtigen Moment, im richtigen Ton.[70]

Čechovs *Archisujet auf der Bühne* ist die unideologische Darstellung der Lebens-, Denk- und Gefühlsformen seiner Generation in der russischen Intelligenz. Er wusste, dass es ebenso einfach wie völlig neu war: „Das Sujet muß neu sein, eine Fabel kann fehlen“ (Сюжет должен быть нов, а фабула может отсутствовать[71]). Und er wusste, dass es dafür neuer Formen im Drama und in der szenischen Darstellung auf der Bühne bedurfte, um das Publikum so ins Herz zu treffen, dass es das Leben auf der Bühne als Modell des eigenen Lebens wahrnehmen kann: tua res agitur. Dieses Modell konnte nur der *fiktionale Alltag* sein: mit ebenso konkreten wie signifikanten Situationen, Krisen und Problemen, Ideen, Gefühlen und Seelenzuständen, über die die dramatis personae zu reden und sich zu *verständigen* versuchen, ohne ihn in der Regel handelnd verändern zu können.

Zur Darstellung eines so neuartigen Kommunikationsprozesses *fiktionaler Alltagskommunikation* war das aristotelische Paradigma der finalen Handlungs- und Kampfdramatik mit handlungstreibendem Dialog nicht mehr geeignet oder ausreichend. Denn es geht in Čechovs

---

nennt (vgl. *De L'amour* von 1822). Maeterlinck versteht unter „Kristallisation“ das Sichtbarmachen des Unsichtbaren als vornehmste Aufgabe des Künstlers. Wie Čechov greift er zurück auf den Chemiker als Vorbild des Dichters (ein Axiom des Naturalismus Zolas), denn er könne in einer Lösung durch ein Kontrastmittel sichtbar machen, was in ihr enthalten, aber unsichtbar ist. „Ein Chemiker läßt ein paar geheimnisvolle Tropfen in eine Schale fallen, die scheinbar nichts als klares Wasser enthält, und alsbald entsteht eine Welt von Kristallen bis zum Rande und offenbart uns, was in dieser Schale vorhanden war, in der unsere blöden Augen nichts bemerkt hatten.“ (Maurice Maeterlinck: Le trésor des humbles. Paris 1896 u.ö.; dt.: Der Schatz der Armen. Übers. v. Oppeln-Bronikowski. Jena 1898, 1902 u.ö., S. 102).

[66] Vgl. Horst-Jürgen Gerigk: Möglichkeiten des literarischen Gebildes. In: Neue Hefte für Philosophie. Hg. v. Rüdiger Bubner, Konrad Kramer, Reiner Wiehl. Heft 4: Theorie literarischer Texte, 1973, S. 103f.

[67] Melchinger: Anton Tschechow, S. 73.

[68] Ebda., S. 18.

[69] Birkenhauer, S. 116.

[70] Brook: Der Kirschgarten, S. 338.

[71] An den Bruder Aleksandr, 11.4.1889 (P. 3, 188; Urban, Briefe 2, 14).

Dramen jeweils um eine Schwellensituation im Prozess der Modernisierung, für die es Handlungsnormen nicht mehr oder noch nicht gibt. Sie stehen zur Disposition und müssen gemeinsam in der Kommunikation darüber eruiert oder ausgehandelt werden. Wohl deshalb haben Čechovs Figuren ein so ungewöhnlich hohes Gefühls- und Reflexionsniveau, aber eingeschränkte Handlungskompetenz, und deshalb gibt es auch seit der *Möwe* keinen Zentralhelden mehr, sondern die „Čechov-Gruppe". Es geht Čechov also im Drama nicht primär um Handlung, sondern um *Darstellung eines offenen Bewusstseins- und Kommunikationsprozesses* auf der Bühne, in den er den Zuschauer so verwickeln will, dass er involviert wird, sich aber nicht identifiziert, sondern zu kritisch-selbstkritischer Distanz findet.

Seine vier Hauptfragen sind: Wie sollen wir leben?[72] Was sollen wir tun? Was können wir verändern? Was müssen wir ertragen? Sie stellen sich in allen Kernbereichen der Existenz: Besitz, Status und Selbstwert; Engagement und Scheitern in Arbeit und Beruf, Liebe, Ehe und Familie, Bildung und Erziehung, Kunst und Theater; Erfahrungen von Illusion und Enttäuschung, Versagen, Flüchten und Standhalten; und immer wieder von Zeit, Tod, Krankheit und Vergänglichkeit.

Sein grundlegend neues Thema ist die menschliche Kommunikation. Es unterscheidet sich von den anderen Kernthemen durch den *Isomorphismus* zwischen dem *Thema* der Kommunikation und der *Kommunikation über dieses Thema.* Čechovs Kommunikationsmodell ist äußerst komplex: es geht ihm nicht um gelingende oder scheiternde Kommunikation, wie Mirskij und Szondi verbreiteten[73], sondern um die Bedingung der Möglichkeit im Kantschen Sinne und um deren Morphologie: ihre unendliche Vielfalt, Kompliziertheit, Heterogenität und Widersprüchlichkeit, um Verständigungs- und Missverständigungskünste.[74]

Dieser neuartige Prozess dramatischer Kommunikation geschah zum Zwecke der öffentlichen Selbstbefragung einer Generation im Medium von Drama und Theater. Er erforderte eine neue Art von Personen, eine neue Theatersprache im Drama und auf der Bühne sowie einen neuen Dramenaufbau und einen neuen Stil der Inszenierung. Er erzeugt aber auch eine neue Art von dramatischer Spannung, die es verbietet, noch länger vom „undramatischen Drama" zu sprechen, und die den Zuschauer tiefer trifft und nachhaltiger verwickelt als die regeltreue „pièce bien faite" der Sardou- oder Ostrovskij-Tradition. Čechovs Insistieren auf neuen Formen des Theaters war also keine private Marotte, sondern eine epochale Einsicht, getragen von der Gewissheit: „Neuen Formen in der Literatur folgen immer neue Formen des Lebens (Vorboten), und deshalb sind sie dem konservativen menschlichen Geist so zuwider"[75] (За новыми формами в литературе всегда следует новые формы жизни [предвозвестники], и потому они бывают так противны консервативному человеческому духу; 17, 48). Dieser neuartige Prozess dramatisch-theatralischer Kommunikation im Dienste der öffentlichen Selbstverständigung einer Generation verläuft vor dem Hintergrund des vehementen kulturellen Wandels in Russland um 1900, der nur ein *Segment* der gesamteuropäischen Modernisierung ist, deren existenzielle und soziologische Implikationen Nietzsche und

---

[72] Vgl. Peter Urban: Vorwort. In: Wie soll man leben? Anton Čechov liest Marc Aurel. Hrsg., aus d. Russ. übers. u. mit einem Vorw. vers. v. Peter Urban. Zürich 1997, S. 26f. (Vorwort zu Čechovs annotiertem Handexemplar der von ihm so hoch geschätzten *Selbstbetrachtungen* des römischen Kaisers Marc Aurel, die ihm Maximen zur Lebensgestaltung boten).

[73] Mirskij (Die Geschichte der russischen Literatur [1926]. München 1964) und Szondi (Theorie des modernen Dramas [1880–1950]. Frankfurt/M. 1956, 1963 [revidiert]) standen unter dem Denkzwang angeblich ubiquitärer Entfremdung, den sie ideologisch von Hegel und Marx herleiteten, den man aber nicht einfach als Maßstab für Čechov anlegen kann. Er kannte weiß Gott Erfahrungen schärfster Entfremdung, aber durchaus auch solche von selbstverständlicher, scheuer oder anrührender menschlicher Nähe und stellt beide Erfahrungsrichtungen in Spannung zueinander in der „Čechov-Gruppe" im Drama dar.

[74] Vgl. Birkenhauer, S. 94; Bauer, S. 178ff..

[75] Anton P. Čechov: Tagebücher. Notizbücher. Hg. u. übers. v. Peter Urban. Zürich 1983, S. 95 (August 1897).

Max Weber so epochengültig diagnostiziert haben. Deshalb ist der Čechovsche Prozess dramatischer Kommunikation auch über das spezifisch Russische hinaus strukturell von so hoher intellektueller, künstlerischer und allgemein menschlicher Bedeutung.

Auch im russischen Fin de siècle vollzieht sich in der Generation Čechovs eine allgemeine geistige „Durchlüftung“[76], die eine Veränderung der kulturellen Weltempfindung mit sich bringt. Man versucht die Fesseln patriarchaler Bevormundung oder Versklavung abzuwerfen und dürstet nach Freiheit. Aber es sind vorerst nur wenige, nach künstlerischer Selbstständigkeit Strebende wie Čechov, die sich wehren gegen ideologische Gängelung des eigenen Protestes durch den doktrinären sozialpädagogischen Dissens der linken Intelligencija, für die Freiheit zwar eine revolutionäre Parole ist, aber ein Fremdwort bleibt.[77]

Die europäische Elite wird sich im „ère du soupçon“ schmerzhaft bewusst, dass eine Loslösung von der autoritären Väterwelt und eine Umwertung der Wertskala dringend nötig, aber eine enorme Anstrengung ist, die ein Höchstmaß an Risikobereitschaft erfordert. Die „Große Loslösung“, Schlüsselerlebnis der Generation Nietzsches und Čechovs, wird als Krise durchlebt und mit der Heftigkeit einer psychischen Krankheit unter dem Druck bislang unbekannter Nervosität als *Ikarus-Syndrom* erfahren: befreiend im Aufschwung, traumatisch im Absturz. Man findet sich vor im Zustand der Vaterlosigkeit und „transzendentalen Obdachlosigkeit“[78], der Grundbefindlichkeit des Bewusstseins in der Moderne.

Čechov erkannte das Phänomen der Vaterlosigkeit sehr früh mit geradezu prophetischer Klarheit, wie der Titel seines ersten Dramas *Bezotcovščina* (Die Vaterlosigkeit) zeigt.[79] Eng verbunden mit der „Vaterlosigkeit“ ist die Idee der „Geschwisterlichkeit“ – die Čechov u.a. mit Kafka teilt[80] – als Ausweg aus der fatalen Konstellation ödipaler Gewalt und Ohnmacht, der freilich die Gefahr neuer inzestuöser Verwicklungen, der „Veronkelung“ oder der „Junggesellenmaschine“ birgt.[81] Den Mythos der Geschwisterlichkeit entwickelten zuerst die „va-

---

[76] Tolstaja, S. 73f.

[77] Doch selbst als Kritiker des autoritären Dissens bleibt Čechov gerecht. Er will nicht selber doktrinär sein und lässt die besten Züge der 1860er Jahre gelten: „Die Sechziger Jahre sind eine heilige Zeit, und dummen Zieselmäusen erlauben, sie zu usurpieren, bedeutet, sie in den Schmutz zu ziehen“ (Шестидесятые годы – это святое время, и позволять глупым сусликам узурпировать его значит опошлять его; an A.N. Pleščeev, 9.10.88: P. 3, 19; Urban, Briefe 1, 304).

[78] Georg Lukács: Die Theorie des Romans. Ein geschichtsphilosophischer Versuch über die Formen der großen Epik [1916]. Darmstadt, Neuwied 1971, S. 32.

[79] Vgl. Leithold, S. 153ff. Zur Vaterlosigkeit als Symptom der Krise der russischen Gesellschaft bei Dostoevskij vgl. Horst-Jürgen Gerigk: Das Russland-Bild in den fünf großen Romanen Dostojewskijs. In: Zeitperspektiven. Studien zur Kultur und Gesellschaft. Beiträge aus Geschichte, Soziologie, Philosophie und Literaturwissenschaft. Hg. Uta Gerhardt. Wiesbaden 2003, S. 60f., zur Suche nach dem Vater als rotem Faden der fünf großen Romane. Wie akut dieses sozialpsychologische Grundproblem der Moderne bis heute geblieben ist, zeigten nach dem Ersten Weltkrieg z.B. der symptomatische Vortrag von Paul Federn *Zur Psychologie der Revolution: Die vaterlose Gesellschaft* (Leipzig, Wien 1919), oder der Roman von Ernst Weiß *Der Gefängnisarzt oder die Vaterlosen* von 1934 (Neuaufl. Hamburg 1969), später dann das Kultbuch der Achtundsechziger-Bewegung von Alexander Mitscherlich *Auf dem Weg zur vaterlosen Gesellschaft* von 1963, das inzwischen 1996 in 10. Auflage als Taschenbuch erschienen ist, und auch heute noch eine ganze Reihe sozialpsychologischer Bücher wie Matthias Matusseks *Die vaterlose Gesellschaft. Überfällige Anmerkungen zum Geschlechterkampf* (Reinbek 1998).

[80] Gerhard Neumann: Hungerkünstler und singende Maus. Franz Kafkas Konzept der „kleinen Literaturen“. In: Metamorphosen des Dichters. Das Selbstverständnis deutscher Schriftsteller von der Aufklärung bis zur Gegenwart. Hg. Gunter E. Grimm. Frankfurt/M. 1992, S. 240f., 243.

[81] Solche psychosozialen Konflikte liegen in der Tiefenstruktur von *Onkel Vanja* eingegraben. Vgl. Ieva Vitins: Vanya's Predicament. In: Chekhov's Great Plays. Ed. and with an intr. by J.-P. Barricelli. New York, London 1981, S. 35-46; Deppermann 2004, S. 47-75; Birkenhauer, S. 116.

terlosen“ Romantiker – auf der vergeblichen Suche nach dem Vater – als Utopie menschlicher Beziehungen im Zeichen geschwisterlicher Nähe und Verständigung.[82]

Man muss sich nun selbst, und man muss sich gegenseitig befragen, um zu einer Selbstdefinition zu kommen. Die neue Weltempfindung erzeugt Visionen der Befreiung, Hoffnungen auf neue Lebensformen, aber auch Unsicherheit, Gereiztheit, Aggression und Angst vor Versagen, Scheitern und Untergang. Denn der Prozess der „Großen Loslösung“, den Nietzsche in der Vorrede zu *Menschliches, Allzumenschliches* 1886 epochengültig analysierte[83], birgt die Gefahr heilloser Überforderung, ein neues Maß ist noch nicht gefunden. Ihr zu steuern gelingt längst nicht allen, viele scheitern auf verschiedensten Ebenen, und es gibt nur den einen Trost – immer besser zu scheitern. Im Čechov-Drama geht es zunehmend nicht mehr ums Sterben, sondern ums *Lebenmüssen.*

2. Polyphone Dramaturgie 1895 – 1904

> Echte Polyphonie ist der Natur des Dramas fremd, es kann vielschichtig sein, nicht aber viele Welten enthalten, es läßt nur *ein* Maßsystem, nicht aber mehrere zu.
> Michail Bachtin[84]
>
> „Ort polyphoner Diskurse und entbundener Signifikanten“
> Theresia Birkenhauer[85]
>
> Die klassischen drei Einheiten hat Čechov um neue bereichert – um die Einheit des transparenten Bild-Symbols, der wiederkehrenden Leitmotive und Echos, um die Einheit der poetischen Struktur und Stimmung.
> Zinovij Papernyj[86]

Čechovs dramaturgische Innovationen umfassen nicht nur das „Wortdrama“, sondern das gesamte Spektrum theatralischer Repräsentation als eines verbalen und nonverbalen Mediums. Damit entsprechen sie dem *Doppelcharakter des Dramas,* das mit seiner Verbindung von Text *und* szenischem Geschehen einen Sonderstatus im System der literarischen Gattungen und der Künste einnimmt.[87] Allerdings war im europäischen „Literaturtheater“ mit absoluter Dominanz des Wortes die nonverbale Ausgestaltung dramatischer Kommunikation nur kümmerlich; was zählte war die Sprache, bis hin zur „Schreckensherrschaft der Literatur über das Theater“[88], die dann von der antinaturalistischen Stilbühne so leidenschaftlich bekämpft wur-

---

[82] Aus der Vatersuche seit der Romantik – bei Byron: *Manfred*; E.T.A. Hoffmann: *Der goldene Topf*; Poe: *The Fall of the House of Usher*; Wagner: *Der Ring des Nibelungen, Sigmund und Sieglinde* – resultierte der Aufstieg des Inzest-Themas zwischen Bruder und Schwester.

[83] Nietzsche: KSA, 2, S. 13-22; vgl. Maria Deppermann: Semiotik der „großen Loslösung“. Nietzsches „ästhetische Revolution“ als hermeneutischer Schlüssel zum Strukturwandel im modernen Drama. In: Kunst verstehen – Musik verstehen. Ein interdisziplinäres Symposion (München 1992). Hg. Siegfried Mauser. Laaber 1993, S. 39-61.

[84] Nach Herta Schmid: Bachtins Dialogizitätstheorie im Spiegel der dramatisch-theatralischen Gattungen. In: Dramatische und theatralische Kommunikation. Beiträge zur Geschichte und Theorie des Dramas und Theaters im 20. Jahrhundert. Hg. Herta Schmid, Jurij Striedter. Tübingen 1992, S. 43.

[85] Birkenhauer, S. 28.

[86] Z. Papernyj: „Vopreki vsem pravilam...“ P’esy i vodevili Čechova. Moskva 1982, S. 277.

[87] Vgl. Striedter, S. 7; Christine Gräfin von Brühl: Die nonverbalen Ausdrucksmittel in Anton Čechovs Bühnenwerk. Frankfurt/M., Wien u.a. 1996.

[88] Thomas Mann: Versuch über das Theater [1908]. In: Thomas Mann: Gesammelte Abhandlungen und kleine Aufsätze. Berlin 1922, S. 55f.

de. Zum Doppelcharakter des Dramas kommt das Paradox des *Theaters als eines doppelten Zeichensystems* hinzu, d.h. das Theater präsentiert sich selber, indem es gleichzeitig etwas anderes repräsentiert, wozu auch das Darstellungsparadox des Schauspielers gehört, dessen Präsenz auf der Bühne immer auf etwas anderes als sich selbst verweist, nämlich auf die Figur, die er spielt.[89] Wenn die „Entliterarisierung" des Theaters und der Ruf nach der Theatralisierung zu den Grundforderungen der Theaterreform um 1900 gehören, dann war Čechov ein Pionier der *Multimedialität der Bühne*. Und das Erstaunliche ist: Čechov trug als Dramatiker den medienspezifischen Komplexitäten des Theaters und dem prononcierten Kunstcharakter der Bühne Rechnung, lange vor jeder Art von theatersemiotischer Medienanalyse. Denn er schrieb *aufführungsbezogen* und mit Blick auf den Zuschauer, denn ihm war damals schon klar, was später Roland Barthes formulierte: „Das Theater ist [...] jene Praxis, die einkalkuliert, *wo* die Dinge *gesehen werden*."[90] Mit seinen Innovationen hat Čechov einen Erdrutsch anscheinend unverrückbarer Normen des Dramas ausgelöst. Was dabei ins Wanken kam, war aber nicht das Drama, sondern der Sockel der Norm. Čechov hat den *normativen* Geltungsanspruch des aristotelischen Gattungsparadigmas ausgehebelt, das Nachahmungsprinzip der Mimesis menschlichen Handelns, Redens und Verhaltens, Dialog und dramatische Charaktere zwar noch beibehalten, aber mit einer neuen Theatersprache bislang unrealisiertes Potenzial für die Gattung Drama und das Medium Theater erschlossen.[91]

Das epochal Neue wurde lange nicht erkannt, kein Klassiker wurde widersprüchlicher beurteilt. Der Grund für die Verkennung Čechovs liegt in seiner künstlerischen Subversion der dramatischen Norm selbst, die als unanfechtbar galt. Und so wurden Čechovs Stücke „nach den Gesetzen der normativen Ästhetik analysiert, nach denen das Neue nur als Mangel und nicht als neue Qualität gesehen werden kann".[92] Man etikettierte sie wegen ihrer Regelwidrigkeit negativ, ohne ihre neue dramatische Qualität in ihren positiven Aspekten kategorial erfassen und beschreiben zu können.

Das Negativurteil vom *„undramatischen Drama"* wurde über Čechov m.W. erstmals 1889 von der autoritativen Zeitschrift *Russkaja mysl'* (Der russische Gedanke) im Verriss seines Dramas *Ivanov* gefällt, da es ein Stück primitiver Bauart mit dürftiger Handlung über nervenschwache, grobe und düstere Charaktere sei.[93] Dieses gängige Klischee der Theaterkritik, das u.a. auch Thomas Manns Drama *Fiorenza* (1907) traf, wurde dann Čechov, als „Mittelstandsautor", von Mirskij 1926 in seiner einflussreichen Literaturgeschichte angeheftet, von Szondi 1956 als Symptom der Krise des Dramas theoretisch untermauert, als Topos kategorial ungeprüft in die Čechovforschung übernommen und erst in den letzten Jahren schrittweise umgewertet. Die Rede vom „undramatischen Drama" ist aber älter und entstammt der Ästhetik von

---

[89] Vgl. Jens Roselt: Die Ironie des Theaters. Wien 1999.

[90] Roland Barthes: Diderot, Brecht, Eisenstein. In: Roland Barthes: Kritische Essays. Bd. 3: Der entgegenkommende und der stumpfe Sinn. Frankfurt/M. 1993, S. 94.

[91] Vgl. Herta Schmid: Strukturalistische Dramentheorie. Semantische Analyse von Čechovs „Ivanov" und „Der Kirschgarten". Kronberg 1973, S. 1-7; Herta Schmid: Ist die Handlung die Konstruktionsdominante des Dramas? Čechovs „Drei Schwestern" als Beginn einer Paradigmaerweiterung der dramatischen Gattung. In: Poetica, Bd. 8, 1976, S. 185; Ingrid Dlugosch: Anton Pavlovič Čechov und das Theater des Absurden. München 1977, S. 9-14.

[92] Dlugosch, S. 12.

[93] „Иванов' не может служить образчиком драматургической литературы, даже при современном падке последней. Здесь нет ни яркой драматической коллизии, ни выпуклого действия, ни широкой картины современного провинциального общества [...]. Да и сами панегиристы драмы ‚Иванов' [...] признают, *что драма не драматична*, мало сценична, что ее приемы ‚примитивны', а персонажи тусклы [...] и даже грубоваты" (*Ivanov* kann nicht als Beispiel der dramatischen Literatur gelten, nicht einmal angesichts des gegenwärtigen Niedergangs der Letzteren. Hier gibt es weder eine klare dramatische Kollision, noch eine ausgeprägte Handlung, noch ein umfassendes Bild der zeitgenössischen Provinzgesellschaft [...]. Und selbst die Fürsprecher von *Ivanov* geben zu, dass das Drama undramatisch ist, dass seine Kunstmittel ‚primitiv' sind und seine Figuren schwach [...] und sogar grob). (Tolstaja, S. 109; Hervorhebung von mir – M.D.).

Hegel, der das Drama bekanntlich für „die höchste Stufe der Poesie und Kunst überhaupt" hielt, weil es sich nach Inhalt und Form zur „vollendetesten Totalität ausbildet". Sein Medium, die Sprache, sei anderen künstlerischen Medien überlegen, weil sich Subjektivität in der „Rede" als dem „der Exposition des Geistes würdige[n] Element" selbst objektiviert. „Dramatische Poesie" vereine das Subjektive der Lyrik und das Objektive der Epik, indem sie eine in sich abgeschlossene, konflikthafte Handlung als wirkliche darstellt, die aber erst in der Aufführung „zu wahrhafter Lebendigkeit komme".[94] Lesedramen der Romantik aber, denen das Wesentliche fehle, nämlich „Handlung und deren bewegte Lebendigkeit", hat Hegel als „undramatisch" abqualifiziert: „So kriegt denn auch die größte Anzahl unserer neueren Dramen nie eine Bühne aus dem einfachen Grunde zu sehen, weil sie undramatisch sind."[95] Dass sich im „closet drama" des „mental theatre" – wie beispielsweise Byrons dramatischem Gedicht *Manfred* – bereits das Seelendrama des Symbolismus als neues Gattungsparadigma ankündigte, konnte Hegel noch nicht erkennen. Und er konnte auch nicht ahnen, dass die dafür notwendige neue Aufführungspraxis erst in der Theatermoderne geschaffen wurde, die auf der Eigengesetzlichkeit der Bühne bestand.

Inzwischen ist die neue Qualität des Čechov-Dramas besser erforscht. Als Konsens der neueren Forschung darf gelten: Čechov schuf *nicht* das „undramatische Drama" der „scheiternden Kommunikation", wie man lange im Fahrwasser von Mirskij und Szondi urteilte – eine Mängelrüge aus dem Hause Hegel. Čechovs Drama ist nicht „undramatisch" sondern „anders-dramatisch". Es verweigert sich der vorgefundenen Norm und verletzt die Regeln. Aber Čechov ist nicht nur ein Zerstörer alter, sondern ein Baumeister neuer dramatischer Formen. Er zeigt, dass das Potenzial des Dramas als Gattung größer ist und andere *essentials* enthält, als sich Aristoteles und Hegel am Bildschirm ihrer Weltbilder träumen ließen. Čechov erweitert die klassischen drei Einheiten durch „prozessuale"[96] Dramensymbole, die wir schon an seinen Titeln erkennen, und durch Bauformen der musikalischen Komposition, indem er Leitmotive und Wiederholungen, Echos und Variationen in den Bedeutungsaufbau des Dramas einführt. Das Drama wird rhythmisiert, musikalisiert, die Disharmonie der Wirklichkeit in der Einheit vielstimmiger Harmonie der poetischen Struktur und Stimmung aufgefangen, ohne indessen ihre Brüche und Gefährdungen zu verdecken.[97] Das elastische Ebenmaß der neuen Čechovschen Dramenstruktur konnte sich in die scharfen Kanten des pyramidalen Aufbaus nicht einsperren lassen.

Čechov schuf einen neuen Typus von Drama und Theatralität, mit dem er die Gattung um ein *neues Paradigma* erweiterte: eine *polyphone Dramaturgie verbaler Äußerungen und nonverbaler Zeichen*, die mit Gattungs- und Stillagenmischung, mit „Romanisierung"[98] und Lyrisierung des Dramas sowie mit dramatischer Fiktionsironie[99], aber auch mit einer multimedia-

---

[94] Georg Wilhelm Friedrich Hegel: Das Drama als poetisches Kunstwerk. In: Hegel: Werke in 20 Bänden. Bd. 15: Vorlesungen über die Ästhetik, III. Frankfurt/M. 1983, S. 474.

[95] Ebda., S. 506.

[96] Zum Begriff des „prozessualen Symbols" vgl. Maria Deppermann: Andrej Belyjs ästhetische Theorie des schöpferischen Bewußtseins. Symbolisierung und Krise der Kultur um die Jahrhundertwende. München 1982, S. 148f.; vgl. auch A. Belyj: A.P. Čechov [1907]. Dt. in: Über Čechov, S. 79ff.

[97] Papernyj, S. 270; Harai Golomb: Music as Theme and as Structural Model in Chekhov's *Three Sisters*. In: Herta Schmid, Aloysius van Kesteren (Hg.): Semiotics of Drama and Theatre. New Perspectives in Theory of Drama and Theatre. Amsterdam, Philadelphia 1984, S. 174-196; Nils Åke Nilsson: Intonation and Rhythm in Chekhov's Plays. In: Thomas Eekmann (Hg.): Anton Čechov 1860–1960. Some Essays. Leiden 1960, S. 168-180.

[98] Michail Bachtin: Probleme der Poetik Dostoevskijs. München 1971, S. 304. Das Drama stieg mit Čechov ästhetisch auf gleiche Höhe mit dem Roman, der avanciertesten Gattung des 19. und 20. Jahrhunderts. Vgl. auch den Beitrag von Horst-Jürgen Gerigk zum „experimentellen Erzählen" im Čechov-Drama im vorliegenden Band.

[99] Dramatische Ironie als Fiktionsironie entsteht aus der Diskrepanz von Makro- und Mikrokommunikation, Hinter- und Vorderbühne (wie in *Drei Schwestern*), aus Parekbasis oder dem Paradoxon des doppelten Zeichen-

len Belebung der Bühne die Dekonstruktion des aristotelischen Kanons von Drama und Bühne einleitete. Die Komponenten des neuen Dramentypus hat man benannt, ihm selbst aber noch keinen terminologisch stimmigen Namen gegeben. Ich schlage vor, im Falle Čechovs die irreführende Rede vom „undramatischen Drama“ fallen zu lassen und vom ***„polyphonen Drama“*** zu sprechen.[100] Sein organisierendes Zentrum ist das *Generalthema menschlicher Kommunikation* unter den Bedingungen vehementer Schübe und Verwerfungen im Prozess der Modernisierung, das eine mehrstimmige Dramenstruktur erfordert. Deshalb bietet Čechov nicht nur eine neue Thematik und Weltsicht, sondern zugleich auch ein kategorial neues *theaterästhetisches Modell zu ihrer Darstellung.* Dieser historische Prozess einer pluralistischen, ihrer selbst bewusst werdenden und sich selbst befragenden *Kommunikation neuen Typus* ist auch außerhalb der Bühne noch immer in vollem Gange, daher Čechovs ungebrochene Faszination und Aktualität: tua res agitur in unserer postmodernen Moderne.

Čechovs Innovationen lassen sich nach der Theorie der ästhetischen Erfahrung von Hans Robert Jauss bündeln und den drei Grundkategorien der ästhetischen Kommunikation, Aisthesis, Poiesis und Katharsis, zuordnen.[101]

3. Aisthesis – ästhetische Einstellung

Čechovs ästhetische Erfahrung wurzelt in seiner *adogmatischen, pluralistischen Weltsicht* und in seinem *maximalistischen etho-ästhetischen Credo* mit dem Kern in der absoluten individuellen und künstlerischen Freiheit, für die er sein Leben lang kämpfte. Daraus ergibt sich seine ästhetische Einstellung: das Pathos der Distanz, das Bestehen auf vorideologischer Wahrnehmung und deren eigenständiger, ironischer und ideologisch nicht zu gängelnder Reflexion. Aus diesen Wurzeln ernährt sich seine écriture und Poetik der Freiheit. Seine diagnostisch-hermeneutische Dramaturgie des Alltags im Ideenmilieu der russischen Intelligenz und ihrer Psyche im Umbruch zur Modernisierung gestaltet historisch konkrete *Schwellen-Situationen empirischer Menschen*[102] mit ihren Konfliktpotenzialen und „Seelenzuständen“ und mit der komplizierten Kommunikation darüber im elektrischen Feld einer intimen Gruppe komplexer Personen in *polyphoner Dramaturgie* – statt in finaler Kampfdramatik mit Primat der äußeren Handlung und des handlungstreibenden Dialogs. Čechov privilegiert *vielstimmige Bewusstseins-, Sprach- und Kommunikationsprozesse* in Krisensituationen im Drama des Alltags und des „inneren Menschen“.[103] Denn er will und kann dem Zuschauer keine Handlungs-

---

systems Theater. Vgl. Bernhard Heimrich: Fiktion und Fiktionsironie in Theorie und Dichtung der deutschen Romantik. Tübingen 1968; vgl. auch Roselt, a.a.O.

[100] Ich rekurriere terminologisch auf die hervorragenden Čechovforscher Zingerman und Zinovij Papernyj, der von „vielstimmiger Harmonie“, Jurij Striedter, der von „polyphoner Orchestrierung“, und Harai Golomb, der von „polyphoner Kommunikation“ im Čechov-Drama spricht. Vgl. auch die theaterwissenschaftliche Diskussion um das „postdramatische Theater“ (Poschmann; Lehmann) „als dem Ort polyphoner Diskurse und entbundener Signifikanten“ (Birkenhauer, S. 28). Ich bin mir bewusst, dass der aus der Musik und der frühen griechischen Philosophie stammende Begriff der Polyphonie hier vorerst metaphorisch und heuristisch verwendet wird und der weiteren theoretischen Bestimmung bedarf.

[101] Vgl. Hans Robert Jauss: Ästhetische Erfahrung und literarische Hermeneutik. Frankfurt 2007 (Nachdr. d. 1. Aufl.). Gegen die Ästhetische Theorie Adornos mit der starren Opposition von Negation und Affirmation entwickelte Jauss unter Rückgriff auf die aristotelischen Kategorien der Aisthesis, Poiesis und Katharsis eine Theorie der ästhetischen Kommunikation, in die er die zuvor entwickelte Rezeptionstheorie einbaute und nun auch das Drama einbezieht.

[102] Horst-Jürgen Gerigk: Literarische Ost-West-Passagen: Dostoevskij, Tolstoj, Turgenev und Čechov im interkulturellen Kontext. In: Russische Moderne Interkulturell. Von der Blauen Blume zum Schwarzen Quadrat. Hg. Barbara Aufschnaiter, Dunja Brötz. Innsbruck, Wien u.a. 2005, S. 63.

[103] Vgl. Harvey Pitcher: The Chekhov Play. A New Interpretation. New York 1973, S. 20-34, gegen Mirskij, S. 342 (Entfremdung, gestörte Kommunikation, fehlende Individualität).

anweisungen geben, wohl aber Orientierungshilfe bieten durch dramatisch-szenische Analyse von Bewusstseinslagen und Verständigungsproblemen. Das sichert den Dramen ihre Aktualität, gerade auch in der Selbstbefragung der Moderne in der Postmoderne.

4. Poiesis – dialogische Polyphonie

Der Dehierarchisierung der Weltsicht bei Čechov entspricht die Dekonstruktion der Regeln des aristotelischen Gattungsparadigmas. Mit der Entthronung des Primats der äußeren Handlung mit antagonistischer Konfliktstruktur, komplizierter Intrige und an die Handlung „gefesseltem“ Dialog tritt ein Dominantenwechsel zugunsten der inneren Handlung, der Kommunikation und des „befreiten Dialoges“[104] ein. Čechov entwickelt Techniken der Deformalisierung des Dialogs wie z.B. im „Mosaik“-Dialog[105] der Lottoszene am Schluss der *Möwe* vor dem Tonhintergrund von Kostjas melancholischem Chopin-Walzer und der kaschierten Todesschüsse.

An die Stelle des strengen drei- oder fünfaktigen Aufbaus mit pointiertem Handlungsgipfel setzt er die lose Szenenfolge in vier Akten, ein Erbe des Naturalismus, aber nun mit kunstvoll-rhetorisch kalkulierter Antiklimax, Kreisstruktur, Wiederholung von Details oder Redewendungen, Musikalisierung durch Leitmotive, den Rhythmus der Komposition und das neuartige Finale.[106] Damit lässt er die aristotelische Dramenpyramide einbrechen.[107] Das antagonistische Profil der Figuren und der zentrale Held, einst Willens- oder Ausnahmemensch, weichen einer intimen Gruppe[108] sensibler Charaktere mit gemeinsamer Schicksals- und Stimmungslage, realisiert im Ensemblestil statt dem Starkult auf der Bühne.

4.1. Der „befreite Dialog“

Wichtigste Materialschicht im Čechov-Drama ist die Sprache mit ihren Gegenpolen *Schweigen und Pause*, die Zäsuren und Synkopen im Dramenrhythmus setzen. Der Dialog ist nicht mehr an die Handlung gefesselt, sondern freigegeben für den Selbstentwurf und die Rituale, Träume, Ängste der Personen und für die musikalische Komposition ihrer Rede durch den Autor, in der Harmonien mit Dissonanzen wechseln, Staccati mit gedehnten Tempi, wie in der *Möwe* Šamraevs „Bravo, Silva!“ im Bass und Dr. Dorns Akzentuierung der Stille: „Ein stiller Engel flog vorbei“. Čechov wusste, dass nicht nur neue Formen auf dem Theater nötig seien, sondern auch eine neue poetisierte Theatersprache. Wie so oft enthalten briefliche Rügen an die Adresse von Kollegen Hinweise auf das eigene Programm: „Das kommt hauptsächlich davon, daß Sie, vielleicht absichtlich, in einer Sprache schreiben, in der Stücke gemeinhin ge-

---

[104] Diesen Terminus prägte Mukařovsky. Vgl. Jan M. Mukařovský: Zum Theaterdialog. In: Jan M. Mukařovský: Kapitel aus der Poetik. Frankfurt/M. 1967, S. 149-153. Vgl. auch Schmid: Ist die Handlung die Konstruktionsdominante des Dramas?, S. 185.

[105] Papernyj, S. 272.

[106] Čechov schafft außerdem ein neues Raum-Zeit-Gefüge bzw. einen neuen Chronotopos (Bachtin) im Drama, einen neuen Typus szenischer Temporalität, die der dramatischen Progression zuwiderläuft und sie aufhält. Der lineare Verlauf des Geschehens wird unterbrochen, da die „états d'âme“ nicht final ausgerichtet sind. Deshalb wurde auch die Frage nach den Dramenschlüssen für Čechov so entscheidend: „Wer neue Schlüsse für Theaterstücke erfindet, der wird eine neue Ära einleiten. Die gemeinen Schlüsse gelingen mir einfach nicht! Der Held kann entweder heiraten oder sich erschießen, einen anderen Ausweg gibt es nicht“ (Кто изобретет новые концы для пьес, тот откроет новую эру. Не даются подлые концы! Герой или женись или застрелись, другого выхода нет; an A.S. Suvorin, 4.6.1892: P. 5, 72; Urban, Briefe 3, 35); vgl. Birkenhauer, S. 109.

[107] Vgl. Reinhold Grimm: Pyramide und Karussell. In: Beiträge zur Poetik des Dramas. Hg. W. Keller. Darmstadt 1976, S. 352-382; Ders.: Nach dem Naturalismus. Essays zur modernen Dramatik. Frankfurt/M. 1978, S. 3-27.

[108] Vgl. Pitcher; Zingerman.

schrieben werden, in einer Theatersprache, in der es keine Poesie gibt" (Urban, Briefe 4, 154).[109]

Um „dramatische Poesie" in der Moderne zu schaffen, war eine Transformation des Dialogs nötig. Der „befreite" dramatisch-szenische Dialog wird neues Strukturzentrum der Gattung. Čechovs Eingreifen in die molekulare Tiefenschicht des Dramas setzt schon auf der *Ebene der sprachlichen Äußerungen und szenischen Zeichen* an, also noch „unterhalb" der Ebene der Charaktere.[110] Der *„befreite Dialog"* musste aber nun dramaturgische Funktionen der entthronten Handlung übernehmen und neu komponiert werden, und zwar aus *beiden* Instanzen der Sprachschicht: *der Personen- und der Autorrede.*

4.2. Polyphonie der Orchestrierung – Autorrede

Die Stimme des Autors wird im Čechov-Drama aufgewertet und gehört nun als „Nebentext" – mit Titel, Personenverzeichnis, Regieanweisungen, Intonation und Pausen – genauso vollgültig zur Partitur des Dramas wie die fiktionalen Personenstimmen im „Haupttext"[111] der Dialoge. Der Autor führt die Kommunikation mit LeserInnen/ZuschauerInnen auf einer rhetorischen Ebene und leistet damit die komplexe Präsentation des Problems im Drama. Er bietet immer konfligierende Gesichtswinkel und Stimmen zu einem Thema, die nebeneinander stehen bleiben und diskursiv nicht harmonisiert werden. Die Autorrede hat somit strukturellen Vorrang vor der Personenrede. Sie ist zwar stumm auf der Bühne, gibt aber die *entscheidenden Anweisungen* im Drama: für den *Dialog* der Personen, zu Intonation und Rhythmus, dramaturgischen Pausen und semantischem Schweigen[112] sowie für die Gestaltung der *Bühne* mit suggestiven nonverbalen, akustischen, visuellen und kinetischen Zeichen der Theatersemiotik:

- Auf der akustischen Ebene: mit Musik (Kostjas Klavierspiel, Telegins Gitarre), mit der Skala von Klängen und Geräuschen (Sorins Schnarchen, schlagende Uhr, reißende Saite, Axthiebe), mit Instrumental- oder Liedfragmenten sowie inneren Tönen und Rhythmen einer „Musik der Seele".
- Auf der visuellen Ebene: mit Farben (Blau, Weiß, Schwarz der Schwestern vs. Rot, Grün Natašas), suggestiven Details und Dingsymbolen, d.h. polyvalenten Bildern in symbolischer Funktion, die sich zu prozessual entfalteten Dramensymbolen ausweiten (See, Möwe, Sommertheater, Moskau, Kirschgarten).
- Auf der kinetischen Ebene: mit synchronen Bewegungsabläufen auf der Hinter- und Vorderbühne (die Offiziere hinter den drei Säulen, Andrej mit Kinderwagen in *Drei Schwestern*).

Mit der semiotischen Neubestimmung des Theaters um 1900 wird die jahrhundertelange Dominanz der Sprache im europäischen „Literaturtheater" abgelöst. Gründe dafür liegen in der Sprachskepsis, und Čechov ist unbedingt komparatistisch im Kontext der Sprachkrise um 1900 zu situieren.[113] Die außersprachlichen Codes und Kanäle erfahren angesichts des „Kol-

---

[109] „[...] это, главным образом, оттого, что Вы, быть может умышленно, пишете языком, каким вообще пишутся пьесы, языком театральным, в котором нет поэзии" (11.5.1899 an E.P. Goslavskij: P. 8, 171). Darin stimmt er mit Hegel überein, der von dramatischer Poesie spricht, die Lyrik und Epik zu vereinen habe.

[110] Striedter, S. 193.

[111] Roman Ingarden: Das literarische Kunstwerk. Tübingen 1965, S. 341.

[112] Zur Pause als Ausdruck von Čechovs Sprachskepsis vgl. die Arbeiten von Adolf Stender-Petersen: Zur Technik der Pause. In: Thomas Eekman (Hg.): Anton Čechov 1860–1960. Leiden 1960, S. 187-207; Wolfgang Pailer: Die frühen Dramen M. Gor'kijs in ihrem Verhältnis zum dramatischen Schaffen A.P. Čechovs. München 1978; Bauer, a.a.O.; Schmid: Bachtins Dialogizitätstheorie im Spiegel der dramatisch-theatralischen Gattungen, S. 46.

[113] Birkenhauer, S. 17, 40f.

laps der Worte“[114] eine nie gekannte Aufwertung im Čechov-Drama. Sprachliche und nonverbale Zeichen verknüpfen sich zu einem dichten semantischen Netz von dramatischen Beziehungen und Bedeutungen. Aus der Vielfalt der Zeichen und Stimmen ergibt sich eine neuartige dramatische Polyphonie des Autortextes: eine *„polyphone Orchestrierung“* der Sprache und des Ensembles der nonverbalen Darstellungsmittel.[115] Die Aufmerksamkeit der Zuschauer wird so von einer neuen Art dramatischer Intensität beansprucht und ist nicht mehr allein von handlungserzeugter Spannung gefesselt. Vom Autor stammen schließlich auch der Aufbau symphonischer Spannungsbögen[116] und die semantische Dichte des „Wortdramas“ aus dem „kleinen und großen Dialog“, d.h. mit Zeitgenossen oder erhabenen Toten, der synchronen und diachronen Intertextualität im Sinne „der großen und kleinen Zeit“ Bachtins.[117]

Die Anwesenheit des Autors verrät aber auch ein noch genauer zu untersuchender Kunstgriff Čechovs: die Einführung der „personnage sublime“ im Drama, d.h. der nicht anwesenden Hauptfigur, wie er sie aus der Dramatik (und vielleicht auch der Essayistik) von Maurice Maeterlinck kannte.[118] Seit der *Möwe* mit der Kunstfigur der „Weltseele“, die in kosmischer Einsamkeit darbt, aber zugleich die „Quintessenz des Lebens“, die reale Einsamkeit der handelnden Personen repräsentiert, was nur Dr. Dorn begreift, ist das Čechov-Drama von derartigen Imaginationsfiguren grundiert, die auf das Geschehen unsichtbar einwirken. Die abwesende Gestalt ist nicht nur in Erinnerungsreden der Figuren präsent, sondern durchtränkt ihr Verhalten bis in Tiefenschichten der Psyche. Nur *ein* Beispiel dafür ist die Präsenz des absenten Vaters: des verstorbenen Generals Prozorov, des Vaters der auf ihn fixierten *Drei Schwestern*, mit seiner Erziehung, Kultur und Wertwelt, die ins Nostalgie- und Sehnsuchtssymbol „Moskau“ projiziert werden.[119]

4.3. Polyphoner Dialog – Personenrede

Čechov bringt erstmals ein Modell fiktionaler, vielstimmiger Alltagskommunikation auf die Bühne, dekonstruiert den elaborierten Code der Personenrede zum deformalisierten, diskontinuierlichen und perforierten Dialog. Zur Deformalisierung gehören: Anleihen bei Umgangssprache und *skaz*, d.h. der stilisierten mündlichen Rede als Kunstgriff der russischen Erzählprosa; kalkulierter Wechsel von Pathos und Ironie, Aggression und Zartgefühl; der Ausbau der „inneren Rede“ in lyrischer Intonation, Anakoluthen, Lakonismen, Äquivalenzen, intimer Bekenntnisrede, und der „Dialog zweiten Grades“ im Sinne Maeterlincks, der ihn in Ibsens *Baumeister Solness* in den Dialogen zwischen dem alternden Solness und der jungen Hilde heraushörte:

> Neben dem notwendigen Dialoge läuft fast immer noch ein anderer Dialog einher, der überflüssig erscheint. Bei aufmerksamer Betrachtung wird man jedoch sehen, daß er der einzige ist, dem die Seele tiefer zuhört, denn nur hier wird zu ihr gesprochen.[120]

Diskontinuität manifestiert sich im „perforierten“ Dialog mit Andeutungen, Redeabbrüchen, Pausen und Schweigen, in unpassenden Repliken, Nonsens als Sprachverweigerung mit ei-

---

[114] Ebda., S. 22.

[115] Striedter, S. 198.

[116] Mejerchol'd entdeckte im *Kirschgarten* Züge des Maeterlinckschen „théâtre abstrait“. Am 8. Mai 1904 schrieb er an Čechov: „Ihr Stück ist so wenig real wie eine Čajkovskij-Sinfonie. Und der Regisseur muß es vor allem mit dem Gehör erfassen.“ (Vgl. Literaturnoe nasledstvo. T. 68: Čechov. Moskva 1960, S. 448).

[117] Schmid: Bachtins Dialogizitätstheorie im Spiegel der dramatisch-theatralischen Gattungen, S. 37.

[118] Vgl. Deppermann: Čechov und Maeterlinck. Vom Reiz überraschender Nachbarschaft, S. 151-174.

[119] Striedter, S. 199, 203; ein zweites Beispiel ist die tote Schwester in *Onkel Vanja* (vgl. Birkenhauer, S. 100).

[120] Maeterlinck, S. 102.

nem Minimum an Bedeutung, aber einem Maximum an kommunikativer Energie[121] und mit rhythmischer Wiederholung von Lautfolgen (put, put, put; trarara bumbia; Tam tam tam, Trata ta); mit vermeintlich unzusammenhängenden Reden oder plötzlichem Themenwechsel und anderen Anzeichen eines höchst virulenten dramatischen Untertextes (*podtekst*), der aus der Spannung von Präsenz und Absenz lebt, und unbedingt aufgespürt und inszeniert werden muss.[122]

4.4. Polyphonie der Kommunikation

Kommunikation findet im Drama grundsätzlich in zwei Arenen statt[123]: Wir unterscheiden zwischen Makro- und Mikrokommunikation, äußerer und innerer, rhetorischer und dialogischer Kommunikation. In der äußeren, rhetorischen oder Makrokommunikation geht es um die Kommunikation des Autors mit dem Publikum über den Text, also hinter dem Rücken oder über die Köpfe der handelnden Personen hinweg. In der inneren, dialogischen oder Mikrokommunikation geht es lediglich um Kommunikation *zwischen* den dramatis personae. Beide Modi der dramatischen Kommunikation sind nicht kongruent, und aus ihren Interferenzen speist sich der Informationsvorsprung des Publikums und die Fiktionsironie im Drama. So wissen am Ende der *Möwe* nur Dr. Dorn, Trigorin und das Publikum, dass Kostja sich erschossen hat, nicht aber die Lottorunde. Und am Ende des *Kirschgartens* wissen nur der zynische Lakai Jaša, Firs selber und das Publikum, dass auf dem verlassenen, fenstervernagelten Gut der taube Diener „vergessen“ wurde.

In der *„communicational polyphony“* (Golomb) spielen abwesende Tiefe und manifeste Oberfläche der Dialoge die entscheidende Rolle für den Bedeutungsaufbau des Dramas. Denn es ist nicht nur wichtig, was gesagt wird, sondern oft mehr noch, was nicht gesagt wird oder was nicht gesagt, aber erahnt und verstanden oder auch nicht verstanden werden kann. Aus Oberfläche und Tiefe setzt sich der Dialog zweiten Grades zusammen, wie z.B. im opaken Mikrodialog Maša–Čebutykin über dessen Liebe zu ihrer verstorbenen Mutter im 4. Akt der *Drei Schwestern*. Daran zeigt sich Čechovs Poetik der unrealisierten Potenziale und der präsenten Absenzen: des Nicht-Gesagten, Nicht-Getanen, Nicht-Erfüllten, das gleichwohl mit einer hohen Voltzahl semantischer Energie geladen ist.

Der „befreite Dialog“ entbindet neue poetische, lyrische und musikalische Qualitäten der Sprache: eine neue „dramatische Poesie“. Sie darf die Regie aber nicht zu unreflektiertem Stimmungstheater verleiten, wie in der Stanislavskij-Schule, die übersah, dass Čechov mit den neuen Sprachqualitäten die ZuschauerInnen nicht gefangen nehmen, sondern einstimmen und das Gehör schärfen will für seine komplexen *Bewusstseins-Dramen*. Denn Čechovs Musikalität wirkt thematisch, auditiv und strukturell, und alle drei Qualitäten lassen sich nur in ihrer „polyphonen Orchestrierung“ angemessen erfassen, szenisch realisieren und wissenschaftlich beschreiben, und zwar auf allen drei Ebenen des Dramas: der Zeichen, der Charaktere und der Gesamtkomposition. Das Zusammenspiel von verbaler und nonverbaler Ebene prägt den Rhythmus und die Tonalität des Ganzen.

Mit polyphoner Orchestrierung, vielstimmig-mehrdeutigem Dialog und polyphoner Kommunikation schuf Čechov das *polyphone Bewusstseinsdrama* in nuancierter Stimmenvielfalt.

---

[121] Golomb: Communicating Relationships in Chekhov's „Three Sisters“, S. 27.

[122] Die folgenden Angaben zum *podtekst* verdanke ich meinem Kollegen Andreas Ebbinghaus: S. Zamanskij: Sila čechovskogo podteksta. In: Teatr 1, 1960, S. 101-106; N.I. Bachmutova: Podvodnoe tečenie v p'ese Čechova *Čajka*. In: Voprosy russkogo jazykoznanija. Saratov 1961, S. 359-67; T.I. Sil'man: Podtekst kak lingvističeskoe javlenie. In: Naučnye doklady vysšej školy. Filologičeskie nauki 1, 1969, S. 84-90; Ders.: Podtekst – ėto glubina teksta. In: Voprosy literatury 1, 1969, S. 89-102; ders.: Die Unterbedeutung (Subtext) als sprachliche Erscheinung. In: Actes de Xe Congrès des Linguistes, Vol. 3. Budapest 1970, S. 351-357; L.M. Borisova: O prirode podteksta v dramaturgii A. P. Čechova. In: Voprosy russkoj literatury (1985) 1, S. 44-48.

[123] Golomb: Communicating Relationships in Chekhov's „Three Sisters“, S. 10ff.

Man kann es als Gegenstück zum *polyphonen Bewusstseinsroman* Dostoevskijs verstehen. Bachtin sagte zwar eine Weiterentwicklung der Dostoevskijschen Dialogizität und Polyphonie voraus. Da er aber – wie Lukács – einseitig den Roman als Gattung privilegierte, konnte er aufgrund seiner normativ-axiologischen Fixierung Polyphonie nur dem Roman, nicht aber dem Drama zugestehen.

5. Katharsis – Appell zur kritischen Rezeption

Čechov war der festen Überzeugung, dass neue Formen in der Kunst geschaffen werden müssen, weil sie neue Lebensformen vorbereiten und auf lange Sicht zur Bewusstseinsveränderung beitragen. Deshalb schuf er in lebenslanger Auseinandersetzung mit der Bühne ein polyphones Dramenmodell von beispielloser Präzision, Dichte und Nuanciertheit. Er wusste, dass dessen Konkretisation höchsten persönlichen, intellektuellen und kreativen Einsatz vom Rezipienten verlangt. Und er riskierte diesen hohen Anspruch, denn anders ist Katharsis in der Moderne nicht zu erreichen. Čechov fordert viel, aber er belohnt königlich. Sein enorm hoher Anspruch an LeserInnen, InterpretInnen, SchauspielerInnen, an Regie und Publikum ist bis heute eine exorbitante Herausforderung für große Theaterleute und sensible Interpreten.

Der Rezipient hat in der Regel einen bestimmten Erwartungshorizont an das Drama, ein Dispositionsrepertoire. Bei Čechov wird er in Artikulation und Reflexion der Erwartungen der Charaktere zwar hineingezogen, und der Autor verlangt vom Zuschauer Empathie, aber nicht als Selbstzweck, sondern als Voraussetzung für kritisch-selbstkritische Distanz.[124] Denn ich muss die Personen erst verstehen können, dann kann ich mich qualifiziert distanzieren. Čechov verhindert durch Fiktionsironie, dass die Anagnorisis der dramatis personae, die nicht selten in Pessimismus, Selbstmitleid oder illusionäre Selbstentlastung mündet, sich auf den Zuschauer überträgt. Er soll sich nicht einfach mit den Charakteren als „philosophierenden Kranichen“ identifizieren[125], soll nicht nur mitweinen, mitleiden, sondern ihr Verhalten kritisch reflektieren und über Wahlmöglichkeiten nachdenken. Das ist aber nur möglich, weil der Autor selbst seinen Personen in der „Versuchsanordnung“ auf der Bühne solche Wahlmöglichkeiten einräumt. Denn er ist überzeugt, dass sie, die nur allzu oft eher Zuschauer als Akteure ihres Lebens sind, was Čechov durch die negativen Konsequenzen ihrer Passivität kritisiert, ein – nicht realisiertes – menschliches Verhaltenspotenzial besitzen, wie es auch der Zuschauer für sich als Individuum in Anspruch nimmt.[126]

Das Čechov-Drama braucht einen aktiv reagierenden, eigenständigen Zuschauer, der jede der Stimmen in diesem „vielstimmig-widersprüchlichen Dialog“ (Bachtin) ernst nimmt. Vor allem muss die Vieldeutigkeit und Vielstimmigkeit in der Darstellung der Themen beachtet werden. Wenn eine Einzelstimme im Drama wie Veršinin oder Petja die Unerlässlichkeit von Erwartungen und Visionen für ein sinnvolles Leben zur Sprache bringt, dann wird sie verfälscht, wenn man sie zur angeblich eindeutigen Meinung des Autors erklärt. Damit wird seine künstlerische Leistung verkannt, die gerade in der Vieldeutigkeit und Vielstimmigkeit in der Darstellung seiner Themen besteht.

> Nicht zuletzt deshalb sind in der Sovietkritik die Dramen Čechovs zwar als wichtiges ‚Nationales Erbe‘ und als Meisterwerk des ‚Kritischen Realismus‘ gewürdigt worden, ist ihre künstlerische

---

[124] Vgl. die Kritik Wolfgang Isers an der „emotive theory“ von I.R. Richards: Wolfgang Iser: Der Akt des Lesens. Theorie ästhetischer Wirkung. München 1976, S. 76ff.

[125] So Baron Tuzenbach im 2. Akt der *Drei Schwestern*: „Die Zugvögel, Kraniche zum Beispiel fliegen [...]. [...] und mögen sie philosophieren, wie sie wollen, wenn sie nur fliegen“ (Перелетные птицы, журавли, например, летят [...]. [...] и пускай философствуют, как хотят, лишь бы летели...; 13, 147).

[126] Striedter, S. 215.

Einzigartigkeit und ihre bahnbrechende, übernationale Bedeutung für die Entwicklung des modernen Dramas jedoch lange Zeit nicht so klar erkannt und so deutlich hervorgehoben worden wie im Westen.[127]

6. Čechov als Integrationsfigur der Theatermoderne

> Tschechows Stärke sind die unterschiedlichsten, manchmal unterbewußten Mittel der Einwirkung: mal ist er Impressionist, mal Symbolist, wo notwendig Realist oder gar fast Naturalist.
> Konstantin Stanislavskij[128]

> Er bläst sich auf, schnaubt, predigt neue Formen [...] aber es ist doch Platz für alle da, für die neuen wie die alten, – was soll das Gedrängel?
> Trigorin über Treplev in der *Möwe*, 3. Akt

Die „große Loslösung" von der aristotelischen Tradition vollzog sich in der Theatermoderne zwar als *„Bruch"*, aber nicht etwa plötzlich, als Kahlschlag, sondern in einem historischen *Prozess.*

> Der Bruch mit dieser Tradition vollzieht sich in mehreren Schritten. Der erste behält das Nachahmungsprinzip als Grundlage bei, eliminiert oder reduziert jedoch Faktoren, die bisher als konstitutiv galten, z.B. den Primat der dramatischen Handlung oder der kommunikativen Funktion des Dialogs. Der zweite Schritt verwirft das Gesamtkonzept künstlerischer Nachahmung vorgegebener Wirklichkeit. Und der dritte entwickelt im Gegenzug ein autonomes, seine eigene ‚theatralische' (Meyerhold) Wirklichkeit setzendes und ausspielendes ‚entfesseltes' Theater (Tairov).[129]

Bei der viel beschworenen Krise von Drama[130] und Theater geht es eigentlich um die antiaristotelische Wende zum modernen Theater. Und Čechov steht an der *Gabelung* zwischen dem ersten und zweiten Stadium, am Wendepunkt vom „Wortdrama" des Realismus zum „Dingdrama" der Avantgarde und des Absurden Theaters.[131] Seine Personen sind noch sorgfältig psychologisch und soziologisch motiviert, sind „lebendige Menschen" und noch keine Androiden oder entindividualisierte Kunstfiguren wie in der Theater-Avantgarde des 20. Jahrhunderts. Und deshalb dürfen sich RegisseurInnen und SchauspielerInnen auch nicht damit begnügen, das als „realistisch" geltende Beziehungsgeflecht zu erfassen und mit ein paar Slapsticks aufzupeppen. Theaterleute müssen *zugleich* mit dem „menschlichen Faktor" auch die ästhetischen Appelle, Konfigurationen und Rhythmen im Text auf der Bühne konkretisieren. Sie dürfen sie aber nicht etwa vom menschlichen Geschehen abspalten als ästhetische Stilisierung, absurde Hyperbeln oder theatralische Gags und im unreifen Anti-Stanislavskij-Affekt steckenbleiben. Das ist simplizistischer Pseudoavantgardismus.

Ebenso dürfen und müssen auch die ZuschauerInnen „mitkomponieren" an der diffizilen und präzisen Partitur des Čechovstücks. Čechovs bahnbrechende Leistung besteht ja gerade darin, dass er eine doppelte Herausforderung bietet: Menschliches Verhalten und ästhetische Einstellung sind im neuen *polyphonen Drama* verschränkt, in dem jede Stimme eigene Geltung hat und gehört sein will, vor allem mit dem inneren Ohr. Insofern bietet Čechov ein Kor-

---

[127] Ebda., S. 214.
[128] Konstantin Stanislawski: Mein Leben in der Kunst. Übers. v. Sergej Gladkich. Berlin 1987, S. 271.
[129] Striedter, S. 7f.
[130] Vgl. Peter Szondi: Theorie des modernen Dramas (1956). In: Peter Szondi: Schriften I. Frankfurt/M. 1978, S. 147.
[131] Schmid: Bachtins Dialogizitätstheorie im Spiegel der dramatisch-theatralischen Gattungen, S. 46, 57.

rektiv zu den traditionellen Theaterfiguren des Bühnenrealismus, aber auch zu den Eindringlingen, Automaten und Übermarionetten des Symbolismus sowie zu den absurden oder surrealistischen Kunstfiguren der Theater-Avantgarde. Insofern ist er eine einmalige *Integrationsfigur* des Theaters der Moderne.

Auf der Kreuzung zur Theatermoderne standen wie Čechov auch seine Regisseure. Während Stanislavskij einseitig den Bühnenillusionismus und das beseelte Spiel der Schauspieler perfektionierte und das „Erlebnis im Theater" analog zu Diltheys „Erlebnis in der Dichtung" fokussierte, setzte sein Schüler Mejerchol'd ebenso einseitig auf ästhetische Distanz und Verfremdung und kehrte die mediale „Bedingtheit" (*uslovnost'*) der Bühne hervor, wobei er diesen medienkritischen Terminus übrigens von Čechov übernahm. Mejerchol'd stellte die Eigengesetzlichkeit des Theaters provozierend aus. Ihm ging es nicht mehr um Erlebnis, sondern um die theatralische Gestaltung des „Materials": die akzelerierte Bewegung der Körper im Raum, die Grafik ihrer Bewegung, die konstruktivistische Maschinisierung der Bühne und die atemberaubenden Finessen der Biomechanik. Seitdem gibt es zwei konträre Bühnenstile, „pereživanie" oder Erlebnistheater und „predstavlenie"[132], das biomechanische Theater der komischen oder erhabenen Groteske, der ironischen Parekbasis, die den Romantikern abgeschaut ist, und des „ostranenie", der absichtsvollen Verseltsamung oder Verfremdung, ein Theaterdampfer, auf den Bert Brecht aufsprang.

Das Kunststück, Čechov zu inszenieren, bedeutet, auf dem schmalen Grat zu balancieren, auf dem sich beide Theatermodelle berühren, ohne nach rechts auf die beseelte Stanislavskij-Bühne oder nach links auf die mechanisierte Mejerchol'd-Bühne abzustürzen. MeisterregisseurInnen wie Andrea Breth sind auf beiden Bühnen, in beiden methodischen Archiven zu Hause und bedienen sich ihrer besten ästhetischen Stilrepertoires. Nach dem Verfall der illusionistischen Formkonvention entstand eine Renaissance der Theaterformen, die wie in Malrauxs „musée imaginaire" gleichzeitig gegenwärtig erscheinen. Deren Aufwertung (nicht Absolutsetzung!) lässt nach wie vor einem transformierten Realismus sein Recht. Eine naive Rückkehr zum Illusionismus kann es allerdings im ambitionierten Theater nach der Bewusstwerdung des Kunstcharakters der Bühne wohl nicht mehr geben.[133]

In der Theorie des kulturellen Wandels denkt man heute in Makroepochen, statt in antagonistischen Mikroepochen[134] und hat die Transformation des Realismus als transformierbares System im Rahmen der Megaperiode der ästhetischen Moderne erkannt, wo der Realismus mit dem Symbolismus kompatibel erscheint. In der Terminologie Igor' Smirnovs vereinigt Čechov Züge eines sog. Primärstils, des Realismus, mit Zügen eines Sekundärstils, von Impressionismus, Décadence, Symbolismus.[135] Čechov war Zeitzeuge der Geburt des Symbolismus in Westeuropa und in Russland, und er nahm sie sehr sensibel, aber auch kritisch wahr.

---

[132] Herta Schmid: Čechov's Drama and Stanislavskij's and Mejerchol'd's Theories of Theater, a.a.O.; Striedter, S. 21f.

[133] Vgl. Melchinger: Drama zwischen Shaw und Brecht, Einleitung; Peter Brook: Der leere Raum, a.a.O.

[134] Vgl.: Ästhetische Moderne in Europa. Grundzüge und Problemzusammenhänge seit der Romantik. Hg. Silvio Vietta, Dirk Kemper. München 1997; Maria Deppermann: Experiment der Freiheit. Russische Moderne im europäischen Vergleich. Thesen zu einem Projekt. In: newsletter Moderne 4 (2001) 2, S. 14-17; Dies.: Experiment der Freiheit. Russische Moderne im europäischen Vergleich. In: Wien und St. Petersburg um die Jahrhundertwende(n). Kulturelle Interferenzen. Hg. Alexander W. Belobratow (= Jahrbuch der Österreich-Bibliothek in St. Petersburg, 1999/2000, 4/1). St. Petersburg 2001, S. 31-51.

[135] Smirnov (Megaistorija, S. 50ff.) geht aus von Makroepochen und sog. primären (Realismus 1840–1880, historischer Avantgarde 1910–1930) und sekundären Stilen (Impressionismus, Décadence, Symbolismus). „Als System, in dem die Transitivität dominierte, bildete der Realismus eine ‚Megaperiode' zusammen mit dem Symbolismus, der seine fundamentale Grundlage verneinte" (S. 51). Die Megaepoche der ästhetischen Moderne sei beherrscht von der Basistrope der Metapher. Generalnenner des Realismus sei die Arbeit mit ihrer Kehrseite, prominent die Figur des Arztes und das Thema der Krankheit, Generalnenner sekundäre Stile sei dagegen die Theatralisierung der Welt. Smirnov stützt sich auf die Stiltypologie von Lichačev. Vgl. D.S. Lichačev: Razvitie russkoj literatury X–XVIII vekov. Leningrad 1973, S. 176, 180f.

Als *Integrationsfigur der Theatermoderne* ist er eine phänomenale Schnittstelle und ein Meister des Ausgleichs[136] von einem in der Moderne unerreichten Format.

Ob Čechovs „sanfte Subversion" eine molekulare Revolution war, oder eine Wiederherstellung jenes Theaters, das die griechische Antike schuf, soll als Frage offen stehen bleiben. Auch hier ist die möglichst genaue Stellung der Frage wichtiger, als die Terminologie der Antwort. Die Dialektik von Renaissance und Revolution, ein Grundmuster russischer Kultur, wird hier nicht verfolgt und weiterer Forschung vorbehalten.[137] Hier sei aber auf die langjährige Erfahrung eines der größten Čechov-Regisseure verwiesen. Peter Stein sagte 2004 im Interview:

> Tschechow hat das *Theater nicht revolutioniert.* Sondern mit ganz merkwürdigen Mitteln, die sich weit von der griechischen Tragödie unterscheiden, deren entscheidenden Anspruch und Wirkung *wiederhergestellt* – nur durch einen anderen Weg: als *Bewahrer des wirklichen Theaters.* Das Theater ist nicht revolutionär. Sondern es stellt in den politischen und gesellschaftlichen Lebensraum die provokante Beschreibung – nicht um zu provozieren, sondern weil es der Wahrheit entspricht – der menschlichen Existenz. Der gegenüber sämtliche Argumente, Pläne, Projekte, Empfindungen letztlich lächerlich werden. Das ist die Kraft des Theaters, daraus ist es entstanden.[138]

Ob man nun von Renaissance in Anspruch und Wirkung des Theaters oder von Revolution der Struktur und Gattung des Dramas spricht, in beiden Perspektiven erscheint Čechov als Schöpfer des *polyphonen Dramas der menschlichen Existenz* auf dem Scheitelpunkt der Epoche der ästhetischen Moderne.

Literatur

Abel, Lionel: Metatheatre: A New View of Dramatic Form. New York 1963.

Adorno, Theodor W.: Minima Moralia. Reflexionen aus dem beschädigten Leben. In: Theodor Adorno: Gesammelte Schriften. Bd. 4. Frankfurt/M. 1980.

Ästhetische Moderne in Europa. Grundzüge und Problemzusammenhänge seit der Romantik. Hg. Silvio Vietta, Dirk Kemper. München 1997.

Arendt, Hannah: Gedanken zu Lessing. Von der Menschlichkeit in finsteren Zeiten. In: Hannah Arendt: Menschen in finsteren Zeiten. Hg. Ursula Ludz. München 1992, S. 17-48.

Arendt, Hannah: Denken ohne Geländer. Texte und Briefe. München, Zürich 2006.

Bachmutova, N.I.: Podvodnoe tečenie v p'ese Čechova *Čajka.* In: Voprosy russkogo jazykoznanija. Saratov 1961, S. 359-67.

Bachtin, Michail: Probleme der Poetik Dostoevskijs. München 1971.

Barthes, Roland: Diderot, Brecht, Eisenstein. In: Roland Barthes: Kritische Essays. Bd. 3: Der entgegenkommende und der stumpfe Sinn. Frankfurt/M. 1993, S. 94-102.

Gerhard Bauer: Lichtstrahl aus Scherben. Čechov. Frankfurt/M. 2000.

Bayerdörfer, Hans-Peter: Maeterlincks Impulse für die Entwicklung der Theatertheorie. In: Drama und Theater der Jahrhundertwende. Hg. Dieter Kafitz. Tübingen 1991, S. 121-138.

Bayerdörfer, Hans-Peter: Der totgesagte Dialog und das monodramatische Experiment. In: TheaterAvantgarde. Hg. E. Fischer-Lichte. Tübingen 1996, S. 242-290.

Belyj, A.: A.P. Čechov [1907]. Dt. in: Über Čechov. Hg. Peter Urban. Zürich 1988, S. 79-83.

Birkenhauer, Theresa: Schauplatz der Sprache – das Theater als Ort der Literatur. Maeterlinck, Čechov, Genet, Beckett, Müller. Berlin 2005.

Bohrer, Karl Heinz: Die Ästhetik des Schreckens. Die pessimistische Romantik und Ernst Jüngers Frühwerk. München 1978.

---

[136] Richard Peace: Tschechow: Die drei Schwestern. In: Das russische Drama. Hg. Bodo Zelinsky. Düsseldorf 1986, S. 177.

[137] Hier ist hinzuweisen auf das von mir geleitete Forschungsprojekt „Experiment der Freiheit – Renaissance und Revolution. Zwei Leitthesen zur russischen Moderne im europäischen Vergleich".

[138] Theater ohne Revolte. Ein Gespräch mit dem Regisseur Peter Stein geführt von Barbara Lehmann. In: Die Zeit, 15.07.2004, Nr. 30 <http://www.zeit.de/2004/30/Stein-Interview>.

Borisova, L.M.: O prirode podteksta v dramaturgii A. P. Čechova. In: Voprosy russkoj literatury (1985) 1, S. 44-48.
Brook, Peter: Der leere Raum. Aus d. Engl. v. Walter Hasenclever. Hamburg 1969.
Brook, Peter: Der Kirschgarten. In: Über Čechov. Hg. Peter Urban. Zürich 1988, S. 338-341.
Brook, Peter: There are no Secrets. Thoughts on Acting and Theatre. London 1994.
Bourget, Paul: Essais de psychologie contemparaine. 2 t. Paris 1883, 1885; [9]1893 (erste russ. Übers. P. Burge: Očerky sovremennoj psichologii. Ėtudy o vydajuščichsja pisateljach našego vremeni, s priloženiem stat'i o Burge Polja Lemetra. Perevod E. K. Watsona. Žurnal „Panteon literatury". SPb. 1888; dt.: Psychologische Abhandlungen über zeitgenössische Schriftsteller. Übers. A. Köhler. Minden 1903).
Brühl, Christine Gräfin von: Die nonverbalen Ausdrucksmittel in Anton Čechovs Bühnenwerk. Frankfurt/M., Wien u.a. 1996.
Čechov, Anton P.: Tagebücher. Notizbücher. Hg. u. übers. v. Peter Urban. Zürich 1983.
Chekhov. New Perspectives. Hg. René Wellek, Nonna Wellek. Englewood Cliffs, N.J. 1984.
Clayton, Douglas: The Play-Within-the-Play as Metaphor and Metatheatre in Modern Russsian Drama. In: Theater and Literature in Russia, 1900–1930. Hg. Lars Kleberg, Nils Åke Nilsson. Stockholm 1984, S. 71-82.
Čudakov, A.P.: Poėtika Čechova. Moskva 1971 (engl.: Chekhov's Poetics. Transl. by Edwina Jannie Cruise and Donald Dragt. Ann Arbor 1983).
Deppermann, Maria: Andrej Belyjs ästhetische Theorie des schöpferischen Bewußtseins. Symbolisierung und Krise der Kultur um die Jahrhundertwende. München 1982.
Deppermann, Maria: Tolstoj und die Bergpredigt. In: „Anstöße". Zeitschrift der Evangelischen Akademie Hofgeismar 35 (1988) 2, S. 36-43.
Deppermann, Maria: Semiotik der „großen Loslösung". Nietzsches „ästhetische Revolution" als hermeneutischer Schlüssel zum Strukturwandel im modernen Drama. In: Kunst verstehen – Musik verstehen. Ein interdisziplinäres Symposion (München 1992). Hg. Siegfried Mauser. Laaber 1993, S. 39-61.
Deppermann, Maria: Čechov und Maeterlinck. Vom Reiz überraschender Nachbarschaft. In: Wechselbeziehungen zwischen slawischen Sprachen, Literaturen und Kulturen in Vergangenheit und Gegenwart. Hg. Ingeborg Ohnheiser. Innsbruck 1996, S. 319-335.
Deppermann, Maria: Dramaturgie der Stille – Čechov und Maeterlinck. Prolegomena zu einem Vergleich. In: Anton P. Čechov – Philosophische und religiöse Dimensionen im Leben und im Werk. Hg. Vladimir B. Kataev, Rolf-Dieter Kluge, Regine Nohejl. München 1997, S. 151-174.
Deppermann, Maria: Experiment der Freiheit. Russische Moderne im europäischen Vergleich. Thesen zu einem Projekt. In: newsletter Moderne 4 (2001) 2, S. 14-17.
Deppermann, Maria: Experiment der Freiheit. Russische Moderne im europäischen Vergleich. In: Wien und St. Petersburg um die Jahr-hundertwende(n). Kulturelle Interferenzen. Hg. Alexander W. Belobratow (= Jahrbuch der Österreich-Bibliothek in St. Petersburg, 1999/2000, 4/1). St. Petersburg 2001, S. 31-51.
Deppermann, Maria: „Epideixis der Unendlichkeit". Das Fragment in der „ästhetischen Revolution" der Frühromantik. In: Das Fragment im (Musik-)Theater. Zufall oder Notwendigkeit. Vorträge und Gespräche des Salzburger Symposiums 2002. Hg. Peter Csobádi u.a. Anif, Salzburg 2005, S. 56-80.
Derman, A.: O masterstve Čechova. Moskva 1959.
Dlugosch, Ingrid: Anton Pavlovič Čechov und das Theater des Absurden. München 1977.
Elam, Keir: The Semiotics of Theatre and Drama. London 1980.
Ėrenburg, Il'ja: Perečityvaja Čechova. Moskva 1960.
Federn, Paul: Zur Psychologie der Revolution: Die vaterlose Gesellschaft. Leipzig, Wien 1919.
Fragment und Totalität. Hg. Lucien Dällenbach, Christiaan L. Hart Nibbrig. Frankfurt/M. 1984.
Gerigk, Horst-Jürgen: Möglichkeiten des literarischen Gebildes. In: Neue Hefte für Philosophie. Hg. v. Rüdiger Bubner, Konrad Kramer, Reiner Wiehl. Heft 4: Theorie literarischer Texte, 1973, S. 103-122.
Gerigk, Horst-Jürgen: Das Russland-Bild in den fünf großen Romanen Dostojewskijs. In: Zeitperspektiven. Studien zur Kultur und Gesellschaft. Beiträge aus Geschichte, Soziologie, Philosophie und Literaturwissenschaft. Hg. Uta Gerhardt. Wiesbaden 2003, S. 49-79.
Gerigk, Horst-Jürgen: Literarische Ost-West-Passagen: Dostoevskij, Tolstoj, Turgenev und Čechov im interkulturellen Kontext. In: Russische Moderne Interkulturell. Von der Blauen Blume zum Schwarzen Quadrat. Hg. Barbara Aufschnaiter, Dunja Brötz. Innsbruck, Wien u.a. 2005, S. 54-66.
Golomb, Harai: Music as Theme and as Structural Model in Chekhov's *Three Sisters*. In: Herta Schmid, Aloysius van Kesteren (Hg.): Semiotics of Drama and Theatre. New Perspectives in Theory of Drama and Theatre. Amsterdam, Philadelphia 1984, S. 174-196.
Golomb, Harai: Communicating Relationships in Chekhov's „Three Sisters". In: Anton Chekhov Rediscovered. A Collection of New Studies. With a Comprehensive Bibliography. Hg. Savely Senderovich, Munir Sendich. East Lansing/Mich. 1987, S. 9-33.
Grimm, Reinhold: Pyramide und Karussell. In: Beiträge zur Poetik des Dramas. Hg. W. Keller. Darmstadt 1976, S. 352-382.

Grimm, Reinhold: Nach dem Naturalismus. Essays zur modernen Dramatik. Frankfurt/M. 1978, S. 3-27.
Hegel, Georg Wilhelm Friedrich Hegel: Das Drama als poetisches Kunstwerk. In: Hegel: Werke in 20 Bänden. Bd. 15: Vorlesungen über die Ästhetik, III. Frankfurt/M. 1983.
Grube, Max: Geschichte der Meininger. Berlin 1926.
Heimrich, Bernhard: Fiktion und Fiktionsironie in Theorie und Dichtung der deutschen Romantik. Tübingen 1968.
Ingarden, Roman: Das literarische Kunstwerk. Tübingen 1965.
Iser, Wolfgang: Der Akt des Lesens. Theorie ästhetischer Wirkung. München 1976.
Jackson, Robert Louis: Dostoevsky in Chekhov's Garden of Eden: „Because of Little Apples" [1880]. In: Robert Louis Jackson: Dialogues with Dostoevsky. The Overwhelming Questions. Stanford 1993, S. 83-103.
Janik, Allan: Theater and Knowledge – Suffering Into Wisdom. Stockholm 2005.
Jauss, Hans Robert: Literaturgeschichte als Provokation der Literaturwissenschaft. Frankfurt/M. ^{2}1970, S. 107-143.
Jauss, Hans Robert: Ästhetische Erfahrung und literarische Hermeneutik. Frankfurt 2007 (Nachdr. d. 1. Aufl.).
Kalbouss, George: The Plays of the Russian Symbolists. East Lansing/Mich. 1982.
Karlinsky, Simon: Anton Chekhov's Life and Thought. Selected Letters and Commentary. Transl. from the Russian by Michael Henry Heim, in Collaboration with Simon Karlinsky. Selection, Commentary and Introd. by Simon Karlinsky. Evanston/Ill. 1997.
Kessler, Harry Graf: Aus den Tagebüchern. In: Jahrbuch der deutschen Schillergesellschaft 12, 1968, S. 48-87.
Leithold, Franz: Studien zu A.P. Čechovs Drama „Die Möwe". München 1989.
Lichačev, D.S.: Razvitie russkoj literatury X–XVIII vekov. Leningrad 1973.
Literaturnoe nasledstvo. T. 68: Čechov. Moskva 1960.
Lukács, Georg: Die Theorie des Romans. Ein geschichtsphilosophischer Versuch über die Formen der großen Epik [1916]. Darmstadt, Neuwied 1971.
Maeterlinck, Maurice: Le trésor des humbles. Paris 1896 u.ö. (dt.: Der Schatz der Armen. Übers. v. Oppeln-Bronikowski. Jena 1898, 1902 u.ö.).
Mann, Thomas: Versuch über das Theater [1908]. In: Thomas Mann: Gesammelte Abhandlungen und kleine Aufsätze. Berlin 1922, S. 18-66.
Mann, Thomas: Versuch über Tschechow [1954]. In: Thomas Mann: Gesammelte Werke. Bd. 11: Reden und Aufsätze 1. Oldenburg 1960, S. 843-869.
Matt, Peter von: Brecht und der Kälteschock. In: Neue Rundschau 1976, VI, S. 613-629.
Matussek, Matthias: Die vaterlose Gesellschaft. Überfällige Anmerkungen zum Geschlechterkampf. Reinbek 1998.
Melchinger, Siegfried: Drama zwischen Shaw und Brecht. Ein Leitfaden durch das zeitgenössische Schauspiel. Berlin u.a. 1961.
Melchinger, Siegfried: Anton Tschechow. Velber ^{2}1974.
Merleau-Ponty, Maurice: Der Zweifel Cézannes. In: Was ist ein Bild? Hg. Gottfried Boehm. München ^{2}1995, S. 39-59.
Meyer, Herman: Rilkes Cézanne-Erlebnis. In: Herman Meyer: Zarte Empirie. Stuttgart 1963, S. 244-286.
Mirskij, D.: Die Geschichte der russischen Literatur [1926]. München 1964.
Mitscherlich, Alexander: Auf dem Weg zur vaterlosen Gesellschaft. München 1963 (^{10}1996).
Müller, Heiner: Notate zu Fatzer. In: Die Zeit, 17.3.1978.
Mukařovský, Jan M.: Zum Theaterdialog. In: Jan M. Mukařovský: Kapitel aus der Poetik. Frankfurt/M. 1967, S. 149-153.
Nabokov, Vladimir: A. Tschechow. In: Die Kunst des Lesens. Meisterwerke der russischen Literatur. Hg. F. Bowers. Frankfurt/M. 1984.
Neumann, Gerhard: Hungerkünstler und singende Maus. Franz Kafkas Konzept der „kleinen Literaturen". In: Metamorphosen des Dichters. Das Selbstverständnis deutscher Schriftsteller von der Aufklärung bis zur Gegenwart. Hg. Gunter E. Grimm. Frankfurt/M. 1992, S. 228-247.
Nietzsche, Friedrich: Sämtliche Werke. Kritische Studienausgabe in 15 Bd. Hg. G. Colli, M. Montinari. Berlin, New York 1981 (= KSA).
Nilsson, Nils Åke: Intonation and Rhythm in Chekhov's Plays. In: Thomas Eekmann (Hg.): Anton Čechov 1860–1960. Some Essays. Leiden 1960, S. 168-180.
Die „Nineties". Das englische Fin de siècle zwischen Dekadenz und Sozialkritik. Hg. Manfred Pfister, Bernd Schulte-Middelich. München 1983.
Papernyj, Z.: „Vopreki vsem pravilam..." P'esy i vodevili Čechova. Moskva 1982.
Pasternak, Boris: Bescheidenheit und Kühnheit: Gespräche, Dichtungen, Dokumente. Hg. R. E. Meister. Zürich 1959.
Pailer, Wolfgang: Die frühen Dramen M. Gor'kijs in ihrem Verhältnis zum dramatischen Schaffen A.P. Čechovs. München 1978.

Peace, Richard: Tschechow: Die drei Schwestern. In: Das russische Drama. Hg. Bodo Zelinsky. Düsseldorf 1986, S. 162-177.
Peukert, Detlev J. K.: Max Webers Diagnose der Moderne. Göttingen 1989.
Pitcher, Harvey: The Chekhov Play. A New Interpretation. New York 1973.
Polockaja, Ė.A.: Čechov i Mejerchol'd. In: Čechov. Hg. V.V. Vinogradov u.a. Moskva 1960.
Puškin, A.S.: Polnoe sobranie sočinenij. T. 13: Perepiska 1815–1827. Moskva 1937.
Rilke, Rainer Maria: Lettres sur Cézanne. Paris 1944 (Briefe über Cézanne. Frankfurt/M. 1962).
Rilke, Rainer Maria: Die Aufzeichnungen des Malte Laurids Brigge [1910]. Frankfurt/M. 1982.
Roselt, Jens: Die Ironie des Theaters. Wien 1999.
Rykner, Arnaud: L'envers du théâtre. Dramaturgie du silence de l'âge classique à Maeterlinck. Paris 1996.
Safranski, Rüdiger: Schiller oder die Erfindung des Deutschen Idealismus. München 2004.
Sarraute, Nathalie: Zeitalter des Argwohns. Über den Roman. Aus d. Franz. v. Kyra Stromberg. Köln, Berlin 1963 (L'ère du soupçon. Essais sur le roman. Paris 1956).
Schmid, Herta: Strukturalistische Dramentheorie. Semantische Analyse von Čechovs „Ivanov" und „Der Kirschgarten". Kronberg 1973.
Schmid, Herta: Ist die Handlung die Konstruktionsdominante des Dramas? Čechovs „Drei Schwestern" als Beginn einer Paradigmaerweiterung der dramatischen Gattung. In: Poetica, Bd. 8, 1976, S. 177-207.
Schmid, Herta: Čechov's Drama and Stanislavskij's and Mejerchol'd's Theories of Theater. In: Theater and Literature in Russia 1900–1930. Hg. Lars Kleberg, Nils Åke Nilsson. Stockholm 1984, S. 23-41.
Schmid, Herta: Bachtins Dialogizitätstheorie im Spiegel der dramatisch-theatralischen Gattungen. In: Dramatische und theatralische Kommunikation. Beiträge zur Geschichte und Theorie des Dramas und Theaters im 20. Jahrhundert. Hg. Herta Schmid, Jurij Striedter. Tübingen 1992, S. 36-90.
Sil'man, T.I.: Podtekst kak lingvističeskoe javlenie. In: Naučnye doklady vysšej školy. Filologičeskie nauki 1, 1969, S. 84-90.
Sil'man, T.I.: Podtekst – ėto glubina teksta. In: Voprosy literatury 1, 1969, S. 89-102.
Sil'man, T.I.: Die Unterbedeutung (Subtext) als sprachliche Er-scheinung. In: Actes de Xe Congrès des Linguistes, Vol. 3. Budapest 1970, S. 351-357.
Stanislawski, Konstantin: Mein Leben in der Kunst. Übers. v. Sergej Gladkich. Berlin 1987.
Theater ohne Revolte. Ein Gespräch mit dem Regisseur Peter **Stein** geführt von Barbara Lehmann. In: Die Zeit, 15.07.2004, Nr. 30 <http://www.zeit.de/2004/30/Stein-Interview>.
Stender-Petersen, Adolf: Zur Technik der Pause. In: Thomas Eekman (Hg.): Anton Čechov 1860–1960. Leiden 1960, S. 187-207.
Stendhal: Souvenirs d'égotisme. Paris 1892 [postum].
Striedter, Jurij: Drama als Spiel reflektierter Erwartungen: Tschechows „Drei Schwestern". In: Dramatische und theatralische Kommunikation. Beiträge zur Geschichte und Theorie des Dramas und Theaters im 20. Jahrhundert. Hg. Herta Schmid, Jurij Striedter. Tübingen 1992, S. 192-223.
Szondi, Peter: Theorie des modernen Dramas (1880–1950). Frankfurt/M. 1956, 1963 [revidiert].
Szondi, Peter: Theorie des modernen Dramas [1956]. In: Peter Szondi: Schriften I. Frankfurt/M. 1978, S. 9-153.
Tigges, Stefan: Von der Weltseele zur Über-Marionette. Čechovs Traumtheater als avantgardistische Versuchsanordnung. Bielefeld 2010.
Tolstaja, Elena: Poėtika razdraženija. Čechov v konce 1880-ch – načalo 1890-ch godov. Moskva 1994.
Urban, Peter: Vorwort. In: Wie soll man leben? Anton Čechov liest Marc Aurel. Hrsg., aus d. Russ. übers. u. mit einem Vorw. vers. v. Peter Urban. Zürich 1997, S. 5-30.
Urban, Peter: Čechov Chronik. Daten zu Leben und Werk. Zürich ²2004 (¹1981).
Vitins, Ieva: Vanya's Predicament. In: Chekhov's Great Plays. Ed. and with an intr. by J.-P. Barricelli. New York, London 1981, S. 35-46.
Weber, Max: Wissenschaft als Beruf [1919]. In: Max Weber: Gesammelte Aufsätze zur Wissenslehre. Hg. Johannes Winckelmann. Tübingen 1951, ⁴1973, S. 566-597.
Weiß, Ernst: Der Gefängnisarzt oder die Vaterlosen. Mährisch-Ostrau 1934 (Neuaufl. Hamburg 1969).
Winner, Thomas G.: Chekhov's „Seagull" and Shakespeare's Hamlet. A Study of a Dramatic Device. In: Slavic and East European Review XV, 1956, S. 103-111.
Zamanskij, S.: Sila čechovskogo podteksta. In: Teatr 1, 1960, S. 101-106.
Zingerman, B.: Teatr Čechova i ego mirovoe značenie. Otv. red. A.A. Anikst. Moskva 1988.

Dietrich Wörn

Čechovs Dramen und das Theater der Symbolisten

In der Čechov-Forschung zeichnet sich seit den 1990er Jahren ein Trend ab, der eine formale Nähe und eine innere Affinität der Werke Čechovs und insbesondere seiner Bühnenwerke zum Symbolismus und zum symbolistischen Theater herausstellen möchte. In diesem Zusammenhang wird eine Nähe zum französischen Symbolismus und besonders zum Theaterschaffen Maeterlincks festgestellt. Die fundiertesten Beiträge mit dieser Grundtendenz stammen von Maria Deppermann.[1] In diesem Zusammenhang fallen Stichworte wie Dramaturgie der Stille, Ästhetik des Traumes und des Unterbewussten, Tragik des Alltäglichen, Rätselhaftigkeit des Seins, statisches Theater, Dialog zweiten Grades u.a. Es wird auf Čechovs Interesse für Maeterlinck hingewiesen. Das „symbolistische" Theater im Theater in Čechovs *Čajka* wird in diesem Kontext besonders herausgehoben.

Als weitere Argumente für die Nähe von Čechovs Theater zu den Symbolisten können die Bedeutung der nonverbalen Ausdrucksmittel[2], die episch-lyrische Funktion der Regieanweisungen[3], die Monologisierung und Lyrisierung des Sprechens[4], die Verwendung von „Symbolen" wie die Möwe oder der Kirschgarten[5] und weitere Eigenarten von Čechovs Theaterkunst ins Spiel gebracht werden.

Als Schlussfolgerung aus diesen Forschungsansätzen können Feststellungen wie die folgenden gelten: Bei Čechov finden wir ein „neues theatrales System für eine pluralistische Moderne, das in der Weltliteratur gleichrangig neben dem Drama der Renaissance, des Barock und der Klassik steht"[6]; oder: „Čechov hat einen spezifisch modernen Dramentypus geschaffen, der als eigener Beitrag Rußlands in die Weltliteratur [...] einging, dem Range nach nur vergleichbar den antiken Tragödien und dem Riesenbau der Shakespearschen Stücke."[7]

Čechov gleichsam als Shakespeare der Moderne, als „Metadramatiker des 20. Jahrhunderts"[8] – diese Einschätzung führt dann doch zu einigen kritischen Fragen über die Themen und die künstlerische Methode Čechovs und die Bedeutung seines Theaterschaffen für die Theatermoderne. Welche Moderne, welches 20. Jahrhundert ist dabei gemeint? Etwa das Jahrhundert der industriellen Massenkriege, des Staatsterrors, des Holocaust und der Genozide, des Archipel Gulag, der Atombombe, der irreversiblen Umweltzerstörung? Čechov starb zehn Jahre vor dem eigentlichen historischen Beginn des 20. Jahrhunderts, dem Ausbruch des Ersten Weltkriegs. Seine Dramen sind Lichtjahre von den Tragödien des 20. Jahrhunderts entfernt, von

---

1 M. Deppermann: Čechov und Maeterlinck. Vom Reiz überraschender Nachbarschaft. In: Wechselbeziehungen zwischen slawischen Sprachen, Literaturen und Kulturen in Vergangenheit und Gegenwart. Hg. Ingeborg Ohnheiser. Innsbruck 1996, S. 319-335; Dies.: Dramaturgie der Stille – Čechov und Maeterlinck. Prolegomena zu einem Vergleich. In: Anton P. Čechov – Philosophische und religiöse Dimensionen im Leben und Werk. Hg. V.B. Kataev, R.-D. Kluge, R. Nohejl. München 1997, S. 151-174; Dies.: Onkel Wanja. In: Tschechows Dramen. Hg. B. Zelinsky. Stuttgart 2003, S. 47-75. Vgl. auch den Vortrag „Molekulare Revolution. Čechov als Integrationsfigur der Theatermoderne" von Maria Deppermann im vorliegenden Band.

2 Ch. von Brühl: Die nonverbalen Ausdrucksmittel in Anton Čechovs Bühnenwerk. Frankfurt/M. 1996.

3 B. Kirschstein-Gamber: Die Čechov-Szene. Untersuchung zu Text und Regieanweisung im Drama A.P. Čechovs. Altendorf 1979.

4 A. Čudakov: Die Möwe. In: Tschechows Dramen, S. 23-46.

5 R. Peace: Chekhov. A Study of the Four Major Plays. New Haven, London 1983; Ders.: Die drei Schwestern. In: Tschechows Dramen, S. 76-102.

6 Deppermann: Dramaturgie der Stille – Čechov und Maeterlinck, S. 174, mit Berufung auf Čudakov.

7 Deppermann: Onkel Wanja, S. 70, mit Berufung auf H. Rischbieter.

8 V.B. Kataev: Čechov pljus... Predšestvenniki, sovremenniki, preemniki. Moskva 2004, S. 355, unter Berufung auf Edward Albee.

denen die Symbolisten vor dem Eintreten der Katastrophen zwar keine klaren Vorstellungen haben konnten, die sie aber zumindest erahnten sowie künstlerisch gestalten und weltanschaulich bewältigen wollten. Eine differenzierte Geschichte von Ebbe und Flut der Beliebtheit von Čechovs Bühnenwerken würde wohl die Vermutung bestärken, dass sie besonders in einer Zeit der latenten sozialen und moralischen Krise einer (noch) saturierten spätbürgerlichen Gesellschaft, wie sie in seinen Stücken evoziert wird, bei Regisseuren und Publikum besonders gut ankommen, also nur einen engen Bereich „moderner" Lebensproblematik thematisieren.

Čechovs Bedeutung für die Theatermoderne soll nicht unterschätzt und nicht kleingeredet werden. Der künstlerische Rang seiner Werke und ihr humaner Gehalt sind völlig unbestritten. Aber ein unvoreingenommener Blick auf die Entwicklung um 1900 zeigt, dass die entscheidenden Innovationen in Theorie und Praxis der Theatermoderne von anderer Seite ausgingen und dass insbesondere dem Symbolismus in diesem Zusammenhang die Emanzipation, die „Entfesselung" des modernen Theaters von den traditionellen Formen und Normen des 19. Jahrhunderts zu verdanken sind. Zwar hat der russische Symbolismus keine Dramen von Weltgeltung hervorgebracht. Dafür gibt es aber bedeutende Bühnenwerke aus dem Umfeld des französischen und deutschen Symbolismus.[9]

Die Ansichten Čechovs über das Theater, insbesondere über das Verhältnis von Autor, Regie und Schauspielern sowie über die für seine Stücke richtige Art des Inszenierens und des Agierens, sind von bemerkenswerter Eindeutigkeit und Konstanz. In einer seiner frühesten prinzipiellen Äußerungen zum Theater stellt er fest: „1) автор хозяин пьесы, а не актеры [...] 4) сами актеры просят указаний [...]" (der Autor ist der Herr des Stückes und nicht die Schauspieler [...] 4) die Schauspieler selbst fordern Anweisungen [...]; Brief an N.A. Lejkin vom 15.11.1887; P. 2, 149; 1). Und wenige Wochen vor seinem Tod kündigt er an, dass er seinem Stück *Višnevyj sad* noch eine „Charakteristik der handelnden Personen" beifügen möchte (Brief an A.F. Marks vom 31.5.1904; P. 2, 110). Dazwischen liegen unzählige Äußerungen, Briefstellen und Notizen Čechovs, die alle zeigen, dass er konsequent an der Vorstellung vom Autor-Theater festhielt und für die Aufführungspraxis seiner eigenen Stücke absolute Treue gegenüber dem Text („все написано" / es steht alles da), Natürlichkeit des Spiels und Wirklichkeitsnähe der Inszenierung forderte und sich damit gegen das in der Moderne zum Dogma erhobene Regietheater mit freiem Umgang mit Autor-Text und Autor-Intention stellte. Er versuchte, Regisseur und Schauspielern die jeweiligen Charaktere differenziert und nuanciert zu erläutern und machte Vorschriften bis in die Details der Diktion, Gestik und Mimik. Auch befremdliche und absurde Momente in seinen Stücken haben einen konkreten, realistischen Hintergrund.[10] Er kritisierte immer wieder, wie hinlänglich seit S. Melchingers Darstellung des Čechov-Theaters bekannt ist, den übertriebenen Detail-Realismus der Inszenierungen Stanislavskijs.[11] Seine letzte Äußerung zu dessen übertrieben detailversessenem Inszenierungsstil, es geht konkret um *Višnevyj sad*, lässt an Klarheit nichts zu wünschen übrig: „Одно могу сказать: сгубил мне пьесу Станиславский" (Eins kann ich sagen: Stanislavskij hat mir das Stück verdorben; Brief an O.L. Knipper-Čechova, 29.3.1904: P. 12, 74).

Čechovs wiederholte harsche Kritik an Stanislavskijs Inszenierungsstil bedeutet nicht, wie schon Melchinger und in seinem Gefolge „modernistisch" angehauchte Čechov-Spezialisten und Čechov-Regisseure anzunehmen scheinen[12], dass er mit den a-mimetischen, stilisierenden, abstrahierenden Tendenzen des auf dem Boden des Symbolismus entstehenden modernen Regietheaters à la Mejerchol'd sympathisiert hätte. Čechov stand prinzipiell *für* ein mime-

[9] Vgl. die Überschau bei H. Kindermann: Theatergeschichte Europas. VIII, IX, X. Salzburg 1968, 1970, 1974.

[10] Vgl. 13, 339-518; Čechov i teatr. Moskva 1961, passim.

[11] S. Melchinger: Anton Tschechow. Hannover 1968 (= Friedrichs Klassiker des Welttheaters, Bd. 57), S. 59-75.

[12] Repräsentativ B. Zelinsky: Der Kirschgarten. In: Tschechows Dramen, S. 114-118.

tisch-realistisches Theater in der Art Stanislavskijs. Aber er war gegen dessen pseudo-realistischen Detailnaturalismus. Unter „uslovnost'" (Bedingtheit) des Theaters verstand Čechov etwas völlig anderes als die Symbolisten und Modernisten, nämlich den künstlerisch gebändigten, sparsamen Einsatz von realistischen Stilmitteln im Dienste einer authentischen Wiedergabe des Alltags, der individuellen Charaktere, ihrer geistigen und psychischen Verfasstheit, ihrer Beziehungsprobleme, ihrer Sehnsüchte und Enttäuschungen. In seinen *Tri sestry* bestand, um nur auf ein Beispiel von vielen zu verweisen, für Čechov ein Problem nicht etwa in einer mythopoetisch-archetypischen oder grotesken oder absurden Stilisierung der drei Schwestern. Vielmehr bemühte er sich um die individuelle Zeichnung der drei Figuren in ihrer Prägung durch das authentisch darzustellende Milieu des Provinzmilitärs (vgl. 13, 427). Der „byt", die realistisch-psychologische „Immanenz des Lebens"[13], sind die tragende Grundlage von Weltanschauung, Thematik, Stil, Auffassung vom richtigen Theater bei Čechov.

Maeterlincks Dramen und seine Ausführungen zum „théâtre statique" des „tragique quotidien" in *Le Trésor des Humbles*[14], die mit Čechov in Verbindung gebracht werden, gewinnen nur Sinn, wenn man Maeterlincks mythisches Weltbild, seine (neu)platonisch-mystische Auffassung vom Menschen und vom Kosmos mit einer klaren ontologischen Unterscheidung von noumenaler Wirklichkeit und phänomenaler Erscheinungsweise beachtet. Der sichtbare, konkrete Mensch mit seinem Aussehen, seinem Charakter, seinem Tun und Erleiden ist nur ein blasser Schatten seines eigentlichen, transzendenten Wesens. Sprache, Gesten und Handeln sind nur Epiphänomene einer anderen Wirklichkeit. Alles „Sichtbare" ist nur ein Gleichnis.[15] Die Stilmittel Maeterlincks, die lyrische, entindividualisierte Sprache, die Stille, die Pausen, die mythisch-schematisierte Handlung – all das ist Ausdruck der zugrunde liegenden Weltsicht.[16] Zwischen dem angeblich statischen Theater Čechovs und dem „théâtre statique" Maeterlincks besteht nicht ein gradueller, sondern ein kategorialer Unterschied.

In meinem Vortrag in Badenweiler habe ich versucht, den fundamentalen Unterschied zwischen der Theater-Sprache Maeterlincks und Čechovs durch einen Textvergleich zweier in Stimmung und Motiven sehr ähnlicher Szenen deutlich zu machen. Die Texte wurden den Zuhörern ausgehändigt. In der Diskussion wurde ein solcher Textvergleich als „nicht zielführend" abgetan, unter anderem mit dem unzutreffenden Argument, die beiden Texte lägen zeitlich weit auseinander. In der 2. Szene des 3. Aktes von Maeterlincks *Pelléas et Mélisande*[17] treffen die beiden Hauptfiguren in der nächtlichen Dunkelheit der Natur zusammen. Sie bekunden ihre Liebe. Sie befürchten, es könne jemand kommen und sie überraschen. Eine der Figuren muss weggehen. Eine ganz analoge Konstellation begegnet im 1. Akt von *Čajka* mit dem Auftritt der Nina und ihrer Begegnung mit Treplev (13, 9/10). Auch dort die Dunkelheit der Natur, die Angst, überrascht zu werden, ein Kuss, die Ankündigung der Trennung. Maeterlincks Drama erschien 1892 und wurde 1893 uraufgeführt, Čechovs Stück erschien 1895 und wurde 1896 uraufgeführt. Man könnte beim Vergleich der beiden Szenen den Eindruck gewinnen, als habe die Begegnung zwischen Pelléas und Mélisande Čechov als Vorlage gedient. Aber die Sprache, die Stimmung, die Darstellung der Liebesbeziehung, das Sinnpotenzial unterscheiden sich grundlegend. Was bei Maeterlinck mythisches, in stilisierten sprachlichen und gestischen Formeln sich vollziehendes Geschehen ist, ist bei Čechov psychologisches Konversationstheater. Ein solcher Textvergleich sagt in seiner Evidenz mehr aus als ganze Bibliotheken gelehrter Abhandlungen.

---

[13] Ebda., S. 136.

[14] M. Maeterlinck: Le Tragique quotidien. In: M. Maeterlinck: Le Trésor des Humbles. Paris 1927, S. 161-180.

[15] A.-M. Schmidt: La littérature symboliste. Paris [8]1966, S. 10-110.

[16] Zu Maeterlincks Theater vgl. P. McGuiness: Maurice Maeterlinck and the Making of Modern Theatre. Oxford [2]2002; L.D. Konrad: Modern Drama as Crisis. The Case of Maeterlinck. Frankfurt/M. u.a. 1986; B. Vedder: Das symbolistische Theater Maurice Maeterlincks. Frankfurt/M. u.a. 1978.

[17] M. Maeterlinck: Théâtre. Tome deuxième. Pelléas et Mélisande. Paris 1929, S. 64-71.

Maeterlincks Weltbild ist eine Spielart des weltanschaulichen „dvoemirie" (Zweiweltenlehre), das auch für die bedeutendsten russischen Symbolisten kennzeichnend ist. Nur zwei Belege zum Weltbild A. Bloks: „Есть миры иные" (1910; Es gibt andere Welten)[18]; „Есть как бы два времени, два пространства; одно – историческое, календарное, другое – нечислимое, музыкальное" (1919; Es ist, als ob es zwei Zeiten gäbe, zwei Räume; einen historischen, kalendarischen, einen anderen – nicht mit Zahlen erfassbaren, musikalischen)[19]. Das erste Zitat steht noch ganz im Zeichen des „dvoemirie" Vl. Solov'evs, das zweite Zitat ist Ausdruck des späteren „musikalischen" Weltbilds Bloks, das trotz seiner „Dynamik" in seiner Grundstruktur aber unverändert „platonisch"-idealistisch-dualistisch ist. Analoge Feststellungen ließen sich für die meisten russischen Symbolisten treffen.

In meinem Vortrag in Badenweiler hatte ich den hier angedeuteten weltanschaulichen Unterschied, der Čechov von den Symbolisten trennt und auch ihre unterschiedlichen künstlerischen Methoden bedingt, mit einem Hinweis auf den Gegensatz zwischen aristotelischem Immanenz- und platonischem Transzendenz-Denken zu veranschaulichen versucht und dabei auf Raffaels berühmtes Fresko „Die Schule von Athen" Bezug genommen. Auch dieser Hinweis wurde als „nicht zielführend" und „unangebracht" kritisiert, weil angeblich platonisierendes Denken für die Moderne irrelevant sei. Ich möchte aber darauf hinweisen, dass sowohl in Westeuropa wie in Russland im ausgehenden 19. Jahrhundert eine ausgesprochene Plato-Renaissance das philosophische Denken bestimmte. In Deutschland ist diese Plato-Renaissance eingebettet in die Entstehung des Neukantianismus (W. Windelband: *Platon*, 1900 u.ö.; P. Natorp: *Platos Ideenlehre*, 1903 u.ö.). In Russland verdankt sich die Plato-Renaissance nicht zuletzt dem Philosophieren Vl. Solov'evs. Seine Bedeutung für die Entwicklung des religiösphilosophischen neu-idealistischen, in den Traditionen Platos und des christlichen Neuplatonismus stehenden Denkens ab dem ausgehenden 19. Jahrhundert und für die weltanschauliche Ausrichtung des russischen Symbolismus insgesamt kann gar nicht hoch genug veranschlagt werden. Čechov hatte offenkundig für diese philosophisch-weltanschaulichen Positionen und Strömungen kein wirkliches Verständnis und stand Vertretern dieser Denkrichtung reserviert gegenüber.

Die symbolistischen Theater-Theorien und die Theater-Praxis standen über lange Zeit ganz im Bann der Idee vom „Gesamtkunstwerk" und der Opern R. Wagners. Neben dem Zusammenwirken der verschiedenen Künste forderten Wagner und in seinem Gefolge die Symbolisten für das „Gesamtkunstwerk" den Mythos als Grundlage der Handlung, also die Abkehr von rein historischen und zeitgenössisch-aktuellen Themen und Stoffen. Das als mythisches Gesamtkunstwerk konzipierte Theater sollte als Stätte einer neuen, quasi-religiösen Gemeinschaftsbildung dienen. Es gibt zahlreiche programmatische Äußerungen in diesem Sinne, im Westen etwa von P. Behrens, G. Fuchs, A. Appia, E.G. Craig, in Russland von D. Merežkovskij und v.a. von Vjač. Ivanov. In Frankreich gehörten die Ideen vom Gesamtkunstwerk Wagners zum Allgemeingut der symbolistischen Kunst- und Theatertheorien. Aber dort hatte schon St. Mallarmé sich gegen die Dominanz der Musik und die ihm immer noch zu historisch-realistisch erscheinenden mythischen Handlungen der Wagnerschen Musikdramen ausgesprochen. Ihm schwebte ein viel abstrakteres Gesamtkunstwerk aus poetischem Wort, stilisierter Mimik und Tanz vor, das er vergeblich zu realisieren suchte.[20] Ausdruckstanz und Ballett emanzipierten sich vom Gesamtkunstwerk Oper zu gleichwertigen Formen des Theaters. Innerhalb des Symbolismus kam es um 1900, nicht zuletzt unter dem Eindruck von F. Nietzsches Kritik an Wagners Pseudo-Religiosität und falscher Theatralik, zu einer „Los-von-

18 A. Blok: Zapisnye knižki 1901–1920. Moskva 1965, S. 22.

19 A. Blok: Sobranie sočinenij v 8 tt. Moskva, Leningrad 1960-63. T. 6, S. 101.

20 A.G. Lehmann: The Symbolist Aesthetic in France 1885–1895. Oxford ²1968, S. 194-247; K. Wais: Mallarmé. Dichtung. Weisheit. Haltung. München 1952, S. 310-340.

Wagner-Bewegung". Im Zug dieser Abkehr vom Ideal des weihevollen Festspiels wurden als Antidot gegen Mystik und Mythos die Harlekinade, die „commedia dell'arte", der Zirkus, das Kabarett als neue theatralische Ausdrucksformen entdeckt. Ein Meilenstein in der Erneuerung des Theaters aus dem Geist der Harlekinade war in Russland V. Mejerchol'ds Inszenierung von A. Bloks *Balagančik* (Die Schaubude) im Jahr 1906.[21] Die vielfältigen Experimente, die von der Theater-Revolution des Symbolismus ausgelöst wurden, mündeten schließlich in eine wahre „Entfesselung" des Theaters bei A. Tairov, dessen *Zapiski režissera* (Aufzeichnungen eines Regisseurs) von 1921, trotz aller Ausfälle gegen die symbolistischen Theatertheorien, den Ideen der Symbolisten und der westeuropäischen „symbolistischen" Theaterreformer Fuchs, Appia, Craig u.a. zutiefst verpflichtet sind. Tairov radikalisiert die Tendenzen zum Regietheater, bei ihm emanzipiert sich das Theater selbst von der literarischen Text-Vorlage.[22] All das sind Tendenzen, die im Symbolismus angelegt waren. Der Symbolismus mit seinen Theater-Experimenten und „kollektivistischen" Theater-Theorien ist der Ausgangspunkt für das avantgardistische Theater des Expressionismus und des politischen Massen-Theaters.

Schon die deutschen Romantiker, die um 1800 die Idee vom „Gesamtkunstwerk" auf mythischer Grundlage konzipierten, d.h. die Gebrüder Schlegel und F. Schelling, gründeten ihre Vorstellungen auf ein vertieftes Verständnis des antiken Dramas. Sie erkannten, dass es sich hierbei um ein hochstilisiertes Gesamtkunstwerk auf mythischer Grundlage handelte, um ein liturgisches Kultspiel mit religiöser gemeinschaftsstiftender Funktion. In der Poetik des Aristoteles wird das Wesen der antiken Tragödie schon nicht mehr richtig verstanden. R. Wagner stützt sich bei seiner Begründung der Idee vom „Gesamtkunstwerk" ausdrücklich auf das von den Romantikern neu eröffnete Verständnis der antiken Tragödie.

Es ist deshalb nicht erstaunlich, dass die Symbolisten versuchten, auch das antike Drama in neuen, stilisierten Inszenierungen wiederzubeleben. Sie wirkten in dieser Hinsicht vorbildhaft für alle späteren Versuche in dieser Richtung. In Russland sind in diesem Zusammenhang um 1900 v.a. D. Merežkovskij und sein Kreis zu nennen. Es entstanden auf dem Boden des Symbolismus aber auch mehrere antikisierende Dramen mit stärker mythologisierendem (D. Merežkovskij, Vjač. Ivanov) oder stärker psychologisierendem Zuschnitt (I. Annenskij). In diesem Zusammenhang ist von Interesse, dass gleich drei russische Dichter aus dem Umkreis des Symbolismus, nämlich I. Annenskij und F. Sologub 1906 und V. Brjusov 1912, den antiken Protesilaos-Laodamia-Mythos zur Grundlage eigener antikisierender Dramen machten. Schon 1899 war ihnen der Pole St. Wyspiański vorausgegangen.[23] Die russischen antikisierenden Dramen hatten keinen dauerhaften Erfolg. Anders ist es bei ähnlich gelagerten Versuchen des deutschen „Symbolisten" H. von Hofmannsthal, dessen *Elektra* in der Vertonung von R. Strauß ein Welterfolg wurde.

Neben der antiken Tragödie entdeckten die Symbolisten, wiederum Anregungen der Romantiker folgend, auch das allegorisierende Mysterienspiel des Mittelalters und des Barocks für die Moderne. Weltliterarische Bedeutung hat hier wiederum H. von Hofmannsthal, aber auch der Franzose P. Claudel. Auch die westeuropäischen und russischen Traditionen des Volkstheaters mit seinen märchenhaften und grotesken Formen traten in den Gesichtskreis der Symbolisten. Auf russischer Seite ist in diesem Zusammenhang vor allem A. Remizov zu nennen (*Besovskoe dejstvie*, 1907; *Car' Maksimilian*, 1919 u.a.), der vom Anfang seiner schriftstellerischen Laufbahn an mit den modernistischen Theater-Experimenten V. Mejerchol'ds sympathisierte.

Die ganze Bandbreite der Bemühungen der Symbolisten um Theorie und Praxis des modernen Theaters konnte nur stichwortartig angedeutet werden.[24] Nachzutragen wären Hinweise

---

[21] Vgl. K.L. Rudnickij: Mejerchol'd. Moskva 1981.

[22] Vgl. A.Ja. Tairov: Zapiski režissera. Moskva 2000.

[23] Istorija russkoj dramaturgii. Vtoraja polovina XIX – načalo XX veka. Do 1917 g. Leningrad 1987, S. 491 u. passim.

[24] Für Russland vgl.: Istorija russkoj dramaturgii, S. 552-605.

auf die in gleicher Richtung laufenden verschiedenartigsten Experimente im Bereich der Bühnenausstattung. Nicht die impressionistisch angehauchten, gefällig naturalistischen Bühnenbilder von V. Simov für die Čechov-Inszenierungen des Moskauer Künstlertheaters haben revolutionierend gewirkt. Es war die „symbolistische" Künstlergruppe um S. Djagilev und die Zeitschrift *Mir iskusstva* (Welt der Kunst), Künstler wie L. Bakst, A. Benua/Benois, M. Dobužinskij, A. Golovin, N. Rerich, K. Korovin, M. Larenov, N. Gončarova u.a., die mit europäischer Breitenwirkung auf dem Gebiet der Ausstattung und Dekoration von Theater und Ballett für die „Entfesselung" der Theaterkunst gesorgt haben. Insgesamt wirkte der Symbolismus in Literatur, Malerei und Musik als wichtigster Katalysator für die Innovationen der Theaterkunst, der Dichtung, Regieführung, Schauspielkunst und Ausstattung. Das Čechov-Theater hat an dieser umfassenden Revolutionierung des modernen Theaters keinen vergleichbaren Anteil.

Nach all dem Gesagten kann es nicht verwundern, dass Čechovs Bühnenwerke und ihre Inszenierungen im Moskauer Künstlertheater bei den russischen Symbolisten wenig Anerkennung fanden, ja sogar oft auf scharfe und bisweilen bösartige Ablehnung stießen. Die wenigen positiven Würdigungen nach dem Tod Čechovs stehen manchmal ersichtlich unter dem Motto „de mortuis nil nisi bene". Und selbst prominente Abweichungen von der grundsätzlich reservierten bis ablehnenden Einstellung der russischen Symbolisten zu Čechov – das betrifft in erster Linie Äußerungen von A. Belyj und A. Blok – können die Kluft zwischen Čechov und dem Symbolismus in weltanschaulicher und künstlerischer Hinsicht nicht überbrücken.

In den letzten Jahren sind die Beziehungen Čechovs zu den Vertretern des „Silbernen Zeitalters" in der russischen Literatur[25], insbesondere zum Merežkovskij-Kreis[26], akribisch erforscht und die Beurteilungen Čechovs zwischen 1887 und 1914 gut dokumentiert worden[27].

Auch hier begegnet man manchmal der Tendenz, Čechov in die Nähe des Symbolismus zu rücken. So erscheint mir folgende Feststellung der sehr gut informierten E. Tolstaja im Grundansatz verfehlt: „История взаимотоношений Чехова и Мережковского – еще одна глава в драме неудавшегося сотрудничества людей, которых сближало гораздо больше, чем разделяло."[28] Eine solche Ansicht ist nur nach der bitteren Erfahrung der bolschewistisch-stalinistischen Kulturbarbarei verständlich, in der unter der Losung des „sozialistischen Realismus" alle „modernistischen" Strömungen in Literatur und Kunst ausgemerzt wurden. Aus dieser leidvollen historischen Perspektive mögen aus heutiger Sicht die ideologisch-ästhetischen Gegensätze vor 1917 ihre Bedeutung und Schärfe verlieren.

Weltanschaulich und literarisch bestanden zwischen Čechov und Merežkovskij und seinem Kreis fundamentale Widersprüche, wie das Scheitern der Versuche zeigt, Čechov zur Mitarbeit an *Mir iskusstva* zu gewinnen. Diese Widersprüche manifestierten sich in den z.T. gehässigen Ausfällen von Z. Gippius (unter ihrem sprechenden Pseudonym A. Krajnij), sie prägen aber auch die im Ton gemäßigteren Aussagen von D. Merežkovskij selbst. Die eschatologisch aufgeheizte Kultur- und Liebesphilosophie im Zeichen eines neuen Christentums, die entsprechenden kulturpolitischen Aktivitäten, die künstlerischen Ideale Merežkovskijs (einschließlich seiner Bemühungen um die Wiederbelebung der religiös-mythischen Theaterpraxis der griechischen Antike) und seines Kreises waren Ausdruck einer philosophisch-ästhetischen Haltung, von der sich Čechov deutlich distanzierte. Es handelt sich bei Čechov und Merežkovskij

---

[25] Vgl. Beiträge in: Čechoviana. Čechov i „serebrjanyj vek". Moskva 1996, und zahlreiche Einzeluntersuchungen.

[26] Vgl. E. Tolstaja, E.: Poėtika razdraženija. Čechov v konce 1880-ch – načale 19890-ch godov. Moskva 1994.

[27] Vgl. A.P. Čechov: pro et contra. Tvorčestvo A.P. Čechova v russkoj mysli konca XIX – načala XX. v. (1887–1914). SPb. 2002.

[28] Tolstaja, S. 153 („Die Geschichte der Beziehung Čechovs und Merežkovskijs ist ein weiteres Kapitel im Drama der misslungenen Kooperation von Menschen, die wesentlich mehr verband als sie trennte").

in der Tat, wie A. Čudakov es formulierte, um „zwei Typen künstlerisch-philosophischen Bewußtseins“.[29]

Die literarische Beilage zu *Mir iskusstva* und die Zeitschrift *Novyj put'* (Der neue Weg), die Foren für die ästhetisch-literarischen Ansichten des Merežkovskij-Kreises und anderer Symbolisten, waren geprägt von einer fast konsequenten Ablehnung Čechovs und seines Theaters und von Stanislavskijs „photographischem Realismus“ im Moskauer Künstlertheater. Čechov galt als Autor des seelischen Niedergangs, der lähmenden Hoffnungslosigkeit und Resignation, des Mittelmaßes der zeitgenössischen Gesellschaft.[30]

In diesem Zusammenhang muss man auch das pseudosymbolistische Theater im Theater im 1. Akt von Čechovs *Čajka* erwähnen. Es wird nicht selten als fast hellsichtige Vorwegnahme des Symbolismus und formal und inhaltlich als besonderer Ausweis von Čechovs „Modernismus“ hochstilisiert. E. Tolstaja hat viele mögliche Prätexte für Treplev, die Atmosphäre und den Inhalt seines Theaterstücks aufgezeigt. Nach Tolstajas fundierter Ansicht hat Čechov in Treplev Prototypen „verdichtet und veralbert“, die ihrerseits schon Parodien auf den „echten Symbolismus“ waren. „Пьеска Треплева – это пародия не только созидающая, но и сопротивляющая“.[31] Mit dem „echten“ Symbolismus, wie er in Frankreich bereits existierte, in Russland noch folgen sollte, hat das „Stückchen“ Treplevs nun wirklich nichts zu tun.

S. Bulgakovs Čechov-Essay von 1904 (nach Vorträgen in Jalta und Petersburg anlässlich Čechovs Tod) hebt den philosophischen Gehalt von Čechovs Werk hervor, dazu die Wahrheitssuche, die Behandlung der sozialen Frage, die Suche nach dem Sinn des Lebens. Aber als doch entscheidender Mangel wird, ganz im Sinne der Richtung des *Novyj put'*, in dem der Essay erschien, das weitgehende Fehlen des religiösen Moments bei Čechov beklagt.[32]

V. Brjusovs Ansichten über das Theater und einzelne Dramatiker wie etwa Maeterlinck erlebten manchen Wandel. Sie waren aber zeitweise für junge „Modernisten“ wie V. Mejerchol'd wegweisend. Konsequent blieb Brjusov in der grundsätzlichen Ablehnung des Stanislavskij-Čechov-Theaters. Seine frühe Polemik *Nenužnaja pravda. Po povodu Moskovskogo Chudožestvennogo teatra* (Unnötige Wahrheit. Zum Moskauer Künstlertheater) erschien 1902 in *Mir iskusstva* und entsprach völlig der antinaturalistisch-modernistischen Grundlinie dieser Zeitschrift. Aber auch später, als Brjusov in Gegnerschaft zur religiös-philosophischen Ausrichtung des russischen Symbolismus sowohl des Merežkovskij-Kreises als auch der miteinander rivalisierenden „jüngeren“ Symbolisten (Vjač. Ivanov, A. Belyj, A. Blok) – eine antimetaphysische, rationale Ästhetik vertrat und die großen „Realisten“ der Weltliteratur wie Shakespeare und Goethe pries, blieb er in seiner Ablehnung Čechovs und Stanislavskijs konsequent.[33]

Vjač. Ivanov versuchte, Wagners Ideen vom kultisch-mythischen Gesamtkunstwerk und Nietzsches ästhetische Deutung des Dionysos-Mythos mit christlich-orthodoxem „sobornost'“-Denken zu amalgamieren. Ivanovs Theorien von einem synthetisch-chorischen Theater der Zukunft wirken heute fast absurd. Sie hatten jedoch für die Diskussionen der Symbolisten über das „neue Theater“ und in säkularisierter Form auf die späteren Vorstellungen über das revolutionäre Massentheater eine nicht zu unterschätzende Bedeutung und fanden, wie ein-

---

[29] Vgl. A. Čudakov: Čechov i Merežkovskij: dva tipa chudožestvenno-filosofskogo soznanija. In: Čechoviana 5. Čechov i Serebrjanyj vek. Moskva 1996, S. 50-67.

[30] Literaturnyj process i russkaja žurnalistika konca XIX – načala XX veka. 1880–1904. Buržuazno-liberal'nye i modernistskie izdanija. Moskva 1982, S. 129-233.

[31] Tolstaja, S. 297-324, Zitat S. 291. („Das Stückchen Treplevs ist eine Parodie, nicht nur eine schöpferische, sondern auch eine abwehrende“).

[32] Čechov: pro et contra, S. 537-565.

[33] G.Ju. Brodskaja: Brjusov i teatr. Vstupitel'naja stat'ja i publikacija. In: Literaturnoe nasledstvo 85. Moskva 1976, S. 167-199; Očerki istorii russkoj teatral'noj kritiki. Konec XIX – načalo XX veka. Leningrad 1979, S. 211-227.

gangs angedeutet, ihre Entsprechung in modernistischen Theatertheorien auch in Westeuropa. Čechovs Theater und Stanislavskijs Regiestil hatten für Ivanovs Dramendichtung und Theatertheorie keine erkennbare Bedeutung.[34]

I. Annenskijs Essay über Čechovs *Tri sestry* von 1906 zeugt von einer genauen Kenntnis des Werks und einer sympathetischen Einstellung zum Autor. Annenskij versteht das Theater Čechovs als „drama nastroenija" (Stimmungsdrama).[35] Für die Theorie und Praxis seiner eigenen antikisierenden Theaterstücke und für die Diskussionen um ein modernes Drama ist Annenskijs Essay unergiebig.

A. Belyjs Čechov-Essays sind bis heute von Interesse. In deutlicher Absetzung von Brjusov, der den Essay jedoch in seine *Vesy* (Die Waage) übernahm, kommt Belyj schon kurz nach Čechovs Tod 1904 zu einer sehr positiven Einschätzung des künstlerischen Schaffens des Verstorbenen, insbesondere auch seiner Bühnenwerke. Belyj sieht in Čechov einen „Symbolisten" und stellt ihn weit über Maeterlinck. Belyj projiziert in das Werk Čechovs eine metaphysische Sinnebene, die Erlösung der in den Banalitäten des Alltags verstrickten durchschnittlichen Menschen in einer „Ewigen Ruhe".[36]

Der gleiche Grundansatz findet sich in Belyjs Čechov-Essay von 1907, allerdings polemisch verschärft. Čechov erscheint als „symboli(sti)scher Realist" und wird den falschen Symbolisten, die eine rein äußerliche Annäherung an die Realisten suchen, vorgezogen. Belyj polemisiert hier u.a. gegen A. Blok und gegen dessen in seinen Augen skandalöses Gedicht *Neznakomka* (Die Unbekannte).[37] Diese Polemik ist nur verständlich vor dem Hintergrund der aus persönlichen Animositäten gespeisten Feindschaft mit Blok. Dessen *Balagančik* und sein Abfall vom Kult der Schönen Dame waren für Belyj ein Verrat am echten Symbolismus. Bloks Zuwendung zur „Realität" in den Großstadtgedichten und zu den „Realisten" wurde von Belyj als Pseudo-Kunst verunglimpft. Die Schwächen von Belyjs Argumentation liegen weniger in der seinen Essays zugrundeliegenden „Erlebnis"-Ästhetik (Schlüsselwort: „pereživanie"), als in der unzulässigen Verwechslung bzw. Vermischung von „symbolisch" und „symbolistisch". Jede große Kunst, unabhängig von Zeit und Stilformation, selbst der krasse Naturalismus eines Zola, hat die Fähigkeit zu „symbolischer" Prägnanz und Typisierung von Figuren, Konflikten, Bildern. Bei Čechov kann man über den ästhetischen Wert einzelner „Symbole", etwa der Möwe in *Čajka*, durchaus unterschiedlicher Ansicht sein.

„Symbolistisch" ist ein für eine wichtige Kunstrichtung um 1900 spezifischer Komplex von Auffassungen über Kunst, Sprache, Imagination, Mythos in ihrem Verhältnis zur äußeren Realität. Belyj wusste das natürlich. Sein eigenes Werk entstand und entwickelte sich unabhängig von Čechov und war typisch „symbolistisch". Seine Čechov-Essays verraten mehr über ihn selbst als über Čechov.

A. Blok kannte das Werk Čechovs, auch die Bühnenwerke, von Jugend an. Seine eigenen lyrischen Dramen sind hiervon jedoch unberührt. Ab etwa 1907 projizierte Blok seinen früheren, den lyrischen Dramen zugrunde liegenden Mythos des Ewig-Weiblichen auf ein musikalisch-dionysisches Russland. Er versuchte, diesen Mythos und seinen eigenen Weg zum ewigweiblichen Russland in seinem hochinteressanten, aber künstlerisch nicht überzeugenden „dramatischen Poem" *Pesnja sud'by* (Das Lied des Schicksals) auf der Bühne darzustellen und seinen privaten Mythos gleichsam zu einem kollektiven Mythos zu machen. Nicht Mejerchol'd oder die Kommissarževskaja mit ihren Bühnenexperimenten, sondern das Stanislav-

---

[34] J. West: Russian Symbolism. A Study of V. Ivanov and the Russian Symbolist Aesthetic. London 1970; C. Tschöpl: Vjačeslav Ivanovs Dichtung und Dichtungstheorie. München 1968; A. Hetzer: Vjačeslav Ivanovs Tragödie „Tantal". Eine literarhistorische Interpretation. München 1972.

[35] I. Annenskij: Drama nastroenija. Tri sestry [1906]. In: I. Annenskij: Knigi otraženij. Moskva 1979, S. 82-92.

[36] A. Belyj: Čechov [1904]. In: A. Belyj: Kritika. Ėstetika. Teorija simvolizma. V 2 tt. T. 1. Moskva 1994, S. 318-324.

[37] A. Belyj: A.P. Čechov [1907]. In: A. Belyj: Kritika. Ėstetika. Teorija simvolizma. T. 2, S. 356-361.

skij-Theater sollte das Stück aufführen. Doch Stanislavskij verstand den mythischen Subtext und Bloks Erläuterungen und Intentionen nicht. Aus der Aufführung wurde nichts.[38] Auch für sein Drama *Roza i krest* (Rose und Kreuz), das ursprünglich als Ballett-Szenarium bzw. als Opern-Libretto konzipiert war, suchte Blok Stanislavskij und das Moskauer Künstlertheater zu gewinnen. In ausführlichen Erläuterungen zu Figuren und Handlung versuchte Blok, den Theaterleuten sein Stück nahe zu bringen. Doch die jahrelangen Bemühungen um eine Aufführung durch das Moskauer Künstlertheater blieben selbst nach etwa 200 Proben vergeblich. *Roza i krest* erlebte nur einige Liebhaberaufführungen und Aufführungen in der Provinz.[39] Es gelang Blok nicht, seine künstlerische Umsetzung „noumenaler" mythisch-ahistorischer Figuren und Konstellationen – in *Pesnja sud'by* seinen Russland-Mythos, in *Roza i krest* seine Leidens-, Liebes- und Erlösungsmystik – in einer „phänomenalen" realistischen, zeitgenössischen oder historisierenden Gewandung plausibel zu machen. Čechov hatte in *seinen* Erläuterungen vor der Stanislavskij-Truppe zu „immanenten" Korrekturen, zu psychologischer Sensibilität, zu einem natürlichen Spiel ohne Übertreibungen gemahnt. Der Unterschied zwischen Čechovs und Bloks Intentionen und künstlerischer Methode ist offenkundig.

In innerem Zusammenhang mit der Entwicklung von Bloks Russland-Mythos steht seine Abkehr von nun als dekadent empfundenen Spielarten des Symbolismus und seine Zuwendung zu den „Realisten". In seinem Essay *O drame* (Über das Drama) von 1907[40] kommt er wiederholt auf Čechov zu sprechen. Er hält dessen dramatische Technik für „zufällig", stellt ihn weit über Maeterlinck, sieht ihn als einsame Figur in der russischen Theaterlandschaft („предшественников не имел, последователи ничего по-чеховски сделать не имеют"[41]; Vorläufer hatte er nicht, die Nachfolger brachten nichts von Čechovscher Qualität zustande). Diese Bemerkungen Bloks bleiben recht allgemein und halten der Kritik nicht stand.

Am 12. April 1909 erlebte Blok mit großer seelischer Erschütterung eine Aufführung von *Tri sestry* des Moskauer Künstlertheaters in Petersburg. Maeterlincks *L'oiseau bleu* und Hamsuns *An des Reiches Pforten* hatte er vorzeitig verlassen, Gogol's *Revizor* mit Mühe ausgehalten. Čechov dagegen „принял всего, как он есть, в пантеон своей души, и разделил его слезы, печаль и унижение; [...]" (erfasste alles, wie es ist, im Pantheon seiner Seele, und teilet seine Tränen, seinen Kummer und seine Erniedrigung; [...]).[42] Es war das „Russische" und „Zeitgenössische" in Čechovs Stück, die Ausweglosigkeit, die Vereinzelung, die Verzweiflung, die Bloks eigener Seelenlage in dieser Zeit entsprach und ihn nach dem Scheitern der Pläne für eine Aufführung von *Pesnja sud'by* eine fast fluchtartige Reise nach Italien antreten ließ.

Es gibt in Bloks *Pesnja sud'by* einige wenige intertextuelle Bezugnahmen auf Čechov, etwa auf *Višnevyj sad* in der langen Regieanweisung zum 5. Bild[43] oder in dem rätselhaften Saitenklang im 6. Bild[44]. Aber in Sprache und Stil, Figurenkonstellation, Handlungsführung und Sinnpotenzial besteht zwischen dem psychologischen Konversationstheater Čechovs und dem mythologischen „dvoemirie" von Bloks Dramen ein himmelweiter Unterschied.

Nur noch ein Hinweis auf einen symptomatischen Teilaspekt. Bei Čechov sind die Tages- und Jahreszeiten in seinen Stücken ein wichtiger Aspekt der „Stimmung", des „Tons" einer Szene. In Bloks *Pesnja sud'by* werden sie, in Verbindung mit der Raum-Struktur, zu einer konsequenten mythischen Struktur kombiniert.[45]

---

[38] D. Wörn: Aleksandr Bloks Drama *Pesnja sud'by* (Das Lied des Schicksals). Übersetzt, kommentiert und interpretiert. München 1974, S. 15-34.

[39] A. Blok: Sobranie sočinenij. T. 4, S. 521-538, 538-592.

[40] A. Blok: Sobranie sočinenij. T. 5, S. 164-193.

[41] Ebda., S. 169.

[42] A. Blok: Sobranie sočinenij. T. 8, S. 281.

[43] A. Blok: Sobranie sočinenij. T. 4, S. 142f.

[44] Ebda., S. 157.

[45] Wörn, S. 519-522.

Literatur

Annenskij, I.: Drama nastroenija. Tri sestry [1906]. In: I. Annenskij: Knigi otraženij. Moskva 1979, S. 82-92.
Belyj, A.: Čechov [1904]. In: A. Belyj: Kritika. Ėstetika. Teorija simvolizma. V 2 tt. T. 1. Moskva 1994, S. 318-324.
Belyj, A.: A.P. Čechov [1907]. In: A. Belyj: Kritika. Ėstetika. Teorija simvolizma. V 2 tt. T. 2. Moskva 1994, S. 356-361.
Blok, A.: Sobranie sočinenij v 8 tt. Moskva, Leningrad 1960-63.
Blok, A.: Zapisnye knižki 1901–1920. Moskva 1965.
Brodskaja, G.Ju.: Brjusov i teatr. Vstupitel'naja stat'ja i publikacija. In: Literaturnoe nasledstvo 85. Moskva 1976, S. 167-199.
Brühl, Ch. Gräfin von: Die nonverbalen Ausdrucksmittel in Anton Čechovs Bühnenwerk. Frankfurt/M. 1996.
A.P. Čechov: pro et contra. Tvorčestvo A.P. Čechova v russkoj mysli konca XIX – načala XX. v. (1887–1914). SPb. 2002.
Čechov i teatr. Moskva 1961.
Čechoviana. Čechov i „serebrjanyj vek". Moskva 1996.
Čudakov, A.: Die Möwe. In: Tschechows Dramen. Hg. B. Zelinsky. Stuttgart 2003, S. 23-46.
Čudakov, A.: Čechov i Merežkovskij: dva tipa chudožestvenno-filosofskogo soznanija. In: Čechoviana 5. Čechov i „serebrjanyj vek". Moskva 1996, S. 50-67.
Deppermann, M.: Čechov und Maeterlinck. Vom Reiz überraschender Nachbarschaft. In: Wechselbeziehungen zwischen slawischen Sprachen, Literaturen und Kulturen in Vergangenheit und Gegenwart. Hg. Ingeborg Ohnheiser. Innsbruck 1996, S. 319-335.
Deppermann, M.: Dramaturgie der Stille – Čechov und Maeterlinck. Prolegomena zu einem Vergleich. In: Anton P. Čechov – Philosophische und religiöse Dimensionen im Leben und Werk. Hg. V.B. Kataev, R.-D. Kluge, R. Nohejl. München 1997, S. 151-174.
Deppermann, M.: Onkel Wanja. In: Tschechows Dramen. Hg. B. Zelinsky. Stuttgart 2003, S. 47-75.
Hetzer, A.: Vjačeslav Ivanovs Tragödie „Tantal". Eine literarhistorische Interpretation. München 1972.
Istorija russkoj dramaturgii. Vtoraja polovina XIX – načalo XX veka. Do 1917 g. Leningrad 1987.
Kataev, V.B.: Čechov pljus... Predšestvenniki, sovremenniki, preemniki. Moskva 2004.
Kindermann, H.: Theatergeschichte Europas. VIII, IX, X. Salzburg 1968, 1970, 1974.
Kirschstein-Gamber, B.: Die Čechov-Szene. Untersuchung zu Text und Regieanweisung im Drama A.P. Čechovs. Altendorf 1979.
Konrad, L.D.: Modern Drama as Crisis. The Case of Maeterlinck. Frankfurt/M. u.a. 1986.
Lehmann, A.G.: The Symbolist Aesthetic in France 1885–1895. Oxford ²1968.
Literaturnyj process i russkaja žurnalistika konca XIX – načala XX veka. 1880–1904. Buržuazno-liberal'-nye i modernistskie izdanija. Moskva 1982.
Maeterlinck, M.: Le Tragique quotidien. In: M. Maeterlinck: Le Trésor des Humbles. Paris 1927.
Maeterlinck, M.: Théâtre. Tome deuxième. Pelléas et Mélisande. Paris 1929.
McGuiness, P.: Maurice Maeterlinck and the Making of Modern Theatre. Oxford ²2002.
Melchinger, S.: Anton Tschechow. Hannover 1968 (= Friedrichs Klassiker des Welttheaters, Bd. 57).
Očerki istorii russkoj teatral'noj kritiki. Konec XIX – načalo XX veka. Leningrad 1979.
Peace, R.: Chekhov. A Study of the Four Major Plays. New Haven, London 1983.
Peace, R.: Die drei Schwestern. In: Tschechows Dramen. Hg. B. Zelinsky. Stuttgart 2003, S. 76-102.
Rudnickij, K.L.: Mejerchol'd. Moskva 1981.
Schmidt, A.-M.: La littérature symboliste. Paris ⁸1966.
Tairov, A.Ja.: Zapiski režissera. Moskva 2000.
Tolstaja, E.: Poėtika razdraženija. Čechov v konce 1880-ch – načale 19890-ch godov. Moskva 1994.
Tschöpl, C.: Vjačeslav Ivanovs Dichtung und Dichtungstheorie. München 1968.
Vedder, B.: Das symbolistische Theater Maurice Maeterlincks. Frankfurt/M. u.a. 1978.
Wais, K.: Mallarmé. Dichtung. Weisheit. Haltung. München 1952.
West, J.: Russian Symbolism. A Study of V. Ivanov and the Russian Symbolist Aesthetic. London 1970.
Wörn, D.: Aleksandr Bloks Drama *Pesnja sud'by* (Das Lied des Schicksals). Übersetzt, kommentiert und interpretiert. München 1974.
Zelinsky, B.: Der Kirschgarten. In: Tschechows Dramen. Hg. B. Zelinsky. Stuttgart 2003, S. 114-118.

Oleg Kling

Правда небесная и *правда земная* в *Вишневом саде*: Чехов и русские символисты

По свидетельству И.А. Бунина, в ответ на его слова о «декадентах», которых он в то время *«считал новым течением в литературе»* (в разные периоды жизни у него менялось, причем полярно, отношение к символистам), А.П. Чехов *«безжалостно»* ответил: «Никаких декадентов нет и не было. Откуда вы их взяли?.. Во Франции Мопассан, а у нас – я стал писать маленькие рассказы, вот и все новое направление в литературе.»[1] Чехов не видит в «декадентстве», который в те годы воспринимался как синоним символизма, принципиально **новых** идей, что всегда является первым условием возникновения **нового** направления в искусстве, не видит новизны на уровне поэтики. Все сводит к исключительной роли в литературе малой формы – рассказа, в чем видит свою роль.

Так сам Чехов обозначил себя в качестве предтечи символизма. Правда, он предтеча особенный. Как и Вл. Соловьев, которого русские символисты считали своим предшественником, Чехов дистанцировался от символизма. Но ни об одной стороне Чехова как писателя нельзя судить однозначно (Э.А. Полоцкая, В.Б. Катаев). В другую эпоху Чехов пытался найти общий язык с символистами, создать чуть ли не новый союз в русской литературе, куда вошли бы наряду с другими и «декаденты».

Не противоречит этому чеховская характеристика «декадентства» как «гнилого товара» (в советскую эпоху на данное высказывание был большой спрос, но особый, чеховский смысл этого суждения не был понят). В чем упрекал Чехов первых русских символистов? В «мистике и всякой чертовщине».[2] Это, на первый взгляд, не совсем адекватное истолкование «нового искусства» на самом деле достаточно точно передает тематический ореол русского символизма, который на более позднем этапе своей эволюции обратится к богоискательству, обновлению церкви и идее религиозного ренессанса, а в первой фазе своего развития был, по определению Оге А. Ханзен-Леве, «диаболическим».[3] Особняком здесь стоит только Д.С. Мережковский, но и он в своих размышлениях о Христе постоянно обращался к антихристу (трилогия *Христос и Антихрист*).

Чехов же в 1890-е гг. шел дальше «декадентов», предвидя, что одним из центральных вопросов русской общественной и литературной жизни станет вопрос о «правде небесной» и «правде земной», что и произошло ко времени создания *Вишневого сада*. Конечно, эта проблема из разряда вечных, она важнейшая для многовекового опыта христианства. Но в русской жизни XX века вопрос о соотношении правды небесной и правды земной приобрел свое особенное, в рамках конкретного времени и пространства, звучание. От ответа на этот вопрос зависело отношение к действительности. И не только в философском аспекте, но и в этическом.

Раскол в русском обществе начала XX века связан со спорами о возможности, а чаще – принципиальной невозможности соединения правды небесной и правды земной.

Существенным этапом в актуализации этой проблемы в России были 1890-е гг. Связано это и с зарождением в русской литературе символизма. И как это ни парадоксаль-

---

[1] И.А. Бунин: О Чехове. В: И.А. Бунин: Собрание сочинений в 8 тт. Т. 7. Москва 2000, с. 69.
[2] Там же.
[3] Ср. А.А. Ханзен-Леве: Русский символизм. Система поэтических мотивов. Ранний символизм. СПб. 1999.

но, Чехов имел непосредственное отношение к появлению в печати, в издательстве А.С. Суворина, первого поэтического манифеста русского символизма книги Д.С. Мережковского *Символы* 1892 г. Приведу один комический эпизод, известный из письма Мережковского Чехову от 24 февраля 1892 г. В объявлении о выходе новой книги в *Новом времени* было ошибочно набрано вместо названия «Символы» – «Символье». Так, неведомый нам наборщик интуитивно подчеркнул связь книги русского символиста с французской поэзией.[4] Но Мережковский не случайно жалуется именно Чехову, роль которого в выходе книги немалая. Не случайно именно Чехову Мережковский одному из первых посылает книгу *Символы* с дарственной надписью.[5]

Другое дело, что Чехов не мог нести ответственность ни за досадное недоразумение с «Символье», ни за содержание сборника стихов.

По существу, книга *Символы* – это первая заявка о том, что в России есть символизм.

Книгу *Символы* предваряют два эпиграфа.

Alles Vergängliche
Ist nur ein Gleichnis…

Мережковский перевел эти два гетевских стиха так:

Все прошедшее
Есть только символ.

Современный исследователь творчества Мережковского К.А. Кумпан со ссылкой на автора работы *Д.С. Мережковский и немецкая культура* Ю.М. Кореневу указывает «на симптоматическую неточность перевода (‹Gleichnis› означает ‹подобие›, ‹сравнение›, а не ‹символ›)».[6]

Но это отражало концепцию Мережковского, который называл предшественниками символизма («нового идеализма»[7]) в России не только и столько французов (это позднее подчеркивала и З.Н. Гиппиус), сколько великих – от Гете до Лермонтова, Тютчева, Фета, Гоголя, Тургенева, Гончарова, Достоевского и Л. Толстого. В этом отношении книга *Символы*, которая вышла, еще раз подчеркнем, не без участия Чехова, была первой манифестарной заявкой на такую генеалогию символизма в России. Вслед за этим последовал доклад Мережковского *О причинах упадка и о новых течениях современной русской литературы* (1892), где в разделе «Современное литературное поколение» сказано, что «Чехов примыкает к современному поколению художников». Более того: он называется «одним из верных последователей великого учителя Тургенева на пути к новому грядущему *идеализму*». Вывод Мережковского о Чехове: «[…] он так же, как и Тургенев, импрессионист». Еще чуть-чуть и Чехов задолго до Андрея Белого был бы объявлен символистом. Можно подумать, что участие Чехова в судьбе *Символов* дало ему надежду зачислить в число сторонников «нового направления» в искусстве, которое создавалось в России Мережковским, Чехова. По крайней мере, Мережковский

[4] Письма Д.С. Мережковского к А.П. Чехову. Подготовка текста и комментарий Л.М. Долотовой. В: Чеховиана. Чехов и «серебряный век». Москва 1996, с. 265. Фрагмент этого письма со ссылкой на РГАЛИ публикуется также в более позднем комментарии К.А. Кумпан к кн.: Д.С. Мережковский: Стихотворения и поэмы. СПб. 2000, с. 804. См. также: А.Л. Гришунин: Мережковский о Чехове. В: Д.С. Мережковский. Мысль и слово. 2-е изд. Москва 1999, с. 235-243.

[5] Письма Д.С. Мережковского к А.П. Чехову, с. 266.

[6] Кумпан: Примечания, с. 809.

[7] Д.С. Мережковский: О причинах упадка и о новых течениях современной русской литературы. В: Д.С. Мережковский: Л. Толстой и Достоевский. Вечные спутники. Москва 1995, с. 535.

придавал большее значение «очерку» о Чехове в работе *О причинах упадка...*[8], как он называл его в письме к Антону Павловичу.

Но вернемся к книге *Символы*.

Для нашей темы существеннее второй эпиграф Мережковского к *Символам* – слова апостола Павла из *Деяний апостолов* (17, 22,23): «[…] проходя и осматривая ваши святыни, я нашел жертвенник, на котором написано: *Неведомому Богу*.»

Это суть будущей религиозно-философской идеи обновления церкви, поиска истинного Бога, которую выдвинут позднее, в конце 1890-х гг., Мережковские. Но возникает резонный вопрос: при чем здесь Чехов?

14 сентября 1891 г. Мережковский просит у Чехова адрес А.С. Суворина: «Мне нужен адрес его вот для чего: я хочу ему предложить издать мою вторую книжку стихотворений. Что Вы насчет этого думаете, согласится ли Суворин и стоит ли ему об этом писать?»[9] Отталкиваясь от этого, К.А. Кумпан пишет: «Обращение за адресом было завуалированной просьбой о посредничестве Чехова в этом предприятии. Адрес Суворина Мережковский знал, поскольку в тот же день пишет ему письмо»[10] (оно публикуется в цитированном комментарии). Чехов выполнил просьбу автора тогда еще рукописных *Символов*. «Большое спасибо за то, что Вы упомянули Суворину о моем желании издать стихотворения», – благодарит Мережковский Чехова в письме от 11 октября 1891 г. Далее начинается мистификация. Уже 24 сентября Мережковский сообщает в письме к А.Н. Плещееву об издании *Символов* как о деле решенном: «Был я раз у Суворина по делу насчет издания стихотворений…»[11] А в письме к Чехову от 11 октября Мережковский добавляет – чуть небрежно: «Я ему напишу.»[12] Но таких мистификаций у Мережковского в связи с Чеховым немало. В первую очередь в вопросе о том, когда Мережковский познакомился с Чеховым. Л.М. Долотова считает, что это произошло в конце января 1889 г. в редакции *Северного вестника*, когда Чехов приехал в Петербург на премьеру *Иванова*. Но Мережковский «игнорирует» этот факт.[13] По воспоминаниям Мережковского, он вместе с З.Н. Гиппиус познакомился с Чеховым в Италии 23 марта 1891 г. Эти сведения в *Летописи* излагаются так: Чехов (вместе с Сувориным) «встретился в соборе св. Марка с Д.С. Мережковским и З.Н. Гиппиус. Вместе с ними и А.С. Сувориным продолжает осмотр Венеции».[14] Мережковский уверял, что знал Суворина, но с Чеховым был незнаком.[15] З.Н. Гиппиус, как отметила Л.М. Долотова, «[…] в своих воспоминаниях ‹Благоухание седин (О многих)› дает обратный вариант встречи в Венеции. По ее словам, Мережковский Чехова уже знал и через него решил познакомиться с Сувориным. Гиппиус приводит следующие слова Мережковского: ‹Когда они [Чехов и Суворин – О.К.] выйдут на площадь, я поздороваюсь с Чеховым. Он нас познакомит с Сувориным›.»[16]

Е. Толстая, автор одного из полнейших исследований о Чехове и Мережковском (и о Чехове конца 1880-х – начала 1890-х гг. в целом), так комментировала расхождения между фактом и вымыслом, реальностью и мифом:

---

[8] Письма Д.С. Мережковского к А.П. Чехову, с. 266. См. там же комментарий.

[9] Там же, с. 262.

[10] Кумпан: Примечания, с. 803.

[11] Там же.

[12] Письма Д.С. Мережковского к А.П. Чехову, с. 263.

[13] Там же, с. 259.

[14] Летопись жизни и творчества А.П. Чехова. Т. 2. 1889 – апрель 1891. Сост. И.Ю. Твердохлебов. Москва 2004, с. 551.

[15] Там же, с. 552.

[16] З.Н. Гиппиус: Живые лица. Воспоминания. Тбилиси 1991, с. 142.

> Мережковский, который дважды до этого посещал Чехова в Москве и у которого, по воспоминаниям Волынского, […] Чехов был в гостях во время своего визита в Петербург, не хотел упоминать об этих встречах – наверно, потому, что пришлось бы добавить: контакты ни к чему не привели. Не верится, чтоб он мог не сразу узнать Чехова, со статьи о котором началась его карьера как критика, Чехова, выученного им наизусть, интонацией которого будет просвечена вся будущая его проза, Чехова, кого он так ревниво критикует и кто, как сам Мережковский проговорился в другом месте, очаровывает, как женщина или ребенок.[17]

Перефразируя суждение Е. Толстой, добавим: тот самый долгожданный «контакт» между Чеховым и Мережковским произошел в Венеции.[18] Можно подумать, что уже в первую встречу в Венеции Мережковский увидел в Суворине, сопровождавшего Чехова, своего будущего издателя тогда еще будущей книги *Символы*.

Именно в это время, когда Мережковские общаются с Чеховым в Италии (сведения из *Летописи*: «Все вместе прибывают 27 марта в Болонью, затем Чехов и Суворин без Мережковских приезжают во Флоренцию, но в Риме встречаются с Мережковскими на один день.»[19]), складывается замысел будущей книги Мережковского *Символы*, куда в основном вошли произведения, написанные ранее, однако многие связаны с путешествием по Италии 1891 г.: *Рим*, *Пантеон*, *Будущий Рим*, *Колизей*, *Марк Аврелий*, *Сорренто*, *Помпея*, др. Особняком стоит стихотворение *Венеция*. Как известно из письма Мережковского Чехову от 11 октября 1891 г., поэт даже хотел посвятить стихотворение *Венеция* Чехову. Это своего рода признательность за Суворина – сообщение об этом идет в упомянутом письме сразу после благодарности за помощь в издании *Символов*. Мережковский, правда, считает его «недостойным» ни Чехова, «ни Венеции», может быть потому не включает его в книгу *Символы*, а публикует в 1892 г. в *Ниве* (№ 2). Кстати, автограф его с существенными расхождениями хранится в фонде Чехова в РГБ.[20]

Центральными темами в *Символах*, как пишет К.А. Кумпан, станут «поиски Бога и преодоление страха смерти».[21]

24 марта 1891 г., на следующий день после встречи с Мережковскими, в записной книжке Чехова появляется запись:

«Вечером разговор с Мережковским о смерти» (17, 8).

Запись предельно лаконична, без оценки – только факт. У Чехова это признак чего-то крайне важного и значимого.

В *Летописи* Чехова вслед за этой записью следует своего рода комментарий: «Вероятно, Ч. поделился замыслом пьесы о казни венецианского дожа Марино Фальери.»[22] Мотивировка разговора о смерти интересная. Но в этой чеховской записи есть и отражение общей канвы бесед с Мережковским, атмосферы этих дней. Мережковский в статье более позднего времени *Асфодели и ромашки* привел довольно известный эпизод, но позволю на нем остановиться еще раз. Правда, со ссылкой на Э.А. Полоцкую.

Э.А. Полоцкая обращается к знаменательному эпизоду из воспоминаний Д. Мережковского, когда в ответ на слова о «слезинке замученного ребенка» Чехов посмотрел на молодого тогда писателя-декадента «немного холодными, ‹докторскими› глазами» и произнес: ‹А кстати, голубчик, что я вам хотел сказать: как будете в Москве, ступайте-

---

[17] Елена Толстая: Поэтика раздражения. Чехов в конце 1880 – начале 1890-х годов. 2-е изд., перераб. и доп. Москва 2002, с. 172.

[18] См. там же остроумно, с постмодернистской игрой в цитаты названный раздел книги – «Смерть в Венеции» (с. 172-183).

[19] См.: Летопись жизни и творчества А.П. Чехова. Т. 2, с. 554-556.

[20] См. подробнее: Кумпан: Примечания, с. 861/62.

[21] К.А. Кумпан: Д.С. Мережковский-поэт. (У истоков «нового религиозного сознания»). В: Д.С. Мережковский: Стихотворения и поэмы, с. 38.

[22] Летопись. Т. 2, с. 554. См. также раздел «Мария Фальери» в книге Елены Толстой, с. 183-187.

ка к Тестову, закажите селянку – превосходно готовят – да не забудьте, что к ней большая водка нужна.›» Через многие годы Чехов использует, как пишет Э. Полоцкая, «свою убийственную реакцию на суждения Мережковского à la Достоевский» в *Даме с собачкой*. «Кто знает, чего стоит художнику такое использование собственной нелюбви к ‹сантиментам›?» – размышляет Э.А. Полоцкая, но не дает однозначного ответа, заставляя задуматься об этом своих читателей.[23]

«Я был молод, – вспоминал Мережковский, – мне все хотелось поскорее разрешить вопросы о смысле бытия, о Боге, о вечности. И я предлагал их Чехову как учителю жизни. А он сводил на анекдоты, на шутки.»[24]

Однако в этом перемещении собственных слов из сферы так называемого реального, биографического автора в речевую зону повествователя, которая вбирает в себя и зону героя, Гурова, в контексте третьей главки *Дамы с собачкой* изображенного на этапе нисхождения («Уже он мог съесть целую порцию селянки на сковороде…»; 10, 136), было знаком сознательного дистанцирования от своей шутки в адрес Мережковского и в то же время своего рода возврата в конце 1890-х гг., когда писался знаменитый рассказ, к диалогу с Мережковским начала 1890-х гг.

И не только о «слезинке замученного ребенка» и о Боге, но и о смерти. Если о беседе с Чеховым на первую тему Мережковский вспоминал в статье *Асфодели и ромашки*, то в статье *Национализм и религия* Мережковский воссоздает, как указывает К.А. Кумпан, «сотериологический аспект венецианских бесед», «разговор с Сувориным и Чеховым в соборе св. Марка о бессмертии».[25]

Елена Толстая в книге *Поэтика раздражения: Чехов в конце 1880-х – начале 1890-х годов* справедливо писала о культурной полемике, которая отразилась как в творчестве Чехова, так и в творчестве Мережковского. Однако можно увидеть в этой «культурной полемике» и точки пересечения. По крайне мере, в 1891 г. в Италии Чехов невольно был вовлечен в разговоры «одной поэтической четы», у которой, как писал Ф. Червинский, «была простительная слабость восторгаться шумно».[26] К.А. Кумпан сопоставляет беседы Мережковских с Чеховым с разговорами тех же Мережковских с Плещеевым в том же 1891 г. в Париже. Плещеев сообщал в письме к Суворину о слишком «шумных» для него «исканиях Бога».[27]

А в самом *Вишневом саде* в связи с Лопахиным можно увидеть отпечаток одного события марта – апреля 1891 г. в Ватикане. Вернусь к цитированным в *Летописи* воспоминаниям Ф. Червинского:

> Думаю, такой метод восприятия художественных впечатлений [имеются в виду Мережковские – О.К.] был совершенно чужд глубоко замкнутой натуре Чехова. И вот произошло нечто, надолго уронившее его во мнении поэтической четы. Слушал-слушал он, смотрел-смотрел и вдруг вздохнул: «Что Вы» – «А хорошо бы теперь, знаете, за город… да полежать на травке!» Этакие слова в Ватикане! Приговор был произнесен немедленно: талант талантом, а «душа купеческая».[28]

Не играл ли Чехов в «купца», как это делал по воле драматурга Лопахин на протяжении всей пьесы, а особенно в своем монологе в конце 3-го действия: «Пускай все, как я же-

[23] Э.А. Полоцкая: О поэтике Чехова. Москва 2001, с. 16.
[24] Цит. по: Кумпан: Д.С. Мережковский-поэт, с. 38.
[25] Там же.
[26] Летопись. Т. 2, с. 556.
[27] Цит. по: Кумпан: Д.С. Мережковский-поэт, с. 39.
[28] Летопись. Т. 2, с. 556.

лаю! *(С иронией.)* […] *(Толкнул ногой столик, едва не опрокинул канделябры.)* За все могу заплатить!» (13, 241).

И еще одно предположение: нет ли в восторженности Раневской и Гаева отпечатка «шумной» впечатлительности Мережковских, которых связывали скорее братские, нежели супружеские узы.

Но тогда, в начале 1890-х гг., Чехову запало в душу возвышенное богоискательство Мережковского. Рассуждая в письме к Суворину от 25 ноября 1892 г. об, условно говоря, двух типах писателей, Чехов отмечал: «У одних […] цели ближайшие – крепостное право, освобождение родины, политика, красота или просто водка, как у Дениса Давыдова […] у других цели отдаленные – Бог, загробная жизнь, счастье человечества и т.п.»[29] Заметим, Чеховым в один ряд ставятся «Бог, загробная жизнь» (*правда небесная*) и «счастье человечества» (*правда земная*).

И далее, рассуждая о том, что «в наших произведениях нет именно алкоголя, который бы пьянил и порабощал», Чехов пишет:

> А мы? Мы пишем жизнь такою, какою она есть, а дальше – ни тпрру ни ну… Дальше хоть плетями нас стегайте. У нас нет ни ближайших, ни отдаленных целей, и в нашей душе хоть шаром покати. Политики у нас нет, в революцию мы не верим, Бога нет, привидений не боимся, а я лично даже *смерти* [курсив мой – О.К.] и слепоты не боюсь. Кто ничего не хочет, ни на что не надеется и ничего не боится, тот не может быть художником.[30]

Но все, что Чехов перечислил в цитированном письме, вера и неверие в революцию (Петя Трофимов), вера (Любовь Андреевна Раневская, Варя и «ангелы небесные» – 13, 249) и неверие (все тот же Петя Трофимов) в Бога, страх смерти (боль Раневской из-за смерти Гриши) и его отсутствие – все это присутствует в *Вишневом саде*.

В размышлениях Чехова в письме к Суворину можно увидеть тень Мережковского, который искал и Бога (правды небесной) и «человеческого счастья» (правды земной), верил, хотя и с оговорками, в революцию и смерти боялся. Мережковские, особенно в начале 1900-х гг., стали своего рода «общественниками», которые соединили в себе и поиск Бога, и идею хождения в народ, только в поисках того же Бога, согласно учению Мережковского, Богочеловека.

И здесь следует отметить еще одно соприкосновение Чехова и Мережковских. Замысел *Вишневого сада* относится к весне 1901 г., но впервые Чехов рассказывал о нем актерам МХТа осенью того же года.[31] А той же осенью, точнее 29 ноября 1901 г., в Петербурге состоялось первое заседание Религиозно-философских собраний, идея организации которых родилась у Мережковских.

Чехов не верил в религиозное обновление, называл это в письме к С.П. Дягилеву от 30 декабря 1902 г. «игрой в религию». Правда, Чехов отказывался дать, как было присуще ему, однозначную оценку «философско-религиозным обществам». В письме Дягилеву он отмечает: «Хорошо это или дурно, решить не берусь, скажу только, что религиозное движение […] само по себе, а вся современная культура – сама по себе.»

Далее идет излюбленная мысль Чехова «о работе во имя великого будущего, работы, которая будет продолжаться, быть может, еще десятки тысяч лет». Но какова цель этой работы? Читаем у Чехова: «[…] чтобы хотя бы в далеком будущем человечество познало истину *настоящего Бога* [курсив мой – О.К.], то есть не угадало бы, не искало бы в Достоевском, а познало ясно, как познало, что дважды два четыре» (П. 11, 106).

---

[29] А.П. Чехов о литературе. Москва 1955, с. 167.
[30] Там же, с. 166/67.
[31] См. Э.А. Полоцкая: Комментарий (12, 478).

Так противостоят и в то же время сходятся Чехов со своей *«истиной настоящего Бога»* 1902 г. и Мережковский со своей идеей *«Неведомого Бога»*, взятой из *Деяний апостолов* и ставшей эпиграфом к книге *Символы* 1892 г.

Через десять лет круг замкнулся. Но снова через *Вишневый сад*. Цитированное письмо Дягилеву от 30 декабря 1902 г. Чехов начинает с благодарности за статью о его *Чайке* в журнале *Мир искусства*: «Когда я кончил статью, то мне опять захотелось написать пьесу, что, вероятно, я и сделаю после января.» Речь идет о будущем *Вишневом саде*, который стал пророческим для всего XX века.

«Чехов был как бы перепутьем, на котором встретились романтика и пророчество, реставрация и революция», – писал в 1910 г. Дм. Философов.

1903 год, когда был завершен *Вишневый сад*, в этом отношении был особенный – самые разные слои русского общества пришли к мысли о невозможности жить по-старому. В *Вишневом саде* это осознают не только Петя Трофимов и Аня, Лопахин, но и Любовь Андреевна Раневская, и даже Гаев.

Завершение *Вишневого сада* в *октябре 1903 г.* совпало с резким переломом в русской литературной жизни.[32] Это год существенных перемен в русской литературе, в том числе в судьбе русского символизма. И в плане его эволюции, о чем речь пойдет ниже, и в плане ожесточенной борьбы «нового искусства» за место под солнцем, в первую очередь с «реалистами». В письме от 31 июля 1903 г. к Андрею Белому Брюсов писал в связи с издательством «Скорпион», но на самом деле размышляя о будущем символизма в России: «Эта осень – что-то вроде генерального сражения. Ватерлоо или Аустерлиц.»[33] В том же *октябре 1903 г.*, когда был закончен *Вишневый сад*, в «Скорпионе» вышли собрания стихотворений Д. Мережковского, З. Гиппиус, Ф. Сологуба, *Urbi et Orbi* В. Брюсова, в ноябре посмертная книга стихов Ив. Коневского. На отрезке между 1901 и 1903 гг. вышли помимо всех названных книг сборник стихов Вяч. Иванова *Кормчие звезды*, *2-я Симфония* Андрея Белого, как будто списанная с пьесы Константина Треплева и в то же время положившая начало новой прозе XX века. Когда *Вишневый сад* был поставлен, натиск символизма продолжился. В 1904 г. появились *Золото в лазури* Андрея Белого и *Прозрачность* Вяч. Иванова, наконец, *Стихи о Прекрасной Даме* А. Блока, три книги, сделавшие становление младосимволизма не только делом кружковым, внутренним, почти семейным, среди почитателей «Бореньки» и «Сашеньки», а фактом литературным. И хотя один из журнальных рецензентов писал в 1904 г., что коллекция московских дураков пополнилась Андреем Белым, в русской культуре произошел тектонический сдвиг, предсказанный опять же Чеховым (в связи с литературным успехом Треплева), но который сопоставим лишь с началом 1890-х гг., когда появились скандальные сборники *Русские символисты*. По существу, то было начало победного шествия в России авангарда, хотя такого термина тогда и в ходу еще не было, того самого авангарда, истоки которого Татьяна Константиновна Шах-Азизова углядела в Треплеве – первом авангардисте в России.[34] Существенной его чертой был разрыв с традицией, с гипнотическим влиянием ушедшего XIX века. Жажда «нового», по выражению Вяч. Иванова, «синдром новизны» были присущи символизму и во многом всему XX веку. Но эта жажда «нового» в искусстве совпала с тотальной, всеобъемлющей жаждой «нового» во всем – в первую очередь в общественной жизни. Собственно, это и было семантическим центром последней пьесы Чехова. Жизнь без *сада* как воплощения небесной правды, рая небесного но с *садом* рукотворным, земным казалась

[32] См. там же (12, 489).

[33] Литературное наследство. Т. 85: Валерий Брюсов. Москва 1976, с. 360.

[34] Т.К. Шах-Азизова: Предвозвестник. В: Русский авангард в кругу европейской культуры. Москва 1994, с. 54.

для Пети Трофима заманчивой. Но в пьесе Чехова есть и другие обертоны. За десять лет до знаменитой статьи Ю.Н. Тынянова *Промежуток* идею *промежутка* выдвинул именно в связи с Чеховым Б. М. Эйхенбаум: «Итак, в настоящем нет ничего. Все – либо пережиток, либо ‹начало работы›. И у Чехова действительно совсем нет эмоции настоящего времени. Оно для него – промежуток между прошлым и ‹великим будущим›.»[35]

Ю.М. Лотман считал, что состояние *промежутка* – характерная черта всей русской культуры.[36]

Чехов, в отличие, например, от Д.С. Мережковского начала 1900-х гг., когда он вместе с З.Н. Гиппиус придет к идее религиозно-философских собраний, с самого начала был более осмотрителен в вопросе о «правде небесной» и «правде земной». У него было свое преломление идей Вл. Соловьева. К тому времени, когда в России возникнет младосимволизм, который и актуализировал идею соединения двух правд – земной и небесной, у Чехова было и более глубинное по сравнению с русскими символистами второй волны осознание всего трагизма этой мечты. К краху такой идиллии намного позднее (1919) придет в результате многих испытаний А. Блок (в эпоху *после* «крушения гуманизма»), Андрей Белый, пытавшийся еще в 1904 г. убрать зазор между Чеховым и символизмом. Как и Блок, но вслед за Чеховым (и другими) Белый придет к мысли о принципиальной невозможности гармонии на земле.

В *Вишневом саде* Чехов передал весь спектр подходов к соотношению правды небесной и земной – разных политических и философских течений. Особое внимание уделил и символистскому. Чехов не только был в определенном смысле слова предшественником символистов, но и испытал на себе влияние их идей. И это еще один срез темы «Чехов и русские символисты». Здесь актуальны такие сюжетные линии, как «философия жизни» Брюсова (ср. с Лопахиным) и философия Чехова, богоискательство Мережковских, русских философов (Н. Бердяева, С. Булгакова, др.) и религиозные воззрения (отталкивание и притяжение) Чехова. Другие аспекты: Чехов и «старшие символисты», Чехов и «младосимволизм» как явление из сферы миропонимания. Ведь *Вишневый сад* – это столкновение разных подходов в понимании правды, в том числе небесной и земной.

И один, два и даже нескончаемое число докладов не поставят в этой теме точку.

Литература

Бунин, И.А.: О Чехове. В: И.А. Бунин: Собрание сочинений в 8 тт. Т. 7. Москва 2000.

Гиппиус, З.Н.: Живые лица. Воспоминания. Тбилиси 1991.

Гришунин, А.Л.: Мережковский о Чехове. В: Д.С. Мережковский. Мысль и слово. 2-е изд. Москва 1999, с. 235-243.

Кумпан, К.А.: Комментарии. В: Д.С. Мережковский: Стихотворения и поэмы. СПб. 2000, с. 755-902.

Кумпан, К.А.: Д.С. Мережковский-поэт. (У истоков «нового религиозного сознания»). В: Д.С. Мережковский: Стихотворения и поэмы. СПб. 2000, с. 5-114.

Летопись жизни и творчества А.П. Чехова. Т. 2. 1889 – апрель 1891. Сост. И.Ю. Твердохлебов. Москва 2004.

Литературное наследство. Т. 85: Валерий Брюсов. Москва 1976.

Лотман, Ю.М.: Тезисы к семиотике русской культуры. (Программа изучения русской культуры). В: Ю.М. Лотман и тартуско-московская семиотическая школа. Москва 1994, с. 407-416.

Мережковский, Д.С.: О причинах упадка и о новых течениях современной русской литературы. В: Д.С. Мережковский: Л. Толстой и Достоевский. Вечные спутники. Москва 1995, с. 522-560.

[35] Б. Эйхенбаум: О литературе. Москва 1987, с. 316/17.

[36] Ю.М. Лотман: Тезисы к семиотике русской культуры. (Программа изучения русской культуры). В: Ю.М. Лотман и тартуско-московская семиотическая школа. Москва 1994, с. 407-416.

Письма Д.С. **Мережковского** к А.П. Чехову. Подготовка текста и комментарий Л.М. Долотовой. В: Чеховиана. Чехов и «серебряный век». Москва 1996, с. 258-268.
Полоцкая, Э.А.: О поэтике Чехова. Москва 2001.
Толстая, Елена: Поэтика раздражения. Чехов в конце 1880 – начале 1890-х годов. 2-е изд., перераб. и доп. Москва 2002.
Ханзен-Леве, А.А.: Русский символизм. Система поэтических мотивов. Ранний символизм. СПб. 1999.
Шах-Азизова, Т.К.: Предвозвестник. В: Русский авангард в кругу европейской культуры. Москва 1994.
Эйхенбаум, Б.: О литературе. Москва 1987.

Margarita Odesskaja

Ибсен и Чехов: миф и реальность

Известно, что еще современники Чехова начали сравнивать его пьесы с драмами Ибсена. Так, например, Лев Толстой, не принимавший драматургию Ибсена, о *Чайке* Чехова сказал, что «это вздор, ничего не стоящий, что она написана, как Ибсен пишет».[1] Туманность смысла произведений, неуловимость и расплывчатость характеров, необъяснимость поведения героев, немотивированная, с точки зрения критиков, символика – это как раз и было то общее, что сразу бросалось в глаза и позволяло объединить двух оригинальных и независимых друг от друга реформаторов драмы XIX века. И хотя критики оценивали эти черты чаще всего как недостаток драматургического мастерства, они верно улавливали то характерное, что составляло особенность и суть новой драмы. Не сравнивая норвежского и русского драматургов и оценивая по достоинству талант каждого в отдельности, Андрей Белый отметил «реализм символизма» и «символизм реализма», присущий, по его мнению, «истинно глубокому художнику».[2]

Обращение в данной статье к творчеству великих писателей-современников обусловлено поставленной задачей рассмотреть некоторые релевантные тенденции драмы рубежа веков. Соединение в семейно-психологической драме Ибсена и Чехова реалистической природы сюжета с мифологической поэтикой – это, на мой взгляд, то, что позволяет, с одной стороны, типологически объединить двух писателей, а с другой, противопоставить их друг другу. В драматургии Ибсена мифологические и сказочные мотивы представлены более эксплицитно. Герои пьес Ибсена, соотнесенные со сказочными и мифологическими персонажами, приобретают психологическую глубину и мистическую романтичность. Чеховская мифологическая образность сжата и спрятана в подтекст.

Хотя Ибсен не считал себя реалистом, тем не менее критика буржуазного общества – это одна из важных тем в его творчестве. Изображая во многих пьесах конфликт внутри буржуазной викторианской семьи, Ибсен показывал, что за роскошным фасадом скрываются мрачные стороны реальной жизни – ущемление прав личности, религиозные проблемы и проблемы взаимоотношения полов, инцестуальные связи и наследственные венерические болезни. Ибсен приводил в столкновение противоречие между официальной буржуазной идеологией, моралью и отдельной частной судьбой. Поэтому многие драмы Ибсена как раннего периода, так и более позднего, имеют характерную для реалистической драмы структуру, построенную на оппозиции – больное общество и его жертва. О своей приверженности жизнеподобию и объективности Ибсен говорит в письме от 6 января 1882 г. датскому писателю Софусу Шандорфу. Обиженный непониманием пьесы *Привидения*, он так разъяснял свою позицию: «Моим намерением было вызвать в читателе впечатление, что он во время чтения переживает отрывок из действительной жизни.»[3]

С другой стороны, еще в ранней своей работе 1857 г., в эссе *О героической балладе и ее значении для литературы* Ибсен говорит о том, что поэт должен извлекать материал из народного творчества, давать литературную жизнь тому, что бродит в народном

---

[1] См.: Дневник Алексея Сергеевича Суворина. London 2000; Москва 2000, с. 281.

[2] См. статьи: Андрей Белый: Кризис сознания и Генрик Ибсен; Андрей Белый: Луг зеленый. Чехов. В: Андрей Белый: Символизм как миропонимание. Москва 1994, с. 210-238; 371-375.

[3] Генрик Ибсен: Собрание сочинений в 4 тт. Москва 1958. Т. 4, с. 713. Далее везде сноски по этому изданию с указанием тома и страницы в скобках, в тексте статьи.

сознании. Для драматурга, по мнению Ибсена, лучшим источником является баллада, которая зародилась у германских племен прежде, чем они стали самостоятельной нацией.

Ибсен придавал огромное значение изображению индивидуальности, сложности и противоречивости личности, конфликту противоположных сил внутри человека. Борьба противоположных сил внутри человека присутствует в драмах Ибсена на двух уровнях: как психологический реалистический конфликт и как архетипическая модель, в юнгианской терминологии столкновение героя со своей тенью и с анимой, воплощением души. Теневая сторона личности у Ибсена – троллизм. Анима – в позитивном значении – встреча с женщиной – носительницей любви. После Фрейда стало возможным объяснить в научных терминах конфликт сознания и подсознания. Однако противоречие человеческой сущности воплощено в фольклоре и мифологии. Например, Сольнес объясняет многие непонятные свои и Хильды поступки и стремления тем, что в них обоих «сидят тролли». Многие герои произведений Ибсена – пришельцы из другого мира. Ребекка (*Росмерсхольм*) ворвалась в аристократический дом Росмера с севера – родины магии, шаманства и древних поверий. Элида (*Женщина с моря*) с самого начала пьесы выглядит как русалка, живущая среди людей. Ее тайный жених – моряк, мистический чужестранец с говорящей фамилией Freeman, выходец с далекого севера, из Финляндии – обладает демонической силой воздействовать на людей.[4] Многие героини драм Ибсена, свободолюбивые и своевольные, напоминают диких лесных птиц древних саг.

Наиболее активно Ибсен обращался к фольклору, популярным норвежским легендам и сказкам в своих ранних пьесах особенно в *Пер Гюнте* (1866). Норвежский драматург писал, что «[...] Пер Гюнт – реальное лицо, жившее в Гудбраннсдалене, по-видимому, в конце прошлого [т.е. восемнадцатого – В.Б.] или начале этого века. Имя его народ в тех местах хорошо помнит, но о его подвигах известно немногим больше того, что есть в ‹Норвежских волшебных сказках› Асбьернсена [...]».[5] Однако взяв этот фольклорный образ, Ибсен, как справедливо отмечено в комментариях к пьесе собрания сочинений, вложил в него совсем иное содержание. В сказке Пер Гюнт – удачливый охотник, расправляющийся с троллями, побеждающий чудовище – Кривую, и совершающий другие подвиги, любящий прихвастнуть своими действительными и вымышленными заслугами, а у Ибсена, – пишет комментатор пьесы, – «это типический человек XIX века со всеми свойственными ему противоречиями».[6] Нельзя не согласиться с этим комментарием, однако следует добавить и важное наблюдение, сделанное румынской исследовательницей Сандой Томеску, которое позволяет увидеть все произведение Ибсена в другой перспективе. Легендарный герой норвежского фольклора, как убедительно показала Санда Томеску, «становится в произведении Ибсена мифологическим героем, архетипическим образом, определяющим современное человеческое существование, он теряет самоидентичность, но находится в непрерывном поиске самого себя».[7] Как мифологический герой, Пер Гюнт проходит путь инициации, состоящий из трех фаз – восхождение на гору, падение – искушение троллями, и прозрение через любовь Сольвег, которая воплощает идею триединства – Мать, Жена, Мадонна. Путь, по которому

[4] См. об этом интересное исследование Janet Garton: The Middle Plays. В: Ibsen. Ed. James McFarlane. Cambridge University Press, 1998.

[5] Там же.

[6] Генрик Ибсен: Пер Гюнт. Комментарии. Т. 2, с. 762.

[7] Sanda Tomesku Baciu: Some Mythical Aspects in Peer Gynt. В: Proceedings of the First International Ibsen Conference. Ovre Ervik 2001, с. 284.

идет Пер как мифологический герой, это путь к себе или, как называет это Мирча Элиаде, «движение к центру» или «движение к мудрости и свободе».

Три последние пьесы Ибсена *Строитель Сольнес* (1892), *Йун Габриэль Боркман* (1896) и *Когда мы мертвые пробуждаемся* (1898), завершающие собственный жизненный путь драматурга, имеют ту же трехфазовую структуру мифологической инициации героя на пути к себе – восхождение к славе, успеху, жизненному благополучию; духовное падение и омертвение; возрождение через смерть на достигнутой вершине. Архитектор Сольнес, некогда талантливый и успешный, переживает духовное падение, когда тролли завладевают его душой и мыслями. Он теряет талант, мысленно насылает пожар на свой семейный очаг, погрязает в житейских грехах – зависти, измене; поднявшись на самую высокую точку построенного им дома, он погибает, обретая свободу и веру в себя. Некогда преуспевающий банкир Боркман, разорившись, живет, как в тюрьме, в собственном доме. Он, по словам жены, расхаживает, как больной волк в клетке, испытывая отчуждение в своей семье. И если бы он не ушел из дома, то, как говорит он сам, «потолок и стены сдвинулись бы и раздавили, сплюснули его, как муху» (Ибсен; 4, 419). Поднявшись высоко в горы и глядя на скалы, уходящие в небеса, Боркман умирает воскресая. Перед смертью он обозревает с горной вершины свое необъятное царство с неистощимыми богатствами. Скульптор Рубек тоже проходит путь восхождения к славе и богатству, создав шедевр «Восстание из мертвых». Затем для него наступает благополучная земная жизнь и творческая смерть. Поднявшись в горы вместе со своей натурщицей, он обретает символическую небесную Невесту. И, восстав из мертвых, они погибают, устремляясь «на самую вершину, озаренную восходящим солнцем» (Ибсен; 4, 484).

Итак, последние пьесы Ибсена заканчиваются символическим возрождением на высоте, в горах, в небесной сфере, воплощая архетипическую мифологическую модель восхождения и воскресения после смерти. Интересно, что в последних пьесах Ибсена, как и в ранней пьесе *Пер Гюнт*, обновление, возрождение и спасение происходит при встрече с любовью женщины. В каждой из пьес есть две женщины, которые реализуют противоположные начала – две сущности героя. Одна, как фру Сольнес, фру Боркман и Майя, – символ упорядоченности, земного благополучия, бескрылости. Другая – Хильда, Элла Рентхейм, Ирен – символ окрыленности, устремленности к творчеству, вечной любви. Неслучайно фру Боркман и Элла Рентхейм – сестры-близницы, и, как говорит Элла, они «две тени над трупом того, кого любили» (Ибсен; 4, 424).

Известно, что отношение Чехова к норвежскому писателю-современнику было далеко не однозначным. Он, несомненно, держал Ибсена в поле зрения: не только читал пьесы Ибсена, печатавшиеся в журналах и выходившие отдельными изданиями, смотрел театральные постановки, но даже интересовался у своих подруг Щепкиной-Куперник и Яворской, прошла ли драма *Маленький Эйолф* цензуру.[8] В своих откликах на произведения Ибсена Чехов то восхищался ими и называл автора своим любимым драматургом (письмо А.Л. Вишневскому, 7 ноября 1903 г.; П. 11, 299), то, напротив, обвинял его в незнании жизни, в неправдоподобии; то почти цитировал в своих пьесах[9], а то, всматриваясь в лица людей, вдруг находил в них сходство с драматургом[10]. Несомненно,

---

[8] См. Donald Rayfield: Anton Chekhov. A Life. New York 1997, c. 337.

[9] Напр., разговор о тринадцати персонах, сидящих за столом, в *Дикой утке* Ибсена имеет дурное предзнаменование. В пьесе *Три сестры* это суеверие превращается Чебутыкиным в шутку. Сожаление старика Экдала о вырубленных лесах словно эхом отдается в пьесах Чехова *Леший* и *Дядя Ваня*.

[10] В книге *Остров Сахалин* читаем: «Кроме хозяйки, я застал в столовой еще четырех гостей, чиновников. Один из них, старик без усов и с седыми бакенами, похожий лицом на драматурга Ибсена, ока-

Чехов, искавший новые пути в драматургии, ориентировался на своего старшего современика, вступая с ним в диалог.

В пьесах Чехова, в отличие от Ибсена, нет четко выраженного конфликта героя с обществом, как нет и героя-протагониста в привычном понимании; нет открытой социальной критики, того, что составляет основу реалистической драмы, но тем не менее, его пьесы сохраняют жизнеподобие и бытовую конкретность. Погруженные в монотонную рутинную жизнь, персонажи Чехова незаметно проигрывают и теряют все: дом, любовь, жизнь, творчество. Как и Ибсен, Чехов настаивал на объективности автора, и нам известно немало его высказываний по этому поводу. Вот, например, одно из них: «Литератор должен быть так же объективен, как химик», – декларировал Чехов в одном из писем М.В. Киселевой от 14 января 1887 г. (П. 2, 12).

Что же касается использования писателем фольклорных и мифологических образов, то прямых высказываний на этот счет у Чехова нет. Однако известно, что Чехов специально изучал фольклорные источники, когда работал над предполагаемой диссертацией *Врачебное дело в России*. Фольклорные образы присутствуют в произведениях Чехова не столь явно, как у Ибсена. Нередко это поэтические фигуры – метафоры, сравнения, парафраз литературной сказки, цитаты, вставные микросюжеты, принадлежащие персонажу и характеризующие его сознание.

Хотя в заглавии одной из пьес Чехова *Леший* назван мифологический персонаж славянского фольклора – лесной демон –, публика, как вспоминает А.С. Лазарев-Грузинский, была «разочарована тем, что настоящего *лешего*, на что она рассчитывала, так и не увидела на сцене» (12, 390). Герой пьесы Хрущев – помещик, закончивший медицинский факультет – носит прозвище Леший, возможно, потому, что произносит актуальные для своего времени монологи о защите леса от вандализма людей. Хрущев в восприятии окружающих – чудак, пришелец из другого мира, и живет он вдали от людей, в лесу. По мнению героя, все люди плохо ориентируются в жизни, словно блуждают в лесу: «[...] во всех вас, – говорит он в своем монологе, – сидит леший, все вы бродите в темном лесу и живете ощупью» (12, 388). Еще одна неприкаянная душа в пьесе, в чьих жилах, по словам Войницкого, «течет русалочья кровь», – это Елена Андреевна. Она понимает, что «мир погибает не от разбойников и не от воров, а от скрытой ненависти, от вражды между хорошими людьми, от всех этих мелких дрязг, которых не видят люди» (12, 151). Она хочет «улететь вольной птицей подальше от всех […], от […] сонных физиономий, скучных постылых разговоров» (12, 165). Преодолев свою слабость и трусость, Елена Андреевна сбегает с Дядиным в лес, на мельницу и на короткий миг обретает свободу. Обозначив место – лес, мельница –, Чехов отсылает нас к пушкинской *Русалке*, трагическую судьбу которой Елене Андреевне удается счастливо избежать. Елена Андреевна не способна броситься с головой в омут к водяному, и потому она русалка только наполовину. И улететь вольной птицей ей тоже не дано, а приходится довольствоваться, как она сама говорит, лишь «канареечным счастьем» птицы в клетке. Используя сказочные мотивы, Чехов, в отличие от Ибсена, демифологизирует своих героев, убирая романтический ореол, он низводит их до прозаического уровня.

Между *Лешим* и *Дядей Ваней* стоит *Чайка* (1895), в которой тоже используются сказочные мотивы и образы. В *Чайке* действие происходит не в лесу, а у колдовского озера. И если в лесу обитают лешие и русалки, то у озера живет девушка-птица. Как и во многих волшебных сказках, в пьесе герой подстреливает птицу, которая по логике сказки должна превратиться в прекрасную девушку-невесту. Однако в пьесе Чехова не

зался младшим врачом» (14, 58).

только не происходит чудесного превращения со счастливым свадебным финалом, но даже наоборот птица становится мрачным символ-пророчеством.

В *Чайке* есть и русалочий мотив. Чехов снова отсылает нас к пушкинской *Русалке*. Рассказывая о несчастной судьбе Нины – неудачной актрисы, оставленной Тригориным –, Костя вспоминает, что в письмах Нина все время подписывалась чайкой: «В ‹Русалке› мельник говорит, что он ворон, так она в письмах все повторяла, что она чайка» (13, 50).[11] Как и художник Баллестэд (*Женщина с моря*) рассказывает сюжет будущей картины о лежащей полумертвой морской деве, заблудившейся в шхерах, писатель Тригорин делится своим сюжетом для небольшого рассказа о гибели девушки-чайки. Интересно не только то, что оба сказочных сюжета совпадают с жизненными ситуациями героинь, но также и то, что тригоринский сюжет («на берегу озера с детства живет молодая девушка, такая, как вы; любит озеро, как чайка, и счастлива, и свободна, как чайка. Но случайно пришел человек, увидел и от нечего делать погубил ее, как вот эту чайку»; 13, 31/32) – это не что иное, как слегка измененный пересказ пушкинской *Русалки*. Поведение Нины напоминает также и поступок русалочки из сказки Андерсена, которая идет на жертвы и страдания ради своей любви. Кстати, аллюзии еще на одну сказку Андерсена *Дюймовочка* можно найти в других редакциях *Чайки*. В одном из вариантов Маша говорит о том, что мама воспитывала ее «как ту сказочную девочку, которая жила в цветке» (13, 261).

В *Чайке* присутствует *другой* мир. Этот фантазийный мир, куда пытается увлечь Треплев Нину, находится за гранью бытия. Это мир после жизни, когда не будет ничего, мир теней, которые витают над озером, мир, в котором души умерших сливаются в единую Мировую душу.

Пьеса *Дядя Ваня* (1896), написанная Чеховым после *Чайки*, – измененный сюжет *Лешего*. В *Дяде Ване* сохранились черты сказочной образности: доктор Астров – защитник леса, тоже носит прозвище Леший, а Елена Андреевна сравнивается с русалкой. Однако эти черты стерты и нивелируются в измененном сюжете. Елена Андреевна в пьесе *Дядя Ваня* не убегает на мельницу, и потому в ее измененном образе нет той явной связи с пушкинской *Русалкой*, которая была в *Лешем*. Таким образом, можно констатировать, что Чехов в поздних драмах отходит от прямых включений сказочных мотивов и образов в сюжет произведения, они остаются лишь на уровне сравнений, аллюзий, поэтических метафор.

За конкретными реалистическими образами и сюжетными ситуациями в поздних драмах Чехова стоит мифологическая архетипическая модель, характеризующая его мироощущение. В работе «The Hero's Descent to the Underworld in Chekhov»[12] американский исследователь Майкл Финк рассмотрел путешествие Чехова на Сахалин и последующие его прозаические произведения как разворачивание мифологического сюжета о сошествии в ад. Таким образом, если принимать во внимание точку зрения Майкла Финка, Чехов в своем творчестве реализует противоположную Ибсену архетипическую модель – не восхождение, а схождение, падение. Соглашаясь в целом с основными положениями статьи Майкла Финка, думается, следует уточнить и расширить ценные наблюдения исследователя. На мой взгляд, в творчестве Чехова реализуется мифологическая модель, которая предполагает после смерти и разрушения неизменное возрождение и обновление мира. Хорошим примером, иллюстрирующим это положение, может служить первый послесахалинский рассказ *Гусев*. Небольшой рас-

[11] На эту деталь указывает в своей интересной работе «Сюжет для небольшого рассказа...» А.Г. Головачева, которая, кстати, находит и ибсеновские параллели в пьесе Чехова. Ср.: Чеховиана. Полет Чайки. Москва 2001, с. 22.

[12] Michael Finke: The Hero's Descent to the Underworld in Chekhov. B: Russian Review 52 (1994), c. 67-80.

сказ Чехова, связанный с его собственными реальными впечатлениями от встреч на острове Сахалин и путешествием на корабле при возвращении домой, имеет четко выраженную структуру мифа об обновлении и возрождении после смерти. Весь рассказ о смертях на корабле, плывущем в открытом море нагнетает атмосферу конца по мере развертывания сюжета. Это и размышления Гусева о конце света, связанные с фольклорными образами, и его сны, где картины жизни, возвращения домой обрываются символами смерти, и, наконец падение его мертвого тела в бездну океана, путешествие в преисподнюю. Финальное же авторское описание – устремленность в небесную сферу, вверх в космос, к обновлению, к гармонии верха и низа: «Глядя на это великолепное, очаровательное небо, океан сначала хмурится, но скоро сам приобретает цвета ласковые, радостные, страстные, какие на человеческом языке и назвать трудно» (7, 339).

Четыре главных пьесы Чехова *Чайка*, *Дядя Ваня*, *Три сестры* и *Вишневый сад* могут быть рассмотрены под тем же углом зрения воплощения мифологической модели возрождения после смерти. Причем первая и последняя пьесы – *Чайка* и *Вишневый сад* – это повествование о конце, смерти, в двух других, серединных, в финале есть выход в небесную сферу, к возрождению.

Итак, в пьесе *Чайка* смерть трижды является на протяжении развития действия и соответствует трем фазам композиции: завязка, кульминация, развязка. Первая фаза – постановка Кости Треплева – эсхатологическая пьеса-монолог, театральная игра в жизнь после смерти, после конца света. Вторая фаза – игра Кости со смертью: убийство чайки, задуманное им как *performance*, имеющий символическое профетическое значение, и репетиция собственной смерти. И наконец, заключительная сцена – самоубийство Кости, смерть на фоне игры общества в лото. Интересно, что этот повторяющийся мотив игры, сопровождающий смерть, связан с еще одним важным мотивом пьесы Чехова, а также пьес Ибсена и размышлениями, характерными для того времени, о взаимоотношениях художника и жизни, художника и его модели. Идея о том, что творчество выше жизни, и акт творчества приравнивается к факту мироздания – это демоническая игра художника с жизнью и смертью. В пьесах Ибсена и Чехова эта тема развивается как антипигмалионовский миф и получает трагическое разрешение. Если художник в мифе о Пигмалионе творит жизнь, то и у Чехова, и у Ибсена художник духовно умерщвляет, убивает свою модель.

Тролли, способствуя творческому восхождению Сольнеса, высосали всю кровь из его жены. «И теперь она … мертва … из-за меня, – сообщает он Хильде. – А я живой… скован с мертвой» (Ибсен; 4, 260). Сольнес также «вынул душу целиком», завладел всеми помыслами Каи. Натурщица Ирена упрекает скульптора Рубека (*Когда мы мертвые пробуждаемся*) за то, что он, создав произведение, принесшее ему славу, отнял у нее молодую, живую душу. «И вот здесь внутри у меня стало пусто. Я осталась без души», – говорит она. Омертвела и душа скульптора, потерявшего вдохновение после того, как он реализовал в камне свою мечту и убил живую душу (Ибсен; 4, 451).

В *Чайке* Чехова – два писателя. Тригорин, вставив образ в рамку сюжета для небольшого рассказа, представляющего собой парафраз пушкинской *Русалки*, теряет интерес к натурщице, сломленная жизнь которой, словно подражает неоригинальному литературному сюжету. Костя Треплев разыгрывает свой сюжет. Убив чайку, белую птицу – символ небесных сфер, окрыленности, вдохновения, полета и надежды, он убивает в себе то, что ставил выше всего, – творчество. Приобретая известность, он скатывается к рутине и признает за Тригориным правоту.

Убийство чайки – символа небесной духовной сферы – корреспондируется с вырубкой вишневого сада – символа земного рая – в последней, предсмертной пьесе Чехова. В буддийской традиции топор прерывает круг бытия, а в пьесе Чехова завершает пройденный цикл, грубо обрывая надежды на спасение. Неуклонно движущаяся к падению, разорению и разрушению вишневого сада-рая, пьеса завершается погребением заживо старого Фирса, забытого всеми слуги – последнего оплота опустошенного дома, превратившегося в склеп.

В пьесах *Дядя Ваня* и *Три сестры* для героев, переживших потери и разочарования, крах надежд, испытавших земные страдания, финальные сцены открывают путь в сакральный мир примирения и возрождения. В *Дяде Ване* – это путь в небесное царство как награда за земные страдания и дарованное, по мнению Сони, спасение. В пьесе *Три сестры* на пепелище смерти и пожара восстает сакральная символическая триада – знак спасения в единстве и любви.[13]

Таким образом, можно сказать, что в пьесах Чехова реактуализируется архетипическая модель мироустройства, отражающая его размышления о тайне Универсума, о жизни и смерти, о вечном циклическом движении. «В основе христианского литургического года, – как пишет Мирча Элиаде, – лежит периодическое и наглядное повторение Рождества, Страстей, смерти и воскрешения Иисуса.»[14] Следует вспомнить, что Чехов был воспитан в семье, где большое внимание уделялось христианской календарной обрядовости. Вот почему, возможно, такое важное значение в его произведениях имеет календарный символизм с его ритмом повторения, рождения и смерти, вечного возвращения.

Каждый из драматургов, обращаясь к мифологической образности, выводит произведение за пределы эмпирической конкретики на уровень метафизических идей. Рассмотренные в статье драмы Ибсена воплощают модель восхождения, христианского спасения, духовного возрождения героя через смерть. Герои пьес Ибсена проходят путь инициации, движения к обретению собственного «Я». В пьесах Чехова актуализируется мифологическая архетипическая модель цикличности, периодически наступающего рождения после смерти. Его герои подчинены движению природных ритмов, они неотъемлемая часть этого движения.

Литература

Белый, Андрей: Кризис сознания и Генрик Ибсен; Андрей Белый: Луг зеленый. Чехов. В: Андрей Белый: Символизм как миропонимание. Москва 1994, с. 210-238; 371-375.

Ибсен, Генрик: Собрание сочинений в 4 тт. Москва 1958. Т. 4.

Одесская, М.: «Три сестры». Символико-мифологический подтекст. В: Чеховиана. «Три сестры». 100 лет. Москва 2002, с. 150-158.

Дневник Алексея Сергеевича **Суворина**. London 2000; Москва 2000.

Чеховиана. Полет Чайки. Москва 2001.

Элиаде, Мирча: Миф о вечном возвращении. Санкт-Петербург 1998.

Baciu, Sanda Tomesku: Some Mythical Aspects in Peer Gynt. B: Proceedings of the First International Ibsen Conference. Ovre Ervik 2001.

Finke, Michael: The Hero's Descent to the Underworld in Chekhov. B: Russian Review 52 (1994), c. 67-80.

Garton, James: The Middle Plays. B: Ibsen. Ed. James McFarlane. Cambridge University Press, 1998.

Rayfield, Donald: Anton Chekhov. A Life. New York 1997.

---

[13] Подробнее о символике мифологической триады см. в моей статье: «Три сестры». Символико-мифологический подтекст. В: Чеховиана. «Три сестры». 100 лет. Москва 2002, с. 150-158.

[14] Мирча Элиаде: Миф о вечном возвращении. Санкт-Петербург 1998, с. 200.

Ekaterina Kataeva-Mäkinen

Жить или не жить?
О выборе героинь Ибсена и Чехова

Новаторским открытием в пьесах Ибсена было выдвижение на передний план судьбы конкретного персонажа, совершающего осознанный выбор, не предопределенный обстоятельствами.

В. Адмони писал:

> Важным моментом всей драматургии Ибсена является раскрытие роли интеллекта в жизни и поведении человека. В то время, как натуралисты (а затем в большей мере и неоромантики, и декаденты) видят в человеке прежде всего комок ощущений, желаний, инстинктов, Ибсен изображает человека, обладающего сознанием. Герои Ибсена наделены не только волей, не только способностью действовать, но и способны разумно (хотя и не всегда удачно) направить свою волю.[1]

В «новой драме» писателя развитие конфликта неизбежно приводит героя к необходимости сделать выбор, который затем окажет решающее влияние на его дальнейшую судьбу. И очень интересным кажется то, какой выбор совершают героини Ибсена.

В середине XIX века в скандинавской литературе царило модное поветрие изображать «демонических женщин»[2], которые несли в себе угрозу всему окружающему. В финале они обычно становились жертвами собственных страстей, тогда как общественная мораль торжествовала. Ибсен выходит далеко за рамки этой литературной моды. В основе поступков его героинь всегда лежит сознательный и свободный выбор, а не необузданные инстинкты, родовое проклятье или жестокая судьба.

Нора, героиня *Кукольного дома*, прожив с любимым и любящим мужем восемь лет, неожиданно понимает, что все было лишь видимостью счастья. Заботливый и внимательный Хельмер на самом деле – грубый эгоист, а ее собственное положение в доме сводится лишь к положению красивой вещи, игрушки. Когда же угроза разоблачения Нориного подлога проходит, и Крогстад возвращает ее долговую расписку, у Норы остаются две возможности. Она может продолжать жить с мужем, который обещает, что вся жизнь у них начнется по-новому. Но Нора выбирает другой путь. Она уходит от мужа, оставляет своих детей, но делает это не в состоянии аффекта, а в результате сознательного размышления. Она очень четко объясняет Хельмеру причину такого выбора:

> Мне надо постараться воспитать себя самое. И не у тебя мне искать помощи. Мне надо заняться этим одной. Поэтому я ухожу от тебя.[3]

Решение Норы разрушить свою прежнюю жизнь и стать свободным человеком обдуманно и твердо. В ответ на попытки Хельмера воззвать к ее чувству долга, к ее обязанностям перед семьей, Нора отвечает:

---

[1] В. Адмони: Творческий путь Генрика Ибсена. В: Г. Ибсен: Собрание сочинений в 4 тт. Москва 1956-58. Т. 1, с. 31.

[2] См.: Vigdis Ystad: Ibsen's Rebellious Women. Ibsen and Kierkegaard. В: IBSEN at the Centre for Advanced Study. Ed. Vigdis Ystad. Осло 1997, с. 135/36.

[3] Г. Ибсен: Собрание сочинений. Т. 3., с. 448/49. Далее цитируется по этому изданию.

> У меня есть и другие, столь же священные [...] обязанности перед самой собою. [...] Я думаю, что прежде всего я человек, так же как и ты, или, по крайней мере, должна постараться стать человеком.[4]

Для нее возврата к прежней жизни не может быть. Прежней Норы, белочки и жаворонка, больше не существует. И не случайно последний звук, который раздается перед тем, как опустится занавес, это грохот захлопнувшейся за Норой двери.

Ответом критикам *Кукольного дома*, обвинявшим Нору в аморальности выбора, была следующая пьеса Ибсена, *Привидения*. Героиня ее, фру Альвинг, в свое время решила сохранить свой брак, вернулась к мужу и не только всю жизнь прожила, притворяясь и соблюдая видимость семейного благополучия, но и для сына создала идеальный образ отца, не имевший ничего общего с реальным человеком. В разговоре с пастором Мендерсом она объясняет причины своего решения тем, что находилась под влиянием долга и «разных соображений». Фру Альвинг с отчаянием говорит о своей «трусости», о том, что она не сумела до конца уйти из-под власти «привидений», то есть из-под власти старых, отживших форм жизни и представлений.

Но вот когда ее тяжело больной сын возвращается домой, фру Альвинг встает перед выбором: либо сохранить у Освальда его иллюзии и оставить образ отца чистым и возвышенным, либо открыть ему правду об истоках его болезни и тем самым как-то облегчить нравственные страдания молодого человека.

Она принимает решение освободить сына от всех угрызений совести и упреков самому себе и раскрывает все семейные тайны. И пожар, который спалил приют, посвященный памяти камергера Альвинга, служит своего рода символом освобождения от всех лживых представлений, от всего, что стояло на пути к правде. Но, сделав раз свой нелегкий выбор в пользу правды, фру Альвинг должна принять и следующее, уже трагическое, решение: она обещала дать сыну морфий, если очередной приступ болезни лишит его рассудка. Ибсен оставляет концовку пьесы открытой, предоставляя зрителю гадать, какое решение примет фру Альвинг в этой ситуации. Но логика развития характера героини, ее внутренняя сила и решимость следовать избранному пути позволяют предположить, что обещание свое она сдержит.

Ребекка Вест, героиня драмы *Росмерсхольм*, знает точно, чего она хочет в этой жизни: стать женой Росмера. И к своей цели она идет очень решительно и последовательно. Сначала искусно доводит до самоубийства жену Росмера, а затем становится самым близким для него человеком. Но когда цель, казалось бы, достигнута, и Росмер просит Ребекку стать его женой, она понимает, что никогда не сможет принять это предложение:

> [...] теперь, когда жизнь подносит мне полную чашу счастья... я стала такой, что мое собственное прошлое становится мне поперек дороги.
> [...]
> А свободная от вины совесть? Откуда мне ее взять?[5]

Для Ребекки намного важнее оказывается вернуть Росмеру веру в самого себя и веру в искренность ее чувства к нему. Она больше не считает возможным строить свою дальнейшую жизнь, свое счастье на лжи и хитрости. И единственный для себя путь она видит в том, чтобы броситься в тот же водопад, в котором покончила с собой жена Росмера.

---

[4] Ибсен, Т. 3, с. 449.
[5] Ибсен, Т. 3, с. 818.

Для Гедды Габлер брак с Юргеном Тесманом был очевидным мезальянсом. Те, кто знал дочь генерала Габлера до замужества, с трудом могут представить ее в роли Гедды Тесман. Даже для любящей тети Юлле этот брак до сих пор видится чем-то невероятным. Но Гедда вполне представляла себе, чего она хотела от этого брака, и четко обговорила с мужем все свои требования. Однако, в действительности все идет совсем не так, как она хотела. Все ее желания, стремление к красоте и свободной жизни вязнут во вкусах и взглядах мужа и тетушки. Профессорская должность, на которую рассчитывал Тесман, скорее всего достанется его сопернику.

Гедда пытается играть судьбами Левборга и Теа, но и здесь терпит поражение. Вместо красивого самоубийства, Левборг погибает от случайного выстрела в живот в доме дамы с сомнительной репутацией. А Теа не только находит себе идеальное занятие – помогать Тесману расшифровывать записки Левборга. Она легко занимает место рядом с Тесманом, вставая между ним и Геддой.

Но даже не это оказывается самым ужасным. Пистолет, из которого застрелился Левборг, опознает ассессор Бракк, и теперь только от него зависит, будут ли Гедду допрашивать в суде, разразится ли скандал.

> Гедда *(смотрит на него)*. Так я теперь у вас в руках. В полной вашей власти. [...] Завишу от вашей воли и желаний! Не свободна, значит, не свободна! [...] Нет, этой мысли я не вынесу! Никогда!
> Бракк *(смотрит на нее полунасмешливо)*. Обыкновенно примиряются с неизбежным.[6]

Но Гедда не хочет и не может примириться. Если никто вокруг нее не способен на красивый поступок, она готова совершить его сама. Поэтому единственно возможное решение для нее – это самоубийство. Очень точно определила его причины Джоан Темплтон:

> Гедда убивает себя не потому, что не может соответствовать патриархальным нормам, но потому что не хочет.[7]

Так получается, что выбор, который совершают героини поздних пьес Ибсена, ведет только в одном направлении – к смерти. Гибнут Ребекка Вест и Гедда Габлер. Чтобы доказать отцу силу своей любви к нему стреляется маленькая девочка Хедвиг, дочь Экдала Ялмара, героя *Дикой утки*. Ирена, героиня пьесы *Когда мы, мертвые, пробуждаемся*, предпочитает своей прежней жизни гибель в снежной лавине. В живых, правда, остаются Нора и фру Альвинг. Но прежней Норы больше нет. И в руках фру Альвинг жизнь или смерть ее сына.

Кажется, что Чехов с гораздо бóльшим сочувствием относится к своим героиням. Перед ними не встает необходимость делать окончательный выбор между жизнью и смертью, принимать решения, которые могут перевернуть всю их дальнейшую судьбу. И тем не менее, все они свой выбор совершают. И делают это не менее решительно, чем героини Ибсена.

За те два года, что проходят между 3-ем и 4-м действием *Чайки*, Нина Заречная успела прожить и пережить очень многое: несчастливую любовь к Тригорину, рождение и смерть ребенка, жизнь провинциальной актрисы. Все ее прежние мечты и представления о жизни, любви и искусстве оказались несостоятельными. Но, пережив крушение иллюзий, Нина сумела найти для себя главное, что помогает ей вынести все удары судьбы:

---

[6] Ибсен, Т. 4, с. 187.
[7] Joan Templeton: Ibsen's Women. Cambridge 1997, с. 231.

> Я теперь знаю, понимаю, Костя, что в нашем деле – все равно, играем мы на сцене или пишем – главное не слава, не блеск, не то, о чем я мечтала, а умение терпеть. Умей нести свой крест и веруй. Я верую, и мне не так больно, и когда я думаю о своем призвании, то не боюсь жизни. (13, 58)

Свою веру Нина оплатила дорогой ценой, и одна эта вера помогает ей продолжать жить.[8]

В отличие от Нины, Соня Серебрякова никогда не питала иллюзий относительно своего яркого и интересного будущего. Всю жизнь она прожила в деревне и работала, не покладая рук. Единственной ее надеждой было то, что доктор Астров может полюбить ее. И тем тяжелее оказалось разочарование. Но в финале *Дяди Вани*, уговаривая дядю отдать ей баночку с морфием, Соня определяет свою позицию:

> Отдай, дядя Ваня! Я, быть может, несчастна не меньше твоего, однако же не прихожу в отчаяние. Я терплю и буду терпеть, пока жизнь моя не окончится сама собою... Терпи и ты. (13, 109)

В жизни ее вряд ли что-то может измениться: она так и будет жить в деревне, будет много работать, но всегда останется бедна, надежд на личное счастье у нее не осталось никаких. Кажется, что будущее Сони абсолютно серо и безнадежно, впереди ее не ждет ничего, кроме одиночества. Но она для себя твердо решила самое главное: «Что же делать, надо жить!» (13, 115). И не только сама она будет жить, но еще и станет поддерживать своего слабого дядю.

Судьба оказалась жестока к сестрам Прозоровым. Каждая из них переживает свою личную драму. Ольга остается старой девой, несмотря на сильное нежелание становится начальницей гимназии и вынуждена будет всю жизнь заниматься нелюбимым делом. Бригаду переводят в другой город, и Маша должна расстаться с Вершининым и навсегда остаться с нелюбимым мужем. У Ирины накануне свадьбы убивают жениха...

Кроме своих личных разочарований они переживают за неудавшуюся жизнь брата, постепенно теряют свой собственный дом, навсегда оставляют надежду уехать в Москву. Но ясно понимая, что надежд на лучшее будущее у них не остается никаких, сестры тем не менее делают свой окончательный выбор. В финале пьесы одна за другой они повторяют как заклинание:

> Маша. [...] мы останемся одни, чтобы начать нашу жизнь снова. Надо жить... Надо жить...
> Ирина. [...] Придет время, все узнают, зачем это, для чего эти страдания [...], а пока надо жить... надо работать, только работать!.. [...]
> Ольга. [...] Музыка играет так весело, бодро, и хочется жить! [...] О милые сестры, жизнь наша еще не кончена. Будем жить! (13, 187/88)

Наверное, можно говорить об определенной типологии героинь у Ибсена и Чехова. В драмах Ибсена конфликт героини с окружающими обстоятельствами, с жизнью трансформируется в конфликт с самой собой, и она находит в себе силы и мужество для того, чтобы уйти. Героини пьес Чехова, пережив личные драмы, находят в себе силы и мужество, чтобы продолжать жить.

В. Гульченко утверждал, что «женщины, безусловно, олицетворяли для Чехова сильный пол, а мужчины, соответственно, представляли пол слабый».[9] И действительно, чеховские героини не только находят смысл в своей жизни, но и оказываются гораздо сильнее стоящих рядом с ними мужчин.

---

[8] В.Б. Катаев: Литературные связи Чехова. Москва 1989, с. 187.

[9] В. Гульченко: Мужчины и женщины у Стриндберга и Чехова. В: На рубеже веков. Российско-скандинавский литературный диалог. Москва 2001, с. 206.

Нина и Костя проходят похожий путь от мечтаний о славе, о вере в свою способность сказать новое слово, найти новые формы до осознания ложности и иллюзорности своих представлений. И Костина судьба, похоже, объективно складывается намного более успешно, чем судьба Нины. Но отсутствие веры, крах в любви именно его заставляют сделать «ибсеновский» выбор, тогда как она будет продолжать мужественно жить дальше и «нести свой крест».

Соня и дядя Ваня оба оказываются несчастны в любви, оба переживают крушение надежд. Но именно Соня может удержать дядю от самоубийства, и очевидно, что она будет утешать и поддерживать всю жизнь и дядю, и всех вокруг, кто будет нуждаться в ее помощи.

На глазах опускается и деградирует Андрей Прозоров, хотя жизнь его могла бы сложиться намного благополучнее жизни его сестер. Но именно к ним он обращается сначала с претензиями, а потом за сочувствием и поддержкой, только у них он еще может найти какое-то утешение.

После продажи вишневого сада Раневская уезжает в Париж. Разорившаяся, потерявшая родовое имение, она будет на последние пятнадцать тысяч, доставшиеся от ярославской бабушки, поддерживать человека, который ее уже раз предал. Но прекрасно осознавая, что человек этот будет ей и моральной, и материальной обузой, Раневская все же делает свой выбор в пользу любви.

Наверное, не стоит проводить прямых параллелей между героинями обоих писателей, как не стоит и говорить о сознательном противопоставлении выбора чеховских героинь выбору героинь Ибсена. Скорее, речь здесь может идти о внутренней, скрытой полемике. Но вот что еще хочется заметить, говоря о своеобразии выбора: жить или не жить? Линейное развитие сюжета ибсеновских пьес ведет героиню только вперед: прочь из дома, к склянке с морфием, в водопад, к спуску курка, в лавину. Сознательно сделанный выбор оказывается стремительным потоком, который уже невозможно остановить и из которого не выбраться.

В финале пьес Чехова его героини, пройдя свой круг страданий, оказываются практически в той же точке, с которой все начиналось. И именно в этом можно увидеть надежду. Возможно, их жизнь не замкнутый круг, по которому предстоит бегать до самого последнего дня, а спираль. И как знать, может быть на следующем ее витке им улыбнется счастье.

Литература

Адмони, В.: Творческий путь Генрика Ибсена. В: Г. Ибсен: Собрание сочинений в 4 тт. Москва 1956-58. Т. 1.

Гульченко, В.: Мужчины и женщины у Стриндберга и Чехова. В: На рубеже веков. Российско-скандинавский литературный диалог. Москва 2001.

Ибсен, Г.: Собрание сочинений в 4 тт. Москва 1956-58.

Катаев, В.Б.: Литературные связи Чехова. Москва 1989.

Templeton, Joan: Ibsen's Women. Cambridge 1997.

Ystad, Vigdis: Ibsen's Rebellious Women. Ibsen and Kierkegaard. B: IBSEN at the Centre for Advanced Study. Ed. Vigdis Ystad. Осло 1997.

Danuše Kšicová

Орнитологическая символика в творчестве Ибсена, Чехова и Метерлинка

Будучи с древнейших времен неотъемлемой частью мифопоэтической традиции, птицы стали в эпоху модернизма популярным средством символики. Мотив птицы связан формой своего рождения с яйцом. Широко распространенный миф о яйце мира (иногда золотом) объясняет также способ возникновения вселенной и мира. Желток превратился в солнце и небо, белок в землю. Птицы были поэтому связаны с солярным культом. (Таковы неолитические изображения солярных знаков вместо головы человека или птицы.) В финно-угорской области в этой роли выступает утка. Похожий мотив имеется в русских сказках, рассказывающих об утке, уронившей яйцо в воду. Исключительное место среди ритуальных миметических танцев занимают «птичьи» танцы: т.н. «утиный» танец – отсюда русский вариант весеннего хоровода – «вутица» и пр. Широко распространены представления о птицах как о первопредках (человек рождается из яйца, в которое может опять превратиться) – отсюда употребление птиц в тотемизме. Предполагается тотемическое происхождение образа голубя в древнееврейской и впоследствии христианской традициях. В тотемизме голубь наряду с орлом, лебедью, аистом принадлежали к «хорошим – божьим» птицам. Их противоположностью были «плохие», несущие угрозу, пророчащие беду (ворон, сова, филин, воробей и т.п.). Многие из птиц употребляются в шаманизме. «Первоцарь» орел – эмблема власти и его атрибуты (когти, перья, крылья) дают жрецам силу. Как шаманские птицы известны также гагара, чайка, гусь, ворон, филин, сова. У многих народов душа приобретает форму птицы – синицы, ласточки, сороки. Образ души-птицы перекликается с образом птицы-вестника смерти – голубя. Соответственно мифам разных народов в птицы превращались души усопших – утонувших детей в морскую утку, младенцев, задушенных матерью во время сна в сову и пр.[1] Результатом поливалентности преданий о разбиении яйца может быть или рождение, или освобождение пагубных сил смерти. (Например, смерть Кощея бессмертного скрыта в яйце.) Однако яйцо обыкновенно является символом плодородия (см. до сих пор употребляемое разбиение яиц в свадебных ритуалах или их священие, дарение, украшение во время пасхи). Интересно, что заслуга в сотворении мира принадлежит обыкновенно птицам, связанным с водой, потому что они вынесли из морского дна часть глины, из которой возникла земля. Свою роль в этом мифе мог сыграть также факт, известный охотникам: раненая утка ищет убежище в речном или озерном болоте, из которого ее нужно вытащить.

Многие из перечисленных мифов стали впоследствии символами, популярными в разные исторические периоды, особенно во время романтизма и модернизма. Они имеются в подтексте ибсеновской *Дикой утки,* чеховской *Чайки* и *Синей птицы* М. Метерлинка.

Генрих Ибсен (1828–1906), творчество которого рано приобрело метафорический характер[2], употребляет орнитологическую символику уже в ранней пьесе *Бранд* (1865). Орел, падающий в болота, и утка, стремившаяся подняться высоко в небо – это явные

[1] В.Н. Топоров: Яйцо мировое. В: Мифы народов мира. Энциклопедия. Т. 2. Москва 1988, с. 681; В.В. Иванов, В.Н. Топоров: Птицы. В: Там же, с. 346-349.

[2] Brian Johnston: Metaforická struktura „Divoké kachny". Přel. Jaroslav Král. 1965. B: Henrik Ibsen: Divoká kachna. Program Národního divadla v Praze. 1993, c. 76-87.

символы положения, в котором очутился титан Бранд, задавленный церковной верхушкой. В заключительной сцене, происходящей в горном массиве, покрытом вечным снегом, поднимается к синему небу огромный журавль, становящийся синонимом угрожающей опасности, которую нужно преодолеть. Олицетворением свободы является в духе романтической традиции цыганка Герда. Только она оценивает под конец самоотверженную жизнь Бранда, сравнивая его с Христом. Желая уничтожить то, что она считает воплощением мирового зла, она стреляет в журавля (в «плохую» птицу). Падая, она срывает лавину, в которой Бранд погибает.

В отличие от этой романтической параболы, написанной каноническим размером европейского романтизма – четырехстопным ямбом –, пятиактная прозаическая пьеса *Дикая утка* (1884) несет целый ряд черт критического реализма. Ее действие происходит в трезвой мещанской среде, в доме предпринимателя Верле, достигшего своего имущества благодаря твердой предпринимательской морали. Символ утки имеет в пьесе целый ряд коннотаций. Грегерс, надломленный коллизией своих родителей, ненавидит отца за его поведение с матерью. Наподобие раненой утки он роется все глубже в слоях времени, открывая давно забытые события. Однако миф, лишенный таинства, теряет свою силу. Правда не освобождает его друзей, в чем он – идеалист и романтик – был убежден. Утопические представления о гармонических семейных отношениях, лишенных всякого притворства, в реальной жизни рухнут таким же образом, как в пьесе Л.Н. Толстого *Живой труп* (1900), герои которой напрасно пытаются подражать литературной фикции. С гораздо большей силой в драме звучит символ утки. Ибсен его связал с наиболее симпатичным лицом всей пьесы – с маленькой Гедвигой. Своим возрастом адолесцента она соответствует архетипу невинного ребенка, а также фольклорному мифу девственности. (Честная девушка наделена силой спасти своих возлюбленных.) Ее отчаянный поступок, шокирующий всех участников драмы, похож на все остальные катастрофы. Его сила постепенно теряется в безразличном токе времени. Несчастный отец уже на второй день после смерти дочери позволяет жене, которую хотел покинуть, чтобы она о нем заботилась. Его отвага уйти из уютного дома исчезает накануне осуществления собственного решения. Гибель дочери для него в будущем станет только извинением собственной неспособности.

Тема лишней смерти еще более выразительно изображена в пьесе А.П. Чехова *Чайка* (1896). Мотив птицы, предзнаменующей смерть, в пьесе все время меняется. В вводной и заключительной частях драмы этот мотив встречается в двойном реальном виде мертвой птицы и ее чучела – этой характерной насмешки над окончательностью смерти. Мотив чайки в пьесе появляется впервые в реплике Нины Заречной перед премьерой пьесы Треплева. Нина жалуется Треплеву, что родители ее не хотят отпускать в усадьбу Сорина, там ведь богема – а вдруг она пойдет в актрисы: «А меня тянет сюда к озеру, как чайку... Мое сердце полно вами» (13, 10). Уже в этой короткой фразе упоминаются три основных мотива пьесы с мифическим подтекстом. Первым из них является озеро, о волшебной силе которого говорит в заключительной сцене первого действия доктор Дорн, как будто бы объясняя слова Маши Шамраевой, признающей, что она безнадежно влюблена в Константина Треплева. На берегу озера, создающего великолепный фон пьесы Треплева о душе мира, разыгрывается основная завязка, основанная на сложном переплетении отношений трех любовных пар разных возрастов, которых объединяет та же самая диспропорция любовных увлечений, постепенно меняющихся в связи с переменой их ролей. Мнимо гармоническое отношение Кости и Нины рушится после провала пьесы молодого автора (см. слова Треплева во 2-м действии, после того, как он кладет к ногам удивленной Нины убитую чайку: «Женщины не прощают неуспеха»; 13, 27): Признаваясь, что он не может примириться с потерей любви,

Треплев свои ощущения выражает символически: «Ваше охлаждение страшно, невероятно, точно я проснулся и вижу вот будто это озеро вдруг высохло или утекло в землю» (13, 27). На берегу озера зрелый Тригорин очарован свежестью и изяществом молоденькой Нины. Однако достаточно того, чтоб новая пара очутилась в прозе большого города, как их отношения теряют всю очаровательную силу. Гармония нарушается точно так же, как в волшебных сказках про русалок, которые во имя любви к человеку отказались от своего бессмертия. Однако в отличие от них покинутая и несчастная Нина все продолжает любить. Единственным утешением для нее остается театр. Она добивается успеха ценой большого страдания.

Чайка появляется на берегу озера несколько раз в реальном виде. Впервые будучи жертвой отчаянного поступка несчастного Треплева. В тот момент она выполняет антиципационную роль (см. реплику Треплева, обращенную к Нине: «Скоро таким же образом я убью самого себя»; 13, 27). Второй раз она становится Тригорину сюжетом для короткого рассказа («[...] на берегу озера с детства живет молодая девушка, такая как вы; любит озеро, как чайка, и счастлива, и свободна, как чайка. Но случайно пришел человек, увидел и от нечего делать погубил ее, как вот эту чайку»; 13, 31/32.) Каждое высказанное слово наделено магической силой и поэтому претворяется в реальность – это характерный девиз модернизма. Белая чайка и белое платье Нины Заречной, взаимосвязь которых отмечает Тригорин в момент прощания с Ниной: «Я буду вспоминать. Я буду вспоминать вас, какою вы были в тот ясный день – помните? – неделю назад, когда вы были в светлом платье... Мы разговаривали... еще тогда на скамье лежала белая чайка» (13, 34).[3] Пророчески звучат слова из рассказа Тригорина, точное место которых по приказу Нины вырезали в дарственный медальон для писателя: «Если тебе когда-нибудь понадобится моя жизнь, то приди и возьми ее» (13, 41). В течение двух роковых лет, которые отделяют пьесу от четвертого действия, все это сбудется. Нина теряет своего ребенка и любовь, она с трудом ищет самую себя на сцене. Свои письма Треплеву она подписывает «Чайка». Однако, в конце концов, не она умирает, а Треплев. Его вторая попытка убить себя удалась. Чайка и озеро связывают всех протагонистов в тот же самый заколдованный круг, из которого нет выхода. Любовные пары не встречаются в любви, но на протоптанной дорожке привычки. Попытка Тригорина найти чистую любовь, на которую в юности у него не было времени, кончается нелепым разрывом любовных отношений с Ниной и продолжением стереотипной связи с Аркадиной, которая в Тригорине видит свой последний любовный шанс. Тригорин сам признается в недостатке воли. Тем самым он близок Хялмару Екдалу из *Дикой утки*. Однако в отличие от этого скандинавского Обломова или Манилова, которому полностью хватает только мыслить о своих будущих поступках, Тригорин прямо опьяняется творческой деятельностью. В этом Аркадина хорошо осведомлена. Она знает: достаточно, чтобы Тригорин стал думать о теме будущего произведения, – и все остальное отступит на задний план. Именно интерес Нины к творчеству Тригорина возбудил внимание писателя к молоденькой девушке, которая ему, конечно, приглянулась. Все эти очень тонко запечатленные психологические наблюдения, благодаря которым Чехов все всемя актуален, имеют второй метафорический план. Его структура прочерчена в мистической драме Треплева. Экзальтированный монолог соловьевской Души мира, вдохновленной библейским *Откровением Иоанна Богослова* и *Заратустрой*, а

---

[3] На автобиографический характер образа Тригорина, и в том числе на автоцитату рассказа Чехова *Соседи*, обращает внимание Илья Эренбург, пишущий о тогда известных прототипах пьесы. Похожий любовный роман с молоденькой певицей Ликой Мизиновой имел тогда друг Чехова писатель И.Н. Потапенко. См. Илья Эренбург: Перечитывая Чехова. В: Илья Эренбург: Собрание сочинений в 9 тт. Т. 6. Москва 1965, с. 171-174; D. Kšicová: Secese. Slovo a tvar. Brno 1998, c. 125/26, 245/46.

также дуалистической верой в равную роль Бога и дьявола, актуализированной на рубеже веков теософским учением Елены Блаватской и антропософией Рудольфа Штейнера, функционирует в пьесе сигналом душевного страдания всех главных протагонистов. Любовные пары трагически не встречаются; коллизией проходит также материнская любовь, над которой легко побеждает Эрос, мамон и карьера. Модернистический миф о соединении Мировой души в одной субстанции, которая способна стать равноценным противовесом демона отрицания – Дьявола, – открывается во всей своей утопической сущности.

В мир болезненно раненых душ могла принести надежду только сказка. Эту роль выполнил в русской среде автор из-за границы – сверстник Чехова Морис Метерлинк (1862–1949), который характерную для декадентства долю жестокости выразил в своих ранних пьесах. На рубеже 80-х – 90-х гг., когда нарастающий кризис fin de siècle выдвинул на передний план проблемы таинственности и неизвестности, возник целый ряд удручающих драм Мориса Метерлинка (*Принцесса Мален,* 1889; *Непрошенная, Слепые* – обе 1890; *Семь царевен*, 1891; *Алладина и Паломид*, 1894; *Смерть Тинтажила*, 1894; *Ариана и Синяя Борода,* 1896 и пр.). Уже в начале 90-х гг. Метерлинк стал широко известным за пределами Бельгии и Франции благодаря драме *Пелеас и Мелисанда* (1892), послужившей основой для создания нескольких музыкальных произведений (К. Дебюсси, А. Шёнберга, Я. Сибелиуса и др.). На рубеже столетий Метерлинка все больше притягивали психологические проблемы любви и ненависти, а также способность самопожертвования (*Монна Ванна*, 1902). Он стал автором целого цикла философских эссе (напр., *Мудрость и судьба*, 1898), посвященных проблемам познания и этики.

Из корреспонденции Чехова известно, насколько внимательно он следил за творчеством Метерлинка. В половине 90-х гг. во время работы над *Чайкой* он писал Суворину (2.11.1895) с определенной долей иронии: «Отчего Вы не попытаетесь поставить в своем театре Метерлинка? Если бы я был директором Вашего театра, то я в два года сделал бы его декадентским или старался бы сделать.Театр, быть может, казался бы странным, но все же он имел бы физиономию» (П. 6, 89).[4] Время для русских постановок Метерлинка тогда уже наступило. Московский частный театр Солодовникова поставил 10.12.1895 (режиссер М.В. Лентовский) одноактную пьесу Метерлинка *Тайны души.*[5] Интерес Чехова к творчеству Метерлинка не прекращался также в последствии[6], но особенно актуальным стал весной 1904 г. в связи с готовившейся постановкой трех одноактных пьес бельгийского автора на сцене МХТ. Пьесы *Слепые* (Les aveugles), *Непрошенная* (L'Intrus)[7] и *Там внутри* (Intérieur) были поставлены в переводе К.Д. Бальмонта, постановке К.С. Станиславского и в инсценировке В.А Суреньянца. Премьера состоялась 2 октября 1904 г.[8] – два с половиной месяца после смерти Чехова в немецком курорте Баденвейлере.

---

[4] Ср. Maria Deppermann: Dramaturgie der Stille – Čechov und Maeterlinck. Prolegomena zu einem Vergleich. In: Anton P. Čechov – philosophische und religiöse Dimensionen im Leben und im Werk. Hg. V.B. Kataev, R.-D. Kluge, R. Nohejl. München 1997, c. 151-174.

[5] M. Deppermann (указ. соч., с. 171) – в немецком переводе *Geheimnisse der Seele.* Автор предполагает, что в постановке было обьединено несколько одноактных пьес. В 6-м томе *Истории русского драматического театра* (Москва 1982, с. 276) говорится об одноименной пьесе Метерлинка *Тайны души* (*Там внутри*) как об одноактной пьесе, поставленной режиссером Карповым на сцене Александринского театра весной 1896 г.

[6] См. Deppermann, указ. соч.

[7] В русском переводе названия пьесы имеется женская форма.

[8] См.: Московский художественный театр. История русского драматического театра. Т. 7, 1898–1917. Москва 1987, с. 547.

Однако самой известной постановкой Метерлинка в Московском художественном театре была замечательная сказочная пьеса *Синяя птица* (L'oiseau bleu, 1908) в переводе В.Л. Бинштока и З.А. Венгеровой. Премьера состоялась 30 сентября 1908 г. В постановке К.С. Станиславского принимали участие в качестве вспомогательных режиссеров Л.А. Сулержицкий и И.М. Москвин, который был также одним из актеров. Сценическое оформление выполнил В.Е. Егоров. О тщательной подготовке этого спектакля свидетельствует посещение Станиславским автора в его парижском особняке. Русский режиссер его подробно познакомил со своей интерпретацией драмы.[9] Однако обещанное участие автора в премьере не состоялось. Вместо Метерлинка, удостоенного в 1909 г. Нобелевской премией, постановку видела в 1910 г. его жена, передавшая мужу, насколько спектакль ее захватил.[10] Таким образом случилось, что пьеса была впервые поставлена в Москве, а только год спустя, в 1909 г., осуществилась ее французская премьера. Постановка МХТа ставилась несколько десятилетий[11] в тех же самых модернистских костюмах, точное описание которых имеется в русском переводе пьесы.

В русском переводе пьеса имеет жанровое определение «Феерия в шести действиях, двенадцати картинах». Точно обозначается, где проходят отдельные картины: в хижине дровосека, у феи, в Стране Воспоминаний, в Дворце Ночи, в Лесу, на кладбище, перед занавесом, изображающим красивые облака, в Садах Влаженств, в Царстве Будущего и впоследствии опять дома. Порядок лиц соответствует последовательности, в которой отдельные лица появляются на сцене. Душой наделены все существа с мифическим подтекстом: часы, свет, тьма и все деревья – дуб, бук, вяз, тополь, сосна, кипарис, липа, каштан, береза, ива, дубок, плющ. Живыми существами становятся стихии: огонь и вода, а также пища – молоко, хлеб, сахар. Наряду с животными, которые детей окружают (пес, кошка, кролик, петух, свинья, конь, бык, вол, корова, коза, осел), в пьесе выступают также хищные звери – волк, медведь, типичные для сказок про животных. Наряду с типичной детской болезнью – насморком, появляется также Смерть. Ведь дети посещают своих усопших родственников – дедушку с бабушкой, окруженных их умершими братьями и сестрами. В Царстве Будущего они встречаются с еще не родившимися детьми. Жизнь, смерть и рождение становятся совсем естественными явлениями, с которыми нужно считаться. Большую роль поэтому играет образ Времени. В пьесе олицетворяются также ощущения – радость, страх, ужас, или блаженства, которые расположены по этической иерархии. Поскольку дети путешествуют в межпланетном пространстве, их окружают также олицетворенные звезды и планеты. В русском тексте имеется точное описание модернистских костюмов (напр.: «Душа Света одета в газовое платье лунного цвета, т. есть бледно-золотистое с серебряными блестками, от которых исходят лучи. Покрой новогреческий или же англо-греческий в духе Вальтера Крэна или же близкий к ампиру. Высокая талия, голые руки. Прическа – нечто вроде диадемы или даже легкой короны. Почти такой же костюм у Материнской Любви.»[12]).

Действие пьесы начинается в мифическое время – в сочельник – или же – соответственно русской традиции – в ночь на Новый год, потому что дети говорят о святочном деде, который им ничего не принесет, так как мама не успела сходить за ним в город. Сюжет развивается соответственно с традицией волшебных сказок. Переход в их мир сигнализируется приходом бедной старушки, которая превращается в прекрасную фею,

---

[9] См. известные воспоминания К.С. Станиславского *Моя жизнь в искусстве.*

[10] Pavel Klein, Danuše Kšicová: Symbolismus na scéně MCHAT. Režijní koncepce K.S. Stanislavského. Brno 2003, с. 102-110, 125/26.

[11] Дата последнего спектакля 31.12.1954 не соответствует действительности, так как я сама смотрела спектакль в оригинальной постановке еще 1.5.1970 г. и восхищалась его свежестью. Пьеса потом ставилась еще примерно 15 лет.

[12] Морис Метерлинк: Синяя птица. Обручение. Пьесы. Перевел Н.М. Любимов. Москва 1972, с. 5.

вместе со всеми олицетворенными вещами и с животными, начинающими говорить человеческой речью. Мифическое время кончается в момент перехода сна в действительность. Метерлинк этот момент в отличие от сюрреалистов, а также русских символистов[13], несколько раз отмечает, оставаясь, таким образом, верен реалистической традиции.

Мифическая линия пьесы Метерлинка исходит большей частью из христианского учения. Это касается прежде всего его поэтического изображения преднатальной и посмертной жизни человеческих душ. Определенные параллели имеются однако также с учением Рудольфа Штейнера, убежденного в том, что «душа составляет звено между туловищем и духом» (*Теософия,* 1904).[14] После смерти душа вступает в духовный мир, закономерностям которого она следует (94/95). Образ Мировой души, созданный Чеховым в *Чайке,* соответствует учению Владимира Соловьева и его понятию прекрасного, развивающему девиз Достоевского «красота спасет мир».[15] Русская софиология довольно резко отличается от своего греко-византийского источника. В то время как символом византийского образа Божьей мудрости является яркий, все проникающий свет, у восточных славян его заменяет образ прекрасной женщины.[16] Недаром Душу мира исполняла в драме Треплева молоденькая, полная юношеской прелести Нина Заречная.

При сравнении *Чайки* с *Синей птицей* бросаются в глаза прежде всего сходства в символике из мира животных, почерпнутые из *Библии* и Ницше. Вспомним изображение Престола на небесах в *Откровении святого Иоанна Богослова*: «И пред престолом море стеклянное, подобное кристаллу; и посреди престола и вокруг престола четыре животных, исполненных очей спереди и сзади. И первое животное было подобно льву, и второе животное подобно тельцу, и третье животное имело лицо, как человек, и четвертое животное подобно орлу летящему» (гл. 4, стих 6).

В самой популярной книге Ницше *Так говорил Заратустра* (1883-85) философ уходит в возрасте тридцати лет в горы, где в течение десяти лет живет уединенно в пещере. Спускаясь затем в долину, он несет дохлого пса – символ наибольшего унижения. По пути он встречается с орлом, вокруг шеи которого обвивается его подружка змея. Тот же мотив служит украшением палки, которую Заратустре подарили его ученики. Впоследствии этот символ становится средством характеристики мира животных, не портивших, в отличие от человека, чистый воздух (*Песнь тоски*, 257). Спускаясь в долину, Заратустра постепенно встречается с базарными мухами и с ядовитыми пауками (*О тарантулах*). Знаменитых мудрецов Ницше сравнивает с вьючными животными, тянувшими, как ослы, повозку народа. «Они не орлы: поэтому не испытали счастья в испуге духа. И кто не птица, не должен парить над пропастью» (91/92). Очарованный танцем девушек, он поет песню о жизни, подобную речи рыб, которая непостижима (*Песнь-пляска,* 94/95). Его тяжелое бремя не станет тяжелее, если жуки и мухи сядут на его ношу (*О стране культуры*, 106). Символ насекомого встречается уже в 3-й части *Предисловия Заратустры*, когда речь идет о генеалогии человека, совершившего путь от червя и от обезьяны к человеку, в котором однако осталось многое от них обоих

---

[13] Свободный переход от сна к действительности, характерный для разных авангардных течений вплоть до постмодернизма, зарождается уже в символизме. Характерным примером является *Огненный ангел* (1908) В. Брюсова. Тот же прием впоследствии употребляет М. Булгаков в романе *Мастер и Маргарита* (1934-36; 1987).

[14] Rudolf Steiner: Theosophie. Einführung in übersinnliche Welterkenntnis und Menschenbestimmung. Stuttgart 1922, c. 61. Дальше приводится страница в тексте.

[15] См. B.C. Соловьев: Вторая речь. Сказана 1 февраля 1882 г. Три речи в память Достоевского (1881-83), в которых Соловьев занимался подробным анализом этики и эстетики Достоевского. В: B.C. Соловьев: Литературная критика. Москва 1990, с. 48.

[16] Duše Ruska s Tomášem Špidlíkem: Kostelní Vydří. Karmelitánské nakladatelství 2001, c. 83.

(12). В этом контексте Ницше говорит также о взаимоотношении души и тела, которые полны пороков. Их очищения можно достичь лишь с помощью сверхчеловека (12/13). Амбивалентное значение имеет в поэме Ницше лев. Он является одновременно символом скрытой опасности, угрожающей человеку (2-е стихотворное приложение), и животным, способным на сострадание (в заключительной части поэмы могучий лев беспрестанно лижет слезы, падающие на руки Заратустры, на плечи которого в то же время садятся голуби; *Знамение*, 283).[17]

Пьеса Треплева, прозвучавшая со сцены, устроенной на берегу ночного озера, начинается с перечня людей, львов, орлов и куропаток, рогатых оленей, гусей и пауков, молчаливых морских рыб и звезд, и тех, которых нельзя было видеть глазом, – словом, всех угасших жизней. В лучах напрасно сияющей луны не просыпаются с криком журавли и майских жуков не слышно в липовых рощах. Сознания людей, слившихся с инстинктами животных, стали единой частью общей мировой души, которая, таким образом, становится прямой противоположностью Святого Духа, зажигающего жизнь в каждом человеке. Наподобие мотивов волшебных сказок, Мировая душа имеет право говорить только раз в сто лет. За ее поведением следит отец вечной материи, дьявол, постоянно производящий обмен атомов, чтоб не возникла новая жизнь. Оптимистическое предчувствие момента, когда мировая душа одержит победу над Дьяволом, вследствие чего материя и дух сольются в гармонии прекрасного, совершится лишь через ряд тысячелетий, в течение которых земля и месяц и другие планеты погибнут. Поэтика монолога свидетельствует о том, что образцом Чехову послужили скорее жанры романтической и новоромантической поэмы, чем драма. Лишь образ пленника, брошенного в пустой глубокий колодец, напоминает гауптмановскую пьесу *Потонувший колокол* (1896). Образом дьявола – единого обитателя страны, утопающей в вечном молчании, пьеса близка стихотворению в прозе Э.А. По *Молчание* (*Silence*, 1837). Ее переводчиком был в 90-е гг. К.Д. Бальмонт, включивший в 1895 г. произведение в сборник своих переводов американского романтика.[18] Философская категория мировой воли подтверждает, что Чехов хорошо знал Ницше и Шопенгауэра, которых он читал, будучи гимназистом.

Сказка Метерлинка, возникшая десять лет спустя, имеет в связи с избранным жанром более оптимистический характер. Мотив животных, сопровождающих путешествующих детей, заимствован из жанра сказок о животных, ушедших в лес. Их отдельные архетипические характеристики, однако, соответствуют скорее жанру басни, чем сказки. То же самое касается персонифицированной пищи. Мотив смерти, предзнаменованный пьесой Треплева и постепенно все с более удручающей силой вступающий в ход событий *Чайки,* в сказке Метерлинка гораздо ласковее. Хотя в *Синей птице* также встречается мотив ужаса (встреча детей с освобожденными призраками, с деревьями и животными, угрожающими им гибелью), посещение детьми мира усопших проходит мирно. Культ мертвых отразился в идиллической встрече детей с дедушкой, бабушкой и их мертвыми братьями и сестрами, оживающими, когда дети о них вспомнят. Оптимистически кончается приход детей на деревенское кладбище. Мертвые остаются частью жизни семьи. Они напоминают, насколько важна память о прошедшем. Характерна реплика Тильтиля на вопрос маленькой Митил, где же мертвые? Тильтил ей отвечает: «Мертвых нет...».[19]

---

[17] Все цитаты и указания по изданию: Фридрих Ницше: Так говорил Заратустра. Москва 1990.

[18] Поэма *Молчание* была позже включена в бальмонтовский перевод *Собрания сочинений* Э.А. По, Т. 1. Поэмы, сказки. 1901, с. 1-54. См. Д. Кшицова: Бальмонт и Э.А. По; Danuše Kšicová: K.D. Balmont, Duše Českých zemí ve slovech a činech. Brno 2001, с. 305-322.

[19] Морис Метерлинк: Синяя птица, с. 97.

С этической точки зрения интересна поэтическая парабола Метерлинка. В Садах блаженств являются самыми низкими Тучные Земные Блаженства, обеспечивающие богатство. Об этом Шопенгауэр говорит: «Нет пустейшего пути к счастью, чем разгульная жизнь (high life) в большом свете, так как ее целью служит перемена нашего жалкого существования в бег праздных развлечений и пустых забав, вслед за которыми очень быстро наступает разочарование [...].»[20] Так как главными действующими лицами сказки являются дети, последуют вслед за Тучными Блаженствами беззаботные Детские Блаженства и Материнская Любовь.

Основным связующим звеном между приведенными пьесами Чехова и Метерлинка является символ птицы. Однако его роль в обоих произведениях довольно различна.

В то время как чеховская чайка сохраняет мифологическую связь со смертью, сказочная птица Метерлинка, заимствовавшая от Новалиса синий оттенок своих перьев, полна таинственности. В ней кроется величайшая Тайна бытия и счастья. Никак не удивительно, что Синей птицей в конце концов является горлица, которая находится в клетке дома у детей. В сером освещении зарождающегося зимнего дня она действительно приобретает синий оттенок. Этическая основа сказки берет свое начало от древних идиллий и от мудрости древних, выраженной в лучшем произведении чешского мыслителя Яна Амоса Коменского *Лабиринт мира и рай сердца* (1623).

Обе пьесы связывает и исключительная роль, которую они сыграли на сцене Московского художественного театра. Постановка *Чайки* стала блестящим entré начинающего МХТа, навсегда запечатлевшего этот момент употреблением соответствующей эмблемы. Чехов стал из провалившегося в Александринском театре автора лидером современной русской драматургии. Специфика поэтики его пьес, во многом связанная со стилем модерн[21], была открыта К.С. Станиславским, объединившим натурализм с т.н. «скрытым течением», из которого растут все остальные части спектакля.[22] Постановка *Чайки* была первым сигналом начала символистического этапа МХТа, в котором важную роль сыграла также драматургия Ибсена и Метерлинка. Ибсеновские пьесы ставились МХТом почти ежегодно, привлекая внимание Чехова, который за творчеством норвежского драматурга следил с конца 80-х гг., когда сам стал писать пьесы.[23] Несмотря на то, что постановка трех упомянутых метерлинковских одноактных пьес в

---

[20] „Kein verkehrterer Weg zum Glück, als das Leben in der großen Welt, in Saus und Braus (high life): denn es bezweckt, unser elendes Dasein in eine Succession von Freude, Genuß, Vergnügen zu verwandeln, wobei die Enttäuschung nicht ausbleiben kann; so wenig, wie bei der obligaten Begleitung dazu, dem gegenseitigen einander Belügen.“ (Arthur Schopenhauer: Aphorismem zur Lebensweisheit. Leipzig 1920, c. 133).

[21] Petr Wittlich: Česká secese. Praha 1982, c. 13; D. Kšicová: Secese. Slovo a tvar, c. 120-127.

[22] О его записных книжках режиссера см. Klein, Kšicová: Symbolismus na scéně MCHAT, c. 28.

[23] Интерес А.П. Чехова к драматургии Генрика Ибсена был уже не раз предметом научного исследования, хотя прямых высказываний русского писателя о знаменитом норвежском драматурге не так уж много. Они ограничиваются несколькими замечаниями Чехова в его корреспонденции, которые пополняются воспоминаниями его современников. Драматургии Ибсена касаются несколько высказываний Чехова в связи с постановками пьес норвежского драматурга на сцене МХТа. Чехов принимал участие в репетициях *Дикой утки* и был на ее премьере 19 сентября 1901 г. МХТовская постановка его не удовлетворяла. Ср. его письмо к Л.В. Средину от 24 сентября 1901 г. (П. 10, 83/84). К.С. Станиславский вспоминает, что Чехов «не мог смотреть без улыбки» на исполнение старика Экдаля А.П. Артемом. См.: А.П. Чехов в воспоминаниях современников. Москва 1960, с. 398. Несмотря на это, он пишет 30 октября 1901 г. О.Л. Книппер-Чеховой в связи с благоприятными отзывами о Художественном театре, чтобы ставили *Дикую утку* (см. там же, с. 101). В связи с пьесой *Столпы общества* (премьера состоялась 21 февраля 1903 г.) Чехов обращается 7 ноября 1903 г. к А.Л. Вишневскому с просьбой достать для него билет на этот спектакль. Тогда же он прямо пишет: «Вы знаете, Ибсен мой любимый писатель» (П. 11, 299). См. Д.М. Шарпкин: Ибсен в русской литературе (1890-е годы). В: Россия и Запад. Из истории литературных отношений. Ленинград 1973, с. 269-303; Nils Å. Nilsson: Ibsen in Russland. Stockholm 1958.

октябре 1904 г. не была успешной, она дала толчок к перемене направления театра, устремившегося на поиски новых форм. Они проявились успехом *Игры жизни* К. Гамсуна и *Жизни человека* Л. Андреева (обе постановки состоялись в 1907 г.). Вершиной символистического периода МХТа стала год спустя необыкновенно успешная модернистская постановка *Синей птицы*. Употребление орнитологической символики Ибсеном, Чеховым и Метерлинком и разновидности ее поэтической функции в их пьесах помогает одновременно более точно определить генеалогию европейского символизма в три главных этапа его существования – с западноевропейского зарождения в половине 80-х гг. – через его формирование в русской среде в половине 90-х гг. – вплоть до кульминации в первое десятилетие XX века.

Литература

Иванов, В.В.; Топоров, В.Н.: Птицы. В: Мифы народов мира. Энциклопедия. Т. 2. Москва 1988, с. 346-349.

Метерлинк, Морис: Синяя птица. Обручение. Пьесы. Перевел Н.М. Любимов. Москва 1972.

Московский художественный театр. История русского драматического театра. Т. 7, 1898–1917. Москва 1987.

Ницше, Фридрих: Так говорил Заратустра. Москва 1990.

Соловьев, В.С.: Вторая речь. Сказана 1 февраля 1882 г. Три речи в память Достоевского (1881-83). В: В.С. Соловьев: Литературная критика. Москва 1990, с. 35-58.

Топоров, В.Н.: Яйцо мировое. В: Мифы народов мира. Энциклопедия. Т. 2. Москва 1988.

А.П. Чехов в воспоминаниях современников. Москва 1960.

Шарпкин, Д.М.: Ибсен в русской литературе (1890-е годы). В: Россия и Запад. Из истории литературных отношений. Ленинград 1973, с. 269-303.

Эренбург, Илья: Перечитывая Чехова. В: Илья Эренбург: Собрание сочинений в 9 тт. Т. 6. Москва 1965, с. 171-174.

Deppermann, Maria: Dramaturgie der Stille – Čechov und Maeterlinck. Prolegomena zu einem Vergleich. In: Anton P. Čechov – philosophische und religiöse Dimensionen im Leben und im Werk. Hg. V.B. Kataev, R.-D. Kluge, R. Nohejl. München 1997, c. 151-174.

Duše Ruska s Tomášem Špidlíkem: Kostelní Vydří. Karmelitánské nakladatelství 2001.

Johnston, Brian: Metaforická struktura „Divoké kachny". Přel. Jaroslav Král. 1965. B: Henrik Ibsen: Divoká kachna. Program Národního divadla v Praze. 1993, c. 76-87.

Klein, Pavel; Kšicová, Danuše: Symbolismus na scéně MCHAT. Režijní koncepce K.S. Stanislavského. Brno 2003.

Kšicová, D.: Secese. Slovo a tvar. Brno 1998.

Kšicová, Danuše: K.D. Balmont, Duše Českých zemí ve slovech a činech. Brno 2001, c. 305-322.

Nilsson, Nils Å.: Ibsen in Russland. Stockholm 1958.

Schopenhauer, Arthur: Aphorismem zur Lebensweisheit. Leipzig 1920.

Steiner, Rudolf: Theosophie. Einführung in übersinnliche Welterkenntnis und Menschenbestimmung. Stuttgart 1922.

Wittlich, Petr: Česká secese. Praha 1982.

II. ČECHOVS DRAMATISCHES SCHAFFEN

II.1. Struktur

Harai Golomb

Dramaticality, Theatricality and Dual Fictionality in Čechov's Major Plays

> I have finished with the play; the title is *The Seagull.* [...] Generally speaking, as a dramatist I am minor-league.
>
> I began it *forte* and ended it *pianissimo,* contrary to all the rules of dramatic art.
> [...] It has turned into a novella.[1]
> [...] I am **not at all** a dramatist.[2]

0. Introducing the Subject: Is Čechov "not-at-all" a Playwright?

This study is concerned with the concepts of Dramaticality and Theatricality and their applicability to particular qualities of Čechov's writing for the stage (with the four major plays in mind). In discussing Čechov's Drama[3], this may be *the* major topic on the level of general principle and theory, since it touches the very core and substance of the Čechovian phenomenon in Drama and Theatre, by asking two mutually-complementary basic questions: 1) What is the uniqueness of Drama – i.e., the corpus of plays[4] – within the entire Čechovian corpus (mainly as opposed to his narrative prose)? 2) What is the uniqueness of Čechov within a more comprehensive corpus of world (or at least European) Drama? These questions can be subsumed under a general one : What makes plays (in general, and a Čechov play in particular) 'dramatical' or 'theatrical'?[5]

---

[1] In the Russian original, "вышла повесть"; Senelick's (see note 4) "a *novella*" sounds to me better than some alternatives ("novel", "story"), suggested by other translators. Perhaps "a narrative" is even better.

[2] Excerpts from two of Čechov's letters dated November 1895; quoted with minor changes from two sources: 1. Letters on the Short Story, the Drama and Other Literary Topics by Anton Chekhov. Selected and edited by Louis S. Friedland, with a Preface by Ernest J. Simmons. London: Vision, 1965, p. 146; 2. Anton Chekhov's Selected Plays. Translated and edited by Laurence Senelick (A Norton Critical Edition). New York, London: W.W. Norton & Company, 2005, p. 413 (emphases mine – H.G.).

[3] In this study Drama capital D denotes (a) an entire corpus of plays; (b) the phenomenon and corpus of written plays as a whole. See note 13 below.

[4] Writing in 2006 in English about Čechov's plays one cannot ignore the monumental contribution to English-language Čechoviana of two volumes devised by Prof. Laurence Senelick – 1) The 2005 volume cited in note 2 and 2) The Complete Plays of Anton Chekhov. Translated, edited and annotated by Laurence Senelick. New York, London: W.W. Norton & Company, 2006 – which together constitute Senelick's new translations of the corpus of plays and their variants in its entirety, as well as rich annotations, commentary, and critical apparatus. I have consulted this new translation for the textual examples in this article, but have not always adhered to it; rather, I have concocted my own versions, based on numerous existing English versions, and occasionally newly proposed ones. About the general problem of writing on Čechov in and through English, see "A Note on Translation", in: Beverly Hahn: Chekhov: A Study of the Major Stories and Plays. Cambridge, London, New York, Melbourne 1977, pp. ix–xiii.

[5] The distinction between the concepts of 'Drama' and 'Theatre' (and their derivative adjectives) is obvious, and will be observed below; but in this introductory stage I treat them interchangeably, since both are opposed to

These questions have been asked in various ways and forms in the literature.[6] Čechov himself, in letters[7] and occasional comments (see mottos above), shared in writing some of his critics' views in regarding his dramatic works as 'non-plays'. He hardly ever criticised his work as a storyteller so harshly (and it should be noted that these self-criticisms belong to the earlier years of his work for the stage).[8] In trying to address these issues anew, the present discussion dwells on the interface between the specificity of Čechov's poetics (as opposed to other masters) and the specificity of Drama as a whole (as opposed to other literary super-genres[9] and other arts). Though the express aim of this study is to contribute to Čechov studies more than to a general theory of Drama and Theatre, some generalisations in the latter field are not avoided.[10] At this stage suffice it to say that, for the purpose of this study, a) Drama is one of the three super-genres of literature (see note 9), and b) theatre is the art of presenting (and/or performing/interpreting/producing) Drama on stage. The terms *Dramaticality* and *Theatricality* are obvious, self-explanatory derivatives.

This, then, is the main question of the present study: Was Čechov justified in branding himself as "not-at-all" a playwright, or at most a "minor-league"[11] one – a view echoed by others throughout the decades? Are Čechov's plays really 'non-Dramatic' fictional narratives, written only technically[12] as plays? Would they not fare better if consumed by readers rather than spectators? Or, in other words: should directors, actors and audiences bother with them? Or maybe, rather, they are suitable precisely and emphatically to the theatre stage, irreducible to any other art or medium, untellable as narratives without losing something crucial in their very essence? The reader of this study can guess already at this stage that my answer is 'no' to the first questions and 'yes' to the last one, but these are not "it goes without saying" kind of answers. They do require discussion and substantiation.

1. Different Senses of "Drama" and "Dramaticality"

The Čechov-specific questions and the general-theoretical ones posed above should preferably be discussed together: only after clarifying what distinguishes Drama from other types of

---

literature and narrative, on the one hand, and to nonverbal staged-performative art (e.g., dance, mime) on the other hand.

[6] A note about references and academic credit and indebtedness is called for. Bearing in mind the vastness of the literature on Čechov and on the theoretical subjects relevant to this study, it is impossible for the writer (and cumbersome for the reader!) to give credit to everything remembered, to remember everything read, or to read everything relevant. The works mentioned in this study are not the only ones that should have been there, and I regret every individual omission, though the bulk of omissions is, once again, inevitable.

[7] References to and quotes from Čechov's letters are drawn from the volumes edited by Louis Friedland and Laurence Senelick (see notes 2 and 4), sometimes with very few minor changes.

[8] One of the reasons for this difference between the ways Čechov viewed himself as a playwright and as a storyteller may be the relative rigidity of time-honoured prescriptive norms and conventions in the tradition of Drama, opposed to the relative flexibility of analogous norms in the traditions of narrative fiction. The writing of prose fiction was never subjected to the kind of tyrannical rules that seem to have inspired and constrained dramatists. Čechov often disobeyed them in practice, but rarely backed his own practices wholeheartedly in terms of theory and artistic ideology.

[9] I use the term *super-genre* because if tragedy, the sonnet, and the novel, for instance, are genres, then Drama, Poetry and Narrative Prose are their respective 'super-genres'.

[10] I am indebted to several basic studies and text-books in the theory of Drama and Theatre, and particularly to the seminal study by Manfred Pfister: The Theory and Analysis of Drama. Translated from the German by John Halliday. Cambridge 1988 (originally published in German in 1977), for comprehensive views of rudimentary theoretical issues I discuss here, though I cannot acknowledge every point inspired by one study or another.

[11] In the Russian original "я драматург неважный"; this apt English version is Senelick's; Friedland's version is "I am a poor dramatist".

[12] That is, with the text divided between *répliques* of direct speech attributed to speakers. See note 22.

writing can we have a more solid ground for determining whether Čechov was the poor storyteller that struts and frets his writing for the stage that he claimed to be. To answer the general questions we must first distinguish between two separate ways in which the noun *Drama* and the adjective *dramatic(al)*, and their derivatives, are used: everyday usage, applied to real-life events and situations (for this study, Sense A of the word), and technical-professional usage (Sense B), applying within the fields of literature and theatre. Another sense (C), derived from (B), is "a single work of Drama", i.e., a single play.[13]

1.1. Sense A ("Dramas" in Life): Past and Present[14]

What, then, do we mean in everyday life when we use of the noun *Drama* and the adjective *dramatic* to create familiar phrases like "the 'drama' of the recent elections", or "the 'dramatic' events in the courtroom"?

Originally, in ancient Greek, *drama* meant something close to *action*, or even *deed*; its application to the field of theatre, denoting *a play*[15], occurred already in the original Greek.[16] The strong, ancient bond between the concepts of *action* and *activity* in life and on the theatre stage[17] is hardly observed in modern European languages: each of them has its own word(s) for *action*, whereas the term *Drama*, unchanged and untranslated, universally applies to verbal texts designed to be acted in a theatre, while its original literal sense as *action* in reality has been practically lost.[18]

To recapitulate: this imaginary pendulum-movement in the semantic development of *Drama* has had three phases:

Phase 1. In its ancient Greek beginning, the meaning of the word was transferred from 1) *action* in the world of reality, via 2) the *mimetic imitation*, or *re-enactment* of such action in the fictional world of staged reality (and/or its literary preservation in writing) into 3) purely literary-theatrical meanings, 'forgetting' or at least replacing the original real-life sense (1).

[13] In this study and for its purposes only, Sense A will be marked by small d and quotation marks (i.e., "drama", "dramatic"), whereas Sense B will be marked by a capital D (Drama, Dramatic etc.). Sense C is marked by small d (both latter senses are without quotation marks). *Drama* is italicised when its terminological/lexicographical status is discussed.

[14] The etymological and semantic discussion here is based on entries in several dictionaries, lexicons and encyclopaedias.

[15] Another, derivative sense of *drama* – meaning a 'serious' play, a near-synonym of *Tragedy* and a near-antonym of *Comedy* – is deliberately ignored in the present study; it blurs issues and distinctions, contradicts and undermines other uses, and is basically superfluous since the term *Tragedy* can accommodate it, albeit with some historical, semantic and referential extensions or exceptions. It should be noted though, that this sense of *Drama* was prevalent in Russia, and Čechov himself adopted it advisedly, when he consistently avoided the term *Tragedy* as generic subtitle to any of his plays. Indeed, Čechov's oeuvre and poetics are the explicit object of this study; yet, it is concerned with the interface between the Čechov phenomenon and basic phenomena, principles and concepts in the theory and analysis of Drama as a whole. For this purpose it is best to ignore the sense of *Drama* discussed in this footnote, though it is the sense in which Čechov himself was likely to use this word. Moreover, this usage blurs the distinction between senses A, B, and C, which is central to the present study.

[16] An analogous example can be found in the etymology of *Opera*, which originally meant a *work* or *piece* (in the artistic sense), and later became more restricted in its meaning, referring exclusively to the art that we call today by that name, and to any single work of that art (e.g., when we say: "In Opera singing stands for talking"; "*La Traviata* is an opera by Verdi", etc.).

[17] One can think of the senses and uses of nouns and verbs derived from *act* and *play* in English (*to act, an actor, the acting profession*; *to play, a play, a player*, etc.) and similar phenomena in other languages, as additional proofs of this bond.

[18] An exceptionally intricate case of Art-Reality interactions in Čechov is discussed in my article: Referential Reflections Around a Medallion: Reciprocal Art-Life Embeddings in Chekhov's *The Seagull*. In: Poetics Today 21 (2000) 4, pp. 681-709.

This way *drama* has acquired two senses, as described above: the entire corpus of written, usually fictional, plays (Sense B); a single play (Sense C).[19]

Phase 2. It is in these two latter senses that *Drama* has been accepted and adopted as an international term, functioning as the basic, literal usage of the word in most, if not all, European languages, and many others.

Phase 3. Only in the aftermath of this process has the word been gradually re-used in modern languages to denote certain types of actions and events in reality (Sense A), which – though not taking place literally on the theatre stage – have certain qualities that make it, albeit indirectly and figuratively, 'suitable for presentation on stage'. These qualities typically include, *inter alia*, contrast and/or conflict (see note 36); intensity/intensification; high concentration; immediacy and/or simultaneity (or, at least, proximity in time and place); suddenness; climactic effect, or at least a quick and relentless build-up, usually of suspense, culminating in such a climactic effect; and maybe first and foremost – in close connection to everything just said – an effect of extraordinary importance, significance, even fatefulness: it is highly improbable that anything experienced as negligible, trivial, ordinary, or insignificant[20], would be identified with an intense climax, or even lead to one.

And, indeed, it is hardly conceivable that the term *dramatic* would be applied to relationships between people, events, or phenomena, if they are remote from each other in time and/or place; likewise, an everyday event like having a daily meal or tying one's shoelaces is unlikely to be labelled "dramatic", unless a unique context justifies such a label, in which case it would be a "dramatic" use of the term itself. By contrast, "dramatic" would be accepted as the most natural, even trivial, word to use, if applied to matters of life and death, sharp conflicts, and other intense, fateful events and phenomena. It has to be borne in mind, though, that this usage in everyday language (Sense A) is the figurative one, whereas the Dramatic-literary usages (Senses B and C) are perceived as literal: this is a case where, contrary to the 'normal' state of affairs, reality borrows a sense from art, rather than the other way around.

1.2. Senses B and C (Drama as 'Super-Genre'; dramas as plays) in Relation to A

Written Drama, then, in its literal senses, is characterised by the following two basic features: a) in its construction, its texts predominantly consist of direct speech spoken by fictional personages[21], and is divided[22] on the page between speeches (*répliques*)[23] spoken by such personages; b) in its purpose, it is a text printed on page but designed to be spoken on stage by actors playing the roles of such personages.

We are so accustomed to both modern usages of "Drama(tic)" – the literal and the figurative – that we take the link between them for granted, as if it is trivially obvious that Drama (and dramas) ought to be "dramatic", i.e., intense, exciting, concentrated, focussed, con-

---

[19] In English Sense B is used without an article and Sense C with an article (definite or indefinite, according to context).

[20] See Cathy Popkin: The Pragmatics of Insignificance: Chekhov, Zoshchenko, Gogol. Stanford/Cal. 1993, pp. 19-51, for a comprehensive presentation of the dichotomy between the significant and the insignificant with special reference to Čechov.

[21] I use the term *personage* rather than *character*, because the latter has additional meanings (as in *character-trait, graphic/printed character*, etc.). I much prefer this term to Pfister's (or, rather, his translator, John Halliday's – see note 10 above) choice of *Figure*, explicitly designed to solve the same problem. See pp. 160-195 in his book.

[22] The division of a text on the printed page between personages is as characteristic of Drama as a text's division between verse-lines is characteristic of Poetry/Verse. As a result, the printed texts of verse-Drama are divided both between personages (i.e., into *répliques*) and between verse-lines.

[23] In the absence of a proper English term I am resorting to this French one (there are versions in other languages, such as *Replik* in German and *replika* in Russian), to denote a Dramatic speech, i.e., the text spoken by one personage until interrupted by another personage (in dialogue), or by a nonverbal event (including pause or silence).

flictual, etc. Yet, this is far from foregone conclusion. The questions that present themselves here are: 1) Are there any "dramas" (i.e., "dramatic" phenomena) outside Drama? 2) Are there dramas (i.e., plays) devoid of "drama"?

As for question 1), the obvious answer is "yes": there are "dramas" outside the Drama, not only in real life (the very existence of Sense A is proof of this), but also in non-Dramatic literature: poetry and narrative fiction abound in "dramatic" texts. Many poems (ballads and Dramatic Monologues come to mind first, but there are plenty of others) and novels abound in "dramatic" qualities and components, thus indicating that the formal division of a text between *répliques* is not a precondition for creating superbly-"dramatic" works of literary art. As for question 2), Čechov's plays, *inter alia*, represent a kind of Drama in which overt "dramas" are relatively few and far between, or at least hidden to the extent that their very existence is in doubt (the rest of this study is largely devoted to an exploration of this issue).

To conclude: granted, "drama" is more typical of Drama than of the other super-genres; yet the two are far from identical. Moreover, as we shall see, Drama has at least one truly distinctive feature, but it is *not* "drama".

2. Čechov's Drama and the Non-"Dramatic"

2.1. Preliminary Considerations

Indeed, the demonstrably incorrect theoretical generalisation as if Drama and "drama" are inseparably linked is the basis for the allegation that Čechov's *dramas* are not a real part of the super-genre of *Drama*, because they are not real *"dramas"*. This allegation, unfortunately and unjustifiably legitimised by the author himself (as we have seen), was also espoused by some of his compatriots and contemporaries.[24] Nobody can deny that Čechov's plays are dramas, technically speaking; the said allegation is based, then, on confusing Senses A and B, indiscriminately imposing the former on the latter.

At the time, this was understandable: the aesthetic ideal of fusion and confusion between the three senses of *drama* reigned supreme in pre-Čechov Drama. This is the main reason for the critical canonisation of Aristotle's famous "three unities" (time, place, and action) as normative rules for writing and evaluating dramas. No rules of comparable strictness were ever imposed on narrative fiction or poetry (prosodic and generic norms in poetry – e.g., rhyming schemes of sonnets – are different kinds of imposition on a text, encroaching on the freedom of thematic and semantic choice to a much lesser degree).

Indeed, these Unities promote the cause of "dramaticality" in its figurative everyday senses, as described above; specifically, they facilitate the creation and functioning of intense conflicts, yielding climactic showdowns and/or resolutions. The artistic selection of personages and events was also motivated in most pre-Čechov Drama by preference for concentration and intensity: personages in classical Drama were mostly 'important' people engaged almost exclusively in 'important' things; in pre-Čechov 'realistic' Drama they could already be 'unimportant' people, but still typically engaged in 'important' things.[25] They would not

---

[24] Many studies of Čechov's biography and the history of his stage work quote such reactions of his contemporaries. Tolstoj's was perhaps the most notorious one: he reportedly said that Shakespeare's plays are bad enough, but Čechov's are even worse. An illuminating account of negative responses to Čechov by his compatriots can be found in Simon Karlinsky: Russian Anti-Chekhovians. In: Russian Literature XV (1984), pp. 183-202.

[25] For the moment I am using the debatable concept of 'importance' loosely and intuitively, though not arbitrarily: in this context 'important *people*' are mainly rulers (or army chiefs, like Othello) of a country or city-state, who do things with words, most literally (their verbalised wish is everybody's command), and cannot 'waste' words on routine matters; the 'importance' of *things* will be clarified for the purpose of this discussion in the following paragraphs.

waste precious stage time on routine eating and drinking, humming a silly tune, reading repeatedly mundane newspaper items, or having an idle conversation on what is regarded intuitively as trivialities and irrelevancies (all these actions are in fact performed on stage by Čechov's personages). Rather, they would deal with matters crucial, or at least relevant, to their own fates and/or the fates of other personages, to the advancement of the plot, and/or to matters of importance for human collectives (societies, nations, generations, even humanity as a whole).[26] To conclude: in non-comic Drama[27] before Čechov "drama" (Sense A) and Drama (Sense B) were tightly linked: whatever fails to instigate "drama" was not worthy of inclusion in Drama, or in any single drama, i.e., in a play.[28]

2.2. Balzac's Wedding in Berdichev: Textual Integration and (In)Significance

Let us examine a short passage (with slight omissions) from Act II of *Three Sisters*, and check it for "dramaticality".

> Вершинин. Все-таки жалко, что молодость прошла...
> Маша. У Гоголя сказано: скучно жить на этом свете, господа!
> Тузенбах. А я скажу: трудно с вами спорить, господа! Ну вас совсем...
> Чебутыкин *(читая газету)*. Бальзак венчался в Бердичеве.
> Ирина напевает тихо.
> Даже запишу себе это в книжку. *(Записывает.)* Бальзак венчался в Бердичеве. *(Читает газету.)*
> Ирина *(раскладывает пасьянс, задумчиво)*. Бальзак венчался в Бердичеве.
> Тузенбах. Жребий брошен. Вы знаете, Мария Сергеевна, я подаю в отставку.
> Маша. Слышала. И ничего я не вижу в этом хорошего. Не люблю я штатских.
> Тузенбах. Все равно... *(Встает.)* Я не красив, какой я военный? Ну, да все равно, впрочем... Буду работать. Хоть один день в моей жизни поработать так, чтобы прийти вечером домой, в утомлении повалиться в постель и уснуть тотчас же. *(Уходя в залу.)* Рабочие, должно быть, спят крепко!
> Федотик *(Ирине)*. Сейчас на Московской у Пыжикова купил для вас цветных карандашей. И вот этот ножичек...
> Ирина. Вы привыкли обращаться со мной, как с маленькой, но ведь я уже выросла... *(Берет карандаши и ножичек, радостно.)* Какая прелесть!
> Федотик. А для себя я купил ножик... вот поглядите... нож, еще другой нож, третий, это в ушах ковырять, это ножнички, это ногти чистить...
> Родэ *(громко)*. Доктор, сколько вам лет?
> Чебутыкин. Мне? Тридцать два.
> Смех.
> Федотик. Я сейчас покажу вам другой пасьянс... *(Раскладывает пасьянс.)*
> (13, 147/48)
> Veršinin. And yet, it's a pity that youth is gone…
> Maša. In Gogol' there's a saying: "It's tiresome to live in this world, Gentlemen".

---

[26] To a limited extent one can find daily trivialities shown or referred to even in Shakespeare, and certainly in the periods between his plays and Čechov's; but these tend to be either marginalised as momentary diversions, or prove crucially and directly important at a later stage in the play; neither of these is typical of Čechov's 'irrelevancies'. It is also a matter of proportion that becomes a matter of substance: hardly ever in non-comic Drama before Čechov (see next note) was so much precious theatre time spent on such seeming irrelevancies as the repetitive statement of Balzac's wedding in Act II of *Three Sisters* (see 2.2.), or as reading out loud lotto numbers in Act IV of *The Seagull*. See subsection 2.3. for a more detailed discussion of the subject.

[27] Comedy is not discussed in this study at all; in this context it is largely a world of its own, characterised *inter alia* by typically total reversals (rather than Čechov's typical explorations and modifications) of intuitive scales of 'importance'. See subsection 1.1. and note 20 above.

[28] Of course one can find borderline cases and exceptions to this rule, but these at most modify rather than invalidate it. As usual, such generalisations apply as polar, rather than binary oppositions, i.e., they operate in scales of grey 'more *vs.* less', rather than in clear-cut distinctions of black-and-white 'yes *vs.* no': after subjecting a text to qualifying tests based on of certain criteria, one can consider it as more, or less, 'admissible' to Drama than another text.

Tuzenbach. And I say, it's hard to argue with you, Gentlemen. [...]
Čebutykin *(reading a newspaper)*. Balzac got married in Berdičev.
Irina hums a melody, quietly.
Čebutykin. Let me write it down in my notebook. *(Writes.)* Balzac got married in Berdičev.
Irina *(arranges cards for a game of Patience; pensively)*. Balzac got married in Berdičev.
Tuzenbach. Matter closed. I have retired.
Maša. I have heard that, and I see nothing good in it. I don't like civilians.
Tuzenbach. It's all the same... *(Gets up.)* I am not handsome, what kind of a soldier am I? [...] I will work [...] Workers must sleep soundly!
Fedotik *(to Irina)*. In Moskovskaja Street I have just bought for you coloured pencils, and this pen-knife.
Irina. You are accustomed to treat me as a child. I am grown-up! *(Takes the pencils and pen-knife, happily.)* Charming!
Fedotik. And look what I bought for myself: a big pen-knife. Look, here's one blade, here an-other one, and a third one, this is to pick your ears, and here's scissors, to clean under your finger-nails.

Rodė *(to Čebutykin)*. Doctor, how old are you?
Čebutykin. Thirty-two. *(Laughter.)*
Fedotik. I will now show you another patience game.

Is there any "drama" here? Is the text intense, concentrated, focussed? Are there any sharp contrasts or conflicts in it, or condensed chain of events, leading to a climax? Or is it highly significant, in any sense, at least for the speakers themselves? Out of its larger context, not one of these questions can be answered in the affirmative. It is remarkably unremarkable; bluntly, it is quite tiresome (in a way, Maša's quote from Gogol' is reflexively self-referential). Most matters mentioned in it are not interconnected, and there is hardly any movement leading not only to a climax, but even to any goal or destination. Let us focus on the reference to Balzac's wedding: what can possibly connect Irina, or Čebutykin, to it? And if, as it seems, the answer is "nothing", why is the sentence "Balzac got married in Berdičev" double-echoed, repeated three consecutive times in the text? And what is the connection between Balzac's wedding and Tuzenbach's retirement? Moreover, what does any of these topics have to do with the purchase and detailed descriptions of pen-knives? In short: why are these matters mentioned at all (and so emphatically, and in such textual proximity at that)?

Before trying to answer such questions, let us look at another feature of the quoted text, a more structural one: personages here seem to be queuing, or taking turns, to have their say, when actually they have nothing worth saying.[29] A far cry from the 'ping-pong-like' exchange typical of realistic dialogue of the Ibsenian type – where *réplique*s tend to be short and succeed each other in a focussed talk between (usually) two speakers, each replying directly to the point made in the previous *réplique*[30] – the 'conversation' quoted above occurs in a company of several people, in which very few listen, or reply, to each other "to the point". Furthermore, the shortness of the *réplique*s here adds to the audience's anticipation of a 'ping-pong' dialogue as just described, and to the frustration at its absence: the actual conversation has no continuity, and it sounds arbitrary and meaningless. Some of its *réplique*s do not require a reply; but even those that do are not answered, and speakers and listeners alike do not seem to care one way or another whether a reply is forthcoming. It seems that people instantaneously forget not only what they have just *heard* from their interlocutors, but even what they themselves have just *said*... It seems insignificant to them whether they have said anything at all, or remained silent: it is almost the same.

It is tempting to explain this unfocussed exchange away, as if every personage is too immersed and absorbed in his/her own world to care to listen to others; however, this is not the case (neither here nor in some other Čechovian dialogues): it is quite unlikely that Balzac's

[29] Popkin (see note 20) discusses this matter at length. See pp. 3-15; and especially pp. 212/13.
[30] Cf. Pfister (see note 10) section 4.6., pp. 140-154; with special reference to Čechov, pp. 148-150.

wedding is on anybody's mind, or plays as much as an insignificant role, let alone a significant one, in the life and inner world of any speaker; dwelling on it, then, cannot result from preoccupation with it. Quite to the contrary, perhaps the personages' mental preoccupation with something other than Balzac's wedding can somehow explain the automatic, dream-like repetition of the reference to this wedding, which is on nobody's mind. In short, they all *hear without listening, and speak without thinking*. The same applies to the pen-knife that Fedotik had just bought: it is almost equally *unimportant* to him and to Irina, though she cares to respond to what he says about it, thus creating, almost paradoxically, the only seemingly conventional, to-the-point dialogic chain of *répliques* in the whole passage just quoted. The comic reference to Čebutykin's age adds to the arbitrary effect of this exchange: nothing is taken seriously. To conclude: the entire quote is almost the precise opposite of anything remotely "dramatic", at least when taken out of its original context, as has been deliberately done here.

It is my contention that such passages in Čechov are well designed and carefully planned, a far cry from the arbitrary impression that they initially make.[31] For instance, references to the game of patience[32] and, indeed, to Balzac's wedding are not as irrelevant and unconnected to the play's concerns as one might imagine at first. With reference to the latter, suffice it to say that a) the idea of fulfilling one's dream of happiness in general, and marital bliss in particular, in a place remote from one's regular place of residence is not at all foreign, to say the least, to the world of *Three Sisters* and its personages: this is one of the non-arbitrary motivations why they pick on this 'arbitrary' phrase and repeat it without any apparent reason; b) on a more general level, the Balzac-wedding motif is a piece of deliberate authorial discourse: Čechov, in a typically precise and subtle way, shows us that the subconscious hierarchies that we make out of our sensual perceptions are well motivated psychologically; c) specifically, Irina's dreamy, pensive intonation (prompted by Čechov's explicit stage-direction, *zadumčivo*) in repeating this text indeed signals a state of wandering mind, but her unawareness underscores the psychological relevance of the text "Balzac got married in Berdičev" to her deepest yearnings; d) Čebutykin's initial selection of this news item, copying it to his notebook, is not arbitrary either (indeed, it is his habit to do that kind of thing to news items, but not to each and every one of them): it resonates with other aspects of his character; e) the geographically remote wedding relates to the brigade's movements from Moscow to the remote provincial town and from there to Poland, with the impact of those military migrations on the formation and dissolution of human contacts in general and romantic relationships particular; f) the wedding is definitely linked with the longing for Moscow, with telling references to the migration of birds in the play (and thus, with the idea of nesting away from home); etc. Indeed, Balzac's wedding in Berdičev[33] touches many crucial concerns of the play.

[31] This effect of arbitrariness is a tricky pitfall in Čechov: even some of the most sensitive and sophisticated Čechov scholars, notably the late great scholar A.P. Čudakov (Chekhov's Poetics. Transl. by Edwina Jannie Cruise and Donald Dragt. Ann Arbor 1983 (originally published 1971); see especially his Conclusion, pp. 217-221), sometimes seem to fall for it. See, however, Popkin, especially pp. 17-52, for a significant study of Čechov's misleading "insignificance" in his narrative prose.

[32] This game, too, is a hybrid metaphor for the pre-ordained and the arbitrary alike. An association to the lotto game in Act IV of *The Seagull* comes to mind.

[33] Senelick (see note 4), p. 272 comments on the "incongruity" resulting from the fact that Berdichev was at the time almost entirely populated by Jews. There is indeed a dissonance between a Jewish "shtetl" of the time, with its reputation for provincialism, commercial clamour, and lack of elegance, and the great Parisian novelist. Moreover, it is a Catholic wedding (with its sense of permanence) between a French man and a Polish lady (see next footnote), in a Ukrainian town full of Jews – too many "incongruities" for one event, especially bearing in mind that Balzac died soon after his wedding, which gives an air of wry sarcasm to its durability. How much of this can work in the audience's minds in a fleeting theatrical moment? I wonder; this is a question one can ask

The very choice of Balzac is also multi-functional while posing as accidental: it underscores the personages' interest in literature and its authors, or at least in trivia relating to them (i.e., in the accidental which accompanies the well-designed); it contributes, almost in passing, to the dating of the play's events, which, we are thus told, probably took place half a century before the writing of *Three Sisters* (it was in 1850 that Balzac married a Polish lady[34] in Berdičev); it may allude to the difference between the poetics of the French realistic novel, as personified *inter alia* in Balzac's carefully planned texts, never pretending to be anything but well-designed to the last detail, on the one hand, and Čechov's own newly emerging poetics (in Drama and in Prose Fiction alike), in which the carefully planned is often disguised as accidental and arbitrary, on the other.

The same applies to the connection between Balzac's wedding, Tuzenbach's pending retirement, his talk about work, Irina's childishness, and other matters mentioned above. Thus, Tuzenbach's retirement is, *inter alia*, a diversion from a pre-determined course in his life, and a relocation of the respective wedding venues he and Irina had had in mind, separately, when they were younger. In this sense, it is analogous to Balzac's unexpected wedding venue.[35] The passage from *Three Sisters* was quoted here to demonstrate the dearth of "drama" of the overt, explicit type, occasionally compensated by its covert, potential counterpart. The totally anti-"dramatic" effect of such seemingly-arbitrary passages in Čechov is indeed misleading: once the intense deliberateness of this text is duly recognised it starts looking somewhat more "dramatic", though it lacks *traditional* dramaticality and has no hint of *overt* Dramatic Conflict – a point that will be elaborated in the next sections of this study.

In conclusion: the reference to Balzac's wedding, and the number and nature of its repetitions, maintain a subtle counterpoint between the conflicting effects of the designed and the arbitrary. Such examples in Čechov can be characterised as 'doubly subversive': an effect of arbitrariness is almost by definition subversive in an artistic text; faking it, as Čechov does when hiding the truly designed, as it were, behind the veil of the arbitrary, is thus doubly subversive.

2.3. (C)overt Dramatic Conflict and Čechovian "Dramaticality"

It is largely the abundance of such seemingly disconnected dialogues in the plays that has earned Čechov the misleading reputation of a "non-dramatist". This feature concerns mainly the micro-textual and textural dimension of his texts; on their "macro" level and structural makeup, however, the main reason for this reputation is the dearth of *overt* Dramatic Conflict. When we consider both qualities together Čechov's Drama appears doubly "non-dramatic". Let us focus, then, on the concept of Dramatic Conflict.

---

about any manifestation of true complexity in Drama, and it cannot be adequately discussed here. Indeed, some great plays are also great literary texts.

[34] Of course this, too, is no accident in relation to *Three Sisters*: the brigade finally moves to Poland, and in Act IV Kulygin is joking about the likelihood that Rodė would marry a Polish lady, just as Balzac did. Even Rodė's French (or at least French-sounding) name – though hardly ever uttered on stage – is the product of Čechov's deliberate choice.

[35] Of course any analysis of such an unpredictable text has an element of hindsight wisdom: once Čechov wrote it, an analyst is tempted to find "method in the madness", almost at all costs; therefore, readers are advised to double-check the validity of every interpretation for themselves. Yet, in principle, this is how Čechovian texts work on page and stage alike: they make retrospective sense once a perceiver is receptive of his poetics. Their accumulation makes a powerful nonverbal statement by Čechov about how the designed and the arbitrary are intertwined in art and life.

Major classical theories of Drama placed *overt* Dramatic Conflict[36] high on the list of "drama"-generating factors; it used to go without saying that every serious play worthy of the name must be focussed on one, or very few, central conflict(s) between personages and/or ideas. From this highly important angle there is little difference between classical or traditional tragedy (from the Greeks via Shakespeare to the late 18th century and beyond), and more recent serious Drama, by Čechov's predecessors, contemporaries, and even successors (including "realistic" plays throughout the 20th century – e.g., by Bernard Shaw, Edward Albee, Michael Frayn, and numerous others in many languages). The importance of central overt conflict is most characteristic of late-19th-century realism, which often pursues it with greater tenacity than most classics. The centrality of overt conflict has become a prerequisite of Drama, whose absence is a highly marked deviation from what is normally expected, by authors and perceivers alike.[37]

In Čechov's plays, however, there is a clear tendency to avoid and evade direct, overt conflict, even to the point of giving it up altogether. The word "tendency" is used here advisedly, since Čechov applies a consistent, even relentless strategy of 'avoid and evade' *vis-à-vis* most potentially conflict-generating elements, refusing as it were to develop such a potential into a dramatic conflict of types and magnitude found frequently in his predecessors' plays. This is true within each single major play, and within Čechov's artistic diachrony, i.e., his development as a playwright and the evolution of his Dramatic/theatrical system.[38] Broadly speaking, in every major play this tendency is more powerful and consistent than in the play preceding it chronologically.

In *Ivanov* (1887) – *The Seagull*'s full-length predecessor – Čechov still develops overt conflicts that even Ibsen could recognise as his own.[39] However, in later stages of his development Čechov shunned this type of overt conflict. *The Seagull* (1896) already marks a considerable departure from it: granted, there are still overt conflicts in the play, but also clear attempts to avoid/evade them, e.g., *inter alia*, Konstantin's refusal to confront Trigorin for what would have been traditionally conflictual scenes, and the latter's refusal to confront the former in what would have been, probably, an offstage duel. In *Uncle Vanja* (1897) there are

---

[36] Pfister (see note 10), especially on pp. 140/41, surveys conflict-oriented theories of Drama, notably Hegel's. In fact, there is hardly any talk about the conflict being *overt*, *explicit*, etc., as opposed to *covert*, *implicit* etc.; in discussion of pre-Čechov Drama such distinctions are quite unnecessary. With traditional Drama in mind, it goes without saying that a conflict should be *overt*. Moreover, the term *dramaticality* itself is rarely used, though the concept denoted by it is discussed under other headings. Indeed, "What's in a name?"

[37] The 20th century developed unprecedented diversity in art-forms, and the expectation of conflict in modern plays is no longer a binding norm; however, it has not been replaced by any other norm, so that a play with a 'good-old realistic central conflict' still meets an active set of requirements and expectations.

[38] The present study is indebted to many previous discussions of the evolution of Čechov's art and poetics; see for instance Richard Gilman: Chekhov's Plays. An Opening into Eternity. New Haven, London 1995; Vladimir Kataev: If Only We Could Know! – An Interpretation of Chekhov. Translated from the Russian and edited by Harvey Pitcher. Chicago 2002; David Magarshack: Chekhov the Dramatist. London 1952, and: The Real Chekhov. An Introduction to Chekhov's Last Plays. New York, London 1972; Donald Rayfield: Chekhov. The Evolution of his Art. London 1975, especially pp. 201-229, and: Understanding Chekhov. A Critical Study of Chekhov's Prose and Drama. London 1975; Harvey Pitcher: The Chekhov Play. A New Interpretation. London 1973, especially pp. 69-112; Laurence Senelick: The Chekhov Theatre. A Century of the Plays in Performance. Cambridge 1997; and many other books and articles, for which Čechov's development in playwriting is a major or side issue. These studies are too numerous to be given due credit.

[39] Moreover, some of the personages, events and phenomena in *Ivanov* remotely resemble some of Ibsen's. Thus, for instance, Gregers Werle's ruthless, even callous and inhuman pursuit of 'Truth' at all costs, with its hypocritical, sanctimonious overtones and fatal consequences (in *The Wild Duck*, 1884) is quite comparable to an analogous combination of character traits with disastrous consequences to match, in the person of Dr. L'vov in *Ivanov*. The two playwrights even seem to detest these personages of theirs in analogous ways. This analogy is much more significant than the obvious but comparatively superficial one, which some critics, from Čechov's time to the present, have been tempted to draw between the two bird-plays, *The Wild Duck* and *The Seagull*; in the latter analogy differences between the two plays and playwrights are more telling than similarities.

clearer conflict-evasions: Sonja, Elena and Prof. Serebrjakov evade a confrontation about *not* playing the piano at the end of Act II; Vanja's appearance with the flowers without confronting Elena or Astrov in Act III; Vanja's shoot-and-miss pursuit of the Professor, again Act III; and one can regard Act IV in its entirety as a masterpiece in conflict-evading. Examples in *Three Sisters* are even more striking in quantity and quality; thus, the sisters' refusal to confront Nataša is one of many cases in which *active non-conflict* is a major plot-propelling force. This process culminates in *The Cherry Orchard,* where Čechov manages to evade overt dramatic conflict almost completely, and the few and far between scenes where a faint sound of quasi-conflict is suggested have little bearing on the advancement and construction of the plot.[40]

In all these cases, and many others, the Dramatic situation among personages is loaded with suspense, thereby creating definite expectations for overt conflict in the audience; such expectations are frustrated almost as a rule, and the audience is left with the growing weight of unreleased tensions and unexpressed confrontations, with the withheld energies of words unsaid and deeds undone. Synchronised with the decrease in number and quality of *overt* conflicts, then, there is a complementary process of increase in number and intensity of *covert* conflicts in Čechov's Drama.

To conclude: if Drama = "drama" in the sense of the centrality of overt conflict as well, then Čechov's plays gradually lose their claim to be considered Dramatic.[41] There are however two objections to this contention. 1) In all arts, hidden/covert/implicit elements are never absent ones; moreover, in many cases in the arts in general, and in Čechov's poetics in particular, implicit potentials are more potent and intense than their explicit realisations. Thus, it is simply incorrect to say that Čechov's plays lack conflicts; the correct statement on the subject is that Čechov's later plays are replete with rich and central Dramatic conflicts, but these conflicts are covert, activated by Čechov's texts within the audience's minds, rather than traditionally overt, taking place between personages on stage. *Čechov's plays, then, though admittedly poor in overt "dramaticality", are rich in its covert counterpart.* 2) As we have seen repeatedly so far, "dramaticality" is not the distinctive features of Drama as such. It follows, then, that even if the point made in no. 1 above is denied, and the contestable statement that there is little "drama" in Čechov's plays is temporarily accepted, for the sake of argument, these plays can still be 'legitimately' admitted into the corpus of world Drama if they include the minimal requirements, the *differentia specifica*, of this super-genre.

3. Čechov and the Differentia Specifica of Drama

3.1. Drama between Written Literature and Live Theatre

A simple comparison between representative samples of the three super-genres of literature will show, that the real distinctiveness of Drama as written text[42] resides in its multi-medium

---

[40] This process is closely linked to developments in other parts of Čechov's poetics, notably characterisation. See a partial analysis of this aspect in Harai Golomb: Chekhovian Plays Viewed through Implied Actors. Part-Readings in *Three Sisters* and *The Cherry Orchard.* In: ТЕАТРЪ. Russian Theatre Past and Present, No. 2, 2001, pp. 13-29.

[41] This subject has been discussed widely in the literature, with different criteria and approaches applied, some similar but none identical with the present study's. Studies by Magarshack, Senelick and Pitcher (see note 38) are cases in point, and this is of course an extremely partial list.

[42] Some scholars and practitioners refer to written dramas as "playscripts" or "playtexts", by analogy to "screenplays" for films. Though such terms can reasonably apply to certain plays, I reject its claim for general applicability, since many plays are, at least potentially, autonomous, full-fledged works of literary art (e.g., virtually all of Shakespeare's and, indeed, Čechov's plays), potentially realisable not only on stage, but also through reading. One of the key concepts in determining whether a given play is *only* a script or *also* a literary

potentiality (anticipating the realisation of this potentiality in the text's subsequent staged performances, for which it is designed in the first place); in the heterogeneity of perceptive and cognitive channels through which it is simultaneously communicated to its perceivers; and in the ways its written form activates perceivers' imaginations.[43] I am not referring here to the visual impact of the printed graphic signs in reading: this feature, in isolation, is usually of negligible importance in all types of written language, including, of course, the three supergenres of fictional literature.[44] In this context, reading activates a great deal of imagination and very little sensual perception, whereas watching a staged play does the reverse. What I *am* talking about is the specific type of simultaneous activation of imagination and the senses, unique to the *reading* of Drama.

With this in mind, we can speak of another sense of Dramaticality, here with a capital D, derived from Drama (rather than from "drama"); it can also be characterised as "potential Theatricality". It would refer to the activation of Drama's *differentia specifica*, its *imagining the activation of various senses* simultaneously in the theatre: whereas poetry and prose fiction address the reader's imagination, and live theatre addresses the spectator's senses, *Drama activates the reader's imagination of being a spectator whose senses are directly addressed.* In other words, though Dramaticality may represent an experience more complex than both reading narrative literature on the one hand and watching a theatre production on the other hand, it is still a secondary experience, derived from the theatrical experience; it normally activates *Dual* or *Two-Tier Fictionality*, as explained in the next section.

At any rate, if we study the Dramaticality of Čechov's plays in this sense, we will undoubtedly disprove his view of *The Seagull* as a piece of narrative poorly designed for the stage (see Motto to this article, and note 1 above); moreover, in this play, as well as in the three later ones, Čechov created works of art designed specifically to affect their audiences primarily, arguably only, from the theatre stage (reading them as printed dramas, as just argued, is only a derived experience, and there is no way to create their specific qualities in non-Dramatic narrative prose). Moreover, in this particular respect Čechov surpassed some of his greatest predecessors, like Shakespeare or Ibsen, who enjoy a more solid reputation as dramatists (and understandably so, in terms overt "drama" and "dramaticality"). To be more precise, the above does not apply to Čechov's stage corpus in its entirety, but to selected, yet typical and conspicuous parts of it; however, in these parts there is no doubt that Čechov is a full-fledged dramatist, much more than he ever gave himself credit for.

3.2. Dual (Two-Tier) Fictionality: The Uniqueness of Play Reading

In the process of reading a play the reader's imagination can be activated to construct two types, or rather two phases or tiers, of fictionality. In order to understand them they should be characterised as types of reading *fictional* texts in particular against the background of reading

---

work is the given play's *complexity as a written text.* It is of course, once again, a matter of polar rather than binary opposition: plays are more, or less, autonomous literary works (in comparison to other plays).

[43] In a different context, this quality in Drama is also referred to as "syncretic" in terms of the fusion, or at least combination, of the spatial and temporal, auditory and visual, representational and non-representational, etc. See for instance, V. Zhirmunsky: Introduction to Metrics. The Theory of Verse. Translated from the Russian by C.V. Brown, edited with an introduction by E. Stankiewicz and W.N. Vickery. The Hague, London, Paris 1966 (= Slavistic Printings and Reprintings, LVIII; originally published in 1925), pp. 19-21. The same term, *syncretic*, has already been applied directly and explicitly to Čechov's art; see Thomas G. Winner: Syncretism in Chekhov's Art. A Study of Polystructured Texts. In: Chekhov's Art of Writing. Ed. Paul Debreczeny, Thomas Eekman. Columbus/Ohio 1977, pp. 153-166. The theoretical book by Manfred Pfister (see note 10) is seminal in this respect as well.

[44] Likewise, other exceptions, like visual-graphic poetry, languages whose writing is pictorial rather than phonetic, and other systems of graphic visualisation, need not concern us here; it is entirely sufficient if this discussion applies to the mainstream of relevant phenomena.

verbal texts in general. Some points below are admittedly well-known truisms; however, making them in this context may prove useful.[45]

Some mental processes are invoked in reading any verbal text. Relevant to this discussion is the creation of reality-like images of people, objects, actions, events, concepts etc. in the reader's mind. These images stand for the 'real things', and their creation is the core of any reading process.

3.2.1. Non-Fictional Text Reading. In non-fiction texts the words denote, and the mental images they produce stand for, components of the 'real world': in principle, somewhere, some time, one could (if one would) match them with the reality they claim to stand for, and test them for the amount of factual-truth-value that they possess. Such actual or potential verification is unavailable for fictional texts.

3.2.2 Fictional Text Reading. In reading fiction we *know* that the "worlds" that the text denotes are *possible*, or potential (rather than 'real') ones, or (in Harshav's 1984 terminology) that their *fields of reference are internal.*[46] I cannot go here into the theory and philosophy of fictionality as a whole, its relation to factual truth etc. Rather, having taken the very existence of fictional worlds for granted, I shall offer a distinction between two types of fictionality, highly relevant to Čechov's uniqueness.

3.2.2.1 Narrative Fictionality (NF). The *possible worlds*, or *internal fields of reference* (IFR), mentally constructed in NF are *reality-like*. In Shakespeare's *King Lear,* for instance, the reader constructs an IFR in which Lear is 'really' exposed to the elements in the storm, Gloucester is blinded, etc. In NF the reality, or fictionality, of people and events in Drama and in prose fiction can be characterised as exactly identical.

3.2.2.2. Theatrical Fictionality (TF). This type is unique to the reading of Drama. The IFR constructed through TF is *a theatre*; it is a *theatre-like*, rather than reality-like, Field of Reference. It includes imagined stage and auditorium, with sets and props, costumes and lighting, actors impersonating fictional personages, a director supervising the staging process, and of course an audience. Therefore, in TF *King Lear*'s storm is a series of stage effects, leaving the actor impersonating Lear unscathed, and the eyes of the actor impersonating Gloucester are being smeared with washable red liquid, not brutally blinded.

3.2.2.3. Interrelations between the Two Types of Fictionality. One can question the use of the term *fictionality* for TF: after all, a theatre (including, of course, its make-believe and illusion-generating devices) is a tangible part of the 'real world'; why, then, is TF not a type of *non-fiction* reading? The answer is that, indeed, any one particular theatre is real, but *imagining a potential theatrical production while reading* is a process of creating a fictional world in one's mind. The words on the page of a play hardly ever denote a specific theatre in the 'real world'.[47] Reading a play is a far cry from reading a director's production book or a

---

[45] The following is a brief, condensed, admittedly simplified reminder of discussions of such concepts as *possible worlds* (vs. 'real world'), prevalent in many studies in the field of literary aesthetics, and *internal* vs. *external frames/fields of reference*, as developed in past decades by Benjamin Harshav (see especially two of his studies: An Outline of Integrational Semantics. An Understander's Theory of Meaning in Context. In: Poetics Today 3:4, 1982, pp. 59-88; Fictionality and Fields of Reference. Remarks on a Theoretical Framework. In: Poetics Today 5:2, 1984, pp. 227-251).

[46] In my study of *The Seagull* (see note 18) I propose a more comprehensive application of Harshav's models to Čechov's Drama (see especially pp. 686-702).

[47] The fact that Shakespeare, Molière, and indeed Čechov, in all likelihood had a specific physical theatre and specific actors in mind when writing their plays is beside the point in principle, particularly when we consider the reading process of a reader living many years, or even centuries, after an author's death. Whatever theatre space and players, if any, the playwright might have had in mind while writing the play, they cannot play any role in future readers' minds, and are therefore not part of the text's referential mechanism.

factual press report about a specific production (e.g., a first-night press review), where the words on the page do denote one single theatre and its physical space, living actors and tangible objects onstage and offstage. Such reports are, indeed, non-fiction texts invoking non-fiction reading processes.

The NF-TF distinction is valid at least for theoretical and methodological purposes. TF is a unique and distinctive feature of play reading. It does not have to replace NF; rather, in reading a play the two are mutually complementary. A stage interpreter (a director, actor, designer etc.) is bound to activate TF in reading the play in the course of preparing a production. A reader not involved in a production can read a play ignoring its potential theatricality, making a shortcut to NF while skipping TF; such a reader can of course freely oscillate between the two, ignore any of them consistently or intermittently at will, for leisure/pleasure reading; however, a certain amount of NF seems inevitable in any play-reading. In the final analysis, NF is invoked in the audience during theatre production itself, along the chain of theatrical communication (*Author → staged fictional reality → audience*), and usually ranks supreme among its aims. Indeed, TF can be suspended in leisure/pleasure reading, but NF can hardly ever be ignored. A comprehensive, fuller and more complex play reading, then, is two-phased: it invokes the image of a theatre which, in turn, invokes the fictional reality of the narrative in its spectators, with the important difference that they experience this *possible world* through their senses within a 'real' world. TF activates the reader's prior knowledge of facts about the theatre and some technicalities of stage production, just as NF activates prior knowledge of reality and of written literature.

The complexity of play reading is even greater, and includes much larger variety, than hitherto suggested. Thus, for instance, everything said so far has largely referred to 'realistic' Drama. Plays with fantastic or supernatural elements, or 'absurd' ones, require finer distinctions. Other dimensions ignored here include differences in types of audience, the tangible nature of the theatre itself, and other ontological, epistemological, perceptual and cognitive ramifications of the complex phenomenon of Dramatic and theatrical fictionality.

The aim of the preceding discussion is to provide a necessary theoretical background for understanding Čechov's poetics in this regard. His realisation of theatre's multi-medium potentials, through the simultaneous activation of the audience's perceptual senses and verbal cognition, is an integral part of his Drama, not only of his Theatre. In reading a written play by Čechov with the activation of TF, his new Dramaticality, i.e., his *potential* theatricality, is invoked *as an integral part of the written play itself,* simply because plays, as a rule, have this dual-fictionality quality. In Čechov, the reading process reveals not only one of the greatest, but also one of the most specifically Dramatic playwrights in history. It is mainly because of the multi-medium, multi-sensual aspect of his TF that his plays are irreducibly theatrical in their written Dramatic potentialities as well.

3.3. Čechov's Dramaticality at Work: A Scene from The Seagull

3.3.1. Introducing the Scene. To demonstrate this point I would like to take an example from *The Seagull*, precisely because it is the earliest of the four major plays, and the one about which Čechov wrote the self-critical remarks quoted as motto to this study.

The scene is taken from Act IV. Characters present on stage are Konstantin (Kostja), Maša, and her mother Polina Andreevna.

> Полина Андреевна *(глядя в рукопись)*. Никто не думал и не гадал, чтоиз вас, Костя, выйдет настоящий писатель. А вот, слава богу, и деньги стали вам присылать из журналов. *(Проводит рукой по его волосам.)* И красивый стал... Милый Костя, хороший, будьте поласковее с моей Машенькой!..
> Маша *(постилая)*. Оставьте его, мама.

Полина Андреевна *(Треплеву)*. Она славненькая.
Пауза.
Женщине, Костя, ничего не нужно, только взгляни на нее ласково. По себезнаю.
Треплев встает из-за стола и молча уходит.
Маша. Вот и рассердили. Надо было приставать!
Полина Андреевна. Жалко мне тебя, Машенька.
Маша. Очень нужно!
Полина Андреевна. Сердце мое за тебя переболело. Я ведь все вижу, все понимаю.
Маша. Все глупости. Безнадежная любовь – это только в романах. Пустяки. Не нужно только распускать себя и все чего-то ждать, ждать у моря погоды... Раз в сердце завелась любовь, надо ее вон. Вот обещали перевести мужа в другой уезд. Как переедем туда – все забуду... с корнем из сердца вырву.
Через две комнаты играют меланхолический вальс.
Полина Андреевна. Костя играет. Значит, тоскует.
Маша *(делает бесшумно два-три тура вальса)*. Главное, мама, перед глазами не видеть. Только бы дали моему Семену перевод, а там, поверьте, в один месяц забуду. Пустяки все это. (13, 46/47)

Polina Andreevna *(browsing the manuscript [of Konstantin's story])*. Nobody could have guessed that you, Kostja, would become a real writer […] [*stroking his hair with her hand*] and you have become so handsome… dear, good Kostja, be a bit kinder to my Mašen'ka!
Maša *(making the bed)*. Leave him alone, mama.
Polina *(to Konstantin)*. She is a fine girl… All a woman needs, Kostja, is a kind look. I know that from experience.
(Konstantin gets up and leaves the room in silence.)
Maša. You have upset him now. There's no need to pester him.
Polina. I feel so sorry for you, Mašen'ka.
Maša. A lot of good that does…
Polina. My heart aches for you…. I see everything, understand everything.
Maša. It's all nonsense. Hopeless, unrequited love is only for novels. Nonsense. No use waiting forever in vain. If such love settles in, out with it! They said my husband will be transferred to another county; once we move there, I'll forget it all… take it out of my heart by the roots.
(Two rooms away a melancholy waltz is played.)
Polina. Kostia is playing; it means he is feeling gloomy longing.[48]
Maša *(quietly makes a couple of Waltz turns)*. The main thing, mother, is to get him out of my sight. Once my Semen is transferred – believe me, I'll forget it all in no time, in one month I will. It's all utter nonsense.

3.3.2. Analysing the Scene's Dramaticality (Potential Theatricality). In this scene we can see, *inter alia*, Čechov's sophisticated activation of a variety of medium components concurrently – mainly words, music and movement.

3.3.2.1. Characters Present and Absent; the Audience as Implied Character. At first glance, if we reduce Drama to its verbal component (i.e., only texts spoken by personages on stage), there are just two speakers here: mother Polina and daughter Maša. However, we have here at least one additional presence, that of Konstantin (Kostja): silently present as a direct addressee (spoken to) and an indirect one (spoken of); first present, later absent.[49] His

[48] This is not my proposed translation for stage production, nor even for a printed publication of the play. The Russian word Čechov uses here, *toskuet*, invokes dual semantic fields, one related to sadness and the other to longing. All English translations I have consulted ignore the latter (using words like "sad", "depressed", "melancholy"). In Avraham Shlonsky's translation into Hebrew, on the other hand, Konstantin is longing, without being sad… My 'version' here, made exclusively for the purpose of this study, is admittedly clumsy; my sole purpose here is to serve the interpretation I am proposing, in which longing is just as important as sadness. This is one of the cases where an adequate translation, especially for the stage, is apparently impossible, and one of the two meanings probably has to be sacrificed for the sake of reasonable flow of the dialogue.

[49] We have at least three additional personages whose background *presence through absence* is suggested through analogies: Medvedenko, Maša's unloved husband; Šamraev, unloved by his wife Polina and daughter Maša alike; and Dr. Dorn, Polina's beloved and Masha's confidant. By similar, less direct analogy one can add

'thundering-silent' physical presence turns soon enough into mental presence through physical absence, accentuated by auditory presence: by combining loaded silence, determined exit from the room, and "melancholy waltz" playing, he transmits loaded messages to Maša and Polina (their limited powers of observation and understanding notwithstanding) and to the audience (whose powers of understanding, consciousness and integration are supposed to be much superior to the personages', to match the author's).

Most importantly, there is a covert yet intense dialogue between two conflicting voices *within* Maša, i.e., between the explicit words she speaks to her mother, on the one hand, and her inner emotional self, non-verbally expressed through her waltz steps, on the other. The messages carried by these two voices are diametrically opposed, and it is very doubtful whether Maša herself has the insight and self-awareness needed to identify this conflict within her. But unlike Maša, each of us, as readers/spectators, can say with Polina Andreevna: "Я ведь все вижу, все понимаю" (I see everything, understand everything): we receive all the signals and messages coming *to us* from the stage; *we* can combine and juxtapose them in our consciousnesses, and construct the intricate and heterogeneous meanings generated by this exceptionally complex text.

These processes are characteristic of the way Čechov usually constructs his meanings, by juxtaposing various elements or components of an artistic whole and making them interact with each other to produce a new effect and/or meaning(s). However, in this particular case this process becomes possible mainly because of the heterogeneous makeup of the theatrical medium, which Čechov, a true man of the theatre, knew inside out, and it's totally immaterial whether, and to what extent, this knowledge of his was conscious or intuitive. This example is typical to Čechov in showing how irreducibly theatrical his plays are, regardless of what he may have said about himself in this regard at earlier stages of his development as a playwright.

Čechov weaves here an intricate web of communication lines[50] between the three present personages (Polina, Maša and Konstantin), and within every one of them; more importantly, through these personages he does the same with another implied but crucial personage, arguably the most important one in the world theatre and Drama: the audience of Perceivers/Addressees. Polina speaks directly to Maša and to Konstantin alike, but she hints at her inner emotions (covert internal dialogues with herself). Maša conducts an explicit dialogue with her mother, but much more interesting is her covert dialogue with Konstantin, and even greater significance is given to her hidden dialogue with herself. Konstantin, in turn, runs a kind of "anti-dialogue" (i.e., blatant *refusal* to communicate) with mother and daughter alike, whereas his inner dialogue with himself can be partly reconstructed by us, on the basis of his conduct, his playing, and the words of other personages. This intricate dialogic web is woven with the audience in mind, to activate its senses, perception, cognition, and consciousness. In order to activate the non-fiction transmission of this fictional communication-complex to the audience, from stage to auditorium, Čechov employs diverse communication channels, addressing different senses in us.

3.3.2.2. The Verbal Component. The *verbal messages* spoken on stage behave as all orally transmitted verbal messages do: technically they use an auditory channel in the auditorium, and a visual-graphic one in reading (with the added dimension of the imagined TF, i.e., the auditory-visual embedded in the graphic-visual); yet they are not auditory in the way music is, but semantic-referential, and once they reach our conscious cognition, their auditory aspect is

---

other absent personages, who experience or witness unrequited love, but these are less relevant to the present discussion. See a fuller account of the scene's dialogues in 3.3.3. below.

[50] For a more comprehensive discussion of Čechovian communication see Harai Golomb: Communicating Relationships in Chekhov's *Three Sisters*. In: Anton Chekhov Rediscovered. A Collection of New Studies with a Comprehensive Bibliography. Eds. Savely Senderovich, Munir Sendich. East Lansing/Mich. 1987, pp. 9-33.

set aside, and they are processed and understood through the usual mechanisms that make verbal communication possible.

3.3.2.3. The Music, Semanticised. The *music* – in this case, the melancholy waltz played by Konstantin – works in ways typical of the transmission of musical messages, i.e., it is more directly auditory; its emotional qualities interact with the verbal messages[51], but here, as often in Čechov's plays, the musical message is *semanticised* by a verbal one referring to it: the waltz sounds carry the meaning invested in them by Polina[52].

3.3.2.4. The Dance and Body Language. The *Dance* (Maša's waltz rounds) works of course through body language, synchronised with the rhythms of the music; yet it is contrasted with the music's semanticised content as well as with the verbal text. The intersection and interaction of these three channels of communication, perceived by different sensory-cognitive receptors in the audience's minds, constitutes a case of truly theatrical semiosis and synaesthetic reception of meanings, irreducible to any other medium. It can work in the Dramatic text too, even without staging, if readers activate dual-fictionality reading (i.e., TF) in their minds. It is the latter process, in fact, that makes studies like the present one possible.

3.3.2.5. Čechov's Dramatic-Theatrical Simultaneity vs. Musical Polyphony. The simultaneous working of the different medium components that we have seen in this example is partly similar to what happens in polyphonic music, where the various lines are heard simultaneously, while revealing and obeying a superordinate harmonic design, which regulates the features of the separate lines to produce an integrated composite quality. This quality includes most of the cumulative qualities of the separate melodic lines, but it also possesses features of the whole – counterpoint, harmony and tonality, that transcend the cumulation of the separate melodic lines: in art (unlike arithmetic) the whole can be greater than the sum-total of its parts.[53]

Polyphonic music was mentioned here only as an example, an imperfect analogy, compared to what happens between various communication-channels in Čechov's Dramatic text. It is well known that in music itself – when it leads its own autonomous life, unlike this case of the Drama-bound "melancholy waltz" – *intelligible* simultaneity of musical 'messages' and 'meanings' is a possibility: musically well-trained human cognition can find its way through the maize of simultaneous musical messages, if coordinated harmonically; it can respond musically-intelligently to the whole as such, as well as to the combination of its separate yet coordinated parts. There is a major difference between such musical polyphony and its Dramatic/theatrical counterpart, as created by Čechov in the quoted scene: in the former, polyphony is created between homogeneous messages (all auditory, all musical), whereas in the latter it is created between genuinely heterogeneous components, variously encoded in language, music, and bodily movement (dance). It is of utmost importance for the intelligibility and communicability of the whole that only one of its constituent elements (if any) is verbal; all the other messages (music, dance, visual composition, etc.) can be processed simultaneously, both among themselves and with the verbal message, and yet remain intelligible.

---

[51] In this case, we are not speaking of the more frequent, and more often discussed, verbal-musical interaction, as in vocal music or programme music. As we shall see, this is a very different and specific kind of sophisticated and subversive verbal-musical interaction.

[52] As a matter of general principle, we do not have to take a personage's words in such matters at face value. This is true especially in Čechov, whose poetics encourages us to double-check on anything a personage says; moreover, even by Čechovian standards of unreliable personages, Polina is one of his least-trusted mind-readers. However, in this particular case, her characterisation of Konstantin's mood is quite plausible, supported by other evidence in the play. This is not the only case where Čechov gives a reliable statement to an unreliable personage, or vice versa, as part of the audience-challenging techniques he employs, to make our awareness work overtime in order to take almost nothing for granted.

[53] This dictum is a well-known banner-cry of structuralism, but it is particularly appropriate to Čechov, maybe even more than to many polyphonic works in music.

Drama, designed for multi-medium realisation in the theatre, occupies in this context a middle position between music and theatre. True, in the theatre – just as in literature, and indeed in language generally – there is no way to make sense out of more than one verbal message at a time; however, there is a possibility to make sense out of the simultaneous perception of one verbal message synchronised with a *nonverbal* one, since the latter is free from the limitations constraining the perception and intelligibility of verbal simultaneity.[54] Thus, the simultaneous transmission of a verbal message with a nonverbal one, even if the latter is semanticised, can be processed intelligibly: this can apply, for instance, to the combination of a verbal message with a visual one (e.g., a significant use of set design, costumes, lighting etc.), or a musical one[55], or the simultaneous co-presence of two or more[56] nonverbal messages of this kind. Drama and theatre, then, can bypass the limitations hindering the simultaneous perception and interpretation of different verbal messages by using nonverbal ones to transmit simultaneous meanings, whose contents are understood at the end of the day by the perceiver *as if* they were conveyed through verbal means. This tends to happen even if nonverbal transmission creates an intense, concentrated experience of urgency, which cannot be reconstructed by verbal means: the semanticised nonverbal message works as a kind of shorthand, producing an immediate impact that cannot be matched in the 'normal' transmission of slower, single-channel verbal communication.

Čechov knew these cognitive facts, albeit perhaps intuitively, better than most of his predecessors, as borne out by the nature of his art and theatre language. He handles and activates each medium component according to its typical characteristics: thus, for instance (as just pointed out), he would never instruct two actors to speak simultaneously[57], thus avoiding the unintelligible co-presence of more than one verbal message. Even when his main concern is with situations of faulty communication (or total lack thereof) between personages on stage, he would never abandon communication, albeit *through* those ill-communicating personages, between himself (as author) and his potential audience[58]. That said, it must be noted that Čechov would often load his texts mercilessly, pushing them towards the upper limits of humanly processable complexity and simultaneity, but at the same time he would refrain from transcending those limits.[59] The text from *The Seagull* just discussed is a case in point.

---

[54] The cognitive reasons why verbal messages are unintelligible if processed simultaneously cannot be discussed here in detail. Suffice it to say that the referential-informative nature of verbal communication, which is its very *raison d'être*, is largely responsible for the perceptual makeup of verbal messages and the mind's need to give its undivided attention to each of them separately, whereas nonverbal messages occupy less cognitive space or volume in the perceiver's mind, and need less attention span to be processed.

[55] For a fuller discussion of uses of music in Čechov's plays, see Harai Golomb: Music as Theme and as Structural Model in Chekhov's *Three Sisters*. In: Semiotics of Drama and Theatre. Eds. Herta Schmid, Aloysius van Kesteren. Amsterdam 1984 (= LLSEE 10), pp. 174-196.

[56] It is a matter for experimentation to determine how many such messages can be processed intelligibly, under what conditions, etc.; the present section of this study deals with principles in theory, rather than with their applied experimental verification. I am not aware of experiments checking these matters in the perception of canonised, highly sophisticated Drama, reaching its peaks of complexity in plays by Shakespeare, Čechov, and masters of comparable magnitude. The present discussion, then, is admittedly speculative in this respect, though it is compatible with many intuitive statements and practices in Čechov studies and performance.

[57] As deliberately done by Beckett (for instance, in his *Play*), and other 20th century dramatists, with the inevitable and deliberate effect of producing theatrically unintelligible texts. Simultaneous talking is also a traditional comic effect, which is not what either Čechov or Beckett is after in these cases.

[58] This argument is further developed in my study of Čechovian communication (see note 50).

[59] One of the most intriguing ways of comparing and contrasting various types of poetics in the arts is to analyse different organisations of complexity, typical of one author compared to another, or even one art compared to another: major similarities and differences between arts (e.g., music *vs.* literature), and between major artists (e.g., Čechov *vs.* Shakespeare) can be followed along these lines. It is of course outside the scope of the present study to pursue this line of analysis.

3.3.3. An Overall View of the Scene. What happens in this text, Dramatically (and theatrically) speaking, beyond the realm of sensual perception?

3.3.3.1. Talking and Playing. As we have seen, mother and daughter have a dialogue *about* Konstantin, with other soundless presences in the background (see note 49). Polina's attempt to persuade Konstantin in words to fall in love with Masha backfires as expected: he leaves the room with thundering silence, and Maša is angry with her mother because of this unsolicited lobbying and its preordained failure.

So far the explicit, verbal text; however, underneath it wordless dialogues are in motion between and within all relevant personages, as part of the famous *subtext* – a suggestive, though often nebulous term, regularly used in Čechov criticism.

The clash between the two ladies' *répliques* and Konstantin's silence is irreducibly theatrical, untranslatable into the language of narrative fiction. He appears as refusing to stoop to their level, exercising passive self-defence with dignity and conviction, as it were, against what appears by comparison as tactless blabber, for all its subjective sincerity. The scene's effect is thus one of *divided empathy,* so typical of Čechov's characterisation: that subtle, evasive quality of multiple psychological and even ethical points of view, all equally (un)sympathetic.

The rest of Konstantin's dialogue with the two ladies, after his exit, is certainly involuntary; it is even nonexistent as far as he is concerned. For the audience, though, it does exist, starting with the playing of the "melancholy waltz" from a distance backstage (Čechov takes pains to describe the waltz as coming from the third room deep backstage).[60] It is clear that Konstantin wants to find solace in solitude with his piano, playing a melancholy waltz (of course, an intuitive choice by Konstantin, a deliberate one by Čechov). He must know, subconsciously, that his playing would be heard in the room he has just left behind, but it seems not to bother him particularly. Yet Čechov, as it were, 'imposes' the continuation of their exchange on stage by making his own dialogue with us as audience, taking place in our minds, more significant than whatever happens between the three stage personages.

It is in our imagination that Konstantin's invisible line takes shape stretching as it does between two 'anchors': the moment of his exit, perceived by our eyes, and the moment of the first sound of the piano, perceived by our ears from a distance. Thus Konstantin's line, or individual 'voice' within the simultaneous polyphony of the Čechovian Dramatic text, continues its uninterrupted course even after his exit.

Before we hear the first piano sounds, and before identifying them (courtesy of Polina), we expect his exit to be a real one, until a possible reappearance on stage. We have no way of knowing for sure that he is the player, until Polina identifies him and his state of mind (see note 52 above). We, as audience, learn from her that a) Konstantin is the player we hear; b) he tends to play the piano when he is gloomy/longing (see note 48); c) the piano-playing is an integral part of the play's text as written by its author (rather than a late decision by a director).

We have here a dense dynamic network of longings and movements of feelings and emotions: Maša is longing for Konstantin; Polina (at this particular moment!) is longing for communication with her daughter, not least as compensation for her own unrequited love for Dr. Dorn; and Konstantin himself is indeed full of longing and frustration, but to the extent that a woman is the object of these emotions, it is certainly not Maša (Nina, and even his mother Arkadina, are more likely candidates); and there may be other, not directly romantic, reasons for his sad longings (e.g., his frustrations as a writer). The three personages are on the same stage, and within the fictional world they are in the same room, but their wishes and

---

[60] If I were to direct this scene, I would have the sound of Konstantin's footsteps gradually fade out during the mother-daughter dialogue until the beginning of the waltz, to make the stage-direction suggesting a piano located "two rooms away" – i.e., deep backstage – vividly audible.

yearnings are worlds apart. Their emotional lives move in different orbits, never to have a genuine meeting or reunion. It is remarkable how this emotional tangle is conveyed to the audience by such intricate activation of the medium-potentials of the syncretic dimension of Drama (see note 43).

This powerful emotional counterpoint is the direct result of Čechov's realisation of these potentials. On stage, this is carried out simultaneously; but even on page, where the verbal and nonverbal messages must be read in succession, they are meant to regroup in our minds and give us the experience of simultaneity in TF. We perceive the nonverbal messages as semanticised, potentially verbalisable ones; however, encoding only one of them in real language enables us to perceive the entire interaction simultaneously and witness how messages modify and/or subvert each other to yield *a separation between elements of sincerity and fake in Maša's verbal and nonverbal behaviour.* It is quite difficult, if not impossible, to reach comparable results in narrative prose fiction; at least not with the same quality, immediacy and effectiveness. Of course, Čechov knew old and new tricks to create his typical blend of elusive emotional polyphony as a master of narrative fiction as well; however, this particular scene uses techniques unrealisable in any other medium. Indeed, this does not suggest that Drama has a durable and unqualified advantage over narrative prose, or vice versa. Each art has its own relatively strong *and* weak features; and for each area where one of them (e.g., Drama) is more effective than another (e.g., narrative prose) there is another area, where the reverse is true.

3.3.3.2. Talking, Playing and Waltzing. The most shining example of Čechov's feat in this scene is the moment when Maša's talking *and* waltzing *and* Konstantin's playing occur *simultaneously.* This exemplary moment is rich and intricate, both because at least *three* messages are synchronised and interact in it and because the message itself is complex, an inner dialogue within a personage's mind.

This ending of the short quote ties together, as it were, all the threads woven earlier on. When Konstantin is longing for something/someone away from Maša, the music he plays is a "melancholy waltz"; yet for him, arguably, the emphasis is on *"melancholy"*, waltz being perhaps immaterial, whereas Maša ignores the melancholy and focuses on the *"waltz"*, i.e., a potentially romantic dance for a couple. Intuitively, in her subconscious mind and wishful thinking, she feels invited to waltz with him. The irony of the situation is poignant indeed: the very act which functioned for Konstantin as an escape from Maša's presence is interpreted subliminally by her as a message of tender closeness. She hears her mother's words; she is fully aware, in her *conscious* mind, that neither sense of Konstantin's *toska* – gloom or longing (see note 48) – is inspired by her. Yet, intuitively and subconsciously, the love she bears to Konstantin makes her wallow in her own gloom and longing. She combines Konstantin's playing with her mother's verbal interpretation to suggest that he expresses his gloomy longing for her; and indeed, the sound that originates "two rooms away" reaches her, almost touches her physically[61], and she responds readily and wholeheartedly to that 'call', to that invitation to join him in a waltz of gloom and longing. Thus Maša, never before asked by Konstantin the "May I have this dance?" question, makes those rounds of waltz, synchronised with his playing, forgetting how and why this playing had just come into the world. There is something almost surrealistic and delirious in this lonely dance of half-a-couple, while the other half is so detached, in every possible sense. Mentally, these two lines are parallel, never to meet; they even get farther away from each other. Physically, however, Maša turns Konstantin, without his knowledge, and to his potential dismay, into her imaginary dancing part-

[61] In *Uncle Vanja*, Act II, there is another reference to the physicality of sound, i.e., its potentially synaesthetic fusion with touch, in an emotionally analogous context: Sonia, another Čechovian woman in unrequited love, a few seconds after Astrov, the man she loves, has left the room, is saying: "Голос его дрожит, ласкает... вот я чувствую его в воздухе" (His voice throbs, caresses... there, I can still feel it in the air; 13, 85).

ner[62], as well as into her accompanying pianist. His music imposes itself on her ears willy-nilly, penetrating walls, because this is how sound works; her dancing imposes the idea of partnership on him, in the eyes of the audience, but in his absence.

Of course, none of it is clear to Maša. Moreover, synchronised with those dancing steps, her words disown unrequited love, both in general and in her own life: once unable to lay her eyes on Konstantin, she says, she would forget him; kind of "out of sight – out of mind". However, even the literal sense of her statement is undermined when she does not *see* him (simply because he is in another room), and yet her entire being is attentive to him. It is clearly not sufficient "not to see him" in order to tear this love out "by the roots".

Indeed, my last remarks are too literal: Maša must be referring to a much longer and permanent kind of "not seeing" Konstantin. Yet, Čechov's implied, nonverbal message *to the audience* says that often in the theatre – and, by the logic of mimesis, also in life – referential words may be false, and non-semantic gestures may be meaningfully truthful. While Masša verbally renounces her love, and while she is literally unable to see her beloved, she responds with every fibre of her body (and soul) to the falsely alluring call of what she deludes herself to sense as a seductive waltz. It is too clear which of the two messages – the overt-verbal and the covert-intuitive – is to be trusted.

4. Concluding Remarks: The Main Points of this Study

The aim of this study is twofold: a) to show some of the subtle yet powerful techniques used by Čechov in shaping the mental worlds of his personages; b) to substantiate with conclusive evidence the claim that Čechov was a full-fledged playwright, and not the storyteller trying his inexperienced hand in writing plays, that some of his critics, and even he himself, claimed he was. For this dual aim, it has proved necessary to discuss some tenets and features of Drama as a whole.

As we have seen, "dramas" and "dramatic" conflicts can be, have always been, and will always be, created outside Drama; therefore, they are not its *differentia specifica*. That said, "Dramatic Conflict" has always been typical of Drama. Čechov's Drama, it has been claimed and shown, is not devoid of poignant Dramatic Conflicts; however, in his work they typically take place in perceivers' minds rather than on stage. Čechov's plays abound in conflicts, even traditional ones; it is their "location" which is new.

However, Drama's *differentia specifica* is different: neither narrative fiction nor poetry can come even close to Drama in producing a mixture of heterogeneous medium components. Čechov may have been unaware of the crucial role he was playing, through *writing down* his plays in the way he did, in the 'emancipation' of the nonverbal components of theatre from their dependence on their verbal counterparts.

Indeed, Čechov marginalised overt conflict and other aspects of the "dramatic" in his mature plays, while nurturing the specifically Dramatic, whereas most of his predecessors, including the greatest ones like Shakespeare and Ibsen, almost ignored the nonverbal potentials of Drama in their written texts and nurtured the overtly "dramatic".[63] In spite of that, they

[62] If I were to direct this scene, I would have Maša hold one arm in a gesture of embrace around the body of an absent partner and her other arm and hand meeting his nonexistent hand, as in a real waltz, while waltzing alone to the melancholy tune.

[63] I am talking about the written texts as handed down to us throughout the centuries. There is no doubt that nonverbal elements played an important role in the theatre since time immemorial to the present; the point is that until Čechov much of the presence of nonverbal elements in the productions camouflaged their absence from the written texts. Čechov's predecessors could easily, technically speaking, write detailed stage directions determining the nonverbal parts of production; they could, but they didn't. By relegating these parts to the performers the playwrights were saying, in effect, that the verbal dialogue constitutes *what the play is*, whereas the nonverbal

were the ones who earned an unchallenged status as pillars of Drama throughout the ages, whereas Čechov has constantly been challenged as a playwright, mainly because of his deviations from the overtly "dramatic". Yet, Čechov authored some of the most exceptionally Dramatic scenes ever created.

The final answers to the questions posed at the beginning of this study are by now so clear that they hardly need stating. The uniqueness of *Drama* within Čechov's entire oeuvre lies mainly in the here-and-now simultaneous activation of heterogeneous senses, each with its own *modus operandi* in our cognition. The uniqueness of *Čechov* in world Drama is quite the same – he was a major harbinger of a new medium awareness in this super-genre; he realised for written Drama horizons of medium emancipation, which had been hidden, hardly noticed potentials for his predecessors. He gave a new meaning to the concepts of Dramaticality and Theatricality, by unprecedented activation of two-tier fictionality. This assessment is explicitly medium-oriented; much of Čechov's greatness definitely resides in other aspects of his art, with which the present study is not concerned.

Indeed, in terms of quantity, Čechov's Dramatic output perhaps constitutes a mere tenth of his entire literary corpus; yet in terms of his innovative approach to the basic features of genre and medium, the overall impact that he made on Drama and its history is more radical and unique than the one he made on narrative fiction, which constitutes the other nine tenths of his oeuvre.

Literature

Letters on the Short Story, the Drama and Other Literary Topics by Anton **Chekhov**. Selected and edited by Louis S. Friedland, with a Preface by Ernest J. Simmons. London: Vision, 1965.

Anton **Chekhov**'s Selected Plays. Translated and edited by Laurence Senelick (A Norton Critical Edition). New York, London: W.W. Norton & Company, 2005.

The Complete Plays of Anton **Chekhov**. Translated, edited and annotated by Laurence Senelick. New York, London: W.W. Norton & Company, 2006.

Čudakov, A.P.: Chekhov's Poetics. Transl. by Edwina Jannie Cruise and Donald Dragt. Ann Arbor 1983 (originally published 1971).

Gilman, Richard: Chekhov's Plays. An Opening into Eternity. New Haven, London 1995.

Golomb, Harai: Music as Theme and as Structural Model in Chekhov's *Three Sisters*. In: Semiotics of Drama and Theatre. Eds. Herta Schmid, Aloysius van Kesteren. Amsterdam 1984 (= LLSEE 10), pp. 174-196.

Golomb, Harai: Communicating Relationships in Chekhov's *Three Sisters*. In: Anton Chekhov Rediscovered. A Collection of New Studies with a Comprehensive Bibliography. Eds. Savely Senderovich, Munir Sendich. East Lansing/Mich. 1987, pp. 9-33.

Golomb, Harai: Referential Reflections Around a Medallion: Reciprocal Art-Life Embeddings in Chekhov's *The Seagull*. In: Poetics Today 21 (2000) 4, pp. 681-709.

Golomb, Harai: Chekhovian Plays Viewed through Implied Actors. Part-Readings in *Three Sisters* and *The Cherry Orchard*. In: ТЕАТРЪ. Russian Theatre Past and Present, No. 2, 2001, pp. 13-29.

Hahn, Beverly: Chekhov: A Study of the Major Stories and Plays. Cambridge, London, New York, Melbourne 1977.

Harshav, Benjamin: An Outline of Integrational Semantics. An Understander's Theory of Meaning in Context. In: Poetics Today 3:4, 1982, pp. 59-88.

Harshav, Benjamin: Fictionality and Fields of Reference. Remarks on a Theoretical Framework. In: Poetics Today 5:2, 1984, pp. 227-251.

Karlinsky, Simon: Russian Anti-Chekhovians. In: Russian Literature XV (1984), pp. 183-202.

Kataev, Vladimir: If Only We Could Know! – An Interpretation of Chekhov. Translated from the Russian and edited by Harvey Pitcher. Chicago 2002.

---

elements constitute *how it should be performed.* By writing them down, Čechov made the opposite statement, that much of the nonverbal is an integral part of the written work, being the responsibility of the playwright rather than of the director, actors, and other members of the production team. This change, as we now know, is with us to stay.

Magarshack, David: Chekhov the Dramatist. London 1952.
Magarshack, David: The Real Chekhov. An Introduction to Chekhov's Last Plays. New York, London 1972.
Pfister, Manfred: The Theory and Analysis of Drama. Translated from the German by John Halliday. Cambridge 1988 (originally published in German in 1977).
Pitcher, Harvey: The Chekhov Play. A New Interpretation. London 1973.
Popkin, Cathy: The Pragmatics of Insignificance: Chekhov, Zoshchenko, Gogol. Stanford/Cal. 1993.
Rayfield, Donald: Chekhov. The Evolution of his Art. London 1975.
Rayfield, Donald: Understanding Chekhov. A Critical Study of Chekhov's Prose and Drama. London 1975.
Senelick, Laurence: The Chekhov Theatre. A Century of the Plays in Performance. Cambridge 1997.
Winner, Thomas G.: Syncretism in Chekhov's Art. A Study of Polystructured Texts. In: Chekhov's Art of Writing. Ed. Paul Debreczeny, Thomas Eekman. Columbus/Ohio 1977, pp. 153-166.
Zhirmunsky, V.: Introduction to Metrics. The Theory of Verse. Translated from the Russian by C.V. Brown, edited with an introduction by E. Stankiewicz and W.N. Vickery. The Hague, London, Paris 1966 (= Slavistic Printings and Reprintings, LVIII; originally published in 1925).

Ėmma Polockaja

Принцип неопределенности в пьесах Чехова[1]

Вдумчивый читатель чеховских пьес не может не обратить внимание на умолчания и недомолвки, касающиеся прошлого героев, их взаимоотношений, поведения и мотивировки поступков. Это может побудить его строить разного рода догадки и предположения о жизненной позиции и судьбах героев, особенно в тех случаях, когда речь идет о сценической версии пьесы. Недаром такие предположения высказываются чаще всего не в печати, а в частных разговорах специалистов или же – в беседах режиссеров с актерами.

В самом деле, почему, например, в *Чайке* Маша Шамраева в разговоре с Тригориным называет себя «родства не помнящей» (13, 34)? Разве она не знает, кто ее родители? По крайней мере, в списке действующих лиц после упоминания Шамраева и его жены ясно указано: «Маша, его дочь» (13, 4). Тем не менее ее проникновенные слова, обращенные к Дорну в конце 1-го действия, о том, что она не любит отца, но чувствует душевную близость к нему, к Дорну, и то, что она ищет именно у него утешение, могут навести на мысль: не он ли ее настоящий отец? Тем более, что его роман с Полиной Андреевной тянется много лет и она все еще мечтает стать официально его женой. Такое предположение вполне вероятно, но только как предположение.

Точно так же можно лишь догадываться, почему покойная мать Нины Заречной все свое громадное состояние завещала мужу, оставив без копейки дочь. Известно, что между вторым и 3-м действием Треплев в минуту отчаяния сделал первую попытку самоубийства, но при каких обстоятельствах это произошло – не сказано ничего.

В *Дяде Ване* главная неясность связана с сестрой Войницкого, рано скончавшейся. Если бы, скажем, страдая от ревности к супругу, блестящему ученому, вероятно, окруженному вниманием прекрасного пола, она умерла от чахотки, это не преминул бы поставить ему в вину в третьем акте Войницкий. Известно только, что это было «прекрасное, кроткое создание» (13, 68) с чистой душой. А фраза няни о том, что при ней Астров ездил в дом «две зимы» (13, 63), невольно вызывает мысль: возможно, он посещал ее как врач, и при этом был так же увлечен ею, как теперь – Еленой Андреевной. Но – и только.

В *Трех сестрах* никак не объясняется, почему немолодой уже генерал Прозоров много лет назад был отправлен с своей бригадой из Москвы в холодные края. И странно, что на его похоронах было мало народу. Дело, конечно, не в сильном дожде и снеге, на который ссылается Ольга, вспоминая этот день. Но в чем? Ответа на этот вопрос снова нет, хотя Чехов был точен в изображении быта военных, с которым познакомился еще в 1884 г. в Воскресенске.

Не совсем ясно также, как мог столичный интеллигент, хорошо воспитанный человек, генеральский сын и дворянин Андрей Прозоров так стремительно жениться на Наташе, вульгарной мещанке из провинции. Правда, он быстро к ней охладел, но странно, что наряду с ощущением в жене чего-то от «шаршавого животного» (13, 178), он находил в ней черты честного, доброго человека и с безвольной покорностью подчинялся ее воле. И совсем неестественно его равнодушие к ее роману с Протопоповым, который становился все более явным. Есть основание предполагать, что Протопопов – отец второго ребенка Наташи (вспомним распределение ею детских колясок между мужем и любовником). Но прямого указания на это тоже нет.

---

[1] Ранее опубликовано: Известия РАН. Серия литературы и языка. Т. 64, 2005, № 2, с. 15-20.

В последнее время, – правда, не в печати –, наметилась странная тенденция – оправдывать Наташу – хотя негативное отношение к ней автора сомнений не вызывает (об этом можно судить не только по поступкам героини, но и по ассоциации Чехова в связи с нею: «à la леди Макбет»; П. 9, 171). Так, известное замечание Ольги по поводу одежды Наташи, пришедшей впервые к Прозоровым, вызывает предположение, что оно-то, обидев будущую жену Андрея, дало ей повод к мести и желанию стать единовластной хозяйкой дома.

Но контекст пьесы дает почувствовать и иные импульсы, которые вызвали замечание Ольги. Резкость ее слов о зеленом поясе на розовом платье Наташи связана с уверенностью сестер, высказанной до ее прихода, что Андрей не может жениться на «здешней барышне» с дурным вкусом. Связаны эти слова также с профессией Ольги. Видимо, она привыкла учить гимназисток не только грамоте (кстати, что́ именно она преподает, мы не знаем), но и манерам, вкусу (она и Маше делает замечания, словно ученице). Заметим, что свой упрек Наташе она произносит «Вполголоса, испуганно» (13, 136), считая этот наряд отступлением от хорошего тона, но стараясь не смутить гостью при незнакомых ей людях. Ясно, что такая реакция для нее естественна.

Мало что известно и о прошлом военных, включая самого близкого к семье Прозоровых человека – доктора Чебутыкина. Неясно, в кого («в кого-то») был влюблен приходивший в гости в московский дом Прозоровых Вершинин, прозванный тогда «влюбленным майором» (13, 127). Он, знавший мать Прозоровых, и Чебутыкин, любивший ее, и тогда служили, вероятно, вместе. Чехов ограничился двумя репликами героев, чтобы ввести читателя в то время:

> Вершинин. Я вашу матушку знал.
> Чебутыкин. Хорошая была, царство ей небесное. (13, 128)

Позже Чебутыкин признается и Андрею, и Маше, что любил их мать, а об ее отношении к нему умолчал. И это снова может вызвать разные предположения. Когда Маша обращается к Вершинину с своим «Трам-там-там» после того, как он напевает: «Любви все возрасты покорны […]» (13, 163), неясно, продолжает ли она петь на тот же мотив, подражает ли призывному звуку трубы в опере *Кармен* или же это ее собственный экспромт.

Никак не объясняются истоки озлобленности и бретерства Соленого, присущего ему чувства отверженности, отщепенства, своей неполноценности. Любитель дуэлей, вызывающих у него страсть к убийству, – уж не болен ли он психически? Но откуда такая искренность в признании любви к Ирине, понимание чистоты ее души?

В *Вишневом саде* туман над прошлым ряда героев сгущается. Яснее всего жизнь Раневской. У Гаева и Лопахина известны, кроме их поведения в настоящем, детали только детских лет. «Середина» их существования неясна. У Лопахина в этом отношении есть даже преимущество. Ясно, что он все эти годы обогащался как купец и приобрел какой-то участок земли, где рос, в частности, мак. Его восхищение цветущим маком обычно истолковывается как свидетельство чуткости к красоте природы, хотя в упоминании им дохода в сорок тысяч Чехов как будто дает сведение об одном из способов обогащения Лопахина. В Японии нашелся внимательный читатель, который, как нам представляется, почувствовал не названный, но, возможно, подозреваемый аспект этой реплики Лопахина: «Можно предполагать, что ‹вишневый сад› куплен деньгами, частью нажитыми на торговле маком. Мак, с точки зрения Лопахина, гораздо выгоднее вишни.»[2] Пример того, какой простор для домысливания своего текста дает Чехов-драматург.

Другое дело, что в личности этого купца действительно есть нечто позволяющее считать его *нетипическим* капиталистом. Задолго до появления этого термина, опираясь на трофимовскую фразу о нежных пальцах и душе Лопахина и тоскливые слова самого героя о «нескладной, несчастливой жизни» (13, 241), К. Чуковский заметил «неопределенность, неясность» в его характере: «Силу ему удалось полюбить только в минуту ее слабости.»[3]

О личной жизни Гаева мы не знаем ничего. Был ли он женат когда-нибудь? Или о Варе, происхождение которой нам неизвестно. Что означают конкретно слова: «приемная дочь»? Кто были ее родители?

Трижды упоминается в пьесе, что семилетний Гриша утонул в реке, но нет даже намека на то, как это случилось.[4]

Трофимов, если помнить слова Чехова о его подпольной работе, казался автору «недоделанным». Но умолчал он об этом в пьесе, остерегаясь цензуры. Если бы он смог сформулировать, чем конкретно занимается Петя в городе (где судьба его гоняет с места на место – завуалированный намек на преследование властей), яснее была бы разница между ним и Сашей в *Невесте*, который к политике в точном смысле касательства не имел. В «дуэте» Петя–Аня ясно его отношение к девушке, поскольку он «выше любви» (13, 233) (что однако не вяжется с его заочным обращением к ней: «Солнышко мое! Весна моя!»; 13, 214), но о приобщении Ани к такой позиции в тексте речи нет. 17-летняя хорошо воспитанная девушка вряд ли бы высказала первой своего чувства, но пережить в душе – могла бы. Есть над чем поразмыслить…

В пьесе нет и намека на то, откуда у Епиходова взялась такая выспренняя, полуграмотная речь.

Мало известно нам и о прошлом Шарлотты. Читателю она представляется немкой (вспомним известное выражение в ее устах: «Guter Mensch, aber schlechter Musikant»; 13, 231). Но неясно, в какой стране она родилась: «одна немецкая госпожа» могла приютить ее в Германии, в России, в любой стране. Слова: «родства не помнящая», в устах героини *Чайки* повисающие в воздухе, в *Вишневом саде* сопровождаются воспоминанием Шарлотты о ярмарках с ее детскими salto mortale, оборвавшимся мыслью о сиротстве и незнанием того, кто были на самом деле ее отец и мать. Последний ее «фокус» в пьесе с узлом наподобие ребенка может означать не только укор Раневской, «бросившей» свое имение (как часто мы трактуем эту мизансцену). Он может быть вызван и тайной мыслью Шарлотты, была ли она настоящей дочерью тех, кого считала родителями. Не подброшена ли она была им настоящими отцом или матерью? То есть не брошена ли была, как этот сверток. Ситуация, известная миру исстари:

> Грустите вы, слушая крик обезьян!
> А знаете ли, как плачет ребенок,
> Покинутый на осеннем ветру?[5]

Страшнее же всего в рассказе Шарлотты о себе – незнание своего возраста (кстати, при настоящих родителях ребенок, как правило, знал бы, сколько ему лет). Пока ей ка-

---

[2] Т. Сасаки: Мак и вишня в «Вишневом саде». В: Век после Чехова. Международная научная конференция. Тезисы докладов. Москва 2004, с. 175.

[3] К.И. Чуковский: А. Чехов. 1908. В: А.П. Чехов. Pro et contra. Творчество А.П. Чехова в русской мысли конца X1X – начала XX в. (1887–1914). Антология. СПб. 2002, с. 845. Разрядка в словах Чуковского принадлежит ему.

[4] Одно из предположений – в нашей книге: «Вишневый сад». Жизнь во времени. Москва 2003, с. 313.

[5] Басё: Стихи. Перевод с японского В. Марковой. Москва 1985, с. 164.

жется, что она «молоденькая», но пройдут годы, и возникнет желание знать свой истинный возраст. Неопределенность возраста ряда героев в пьесах Чехова перекрывает тайна происхождения этой, может быть, самой одинокой в его творчестве, хотя и сильной духом, независимой женщины.

В конце пьесы создается впечатление, что забытый в заколоченном доме Фирс засыпает навеки. Хотя нельзя исключить и того, что наутро Епиходов откроет двери получившим письмо больничным служащим, так и не дождавшимся накануне своего пациента.

Вообще, финал пьесы – кладезь недоговоренностей. Не совсем четко отношение автора к прошлому (сочетание симпатии с пониманием, что владельцы прекрасного имения сами повинны в его разрушении) и к будущему (надежда на него высказана в наивных восклицаниях молодых героев, а сад уже начинают рубить...). Символом этой неопределенности, «открытости» финала становится – в заключительной ремарке – таинственный, отдаленный, «точно с неба» звук лопнувшей струны, источник которого (уже во второй раз в пьесе) остается неизвестным.

Стремление автора избавиться от ряда уже придуманных подробностей и тем увеличить число наших вопросов, сказалось в его работе над рукописью *Вишневого сада*. И даже вынужденное (по настоянию режиссеров МХТ) исключение замечательной сцены между Шарлоттой и Фирсом, которая теперь так часто воспроизводится в театре, Чехов принял искренне. Иначе он, вероятно, восстановил бы ее при публикации пьесы.

Приведенные примеры (а их можно умножить) позволяют прийти к выводу, что Чехов сознательно и весьма последовательно создает вокруг своих героев «зону неопределенности», атмосферу неполной ясности.

Возникает естественный вопрос: для чего?

На наш взгляд, этому есть два объяснения.

Такая атмосфера отвечает в первую очередь чеховскому стремлению к краткости, его доверию к читателю, на которого он по своему обыкновению «рассчитывает». Но при этом и помогает: дает возможность восполнить «недостающие» факты или детали с помощью привычных для своей поэтики «косвенных» средств. Известный «пропуск» сцены торгов в *Вишневом саде* с лихвой восполняется монологом Лопахина в 3-м действии, с его подробным рассказом о соревновании претендентов и своей победе. А о психологической пытке, пережитой Гаевым на аукционе, дают знать его первые слова об анчоусах и глагол «выстрадал» – вместо прямого ответа на вопрос, продан ли сад. Да и Лопахин начал свой рассказ не с итога торгов, а о том, когда они кончились и как долго они с Гаевым ехали назад. По этим двум «вступлениям» к рассказу об аукционе можно было *понять* случившееся в городе, но *принять*? Поэтому Раневская вынуждена была, не получив ответа от брата, задать тот же вопрос, продан ли сад, Лопахину. Его длинная речь, кроме фраз: «Продан» и «Я купил», была нужна только ему – как проявление своего торжества и попытка оправдаться перед Раневской. И автору – для характеристики героя, его купеческого азарта и внутренней противоречивости. Аукцион же с молоточком Чехову был просто не нужен. Возмещение отсутствия внешне эффектной сцены контекстом пьесы оказывается родственным функции известного чеховского подтекста («выстрадал», значит «продан»).

Косвенные средства придают краткости ту неповторимость, которую нельзя назвать иначе как чеховской. Все его творчество изобилует повторяемостью отдельных слов и фраз как героев, так и автора. Зачем она при скупости на конкретные обстоятельства и события? Повторы углубляют высказанные однажды суждения, делают более выразительной реакцию героев на происходящее. Но кроме того, они придают тексту (драматическому, как и повествовательному) особое *звучание*. В музыке чеховского слова – одна из тайн притягательной силы его сочинений. О парадоксальном соседстве лаконичности с повторами в творчестве Чехова можно сказать, перефразируя известные слова Михаила Светлова: ему не нужно ничего «необходимого» (вроде названных выше подробностей), но он не может обойтись «без лишнего».

Но для понимания художественного метода Чехова важнее другое. Отмеченные нами умолчания и недомолвки (а их можно умножить) отчетливее выявляли индивидуальную неповторимость персонажа, его несводимость к стереотипным «амплуа». Объективно это один из способов размыть типическую определенность литературного героя. Об этой особенности Чехова-драматурга не раз писали наши исследователи. Так, И.Н. Сухих отмечает, что в *Вишневом саде* «сталкиваются не социальные типы, а скорее социальные исключения», ибо индивидуальное в чеховских героях «определенно и явно поглощает типическое».[6] Таков особенно в чисто купеческих чертах Лопахина ощутимый оттенок интеллигентности, в этом случае не поглощающий их, но придающий им индивидуальный характер. Своего рода «нетипичность» чеховских героев, по словам Б.И. Зингермана, уловили некоторые актеры МХТа в *Вишневом саде*. Так, И.М. Москвин (Епиходов) создал трагикомический образ человека, «неловко застрявшего в жизни где-то между господами и слугами».[7] Пожалуй, один из самых «неопределенных» характеров в пьесах Чехова – Раневская в исполнении О.Л. Книппер. В ней, вспоминает Б.И. Зингерман, «проступало нечто дразнящее, неуловимое». И выглядела она «не русской помещицей и не парижанкой; не эгоисткой и не очень доброй, это было прихотливое и бесконечно простое существо какой-то особой породы, не соответствующее привычным представлениям о человеческом характере».[8]

Оригинально проявляется принцип неопределенности в сценах с чтением персонажей. Книги и газеты, которые они читают, обычно не имеют названий. Правда, в *Чайке* Дорн читает вслух тоже просто «книгу», но образованный читатель догадывается, что это *На воде* Мопассана. В остальных пьесах мы не можем знать, о какой книге идет речь. Но зачем тогда эти упоминания?

Уже *Иванов* начинается с ремарки о том, что герой за столом «читает книгу». Книгу вообще. Но в первой же реплике он признается, что «расстроен». И взялся за книгу, видимо, чтобы как-то отвлечься. В *Дяде Ване* лишь больной профессор «заказывает» для себя на утро книгу Батюшкова. Произнесение имени автора книги, о которой идет речь, – единственное в пьесах, если не считать одного труда Кулыгина, о чем будет сказано ниже. Названия же книги Батюшкова нет, так как она единственная в доме.

Во вступительной ремарке к *Трем сестрам* сказано о Маше: «читает книжку» (13, 119). Какую? Последующее цитирование ею Пушкина: «У лукоморья дуб зеленый…» вряд ли связано с этим чтением. Ясно, что она эти строки помнит наизусть. И по ее знанию русской классики вообще (позже она цитирует и Гоголя), и по тому, что стихи о пушкинском «лукоморье» и «златой цепи» на дубе повторяются ею – без книги в руках – сразу после того, как она простилась навсегда с Вершининым и тут же явился перед нею с утешениями Кулыгин. Свою неволю она соотносит с пушкинской строкой независимо от того, какая книжка в начале пьесы была у нее в руках.

С не названной Андреем Прозоровым английской книжкой связано его желание перевести ее (до женитьбы, конечно). А после женитьбы, во 2-м действии, он тихо входит в гостиную «с книгой» и садится у свечи. Чтение для него, как и для Иванова, видимо, – способ отвлечься от тяжелых мыслей. И только история местной гимназии за 50 лет, написанная Кулыгиным, – не вообще «книга», а конкретный, вероятно, добросовестный, но скучный труд, которым он щедро одаривает окружающих (косвенное указание

---

[6] И.Н. Сухих: «Вишневый сад» А.П. Чехова. В: Анализ драматического произведения. Ленинград 1988, с. 350.

[7] Б.И. Зингерман: Театр Чехова и его мировое значение. Москва 1988, с. 53/54.

[8] Там же.

на невостребованность издания). Все это характеризует старательного учителя гимназии, послушно выполняющего требования директора и во всем ему подражающего.

В первых двух действиях Чебутыкин цитирует конкретные сведения из газет (о том, как бороться с выпадением волос, где венчался Бальзак и др.). Но какие это газеты, нам не дано знать, кроме того, что они свежие, потому что Чебутыкин вытаскивал их из карманов. А уж книги этот врач, забывший, как лечить одышку, вряд ли брал в руки (в том числе Добролюбова, имя которого встретил в газетах, и Шекспира с Вольтером, имена которых прозвучали при нем в клубе). Однако, этому герою нельзя отказать в уме и знании людей. Фигура сложная, достойная специального рассмотрения.

Как справедливо считает Т. Ивлева, книга в пьесах Чехова, особенно в *Трех сестрах*, означает для героев «замещение мира реального».[9] Для женатого Андрея – «замещение» навсегда, для Маши – до встречи с Вершининым и, наверняка, после его отъезда, когда она начнет жизнь «снова». Но в сущности, ту же прежнюю, довершининскую, «неудачную» жизнь, с той же ассоциацией: «златая цепь..».

По-иному и Марии Васильевне в *Дяде Ване* тщательное чтение (с карандашом в руке!) брошюр идеологического содержания – тоже без названия – заменяет отсутствующий у нее интерес к переживаниям сына и внучки.

Начало *Вишневого сада* ознаменовано особым отношением к книге Лопахина: уважительным, раз он взял ее в руки, но как к чужому, непонятному миру. Объясняя Дуняше, почему он проспал встречу поезда с Раневской, он сетует на свою неграмотность и перелистывает эту книгу со словами: «Читал вот книгу и ничего не понял. Читал и заснул» (13, 198).

В пьесе есть еще два упоминания книг: фраза Епиходова о Бокле (которого он, возможно читал, но вряд ли понял) и ссылка Симеонова-Пищика на свою дочь Дашеньку, которая понаслышке и потому неверно цитирует ему Ницше. С чужих слов он передает и странный совет какого-то «философа» – «прыгать с крыш» (13, 249). Источник этого совета, выражаясь словами Лопахина, покрыт «мраком неизвестности». О чтении Трофимова (казалось бы, ему-то оно свойственно) мы ничего не знаем, за исключением того, что он перевел какую-то книгу. Какую? – это так же неясно, как то, что́ за книгу хотел перевести Андрей Прозоров.

Эти странные на первый взгляд умолчания могут создать впечатление, что сфера отвлеченных, содержащихся в книгах идей чужда героям Чехова. Тогда почему они так много в тех же *Трех сестрах* обсуждают философские темы, отстаивая каждый свою как будто твердую точку зрения? Вспомним, например, знаменитый спор о будущем между Вершининым и Тузенбахом во втором акте. Но читателю ясно, что несмотря на уверенность тона каждого, у обоих нет сложившейся системы взглядов, четкой философской позиции. Жизнь их складывается сама по себе, а рассуждения в гостиной остаются тоже сами по себе. Когда же Чехов наделяет героя твердыми взглядами на жизнь, как доктора Львова или профессора Серебрякова, четко формулирующих свои представления о жизни и навязывающих их другим, то это уже отступление от главного для Чехова понимания интеллектуальной жизни личности (и, добавим, признак авторского ее неприятия).

Отсутствие определенности в сфере сознания героев тоже по-своему ослабляет типическое начало в них. Известно, что сам Чехов скептически относился к различным учениям и доктринам, создатели которых полагали, что способны разобраться в сложности современной жизни. В ответ на сетование, например, Вл.И. Немировича-Данченко, что Чехов избегает «серьезных разговоров», он писал: «[…] когда кругом тебя тундра и

[9] Т.Г. Ивлева: Автор в драматургии А.П. Чехова. Тверь 2001, с. 105 (ср. с. 21). Примером наибольшего в этой пьесе удаления героя от действительности Т.Г. Ивлева считает обильное чтение газет Чебутыкиным – в двенадцати ремарках автора (с. 107).

эскимосы, то общие идеи, как непримиримые к настоящему, так же быстро расплываются и ускользают, как мысли о вечном блаженстве» (П. 6, 241).

В свое время А.П. Чудаков впервые в нашей науке продемонстрировал отличие чеховского искусства от классического реализма XIX столетия, основанного в целом на типическом изображении жизни. Широко представив мир Чехова как многочисленные сочетания «случайностей», в Заключении к своей книге он писал: «Нельзя сказать: все внимание автора направлено на случайное. Дело именно в равнораспределенности авторского внимания, в свободном, непредугаданном и нерегламентированном сочетании существенного и случайного.»[10] Опираясь на это суждение, В.Б. Катаев предложил делить предметы изображения у Чехова в соответствии с принятой в философии триадой: общее – особенное – единичное, иллюстрируя этим представление о сложности мира Чехова.[11] Наконец, противопоставляя «случайностный» (по Чудакову) реализм Чехова реализму его предшественников, А.М. Гуревич пришел к мысли о полном *равноправии* в его мире «главного с второстепенным, типического с атипическим, закономерного со случайным» и предложил свой термин: «атипический реализм».[12]

Видимо, ни один из этих терминов не может дать исчерпывающую картину той многогранной и противоречивой системы, которая носит название: мир Чехова. Любая доминанта в изображении какого-то участка жизни сопровождается у него исключениями.

В заключение – немного о том, что названный здесь принцип неопределенности у Чехова был замечен и в прошлом, но преимущественно под знаком ущербности его художественной позиции. Еще на рубеже XIX–XX веков это дало критике повод обвинить Чехова в равнодушии, холодности, отсутствии мировоззрения и интереса к общественной жизни. Меньше было других точек зрения, вроде признания неопределенности авторской трактовки личности Лопахина в упоминавшейся статье К. Чуковского.

Интересно, что момент неопределенности, вызвавший отрицательные отклики в критике, и так же негативно, был отмечен Л. Толстым в прозе и особенно в пьесах Чехова. Под впечатлением *Трех сестер*, которые Толстой не смог дочитать до конца, он писал, что Чехов нарушал закон драмы – поставить человека в такое положение, в котором «он сказался бы весь».[13] Но это «весь», как видно из приведенных нами примеров, вовсе не входило в задачу Чехова-драматурга! Слова Толстого точны, но примечательны непониманием авторского замысла. «Неясность» он допускал только в поэзии[14], а в прозе, если иметь в виду чеховскую (которую он ценил в целом очень высоко), видимо, подобных случаев не замечал. В драме же – отвергал.

Опираясь на мысли Толстого о Чехове-драматурге, Б. Пастернак формулировал собственную художественную позицию так:

> Это те самые неопределенность, бездействие, недостаточность движения, интриги и плотности, которые Толстой ставил в вину чеховским драмам, тогда как именно это безразличие к страстям, причинам и следствиям, прошлому и настоящему, эта склонность изображать драматически взаимодействующие группы людей, как живые пейзажи, и отнюдь не более значительно, весомо и неподвижно, эта излюбленная манера смещать и стирать линии и границы в описаниях как раз была главной силой Чехова и его обаяния как рассказчика, что восхищало Толс<того> в ч<еховских> повестях.[15]

---

[10] А.П. Чудаков: Поэтика Чехова. Москва 1971, с. 282.
[11] В.Б. Катаев: Проза Чехова. Проблемы интерпретации. Москва 1979, с. 72-76.
[12] А.М. Гуревич: Динамика реализма. Москва 1995, с. 75/76.
[13] Л.Н. Толстой и А.П. Чехов. Рассказывают современники, архивы, музеи… Москва 1998, с. 279.
[14] Там же, с. 51.
[15] Наше наследие. № 58. Москва 2001, с. 76.

Ссылка на Чехова-рассказчика здесь вызвана контекстом – объяснением своей художественной позиции в романе *Доктор Живаго*, но ясно, что упоминая неприятие Толстым чеховской драматургии, Пастернак защищал «главную силу» и в ней.

Принцип неопределенности, который представлен здесь на примере драматургических текстов Чехова, несомненно может быть подтвержден аналогичными примерами в повествовательной прозе писателя.[16]

Множеством отступлений Чехова от классического реализма вызвано, вероятно, такое обилие «разночтений» его творчества – в восприятии читателей и критиков, в театральных трактовках, в художественных иллюстрациях к его произведениям и т.д. Уникальное по богатству и разнообразию творчество ускользает от строго формулируемой, однозначной терминологии…

Поэтому вполне вероятно, что могут быть названы и другие принципы, характеризующие своеобразие чеховского художественного метода. Разнообразные, уживающиеся в многогранном, просторном мире писателя.

Литература

Басё: Стихи. Перевод с японского В. Марковой. Москва 1985.
Гуревич, А.М.: Динамика реализма. Москва 1995.
Зингерман, Б.И.: Театр Чехова и его мировое значение. Москва 1988.
Ивлева, Т.Г.: Автор в драматургии А.П. Чехова. Тверь 2001.
Катаев, В.Б.: Проза Чехова. Проблемы интерпретации. Москва 1979.
Наше наследие. № 58. Москва 2001.
Полоцкая, Э.: «Вишневый сад». Жизнь во времени. Москва 2003.
Сасаки, Т.: Мак и вишня в «Вишневом саде». В: Век после Чехова. Международная научная конференция. Тезисы докладов. Москва 2004.
Сухих, И.Н.: «Вишневый сад» А.П. Чехова. В: Анализ драматического произведения. Ленинград 1988.
Толстая, Татьяна: Изюм. Избранное. Москва 2003.
Л.Н. Толстой и А.П. Чехов. Рассказывают современники, архивы, музеи… Москва 1998.
Чудаков, А.П.: Поэтика Чехова. Москва 1971.
Чуковский, К.И.: А. Чехов. 1908. В: А.П. Чехов. Pro et contra. Творчество А.П. Чехова в русской мысли конца Х1Х – начала ХХ в. (1887–1914). Антология. СПб. 2002.

[16] Не имея здесь возможности приводить примеры из рассказов и повестей Чехова, сошлемся на статью Т.Н. Толстой *Любовь и море – о Даме с собачкой*, с глубокой трактовкой рассказа. В статье замечены, в частности, авторские «пропуски». «За рамкой текста», замечает Толстая, остается конкретное описание обеих любовных сцен, а в ялтинском свидании героев во время их получасового молчания оказываются «непоказанными, необозначенными» их мысли и чувства. Наконец, и чудо преображения, которое произошло с героями, не описано Чеховым в точном смысле этого слова. См. Татьяна Толстая: Изюм. Избранное. Москва 2003, с. 26, 23, 27.

Aleksandr Čudakov †

Вторая реплика

Драма, по старинному определению – «разговоры в лицах» (Даль), т.е. диалог. Это означает, что вступающий в него партнер реагирует на предыдущее высказывание, отвечая, выражая согласие, возражая, обнаруживая свое эмоциональное отношение и т.д. «Обычные формы темоведения, – писал С.Д. Балухатый, – вопросно-ответная и подхватная.»[1] В диалоге он отмечал, в частности, случаи

1) *смены* тем, когда одна тема вызывает другую, чаще всего по ассоциативным признакам;
2) *подхвата* темы – когда тема, начатая одним лицом, раскрывается следующим;
3) *перебоя* тем – когда тема частично смещается другими, но остается единой в течение всего диалога;
4) *разрыва* темы – когда начатая тема прерывается в какой-то момент темоведения, с тем, чтобы быть завершенной в конце диалога.[2]

Все эти качества ответной реплики – особенности «плавного, непрерывного ‹литературного› течения, которое было характерно для старого театра».[3]

Это не значит, что в старом театре резкость, необычность второй реплики отсутствовала. Замечательно об этом сказал Ю. Олеша:

> Когда читаешь драматические произведения, то с особым интересом ждешь, как будет реагировать действующее лицо на то или иное событие, призванное его ошеломить. Не восклицаниями же [...]: «Да!» «Да неужели?» «Что вы говорите?» Я однажды прямо-таки подкрадывался к такому месту. Тень Банко появляется перед Макбетом. Как же будет реагировать Макбет? Трудно представить себе более точную реакцию. «Кто это сделал, лорды?» – спрашивает Макбет.[4]

У Чехова, разумеется, есть неожиданные и глубокие реактивные реплики такого рода, много говорящие о персонаже, ситуации, да и всем сюжете.

М а ш а. Вы любили мою мать?
Ч е б у т ы к и н. Очень.
М а ш а. А она вас?
Ч е б у т ы к и н *(после паузы)*. Этого я уже не помню. (13, 176)

Когда последнюю реплику в замечательной постановке 1940 г. Вл.И. Немирович-Данченко (автор настоящей статьи видел этот спектакль в 1954 г.) своим низким хрипловатым голосом произносил А.Н. Грибов, зал вздрагивал.

Примером реплики такого же Шекспировского масштаба в прозе Чехова может служить ответ старика из повести *В овраге*:

– Вы святые? – спросила Липа у старика.
– Нет. Мы из Фирсанова. (10, 174)

---

[1] С.Д. Балухатый: Вопросы поэтики. Ленинград 1990, с. 24.
[2] Там же.
[3] Вл.И. Немирович-Данченко: Из прошлого. Москва 1938, с. 134.
[4] Ю. Олеша: Избранное. Москва 1974, с. 496.

Реплики Чебутыкина и старика непредсказуемы, блестящи. Но они из классического диалогического арсенала. Новые пути драматического речеведения открылись чеховскими вторыми репликами совсем другого типа.

1.
Один из важнейших традиционных способов связи речей в драме – повторение слова из предыдущей реплики:

> М о л ч а л и н. Сейчас с прогулки.
> Ф а м у с о в. Друг. Нельзя ли для прогулок подальше выбрать закоулок?
> (А.С. Грибоедов, *Горе от ума*)[5]

Пример из более поздней драмы:

> К н у р о в. Ведь в Ларисе Дмитриевне земного этого житейского нет. Ну, понимаете, тривиального, что нужно для бедной семейной жизни.
> О г у д а л о в а. Ничего нет, ничего.
> К н у р о в. Ведь это эфир.
> О г у д а л о в а. Эфир, Мокий Парменыч.
> К н у р о в. Она создана для блеску.
> О г у д а л о в а. Для блеску, Мокий Парменыч.
> К н у р о в. Ну, а может ли ваш Карандышев доставить ей этот блеск?
> О г у д а л о в а. Нет, где же!
> (А.Н. Островский, *Бесприданница*)[6]

Нет ничего более далекого от этой связи реплик, восходящей к бытовому диалогу, чем реплики в драмах Чехова, несмотря на их внешнюю обыденность, обращенность на необязательные, ситуационные темы.

Чеховские повторы – сплошная фикция: они ничего не связывают и ничто не продолжают.

> С а ш а. Утомительно с тобою говорить. *(Смотрит на картину.)* Как хорошо собака нарисована! Это с натуры?
> И в а н о в. С натуры. Весь этот наш роман – общее избитое место: он пал духом и утерял почву.
> (*Иванов*, III; 12, 57)

Иногда повторенное слово прямо противоположно по смыслу тому же слову первой реплики, что подчеркивается авторской ремаркой.

> И р и н а. [...] И если я не буду рано вставать и трудиться, то откажите мне в вашей дружбе, Иван Романыч.
> Ч е б у т ы к и н *(нежно)*. Откажу, откажу... (13, 123)

2.
Целые сцены в чеховских драмах построены на цепочках, где вторые – ответные – реплики лучше б назвать безответными. Таковы разговоры Андрея и Ферапонта в начале 2-го действия *Трех сестер*, Тузенбаха и Вершинина, знаменитое чебутыкинское «Баль-

---

[5] А.С. Грибоедов: Горе от ума. В: А.С. Грибоедов: Сочинения в стихах. Ленинград 1967, с. 71/72.

[6] А.Н. Островский: Бесприданница. В: А.Н. Островский: Полное собрание сочинений и писем. Т. VIII. Москва 1950, с. 180.

зак венчался в Бердичеве» и т.д. – почти все действие давно растащено исследователями на примеры некоммуникабельности персонажей. С.Д. Балухатый вообще полагал, что эта

> пьеса почти не имеет речей и диалогов в энергичной экспрессивной форме и с драматически-сюжетной функцией. [...] Немногие речи, энергично напрягаемые, лишены сюжетно-драматических следствий.[7]

Попытки найти в соположении подобных реплик сиюминутно-ситуационные смыслы (чаще всего «снижающие») не прекращаются. Ср., например:

> Ольга мечтает о Москве – и в ответ на ее мечты раздается: «Черта с два!» [...] Это звучит грубый смех жизни над иллюзорными, несбыточными надеждами.[8]

> Возвышенные мечты героев «Трех сестер», как верно отметил В. Ермилов, то и дело «снижаются» будничными репликами. [...] Ответом на раздумья Тузенбаха [...] звучит «цип-цип-цип» Соленого, произнесенное как будто бы совсем не по существу.[9]

> Ольга произносит исповеднические слова [...] Тузенбах как будто пресекает эту столь лирически начатую тему [...] у Чехова спорят друг с другом и не относящиеся друг к другу реплики.[10]

> [...] чеховский человек по сути своей не теоретик и не упорный правдоискатель. [...] он [...] гораздо лучше обнаруживает себя [...] в рассеянном посвистывании, обрывочных междометиях и напевчиках, срамных репликах типа: «А должно быть, в этой самой Африке теперь жарища...» [...].[11]

3.

Уже первые рецензенты говорили о лейтмотивах в чеховской драме. Вторая реплика – один из главных способов их включения; персонаж ведет свою тему независимо от содержания предыдущей реплики: Шамраев вспоминает «допотопных» актеров, Медведенко уже в третьей реплике пьесы говорит о том, что получает «всего 23 рубля в месяц», а «есть и пить надо», а через реплику, едва начав говорить о своей любви, тут же сползает в привычное:

> Я люблю вас, не могу от тоски сидеть дома, каждый день хожу пешком шесть верст сюда да шесть обратно и встречаю один лишь индифферентизм с вашей стороны. Это понятно. Я без средств, семья у меня большая... Какая охота идти за человека, которому самому есть нечего? (13, 6)

Лейтмотивная реплика часто не имеет связи с прочим текстом спереди и сзади. Шамраев в 1-м действии *Чайки* вдруг рассказывает эпизод со знаменитым Сильвой в оперном театре. Никто никак на это не реагирует:

> Пауза.
> Д о р н. Тихий ангел пролетел. (13, 17)

---

[7] С.Д. Балухатый: Проблемы драматического анализа. Чехов. Ленинград 1927, с. 135.
[8] В. Ермилов: Драматургия Чехова. Москва 1948, с. 179/80.
[9] В. Хализев: Уроки Чехова-драматурга. В: Вопросы литературы, 1962, № 12, с. 91/92.
[10] З. Паперный: «Вопреки всем правилам…» Пьесы и водевили Чехова. Москва 1982, с. 192.
[11] В. Камянов: Время против безвременья. Чехов и современность. Москва 1989, с. 27.

Иногда лейтмотивная вторая реплика притворяется коммуникативной, таковою ни в коей мере не являясь. Через несколько минут Шамраев повторяет свой анекдот про Сильву.

> Шамраев [...] *(идущему рядом Медведенку)*. Да, на целую октаву ниже: «Браво, Сильва!» А ведь не певец, простой синодальный певчий.
> Медведенко. А сколько жалованья получает синодальный певчий? (13, 18)

Ему никто не отвечает, все уходят; следующая реплика – Дорна – никак не связана со словами Медведенко: «Не знаю, быть может, я ничего не понимаю или сошел с ума, но пьеса мне понравилась.» Вопрос Медведенко

> остается без ответа, что потрясло многочисленных критиков, требовавших от пьесы фактов и цифр. Помню я, где-то читал торжественное заверение, что драматург должен сообщить публике точные доходы всех персонажей, иначе их настроения и поступки до конца непонятны. Но Чехов с его гениальной небрежностью и гармонией банальных мелочей достигает большего, чем заурядные рабы причинно-следственных связей.[12]

Лейтмотивная реплика в свой второй раз, несмотря на видимую конкретную содержательность, не несет в себе новой информации и представляет собою благодатную почву для любых актерско-режиссерских решений.

4.
Еще более питательную почву и возможность нагрузить текст самыми разнообразными смыслами представляют вторые реплики, являющиеся уже чистой глоссалией: «Дуплет в угол... Круазе в середину...», знаменитая «Тара... ра... бумбия».

5.
Неменьшую семантическую опустошенность, а значит незакрепленность и неопределенность являют реплики-цитаты: «И за деньги русака немцы офранцузят»; «У лукоморья дуб зеленый, златая цепь на дубе том»; «Он ахнуть не успел, как на него медведь насел». Бессмысленно искать какой-либо ключ в семантике цитируемого; такие поиски заводят за все мыслимые пределы: Соленый «впрямую связан с внесценическим образом крыловского медведя»[13] и даже манифестирует «мирового зверя», «выход на авансцену медведя дикого»[14].

6.
И еще большую возможность для режиссерского творчества дает явление нулевой, или замещенной очередной реплики, осуществляемое у Чехова при помощи пауз. В Художественном театре это была

> пауза не мертвая, а действенная, углубляющая переживания или отмеченная звуками, подчеркивающими настроение: фабричный или паровозный гудок, птица, тоскливый крик со-

---

[12] В. Набоков: Лекции по русской литературе. Москва 1996, с. 358.
[13] Е.И. Стрельцова: Опыт реконструкции внесценической родословной, или «демонизм» Соленого. В: Чеховиана. «Три сестры» – 100 лет. Москва 2002, с. 164.
[14] Там же, с. 165.

вы, проезд экипажа, доносящаяся издали музыка и т.д. [...] Достигались паузы очень нелегко, путем настойчивых и сложных исканий, не только внешних, но и психологических.[15]

Пауза замещает ожидаемые реплики, которые можно сравнить с пропущенными строфами в *Евгении Онегине*; Тынянов считал, что их содержание богаче любого текста. Точно так же никакая реплика не может вобрать в себя ту гамму смыслов, которые возникают на этом пустом месте благодаря включению апперцепционных масс читателя или толкований режиссеров нынешних и тех, которым еще предстоит родиться.

7.

Вторая реплика Человека внесла значительную лепту в легенду о «несценичности» его пьес, дань которой, кроме множества критиков-современников, отдали такие выдающиеся художники, как Бунин и Булгаков. Действительно, традиционное понимание связи реплик и сцен, а всей драмы как логической последовательности их движения – одно из фундаментальных сценических правил со времен Шекспира.

> Говорить о какой-либо оторванности друг от друга «сцен» шекспировской трагедии нельзя: они тесно связаны между собой, и действия развиваются в них непрерывно, на глазах у зрителя, чем и достигалась большая драматичность действия.[16]

Неожиданная, алогичная очередная реплика становится одним из главных инструментов нового контрдраматизма.

8.

Рассказы и повести Чехова ощущают себя не как самостоятельные и завершенные феномены мирового текста, но как куски, из него не вырезанные, а лишь не до конца вынутые, только для детального рассмотрения осторожно приподнятые над бегущей бесконечной живой лентою – так, что связующие нити, сосуды остались не разорванными в начале и сохраненными в конце, продолжая служить вечному кроветоку бытия. И внутри этих временно извлеченных фрагментов странно было бы искать, как это делается до сих пор, строгую иерархию. Деталь, вполне неважная в *этом* отрезке (= рассказе), может оказаться субстанциальной в *том*, предполагаемо расположившемся вообще за финалом рассказа, и репрезентирующей тот, за-предельный безграничный мир.

Поэтому финалы Чехова таковыми по сути не являются, как и многие художественные предметы его рассказов и повестей, которые есть вещи *для*, но не для картины, ситуации, эпизода – тут они выглядят случайными и ненужными – они принадлежат предыдущему или последующему потоку жизни. Его содержание, смысл и цели недостигаемы и непредсказуемы, но возникает иррациональное ощущенье присутствия где-то некоего неизображенного в рассказе мира. Неслучайно рассказы Чехова очень рано начали сравнивать с романами. С главным принципом – рассказ есть часть мирового текста, связи с которым не обрезаны – связаны все основные конкретные чеховские литературные приемы, давно отмеченные в критике: отсутствие Vorgeschichten и эпилогов, непременного наличия событийности и конфликта персонажей – всего этого может не оказаться на «произвольно» вынутом отрезке бегущей ленты.

---

[15] Немирович-Данченко, с. 134.

[16] К.П. Архангельский: Проблема сцены в драмах Пушкина. В: Труды Дальневосточного гос. ун-та. Серия VII. № 1(6). Владивосток 1930, с. 8/9. Ср. Мюллер, В.К.: Драма и театр эпохи Шекспира. Ленинград 1925, с. 14/15.

Естественно было б ожидать, что эти черты проявятся и в чеховских пьесах, ибо драма, благодаря отсутствию разъясняющего авторского голоса и ограниченности сценического времени и пространства, по определению предполагает наличие событий, сегментов жизни, лиц, оставшихся за ее пределами. И черты эти проявляются – еще в большей степени, чем в чеховской прозе. Прежде всего – в монологах.

> В а р я. В старой людской, как тебе известно, живут одни старые слуги: Ефимьюшка, Поля, Евстигней, ну и Карп. Стали они пускать к себе каких-то проходимцев – я промолчала. Только вот слышу, распустили слух, будто я велела кормить их только одним горохом. (13, 214)

Монолог выходит далеко за рамки списка действующих лиц, превращается в микроновеллу в духе натуральной школы о жизни слуг старого барского дома, их интригах и т.п. Культурно-исторический план пьесы безмерно расширяется.

В предшествующей тематической традиции монолог почти всегда сюжетно подготовлен или сюжетно результативен (знаменитый монолог Чацкого «А судьи кто?»). Герой Чехова может произнести его неожиданно, без повода, даже откровенно без мотивировки.

> В е р ш и н и н. Что ж? Если не дают чаю, то давайте хоть пофилософствуем.
> Т у з е н б а х. Давайте. О чем? (13, 145)

Зачастую это просто развернутая вторая реплика.

Некоторые исследователи вообще полагают, что реплики в пьесах Чехова приближаются к форме монолога[17], «выключены из вопросно-ответного ряда», представляют «особый тип минимонолога»[18].

Вторая чеховская реплика становится мощным репрезентантом большого мира. С ее качествами связаны важнейшие положения системы Станиславского. Актеру необходимо быть «в образе» во все время пребывания на сцене, даже когда он произносит подобную бессмысленную реплику или вообще «играет паузу»; он должен примысливать жизнь своего персонажа за сценой, что позволит ему создать «сквозное действие».

9.

Во второй реплике надо искать и истоки пресловутой «некоммуникабельности» чеховской драмы: «настоящий» разговор мог состояться в другом месте, до или после момента действия. Если бы эта «некоммуникабельность» в чистом виде реально существовала, было б невозможно объяснить разлитую во всех чеховских пьесах атмосферу взаимного доброжелательства, тонкости чувств, красоты и изящества. Герои легко ссорятся, но здесь же, после страшных оскорблений («Киевский мещанин! Приживал!» «Скряга!» «Оборвыш!») и даже выстрелов, мирятся. Свою общность они готовы ощутить если не здесь и сейчас, то потом или там, где говорят «я брат твой».

10.

Общим местом работ о театре Чехова давно стала категория «подводного течения». Она предполагает, что все наиболее важное в эмоциях и мыслях персонажей спрятано где-то в глубине текста.

---

[17] А.Р. Кугель (Homo novus): Русские драматурги. Очерки театрального критика. Москва 1934, с. 124.
[18] М.О. Горячева: «Три сестры» – пьеса монологов. В: Чеховиана. «Три сестры» – 100 лет, с. 59.

Это неточно: скрываемые чувства постоянно проявляются в открытых высказываниях (Гаева о порочности Раневской, ее – о личности Пети), очень откровенных диалогах-ссорах (Треплева и Аркадиной, дяди Вани и Серебрякова).

Это – не единое «подводное течение», но некоторое волнообразное движение: нечто, бывшее в глубине выносится на поверхность, но тут же вновь топится следующей волной-репликой, часто принадлежащей уже другим лицам:

> Телегин *(в смущении)*. Я ваше превосходительство, питаю к науке не только благоговение, но и родственные чувства. Брата моего Григория Ильича жены брат, может изволите знать, Константин Трофимович Лакедемонов, был магистром... (13, 100/01)
>
> Марина. [...] Липового чайку или малинки, оно и пройдет... [...] Ишь, расходились гусаки, чтоб вам пусто! (13, 103)

Вторая волна-реплика уводит выплеснувшуюся эмоцию в глубину текста, обеспечивая живучесть красивого, но не очень удачного термина.

11.

После Скафтымова редкая статья не обходится без рассуждений об отсутствии в чеховских пьесах конфликта и борьбы. Но конфликт в драме происходит в геройном словесном поединке. И его отсутствие в значительной мере тоже обеспечивается качеством второй реплики: какая может быть борьба, когда высказывания находятся в разных измерениях, когда нет единой логической и онтологической плоскости, нет присталища, где могли бы схлестнуться воли и интеллекты.

12.

При изучении второй реплики Чехова (и нового театра в целом) плодотворным оказывается понятие *подразумеваемой моторности*, предложенной еще в конце 1920-х гг. В.В. Виноградовым (и, к сожалению, до сих пор не попавшей в поле зрения теоретиков драмы).[19] Оно означает, что

> заданные формы моторной экспрессивности не примышляются к словам на основе тех или иных авторских намеков и указаний, они могут быть даже *не обозначены в ремарках* как моторная характеристика говорения: они непосредственно заложены в самой структуре диалога [...], в заданном понимании его как синкретической формы с проекцией в плоскость звучания и моторной игры.[20]

Моторность литературного драматического текста «абстрактна», «идеальна». На театре смысл реплики уже иной, он «деформируется приемами ее пантомимического развертыванья». Это и пантомимическая подготовка зрителя («пред-игра» в системе Мейер-

[19] В октябре 1926 г. он организует при Государственном институте истории искусств комиссию широкого профиля по изучению сценической речи с участием актеров, режиссеров, преподавателей декламации и делает в 1926–1928 гг. пять или шесть докладов, среди коих «Формы драматического языка в ‹Ревизоре›», «О речевой характеристике сценического образа», в ЛГУ и МГУ читает курсы о языке драмы, работает над книгою «Язык драмы» («Теория диалога»). Материалы к книге сохранились в его архиве и были частично опубликованы им в монографиях «О языке художественной литературы» (Москва 1959) и «О теории художественной речи» (Москва 1971), а также (посмертно) в приложениях к его кн. «Избранные труды. О языке художественной прозы» (Москва 1980, с. 304-309).

[20] Виноградов: Избранные труды, с. 308 (курсив – В.В.).

хольда), и «символизация фактического смысла фразы игрой», даже «контрастной с логически-предметными формами сообщения».[21]

13.
Законен вопрос: много ль *таких* вторых реплик в пьесах Чехова? Но в таком случае это был бы уже театр абсурда. Коротко скажем: реплики этого типа как правило всплывают в узловых моментах движения пьесы.

Однако яд подобных реплик проникает во вторые реплики вполне «нормальные». В финале 1-го действия *Чайки* Маша говорит Дорну о своей любви к Треплеву. Дорн ей с нежностью сочувствует. Но перед этим произносит четыре фразы неответа.

> Д о р н. Как все нервны! Как все нервны! И сколько любви... О, колдовское озеро! *(Нежно.)* Но что же я могу сделать, дитя мое? Что? Что? (13, 20)

Эти четыре «посторонних» фразы расширяют очень обычную логику до пределов пьесы в целом, давая благодарный и свободный материал режиссеру и актеру для творческого рисунка дальнейшей канвы сюжета.

14.
После *Чайки* быстро распространилось мнение о «жизненности», «реальности» чеховских диалогов. В его упрочении не последнюю роль сыграла вторая реплика: люди, как в жизни, отвечают незначащими или алогическими фразами. Прав был Л. Андреев:

> Диалог чеховских пьес неправдоподобен, так в жизни не говорят; он полон недоговоренности, он всегда есть точно продолжение чего-то уже сказанного, в нем нет того явного начала, с каким вступает в пьесу всякий говорящий у других авторов: герои Чехова никогда не начинают и не кончают своей речи.[22]

Но эти ответные фразы не только семантически опустошены – или лежат вне сферы бытовой логики – сплошь и рядом они открыто лиричны, построены по законам поэтической речи, напоминая стихотворения в прозе:

> Скажите мне, отчего я сегодня так счастлива? Точно я на парусах, надо мной широкое голубое небо и носятся большие белые птицы. Отчего это? Отчего?
> (*Три сестры*; 13, 122)

Но не будучи «жизненными», эти диалоги оказались чрезвычайно театральными – с позиций нового театра.

Старый театр, театр актера, не предполагал единства спектакля, всепроникающей воли режиссера, который был там вообще фигурой факультативной. Новый, режиссерский театр рубежа веков подобным единством был озабочен прежде всего остального. Оно должно было проявляться на всех уровнях спектакля: в мизансценах, сценографии, костюмах, музыке.

Чеховская вторая реплика оказалась чрезвычайно ко двору в одном из самых репрезентативных новых театров – Московском художественном театре.

Будучи освобожденной от собственной зафиксированной семантики, она могла нести практически любую смысловую, экспрессивную и эмоциональную нагрузку, предло-

---

[21] Там же.
[22] Л. Андреев: Письма о театре. В: Шиповник. Кн. 22. СПб. 1914. с. 247.

женную ей режиссером. Не менее важным оказалось и то, что его воля воплощалась теперь не только в таких крупных составляющих спектакля, как монологи или его ритм в целом, но осуществлялась в микротексте, в скромной реплике – этой минимальной художественной ячейке драмы, была разлита по всему ее полю, ощущалась везде и всегда.

В этом, возможно, одна из причин, почему Чехов столь популярен в современном уже бесповоротно авторитарно-режиссерском мировом театре.

Литература

Андреев, Л.: Письма о театре. В: Шиповник. Кн. 22. СПб. 1914.

Архангельский, К.П.: Проблема сцены в драмах Пушкина. В: Труды Дальневосточного гос. ун-та. Серия VII. № 1(6). Владивосток 1930.

Балухатый, С.Д.: Проблемы драматического анализа. Чехов. Ленинград 1927.

Балухатый, С.Д.: Вопросы поэтики. Ленинград 1990.

Виноградов, В.В.: О языке художественной литературы. Москва 1959.

Виноградов, В.В.: О теории художественной речи. Москва 1971.

Виноградов, В.В.: Избранные труды. О языке художественной прозы. Москва 1980.

Горячева, М.О.: «Три сестры» – пьеса монологов. В: Чеховиана. «Три сестры» – 100 лет. Москва 2002, с. 54-62.

Грибоедов, А.С.: Горе от ума. В: А.С. Грибоедов: Сочинения в стихах. Ленинград 1967.

Ермилов, В.: Драматургия Чехова. Москва 1948.

Камянов, В.: Время против безвременья. Чехов и современность. Москва 1989.

Кугель, А.Р. (Homo novus): Русские драматурги. Очерки театрального критика. Москва 1934.

Мюллер, В.К.: Драма и театр эпохи Шекспира. Ленинград 1925.

Набоков, В.: Лекции по русской литературе. Москва 1996.

Немирович-Данченко, Вл.И.: Из прошлого. Москва 1938.

Олеша, Ю.: Избранное. Москва 1974.

Островский, А.Н.: Бесприданница. В: А.Н. Островский: Полное собрание сочинений и писем. Т. VIII. Москва 1950.

Паперный, З.: «Вопреки всем правилам…» Пьесы и водевили Чехова. Москва 1982.

Стрельцова, Е.И.: Опыт реконструкции внесценической родословной, или «демонизм» Соленого. В: Чеховиана. «Три сестры» – 100 лет. Москва 2002, с. 158-164.

Хализев, В.: Уроки Чехова-драматурга. В: Вопросы литературы, 1962, № 12, с. 78-94.

Vladimir Kataev

Пьесы Чехова как резонантное пространство

Если принять как исходную аксиому, что всё написанное Чеховым представляет собой единый текст со своими внутренними закономерностями построения и развертывания, – при таком понимании переформатируются, представляются иначе некоторые традиционные темы изучения писателя.

Такова, например, проблема внутренних интертекстуальных, точнее, межтекстовых связей у Чехова.

Соотнесенность между фрагментами единого текста – то есть повторы, переклички – может быть осмыслена как проблема внутренней организации единого художественного пространства. Вопрос о повторах, повторениях, перекличках в чеховских произведениях – давняя исследовательская проблема. Понятия «повторение» и «перекличка», часто совпадая и употребляясь как синонимы, обозначают разные оттенки явления *репетитивности.*

Повторы и переклички могут происходить в пределах одного и того же произведения, но нередко происходят переклички между отдельными элементами ряда произведений, образующих, таким образом, пары, а то и цепочки *«близнечных текстов»* (воспользуемся определением, данным по другому поводу шведским славистом А. Юнгреном[1]), а отношение, которое возникает между ними, может быть названо *автоинтертекстуальностью*[2].

То, что Роман Якобсон назвал *«литературным билингвизмом»*[3], то есть направленность художника сразу на две формы словесного выражения, например, как в случаях Пушкина, Лермонтова, Пастернака, на стихи и прозу, – в случае Чехова, беллетриста и драматурга, неизбежно ведет к постоянному диалогу между его рассказами и повестями и пьесами, между одноактными и большими драматическими произведениями, наконец, внутри последней великой четверки пьес.

Насколько разнообразны *функции* таких перекличек и сколь важен их учет для понимания как авторского смысла отдельного произведения, так и закономерностей построения единого чеховского текста, показывает, например, рассмотрение пьесы *Дядя Ваня* в соотнесенности с ее «близнечными текстами» и обнаружение *драматических рифм* внутри самой пьесы. Итак, несколько наблюдений над автоинтертекстуальностью *Дяди Вани*, которые могут вести к уточнению смысла отдельных сцен и пьесы в целом, отношений в системе персонажей, жанровой окраски произведения.

В пьесе много значит событие, произошедшее *до* начала действия, – *открытие*, которое совершает герой.

Дяде Ване всю жизнь *казалось*, что муж его покойной сестры профессор Серебряков – замечательный ученый («Я гордился им и его наукой, я жил, я дышал им!»), на него он вместе с племянницей Соней работал, «как вол». Теперь же ему открылось, что Серебряков – величина мнимая, что он «ровно двадцать пять лет читает и пишет об искусстве, ровно ничего не понимая в искусстве» (13, 67). Дядя Ваня считает себя обманутым («Ты морочил нас!»), свою жизнь – принесенной в жертву ничтожеству. Идол ока-

---

[1] А. Юнгрен: Juvenilia Б. Пастернака. 6 фрагментов о Реликвимини. Стокгольм 1984.

[2] См. раздел «Автоинтертекстуальность: за и против» в: Н.А. Фатеева: Контрапункт интертекстуальности, или Интертекст в мире текстов. Москва 2000.

[3] Статья «Заметки о прозе поэта Пастернака». В: Р. Якобсон: Работы по поэтике. Москва 1987.

зался мнимым, пропала жизнь. Запоздалое открытие ведет к бесконечным сожалениям и жалобам («Я ночи не сплю с досады, от злости, что так глупо проворонил время, когда мог бы иметь все, в чем отказывает мне теперь моя старость!»), а затем – к нелепому покушению на того, в ком он видит главного виновника своей жизненной неудачи. В финале же все возвращается к исходному положению.

Здесь значим вопрос: насколько истинным или ложным является открытие Ивана Петровича Войницкого? *Дядя Ваня* – хороший пример того, что открытия чеховских героев (в отличие от открытий у героев Достоевского или Л. Толстого), их переходы от *казалось* к *оказалось* – это вовсе не обязательно переход от ложного к истинному. Открыв для себя ложность прежних представлений или действий, чеховский герой может тут же впасть в новое заблуждение, настроиться на представления вновь отнюдь не бесспорные. Таков дядя Ваня: избавление от одного миража не становится для него спасением; новые его представления, увы, не менее фантомны.

«Ты для нас был существом высшего порядка […]» (13, 102) – так теперь дядя Ваня определяет суть того заблуждения, которое владело им на протяжении двадцати пяти лет. Это та самая, столь распространенная в чеховском мире, разновидность ложных представлений: видеть в ком-то «*необыкновенного человека*» – и чаще всего она ведет к горьким расплатам. Природа подобного миража не раз исследовалась Чеховым (здесь выстраивается цепочка резонирующих «близнечных текстов») – в *Попрыгунье*, *Рассказе неизвестного человека*, *Володе Большом и Володе Маленьком*, *Черном монахе*… «Я приняла тебя за необыкновенного человека, за гения, я полюбила тебя, но ты оказался сумасшедшим…» (8, 255). Так твердила в *Черном монахе* в последнем письме к мужу Таня Песоцкая. Ее запоздалая и ничего не исправляющая ненависть так напоминает по своим истокам ненависть дяди Вани к Серебрякову – к своему, в недавнем прошлом, не только кумиру, но и другу.

Но дядя Ваня разделяет с несчастной Таней Песоцкой и следующее ее убеждение-заблуждение. Вину за состоявшееся несчастье, «разрушения» – будь то гибель сада или бесполезно загубленная собственная жизнь, – каждый из них однозначно и безусловно возлагает на своего «необыкновенного человека», превратившегося в ненавистного врага.

Таня: «Сейчас умер мой отец. Этим я обязана тебе, так как ты убил его. Наш сад погибает […]. Этим я обязана тоже тебе. Я ненавижу тебя всею моею душой и желаю, чтобы ты скорее погиб» (8, 255).

Ваня (как бы в рифму): «Ты погубил мою жизнь! […] По твоей милости я истребил, уничтожил лучшие годы своей жизни! Ты мой злейший враг!» (13, 102).

Увы, как было замечено еще в рассказе 1887 г. *Враги*, несчастные люди менее всего способны быть справедливыми и давать верную оценку себе и другому.

Безумец Коврин из *Черного монаха* меньше всего имел своей сознательной целью губить сад или сводить в могилу тестя; в страшных «разрушениях», случившихся в его жизни и в жизни окружающих, в не меньшей степени были повинны и они сами. Так и Серебрякова можно обвинить в разных грехах, но менее всего – в умысле погубить, да еще обманом, жизнь своего шурина. Не принудительным, а абсолютно добровольным и сознательным было многолетнее служение Войницкого своему кумиру. Не Серябряков «морочил» его – морочил себя всю жизнь он сам.

Ошибки в представлениях дяди Вани, нелепости в его поведении не уменьшают – может быть, даже усиливают сочувствие читателя и зрителя к нему. Чехов использует сильнейший – испытанный до него Гоголем – прием. В гоголевских *Записках сумасшедшего* (и в данном случае это также «близнечный текст») герой, совершавший безумства одно нелепее другого, вдруг взывает: «Матушка, спаси твоего бедного сына! […] ему нет места на свете! Его гонят! – Матушка! Пожалей о своем больном дитятке!..»[4] – и эта резкая смена тональности рассчитана на новое к нему отношение. «Я с ума схожу… Матушка, я в отчаянии! Матушка! […] Матушка! Что мне делать?» (13, 102) – восклицает несчастный герой Чехова, обращаясь, подобно гоголевскому сумасшедшему, к матери в минуту высшего отчаяния. За этим криком слышится жалоба беспомощного ребенка перед лицом непонятного и враждебного мира, и прежние его нелепые фантазии предстают в ином свете. (Чехов усиливает гоголевский ход: мать несчастного оказывается заодно с его врагом и способна не облегчить, а лишь усилить его боль.)

Мы сочувствуем герою и даже согласны с ним в том, что ненормальностей в поведении окружающих не меньше, чем в его собственном. И все-таки это не снимает с его суждений печати недостоверности, не отменяет иное, чем ему представляется, видение причин случившегося.

Ведь пьеса, хотя ее заглавие как будто указывает на центральное положение одного из персонажей, не сводится лишь к его истории; судьбы других действующих лиц на равных участвуют в построении концепции пьесы, в общей картине изображаемой жизни. Выстраивается система откликов, отзывов, повторов – драматических рифм – парных, тройных, многократных.

В театре, критике, литературоведении чаще всего принимается точка зрения Войницкого – на его собственную ситуацию и на роль Серебрякова в ней. *Пьеса обычно играется так, как если бы автором ее был сам Иван Петрович Войницкий.*

«Старый сухарь, ученая вобла», «пережевывает чужие мысли, переливает из пустого в порожнее», «пишущий perpetuum mobile», «жалкий подагрик» и т.д. – все эти характеристики, выдаваемые Войницким профессору, кажутся богатой основой для создания острохарактерной отрицательной роли. Нередко интерпретаторы еще сгущают краски: Серебряков представляется существом, угнетающим красоту и молодость (Елену), каким-то пауком, сосущим жизненные силы (из дяди Вани и Сони), узурпатором, присваивающим то, чем по праву должны владеть другие (дом, имение). «Серебряковщина» – даже такое обобщающее понятие («как олицетворение мертвенно-тусклой жизни»[5] или, в социологическом духе, как либеральное доктринерство[6]) было введено в оборот. Известны блистательные актерские трактовки Серебрякова как антигероя.

Соответственно на противоположном полюсе оказывается дядя Ваня, сам о себе говорящий следующее: «Я талантлив, умен, смел… Если бы я жил нормально, то из меня мог бы выйти Шопенгауэр, Достоевский…» (13, 102). Противостоящих друг другу носителей зла и добра видит в этих героях Дэвид Магаршак[7], представителей ложной и подлинной красоты – В. Ермилов[8].

Добро, загубленное силами зла; противопоставление истинного и ложного – в духе этих или им подобных антагонизмов трактуется расстановка сил в чеховской пьесе. Но это та самая условность традиционного театра, от которой Чехов решительно избавлялся! Критика еще после первых пьес Чехова, с их достаточно традиционной расстановкой героев, требовала от автора определения: «кто из них прав, кто виноват» (см. 12, 391). Между тем уже в *Чайке* Чехов разрабатывал принципиально иной тип кон-

---

[4] Н.В. Гоголь: Записки сумасшедшего. В: Н.В. Гоголь: Полное собрание сочинений. Т. 3. Москва 1938, с. 214.

[5] З. Паперный: «Вопреки всем правилам…». Пьесы и водевили Чехова. Москва 1982, с. 104.

[6] В.Е. Хализев: О природе конфликта в пьесе А.П. Чехова «Дядя Ваня». В: Вестник Московского ун-та. Серия VII. Филология, журналистика, 1961, № 1, с. 152.

[7] David Magarshack: Chekhov the Dramatist. New York 1960, с. 206.

[8] В. Ермилов: А.П. Чехов. Издание дополненнное. Москва 1954, с. 348.

фликта. В нем важно обнаружение *сходства* в антагонистах, *общего* в самых разных героях и положениях.

С самого начала в пьесе *Дядя Ваня* слышатся мотивы, явно не укладывающиеся в безусловное разведение героев по разным полюсам. Точнее – напоминающие о его относительности. Это мотивы, создающие эффект резонанса.

Поведение своего антагониста дядя Ваня комментирует саркастической цитатой: «Напрягши лоб, наморщивши чело...» (13, 67). Так же саркастически, и тоже прибегая к цитате, комментировал в *Чайке* появление Тригорина стрелявшийся от неудачи в любви Треплев: «Слова, слова, слова...» (13, 28). В *Чайке* очевидно, что весь сарказм треплевских характеристик своего соперника продиктован не чем иным, как ревностью, и не может приниматься за чистую монету. Автор дает читателям и зрителям другие возможности составить свое представление о Тригорине. Так и в *Дяде Ване*: не стоит ожидать объективности от героя, охваченного ненавистью и не скрывающего этого. *Подлинный* портрет того, в ком он видит воплощение зла, складывается не сразу и оказывается сложнее дядиваниной однозначности.

В инвективах, направленных против профессора, не может не броситься в глаза одна особенность. Многие из отрицательных характеристик Серебрякова дядя Ваня списывает… как будто с себя самого.

«От ревности и зависти вспухла печенка...». Примеры ревности или зависти со стороны профессора последуют позже. Зато уже здесь дядя Ваня в ответ на реплику Астрова: «Ну, ты, кажется, завидуешь», – откровенно сознается: «Да, завидую!» (13, 67/68). Далее выясняется, что завидует и ревнует он не только по отношению к профессору. И кто в пьесе «вечно жалуется на свои несчастья»? – это он, Ваня, и в гораздо большей степени, чем профессор. А следующее обвинение: «какое самомнение! Какие претензии!» – разве не приложимо к его автохарактеристике с параллелями к Шопенгауэру и Достоевскому? Правда, и профессор приравнивает свою болезнь к болезни Тургенева, и эти два места в пьесе хорошо рифмуются между собой. В припадке раздражения Войницкий обвиняет мать, а потом снова профессора в том, что те всю жизнь занимаются одним и тем же бесполезным и бессмысленным делом. Но разве определение *perpetuum mobile* не применимо к делу всей жизни самого дяди Вани, пусть и не связанной с написанием или чтением брошюр?

Зависть, ревность, чрезмерное самомнение, бесплодность деятельности… Так с самого начала, в 1-м действии, героем выпускается целый залп отрицательных характеристик своего противника и почти в равной мере… себя самого. Словно глядясь в зеркало Серебрякова, Ваня видит не упущенные, как ему кажется, возможности, а нагляднее видимые со стороны собственные слабости и недостатки. Автор показывает всю степень пристрастности, а стало быть, относительности всего, что мы слышим о Серебрякове от Войницкого, и предупреждает, что кроме противоположности антагонистов, надо не забывать о скрытом (от них самих, но не от читателя и зрителя) сходстве между ними.

Принцип скрытого сходства, намеченный применительно к этой паре персонажей, распространяется в целом на расстановку действующих лиц в пьесе.

Елене Андреевне – человеку со стороны – больше, чем другим, заметно это сходство. Она говорит Войницкому о своем муже: «[…] он такой же, как все. Не хуже вас» (13, 73). И далее, под впечатлением монолога Астрова о лесах, развивает эту тему общего сходства: «все вы» губите леса; точно так же «вы» губите человека; «во всех вас» сидит бес разрушения. Во 2-ом действии, в монологе, начинающемся словами «Неблагополучно в этом доме…», она перечисляет тех, кто вносит вклад в общую атмосферу раздражения, злобы, ненависти: «Ваша мать […] профессор […] Соня […] вы [Ваня] […] я […]» (13, 79). А чуть позже Астров в разговоре с Соней дает свой перечень тех, кто в равной мере участвует в отравлении общей атмосферы: «Ваш отец [...] дядя Ваня [...] ваша бабушка [...] ваша мачеха...» (13, 83).

Чаще, конечно, мы слышим иное. Каждому из персонажей виднее не сходства, а различия, и это тоже их всех по-своему уравнивает. Астров: «Кругом тебя [он имеет в виду: меня – В.К.] одни чудаки [...]» (13, 64). Глупыми считают всех вокруг себя Астров (13, 84) и Серебряков (13, 77); для Елены «вместо людей кругом бродят какие-то серые пятна» (13, 93). «Букашками... микробами» (13, 82) представляются окружающие Астрову в день запоя, Серебрякову – очевидно, каждый день. Приступы мизантропии, в которых признается Астров, знакомы и Елене: «Улететь бы вольною птицей от всех вас, [...] забыть, что все вы существуете на свете...» (13, 93).

Еще одна, проходящая через разные монологи, общая тема – признания в собственной деградации, перемене к худшему. Астров: «[я] другим человеком стал. [...] Я стал чудаком, нянька» (13, 63/64). Войницкий: «Я тот же, что и был, пожалуй, стал хуже» (13, 67). Серебряков: «[...] я стал себе противен» (13, 75). В том же ряду самобичеваний – признание Елены: «А я нудная, эпизодическое лицо...», – и ее же предположение: «Вероятно, Иван Петрович, оттого мы с вами такие друзья, что оба мы нудные, скучные люди!» (13; 89, 74).

Но более всего сходство между персонажами пьесы проявляется не в характеристиках, не в словесных совпадениях или поговорках. Сходство, на которое обращает внимание Чехов, заметнее всего в судьбах персонажей.

Рядом с «пропавшей жизнью» Войницкого – еще несколько неудавшихся жизней: Елена, Соня, Астров. Доктор Астров, в отличие от своего друга и его антагониста, занят не мнимостями: лечит, сажает леса. Но в минуту откровенности он признается: «Я не удовлетворен жизнью. [...] Вообще жизнь люблю, но нашу жизнь, уездную, русскую, обывательскую, терпеть не могу и презираю ее всеми силами моей души. [...] Постарел, заработался, испошлился, притупились все чувства...» (13; 83, 85). Вновь – скрытая общность между, казалось бы, совсем разными по жизненному поведению людьми. Рифмуются уже не реплики, а судьбы персонажей.

Очень точно, как мне кажется, общий смысл пьесы определяет Харви Питчер. Тему жизненной неудачи, крушения надежд (frustration) считает он основной в *Дяде Ване*. Важно видеть истинную природу тех неудач, которые терпят герои. Войницкий не был обманут,

> он совершил глупую, хотя непреднамеренную ошибку, которую теперь уже поздно исправить. Он не желает признать, что он сам несет полную ответственность за то, какой получилась его жизнь, и хочет в профессоре найти козла отпущения. Его беда реальна; но в своем отчаянии он перестает быть честным перед самим собой и начинает драматизировать свою ситуацию. [...] Порываясь отомстить профессору, он не хочет видеть простую истину. Насколько легче считать себя жертвой, нежели глупцом!

Чехов хотел показать беду человека, «который не просто потерпел жизненную неудачу, но которому некого, кроме себя, винить в том, что жизнь его пропала зря. Это придает жизненной неудаче Войницкого гораздо большую глубину, чем если бы он был показан невинной жертвой хитрого эксплуататора». Чехову важно не обвинить одних и оправдать других. Тема жизненной неудачи охватывает всех действующих лиц пьесы. «В ‹Дяде Ване› нет победителей, есть лишь проигравшие.»[9]

Серебряков – в том же ряду проигравших. Действительно, невозможно построить истинное представление о Серебрякове на основании того, что говорит о нем его заведомо необъективный противник. И действительно, к каждому аргументу за или против

---

[9] Harvey Pitcher: The Chekhov Play. A New Interpretation. Berkeley, Los Angeles, London 1985, c. 83-85.

Серебрякова в тексте пьесы предлагается контраргумент, ставящий под сомнение вынесенное о герое суждение. Чехов оставляет нас в неведении о действительной общественной или научной значимости профессора. Наверное, это сродни тому, что в *Чайке* непроясненным остается вопрос о степени одаренности писателя Треплева, талантливости актрисы Заречной, а в *Черном монахе* можно только гадать, гением или посредственностью был его больной герой.

Неопределенность характеристик? Скорее нет: вполне определенное указание на то, *что* для писателя является существенно важным, а *что* неважным в этих ситуациях. Во всех этих случаях Чехов создает произведения не о талантах, теснимых бездарностями, или бездарях, выдающих себя за таланты; не о непризнании гения окружающими; не об обмане ничтожеством честных тружеников. Пьесы и повести с подобными сюжетами могли бы писать Таня Песоцкая и дядя Ваня, будь они писателями.

У Чехова совсем иной тип сюжетов, в которых бессмысленно искать авторские ответы на неправильно поставленные вопросы. «Всякий по-своему прав… Вот потому-то, что всякий по-своему прав, все и страдают» – это, утвержденное в *Чайке* (а еще раньше в *Черном монахе* и других рассказах), видение сути и исходов жизненных коллизий в полной мере присутствует и в *Дяде Ване*. При таком видении важно не однозначно маркировать каждого в его принадлежности добру или злу; нужно проследить, как утверждаемая каждым его «правда» (при одновременном отрицании «правды» другого) в конечном счете ведет к суммарному и общему страданию.

Коллизия различных «правд», каждая из которых является относительной, и в *Дяде Ване*, как в *Чайке*, может служить источником *комической* трактовки пьесы – по крайней мере, многих ее эпизодов. Вновь здесь немало примеров «точечного» юмора – реплики Вафли, парадоксальные афоризмы, проявления профессорского педантства и т.п. Но собственно чеховским типом юмора можно считать коллизии, вырастающие из того, что «всякий по-своему прав», а в результате «потому-то все и страдают».

Ситуация, описанная во 2-м действии пьесы, вообще-то говоря, допускает совсем иную, чем обычно принято, – не драматическую и не сатирическую (по отношению к Серебрякову), а комическую, даже водевильную трактовку. Один из персонажей болен, у него свои капризы и требования, а все вокруг живут своим, создавая тем самым забавные столкновения.

Так выстраивается действие, например, в одноактной шутке *Юбилей*. Там есть больной бухгалтер банка, пишущий срочный отчет, есть директор, любящий пустить пыль в глаза, есть молодая жена директора, настроенная на рассказы с романическим уклоном, есть и поглощенная прозаической заботой посетительница, а в кульминации – вызванное этим всеобщим разнобоем неудавшееся покушение на убийство.

Различная подача – то комическая, то серьезная – сходных, «рифмующихся» ситуаций в едином чеховском тексте отражает авторское видение, отнюдь не совпадающее с видением героев.

«Рифменный» отклик можно видеть и в двух других эпизодах: в 3-м действии *Дяди Вани* и в раннем юмористическом рассказе *Из записок вспыльчивого человека* (1887).

В пьесе Астров читает Елене, прибегая к картограмме и статистике, лекцию о состоянии лесов в уезде. Но мысли слушательницы совершенно далеки от темы, которая его занимает всерьез: она хочет «осторожно, намеками» выяснить, «любит или не любит» он «одну молодую особу». Лекция прерывается, когда он видит по ее лицу, что важный для него вопрос ей просто неинтересен, и она признается: «Откровенно говоря, мысли мои не тем заняты» (13, 92-95).

Герой юмористического рассказа – «человек серьезный, и [его] мозг имеет направление философское». Он пишет диссертацию, но девицы с соседних дач, с которыми он вынужден общаться, думают лишь о романтических приключениях и о замужестве. В рассказе немало комических деталей, вроде абсурдного заглавия диссертации – «Прошедшее и будущее собачьего налога» – или неуместной ссылки на Шопенгауэра; но основной источник комического – абсолютное отсутствие «общего» между героями, что можно видеть из следующего диалога:

> – Ну, скажите что-нибудь… – просит она.
> Я начинаю придумывать что-нибудь популярное, доступное ее пониманию. Подумав, говорю:
> – Лесоистребление приносит громадный вред России…
> – Nicolas! – вздыхает Варенька, и нос ее краснеет. – Nicolas, я вижу, вы избегаете откровенного разговора… […] Что бы вы сказали, если бы та девушка, которую вы любите, предложила вам вечную дружбу? (6, 296)

В рассказе комический эффект, порожденный отсутствием взаимопонимания, очевиден; в пьесе он может остаться незамеченным. Но важно видеть, что источник столь диаметрально противоположных трактовок в обоих случаях один и тот же. Легкая смена ракурса, и вновь сходные, резонирующие в едином чеховском тексте ситуации подаются автором то комически, то драматически.

Так было в разных редакциях *Иванова*, комедии и драме, так было в рассказах и водевилях. Лишь резкая смена тональности в кульминации 3-го действия и грустные мелодия финала *Дяди Вани* определяет, как и в *Чайке*, неизбежную серьезность итогового восприятия.

Слышать и обнаруживать и внутренние «рифмы», и переклички между «близнечными текстами» – это прямой и, должно быть, самый надежный путь к обнаружению авторского смысла чеховских пьес, уточнению характеристик их персонажей.

Литература

Ермилов, В.: А.П. Чехов. Издание дополненнное. Москва 1954.
Гоголь, Н.В.: Записки сумасшедшего. В: Н.В. Гоголь: Полное собрание сочинений. Т. 3. Москва 1938.
Паперный, З.: «Вопреки всем правилам…». Пьесы и водевили Чехова. Москва 1982.
Фатеева, Н.А.: Контрапункт интертекстуальности, или Интертекст в мире текстов. Москва 2000.
Хализев, В.Е.: О природе конфликта в пьесе А.П. Чехова «Дядя Ваня». В: Вестник Московского ун-та. Серия VII. Филология, журналистика, 1961, № 1.
Юнггрен, А.: Juvenilia Б. Пастернака. 6 фрагментов о Реликвимини. Стокгольм 1984.
Якобсон, Я.: Работы по поэтике. Москва 1987.

Magarshack, David: Chekhov the Dramatist. New York 1960.
Pitcher, Harvey: The Chekhov Play. A New Interpretation. Berkeley, Los Angeles, London 1985.

Ljudmila El’nickaja

«Болтовня» в пьесах А.П. Чехова

Я хотел бы *ни о чем*
Еще раз поговорить.
О. Мандельштам

Язык существует не для общения, а для того,
чтобы скрыть невозможность общения.
Э. Хэмингуэй

– Скажи мне что-нибудь...
– Что? Что сказать? Что?
– Что-нибудь...
А.П. Чехов, *Три сестры*

В драматургии Чехов получает *даром* то, чего он так напряженно добивался в прозе, – возможность устраниться, соблюсти объективность позиции, не оценивать мысли и поступки своих героев. Кажется, что персонажи приобретают полную свободу действий, поскольку автор по условиям драматического рода не имеет права «вмешиваться»: ни описывать героя «от себя», ни комментировать его высказывания. Представление о том, что в драме стержнем является действие, не отвечает структуре чеховских пьес, в центре которых находится течение самой жизни, а не борьба человеческих интересов. При этом жизнь не изображается, а предстает исключительно в суждениях персонажей о ней. Речи действующих лиц являются главным инструментом «уловления» действительности; именно таким способом предлагается узнать, что такое реальность. Пьесы строятся как поток спонтанных высказываний персонажей, которые перед лицом скрытой жизни равны: они все главные и все второстепенные. Какова жизнь, можно судить только по самочувствию действующих лиц и на основании их разговоров.

Общее место в определении специфики чеховской драмы сводится к тому, что его персонажи наделены «глухотой», неспособностью «слышать» друг друга, неспособностью к реальному взаимодействию в разговоре. Подобное суждение подтверждается анализом языковой стихии пьес, в которой ведущая роль принадлежит моновысказываниям. Даже если внешне показаны ситуации, в которых «разговаривают» многие персонажи, по сути их речи оказываются скрытыми, замаскированными монологами. Можно сказать, что Чехова интересует преимущественно мифология индивидуального сознания; и в его пьесах возникает хор отдельных «голосов», которые исполняют свои партии исключительно в целях самовыражения. Каждое высказывание зачастую самодостаточно, смысл заключается в нем самом. Такая речь, не ведущая к общению и объяснению жизни, предназначенная только «звучать», может быть названа «болтовней». Герои Чехова исключительно много говорят, не способны вовремя остановиться. Их потребность в говорении сродни болезни, которая вызвана страхом перед жизнью, неспособностью понять и собственное место в ней и смысл своего существования. «Болтовня» характеризуется «избыточностью» содержания: персонажи нередко сообщают то, что хорошо известно другим участникам разговора, или что составляет интимную сторону их частного существования. И то, и другое лишает их речь необходимой для драматического действия концентрации и придает ей качество расплывчатости, неопределенности. Персонажи испытывают глубочайшую потребность высказаться (их мучает внутренняя тревога, чувство стыда или вины…) и одновременно не быть услышанными: таковы диалоги, в которых один из участников страдает физической глухотой (Ферапонт в *Трех сестрах*, Фирс в *Вишневом саде*…) или по уровню своего развития не может оценить всей содержательности того, что слышит (диалог няньки Марины и Астрова в 1-м действии *Дяди Вани*). В подобной ситуации нередко происходит пародирование самой установки на разговор-коммуникацию. Так, в ответ на исповедь Андрея во втором акте *Трех сестер* глухой Ферапонт, стремясь поддержать «беседу», рассказывает, как в Москве какие-то купцы блины ели, и один съел «не то сорок, не то пятьдесят – и помер» (13, 141). К разряду «болтовни» относится «темная», намекающая на скрытое метафизическое содержание речь таких «странных» персонажей, как Соленый или Чебутыкин в *Трех сестрах*, Шарлотта или Епиходов – в *Вишневом саде*. «Болтовня» указывает на принципиальную закрытость слова и даже его бессмысленность как орудия общения. Каждый заперт в своей речи, как в тюрьме; невозможно быть услышанным по законам существующего языка; одиночество людей принципиально и не может быть отменено. Существует – либо возможность прятаться от жизни в «слова»; либо искусственно возбуждать себя «словами» и в пафосной риторике получать своеобразную иллюзию жизни. Споры персонажей, в которых внешне зафиксирована непримиримость позиций, указывающая на якобы существенные противоречия жизни, чреватые борьбой, чаще всего также являются разновидностью «болтовни», т.е. пустой тратой отпущенного человеку жизненного времени (таковы спор Соленого и Чебутыкина о чехартме и черемше; или противоположные, но в сущности одинаково недоказуемые утверждения: жизнь через двести-триста лет неузнаваемо изменится и – не только через двести, но и через тысячу лет она останется прежней).

На многозначность образа «болтовни» в пьесах Чехова указывает необыкновенно широкое смысловое использование глагола «говорить» и его синонимов – «философствовать», «мечтать». Приведу некоторые примеры. «Полжизни за стакан чаю! [...] Если не дают чаю, то давайте хоть *пофилософствуем*. [...] Давайте *помечтаем* о той жизни, какая будет после нас, лет через двести-триста» (13, 145); «Так вот целый день *говорят, говорят*... [...] Живешь в таком климате, того гляди, снег пойдет, а тут еще эти *разговоры*…» (13, 178); «Простите мне, если что не так... Много, очень уж много я *говорил* – и за это простите. [...] Что же еще вам *сказать* на прощание? О чем *пофилософствовать*?.. [...] Жизнь тяжела. Она представляется многим из нас глухой и безнадежной, но все же, надо сознаться, она становится все яснее и легче, и, по-видимому, недалеко то время, когда она станет совсем ясной» (13, 184); «Человек он смирный, а только иной раз как начнет *говорить*, ничего не поймешь. И хорошо, и чувствительно, только непонятно» (13, 199); «Зачем так много пить [...]? Зачем так много есть? Зачем так много *говорить*? Сегодня в ресторане ты *говорил* опять много и все некстати. О семидесятых годах, о декадентах. И кому? Половым *говорить* о декадентах!» (13, 218); «[...] как вы все серо живете, как много *говорите* ненужного» (13, 220); «Нет, нет! Не оставляйте меня с ним! Нет. Он меня *заговорит*» (13, 78); «Так хочется *поговорить*, а не с кем… Никого у меня нет… [...] Эти умники все такие глупые, не с кем мне *поговорить*… Все одна, одна, никого у меня нет [...]» (13, 215/16); «[...] все хорошие *разговоры* у нас для того только, чтобы отвести глаза себе и другим. [...] Я боюсь и не люблю очень серьезных физиономий, боюсь серьезных *разговоров*. Лучше помолчим!» (13, 223); «Мы отстали по крайней мере лет на двести, у нас нет еще ровно ничего, нет определенного отношения к прошлому, мы только *философствуем*, жалуемся на тоску или пьем водку» (13, 227/28); «[...] страна необразованная, народ безнравственный, притом скука, на кухне кормят безобразно, а тут еще Фирс этот ходит, бормочет разные неподходящие *слова*» (13, 236/37) и т.д.

В приведенных примерах глагол «говорить» употреблен в разнообразных значениях: отягчающих обстоятельств жизни, в добавление к снегу, суровому климату и взамен реальных действий – вроде чаепития или обеда; неприличного поведения и одновременно средства утешения; в значении «темнить», подменять существо дела, одурманивать и забалтывать; в значении уничтожать связи между людьми, скрывать и маскировать подлинные намерения, а также глухо и неясно пророчествовать… Только один раз «говорить» получает прямой и свой главный смысл – связывать, соединять, но опять-таки в значении невозможности такого действия: «Так хочется *поговорить*, а не с кем…». Здесь уместно привести в подтверждение вышесказанного фрагмент из статьи И.Е. Гитович о *Трех сестрах*:

> И о чем сама эта пьеса […]? Ведь она-то […] в известной мере – *о словах*. Которыми мы себя оправдываем и казним, которыми проговариваемся, в которых лжем, которым придаем космический смысл и которые забалтываем. Которые не умеем сказать вовремя и так, как надо. За которыми прячемся, чтобы скрыть главные и адекватные себе *другие* слова. О моде на слова и стереотипах слов. О потребности в понимании, на которое так редко бываем способны […]. О виртуальности мира слов, их смыслов и о невозможности жизни без них.[1]

Уже говорилось, что Чехова интересует преимущественно мифология индивидуального сознания: в его драмах варьируются одни и те же психологические типы. Каждый из них характеризуется прежде всего способом «говорения», другими словами – склонностью к определенной разновидности «болтовни». Распространен в пьесах образ рефлексирующего персонажа, предъявляющего серьезные требования к жизни и философствующего о ней. Этот ряд представляют Астров и Войницкий, Вершинин, Тузенбах, три сестры и отчасти Андрей Прозоров, Петя Трофимов и др. Все они терпят поражение в жизненных обстоятельствах и стремятся компенсировать полученный ущерб мечтой о будущем, надеждами на то, что их страдания не пропадут даром («[...] наша теперешняя жизнь, с которой мы так миримся, будет со временем казаться странной, неудобной, неумной, недостаточно чистой [...]. [...] Через двести, триста лет жизнь на земле будет невообразимо прекрасной, изумительной [...]. [Человек] должен предчувствовать ее – ждать, мечтать, готовиться к ней [...]»; 13, 128/29, 131). Эти риторические пассажи, связанные с попытками прорваться через современность к какой-то иной реальности, ярко обнаруживают неуловимость и неопределенность тех представлений человека, которые обозначаются словами: «прошлое», «настоящее» и «будущее». Герои указанного типа стремятся также найти опору для своей жизни в любви, которая a priori принадлежит к высоким духовным ценностям человека. Но то, что представляется любовью, в жизненном процессе оборачивается разочарованием, скукой, тягостной несвободой. Однако «язык любви», независимо от того, кому конкретно он адресован – Маше, Елене Андреевне или Наташе, неизменно «высок». Риторика сердечных излияний, набор стереотипных восторженных слов, т.е. любовная «болтовня», – предсказывают неизбежное поражение героев и в этой сфере жизни («Я люблю, люблю, люблю... [...] Великолепная чудная женщина!» [13,143]; «Роскошные чудные изумительные глаза, которых я не видел ни у одной женщины...» [13, 154]; «Дорогая моя, хорошая, чистая, будьте моей женой!» [13, 138]; «Какая чудная, роскошная... Один поцелуй... [...] О, какая красивая! Какие руки!» [13, 97]). Наконец, герой названного типа пробует утвердить себя на поприще труда. «Праздная жизнь не может быть чистой» (13, 83), – в этом убеждены все думающие и страдающие чеховские персонажи. Но когда труд противопоставляется жизни в целом, он не может спасти. Естественно, что о необходимости работать герои говорят только в состоянии исступления или экстаза («Человек должен трудиться, работать в поте лица, кто бы он ни был, и в этом одном заключается смысл и цель его жизни, его счастье, его восторги» [13, 123]; «[...] будем трудиться для других и

[1] И.Е. Гитович: Пьеса прозаика: Феномен текста. В: Чеховиана: «Три сестры» – 100 лет. Москва 2002, с. 18.

теперь и в старости, не зная покоя [...]» [13, 115]; «Как хорошо быть рабочим, который встает чуть свет и бьет на улице камни, или пастухом, или учителем, который учит детей, или машинистом на железной дороге...» [13, 123]).

Другая разновидность персонажей Чехова – опустошенный, потерявшийся в жизни человек, представитель позиции «все равно». Картина мира для него складывается из осколков, между которыми нет никакой связи. Так, Чебутыкин выписывает в книжечку из газет случайные сведения – авось на что-нибудь пригодятся. Признаваясь: «не помню, не знаю ничего…», он свое незнание, равнодушие и отчаяние скрывает за бессмысленным выражением: «Тарара-бумбия, сижу на тумбе я». Близок к Чебутыкину Гаев, словарь которого, использующий бильярдную терминологию («режу в среднюю», «от двух бортов в середину!», «кладу чистого», «от шара направо в угол»…), также не годится для общения с миром.

В драмах Чехова неизбежен «странный человек» или чудак. К этой категории относится большинство действующих лиц, так как установки современной жизни «обязывают» человека превращаться в чудака. Наиболее яркий носитель «странностей» – Соленый, в языке которого только гипертрофированы общие тенденции. Его речь, ориентированная на эпатаж окружающих, имеет сознательную установку на загадочность. «Я странен, не странен кто ж!» (13, 150) – такова логика поведения – в том числе речевого – этого героя.

Классический для драмы тип резонера используется автором в роли комментатора происходящего. В абсурдных высказываниях такого лица содержатся указания на «темный» смысл того, что «случается» с человеком. Нередко сам персонаж: Епиходов, Фирс или тот же Соленый – наиболее жалкое зависимое лицо, на чьи слова никто не обращает внимания. Однако в комической речи Епиходова запрятан по меньшей мере «гамлетовский вопрос»: «Я развитой человек, читаю разные замечательные книги, но никак не могу понять направления, чего мне, собственно, хочется, жить мне или застрелиться, собственно говоря [...]» (13, 216).

Условный тип «хозяина жизни»: Наташа, Серебряков, отчасти Лопахин – маркирован «командным языком»: «Молчать!» (13, 186), «Вон отсюда – старую воровку, старую хрычовку!» Или: «[...] надо, господа, дело делать! Надо дело делать!» (13, 112).

Тип насмешника, агрессивно преследующего других, носителя глубокого душевного комплекса, который обернется явным или скрытым, сознательным или бессознательным преступлением, представлен тем же Соленым с его «цып-цып-цып», обращенным к Тузенбаху, или Лопахиным с его «ме-е-е» и «Охмелия, иди в монастырь» в отношении Вари.

Тип примирителя, желающего уйти от конфликтов и обострений, принципиального сторонника положительной точки зрения, несмотря на вопиющие факты жизни, показан в Телегине, Кулыгине… Характерны заклинания последнего: «Я доволен, я доволен, я доволен» (13, 165), «Маша меня любит!» (13, 133) или «вмешательства» робкого Телегина в жизненный процесс: «Ваня [...] не надо [ссориться – Л.Е.], не надо… я дрожу…» (13, 101).

Таким образом, чеховские персонажи отмечены речью, которая не будучи выражением их социальных, профессиональных или культурных корней, дает представление только об индивидуальной тональности конкретного существования. Герои различаются характером душевной жизни – напряженной или безразличной, способной улавливать или вовсе не замечать общего трагизма бытия. Персонажи обращаются к литературному языку, в котором по всей видимости потенциально заложены возможности демагогии, несознаваемого обмана. Чехов показывает в частности, что говорение может быть свободно от процесса мышления, как в речи Гаева к «многоуважаемому шкафу». Из нее следует, что «светлые идеалы добра и справедливости», которым несомненно сочувствует говорящий, существуют только в качестве красивых стилистических узоров и не имеют никакого отношения к настоящей жизни героя. В языковой практике возможно также появление слов, начисто лишенных какого-либо реального содержания (многочисленные чеховские «рениксы»), т.е. в самом языке на данном этапе его существования скрыты саморазрушительные силы. Вообще можно сказать, что речь персонажей формируется вследствие их отчуждения от жизненного процесса, в результате их неспособности (или объективной невозможности) выразить свою человеческую личность в предлагаемых обстоятельствах. Сама же действительность предстает в пьесах Чехова пространством хаоса: нестыковки, взаимного отталкивания и, наконец, невольной вражды людей. Бессмыслица жизни подтверждается, например, в отношениях Соленого и Тузенбаха. «Я против вас, барон, никогда ничего не имел [...]. [...] Но счастливых соперников у меня не должно быть...» (13; 151, 154). Последовательно осуществляя этот абсурдный принцип, Соленый является жертвой собственной речи, а в жизненном процессе – убийцей.

В неизбежном разъединении людей Чехов видит проявление глубоких внутренних закономерностей жизни. Как автор, он осуществляет *структурирование* процессов распада, т.е. расползающуюся действительность стремится представить по-своему упорядоченной и организованной. Частные истории, никак между собой не связанные, подчиняясь авторской логике, дают образ абсурдного бытия, в котором человек не имеет изначально необходимого основания для строительства своей личности и своей судьбы. У людей нет ничего, на чем – как на фундаменте – собирался бы дом общей жизни: ни единых принципов, ни верований, ни идеалов. Мир, в котором человек мог жить со знанием своей ответственности и пониманием своего пути, доверием к истории, – такой мир уже невозможен.

Авторская структура обнаруживает себя в настойчивом обращении к приему парадокса, который фиксирует нелепое, странное, смешное в поведении и психологии людей и строится на неожиданном переворачивании смысла того, что казалось общепринятой нормой. Примеры парадоксальных ситуаций в пьесах Чехова многочисленны. Сестры Прозоровы всей душой стремятся в Москву – и по необъяснимым причинам остаются навсегда в провинции. Андрей Прозоров видит себя профессором Московского университета – а в реальности делается секретарем земской управы. Серебряков «двадцать пять лет читает и пишет об искусстве, ровно ничего не понимая в искусстве» (13, 67) – и слывет блестящим ученым. Дядя Ваня, чувствуя в себе возможности Шопенгауэра и Достоевского (13, 102), всю свою жизнь отдает «мыльному пузырю» Серебрякову (13, 80). Лопахин хочет спасти Раневскую от разорения – а на деле собственными руками ее губит. Вкусы Наташи вызывают у сестер Прозоровых ужас – а в финале Наташа «учит» сестер искусству одеваться и приличным манерам. Тузенбах делает смелый шаг к обретению внутренней свободы – и погибает на дуэли (освобождается для смерти). Вершинин, жертва «семейного счастья» и раб обстоятельств, почему-то убежден, что через двести-триста лет жизнь будет восхитительно прекрасна. Петя Трофимов собирается устроить судьбу всего человечества, а на деле неспособен совладать даже с собственными калошами (вечно их теряет). Астров, который так скорбит об уничтожении лесов – вместе с ними погибает и естественное начало в человеке, – не замечает глубокой настоящей Сони и влечется к поверхностной Елене Андреевне. В провинциальном городе «здоровый климат – река, лес… чудесные милые березы… Только одно странно: вокзал железной дороги в двадцати верстах от города…» (13, 128). Все устройство жизни, а также поведение людей приходит в противоречие со смыслом, во всем господствует «реникса» – чепуха, бессмыслица. Этот закон закреплен и высказываниями чеховских героев. «Русскому человеку в высшей степени свойственен возвышенный образ мыслей, но скажите, почему в жизни он хватает так невысоко? Почему?»

(13, 143); «Отчего мы, едва начавши жить, становимся скучны, серы, неинтересны, ленивы [...]?» (13, 181).

На уровне жанровой установки авторская задача состоит в том, чтобы в форму семейной психологической драмы вложить противоположное содержание – отсутствия дома, его распада и гибели. Так, в *Дяде Ване* обнаруживается призрачность семейных отношений и семейного очага. Вся жизнь построена на обмане, хотя никто никого сознательно не обманывает. В самих людях коренится потребность обманываться. Все несчастны по неизвестным причинам: дядя Ваня проворонил целую жизнь, Соня утратила надежду на личную долю, Серебряков страдает от старости и болезней; Елена Андреевна, выбрав свою дорогу сознательно, глубоко не удовлетворена и не имеет жизненной перспективы; Астров, человек с сильными духовными порывами, превращается обстоятельствами в чудака… У всех ощущение, что в доме Войницких неблагополучно, нечем дышать – до такой степени сгустилась энергия фальши и взаимной ненависти.

В *Трех сестрах* действие происходит в доме, который «покинул» отец. С его «уходом» подорваны основы; девочки остались без всякой защиты и поддержки: у Ольги постоянно «болит голова», Маша живет «в мерлехлюндии» (13, 124), у Ирины незнание жизни сплетено с глубоким страхом перед ней. Все сестры каждую минуту расположены к слезам. Их брат Андрей за самое короткое время претерпевает глубокую метаморфозу и делается – вместе со своей женой – реальным погубителем семейного гнезда. В пьесе показан самый процесс распада бывшего прочного дома: сестры его оставляют физически, в родном пространстве царит «чужая»; те, которые могли бы стать родными, отторгнуты самой жизнью – Тузенбах убит, Вершинин переведен в другой город…

В *Вишневом саде* представлен сюжет разорения и окончательной гибели дома. Имение, с которым для действующих лиц связаны детство, юность, память о матери..., продано за долги. Гаеву и Раневской, Варе, Шарлотте Ивановне, Пете и Ане в сущности *некуда* деться, они лишаются родных стен в буквальном смысле. Чехов первый с такой силой разработал мотив бездомья, гибели «семейных уютов», объективной невозможности «мирного счастья» вплоть до эмиграции из жизни – насильственного вытеснения человека из его собственного существования. Все эти мотивы станут сквозными в лирике серебряного века (ср. у Блока: «С мирным счастьем покончены счеты, / Не дразни, запоздалый уют»[2]). В *Вишневом саде* бывшая родина ассоциируется с кладбищем – не случайно в заколоченном доме «забывают» старого слугу Фирса. Прощание, отъезд, расставание *навсегда* – такова универсальная метафора сюжета во всех пьесах.

Косноязычные герои Чехова в бессмысленном слове наиболее точно выражают взаимоотношения человека с жизнью: «Не могу одобрить нашего климата. Не могу. Наш климат не может способствовать в самый раз» (13, 198); «ахнуть не успел, как на него медведь насел» (13; 125, 179); […] судьба относится ко мне без сожаления, как буря к небольшому корабль» (13, 216); «[…] не судьба им [людям вообще – Л.Е.] жить тут. Не судьба… Фатальное предопределение» (13, 105) и т.д.

Чеховское структурирование абсурда как судьбы современного человека обнаруживается и на уровне концептуальной лексики. Символически значимые слова и выражения в пространстве его пьес следующие: *«враздробь»*, *странный и странно*, *чудак и шут гороховый*, *несчастье*, *недотепа*, *некстати*; *нескладная жизнь*, *кончилась жизнь*, *неблагополучно в этом доме*, *страшно*; *ничего я не хочу*, *ничего мне не нужно*, *никого я не люблю*; *нет мне счастья на этом свете*; *нельзя*; *все равно*; *у меня нет никакой надежды*; *бездорожье*, *нищета*, *пожары*; *разрушено почти все, но взамен не создано еще*

[2] А.А. Блок: Полное собрание сочинений и писем в 20 тт. Т. 3. Кн. 3: Стихотворения 1907–1916. Москва 1997, с. 15.

ничего! пропала жизнь! я с ума схожу… матушка, я в отчаянии! стыдно! Невыносимо! что мне делать?! наше положение безнадежно… и т.д.

Пространство пьес в способах его организации уподоблено Чеховым поэтическому тексту. Специфические приемы в поэзии: строфика, метрика, рифма – являются элементами жесткой формы, которая позволяет воспринимать поэтическое содержание непредсказуемо-свободным и вместе с тем в высшей степени упорядоченным. Мир пьес Чехова также строится на поэтических приемах – перекличках, повторах и рефренах. Для автора это проверенный способ удержать материал в тисках необходимого смысла. В.Б. Катаев говорит о пьесе *Три сестры*: «Повторов и перекличек так много, что весь текст […] предстает как *единое резонирующее пространство*: стоит прозвучать одной реплике, как на нее из текстовой глубины откликается другая, третья…». Повторы или, как называет их исследователь, драматические рифмы (повторяющиеся в различных контекстах темы и мотивы) заставляют «держаться вместе» текст пьесы и «указывают на особого рода соотнесенность между героями».[3] Наблюдение В.Б. Катаева распространяется на всю драматургию Чехова. Смысл многократного использования одних и тех же положений в том, что внутренние состояния одних героев, как будто строго индивидуальные, зеркально отражаются в переживаниях других, в других пьесах. Так, очевидна перекличка монологов дяди Вани и Андрея Прозорова на тему: «как обманывает жизнь». Самочувствие того же Андрея, сознающего себя в родном доме «чужим, чужим – и одиноким», отзывается в переживаниях Шарлотты Ивановны, живущей в семье – в отличие от Андрея – на положении чужой по языку и происхождению («Все одна, одна, никого у меня нет и… и кто я, зачем я, неизвестно...»). Обобщение Вершинина об участи русского человека «хватать в жизни невысоко» подготовлено в известной степени размышлениями доктора Астрова о русской «норме» – быть чудаком («сама по себе жизнь скучна, глупа, грязна… кругом тебя одни чудаки, и сам становишься чудак – неизбежная участь»). Перекликаются многие сюжетные линии, связанные единой темой – «не то». Маша, выданная замуж в 18 лет, когда она со страхом и уважением смотрела на мужа – своего гимназического учителя, теперь знает, что ее семейная жизнь – «не то». Елена Андреевна, боготворившая профессора и вышедшая за него по любви, понимает, что в результате получилось «не то». Раневская, оглядываясь на всю прошедшую жизнь, на свои замужества и связанные с ними душевные траты, признается: «не то». Ирина Прозорова, мечтавшая наполнить свою жизнь трудом, узна́ет, что работа на телеграфе, в управе и других местах, лишенная поэзии и творчества, «не то», что нужно человеку. Перекликаются сюжетные ситуации в *Дяде Ване* и *Трех сестрах*: профессор Серебряков, занятый своей подагрой, запрещает музыку в доме в тот момент, когда душа Сони поет от надежды на счастье. Наташа, лишив всех праздника в святочное время под предлогом болезни Бобика, сама едет кататься на тройке с Протопоповым. Картина медленного, но неуклонного вырождения русской жизни, обрисованная Астровым («В уезде те же болота, комары, то же бездорожье, нищета, тиф, дифтерит, *пожары*…» [13, 94]) как будто иллюстрируется сценой пожара в 3-м действии *Трех сестер*. «Несчастье» в словаре Фирса (т.е. отмена крепостного права и разорение прежней жизни, когда «мужики жили при господах, а господа – при мужиках») получает всеобщий смысл, накладываясь на судьбу Раневской, в отчаянии ждущей и не верящей в неизбежность окончательного «несчастья» для себя и всей семьи.

В чем смысл этих перекличек и совпадений? В том, что претензии героев на неповторимость своей личности иллюзорны: гораздо существеннее для понимания мира, в котором они живут, не то, что их различает, а то, в чем они сближаются. Все они – жертвы жизненного процесса, общего духа времени и тех обстоятельств, которые в пье-

[3] В.Б. Катаев: Буревестник Соленый и драматические рифмы в «Трех сестрах». В: Чеховиана: «Три сестры» – 100 лет, с. 124.

сах не показаны. Правда каждого проблематична. Из многих параллельных историй следует вывод о непостижимости, заведомой неопределимости человеческой правды. Никто не обладает абсолютной для всех авторитетностью, но все без исключения обнаруживают свою индивидуальную меру несвободы и потерянности; все «хватают» невысоко – пусть и на свой индивидуальный лад, все несчастливы – пусть по-своему. Видимые различия снимаются тем, что в итоге всех «заглушает жизнь, как сорная трава»; для всех работает одно правило – «будет не по-нашему», а по чьей-то чужой воле. Ничего нельзя знать окончательно. Нельзя понять, что же происходит *на самом деле*. Ведь один из персонажей Чехова не без основания убежден, что все только *кажется*, а в действительности ничего нет. Какие силы управляют жизнью людей? Почему никто не может реализовать себя? Почему каждая человеческая судьба парадоксальна? На эти вопросы Чехов отвечает молчанием, зоны которого нередко сконцентрированы в паузах. Необходимо сказать в заключение, что абсурдная модель мира, представленная в пьесах Чехова, актуализируется в кризисные периоды развития истории и культуры. Она была чрезвычайно продуктивна на рубеже XIX–XX веков и вновь сознается таковой в нашей трагической современности.

Литература

Блок, А.А.: Полное собрание сочинений и писем в 20 тт. Т. 3. Кн. 3: Стихотворения 1907–1916. Москва 1997.

Гитович, И.Е.: Пьеса прозаика: Феномен текста. В: Чеховиана: «Три сестры» – 100 лет. Москва 2002, с. 6-18.

Катаев, В.Б.: Буревестник Соленый и драматические рифмы в «Трех сестрах». В: Чеховиана: «Три сестры» – 100 лет. Москва 2002, с. 120-128.

Aleksandr Krinicyn

Поэтика и семантика пауз в драматургии Чехова

Паузы в чеховских пьесах уже на раз становились предметом исследования. В частности, отмечалось их значение для замедления темпа действия, варьирования его общего ритма, снятия драматического напряжения и смены тем диалогов. А.П. Чудаков считает, что этот прием пришел из прозы, и видит их значение в том, что они «ослабляют концентрацию эпизодов, высокую во всякой драме. Ритм движения эпизодов замедляется, прерывается искусственная каскадность; впечатление неупорядоченности усиливается».[1] Под паузой мы понимаем любой временный перерыв в речи персонажей, не заполненный в то же время их активными действиями. Исчерпать все функции пауз в чеховских драмах нелегко в пределах одной статьи, тем более, что в каждой драме в зависимости от ее строения их употребление специфично.

Прежде всего, паузы сильно разнятся по их длительности и обозначению в тексте: на них указывается специальной ремаркой (пауза), расширенной ремаркой (все молчат), косвенной ремаркой (указывающей на побочное действие героев, прерывающее их разговор), примечанием в скобках к словам персонажа («Подумав», «Помолчав»), и наконец, рядами многоточий – самыми короткими ретардациями, но все равно ощутимыми по своей протяженности и значению. Часто используются Чеховым «звучащие» паузы, заполняемые музыкой, песнями, внешним шумом. Для *Вишневого сада* характерны многоточия, для *Трех сестер* – паузы со звуковым заполнением, для *Чайки* – перерыв монолога действием. При такой скользящей градации между протяженными паузами, краткими остановками и просто замедлениями речи невозможно ограничиться рассмотрением только тех пауз, которые обозначены специальной авторской ремаркой («пауза»), тем более что при инсценировке пьесы расстановка пауз и акцентов в речи неизбежно производится индивидуально каждым режиссером и актером. Но даже самая субъективная расстановка пауз опирается на текст, который допускает или не допускает продуцирование пауз. Станиславский в своем режиссерском экземпляре *Трех сестер* и *Вишневого сада* не только тщательно учел все чеховские ремарки о паузах, но и увеличил количество пауз примерно вдвое.[2] Пример Станиславского авторитетен из-за близкого общения режиссера с автором и очевидного его стремления соответствовать авторскому замыслу. Паузы предопределяются, таким образом, не только авторскими ремарками, но и самой структурой текста, строением фраз и их логической связью между репликами (а точнее ее отсутствием).

Видно, что при работе над драмами всегда происходило увеличение количества пауз (особенно это видно на примере сравнения *Лешего* и *Дяди Вани*). Одновременно увеличивалось общее количество пауз от пьесы к пьесе.[3]

Вопрос о паузах Чехова неотделим как от жанрового и художественного мышления писателя, так и от его жизненной философии. Специфика драмы как рода литературы в том, что она протекает (на сцене) в реальном времени, имитирует «грамматическое настоящее», а значит, как никакой другой род передает ощущение времени людьми данной исторической эпохи – его темпа, наполненности или пустоты, упорядоченности или случайности. Время в драме должно в пределах нескольких

---

[1] А.П. Чудаков: Поэтика Чехова. Москва 1971, с. 201.

[2] См.: Режиссерские экземпляры К.С. Станиславского в шести томах. Т. 3: Пьесы А.П. Чехова «Три сестры», «Вишневый сад». Москва 1983.

[3] См. Л. Коган: Композиция пьес Чехова, 1944 (Гос. публ. библиотека им. М.Е. Салтыкова-Щедрина, ф. 1035, ед.хр. 1075); A. Stender-Petersen: Zur Technik der Pause bei Čechov. B: Anton Čechov. 1860–1960. Some Essays. Leiden 1960.

действий показать главные смыслонесущие поступки и события жизни, как их понимает данное поколение. В десакрализации драмы и отрыве ее от обряда, в стремлении как можно больше уйти от условности и приблизиться к реальной, а затем и обыденной жизни – наиболее отчетливо прослеживается общая эволюция мирового искусства.

Пьесы Чехова принадлежат к «новой драме» (Метерлинк, Ибсен, Гауптман), которой в поэтике был свойственен символизм, а в мировоззрении – кризис сознания декаданса. По словам Д.С. Мережковского, Чехов выявил то, «что навеки скрыто в *безмолвии* у других, [...] и вот все *молчаливые*, забытые, забитые, маленькие, безвольные, больные, не смеющие, придавленные серым сегодняшним днем потянулись к нему. Узнали себя».[4]

Вместе с тем пьесы Чехова предвещают уже и драму абсурда – тем, что жизнь в настоящем показана как бессмысленная, опустошенная и герои тщатся придать ей содержание. Однако осмысленность прошлого и еще не угаснувшая надежда на будущее отделяют Чехова от драмы абсурда XX века. Сравнивая пьесы Чехова с драмой абсурда, Рольф-Дитер Клуге верно определяет, что «паузы выражают у Чехова проблематичность коммуникации; у Беккета, напротив, основная экзистенциальная ситуация ожидающих героев – молчание, а диалоги являются перерывами молчания».[5]

Будучи органически связаны с философским концептом времени, паузы задают темп времени сценическому. Общепринятым в чеховедении является тот факт, что Чехов радикально меняет структуру сценического времени, максимально сближая его с повседневным, бытовым. «Перефразируя слова Андрея Белого, [...] можно сказать, что Чехов показывает не драму в жизни, а драму жизни, ее ровного и необратимого движения», – пишет Б. Зингерман и далее отмечает, что в отличие от традиционной драмы, где действие двигалось событиями, у Чехова

> особое значение, как известно, приобретают [...] паузы, в течение которых, кажется, ничего не происходит. Искусство раннего Художественного театра эффектнее всего выражалось в паузах – знаменитых паузах Художественного театра! В режиссерском плане «Чайки» Станиславский все время указывает актерам: «Пауза секунд 5», «Пауза 15 секунд», «Пауза 10 секунд». Старый, дочеховский театр обычно избегал чистого времени – долгих томительных пауз – или же толковал их мелодраматически, усиливая ими напряжение кульминационных ситуаций. Старый театр двигался вперед событиями – и речами, которые подготовляли события, а пьесы Чехова часто движутся вперед паузами, тишиной, в которой особенно ощутимо ровное, безостановочное течение жизни.[6]

Традиционно паузам придается отрицательная коннотация. Они расцениваются как вялость, замирание жизни, отсутствие ответа, обрыв темы, провал коммуникации. Когда жизнь у героев «бьет ключом» – пауз нет.

Но сценическое время, как и время музыкальное, будучи «пространством» художественного произведения, предполагает предельную смысловую наполненность и интенсивное восприятие зрителями каждого своего момента. Поэтому если в обычной жизни паузы действительно могут «тонуть» в провалах сознания, то в драме паузы вызывающе маркированы – как отсутствие естественной ткани речевого дискурса. *Поэтому в драме любая пауза функционирует как актуализация настоящего*, претендующая на особую значимость. Даже если герои не способны на слова и действия – тогда актуализированным, тягостно нависающим, «кожей ощутимым» становится именно смысловой вакуум. Однако как раз такой ситуации мы у Чехова почти не встретим, кроме разве *Вишневого сада*, наиболее приближающегося к технике абсурдизма. Наоборот, пре-

[4] Д.С. Мережковский: Брат человеческий. В: Д.С. Мережковский: Акрополь. Избранные литературно-критические статьи. Москва 1991, с. 251 (курсив мой – А.К.).

[5] Р.-Д. Клуге: Чеховиана. Чехов и Франция. Москва 1992, с. 143.

[6] Б.И. Зингерман: Театр Чехова и его мировое значение. Москва 1988, с. 13.

обладают паузы от переизбытка чувств и ощущений – однако даже самые напряженные из них – как паузы при любовном объяснении Нины и Тригорина, пауза после выстрела Войницкого, когда он вглядывается и видит, что не попал – не являются эффектно мелодраматическими, а тонко психологически выверенными и «сосредоточенными». Такими же оказываются паузы в финалах пьес.

Значение паузы зависит и от ее местонахождения. Они могут быть

1) внутри монолога внутри реплики героя, обозначающие смену темы или настроения; далее мы будем называть их «интонационные» (отдельно следует выделить среди них паузы в монологах, произносимых в одиночестве – они у Чехова, наоборот, подготавливают, развитие прерванной темы – см. монолог Войницкого из 2-го акта);
2) паузы, возникающие между репликами персонажей в диалоге – свидетельствующие о «вялости» разговора или нежелании/невозможности его продолжать (назовем их «диалогическими»);
3) паузы, разграничивающие диалоги, явления и сцены между собой (обозначим их «сценическими»). Соответственно у пауз может быть три функции: эмоционально-выразительная, коммуникативная, сюжетно-композиционная.

Не только каждая пьеса, но и каждый акт в них имеет свой темп, свою дискурсивную структуру и временное измерение. Соответственно – и свою функцию пауз.

Иванов, *Чайка* и *Дядя Ваня* строятся по «явлениям» – когда Чехов выводит на сцену одновременно только по два-три персонажа и сталкивает их в диалоге. Массовые сцены, когда вместе собираются все действующие лица, хотя и встречаются, но не протекают долго.

Безотцовщина, юношеская драма Чехова, начинается как водевиль, в духе тургеневского *Месяца в деревне*[7], но затем перерастает в страстную мелодраму. Эта пьеса уже отличается удивительным обилием пауз, однако употребление их традиционно для мелодрамы. Преобладают интонационные паузы, которые обозначают резкую смену чувств героя, его уловку или полемический новый ход, или наконец, в монологах в одиночестве – тягостное раздумье. Диалогические паузы возникают чаще всего как отсутствие ответа на заданный вопрос и учащаются по мере усиления драматизма в отношениях между персонажами. Ближе к финалу они становятся вызывающе аффектированными:

> Те же и С о ф ь я Е г о р о в н а. Софья Егоровна подходит к столу и роется в нем.
> Г р е к о в а *(хватает Платонова за руку).* Тссс…
> Пауза.
> Софья Егоровна берет револьвер, стреляет в Платонова и дает промах. (11, 178)[8]

Сценические паузы используются упрощенно, как граница между явлениями, так, в 3-м акте: «Пауза. Явление VI. Платонов *(один)*» (11, 137/38).

Иванов, подобно *Безотцовщине*, еще имеет единый сюжетный стержень и приходит к драматической развязке. Пауз в *Иванове* меньше (даже пропорционально объему обеих пьес), и их употребление уже подчиняется принципам поэтики «новой драмы»: они привносят не мелодраматизм, а тягостность.

---

[7] Характерно, что собирательным центром, героем любовных интриг у Тургенева был тоже учитель, попавший в дворянскую усадьбу, как и Платонов у Чехова.
[8] Здесь и далее подчеркивание в цитируемом тексте мое – А.К.

Зинаида Савишна встает и уходит в правую дверь; продолжительное молчание.
Егорушка. Два бубны.
Авдотья Назаровна. Пас.
2-й гость. Пас.
Косых. Пас.
Бабакина *(в сторону)*. Господи, какая скука, помереть можно! (12, 25)

Они появляются целыми «каскадами», но лишь в некоторых сценах – как правило, в томительных, невыносимых для Иванова диалогах, обозначая собой переживания тягостной скуки, тоски, и, наконец, отчаяния.

Анна Петровна *(после паузы)*. Зачем она сейчас сюда приезжала?
Пауза.
Я тебя спрашиваю: зачем она сюда приезжала?
Иванов. Не спрашивай, Анюта…
Пауза.
Я глубоко виноват. Придумывай какое хочешь наказание, я все снесу, но… не спрашивай… (12, 61)

Паузы от неловкости в разговоре будут присущи и всем последующим драматическим произведениям Чехова.

Поэтика *Чайки* еще больше приобретает собственно чеховский колорит. Начинается пьеса схоже с *Ивановым* – с изображения второстепенных лиц в их повседневном общении. Однако если в *Иванове* паузы в подобном контексте означали бы скуку, то в *Чайке* – тихое раздумье и любовное томление. Вот первая пауза в пьесе (1-й акт):

Маша. Пустяки. *(Нюхает табак.)* Ваша любовь трогает меня, но я не могу отвечать взаимностью, вот и все. *(Протягивает ему табакерку.)* Одолжайтесь.
Медведенко. Не хочется.
Пауза.
Маша. Душно, должно быть, ночью будет гроза. (13, 6)

В *Чайке*, несмотря на ее событийный драматизм, трудно выделить единую фабулу, судьбы героев скорее «соположены», и «партия» каждого из персонажей ведется отдельно. Второстепенные персонажи не выполняют служебную функцию в сюжетной линии главных (характерно их положение гостя, приживальщика или ненужного слуги), а скорее варьируют ее в своеобразной аранжировке. Темы монотонной скуки жизни в *Чайке* почти нет. Есть только Сорин, переживающий о напрасно прожитых годах – предвестие образа Войницкого в *Дяде Ване*.

Количество пауз постепенно нарастает от действия к действию, и все виднее становится сдвиг в их смысловом и выразительном характере. Они делаются психологически тоньше и «тише» и не столько интонируют вопросы без ответа (хотя и такие случаи встречаются), сколько становятся знаком утверждения, констатации, как будто в высказывании ставится некая точка.

Дорн. Что ж? Можно поехать. Можно и не поехать.
Аркадина. Вот и пойми.
Дорн. И понимать нечего. Все ясно.
Пауза. (13, 23)

Нина. Что с вами? *(Поднимает чайку и глядит на нее.)*
Треплев *(после паузы)*. Скоро таким же образом я убью самого себя. (13, 27)

Особенно много пауз в последнем действии. Вряд ли можно связать это просто с замедлением сюжета и тенденцией к устранению драматических моментов.

При детальном рассмотрении, в *Чайке* ровное течение повседневности представлено менее, чем в том же *Иванове*. В последних четырех пьесах о тоскливой обыденности много рассуждают, но на сцене она показывается очень взвешенными фрагментами. Зрелый Чехов не столько изображает саму повседневность, сколько моменты ее нарушения. Однако это нарушения не взрывного характера, а скорее предсказуемые «повороты» или «рубежи». Так, в каждой драме Чехов показывает сцены приезда и отъезда героев, зачастую разворачивая их на целое действие – именно в эти минуты герои дистанцируются от привычного круговорота дней и осознают «точку своего местонахождения» на прямой жизненного пути. Также часты сцены праздников (именины Ирины, масленица с ряжеными в *Трех сестрах*, импровизированный бал в день аукциона в *Вишневом саде*), ведь праздник – тоже некая временная веха среди будней. К чисто бессобытийным относятся только 2-й акт *Чайки* и 2-й акт *Вишневого сада*.

Однако подобные «тихие» повороты производят в душах героев настоящие потрясения, подобно катализатору, давая выход давно накопившимся терзаниям и мыслям. В результате Чехов повергает своих героев в такое состояние, когда они поглощены раздумьями о себе и о своей жизни, а потому могут даже вслух разговаривать с собой, почти не замечая окружающих. В эти моменты и появляются многочисленные паузы, мотивирующие «неадекватность» героя происходящему, погруженность его в себя. Чтобы психологически убедительно показать такое состояние, Чехов использует множество мотиваций: это и неотступная забота (как у Вершинина с женой и дочерьми), и влюбленность, и наконец, просто опьянение (Войницкий, Астров, Чебутыкин, Лопахин). Условность приема обнаруживается в том, что герои на самом деле вовсе не ведут себя как пьяные (ср. монолог Чебутыкина из 3-го акта, когда доктор будто бы «пьян ужасно»).

Иногда действие происходит глубокой ночью (3-й акт *Трех сестер*, 2-й акт *Дяди Вани*, 4-й *Чайки*), когда герои выпадают из привычного ритма, отрешаются от дневной суеты и терзаются воспоминаниями. Подобные состояния приводят к мнимости –, а в глобальном плане – к одиночеству героев. Именно так описывает диалоги героев Чехова Зиновий Паперный[9], только не уточняет, на какие пьесы данный принцип распространяется. При подобной дискурсивной структуре особое значение получают интонационные паузы, необходимо используемые при технике потока сознания.

С *Чайки* герои начинают четко делится (по структуре их реплик) на «рефлектирующих», «думающих вслух», чье сознание показывается изнутри, и «нерефлектирующих». Первые – субъекты мысли, в чье сознание, хотя бы только временно, предлагается перенестись читателю, а вторые – даны как «бытовое обстояние» первых – как живое воплощение косности, комичности или абсурдности повседневной жизни. Начиная с *Трех сестер* Чехов стремился уподобить рефлектирующим подавляющее большинство героев, в том числе второстепенных, позиционируемых автором «приземленными», «ограниченными» (Кулыгин, Соленый, Чебутыкин). Нерефлектирующими остаются лишь утрированно комические (Федотик, Вафля, Фирс, Ферапонт) или подчеркнуто отрицательные образы (Наташа, Яша). Показательно, что герои первого плана

---

[9] «Чехов отказывается от такого разговора героев, в котором ощущается их тесный, непосредственный контакт, их взаимозависимость. Диалог выступает не как слитный словесный массив, не как спор героев об одном и том же. Скорее, это разговор персонажа с самим собой.» (З.С. Паперный: «Вопреки всем правилам…» Пьесы и водевили Чехова. Москва 1982, с. 191).

не удостаивают их серьезным отношением[10], даже если те могут иметь серьезное влияние на их судьбу, как Наташа на жизнь Прозоровых.

Если рефлектирующие – генерируют паузы, то нерефлектирующие заполняют их «рениксой» – неподходящими, комическими или даже бессмысленными фразами. Бывает однако и так, что один и тот же герой выступает по очереди в обеих ролях. Чебутыкин – иногда скептический философ, а иногда – статист, озвучивающий подчеркнуто не подходящие к разговору газетные сведения. Кроме того, каждому «думающему» грозит застыть и превратиться в элемент бытовой обстановки.

В *Дяде Ване* Чехов делает попытку избавиться от фоновых второстепенных персонажей, так что пьеса, при минимальном количестве действующих лиц, вновь строится из диалогов (хотя и разбивка на явления отсутствует). В *Трех сестрах* и *Вишневом саде* наоборот, основное время действия занято массовыми сценами, где разговор меняется по теме и «перетекает» от одной группы персонажей к другой, так что они по очереди завладевают вниманием зрителей и составляют мини-группы, объединенные одним «смысловым узлом» (например, воспоминания Вершинина и сестер о Москве, рассуждения о будущем Вершинина и Тузенбаха, перепалка Тузенбаха и Солсного и т.д.). Сюжетная линия или мотив, ведомые каждым из таких смысловых узлов[11], далее находят продолжение в следующих и проходит через все действия пьесы. При этом все они остаются автономными.

В результате вместо цельного сюжета перед нами – мотивная система. Последние пьесы Чехова начинают походить по своей структуре на музыкальное произведение (в частности – сонатную форму, с ее поочередным ведением и развитием главной, побочной и соединяющих тем).[12] Как темы могут перекликаться общими мелодическими элементами, так же и сцены перекликаются созвучными фразами (например, во 2-м действии *Трех сестер* об своей усталости одними и теми же словами говорят Ольга, Ирина, Кулыгин и директор Кулыгина в передаче последнего; в сходных выражениях объясняются в любви Вершинин Маше и Соленый Ирине и т.д.). Так в *Трех сестрах* Чехов делает следующий после *Чайки* шаг к переходу от фабулического к музыкальному построению пьесы.

Соответственно и паузы начинают играть роль, аналогичную паузам в музыкальном произведении (вспомним, что в музыке паузы тоже точно дифференцируются по длине). Характерно, что Чехов любит заполнять их звуками, и особенно часто музыкой. Такие звучащие паузы сами становятся семантически и даже символически значимыми, особенно если повторяются (звук лопнувшей струны).

В *Дяде Ване* еще есть монологи героев в одиночестве, в *Трех сестрах* и далее – уже нет. Здесь Чехов вообще пытается отказаться от деления речи героев на монологи и диалоги – традиционного, но неестественного с точки зрения реальной действительности. Но в сценической речи все равно неизбежна условность. Если в реальной действительности слова имеют направленность прежде всего на собеседника (мысли вслух в жизни – психологически маргинальная ситуация), то в сценическая речь направлена как на другого персонажа – в диалоге, так и на зрителя – в монологах, ради изложения: 1) предыстории героев (информативный монолог) 2) хода их мыслей (имитация внутреннего монолога). Следуя принципам «тайного» психологизма, Чехов решает совместить монологи обоих типов с диалогом, делая монологи предельно краткими и

[10] Так Войницкий, объясняясь с Серебряковым, бросает Телегину: «Постой, Вафля, мы о деле… Погоди, после…» (13, 101).

[11] Примерно то же З. Паперный называет «микросюжетами» (см. Паперный, с. 189).

[12] О музыкальном строении пьес Чехова и о «сонатной форме» его драм читай: Г.И. Тамарли: Поэтика драматургии А.П. Чехова. Ростов-на-Дону 1993 (глава 1 «Музыкальный образ мира и его драматические модели», с. 7-53).

внедряя в диалоги «монологические» фразы (на самом деле обращенные к себе и к зрителю). Но такие фразы диалогичны лишь внешне и легко отделяются от фраз, действительно обращенных к собеседнику. Так иногда целым внутренним монологам придается вид диалогов. Характерно превращение объяснения Андрея с сестрами сначала в его монолог, а потом и во внутренний монолог, притом что внешне продолжается обоюдный разговор. Явно условен диалогизм как в сцене Андрея с женой в начале 2-го акта, так и в последующем разговоре Прозорова с глухим Ферапонтом («Если бы ты слышал как следует, то я, быть может, и не говорил бы с тобой»; 13, 141). Характерно, что Вершинин, когда произносит свои слова о далеком будущем, ходит по сцене, как если бы он был один. Для нас важно, что именно в этих монологах (Вершинина и Прозорова) больше всего пауз: как многоточий, так и длинных, специально отмеченных авторскими ремарками. Единственное исключение – финальный монолог Фирса – своим совершенно особым драматическим эффектом только подтверждает правило.

Чехова очевидно куда больше интересует раскрытие внутреннего мира каждого из персонажей, чем связность и логико-психологическое построение диалога. Создается некое подобие поэтики Толстого, где автор со своей позиции всеведения последовательно проясняет точку зрения каждого из персонажей. Тем удивительней наблюдать подобное в драме, где авторский голос не может звучать прямо, и каждый герой раскрывает свой внутренний мир в диалоге с другими. (Отсюда следует своеобразный психологический эффект: герои Чехова становятся неспособны быть на словах неискренними. Они проговаривают любые свои тайные мысли – если они в данный момент актуальны [вспомним фразу Кулыгина: «Олечка моя милая... Я <u>часто думаю</u>: если бы не Маша, то я на тебе б женился, Олечка. Ты очень хорошая...»; 13, 160], вплоть до того, что заранее выдают свой враждебный умысел при будущей жертве [Соленый]. Они могут злоумышлять, но не будут таить своих намерений. Поэтому их слова могут звучать на редкость неуместно, как слова Лопахина о покупке Вишневого сада при хозяевах или просьба Полины Андреевны к Треплеву при дочери: «[...] будьте поласковей с моей Машенькой!..»; 13, 46.) Если же персонажи любят, они постоянно говорят о своей любви. Наташа при всем желании подольститься к будущей «начальнице» Ольге не может быть ласковой и двух минут, а потом срывается до крика и дезавуирует себя. На виду и ее роман с Протопоповым. Когда Андрей пытается лукавить со своими сестрами, то не выдерживает сам и тут же кается: «Милые мои сестры, дорогие сестры, не верьте мне, не верьте...» (13, 170).

Итак, между репликами диалога и между разнонаправленными фразами внутри одного высказывания ослабляется или вообще исчезает логическая связь. Если назойливое повторение бессмыслицы Чебутыкиным («Тарара... бумбия... сижу на тумбе я...») и Машей («У лукоморья дуб зеленый…») еще может быть психологически мотивирована, то «биллиардные» выкрики Гаева настолько неправдоподобны, что могут быть объяснены одним: Чехова надо было любым способом показать содержание мыслей героя, «озвучить» поток его сознания.

Как правило, Чехов старается фразам героя «к себе» придать вид «обращенных к другому» и делает это очень искусно, допустим, длинное высказывание начинается как ответ собеседнику или наоборот, заканчивается вопросом. Таким образом, в речи героев прослеживаются три типа реплик: 1) явно направленные на другого; 2) внешне обращенные к другому, на деле – о себе и для себя; 3) явно обращенные себе. Наиболее частотный – второй тип, связующий высказывания в диалоги и отвечающий за сценичность действия.

Приведем пример, указывая цифрами типы фраз.

> Соленый [Ирине]. Первый раз я говорю о любви к вам, и точно я не на земле, а на другой планете (1). *(Трет себе лоб.)* Ну, да все равно. Насильно мил не будешь, конечно... (2) Но

счастливых соперников у меня не должно быть... Не должно... (3) Клянусь вам всем святым, соперника я убью...(2) О, чудная! (1) (13, 154)

Тузенбах *(смеясь)*. Вы здесь? Я не вижу. *(Целует Ирине руку.)* Прощайте, я пойду... (1) Я гляжу на вас теперь, и вспоминается мне, как когда-то давно, в день ваших именин, вы, бодрая, веселая, говорили о радостях труда... (2) И какая мне тогда мерещилась счастливая жизнь! Где она? (3) *(Целует руку.)* У вас слезы на глазах. Ложитесь спать, уж светает... начинается утро... (1) Если бы мне было позволено отдать за вас жизнь свою! (1) (13, 165)

В обоих примерах видно, как фразы типа 3) обрамлены фразами типа 1) и 2) и как постепенен переход между ними. Видно также, как переход отмечается и стилистически облегчается многоточиями.

Таким образом, главное формальное назначение интонационных (и отчасти диалогических) пауз – разграничить разнотипные смысловые блоки внутри высказывания, а зачастую и сгладить отсутствие логических переходов между ними. Паузы внутри высказывания придают ему вид озвученного «потока сознания», будто герои думают «вслух» и «на ходу». Этому же способствует замедленный вследствие постоянных остановок темп пьес. Кстати, когда темп живой – в оживленном разговоре, например, – то паузы исчезают, герои общаются непосредственно между собой, фразы направлены преимущественно друг на друга (при первой встрече после долгой разлуки или знакомстве). Иная картина – при замедленном темпе. Герои почти неподвижно сидят, обмениваются фразами нехотя, каждый говорит о своем – такая атмосфера создается множеством пауз. Здесь к паузам интонационным подключаются паузы диалогические. Их дополняет такое специфически чеховское изобретение, как внедрение между диалогическими репликами бессмысленных фраз (Ферапонта, Чебутыкина, Гаева, Фирса, Епиходова, Вафли и даже Маши с ее «лукоморьем»). Перебивая тему разговора, эти реплики сами «работают» как паузы диалогические или сценические. Одновременно они являются своеобразным музыкальным мотивом.

Разобрав поэтическую функцию пауз, скажем несколько слов об их смысловом значении. Подобно тому, как паузы в музыкальном произведении по длительности и значению приравниваются к звучащим нотам, так и паузы в пьесах приобретают самостоятельное семантическое наполнение, становясь зонами содержательного молчания. Они предваряют или завершают самые значимые высказывания героев, акцентируя на них особое внимание зрителей. Тем самым паузы маркируют, «ведут» в каждой пьесе ее важнейшие темы и настроения. (например, темы тоски, ожидания, неловкости – индивидуально в случае каждой конкретной пьесы). Так, в *Чайке* паузы сопровождают темы любви, безысходности, смерти.

При внимательном рассмотрении всех пауз в пьесах Чехова, можно сделать вывод, что помимо прочего, они в любой драме сопровождают, интонируют тему времени: появляются в связи с размышлениями героев о смысле прошлого, настоящего или будущего. Таким образом, паузы проводят тему времени и на поэтическом, и на семантическом уровне: не только организуют сценическое время, но акцентируют высказывания героев о времени самим своим появлением. Выстраивается своеобразная философия времени, которая претендует на то, чтобы стать философией жизни, хотя именно жизненную философию герои Чехова мучительно и безрезультатно ищут, не в силах обрести. Они только отмечают неумолимый ход времени, уносящий их жизнь.

Однако сама тема времени видоизменяется от драме к драме, что отчетливо маркируется паузами. В каждой пьесе Чехова – своя временная картина, определяющаяся различным восприятием героями прошлого, настоящего и будущего. Будущее, в свою очередь, распадается на ближайшее будущее судьбы героев и отдаленное будущее жизни следующих поколений, которое как правило идеализируется. Самое отдаленное будущее – конец жизни на Земле – предстает в пьесе Треплева, которая затем парадоксально становится для Нины и Треплева соединяющим их прошлым.

В *Чайке* все герои живут в разных временных измерениях, в том числе и культурных (важную роль в пьесе играет спор о классическом и новом искусстве), одни осознают себя в начале жизненного пути, другие – в конце. Одни не видят для себя более никаких перспектив (Дорн, Сорин, Маша), другие упиваются настоящим, стремясь «остановить мгновенье» (Аркадина), третьи – сгорают, как свечи, в огне искусства и страсти (Треплев, Нина). Поэтому герои движутся по разным орбитам, не могут друг друга понять и расстаются, едва встретившись.

В последующих пьесах главные герои осознают время одинаково, что не помогает им, однако, в разрешении жизненных проблем. В *Дяде Ване* герои, осознав потерянность прошлого и будущего, делают попытку актуализации настоящего, желая получить, теперь и сейчас, хотя бы часть, хотя бы иллюзию невозможного более счастья. Когда оно обманывает окончательно, герои вынуждены принять настоящее при констатации его несостоятельности (Соня Войницкому: «Я терплю и буду терпеть, пока жизнь моя не окончится сама собою... Терпи и ты»; 13, 109). Отказ от продажи имения – попытка удержать хотя бы обессмысленное настоящее.

В *Трех сестрах* герои, наоборот, погружены в счастливые воспоминания и живут ожиданиями будущего. Прошлое связано с культурой, семейным теплом, интеллектуальным ростом, укорененностью в бытии. Мечта о будущем является фактически мечтой о возврате в идеализированное прошлое – «в Москву». Настоящее представляется досадной кратковременной задержкой, едва заметным переходом от прошлого к будущему, но потом разрастается до размеров жизни. От акта к акту время все замедляется, чтобы в конце 4-го наконец остановиться. Многие паузы проводят тему памяти, к примеру в разговоре Маши с Чебутыкиным в 4-м акте:

> Маша *(садится)*. Ничего...
> Пауза.
> Вы любили мою мать?
> Чебутыкин. Очень.
> Маша. А она вас?
> Чебутыкин *(после паузы)*. Этого я уже не помню. (13, 176)

Музыка в конце чеховских пьес, заполняющая возникающие паузы (игра Телегина в конце *Дяди Вани*, веселый военный оркестр в финале *Трех сестер*) – это идеализация времени, его гармонизация, состоявшееся счастье в его духовном измерении, ведь музыка – это духовное преображение времени, возвышение до одухотворенной вечности искусства. Звучащие паузы парадоксально контрастируют с неудачей жизни героев, но являются сами по себе обетованием осуществимости смысла и красоты.

Особую важность получают паузы, завершающие акт или предваряющие последнюю реплику в его конце. К паузе, актуализирующей конец и последнюю реплику, стремится вся пьеса.

В *Вишневом саде* над всеми героями тяготеет груз несчастного прошлого, а на сцене изображается остановка времени, отсутствие настоящего, «ненастоящее настоящее» – недоумение, бездумное ожидание, легкомысленное отчаяние. В результате бытийственность уходит из жизни героев, остановившихся во времени, несмотря на его неумолимое и все более громкое течение. Стук топора в конце пьесы подобен грубым ударам маятника жизни. Только герои не хотят к нему прислушиваться. Его слышит только умирающий Фирс. Его фраза: «Жизнь-то прошла, словно и не жил...» (13, 254) – главный лейтмотив и решение всей пьесы.

Паузы, безмолвные и тихие в начале пьесы, к ее концу все чаще получают звуковое заполнение, превращаясь из фигуры замедления сюжета в катализатор и наконец «вершитель» действия происходящего за сценой. Путем повторов паузы все более «утяжеляются», наполняются значимостью. В последнем действии они учащаются, становятся напряженными, иногда даже трудно переносимыми, и все чаще аранжируются звуками. Сцена пустеет. Завершены мнимые диалоги, перейдя в одну сплошную паузу. Но в конце ниспадает еще одна. Звук лопнувшей струны – звучащая пауза, к которой велась вся пьеса, ее смысловая точка. В конце *Вишневого сада* нет музыки. Ее и не может быть, раз лопнула струна. Пауза из музыкальной, живой, становится необратимой.

Литература

Зингерман, Б.И.: Театр Чехова и его мировое значение. Москва 1988.

Клуге, Р.-Д.: О смысле ожидания (Драматиргия Чехова в «Ожидании Годо» Бекетта). В: Чеховиана. Чехов и Франция. Москва 1992, с. 140-145.

Коган, Л.: Композиция пьес Чехова, 1944 (Гос. публ. библиотека им. М.Е. Салтыкова-Щедрина, ф. 1035, ед.хр. 1075).

Мережковский, Д.С.: Брат человеческий. В: Д.С. Мережковский: Акрополь. Избранные литературно-критические статьи. Москва 1991, с. 247-252.

Паперный, З.С.: «Вопреки всем правилам…» Пьесы и водевили Чехова. Москва 1982.

Режиссерские экземпляры **К.С. Станиславского** в шести томах. Т. 3: Пьесы А.П. Чехова «Три сестры», «Вишневый сад». Москва 1983.

Тамарли, Г.И.: Поэтика драматургии А.П. Чехова. Ростов-на-Дону 1993.

Чудаков, А.П.: Поэтика Чехова. Москва 1971.

Stender-Petersen, A.: Zur Technik der Pause bei Čechov. B: Anton Čechov. 1860–1960. Some Essays. Leiden 1960, c. 18-206.

Jochen Raecke

„Warum tragen Sie immer Schwarz?“
Čechovs Dialoge als Regie- und Sehanweisungen

1.

Wer sein Augenmerk bei der Betrachtung von Theaterstücken allein auf den Text richtet, dem gerät aus dem Blickfeld, dass er, also der geschriebene Text, nicht mehr ist als nur ein Teil dieses Theaterstückes. Zwar beruht das Stück zur Gänze auf diesem Text, gleichwohl soll er nicht sich selbst genügen. Ganz anders als im Gedicht, in einer Erzählung oder in einem Roman, bei denen den Wörtern, aus denen sie gestaltet sind, die Alleinherrschaft zukommt, hat der Text im Theaterstück lediglich dienende Funktion. Soll, kann oder muss der Leser eines Gedichts, einer Erzählung oder eines Romans auf der Grundlage des Texts sich mittels seines Verstandes etwas vorstellen, so soll, kann oder muss der Zuschauer eines Theaterstücks auf der Grundlage des Textes etwas mittels seiner Sinne wahrnehmen, und dabei gerade nicht den Text allein, sondern etwas, was ihm auf der Grundlage dieses Textes in einem Theaterraum auf der Bühne gezeigt und vorgespielt wird. Der Text eines Theaterstücks ist insofern der Diener sogar zweier Herren, als er auf der einen Seite und zunächst dem Regisseur dazu dienen muss, eine Vorstellung davon zu entwickeln, was der Autor des Stückes an Personen, Räumen und Handlungen der Personen im Kopf gehabt haben mag, als er sein Stück schrieb, und sodann auf der anderen Seite dem Zuschauer dazu dienen muss, in allem sinnlich Wahrzunehmenden einen Sinn zu erkennen, deswegen nämlich, weil nur das gesprochene Wort uns erfahren lässt, weshalb oder wozu die Menschen auf der Bühne genau dasjenige tun, was wir sie gerade tun sehen. Allein der Text motiviert, was wir über die Augen und die anderen Sinne wahrnehmen, und zugleich sagt auch nur er uns, was von alledem, was gerade auf der Bühne zu hören oder zu sehen ist, wirklich wichtig ist. Solange von einer Uhr, die die Stunden schlägt, nicht gesagt wird, dass sie auch damals beim Tode des Vaters schlug, wie in der ersten Szene der *Drei Schwestern*, kann niemand als Zuschauer sagen, ob dieses Schlagen nun zufällig oder absichtlich, ob es bedeutsam oder ohne tiefere Bedeutung für das Stück oder für die Beteiligten ist.

Das Wesen des dialogischen Textes eines Theaterstücks aus dieser Zuschauersicht noch einmal anders gefasst: Damit der Zuschauer das Wahrgenommene als in bestimmter Weise bedeutsames Geschehen, als Geschichte oder Bestandteil einer insgesamt vorgeführten Geschichte verstehen kann, damit er hinter alle Vordergründe, Hintergründe oder sonstigen Gründe dessen kommen kann, was sich da vor seinen Augen abspielt, wechseln die Personen auf der Bühne Worte miteinander. Dabei sind es zunächst einmal gar nicht ihre Worte, die sie wechseln, sondern jene Worte, von denen der Autor will, dass sie sie miteinander wechseln, und sodann sagen sie natürlich ihre Worte viel weniger zueinander als für den Zuschauer, deshalb eben, weil der sonst mit allem, was er sieht, von Anfang an und letzten Endes gar nichts anfangen könnte. Oder kann ein Zuschauer etwas damit anfangen, dass er auf der Bühne ein Zimmer sieht, das offensichtlich ein Wohnzimmer ist, wenn aus dem Reden der Menschen in diesem Wohnzimmer nicht klar wird, weshalb oder wozu sie sich gerade oder ausgerechnet in diesem Wohnzimmer versammeln, so wie im 1. Akt der *Drei Schwestern*? Was für einen Reim soll sich ein Zuschauer darauf machen, dass in diesem Wohnzimmer plötzlich eine Geige zu hören ist, wenn er nicht erfährt, dass es Andrej, der Bruder der drei Schwestern ist, der sich im Nebenzimmer damit Gehör verschafft? Was bliebe als reine Mutmaßung, wenn im Hintergrund der Bühne ein Schuss ertönt, aber niemand im Vordergrund der Bühne sagte, wer da gerade sich selber oder jemand anderen erschossen hat? Dorn also muss Trigorin sagen, dass es Konstantin Gavrilovič war, der sich erschossen hat. Der Stummfilm hat – gewiss ganz gegen seine Absicht – offensichtlich werden lassen, dass man mit Bildern allein nur etwas darstellen, auch Schlüsse nahe legen, aber nichts eindeutig erklären kann. Er hat deshalb sehr schnell gelernt, die notwendigen, d.h. die Handlung erklärenden Worte einzublenden. Was wir mit den Augen sehen, ist viel, und es ist viel mehr, als wir jemals mit Worten sagen könnten oder wollten, aber: was wir sehen, kann uns zwar gefallen oder missfallen, interessieren oder langweilen, es kann uns rühren, kann uns bewegen, es kann uns jedoch nichts eindeutig erklären. Bilder allein, also Bilder ohne Worte, sind grundsätzlich ebenso vieldeutig wie – streng betrachtet – bedeutungslos. Und wenn wir im Leben, auf der Leinwand oder auf der Bühne sehen, dass jemand getötet wird – was eindeutig erscheint –, dann können wir doch in dem Augenblick nicht sehen, warum dieser Jemand getötet wird. Wie sehen immer nur, wie etwas geschieht oder was geschieht oder wie etwas aussieht, aber nicht, warum es geschieht oder warum es so aussieht. Das können wir allenfalls aus der Erfahrung schließen oder mutmaßen. Denn das Sehen ist zum einen immer dem Augenblick verhaftet und bleibt zum anderen an der Oberfläche; beim Menschen reicht es bis zur Kleidung, bis zur Haut oder bis zu den Augen; was sich dahinter abspielt, kann jeweils nur geahnt oder gemutmaßt werden. Es sei denn, es wird uns gesagt. Dann können wir es wissen. Wissen allerdings auch nur, wenn das, was gesagt wird, die Wahrheit ist.

2.

Diese Problematik des Sehens, das eben dem Augenblick verhaftet ist, an Äußerlichkeiten hängen bleibt und keine Gründe eindeutig ausmachen kann, ist die Problematik des Theaters. Und also muss sich, wer Texte von Theaterstücken als solche, d.h. als Texte von Theaterstücken verstehen und nicht wie Literatur lesen will, auf diese Problematik einlassen, denn mit ihr war ganz natürlich auch jeder konfrontiert, der ein Theaterstück geschrieben hat. Allgemein gesagt: Wer ein Theaterstück schreibt, will, dass die Zuschauer nicht nur etwas zu hören bekommen, sondern, dass sie zum Hören hinzu etwas zu sehen bekommen.

Wenn wir die Komponente des Sehens zunächst einmal für sich allein nehmen und für sich allein reflektieren, auch wenn sie für sich allein in einem Theaterstück nicht vorkommt, dann gehen wir von der einfachen Frage aus: Was sollen die Zuschauer denn zum Hören hinzusehen? Auf die Schnelle gesagt sind das einmal die Personen, die auf die Bühne gestellt werden, um mit ihren Körpern das sichtbar werden zu lassen, was der Autor den Zuschauern vor Augen führen möchte. Sodann sind es natürlich die Örtlichkeiten, wo sich das zum Anschauen Vorgespielte abspielt. Endlich können es dann bestimmte Gegenstände, Tiere oder Pflanzen sein, deren Vorführung für das gewünschte Verständnis des Gezeigten von Bedeutung ist. Was vor allem diese letzeren Örtlichkeiten und Gegenstände oder Tiere resp. Pflanzen angeht, die nach dem Willen des Autors auf der Bühne zu sehen sein sollen, so hat der Autor nach alter Theatersitte die Möglichkeit, diese in Worten außerhalb der Dialoge in Form von Regieanweisungen oder auch Bühnenanweisungen vorzuschreiben. Čechov hat diesen Brauch, wie bekannt ist, ausgiebig geübt. Nur gilt für diese zum Teil sehr detaillierten Beschreibungen, d.h. wer sich im Folgenden wo zeigen soll, im Prinzip das Gleiche, was für solche Anweisungen, die die Schauspieler betreffen, jetzt etwas ausführlicher dargestellt werden soll. Wenn es nämlich dem Autor darum geht, dass dem Zuschauer eine bestimmte Figur in dieser oder jener äußeren Gestalt, in dieser oder jener Kleidung vor oder unter die Augen kommen soll, wenn der Zuschauer diese oder jene Körperdrehung, Handlung, Handbewegung oder Miene auf dem Gesicht sehen soll, dann weiß ein theatererfahrener Autor, dass sich jeder Regisseur als der eigentliche Herr der Bühne versteht und sich über jegliche schriftliche Anweisung außerhalb der Dialoge frei oder gar willkürlich hinwegsetzen kann – einfach deshalb, weil er meint, und das nicht immer zu Unrecht, dass er sich auf der Bühne ja wohl besser auskennt als ein Stückeschreiber. Ein theatererfahrener Autor weiß weiterhin, dass auch die Schauspieler von ihrem Sachverstand überzeugt sind und ihre ganz persönlichen Vorstellungen davon haben, wie man in solchen wie den darzustellenden Situationen am eindrucksvollsten gestikuliert, agiert oder reagiert, d.h. wie man beim Zuschauer eine viel größere Wirkung erzielt, als es nach den Anweisungen des Autors zu erwarten wäre. Die Problematik ganz allgemein und dabei aus der anderen Perspektive formuliert heißt: Wenn ein Autor überhaupt eine Möglichkeit hat, sicherzustellen, dass etwas, was ihm wichtig ist, auf der Bühne auch tatsächlich zu sehen ist, dann ist es die, dass er das ihm Wichtige in jenen Text einarbeitet, der auf der Bühne von den Akteuren gesprochen wird, d.h. in die Dialoge. Denn wenn in der Rede einer Person etwas gesagt wird, das der Zuschauer mit seinen eigenen Augen überprüfen kann, dann hat der Regisseur keine Wahl, als dieses genau so, wie es in Worte gefasst ist, auf die Bühne zu bringen. Wenn er davon abweicht, geraten auf der Bühne Gesagtes und auf der Bühne zu Sehendes in einen Widerspruch, den der Zuschauer nicht so einfach verstehen wird, den er dem Regisseur wesentlich eher als Fehler denn als Kunstgriff oder als Ironie anrechnen und den er gegebenenfalls mit einem absolut nicht erwünschten Lachen quittieren wird. Diesem Zwang gesprochener Worte auf der Bühne kann sich der Regisseur nur dadurch entziehen, dass er den Text ändert, also einfach kürzt oder in seinem Sinne verändert. Nur könnte ein Autor dann, wenn er es genau nimmt, ohne weiteres sagen, das so verändert Vorgeführte sei gar nicht mehr sein Stück, sondern ein Stück des Regisseurs.

3.

Um dieses aus der Theorie in die Praxis zu holen, greife ich zu jenem Satz, der mir zu meinem Thema verholfen hat: „Warum tragen Sie immer Schwarz?“ Wir alle wissen, es ist der erste Satz aus der *Möwe*, und wie tief immer sein Sinn in Verbindung mit der bekannten Antwort „Das ist aus Trauer über mein Leben!“ von einem Literaturwissenschaftler gedeutet werden mag, er zwingt den Regisseur, die von Medvedenko so nach ihrem modischen Geschmack befragte Maša in einem schwarzen Kleid auf die Bühne zu schicken, es sei denn, er würde den Satz ändern oder streichen. Mit einer Änderung oder einer Streichung würde er aber eindeutig an Čechov vorbei inszenieren, denn der wollte über diesen von Medvedenko zu sprechenden Satz ganz offensichtlich und ganz unbedingt erreichen, dass Maša in einem Kleid dieser Farbe zu sehen ist. Fragt man sich, warum Čechov dieses wollte, dann bleibt für diesen konkreten Fall nur der einfache Schluss, dass es Čechov um den besonderen sinnlichen Eindruck zu tun war, den ein schwarzes Kleid beim Zuschauer erweckt, wenn es von einer jungen Frau getragen wird. Noch einmal ganz einfach gesagt: Eine junge Frau in Schwarz wirkt auf einen Zuschauer anders als eine junge Frau in Weiß oder in Rot.

Wenn meine Theorie damit lautet, dass Čechov seine Dialoge – natürlich nicht ausschließlich, aber doch auch – nutzt, um die Freiheiten, die sich Regisseure gern nehmen, einzuschränken, d.h. sowohl seine eigenen Regieanweisungen als auch bestimmte Vorstellungen, wie seine Figuren als Personen auf der Bühne zu erscheinen haben, durchzusetzen, dann findet diese Theorie recht wirkungsvolle Unterstützung, wenn man Čechovs Kleiderordnung für diese erste Szene der *Möwe* mit jener vergleicht, die er für die erste Szene der *Drei Schwestern* verfasst hat, und sich im Verbund damit anschaut, wie ein sehr stark an Čechovs Vorgaben orientierter Regisseur wie Peter Stein in seiner außerordentlich bekannt gewordenen und weltweit gelobten Inszenierung der *Drei Schwestern* mit der Schaubühne am Lehniner Platz in den 1980er Jahren damit umgegangen ist. In der nicht weniger als sechs Druckzeilen langen Beschreibung des Bühnenbildes schreibt Čechov seiner Irina ein weißes Kleid vor, seiner Maša ein schwarzes Kleid und seiner Ol’ga eine dunkelblaue Uniform, welch Letzteres im Original heißt „Ольга в синем форменном платье“ (13, 119). Was nun Irina angeht, so hat Čechov dem Regisseur auch dieses Stückes keine andere Wahl gelassen, als sie in einem weißen Kleid erscheinen zu lassen, denn Ol’ga sagt, wie man weiß, sehr bald in dieser Szene zu ihrer jüngsten Schwester: „Du trägst schon wieder ein weißes Kleid“ (Ты уже в белом платье; 13, 119). Auch was Maša angeht, gibt es guten Grund, sie, wie von Čechov gewünscht, im schwarzem Kleid auf der Bühne zu zeigen; sie hat nämlich, wie sie wenig später sagt, ihren melancholischen Tag. Was dagegen Ol'ga und die dunkelblaue Uniform angeht, so sind Čechovs Kleidungsvorgabe und das, was Ol'ga sagt, nicht so leicht oder nicht so ohne weiteres in Einklang zu bringen. Čechov lässt sie nämlich ausdrücklich und entsprechend nicht zufällig sagen, dass sie heute ihren freien Tag habe und dass es ihr deshalb viel besser gehe, als wenn sie in der Schule Dienst tun muss. Dazu würde aber die von Čechov angeordnete Kleidung wenigstens dann nicht gut passen, wenn man die dunkelblaue Uniform als ihre Dienstkleidung interpretiert. Wenn sie außerhalb der Schule, die sie ja nach eigener Aussage nur alt und hässlich macht, und an ihrem freien Tag, über den sie sich so freut, weil sie da kein Kopfweh hat, gleichwohl ihre schulische Dienstkleidung trüge, dann wäre das doch recht seltsam und passte nicht gut zu ihrer guten Stimmung. Ich möchte es so verstehen, dass Peter Stein sie deshalb gegen Čechovs Anweisung in einem Kleid auftreten ließ, das zwar zu ihrem Wesen passt, weil es ziemlich streng geschnitten ist und sie sehr distinguiert, auch ein wenig gouvernantenhaft wirken lässt, das aber auf keinen Fall wie eine Dienstkleidung in einer Schule wirkt. Es ist ein formbetontes auberginefarbenes Kleid, also von rötlich-violetter Farbe, und keine dunkelblaue Uniform. Peter Stein leistet hier also der expliziten Regieanweisung des Autors keine Folge, und er kann deswegen so leicht von ihr abweichen, weil sie im gesprochenen Text keine Stütze hat. Über Ol'gas Kleidung ist nämlich kein Wort zu hören. In diesem Fall widerspricht die Regieanweisung aber auch dem gesprochenen Text, und da nimmt Stein nun Čechov als jemanden, der wusste, wie die auf der Bühne zu sprechenden Texte eines Theaterstücks geschrieben sein sollen: Sie sollen so geschrieben sein, dass sich im Kopf des Regisseurs aus den Worten der Figuren Personen bilden, und zwar Personen, die solche Worte glaubwürdig von sich geben. Aus dem ganzen Text eines Stückes sollen sich am Ende Bilder von Menschen geformt haben, von Menschen, die ein bestimmtes Äußeres haben, die sich ihrem Wesen entsprechend kleiden und ihrem Wesen entsprechend benehmen. Für diese Bilder hat der Regisseur dann Menschen zu finden, also Schauspieler, die schließlich auf der Bühne die vorgeschriebenen Worte so sagen können, dass der Zuschauer das Gefühl hat, sie würden diese Worte in diesem Augenblick erst finden.

Zusammengefasst ergibt der Vergleich der Kleidervorschriften für die erste Szene der *Möwe* und die erste Szene der *Drei Schwestern* also dieses, dass nur in dem Augenblick, da im Dialog in Worten festgehalten ist, was auf der Bühne sinnlich wahrnehmbar sein soll, der Autor auch einigermaßen sicher sein kann, dass der Regisseur seiner Anweisung folgt. Mit Regieanweisungen außerhalb des Gesprochenen kann der Regisseur im Prinzip frei verfahren; er wird sie befolgen, wenn sie zu jenem Bild passen, das er von der betreffenden Person hat, und er wird sie nicht befolgen, wenn sein Bild von der betreffenden Person ihm anderes nahe legt, als der Autor das getan hat. In unserem konkreten Fall war Stein aus meiner Sicht tatsächlich besser beraten als Čechov selber.

4.

Wir wissen, dass Čechov über die Aufführung seiner Stücke nicht immer glücklich war und wundern uns deshalb auch nicht besonders, dass er zum Mittel der Regieanweisung per Dialog im Laufe der Zeit zunehmend häufiger gegriffen hat. Dies im Einzelnen zu demonstrieren, ist aus Platzgründen leider nicht möglich, weil es nach dem Titel meiner Ausführungen noch eine weitere Funktion dieser besonderen Art von Regieanweisungen zu entfalten heißt, nämlich die, dass sie zugleich Sehanweisungen sind.

Dass sie diese Funktion zugleich erfüllen, ja erfüllen müssen, ergibt sich aus der folgenden, an sich sehr einfachen Überlegung. Alles, dessen Erscheinen auf der Bühne Čechov mit diesem Kunstgriff sicherstellen wollte, war ihm wichtig. Wichtig aber eigentlich gar nicht für ihn selber, sondern wichtig für seine Zuschauer. Denn die Zuschauer sollten es sehen. Nun wusste aber Čechov, der zweifellos außerordentlich gut beobachten konnte und also sehr stark visuell ausgerichtet war, dass alle Menschen zwar gleich viel vor die Augen bekommen, dass sie aber ganz unterschiedlich viel in dem Sinne sehen, dass sie das Gesehene auch bewusst wahrnehmen. Man kann ohne Schwierigkeit ein amüsantes Experiment durchführen, indem man Menschen, mit denen man im Theater war, nach der Kleidung der handelnden Personen fragt. Sind die befragten Personen Frauen, so wird man als Frau, wenn also die fragende Person eine Frau ist, einigermaßen zufrieden sein können, denn der größere Teil der Antworten wird richtig sein; sind die befragten Personen wiederum Frauen, ist die befragende Person aber ein Mann, so wird dieser Mann überrascht sein, zu erfahren, was die handelnden Personen alles anhatten, denn Männer nehmen die Kleidung von Frauen, zum Leidwesen dieser Letzteren, eben kaum war. Čechov wird dieses Faktum nicht entgangen sein, das allgemeiner gesagt lautet, dass viel gesehen, aber doch sehr wenig bewusst wahrgenommen wird, und er wusste als jemand, der mit den Leistungen der Sprache so vertraut war, dass über diesen Missstand nur die Sprache hinweghilft. In dem Augenblick, da auf der Bühne jemand gefragt wird, warum er denn immer nur schwarze Kleider trägt, wird jedem, auch dem letzten männlichen Zuschauer bewusst, dass die befragte Person ein Kleid in dieser Farbe trägt. Nur in dem Augenblick, da von Irinas weißem Kleid die Rede ist, kann Čechov sicher sein, dass jeder im Zuschauerraum auf dieses weiße Kleid schaut und es als weißes Kleid wahrnimmt. Und sich dann, unter dem sinnlichen Eindruck stehend, Gedanken darüber macht, ob ein solches Kleid ein Jahr nach dem Tode des Vaters angemessen ist, was ein weißes Kleid über das Wesen oder den Charakter einer sehr jungen Frau aussagt oder was einem sonst noch durch den Kopf gehen kann. Nur das Wahrgenommene wird Gegenstand der Reflexionen, und also muss die visuelle Wahrnehmung gesichert werden. Und das ist es, was Čechov auf diesem verbalen Wege in seinen Dialogen erreicht.

Mein Schluss ist: Was immer wieder der Fall ist, hat sich für mich auch in diesem Falle bestätigt. Nachdem der Blick offen geworden ist für dieses Phänomen der Regie- und Sehanweisungen in dialogischer Form, dergestalt, dass Čechov seine Helden immer wieder über ihr Gegenüber oder über sich selber sprechen lässt, was dem Zuschauer die Augen für das ins Wort Gefasste öffnet – nicht nur, wie hier angedeutet, in der Form, dass über die Kleidung gesprochen wird, sondern auch über das sonstige Äußere, etwa wenn Ol'ga über Andrej sagt, dass der so dick geworden sei, Maša über Veršinin, er sei so alt geworden, Ol'ga über sich selbst, sie sei so mager geworden, oder Čebutykin, er sei so klein – nachdem sich also das Ohr dafür geöffnet hat, dass Čechov seine Helden immer wieder andere Helden fragen lässt, wie sie denn aussehen, ob sie sich verändert hätten, damit sie dann erfahren, dass sie so und so aussehen – nach dieser Öffnung der Sinne also fällt immer mehr ins Auge, wie Čechov seine Dialoge auf Sichtbares hin gestaltet hat. Das heißt darauf hin, dass Regisseure es zeigen und Zuschauer es sehen müssen.

Wenn, als den Schluss markierendes Beispiel, praktisch alle handelnden Personen in den *Drei Schwestern* irgendwann verraten müssen, wie alt sie genau sind, dann hat Čechov damit nicht nur seine Regisseure gezwungen, mit seinen Schauspielern, was ihr Alter angeht, in einem glaubwürdigen Rahmen zu bleiben, sondern auch die Zuschauer angewiesen, auf deren Alter zu schauen und zu überprüfen, ob es stimmen kann. Und damit erreicht Čechov schließlich, dass aus befürchteten trägen Zuhörern neugierig blickende Zuschauer werden, und das ist vielleicht auch wieder eines der Geheimnisse seines großen Erfolges.

Elena Strel'cova

Внесценические мотивы драматургии Чехова
(*Чайка* и *Три сестры*)

Пространство внесценического действия в драматургии Чехова – это моменты сильнейших потрясений или каких-то чрезвычайно важных перемен в жизни героев. В *Чайке*, например, – театральные успехи Аркадиной или писательские Тригорина. Смерть ребенка Нины. Семейная жизнь Маши и Медведенко. В *Дяде Ване* – научный успех Серебрякова, второй его брак, экстремальные случаи в практике доктора Астрова, смерть Веры Петровны, матери Сони. В *Трех сестрах* – история отношений Наташи и Протопопова. Или дуэльная биография Соленого: с кем стрелялся, из-за чего, из-за кого? Важно, что про две его дуэли узнаём только в конце пьесы. Эти внесценнические дуэли – главная его тайна. Или – сюжет встречи Ирины–телеграфистки с убитой горем женщиной, матерью умершего сына. Ирина могла посочувствовать, но нагрубила. Почему? Или – еще одна внесценическая смерти: Чебутыкин и женщина, которую он лечил на Засыпи и не вылечил. Или – еще одна, совсем фантастическая: рассказ Ферапонта: купец в Москве блинов объелся и, будто, помер. В *Вишневом саде* – тема Парижа или тема игрока Гаева, заядлого бильярдиста. Или смерть мужа Раневской и их сына Гриши. Или – собственно торги, момент продажи сада. Эта *другая* жизнь чеховских персонажей могла бы сюжетно послужить отдельным самостоятельным пьесам. Однако Чехов специально делает все «невидимые» события закадровыми и жестко выстраивает соотношения внесценического и сценического действий. Вязь и связь побудительных мотивов, скрытых во внесценическом действии, и поступков героев в действии сценическом, поступков, кажется, вовсе не мотивированных и абсурдных, открывает, на наш взгляд, изученные, истолкованные и перетолкованные характеры чеховских персонажей со стороны совершенно незнакомой. Контаминация сценического и внесценического действий, их отражения друг в друге, их продолжения друг друга – есть органичная, неразрывная цепь соотношений времени и вечности. Это символический подтекст чеховской драматургии. Он слажен, выстроен жестко, имеет определенную цель: это фон рождений и смертей, это мистическое предощущение потустороннего мира, непостижимо влияющего на мир посюсторонний.

В *Чайке* начинающий писатель Треплев написал пьесу о поединке тьмы и света. В ней молодой человек в искренней, быть может, исповедальной попытке, грубо, зримо – театрально – показал потустороннее, немое, холодное, пустое пространство, в котором хозяин – дьявол. Он назван отцом вечной материи. Здесь нужно, чтобы пахло серой, чтобы было полнолуние. И страшные багровые глаза. Это первая чеховская попытка показать, что называется, вживую – потустороннее пространство. Бутафорский театральный антураж, тем не менее, не затемняет смысла: приемом «театр в театре» явлена полярная расстановка сил. Души всех живых существ проиграли в борьбе с отцом вечной материи. Треплевское предсказание будущего. Что надо носить в душе, чем жить, чтобы так, а не иначе мечтать? А общей мировой душе разрешено говорить, то есть оживать, раз в сто лет. Однако это единственная в мире сохраненная душа знает твердо о своей, если угодно, миссии победы над отцом вечной материи: ей суждено победить в упорной и жестокой борьбе с дьяволом. От нее не скрыто *это*. *Это* ее цель.

Кем – не скрыто? Кем – суждено?

Начиная с *Чайки*, тема «отца», «отцов и детей», именно на перекрестке внесценических и сценических реалий, возникает как система вариативных отражений и раздвоений. Пьеса Треплева – перевод на язык театра глубоко скрытых, серьезных переживаний и раздумий молодого человека, повод для выхода той внутренней реальности, в которой Константин Гаврилович в начале своего творческого пути хочет разобраться. Чему служить? О чем писать? Что за новые формы?

Известно, первая юношеская, написанная Чеховым в 18 лет, пьеса называется *Безотцовщина*. Молодой писатель Чехов начинал с намерения создать не что-то шутливое, юмористическое, легкое – но в высшей степени серьезное. По справедливому мнению Паперного, *Безотцовщина – пролог* ко всему творчеству Чехова. Действительно, что отмечали многие чеховеды, тема «отцовства–безотцовщины» для драматургии Чехова инвариантна. Этой темы и ее вариантов (ранняя смерть отца или принципиальное неупоминание о нем, или замена главы семьи матерью и т.п.) касаются давно и многие. Однако безотцовщина как понятие духовного ряда, а не только ряда жизненного, бытового (физическое отсутствие мужа – отца) до сих пор будто табуировано. Безотцовщина как понятие духовного порядка, это у Чехова, на наш взгляд, – пустота. Бессилие человека перед обстоятельствами, бессмысленность существования, страх перед жизнью. Отцовство дает силу одоления страха перед жизнью. Безотцовщина рвет мистическую, религиозную связь отца и сына. Человек – сын своего отца и своей матери. Мать – уровень выживания, биологического приспособления к жизни. Уровень быта. Отец – преемственность веры, оправдание рождения, передача внутренних ориентиров. Уровень бытия. От отца – искание нового, неизведанного. От матери – консерватизм, сохранение привычного. «Полет» – и «гнездо». Небо – и земля. Сын между верой и безверием, между «гнездом» и «полетом» – вот герой чеховской драматургии с точки зрения взаимовлияния внесценического и сценического действий. Как иллюстрацию, можно вспомнить «ситуацию Тузенбаха», ситуацию духовного сиротства. С точки зрения взаимосвязи внесценического и сценического намек на православного отца у баронанемца совершенно обязателен в пьесе. Николай Львович объясняет, что по-немецки не говорит, но не объясняет, принял ли веру отца. Барон становится – ни то, ни се, ни военным, ни штатским. Героем, со всех сторон не защищенным. Обреченным. Он – заведомая жертва. Тузенбах убит не только потому, что нет любви Ирины – нет и силы духовного заступничества отца. Дразнящее «цып, цып, цып» Соленого – действительно ему адресовано. Нет заступничества высшей силы – есть жертвоприношение идолу. Есть страх. Соленый, выходит, принося в жертву Тузенбаха, кого-то задабривает, кого-то боится. Кого?

К Соленому мы еще вернемся.

Пьеса *Чайка* начинается именно с темы «отцовства–безотцовщины». И – с семьи Медведенко, где нет отца. Или – с тайны Маши, непонятно, чьей дочери: Шамраева или Дорна. Тайну отцовства знает только женщина. Тайна сия велика есть. Она сколько бытовая, столько же и мистическая. Особенно эта тайна касается связи отца и сына. Собственно в *Чайке* – три внесценических отца: Кости, Нины, Медведенко. В *Чайке* понятие *отец* исчезло сколько в родовом смысле, столько и в религиозном.

Модель незащищенности со всех сторон, ситуация духовного сиротства очень здесь четко выражена. Константин Треплев вырос в системе безотцовщины, в системе пустоты. Его растила актриса. Нина его не любит. Треплев – тоже изначальная жертва. Один из возможных вариантов его фамилии открывает его незащищенность, его духовную беспомощность. Его *треплют* страсти, амбиции, нелюбовь, безденежье – а спастись некуда. Держаться не за что. Его попытки писательства – поиски чего-то крепкого, прочного, защиты. Строго говоря, вопрос о том, талантлив ли он или бездарен – вопрос второстепенный. Тема искусства в *Чайке* возникает как провокационная именно для того только, чтобы найти способы защиты от этих страстей, ответы на «проклятые», «вечные», «последние» вопросы, а они суть религиозные: кому и во что верить? Кого и как любить? Чем и зачем жить? Искать почестей, славы – или что искать, если не это? Те же вопросы стоят и перед Ниной. Она проходит такую же жестокую проверку искусством, соблазном. Она-то как раз выросла в системе жесткого отцовского контроля. И, разрушив отцову тюрьму, на какое-то время (два года в пьесе) попала в систему безотцовщины, кажущейся с другого берега озера, блестящей. Но именно Нина, а не Маша или кто-либо иной, сыграла в пьесе Треплева мировую душу.

Есть два пути для молодых людей, что называется, вступающих в жизнь. Или на стороне отца вечной материи. Или – на стороне мировой души. Третьего не дано. «Театр в театре» моделирует жесткую ситуацию выбора ради жизни. Костю не спасти. Нина спасена – и будет защищена от пустоты. Она будет сильной. Поскольку, чтобы нести свой крест и веровать, нужна сила.

Если мы согласны с тем, что в классическом произведении нет ничего случайного, то имена внесценических отцов Кости и Нины (Медведенко – разговор отдельный) проясняют сколько эту ситуацию выбора, столько же победу Нины в финале и поражение Кости.

Костя – Гаврилыч. Это простонародная огласовка имени Гавриил. Нина – Михайловна.

В *Откровении апостола Иоанна Богослова* читаем: «Благодать Вам и мир от Того, Который есть и был и грядет, и от *семи духов*, находящихся перед престолом Его» (*Откр.* 1,4). Эти 7 духов есть семь Архангелов. Михаил среди них первый. Гавриил второй. Иерархия очень важна. Среди небесных духов – порядок, гармония. Об этом порядке Чехов не только знал, он эту разницу между высшим, небесным порядком, и низшим, земным беспорядком, использовал сразу, еще в Прологе к драматургии. В *Безотцовщине* генеральша Анна Петровна кричит Платонову: «Держите себя по-человечески! Живите, глупый человек, как люди живут. Что вы за *архангел* такой, что вам не живется, не дышится и не сидится так, как обыкновенным смертным?» (11, 133; курсив мой – Е.С.). Именно такое сравнение, а не иное. Именно такое разделение: смертные – бессмертные.

И тема Божественной иерархии, и тема иерархии бесовской у Чехова не так невероятны, как может показаться на первый взгляд. В разных вариантах эти мотивы существовали у Чехова всегда: от пародирования «нечисти средней руки», «мелких бесенят» – до самого серьезного внимания к бесовской иерархии в *Черном монахе* и *Трех сестрах*, где монах или Соленый, оказывается, вовсе не «мелкая сволочь».

Если вернемся к иерархии Божественной, то Архангел Гавриил – это Ангел-хранитель Матери Божией. Его имя – муж Божий. Он благовестил Деве Марии о рождении необыкновенного сына именем Иисус. Он явился Христу в Гефсиманском саду, чтобы укрепить сына Божьего перед крестными муками. Суть в том, что с помощью этой символической внесценической компоненты в действие вбрасывается целый пучок дополнительных, до времени скрытых, смыслов. Например – предательство сына матерью. И когда Костя жалуется на свою мать как на психологический курьез, когда он говорит про отца – киевского мещанина и тоже известного актера, он по существу говорит о раздвоении человека, в котором вытеснены родительские чувства, попрана некая тайна. Следовательно, он говорит о забвении божественных, мистических связей в семье. Они, все Треплевы, семья Треплевых, – безблагодатная семья. Здесь отобрана сила заступничества у служителя Божьего архангела Гавриила, а потому, они, – в том числе – и актриса, выбравшая псевдоним «Аркадина» (Аркадия – рай) – богооставлены. Будущего нет. И сыну нечем и незачем жить, ибо некому верить. Душа его мертва, и потому смерть такая, а не иная – закономерна. Финальный выстрел лишь констатация факта.

Первый из Архангелов, Михаил – архистратег Небесного воинства. Заступник. Имя его означает *кто как Бог*, то есть Бог выше всего. Архангел Михаил изображается обычно с мечом в руке. Меч знаменует собой вечную борьбу добра и зла. Иногда Архангел Михаил держит в руках копье, которым поражает змея, обвивающего землю.

Кажется, злой, несправедливый деспотичный внесценический отец Нины Заречной, так долго не отпускавший дочь на «тот» противоположный берег озера, быть может, ироническое, а, скорее, очень серьезное – земное отражение небесного защитника. Нина, через страдание, потери, вернулась под защиту небесного покровителя. Она нашла веру. Этим и спаслась.

Важно подчеркнуть, что в русских семьях издавна имена давались по святцам. Тем самым подчеркивали покровительство святого (или святой), в честь которого (которой) давали человеку имя. Так что и Гаврила Треплев, и Михаил Заречный – очевидные знаки связи земной жизни и небесной, видимого и невидимого, временного и вечного.

Внесценические мотивы и персонажи у Чехова образуют мир бессмертия, в котором нет ни начал, ни концов. Существует лишь бесконечная, невидимая, но вполне результативная, с победителями и побежденными, брань, битва тьмы и света за душу человека. В этой брани участвуют и, скажем так, «персонажи жизни», и «персонажи литературы», тоже внесценические.

О *Трех сестрах* давно отмечено: пьеса начинается словом *отец*. Внесценическая смерть отца, генерала Прозорова – главное событие не только с точки зрения психологического обоснования происходящего в 1-м акте, но символический код всей пьесы. Чехов создает одну из корневых драматургических моделей – ситуацию «при мертвом», когда внесценическая «сторожевая тень смерти» от начала до финала управляет действием. В финале одна тень передает эстафету другой, и уже внесценическая смерть барона охраняет, защищает Ирину от зла, от приближения к ней Соленого.

Протопопов – второй внесценический персонаж-мужчина. И в связи с ним, возможным отцом Софочки, и в связи с Чебутыкиным, возможным отцом Ирины (истории любви опять-таки внесценические), тема отцовства–безотцовщины продолжается. Оба они соединением, вариативностью в себе отцовства–безотцовщины являют не только бытовую загадочность, но и намек на высокий смысл призора–беспризора как духовного начала всего земного.

Маша, как помним, уверена, что Протопопова на именины приглашать не следует. На уровне интуиции выдается сильнейший запрет, табуированность какой-то реальной опасности. В контексте Машиной нарочитой оговорки простонародно-фольклорный Михаил Потапыч (или Иваныч) Протопопов и свирепый медведь Соленого из басни Крылова *Крестьянин и работник* – родственники, предсказывающие будущую злую роль Протопопова и Соленого. Все ахнуть не успели, как медведь – Михаил Потапыч/Михаил Иваныч – стал победителем. Связывая Протопопова и Соленого во внесценическом пространстве, мотив медведя в *Трех сестрах* оформляется как внятная, несмотря на шутливую интонацию, серьезная и семантически необходимая сценическому действию идея угрозы – смерти – нравственной энтропии как превращения незаметного, тем не менее, невероятного, необратимого. Превращаются, если угодно, оборачиваются в *Трех сестрах* все персонажи. Штабс-капитан Соленый претерпевает изменения самые страшные именно потому, что впрямую связан с внесценическим образом крыловского медведя.

> Старик Крестьянин с батраком
> Шел под вечер леском
> Домой, в деревню, с сенокосу,
> И повстречали вдруг медведя носом к носу.
> Крестьянин ахнуть не успел,
> Как на него медведь насел.

Подмял Крестьянина, ворочает, ломает
И, где б его почать, лишь место выбирает.[1]

Замена «крестьянина» в пьесе личным местоимением «он» чрезвычайно знаменательна. Замена показывает сколько внутреннюю распрю Соленого (я – он): «один» Соленый действует, «другой» наблюдает за действиями первого, – столько и направление внимания на всех, кто попал в поле зрения Василия Васильевича. Более того: с позиции внесценического фона не только о персонажах пьесы речь. Собственно, «медведь» сторожит каждого и лишь «место выбирает», где б «крестьянина» почать. Случайность встречи с медведем в басне – иллюстрация обязательной встречи со смертью любого из людей. Соленый – нечто вроде слуги смерти, проводника ее.

Если ранее Чехова занимало превращение «медведя» в человека, как в Смирнове-бурбоне, монстре, или укрощение его, как в Протопопове или Медведенко, то на примере Соленого, включая весь «медвежий контекст» пьесы *Три сестры* (мы остановились только на «крыловском» интертексте, есть еще и пушкинский, к примеру) – Чехов словно бы наблюдает обратный процесс, подчинение человека не только зверю в себе. Но «мировому зверю», стихии разрушения, стихии убийства. Все то, что будет происходить с Василием Васильевичем после этого «медведь насел», все его грубые шутки – суть картины его желания, его усилий самому справиться со зверем в себе и невозможностью спастись «из-под медведя», из-под власти абсолютного зла, овладевшего им. Сценическая линия поведения Соленого словно рентгеном просвечивается внесценической его родословной. Соленый *до* признания Ирине и Соленый *после* признания – абсолютно изменившийся герой. До признания – эгоцентрик, страдающая личность, быть может, большой ребенок. Ролевое его поведение, игра в демоническую личность, его «ужасные» эскапады призваны скрыть ранимость натуры, но и амбиции, непомерные притязания в любви. Требования его максималистичны не только относительно Ирины – ко всем, к миру. Агрессивность притаившегося в Соленом зверя, превращает его в антиличность, в некую законченную в развитии, зацикленную на своей «самости» индивидуалистическую единицу, активизирует процесс внутренней деформации героя, делая распад этой души необратимым.

После признания в любви Ирине Соленый – антигерой. В определенный момент «дуэли» Соленого с Ириной решается, приручен будет в нем зверь или рассвирепелен. Соленый как страдающая личность – погублен. *После* объяснения его двойственности больше нет. Он не желает быть и не будет жалким. «Соперника я убью» – отказ от жизни. Если не любовь – то ненависть. Если не смирение, или не самоубийство – то вызов, приговор любому проявлению жизни. Соперником видится каждый. Не только барон.

Соленый, становясь в пьесе символом абсолютного зла, в таком качестве завершил галерею классических героев так называемого уединенного сознания. Открылась главная его тайна, главная его дуэль: «Я» – и весь мир, на меня ополчившийся, меня не любящий. Выкинулся наружу супервызов, конфликт иного, нежели только любовно-личного, измерения. В нем истоки уже не игры Соленого в демоническую личность, или сверхчеловека, а серьезная претензия стать таковой, быть сверхчеловеком, который самовластно распоряжается жизнью и смертью. И следовательно – внесценическую родословную Соленый ведет от великих гордецов: Алеко – Сальери – Арбенин – Демон – отчасти Раскольников – или даже Ставрогин.

Диапазон внесценических «медвежьих» ассоциаций показывает, как Протопопов и ряженые связывают Соленого с Наташей, превращая их в проводников стихии разрушения. Ряженые – тоже внесценические персонажи. Дело не только в том, что отменой

[1] И.А. Крылов: Крестьянин и работник. В: И.А. Крылов: Полное собрание сочинений. Т. III: Басни. Стихотворения. Письма. Москва 1946, с. 52.

ряженых постулируется идея обрыва традиций, зачеркивается вечное: обряды и обычаи, память, культура, не этими людьми заведенный порядок, связь времен, то, что так или иначе формует, определяет жизнь рода, нации, семьи, человека. Дело в чеховской конкретности выбора ситуации, бытовой и символической одновременно. В пьесе – масленичный четверг. У каждого дня масленицы есть свое традиционное название. Масленичный четверг называется *разгул*, *перелом*. *Три сестры* – пьеса перелома.

И что же отменила Наташа?

Ряженые – обязательное карнавальное шествие «нечистых». На масленицу свадьба и смерть роднились. Самый распространенный и самый древний вид ряжения – переодевание медведем. Важно обратное превращение человека в медведя только на Святках или на Масленице, чтобы во все иное время на это превращение наложить крепчайший запрет. Шубы, тулупы выворачивались наизнанку – изнаночному миру, миру страстей, плотских утех, бесовскому разгулу давалась власть на неделю, чтобы Великим постом этот разгул, шабаш унять. Наташа, отменив изнаночный мир-оберег, разрешила присутствие бесов в мире серьезно и реально, отменила над ними высшую власть, сделала временную силу нечисти постоянной. Зверь, которому приносятся все жертвы этого дома, стал полным властелином пустого, безбожного, вне заступы Отца или отцов-родителей, пространства. Сестрам здесь жить невозможно.

Ситуацию перелома, полное подчинение всех зверю – «Да. Он ахнуть не успел, как на него медведь насел. *(Уходит с Соленым.)*» (13, 179) – констатирует Чебутыкин, оформляя в своеобразное рондо внесценическую «линию медведя». Медведю подчинены и Протопопов, и Андрей. Жена называет его медведем впрямую. Одна звериная семья.

Наташа невидимо присутствует рядом с Ириной, когда никого нет в комнате и еще не вошел Соленый. Наташа незримо встает между Соленым и Ириной, отменяя их хотя бы минимальное приближение друг к другу в момент признания. Неслучайно, входя со свечой и освещая случившуюся «темную дуэль», она одета по-домашнему: стесняться нечего и некого, Соленый мгновенно стал родней. Тут сразу и зазвучали внесценические бубенчики протопоповской тройки. И Соленый произнес сакраментальное «мне все равно», подтверждая, что страданию и раздвоенности его пришел конец. Его превращение в *зло мира* свершилось, как свершилось ее, Наташи, превращение в *зло дома*.

Внесценические «пролеты в вечность» чеховской пьесы «опрокидывают» историю семьи Прозоровых, падение дома в план духовного сиротства, в план изображения духовной бездны. Свято место пусто не бывает: сломана, забыта божественная иерархия – воцарилась иерархия дьявольская. В этом – перелом. Протопопов и Наташа – «нечисть средней руки». Соленый, как становится очевидно, если иметь в виду взаимодействие сценического и внесценического смыслов, выше рангом именно потому, что вошел в мир человеком, уже погубившем свою душу. С одной стороны – самой идеей демонии. С другой – практическим убийцей. Процесс подчинения Соленого и медведю в себе, и «верховному животному» – есть процесс замещения этого человека сатаной. Из героя, играющего роль демонической личности, Соленый стал «земным инструментом дьявольской воли». И тогда понятно, какому идолу принесен в жертву Тузенбах. От кого надо спасаться Андрею. Почему запрет на Прототопова потерял силу, и именины стали не нужны. «*Демонический* человек, – пишет Иван Ильин, – совсем не есть самое страшное в жизни. Надо различать между ‹демонизмом› и ‹сатанизмом›. Демонизм есть дело человеческое, сатанизм есть дело духовной бездны. Демонический человек предается соблазну; одержимый любопытством, он играет в добро и зло, смешивая их и меняя их наименования; в худшем случае он предается своим дурным страстям и может еще одуматься, раскаяться и обратиться. Но человек, в которого, по слову Евангелия, ‹в о ш е л с а т а н а›, одержим чуждой потусторонней, внечеловеческой силой и становится сам человеко-образным дьяволом. […] В *демоническом* человеке бунтует неукрощенный инстинкт, не облагороженный замолкшим сердцем и поддерживаемый холодным рассудком. Человек, одержимый *сатанинским* началом, действует подобно чужому орудию; он как бы служит злу, зависти, злобе, ненависти, мести и в то же время *наслаждается своим отвратительным служением.*»[2]

И последнее. Если вернемся к крыловской басне, с которой в *Трех сестрах* началась внесценическая история встречи с «медведем», то по той модели – медведь замертво упал. Финал внесценического интертекстуального сюжета о заступничестве, спасении от зверя. Действие закадровых сюжетов открывается как действие не двух сил, а трех в драматургии Чехова, в том числе и в *Трех сестрах*. Это жизнь – смерть – спасение. Ирина все-таки собралась с силами, чтобы покинуть проклятое место. Мотив отъезда–побега–ухода из пространства зла – еще одна корневая ситуация и этой пьесы, и чеховской драматургии в целом. Любви и веры в этом пространстве – нет. Есть надежда на это. Она – спасение. В единственном случае: если молить о высоком заступничестве и быть ему благодарным. Потому нужна Чехову перед финалом «Молитва девы». Потому – кольцевая композиция не только с утверждением Чебутыкина «Да. Ахнуть не успел…» – но с внятными в разветвленных толкованиях понятия *ухода*. Из пространства пустоты в пространство спасения.

Литература

Ильин, И.А.: Собрание сочинений в 10 тт. Москва 1996. Т. 6, Кн. 2.
Крылов, И.А.: Полное собрание сочинений. Т. III: Басни. Стихотворения. Письма. Москва 1946.

[2] И.А. Ильин: Собрание сочинений в 10 тт. Москва 1996. Т. 6, Кн. 2, с. 278.

Vadim Čupasov

Пришел, увидел, погубил:
зримое и слышимое в *Чайке* А.П. Чехова

Рассматривая чеховскую *Чайку* в ряду пьес со «сценой на сцене», исследователь оказывается в некотором недоумении: методы анализа, ставшие традиционными, в данном случае «пробуксовывают».[1] Мотивы, символы и топика, объединяющие внутреннюю и внешнюю драмы детально изучены, а главная проблема, с которой мы сталкиваемся, рассматривая монолог о Мировой душе, ясна кажется, уже современникам Чехова:

> [...] пьеса Треплева построена по законам иной, нечеховской драматургии, а вместе с тем не могло не удивлять то, что она органично срасталась с художественной тканью «Чайки».[2]

Это удивление, вероятно, определило и подходы к исследованию вставного текста: сравнительно быстро отказавшись от наивного приятия персонажных точек зрения (например, от солидаризации с оценкой Аркадиной), литературоведы выходят за рамки текста в поисках возможных источников, попутно выявляя отношение А.П. Чехова к этим текстам. Проделана огромная работа по установлению вероятных претекстов и на сегодня авторская позиция в отношении пьесы Треплева считается, как минимум, двойственной: Чехов, в принципе, сочувствует идеям пьесы о Мировой душе, но мало приемлет ту форму, в какой они были выражены.[3]

Что до внутритекстовых сигналов авторской позиции, то здесь, по сути, найдена опорная точка зрения – оценка, принадлежащая Дорну, который оказывается своего рода резонером.[4] Обоснование того, почему мнение Дорна о пьесе совпадает с авторской позицией, подчас выглядит следующим образом:

> Ведь не случайно такой интеллигентный и тонко чувствующий человек, как чеховский доктор Дорн, одобряет пьесу Треплева.[5]

В данном случае *интерпретация* одного из образов служит целям *анализа*, что кажется не совсем корректным. А если интеллигентность и тонкие чувства этого персонажа

---

[1] В исследованиях, посвященных «сцене на сцене», *Чайка* лишь изредка упоминается. Единственное из известных нам исключений – попытка инвентаризации пьес со «сценой на сцене», предпринятая в монографии К. Шёпфлин, где среди полутора сотен текстов рассматривается (правда, весьма бегло) и *Чайка*. Ср. K. Schöpflin: Theater im Theater: Formen und Funktionen eines dramatischen Phänomens im Wandel. Frankfurt/M. 1993, c. 331-333.

[2] А.Г. Головачева: Монолог о «мировой душе» («Чайка») в творчестве Чехова 1890-х годов. В: Вестник Ленинградского ун-та, 1981, № 2 (Сер. истории, языка, литературы. Вып. 1), с. 51.

[3] Не имея возможности остановиться на отдельных работах по *Чайке*, хотелось бы оговорить, что приведенные ниже соображения базируются, в основном, на тех общих местах, которые тиражируются литературоведческим main stream'ом. В то же время, например, дифференциация формы и содержания, более чем сомнительная в теоретическом отношении, вовсе не характерна, скажем, для исследований, обращающихся к тургеневской традиции в *Чайке*.

[4] Ср., напр., Б.И. Зингерман: Театр Чехова и его мировое значение. Москва 1988, с. 66.

[5] В.Г. Одиноков: Функция трагического и комического в художественной концепции жизни в творчестве А.П. Чехова (Владимир Соловьев и образ «мировой души» в пьесе «Чайка»). В: Anton P. Čechov – Philosophische und religiöse Dimensionen im Leben und im Werk. Hg. Vladimir B. Kataev, Rolf-Dieter Kluge, Regine Nohejl. München 1997, c. 461.

«лишь фасад, за которым скрывается безразличный эгоист и тщеславный насмешник»?[6] Принимаем ли мы и в этом случае оценку Дорна? Так или иначе, невозможность в поэтике Чехова привилегированной точки зрения является одной из базовых аксиом чеховедения: по-своему правы все персонажи, но всегда – лишь отчасти. Но как выявить эту необходимую «часть» в случае пьесы Треплева?

В отношении «идей», обнаруженных во вставном тексте, также могут возникнуть некоторые сомнения: бесспорен лишь его громадный реминисцентный потенциал – от Фламмариона до Соловьева и дальше, однако цитаты, которые можно точно атрибутировать, в монологе практически отсутствуют.[7] В результате исследователи вынуждены работать скорее с «идеями века» и отношением А.П. Чехова к этим идеям, а не с текстом *Чайки*. Кроме того, специфика чеховских текстов состоит в том, что сосредоточены они, в первую очередь, не на критике или утверждении различных идей, а на моделировании дискурсивных и даже эпистематических универсалий, т.е. воспроизведение культурно значимых «концепций» становится лишь способом говорить о чем-то ином.[8]

В результате, анализируя «сцену на сцене» в *Чайке*, мы не в состоянии ответить на элементарный вопрос о сюжете чеховской комедии: хорошую ли пьесу написал Треплев? Провал постановки мало о чем говорит[9]: его можно объяснить нечуткостью зрителей, их погруженностью в другие заботы (литература просто задавлена пятью пудами любви) и пр. Даже финал *Чайки* не дает нам надежных оснований для оценки пьесы о Мировой душе: показанный в финале кризис Треплева-писателя не дает достаточных оснований для вывода о том, что и текст, написанный два года назад, был нехорош. Исследователь оказывается в патовой ситуации: за отсутствием привилегированной точки зрения мы не можем полагаться на мнения персонажей, однако, кроме этих мнений мы в драматическом роде литературы мало чем располагаем.[10]

Таким образом, мы возвращаемся к поискам если не тотальной – она в мире Чехова невозможна, то хотя бы эпизодической правоты героев. Отказавшись от презумпции психологической целостности *dramatis personae*, стоит попытаться выявить в тексте маркеры, которые позволят говорить о том, что некоторые высказывания персонажей содержат верную оценку происходящего – в данном случае нас интересует оценка пьесы, написанной К.Г. Треплевым.

Адекватность оценки предполагает, как минимум, адекватность зрительского восприятия природе сценического представления вообще и специфике треплевского текста в частности. Всякий спектакль, будучи синтетическим текстом, предполагает многока-

---

[6] R.-D. Kluge: Zynische Ärzte in A.P. Čechovs Dramen. В: Anton P. Čechov – Philosophische und religiöse Dimensionen im Leben und im Werk, с. 95.

[7] Причем работа с цитатами осложняется и тем, что четверо из героев этой comédie des comédiens – люди искусства. Поэтому, выявив даже отчетливые реминисценции, мы должны отвечать на вопрос о том, кто именно осваивает «чужое слово» – герой или автор? Так, можно провести параллели между поведением Заречной в последнем действии и заключительным монологом героини *Грозы*. Однако здесь возможны два разных подхода: либо Нина актерствует и тут (тогда цитата оказывается знаком неподлинного существования), либо налицо межтекстовые переклички, позволяющие лучше понять чеховскую героиню.

[8] Так, в *Черном монахе* объектом авторской рефлексии становятся не сами идеи Коврина и Песоцкого, но принципы иерархического мышления, роднящие эти полярные, на первый взгляд, точки зрения. Ср. И.Н. Сухих: Проблемы поэтики А.П. Чехова. Ленинград 1987, с. 112/13.

[9] Точнее задает целый пучок прочтений. Скажем, данный эпизод можно рассматривать и безотносительно к проблеме искусства – в ряду коммуникативных сбоев, весьма характерных для общения чеховских героев. См., напр., А.Д. Степанов: Проблемы коммуникации у Чехова. Москва 2005, с. 310/11.

[10] В настоящей работе мы вынуждены отказаться от рассмотрения ремарок как средства манифестации авторской точки зрения. См., в частности, Т.Г. Ивлева: Автор в драматургии А.П. Чехова. Тверь 2001.

нальное восприятие. Важность именно такого восприятия акцентируется благодаря тому, что в постановке Треплева задействованы не только традиционные акустический и визуальный коды, но и довольно экзотический для современного театра ольфакторный код – вспомним знаменитый запах серы.

Обратившись к рецепции пьесы Треплева мы без труда выявим две полярных оценки: «Я ничего *не понял*. Впрочем, *смотрел* я с удовольствием. Вы так искренно играли. И декорация была прекрасная» (Тригорин; 13, 16) vs. «[...] мне ваша пьеса чрезвычайно *понравилась*. Странная она какая-то, и конца я не *слышал*, и все-таки впечатление сильное» (Дорн; 13, 19).[11]

В реакции Тригорина доминирует, как видим, визуальное восприятие, в то время как впечатления Дорна обусловлены преимущественно ориентацией на план акустики.[12] Можно сформулировать предварительную гипотезу: герои, которые *видят* не понимают и не приемлют, героям, которые *слышат* – нравится.

Это предположение, кажется, не «работает» в случае Аркадиной, вынужденной, по ее словам, «*прослушать* этот декадентский бред» (13, 15; ср. также «Ради шутки я готова *слушать* и бред [...]»). Очевидно, актриса понимает если не саму пьесу, то некоторые из интенций Треплева («Ему хотелось поучить нас, как надо писать, и что нужно играть»). Кроме того, Аркадина воспринимает текст сына не сам по себе, но как частную разновидность искусства новых форм и выносит суждение об этих формах вообще – «декадентский бред» – и намереньях автора, к ним обращающегося. При этом характер комментариев Аркадиной во время представления свидетельствует о поглощенности прежде всего визуальным и ольфакторным, но никак не слышимым.

Дорн оказывается, пожалуй, единственным персонажем, который оценивает именно *пьесу* и следит за тем, *что* сказано. Даже литератор Тригорин не упоминает о том, что пьеса не его до конца.

Однако на основании нескольких реплик вряд ли можно делать выводы о каких-то закономерностях, хотя непременным условием понимания текста является, как минимум, прочтение. Стоит, очевидно, поставить вопрос о том, какой тип восприятия отвечает не столько общей природе сценического действа, но самим эстетическим прин-ципам Треплева. Мы попытаемся рассмотреть отношения видимого и слышимого, учитывая два круга явлений: во-первых, имманентную пьесе о Мировой душе эстетику, а во-вторых – те эпизоды, в которых формулируются художественные принципы молодого автора.

В тексте Треплева пришествие царства Мировой воли отмечено явным регрессом видимого: «[…] все жизни, свершив свой печальный круг *угасли...*» (13, 13). Характерно, что угасли даже «те, которых *нельзя было видеть* глазом»: результатом слияния всех душ оказывается незримое в квадрате. Пока остается еще мощный источник света – луна, которая, однако, «*напрасно* зажигает свой фонарь». Но это лишь промежуточный этап: царству гармонии прекрасной суждено, если верить тексту, наступить в полной темноте, «когда [...] и *луна, и светлый Сириус,* и земля обратятся в пыль...» (13, 14).

Видимое осмысляется в пьесе Треплева негативно: «бледные огни» рождены гнилым болотом и связаны с дьяволом, сам дьявол, в свою очередь, наделён «багровыми глазами». Обратим внимание на очевидный текстовый контраст двух «приближений» в аспекте зримого и слышимого: «Вот приближается мой могучий противник, дьявол. Я

---

[11] Все курсивы в цитатах (за исключением курсива ремарок) наши – В.Ч.

[12] В «уединенном монологе» Дорна, предшествующем разговору с Треплевым, акцентированы оба канала, однако слышимое все же предшествует видимому: «Когда эта девочка *говорила* об одиночестве и потом, когда *показались* красные глаза дьявола, у меня от волнения дрожали руки» (13, 18).

вижу его страшные багровые глаза» (13, 14) vs. «*Я слышу* шаги... (*Обнимает дядю.)* Я без нее жить не могу... *Даже звук ее шагов прекрасен...*» (13, 9). Приближение «отца вечной материи» – зримо, в то время как Нина-мечта – прежде всего слышна.

В пьесе Треплева можно, впрочем, обнаружить и редукцию слышимого. Однако для Мировой души это явление негативно окрашено. Она в отличие от дьявола говорит, «но никто *не слышит*». За предложением «На лугу уже не просыпаются с криком журавли, и майских жуков не бывает *слышно* в липовых рощах»[13], сразу следует «Холодно, холодно, холодно...» (13, 13).

Итак, в тексте Треплева слышимое не просто доминирует, но и положительно оценивается. Соответственно, вполне адекватно пьесу воспринимают именно те персонажи, которые ее слушают.[14] Во всяком случае, если судить автора по законам, им над собою принятым. Но каков статус этих законов в структуре *Чайки*? Для ответа на этот вопрос стоит сопоставить имплицитную эстетику пьесы о Мировой душе с художественными принципами антагониста Треплева – Тригорина, а затем проследить, как оппозиция «визуальное vs. акустическое» реализуется в поведении обоих литераторов и в реакции на них других персонажей.

Тригорин, как и следовало ожидать, отчетливо визуален, что является текстовым синонимом неподлинности. Вспомним хрестоматийное:

> *Вижу* вот облако похожее на рояль. Думаю: надо будет упомянуть где-нибудь в рассказе, что плыло облако похожее на рояль. Пахнет гелиотропом. Скорее мотаю на ус: приторный запах, вдовий цвет, упомянуть при описании летнего вечера. *Ловлю себя и вас на каждой фразе*, на каждом слове и спешу скорей запереть все эти фразы и слова в свою литературную кладовую: авось пригодится! (13, 29)

Акустический компонент здесь, казалось бы, присутствует, т.к. в описанной ситуации Тригорин «ловит» себя и Нину на *произнесенных* словах и фразах. Однако *звучащая* и *слышимая* речь не только помещается на последнем месте (даже после запаха[15]), но и словно вытесняется, поскольку в самой фразе Тригорина отсутствуют слова, четко маркирующие канал восприятия. Звучание только подразумевается, но не называется. Именно *видеть* – например, своего читателя – оказывается принципиально важным для Тригорина-художника:

> [...] в молодые, лучшие годы, когда я начинал, мое писательство было одним сплошным мучением. Маленький писатель [...], непризнанный, никем *не замечаемый*, *боясь* прямо и смело *глядеть* в глаза [...]. Я не *видел* своего читателя, но почему-то в моем воображении он представлялся мне недружелюбным, недоверчивым. [...] когда мне приходилось ставить свою новую пьесу, то мне казалось всякий раз, что брюнеты враждебно настроены, а блондины холодно равнодушны. (13, 29/30)

---

[13] Отметим, что в последнем действии Нина, заплакав, оборвет монолог именно этой фразой (13, 59).

[14] Рассматривая модель прозрения, явленную в *Студенте*, А.В. Щербенок обращает внимание на обилие глаголов зрения в пересказанной Иваном Великопольским истории. Однако видимое здесь рассматривается в рамках оппозиции «непосредственное vs. опосредованное». Эта двойчатка, в свою очередь, может сводиться к оппозиции «вербальное vs. невербальное»: соответственно, в сферу непосредственного/невербального попадает как зримое, так и слышимое (крик петуха, например). (А. Щербенок: Цепь времен и риторика прозрения. В: Парадигмы. Тверь 2000, с. 87-89). Если такой подход к анализу *Студента* и обусловлен наличием в тексте вставного *рассказа*, то в случае *Чайки* мы не видим достаточных текстовых оснований для постулирования «вербального» в качестве самостоятельного члена оппозиции.

[15] Вообще говоря, можно предполагать, что именно запах является текстовым эквивалентом подлинного существования – существования по ту сторону литературы (пресловутый третий путь, характеризующий утопическое сознание).

Добившийся относительного успеха Треплев, воспринимается в передаче Тригорина как «железная маска», показательна и отчетливая визуальность интереса публики: «Спрашивают какой он, сколько лет, брюнет или блондин» (13, 52). Если соотнести эту фразу с воспоминаниями Тригорина, следует отнести Треплева к числу людей, либо «враждебно настроенных», либо «холодно равнодушных» по отношению к тригоринской музе. Исключительно визуальным явлен Тригорин в перспективе ревнующего Треплева: «Это *солнце* еще не подошло к вам, а вы уже улыбаетесь, *взгляд* ваш растаял в *его лучах*» (13, 28; сказано это о Тригорине-литераторе, соотнесенном с литературным же персонажем).

Ориентация на зримое превалирует и в рецепции тригоринской эстетики другими персонажами – именно пейзажистом выходит милый и талантливый автор: «У него на плотине *блестит* горлышко разбитой бутылки и *чернеет* тень от мельничного колеса – вот и лунная ночь готова» (13, 55). В своем панегирике Тригорину Аркадина также использует метафору, заимствованную из живописи: «Ты можешь *одним штрихом* передать главное, что характерно для лица или пейзажа, люди у тебя, как живые» (13, 42). Перечисляя атрибуты тригоринской славы Нина упоминает, что «*портреты* его продаются» (13, 26; причем в одном из вариантов эти портреты были маркированы в большей степени – «продаются по рублю»[16]).

Если говорить об акустическом коде, то он в случае Тригорина маркирован всего два раза. Первый раз Борис Алексеевич *услышал* «хорошее выражение» для записной книжки («девичий бор»). Второй случай более интересен: прочитав фразу на странице 121, Тригорин в раздумье произносит: «Отчего в этом призыве чистой души *послышалась* мне печаль и мое сердце так болезненно сжалось?» (13, 41). И все. В финале 3-го действия речь Тригорина, изобилует знаками видимого:

> О, какое счастье думать, что мы скоро *увидимся*! [...] Я опять *увижу* эти чудные глаза, невыразимо прекрасную, нежную улыбку... эти кроткие черты, выражение ангельской чистоты… (13, 44)

Тригорин, разумеется, и сам прекрасно осознает исключительно визуальный характер собственного искусства: «[...] я умею писать только пейзаж, а во всем остальном я фальшив и фальшив до мозга костей» (13, 31). Но дело не только в пейзаже – зримое оказывается личным кошмаром Тригорина еще более ужасным в своей явственности: например, в разговоре с Ниной Тригорин горячиться по поводу «прекрасного и *светлого*» (13, 29). Даже тригоринский крыжовник – рыбалка – не в состоянии вывести героя из плена зримого: «Для меня нет больше наслаждения, как сидеть под вечер на берегу и *смотреть* на поплавок» (13, 17).

Литература, которая поедает жизнь (и не только жизнь Тригорина) рождаются из видимого – зримое непосредственно переносится в литературу, минуя столь значимое для Треплева пространство мечты:

> Нина. *Видите* на том берегу дом и сад?
> Тригорин. Да.
> Нина. Это усадьба моей покойной матери. Я там родилась. Я всю жизнь провела около этого озера и знаю на нем каждый островок.
> Тригорин. Хорошо у вас тут! *(Увидев чайку).* А это что?
> Нина. Чайка. Константин Гаврилыч убил.
> Тригорин. *Красивая птица.* Право, не хочется уезжать...
> Нина. Что это вы пишете? (13, 31)

---

[16] Цензурный экземпляр (13, 265).

Причем, как и в случае Треплева, особенности восприятия проецируются в рождающийся текст: Тригорин *видит* дом и сад, *видит* Нину и чайку, а затем формулирует сюжетную схему: «Но случайно пришел человек, *увидел* и от нечего делать погубил ее» (13, 31/32). Интересно, что в 3-м действии, когда Тригорин вспоминает разговор с Ниной, сама речь героини словно выносится за скобки, превращаясь в своеобразный фон: «Я буду вспоминать вас, какою вы были в тот ясный день – помните? – [...] вы были в светлом платье... мы разговаривали... еще тогда на скамье лежала белая чайка» (13, 34). Предмет разговора уже не важен.

При этом ориентация на визуальность – только приглашение вступить в порочный круг: обратившись в текст увиденное забывается. В последнем действии Тригорин не может вспомнить, что заказывал чучело чайки. И снова нужно смотреть: «[...] *надо осмотреть сад и то место, где – помните?* – играли вашу пьесу. У меня созрел мотив, надо только возобновить в памяти место действия» (13, 52).

В этом контексте понятно и беззастенчивое обращение Аркадиной именно к плану видимого:

> Ты думаешь, это фимиам? Я льщу? Ну, *посмотри* мне в глаза... *посмотри... Похожа* я на лгунью? Вот и *видишь*, я одна умею ценить тебя; одна говорю тебе правду, мой милый, чудный... (13, 42)

Аркадина, разумеется, *похожа* на лгунью, однако лишь в той степени, в какой хрестоматийное облако похоже на верблюда.

Для самой Ирины Николаевны зрительное восприятие является знаком неискренности, неподлинности, а слышимое, напротив, исключительно значимо. Стоит, например, обратить внимание на обмен репликами из *Гамлета* перед началом треплевского спектакля. Иронизируя над чувствами и намереньями сына, Аркадина произносит реплику Гертруды: «Мой сын! Ты *очи обратил* мне внутрь души, и я *увидела* ее в таких кровавых, в таких смертельных язвах – нет спасенья.» Показательно, что цитируемая реплика Гертруды следует непосредственно за монологом Гамлета, в котором сравниваются *портреты* Клавдия и покойного короля: риторика шекспировского монолога предполагает соответствие внешнего облика (видимое) сущности человека.

Почему же последнее слово («И для чего ж ты поддалась пороку, любви искала в бездне преступленья?») все же остается за Треплевым? В принципе, Ирина Николаевна могла бы и продолжить: «Ах! *замолчи*! Какие острые ножи, / *Слова* твои мне сердце растерзали! / *Умолкни*, Гамлет, милый сын!»[17] Дальнейшее продолжение диалога сделалось бы практически невозможным. Однако ответом Гертруды, в котором доминирует акустическое, Аркадина не воспользовалась – в ее дискурсе лишь подчеркнуто зримое является знаком дистанцированной неискренности.

Видимое соотнесено с настоящим и перегружено прагматикой. Так, в начале 2-го действия этом Ирина Николаевна поучает Машу следующим образом: «И у меня правило: не *заглядывать* в будущее. Я никогда не думаю ни о старости, ни о смерти» (13, 21). Смотреть, таким образом, просто нефункционально.

Зримое элиминируется и в рассказе о милом сердцу прошлом:

> Лет 10–15 назад, здесь, на озере, *музыка и пение слышались* непрерывно почти каждую ночь. Тут на берегу шесть помещичьих усадеб. Помню, *смех, шум, стрельба*, и всё романы, романы... (13, 15/16)

---

[17] В. Шекспир: Гамлет, принц Датский. Пер. с англ. Н.А. Полевого. В: Репертуар русского театра, издаваемый И. Песоцким. Третья книжка. Месяц Март. СПб. 1840, с. 29.

В этой связи симптоматична последняя реплика Аркадиной, услышавшей выстрел: «Фуй, я испугалась. Это мне напомнило, как… *(Закрывает лицо руками.)* Даже *в глазах* потемнело...» (13, 60). Постижение истины связано в драматургической традиции (см. *Эдип-царь*) с утратой зрения – пусть и временной в данном случае.[18] Причем знаком подлинности воспринимаемого в приведенных примерах является не звучащее слово, но звук как таковой (музыка с того берега, выстрел).

Художнические пристрастия Треплева не столь однозначны в аспекте взаимодействия видимого и слышимого. Однако, недостатки своего искусства – новых форм, на глазах становящихся рутиной – обнажаются почему-то именно в отчетливо визуальных фрагментах:

> «Афиша на заборе гласила... Бледное лицо, обрамленное черными волосами...» Гласила, обрамленное... Это бездарно *(зачеркивает)*. Начну с того, как героя разбудил шум дождя. (13, 55)

Визуальное сознательно вычеркивается, оставлен звук – шум дождя.[19] В самом описании вечера сочетаются зримое и слышимое («трепещущий свет, и тихое мерцание звезд, и далекие звуки рояля, замирающие в тихом ароматном воздухе...»; 13, 55) – однако это не есть еще текст, полностью устраивающий героя. Само смешение зримого и слышимого оказывается текстовым знаком несовершенства, а в транстекстуальном плане оно, наряду с другими элементами, маркирует вторичность текста.[20]

Если говорить о пьесе в целом, то *видит* Треплев не столь уж редко, однако, видит он подчас то, чего вообще-то не видно. Например, в 1-м действии герой произносит: «Вот тебе и театр. Занавес, потом первая кулиса, потом вторая и дальше пустое пространство. Декораций никаких. *Открывается вид* прямо на озеро и на горизонт» (13, 7). Но озеро сейчас – при опущенном занавесе – нельзя видеть, поскольку «широкая аллея, ведущая по направлению от зрителей в глубину парка к озеру загорожена эстрадой, [...] так что озера совсем не видно» (13, 5).

В речи Треплева неявное становится явным, точнее явленным в слове. Самое озеро, исключительно значимое в символическом репертуаре *Чайки*, может оказаться объектом ментального видения: «Ваше охлаждение страшно, невероятно, точно я проснулся и *вижу* вот, будто это озеро вдруг высохло или утекло в землю» (13, 27), – говорит он Нине.[21]

В этом контексте монолог о Мировой душе представляет собой утопический литературный проект уничтожения видимого. Вместе с тем этот текст, будучи на правах вставного спектакля включен во внешнюю пьесу, инициирует семиотический парадокс – искусство Треплева стремится к невидимому, к Ничто, однако условия сцены понуждают литератора *показывать* это Ничто[22]:

---

[18] В этом контексте весьма показателен отмеченный исследователями интерес Чехова к театру М. Метерлинка, в особенности, к пьесе *Слепые*.

[19] Заметим, что фраза «Он проснулся от шума дождя» – в числе первых записей Чехова к образу Треплева.

[20] Так, А.Г. Головачева убедительно продемонстрировала связанность текста Треплева тургеневской манерой письма. Ср. А.Г. Головачева: Тургеневские мотивы в «Чайке» Чехова. В: Филологические науки, 1980, № 3, с. 9, 13.

[21] Ср.: «Для Треплева озеро так и не обретает собственного протяжения и объема, остается бесплотным, абстрактно-отстраненным, отодвинутым к горизонту – фактом искусственной онтологии.» (Н.Е. Разумова: Творчество А.П. Чехова в аспекте пространства. Томск 2001, с. 308).

[22] Воля к Ничто – как показала Н.Е. Разумова – есть фактор, интегрирующий художнические и жизненные установки Треплева: «Треплев проецирует на свою пьесу собственную жизненную ситуацию, в

О вы, почтенные старые тени, которые носитесь в ночную пору над этим озером, усыпите нас, и пусть нам приснится то, что будет через двести тысяч лет!

> С о р и н. Через двести тысяч лет ничего не будет.
> Т р е п л е в. Так вот пусть *изобразят* нам это ничего. (13, 13)

Замысел Треплева предполагает совершенно особую зрительскую установку: Ничто может *присниться*, однако изображенное следует *смотреть*, а никак не видеть во сне. Однако зрительское восприятие неизбежно трансформирует треплевское Ничто, превращая его в Нечто[23] (ср.: «*что-то* декадентское» [Аркадина], «в ней *что-то* есть» [Дорн], «странная она *какая-то*» [Дорн], «*что-то* странное, неопределенное, порой даже *похожее* на бред» [Тригорин]). Как это ни парадоксально, слово «*ничего*» использует в отношении пьесы о Мировой душе лишь Тригорин («Я *ничего* не понял»).

Герой не способен вырваться из под спуда видимого ни в творчестве, ни в жизни, причем неспособность эта носит онтологический характер – в реальной жизни, эквивалентом которой будет предметность сценического представления, Ничто непременно оказывается Чем-то. Только в финале *Чайки* от жизни героя останется не больше, но и не меньше, чем звук – звук выстрела.

Литература

Головачева, А.Г.: Тургеневские мотивы в «Чайке» Чехова. В: Филологические науки, 1980, № 3, с. 8-13.

Головачева, А.Г.: Монолог о «мировой душе» («Чайка») в творчестве Чехова 1890-х годов. В: Вестник Ленинградского ун-та, 1981, № 2 (Сер. истории, языка, литературы. Вып. 1), с. 51-56.

Зингерман, Б.И.: Театр Чехова и его мировое значение. Москва 1988.

Ивлева, Т.Г.: Автор в драматургии А.П. Чехова. Тверь 2001.

Одиноков, В.Г.: Функция трагического и комического в художественной концепции жизни в творчестве А.П. Чехова (Владимир Соловьев и образ «мировой души» в пьесе «Чайка»). В: Anton P. Čechov – Philosophische und religiöse Dimensionen im Leben und im Werk. Hg. Vladimir B. Kataev, Rolf-Dieter Kluge, Regine Nohejl. München 1997, с. 459-465.

Разумова, Н.Е.: Творчество А.П. Чехова в аспекте пространства. Томск 2001.

Степанов, А.Д.: Проблемы коммуникации у Чехова. Москва 2005.

Сухих, И.Н.: Проблемы поэтики А.П. Чехова. Ленинград 1987.

Шекспир, В.: Гамлет, принц Датский. Пер. с англ. Н.А. Полевого. В: Репертуар русского театра, издаваемый И. Песоцким. Третья книжка. Месяц Март. СПб. 1840.

Щербенок, А.: Цепь времен и риторика прозрения. В: Парадигмы. Тверь 2000, с. 87-89.

Kluge, R.-D.: Zynische Ärzte in A.P. Čechovs Dramen. B: Anton P. Čechov – Philosophische und religiöse Dimensionen im Leben und im Werk. Hg. Vladimir B. Kataev, Rolf-Dieter Kluge, Regine Nohejl. München 1997, c. 91-97.

Schöpflin, K.: Theater im Theater: Formen und Funktionen eines dramatischen Phänomens im Wandel. Frankfurt/M. 1993.

которой его самосознание вступает в непреодолимое столкновение с реальным положением. Лейтмотивом образа Треплева является слово ‹ничто›.» (Разумова, с. 309/10).

[23] Наверное, поэтому Треплев, добившийся все же признания, больше не пишет пьес (они во всяком случае не упоминаются) – хотя реплика Тригорина, по обыкновению, оперирующего категориями сходства, и ставит под вопрос эту стратегию.

Horst Jürgen Gerigk

Experimentelles Erzählen in Čechovs Möwe

Vorbemerkung

Anton Čechov schrieb über sechshundertvierzig Erzählungen und sechzehn Bühnenstücke. Seine Gesamtausgabe umfasst achtzehn Bände literarische Werke und zwölf Bände Briefe. Sowohl mit seinen Erzählungen als auch mit seinen Bühnenstücken gehört er zur Weltliteratur. Er schrieb weder einen Roman im Sinne eines Dostoevskij oder Tolstoj, noch Gedichte. Ja, nicht einmal ein Zyklus von Erzählungen liegt von ihm vor. Man denke an Puškins *Geschichten des verstorbenen Ivan Petrovič Belkin* (Povesti pokojnogo Ivana Petroviča Belkina, 1830/31), an Turgenevs *Aufzeichnungen eines Jägers* (Zapiski ochotnika; Buchform 1852) oder an Babel's *Reiterarmee* (Konarmija; ab 1923). Zwar plante Čechov einen Zyklus über „Menschen im Futteral“.[1] Davon liegen aber nur drei Erzählungen vor, die von identischen Personen des Rahmens zusammengehalten werden. Čechov hat seinen Plan nicht ausgeführt.

Mit einem Wort: Čechovs Texte stehen auf besondere Weise separat nebeneinander. Im Gespräch mit Bunin hat Čechov seine eigene Erzählkunst vollendet gekennzeichnet: „Meiner Meinung nach muss man, wenn man eine Erzählung geschrieben hat, den Anfang und das Ende wegstreichen. Denn hier lügen wir Belletristen am allermeisten…“ (По-моему, написав рассказ, следует вычеркывать его начало и конец. Тут мы, беллетристы, больше всего врем...).[2]

Ich brauche nicht zu betonen, dass dies für die meisten Erzählungen des späten Čechov gilt und nicht für seine frühen, humoristischen, die durchaus eine Pointe haben. Der späte Čechov aber erzählt immer wieder ohne Pointe im üblichen Sinne. Man denke an die *Dame mit dem Hündchen* (Dama s sobačkoj, 1899) oder auch an die radikalen Augenblicksfixierungen *Auf der Dienstreise* (Po delam služby, 1899) oder *Zur Weihnachtszeit* (Na svjatkach, 1900). In allen drei Fällen geht die vom Text provozierte Frage des Lesers nach dem Fortgang der Geschichte leer aus. Ja, in der Erzählung *Meine Frau* (Žena, 1891) wird poetologisch nur noch mit „blinden Motiven“ gespielt.[3] Das ist kühn. Hans Rothe meint sogar, so sehe die Selbstauflösung der Kunst aus. Ihre „Entartung“.[4] Nicht zu bezweifeln bleibt: Čechov wendet sich immer wieder gegen das Darstellungsprinzip der Tradition, wonach ein künstlerischer Text einen Anfang, einen Höhepunkt und ein Ende haben muss. Die Zufälligkeit der Verbindung von Einzelteilen wird bestimmend: die Kontingenz. Untangiert bleibt von solcher Auflösung die „Stimmung“, die Einheit des Tonfalls. Man denke etwa an die Erzählung *Mein Leben* (Moja žizn', 1896), worin auf eine relativ lange Strecke Einzelteile von Vorgängen ohne erkennbare Überdachung aneinander gereiht werden, geeinigt durch Tonfall und Welteinstellung des Ich-Erzählers, der gleichzeitig Hauptperson ist.

---

[1] *Der Mensch im Futteral* (Čelovek v futljare), *Stachelbeeren* (Kryžovnik) und *Über die Liebe* (O ljubvi), alle 1898.

[2] Ivan Bunin: O Čechove. In: Ivan Bunin: Sobranie sočinenij v 9 tt. Moskva 1965-67. T. 9, S. 179.

[3] Vgl. Horst-Jürgen Gerigk: Kontingenz. Anton Čechov: „Meine Frau“. Horst-Jürgen Gerigk: Entwurf einer Theorie des literarischen Gebildes. Berlin, New York 1975, S. 76-79.

[4] Vgl. Hans Rothe: Tschechow oder Die Entartung der Kunst. Opladen 1990 (= Rheinisch-Westfälische Akademie der Wissenschaften. Vorträge G 306).

Čechovs Dramen

Čechovs vier „große“ Bühnenstücke – groß auch im übertragenen Sinne – sind jeweils an die fünfundsechzig Seiten lang. Die Erzähltechnik ist darin eine andere als in den Erzählungen. Während die Erzählungen sozusagen „einsträngig“ erzählt werden, d.h. mit jeweils *einem* einzigen zentralen Bewusstsein (dessen Erleben in chronologischer Reihenfolge wiedergegeben wird), sind die vier großen Dramen Čechovs sämtlich „mehrsträngig“ angelegt. Man kann noch nicht einmal mit Sicherheit eine Hauptperson angeben.[5] Obwohl natürlich immer eine kleine Gruppe von Hauptpersonen da ist. Man denke an den Titel *Drei Schwestern*. Gewiss, Konstantin Treplev ist die besondere Aufmerksamkeit des Zuschauers gewiss: aufgrund seiner Existenzform, die in den Selbstmord mündet. Wer aber ist die „Möwe“ des Titels? Er oder Nina? Und Onkel Vanja ist nun einmal der Titelheld. Auch darf die Ranevskaja im *Kirschgarten* zentrales Interesse beanspruchen. Dennoch stellt in all diesen Stücken jeweils ein Ensemble von Personen im Mittelpunkt.

Kurzum: Čechov packt in jedem seiner Dramen mehrere Erzählungen zusammen und erzählt sie gleichzeitig. Handlungsarm sind seine Dramen zweifellos nicht. Die Handlung ist nur anders „lokalisiert“ als bei Sophokles, Shakespeare oder Schiller. Oft im „off“ – aber auch das nicht als Regel. Sie wird aber zumindest „dialogisiert“, d.h. in Dialogen präsentiert. Da aber die Poetik der Erzählungen auch im Drama beibehalten wird, entsteht als Resultat eine ganz eigentümliche Mischung aus Erzählung und Dialog, aus teleologischer Horizontale und Stimmung fixierendem Dialog. Čechov schreibt Dramen ohne Exposition und auch ohne konventionelle Schlüsse. Betrachten wir diese Eigenart am Bespiel der *Möwe*.

„Die Möwe“

1. Čechovs Menschenbild

Čechovs *Möwe* entstand 1895/96 und ist das erste seiner vier großen Bühnenwerke. Der amerikanische Dramatiker Tennessee Williams hat dieses Stück sogar als das erste und das größte Werk des modernen Theaters bezeichnet. Ganz offensichtlich ist es das Verhältnis von Alltäglichkeit und Transzendenz, das mit Čechov neu bestimmt wird und nicht zuletzt auch auf Samuel Beckett vorausweist. In den Dramen Čechovs betritt der empirische Mensch die Bühne: der Mensch, wie er leibt und lebt, determiniert durch Krankheit und Tod, Hunger und Durst, der Mensch, der weint, lacht und schnarcht, der nervös ist, vor sich hinpfeift, dem das Bein einschläft und der sich über nächtliches Hundegebell ärgert, der, mit einem Wort, von seiner Alltäglichkeit gepeinigt wird, immer vom selben redet, sich zu viel vornimmt und im ewigen Zwiespalt zwischen Sehnsucht und Realität die Sisyphosarbeit des täglichen Besorgens absolviert. Komisch ist das eigentlich nicht. Komik kommt erst durch die Illusionen ins Spiel, mit denen sich die Dramenfiguren über ihren tatsächlichen Zustand hinwegzutäuschen versuchen. So geht die Tragödie der menschlichen Situation in der Komödie der menschlichen Situation auf. Mit der Bezeichnung der *Möwe* als Komödie wird diese neue Sicht regelrecht plakatiert. Immerhin endet dieses Stück ja mit dem Selbstmord einer Hauptperson.

Anton Čechovs Menschenbild lässt sich am besten mit einer Passage aus Arthur Schopenhauers *Die Welt als Wille und Vorstellung* kennzeichnen:

> Das Leben stellt sich dar als ein fortgesetzter Betrug, im Kleinen wie im Großen. Hat es versprochen, so hält es nicht; es sei denn, um zu zeigen, wie wenig wünschenswert das Gewünschte war: so täuscht uns also bald die Hoffnung, bald das Gehoffte. Hat es gegeben, so war es, um zu nehmen. Der Zauber der Entfernung zeigt uns Paradiese, welche wie optische Täuschungen ver-

[5] Rolf-Dieter Kluge: Anton P. Čechov. Eine Einführung in Leben und Werk. Darmstadt 1995, S. 122.

> schwinden, wenn wir uns haben hinäffen lassen. Das Glück liegt demgemäß stets in der Zukunft, oder auch in der Vergangenheit, und die Gegenwart ist einer kleinen dunklen Wolke zu vergleichen, welche der Wind über die besonnte Fläche treibt: vor ihr und hinter ihr ist alles hell, nur sie selbst wirft stets einen Schatten. Sie ist demnach allezeit ungenügend, die Zukunft aber ungewiss, die Vergangenheit unwiederbringlich.[6]

Diese Passage findet sich unter dem bezeichnenden Titel „Von der Nichtigkeit und dem Leiden des Lebens“ im zweiten Band von Schopenhauers Hauptwerk.

Aus der gleichen Grundansicht hat jedoch Čechov einen positiven Schluss gezogen. „Illusionen“ bedeuten in der Welt Čechovs *Leben.* Wer seine Illusion verliert, ist nicht mehr lebensfähig. Der Mensch lebt, solange er hofft, solange er an sein Glück glaubt. Er ist auf seine Illusionen angewiesen, auf seine Vorstellung vom Glück. Die Haupthandlung der *Möwe* bringt diesen Gedanken mit aller Schärfe zum Ausdruck.

Mit seinen Illusionen verliert der junge Schriftsteller Konstantin Treplev all seine Lebensfreude und nimmt sich das Leben. Im letzten Akt ist er siebenundzwanzig Jahre alt. Bevor er sich erschießt, zerreißt er all seine Manuskripte. Die Zweifel an seiner schriftstellerischen Begabung haben ihn überwältigt. Vielleicht aber hat Treplev nur geschrieben, um geliebt zu werden. Sowohl seine Liebe zu Nina, einem jungen Mädchen, das Schauspielerin werden möchte, als auch sein Wunsch, von seiner Mutter geliebt zu werden, bleiben unerfüllt. Treplev wird also von den beiden Personen, auf die es ihm ankommt, nicht geliebt.

Und doch wird er geliebt, und zwar von Maša, der Tochter des Gutsverwalters. Treplev aber liebt nicht Maša, sondern Nina. Treplevs unglückliche Liebe ist mithin nichts Außergewöhnliches. Das Thema der unglücklichen Liebe wird von Čechov in der *Möwe* absichtsvoll inflationiert. Zudem zeigt sich an der Schilderung mehrerer Paare, dass ein Zusammenleben, sei es aus anfänglicher Liebe, sei es aus Vernunftgründen, ohnehin nicht zum ersehnten Glück führt. Vor dem Hintergrund all dieser frustrierten Bestrebungen verliert Treplevs Selbstmord seine Tragik.

Treplev verlangte vom Leben etwas, das es nicht gibt. Sein siegreicher Rivale, der Erfolgsautor Boris Trigorin, hat alles, was Treplev gerne hätte: Er wird von zwei Frauen, von Nina und von Treplevs Mutter, der Schauspielerin Irina Arkadina, bewundert und geliebt, und landesweit liest und lobt man seine Bücher. Aber ist Trigorin darum zufrieden? Überhäuft mit Ruhm und Liebe findet er sein Glück einzig in einem anspruchslosen und selbstvergessenen Zeitvertreib: „Ich angle leidenschaftlich gern.“

Die großen Segnungen des Glücks, die man sich ausmalt und erträumt, verlieren an Reiz, sobald sie Wirklichkeit werden. Das Glück liegt in der Illusion, in der Vorfreude. Es kommt darauf an, niemals ohne Illusion zu sein. Wer ernst macht, wie Treplev, und sich wegen eines unerreichbaren Glücks das Leben nimmt, der hat das Leben nicht verstanden. Diese philosophische Einsicht teilt sich zwar dem Zuschauer mit, die Menschen Čechovs aber kommen niemals zu einem wahren Begriff ihrer selbst. Ihr Denken, Fühlen und Handeln dreht sich im engen Kreis ihres selbstbezogenen Bewusstseins – ganz anders als die Gestalten eines Schiller oder Dostoevskij, die beide den Menschen zwischen Gut und Böse zum Thema haben, die moralische Person in ihrer Freiheit. An die Stelle des „intelligiblen“ Menschen Schillers und Dostoevskijs ist bei Čechov der „empirische“ Mensch getreten.

In der poetischen Wirklichkeit, die Čechov auf die Bühne bringt, tritt ein neues Menschenbild zu Tage. Es zeigt den Menschen, wie er ist, nicht, wie er sein soll; den Menschen, der tagtäglich am eigenen Leibe erfährt, dass er vergänglich ist; den körperliches Unwohlsein, Krankheit und die Anzeichen des Alters daran erinnern, dass allem menschlichen Streben eine

---

[6] Arthur Schopenhauer: Von der Nichtigkeit und dem Leiden des Lebens. In: Die Welt als Wille und Vorstellung. Zweiter Band, welcher die Ergänzungen zu den vier Büchern des ersten Bandes enthält. Kapitel 46. In: Ders: Sämtliche Werke. 7 Bde. Hg. Arthur Hübscher. Wiesbaden 1948-50. Bd. 3, S. 657f.

natürliche Grenze gesetzt ist; der sich von einer Illusion zur nächsten rettet, um nicht im Abgrund der Sinnlosigkeit zu versinken.

Alles Streben nach Transzendenz ist in der Welt Čechovs nur ein Ausweichmanöver vor dieser unerbittlichen Wahrheit. Die Marotten der Selbsttäuschung und des Selbstmitleids, die geradezu mechanische Zwangsläufigkeit des Scheiterns wirken – *komisch*. Aber nur für den Zuschauer. Auch der Selbstmord ist davon nicht ausgenommen. Er erscheint als Resultat einer letzten Illusion: der Illusion der Freiheit.

In der *Möwe* reden alle über Kunst. In keinem seiner Werke hat sich Anton Čechov so ausführlich und eingehend mit dem eigenen Metier, der Schriftstellerei und dem Theater, beschäftigt. Die *Möwe* beginnt mit einer Theateraufführung auf der Bühne. Konstantin Treplev, fünfundzwanzig Jahre alt, hat sein erstes Stück geschrieben. Es wird auf einer kleinen Bühne, die im Park seines Onkels aufgeschlagen wurde, einem Publikum von nicht mehr als acht Zuschauern vorgeführt. Das Stück wird nicht zu Ende gespielt. Entnervt vom Gestichel seiner Mutter lässt der Autor die Vorstellung abbrechen und läuft davon. Virtuos demonstriert Čechov mit dem Schauspiel im Schauspiel, wie Literatur ins Gerede kommt. Kaum ist das letzte Wort gesprochen, macht sich das Leben breit wie eh und je und beansprucht alle Aufmerksamkeit für sich. Dagegen haben Kunst und Literatur keine Chance. Man hätte erwarten sollen, dass sich hier ein Publikum versammelt hat, in dessen Leben die Literatur eine bedeutende Rolle spielt. Im Gespräch werden Passagen und Titel klassischer Werke geläufig zitiert: Shakespeares *Hamlet*, Maupassants Reiseerzählung *Auf dem Wasser* (Sur l'eau) und jener geheimnisvolle „Mann mit der eisernen Maske", der durch die Literatur des 18. und 19. Jahrhunderts spukt.

Was bedeuten diese Reminiszenzen? Aus dem trainierten Gedächtnis der Literaten und Schauspieler sind derartige Zitate wie Sprichwörter abrufbar – ohne erkennbaren Zusammenhang. So werden literarische Werke zu einem Fundus beliebig verwendbarer Versatzstücke. Wenn Šamraev zu Dr. Dorn sagt: „Da kann ich Ihnen nicht zustimmen. Aber das ist schließlich Geschmacksache. De gustibus aut bene, aut nihil" (Не могу с вами согласиться. Впрочем, это дело вкуса. De gustibus aut bene, aut nihil; 13, 12), so wird durch solche Fusion zweier lateinischer Redewendungen („De gustibus non est disputandum" und „De mortuis nil nisi bene") nicht nur Halbbildung demonstriert, sondern auch das Prinzip, nach dem die dann folgenden literarischen Zitate funktionieren. Sie kennzeichnen ausschließlich den, der spricht, in seiner Zitierfreude. Bezogen auf literarische Texte heißt das: Alles Zitieren ist ein Verstoß gegen den ursprünglichen Kontext. Wer bei Čechov zitiert, der nimmt sich – im doppelten Wortsinn – etwas heraus. Dass die Zitate im Umfeld der Wirklichkeit „unpassend" erscheinen, hat aber noch einen tieferen Grund: Kunst und Wirklichkeit sind getrennte Welten, die von verschiedenen Gesetzen regiert werden. Im literarischen Kunstwerk strebt jedes Detail nach Zusammenhang, Bedeutung und Steigerung der Wirkung. Das Leben lässt diese Merkmale weitgehend vermissen. Das wird in der Szene deutlich, in der sich ein Stück Wirklichkeit in Literatur verwandelt. Der Schriftsteller Trigorin entwirft die Skizze einer „kleinen Erzählung", in der er die junge Nina symbolisch mir der von Treplev geschossenen Möwe gleichsetzt:

> [...] на берегу озера с детства живет молодая девушка, такая, как вы; любит озеро, как чайка, и счастлива и свободна, как чайка. Но случайно пришел человек, увидел и от нечего делать погубил ее, как вот эту чайку. (13, 31/32)

> Ein junges Mädchen wie Sie wächst am Ufer eines Sees auf; sie liebt den See wie eine Möwe und lebt frei und glücklich, wie eine Möwe. Aber dann führt der Zufall einen Mann an den See, der sieht das Mädchen, und in einer müßigen Laune stürzt er es ins Verderben, so wie diese Möwe.

Das aber ist Literatur. Ninas Geschichte beginnt weder mit einer glücklichen Kindheit, noch endet sie eindeutig im „Verderben". Und obwohl sich Nina immer wieder als „Möwe“ bezeichnet, ist nicht sie es, die vom Schicksal des mutwillig getöteten Vogels ereilt wird, sondern Treplev. Eigentlich ist er die Möwe. Einer Erzählung jedoch verleihen ein solcher Anfang und ein solches Ende Geschlossenheit – uns das, weil beides, wie Čechov im soeben zitierten Gespräch mit Bunin sagt, „gelogen“ ist.

Čechov bringt in der *Möwe* gleich zwei Schriftsteller auf die Bühne. Der eine nimmt sich das Leben, der andere findet sein Glück beim Angeln. Beide, Treplev und Trigorin, werden mit ihrer Kunst nicht glücklich. Treplevs Vernichtung seiner Manuskripte und Trigorins Rückzug ins Angeln ist weder durch eine andere Kunstauffassung noch durch höhere Begabung abzuhelfen. Das Unbehagen trifft, aus der Sicht Čechovs, die Kunst selbst. Die Lebenswirklichkeit kann durch die Kunst nicht eingeholt werden. Aber nicht, weil die Lebenswirklichkeit immer „breiter“ ist als das, was die Kunst von ihr zum Ausdruck bringen kann, sondern weil sie alle Sinngebung zum Scheitern bringt, ja vernichtet. Allgegenwärtig zeugen Krankheit und Tod von der Vergänglichkeit jeden individuellen Daseins. Vor dieser traurigen Wahrheit fliehen die Menschen Čechovs in ihre Sehnsüchte, in die Augenblicke der Erwartung, in die Verklärung der Vergangenheit und – das zentrale Motiv der *Möwe* – in die Begeisterung für Literatur und Schauspielkunst. Diese Begeisterung entspringt dem Hang zur Transzendenz, zu etwas, das die alltägliche Erfahrung übersteigt. Zu einer Kunstreligion, die das Dasein mit Sinn erfüllen könnte, lässt es Čechov aber gerade nicht kommen. Im Gegenteil: Er vollbringt die paradoxe Leistung, ein literarisches Kunstwerk zu schaffen, das eine ganz alltägliche Lebenswirklichkeit vorführt, in der alle Sinnentwürfe, auch die poetischen, auf der Strecke bleiben.

Der Zusammenhang zwischen Menschenbild und Erzählstruktur ist jetzt noch weiter zu verdeutlichen.

2. Die Differenz zwischen Kunst und Leben

Dass ein völlig neuartiges Werk auf Unverständnis und Ablehnung stößt, ist nicht ungewöhnlich. Überraschend ist vielmehr, wie Čechovs *Möwe* von einem Zeitgenossen, der weder Schriftsteller noch Theaterpraktiker war, begrüßt wurde. Drei Wochen nach der Uraufführung, die bekanntlich in einem denkwürdigen Debakel endete, am 7. November 1896, erhielt Čechov einen Brief des Juristen Anatolij Koni, der sofort und mit erstaunlichem Scharfblick die überragende Qualität des Stücks erkannt hatte:

> Многоуважаемый Антон Павлович, Вас, быть может, удивит мое письмо, но я, несмотря на то, что утопаю в работе, не могу отказаться от желания написать Вам по поводу Вашей ‚Чайки‘, которую я, наконец, удосужился видеть. Я слышал (от Савкиной), что отношение публики к этой пьесе Вас очень огорчило... Позвольте же одному из публики – быть может, профану в литературе и драматическом искусстве, но знакомому с жизнью по служебной практике – сказать Вам, что он благодарит Вас за глубокое наслаждение, данное ему Вашей пьесою. ‚Чайка‘ – произведение, выходящее из ряда по своему замыслу, по новизне мыслей, по вдумчивой наблюдательности над житейскими положениями. Это сама жизнь на сцене, с ее трагическими союзами, красноречивым бездумьем и молчаливыми страданиями, жизнь обыденная, всем доступная и почти никем не понимаемая в ее внутренней жестокой иронии, жизнь до того доступная и близкая нам, что подчас забываешь, что сидишь в театре и способен сам принять участие в происходящей перед тобой беседе. И как хорош конец! Как верно житейски то, что не она, чайка, лишает себя жизни (что непременно заставил бы ее сделать заурядный драматург, бьющий на слезливость публики), а молодой человек, который живет в отвлеченном будущем, и ‚ничего не понимает‘, зачем и к чему всё происходит. И то, что пьеса прерывается внезапно, оставляя зрителя самодорисовать себе будущее, тусклое, вялое и неопределенное, мне очень нравится. Так кончаются или, лучше, обертываются эпические произведения. (P. 6, 546/47)

> Sehr verehrter Anton Pawlowitsch. Es ist durchaus möglich, dass Sie sich über meinen Brief wundern werden, doch kann ich, obwohl ich mit Arbeit regelrecht überhäuft bin, meinem Wunsche nicht widerstehen, Ihnen aus Anlass Ihrer *Möwe* zu schreiben, die anzuschauen ich mich bemüßigt fühlte. Wie ich hörte, hat Sie die Haltung des Publikums zu diesem Stück sehr verärgert. Erlauben Sie nunmehr jemandem aus dem Publikum, der vielleicht in Sachen Literatur und Dramenkunst zu den Uneingeweihten gehört, in seiner eigenen beruflichen Praxis jedoch durchaus über Lebenskenntnis verfügt, Ihnen zu sagen, dass er Ihnen für den tiefen Genuss dankbar ist, den ihm Ihr Stück bereitet hat. Die *Möwe* ist ein Werk, das aufgrund seiner Absicht, aufgrund der Neuheit seiner Gedanken, aufgrund seiner nachdenklichen Aufmerksamkeit gegenüber den Situationen der alltäglichen Wirklichkeit völlig aus der Reihe fällt. Das Leben selbst ist auf der Bühne zu sehen, mit seinen tragischen Verknüpfungen, dem unbedachten Gerede und den Leiden, allen zugänglich und von kaum jemandem begriffen in seiner inneren, grausamen Ironie, ein Leben so sehr zugänglich und uns so nahe, dass man bisweilen vergisst, im Theater zu sitzen, und meint, an dem vor einem ablaufenden Gespräch selber teilnehmen zu können. Und wie gelungen der Schluss! Wie lebenswahr, dass nicht sie, die Möwe, sich das Leben nimmt (so wäre zwangsläufig ein gewöhnlicher Dramatiker vorgegangen, der es auf die Tränendrüsen des Publikums abgesehen hat), sondern der junge Mann, der in einer abstrakten Zukunft lebt und „überhaupt nicht versteht", warum und wozu um ihn herum etwas geschieht. Und dass das Stück plötzlich abreißt, es dem Zuschauer überlässt, sich die Zukunft auszumalen, eine trübe, sumpfige, unbestimmte Zukunft – hat mir sehr gefallen. So enden epische Werke, oder besser gesagt, so regeln sich die Schlüsse in epischen Werken.

Kennzeichnend für Čechovs neuartigen Stil sind die Einbrüche des Schweigens mitten im Dialog. Immer wieder erscheint in den Regieanweisungen das Wort „Pause" – in der *Möwe* über dreißig Mal.[7] Čechovs Pausen reißen gleichsam ein Loch in den Dialog. Der Zuschauer müsste sie wie eine Erholung von der abgründigen Trivialität der Gespräche empfinden, die ziellos von einem Thema zum anderen wechseln. Die Dialogpartner auf der Bühne kommen durch solche Pausen allerdings nicht zur Besinnung. Čechov Pausen können in ihrer wahren Bedeutung nur vom Zuschauer verstanden werden: Sie sind die Löcher im Sinn, aus denen die tiefe Langeweile aufsteigt, die alles gleichgültig werden lässt; eine Langeweile, die sich durch keinen Zeitvertreib überwinden lässt, in der das ganz Andere zu Tage tritt, das von der Geschäftigkeit des Alltags nur zeitweilig überdeckt wird. Diese Pausen sagen im wahrsten Sinne des Wortes nichts. So gesehen sind die Dialoge nichts anderes als die Unterbrechungen des absoluten Schweigens, das sich in den Pausen meldet.

Kann es etwas Undramatischeres geben als Langeweile? Wie gelingt es, sie zu dramatisieren? Čechov hat zur Darstellung alltäglicher Wirklichkeit ein fein abgestimmtes Ensemble von Kunstgriffen entwickelt, deren Zusammenspiel die unvergleichliche Faszination seines dramatischen Stils ausmacht. Zu den subtilsten dieser Kunstgriffe zählen eben die Pausen, die den bald raschen, bald trägen Fluss alltäglicher Gespräche stauen und rhythmisieren. Ein weiteres Kunstmittel ist die Voraussetzungslosigkeit, mit der die Handlung und die Figuren des Stücks entwickelt werden. Čechov schreibt ein Drama ohne Exposition. Da gibt es kein Ereignis in dunkler Vergangenheit, das die Gegenwart in Atem hält und schließlich enthüllt werden könnte – wie es sich in den analytischen Dramen eines Ibsen abspielt. In der *Möwe* sind die Gestalten ganz das, als was sie vor unseren Augen, in der Gegenwart der Bühnenhandlung, erscheinen. Das Bild einer Person setzt sich erst nach und nach aus vielerlei Facetten zusammen: aus dem, was andere über sie sagen, aus ihrem tatsächlichen Verhalten und aus den Ansichten, die sie über sich selbst äußert. Der Zuschauer sieht sich also beständig zur genauen Beobachtung der Figuren angehalten. Aus der Erwartung, die ihr Reden und Verhalten weckt, entstehen immer neue Spannungsherde: Was wird als nächstes geschehen? Wird Treplev seine

---

[7] Vgl. Ingrid Dlugosch: Anton Pavlovič Čechov und das Theater des Absurden. München 1977 (= Forum Slavicum, Bd. 42), S. 147; Christine Gräfin von Brühl: Die nonverbalen Ausdrucksmittel in Anton Čechovs Bühnenwerk. Frankfurt/M. 1996 (= Europäische Hochschulschriften. Reihe 16: Slawische Sprachen und Literaturen, Bd. 52), S. 125-150.

Selbstmorddrohung wahr machen? Oder ist nicht vielmehr Nina dazu prädestiniert? Weist nicht der Titel des Stücks, deuten nicht alle Zeichen im Text darauf hin, dass sie dieses Ende nehmen wird? Aber dann kommt alles ganz anders. Immer wieder beginnt ein Dialog, eine Handlung scheint sich zu entwickeln – doch schon im nächsten Augenblick kommt etwas dazwischen. Auf alles, was sich anzubahnen scheint, wartet immer schon die Ablenkung, die Unterbrechung, die Ablösung durch anderes. So kommt es, dass auch die banalsten Alltagsvorgänge geradezu kurzweilig erscheinen.

Die stärkste Wirkung geht aber wohl von einem Gestaltungsmittel aus, das den Dramen dieses Dichters eine so unverwechselbare Atmosphäre verleiht. Es sind die lyrischen Momente, die sich wie von ungefähr aus dem Fluss der alltäglichen Prosa herausheben. Was läge weiter auseinander als Lyrik und Alltagsrede? Čechov fügt beides zusammen. Darin liegt das innerste Geheimnis seiner Kunst: All die Geschichten, die uns in dieser Komödie erzählt werden, rücken am Ende in eine Distanz, aus der sogar der komische Zwiespalt zwischen hochfliegenden Lebensentwürfen und kläglicher Wirklichkeit von Poesie erfüllt ist. So gesehen wird die *Möwe* zu einem einzigen lyrischen Augenblick, zu einem Klagelied über das verlorene Paradies, dessen Sinnbild der „verwunschene See“ ist.

Der einprägsamste lyrische Augenblick ist Treplevs Klavierspiel kurz vor seinem Selbstmord. Er hat den Salon verlassen; und ist doch mit dem „schwermütigen Walzer“, den er hinter der Bühne spielt, so intensiv anwesend wie kein Zweiter. Die Musik scheint eine andere, eine höhere Welt zu beschwören, die hier, im alltäglichen Leben, keinen Ort hat. Doch dieser Augenblick geht rasch vorüber; die Anwesenden bemerken ihn kaum. Sie nehmen Treplevs Klavierspiel als Symptom seiner traurigen Stimmung wahr, einer Verstimmung über schlechte Zeitungskritiken. Stimmungen gehen vorüber. Ob Trauer oder Heiterkeit – ihnen ist keine Dauer beschieden. Ihr Feind ist die Zeit.

Das Vergehen der Zeit ist das Grundthema, das die Handlung oder Nichthandlung des Stücks, bald im Verborgenen, bald deutlich ausgesprochen, immer begleitet. Vom ersten Moment an ist es gegenwärtig – als Klage über die verlorene Jugend, als Furcht vor dem herannahenden Alter. Zwar scheint sich die Handlung ein ums andere Mal auf ein zeitlich bestimmtes Ziel zu richten. Die Erwartungen aber, die sich an alle Aufbrüche und Vorhaben knüpfen, laufen ins Leere. Das Leben der Menschen ist für Čechov eine Kette blinder Motive. An die Stelle eines Ziels ist die schlechte Unendlichkeit getreten.[8] Walter H. Bruford vermerkt treffend, Čechov habe das „Credo eines Agnostikers“.[9]

3. Experimentelles Erzählen

Nachdem nun Čechovs Menschenbild skizziert wurde sowie die Besonderheit der *Möwe*, die Frage nach dem Verhältnis von Kunst und Wirklichkeit zu stellen, sei auf Čechovs experimentelles Erzählen eingegangen.

Zwar ist die *Möwe* ein Stück über Literaten und Schauspieler, die zentral über Kunst diskutieren; dennoch entwirft Čechov mit diesen Diskussionen keinen Begriff von Kunst, wie sie als Postulat zu wünschen wäre. Man denke an Vsevolod Garšins Erzählung *Die Künstler* (Chudožniki, 1879), worin eine sozial engagierte Kunst gegen die Unverbindlichkeit des rein Ästhetischen ausgespielt wird. James Joyce wiederum beschreibt im *Porträt des Künstlers als junger Mann* (A Portrait of the Artist as a Young Man, 1916) das lebensfremde Gehäuse der römisch-katholischen Kirche, aus dem sich der Held befreit, um sich der Kunst zu öffnen,

---

[8] Vgl. Gabriele Selge: Anton Čechovs Menschenbild. Materialien zu einer poetischen Anthropologie. München 1971 (= Forum Slavicum, Bd. 15).

[9] Walter Horace Bruford: Chekhov and His Russia. A Sociological Study [1948]. London 1974 (= International Library of Sociology and Social Reconstruction), S. 197.

deren Wesen in der Disposition für die „Epiphanien" des Lebens besteht. Beide Mal, bei Garšin und Joyce, bedeutet Kunst, mit jeweils anderen Argumenten, Überwindung der Lebensverdrossenheit. Bei Čechov hat solche Antithetik keinen Ort. Seine Grundstellung will aber auch nicht auf die Zerstörung der „vierten Wand" hinaus, wie das Luigi Pirandello in seinem Bühnenstück *Sechs Personen suchen einen Autor* (Sei personnagi in cerca d'autore, 1921) so beunruhigend demonstriert hat. Dies alles liegt bei Čechov nicht vor.

Die Selbstreflexivität des literarischen Textes ist bei Čechov anders angelegt. Das paradoxe Resultat wurde soeben bereits benannt. Čechov führt mit der *Möwe* nach allen Regeln „seiner" Kunst vor Augen, dass die Kunst keine verbindliche Aussage über das Leben machen kann. Auf diese Aussage aber ist die *Möwe* angelegt.[10]

Čechov bringt gleich zwei Schriftsteller auf die Bühne. Der eine bringt sich um, der andere findet sein Glück im Angeln. Treplev kommt in seiner schriftstellerischen Tätigkeit nicht zur Ruhe. Sobald das Leben sich zeigt, hört er auf zu schreiben. Sein Bühnenstück, das im 1. Akt präsentiert wird, macht sich bezeichnenderweise träumend in fernster Zukunft fest und kennzeichnet die Gegenwart als grauenvoll. Anders Trigorin. Er ist durchgehend damit beschäftigt, etwas, das der unmittelbaren Gegenwart entnommen wurde, in sein Notizbuch einzutragen. Das Notizbuch Trigorins bekommt, wie auch die immer wieder erwähnte Möwe, ein regelrechtes Eigenleben. Die Welt scheint dazu da zu sein, um in Trigorins Notizbuch zu münden. Ja, und das ist Čechovs Pointe, die Welt erhält erst in Trigorins Notizbuch ihren Sinn. Aber dieser Sinn ist eben „literarischer Sinn": ein Konstrukt im Namen der Kunst.

Beide Schriftsteller werden mit ihrer Kunst nicht glücklich, empfinden dies auch, gelangen aber nicht zu der Einsicht, warum das so ist. Sie gelangen, anders gesagt, nicht auf die Reflexionsebene des Autors, weil das von diesem Autor ontologisch ausgeschlossen wird. Beide sind „ontisch" unglücklich: der eine bringt sich um, der andere geht angeln. Dass die Wirklichkeit der Kunst schlechthin nicht in der Lage ist, die Lebenswirklichkeit zu erfassen, sehen nur wir, die Zuschauer.

Diese Einsicht Čechovs hat zur Folge, dass er sich ins experimentelle Erzählen begibt. Er zeigt uns die Menschen auf der Flucht in die Illusion, in ihre Sehnsüchte, in die Augenblicke der Erwartung (Nina) oder der Verklärung des Vergangenen (Arkadina). Hinter der Begeisterung für Literatur und Schauspielkunst haust die Frustration. „Was bleibet aber", das ist die ewige Präsenz der Gegenwart.

Die *Möwe* ist ein Stück mit zehn Personen. Drei weitere, ein Arbeiter, ein Koch, ein Stubenmädchen, flankieren lediglich punktuell. Die zehn Personen aber haben alle ihre Geschichte. Und Čechov erzählt diese zehn Geschichten gleichzeitig. Gewiss, vier Personen stehen im Zentrum: Treplev, Nina, Trigorin, Arkadina. Das heißt aber nicht, dass sich das „Ganze" nicht auch aus der Sicht einer der übrigen sechs Personen „lesen" lassen würde. Čechov ist mit solcher Technik der Darstellung der Meister der literarischen Polyphonie. Nicht Dostoevskij, wie Bachtin meint, und seine Adepten bis zum Überdruss wiederholen, obwohl dies zudem sachlich gar nicht zutrifft. Man denke nur an Svidrigajlov, Kirillov und Smerdjakov, die durch ihren Selbstmord ihre Weltanschauung eindeutig desavouieren. Bei Čechov hingegen ist jede „Stimme" in ihrer Stellung zu den furchtbaren Realitäten des Daseins gleichberechtigt. Eine Hierarchie gibt es nicht. Wo sie aufzukommen scheint, ist sie „okkasionell". Zu Recht spricht Maria Deppermann von Čechovs „polyphonem Drama".[11] Bleibt man auf der Ebene solcher Metaphorik, so besteht Čechovs Kunst darin, die gleichwertigen „Stimmen" in „Einklang" zu bringen. In solchem Einklang besteht die künstlerische Geschlossenheit, nicht in der Teleologie einer Handlung. In diesem Zusammenhang ist eine Äußerung Rainer Maria Rilkes ein-

---

[10] Vgl. Thomas Grob: Die inszenierte Kluft zwischen Kunst und Leben. Čechovs *Čajka* als metafiktionaler Text. In: Zeitschrift für slavische Philologie 55 (1995/96), S. 264-289.

[11] Maria Deppermann: Onkel Wanja. In: Interpretationen. Tschechows Dramen. Hg. Bodo Zelinsky. Stuttgart 2003, S. 70.

zubringen. Er schreibt am 5. März 1900 aus der Villa Waldfrieden („Schmargendorf bei Berlin“) an Sof'ja N. Šill:

> Die Übersetzung der „Чайка“ ist fertig. Ich habe gerne daran gearbeitet und viel dabei gelernt. Sonntag vor acht Tagen habe ich das Stück bei Frau Lou [= Lou Andreas-Salomé – H.J.G.] vorgelesen und nun übersehe ich erst klar und kann mir nicht verhehlen, daß seine Aufführung hier nicht ohne Gefahr ist, denn viele Gestalten sind stark an die Grenze der Übertreibung geführt, und es ist leicht möglich, daß das hiesige Publikum sie für Karikaturen hält, obwohl sie ernst gemeint und empfunden sind. Auch ist es auffallend, daß die drei Akte mit den langen Gesprächen kaum einen Fortschritt enthalten, und daß während ihres Verlaufes die handelnden Personen leichthin im Stil einer Komödie entworfen werden, in schwachen andeutenden Konturen – bis im letzten Akt die bewegte Handlung als Schlußkatastrophe von Ereignissen erscheint, in deren Stürmen andere Personen als die, welche wir aus den drei Akten ungefähr kennen, gestanden haben müssen. Faßt man die handelnden Gestalten im Sinne der ersten Akte auf, nämlich komödienhaft, so sind sie unfähig, den IV. Akt zu betreten, andererseits glaube ich kaum, daß man mit einer ernsten Auffassung durch die zögernden Szenen jenes ersten Teils wird durchkommen können.[12]

Rilke benennt hier die Crux jeder Čechov-Aufführung: Komik und Ernst in das richtige Gleichgewicht zu bringen. In dieser Hinsicht setzt in der *Möwe* der Selbstmord Treplevs einen besonders krassen Akzent. Nebenbei sei vermerkt, dass Rilkes Übersetzung der *Möwe* bislang als verschollen gilt.

Will man die Schwierigkeit, die Rilke in aller Kürze skizziert, poetologisch auf den Begriff bringen, so bietet es sich an, von „falschen Fährten“ zu sprechen. Čechov setzt falsche Fährten in der *Möwe* systematisch ein. Ein solches Verfahren scheint allerdings auch für die Detektivgeschichte zu gelten. Man denke an Edgar Allan Poes *Die Morde in der Rue Morgue* (The Murders in the Rue Morgue, 1841): Indizien weisen zunächst in die falsche Richtung, bis sie, am Ende, den wahren Zusammenhang belegen. Im Durchgang durch falsche Fährten kommt es zur richtigen Lösung. Čechovs falsche Fährten sind völlig anderer Art. Sie unterlaufen literarische Teleologie überhaupt. Das heißt: Sie konstituieren keinen Zusammenhang, der zunächst unsichtbar ist und schließlich sichtbar wird. Sie lassen vielmehr eine Kohärenz erwarten, die sich dann nicht einstellt. Darin sind sie Merkmale „experimentellen“ Erzählens, denn „ausprobiert“ werden von Čechov die Möglichkeiten anti-literarischer Konstruktionen.

Nina wird in Trigorins Tagebuch zum Element eines tragischen Sinnentwurfs, den Čechov mit dem tatsächlichen Fortgang seines Stücks nicht einlöst. Die Arkadina bleibt auch angesichts des Selbstmordversuchs ihres Sohnes und noch über das Ende des Stücks hinaus als mondänes Monstrum in ihrem narzisstischen Futteral stecken: Ihre Entwicklungsfähigkeit in reger Hysterie trotzt jeder menschlichen Anwandlung. Bei der Zeichnung der Arkadina ist die explizite Anspielung auf Shakespeares *Hamlet* die falsche Fährte. Denn weder ist sie eine Gertrude, noch ist ihr Sohn Treplev ein Hamlet, noch kann ihr Liebhaber Trigorin als ein Claudius gelten. Kurzum: „Literatur“ taugt nicht dazu, das „Leben“ zu erklären. Alle Sinnentwürfe, in denen literarische Teleologie ihren Ort hat, werden von Čechov als Illusionen gekennzeichnet. Das ist die Substanz, aus denen sein experimentelles Erzählen hervorgeht. Einer konventionellen Hermeneutik wird in der *Möwe* der Boden entzogen. Tiefsinn bleibt Anschein. Der Lauf der Dinge kennt keine immanente Schlüssigkeit.

---

[12] Rilke und Rußland. Briefe, Erinnerungen, Gedichte. Hg. Konstantin Asadowskij. Frankfurt/M. 1986, S. 129f.

Literatur

Brühl, Christine Gräfin von: Die nonverbalen Ausdrucksmittel in Anton Čechovs Bühnenwerk. Frankfurt/M. 1996 (= Europäische Hochschulschriften. Reihe 16: Slawische Sprachen und Literaturen, Bd. 52).
Bruford, Walter Horace: Chekhov and His Russia. A Sociological Study [1948]. London 1974 (= International Library of Sociology and Social Reconstruction).
Bunin, Ivan: O Čechove. In: Ivan Bunin: Sobranie sočinenij v 9 tt. Moskva 1965-67. T. 9, S. 167-250.
Deppermann, Maria: Onkel Wanja. In: Interpretationen. Tschechows Dramen. Hg. Bodo Zelinsky. Stuttgart 2003, S. 147-161.
Dlugosch, Ingrid: Anton Pavlovič Čechov und das Theater des Absurden. München 1977 (= Forum Slavicum, Bd. 42).
Gerigk, Horst-Jürgen: Kontingenz. Anton Čechov: „Meine Frau". In: Horst-Jürgen Gerigk: Entwurf einer Theorie des literarischen Gebildes. Berlin, New York 1975, S. 76-79.
Grob, Thomas: Die inszenierte Kluft zwischen Kunst und Leben. Čechovs *Čajka* als metafiktionaler Text. In: Zeitschrift für slavische Philologie 55 (1995/96), S. 264-289.
Kluge, Rolf-Dieter: Anton P. Čechov. Eine Einführung in Leben und Werk. Darmstadt 1995.
Rilke und Rußland. Briefe, Erinnerungen, Gedichte. Hg. Konstantin Asadowskij. Frankfurt/M. 1986.
Rothe, Hans: Tschechow oder Die Entartung der Kunst. Opladen 1990 (= Rheinisch-Westfälische Akademie der Wissenschaften. Vorträge G 306).
Schopenhauer, Arthur: Von der Nichtigkeit und dem Leiden des Lebens. In: Arthur Schopenhauer: Die Welt als Wille und Vorstellung. Zweiter Band, welcher die Ergänzungen zu den vier Büchern des ersten Bandes enthält. Kapitel 46. In: Arthur Schopenhauer: Sämtliche Werke. 7 Bde. Hg. Arthur Hübscher. Wiesbaden 1948-50. Bd. 3.
Selge, Gabriele: Anton Čechovs Menschenbild. Materialien zu einer poetischen Anthropologie. München 1971 (= Forum Slavicum, Bd. 15).

Ruth Wyneken

Gedanken zu einer theaterpraktisch orientierten dramaturgischen Strukturanalyse am Beispiel von Anton Čechovs Stück *Die Möwe*

Die folgenden Ausführungen erheben keinen Anspruch auf Vollständigkeit, sie wollen lediglich einen methodischen Ansatz skizzieren, der im Unterschied zu einer rein literaturwissenschaftlichen Behandlung den praktischen Aspekt einer Umsetzung des Stücktextes auf der Bühne im Blick hat. Die hier benutzten Begriffe folgen der bis heute gebräuchlichen Terminologie der russischen Theaterschule, die von K.S. Stanislavskij und seinen Nachfolgern praktisch und theoretisch systematisiert wurde.[1] Eine dramaturgische Strukturanalyse – und erst recht eine im Hinblick auf den Schauspieler erfolgende Analyse der „Handlungen" – stellt in den Mittelpunkt der Forschungsarbeit, so paradox es auch zunächst klingen mag, nicht die Psychologie der Personen, sondern ihre Funktion als Rolle in einer Stück-Komposition, ihre Ziele und Handlungsabsichten (was will ich als Figur, welches Ziel – bewusst oder unbewusst – verfolge ich?); sie erforscht also die „strukturelle" Bewegung der Figuren, sowie die „Kette der Ereignisse", sie bestimmt Art und Stellenwert der Konflikte und die damit verbundenen Themen. Der psychologische Aspekt der Personen ist dem untergeordnet und sozusagen eine Folgeerscheinung. Wichtiger ist die *obraznost'*, was meint, dass die Personen Träger von bestimmten Ideen sind, die sie verkörpern, die sie mit- und gegeneinander ausfechten, aber auch die poetische Bildersprache überhaupt. Bereits Stanislavskij erkannte, dass eine detaillierte psychologische Analyse für Čechovs Stücke vernichtend sei, und sprach bei ihm von „poetischem Realismus".[2] Später zog er in seiner Deutung sogar Parallelen zu Brechts epischem Theater, in dem auch immer etwas ungesagt, offen bliebe.

Wie geht man nun am besten vor, wenn man einen dramatischen Text vor sich liegen hat, der auf der Bühne zum Leben erweckt werden soll? Zunächst ist es empfehlenswert, die Frage nach dem Hauptthema des Stückes zu klären, das den Autor veranlasste, das Stück überhaupt zu schreiben, ungeachtet dessen, ob dies bewusst oder unbewusst erfolgte. Bei der *Möwe* fällt sofort ins Auge, dass alle Figuren – selbst Polina Andreevna, wie sich im 4. Akt kurz zeigt – ein bestimmtes Verhältnis zur Kunst haben oder selbst Künstler sind, so die Hauptfiguren Kostja Treplev, Nina Zarečnaja, Arkadina und Trigorin, die untereinander konflikthaft verbunden sind, und zwar in ihren Auffassungen und Lebensweisen. Als Hauptthema kristallisiert sich also heraus: das Leben in/mit der Kunst (selbstverständlich wird eine solche Hypothese im Laufe der Arbeit stets überprüft). Was als zentrales Thema definiert wurde, muss nun vom Schauspieler als oberste Aufgabenstellung, als „Überaufgabe"[3], im Spiel berücksichtigt werden. Alles wird daran ausgerichtet: Text, Aktionen, Körperausdruck, Spielhaltungen usw. Als Beispiel mag der kleine Dialog zwischen Nina und Kostja im 1. Akt vor der Aufführung dienen: Bei Berücksichtigung der Überaufgabe „Kunst" findet hier ein Dialog zwischen zwei Künstlern statt und nicht ein Dialog zwischen Laien oder Dilettanten. Das macht für die Schauspieler einen großen Unterschied und für die Sichtweise auf den Text auch.

> Nina. Ihr Stück hat keine lebendigen Personen.
> Kostja. Lebendige Personen! Man muss das Leben nicht darstellen, wie es ist, und nicht, wie es sein soll, sondern so, wie es einem im Traum (*mečta*) erscheint.

---

[1] Dazu siehe v.a. die unten genannten Schriften von Marija Knebel', Anatolij Vasil'ev und Jurij Alschitz.
[2] Boris Zingerman: Teatr Čechova i ego mirovoe značenie. Moskva 2001, S. 285.
[3] Marija O. Knebel': O dejstvennom analize p'esy i roli. Moskva 1961, S. 34 ff.

Nina fordert von seinem Stück, was Kostja im vorherigen Dialog mit Sorin (der Dialog stellt Kostjas Manifest über seine Kunstauffassung dar) einseitig als Darstellung des platten Alltags (*byt*) oder gar des Illusionstheaters in der Kunst versteht und heftig verwirft („[...] wie die Leute essen, trinken, lieben, herumlaufen, ihre Westen tragen; [...] wenn sie mir in tausendfachen Varianten immer dasselbe vorsetzen, [...]“). Er will eine andere Dimension auf der Bühne, er sucht das Erlebnis des *bytie*, den Bereich der abstrakten Ideen. Darin wird er vom kunstsinnigen Dorn unterstützt, aber auch vorsichtig korrigiert.

> Dorn. [...] das muss auch so sein, weil ein Kunstwerk unbedingt einen großen Gedanken ausdrücken muss. Schön ist nur, was ernst ist.

Kostja plädiert für ein rituelles Theater, wo die Zeit der Natur – wenn der Mond aufgeht – sich mit der Zeit des Theaters deckt, in dem die Figur des Schauspielers nicht den gleichen Stellenwert besitzt wie im psychologischen Theater. Der Schauspieler soll bei ihm Priester sein und nicht „Routinier“: nicht das körperliche Leben ist wichtig, sondern das spirituelle. Diese Position vertrat auch Stanislavskij (die Suche nach dem „geistigen Leben des Menschen“[4]), solange er noch nicht in die Zwänge der sowjetischen Ideologie geriet. Verfolgen wir Kostjas Forderung weiter, dann stoßen wir auf eine Kunstauffassung von Malern wie Magritte oder Max Ernst: der Mensch im Ausschnitt der unbegrenzten Natur, eine Komposition, die nicht im Rahmen vollendbar ist.

Um ein Stück weiter für die Bühne zu erschließen, ist es wichtig, das „Ausgangsereignis“ zu finden und zu bestimmen. Ein Ereignis wird im russischen Theater definiert als ein Vorkommnis, das den Handlungsverlauf verändert. Stanislavskij spricht von „wirksamen Fakten“ (*dejstvennye fakty*)[5]; es ist immer mit einem „Wendepunkt“ verbunden, den der Schauspieler wie einen Knoten durchläuft und dabei seine Spielrichtung, den Vektor ändert. Es gibt bedeutende (das wichtigste ist das sog. Hauptereignis, die Kulmination des Stückes) und weniger wichtige Ereignisse, die der Schauspieler jedoch alle genau kennen muss, und die ihm, als „Kette der Ereignisse“ verknüpft, eine sichere Struktur für sein Spiel geben. Das Ausgangsereignis ist nun dasjenige, das die Handlung in Gang setzt, die Figuren ins Spiel stößt. Es liegt zeitlich gesehen stets vor Beginn des Stückes. In Gogol's *Revisor* wird das Ausgangsereignis im ersten Satz enthüllt. In der *Möwe* erschließt es sich im Laufe des 1. Aktes. Verschiedene Figuren sind auf dem Landgut von Sorin versammelt. Was sie jedoch in die folgenden konfliktreichen Verwicklungen treibt, was die Geschehnisse in Gang setzt, ist die Tatsache, dass der junge Konstantin Treplev ein Stück geschrieben hat (zeitlich vor Beginn des Stückrahmens), dessen Aufführung unmittelbar bevorsteht und von allen mit Spannung erwartet wird.[6] Dies gilt als Ausgangsereignis für den 1. Akt und für das gesamte Stück, sofern man Treplev als Hauptperson bestimmt. Dafür sprechen viele Gründe, auch wenn auf der Hand liegt, dass er in Nina seine große Gegenfigur hat – nicht etwa in Arkadina, wie sich im Laufe der Untersuchung herausstellen wird.

Das Ausgangsereignis ist für einen Schauspieler von großer Bedeutung, denn ohne seine Bestimmung findet er weder die nötige Energiequelle für das beginnende Spiel noch seine Handlungsaufgaben und Ziele. Das gilt in Bezug auf das gesamte Stück ebenso wie für jeden einzelnen Akt, jede einzelne Szene und sogar jeden Satz, sowie für jede der Rollen gesondert. Je minutiöser und feiner ein Stück analysiert wird in der Bestimmung der Ereignisse, desto präziser, differenzierter und interessanter wird sich das Spiel gestalten.

---

[4] Dieter Hoffmeier: Stanislavskij. Auf der Suche nach dem Kreativen im Schauspieler. Stuttgart 1993, S. 256; Vasilij Toporkov: Stanislavskij bei der Probe. Hg. Dieter Hoffmeier. Berlin 1997, S. 247; Jurij Alschitz: Die Vertikale der Rolle. Berlin 2003, S. 30ff.

[5] Vgl. Knebel', S. 28ff.

[6] In der Filmdramaturgie wird das „Ausgangsereignis“ als „inciting incident“ bezeichnet, mit dem die „Heldenreise“ beginnt und den Lauf des normalen Alltags durchbricht.

Als weiteres Beispiel mag in diesem Zusammenhang noch die Bestimmung des Ausgangsereignisses für den 4. Akt dienen. Nach zwei Jahren treffen die Figuren – wie im 1. Akt – auf dem Gut zusammen, weil Sorins Gesundheitszustand Anlass zur Sorge gibt. Dieser Grund gilt für fast alle, jedoch nur indirekt für Trigorin und keinesfalls für Nina, die aus ganz anderen Gründen heimlich, im Schutze der Nacht, bei Kostja auftaucht. Warum und wozu erscheint sie, und warum erschießt sich Kostja wenig später? Wegen des schlechten Zustands seines Onkels sicher nicht. Der Grund seines Selbstmordes hängt mit Nina zusammen (der Selbstmord wird hier als das finale Ereignis verstanden, das, wie andere wichtige Ereignisse in der *Möwe*, außerhalb des Stückrahmens stattfindet und nur sein „Echo" auf die Bühne wirft). Mit einigem detektivischen Gespür und genauem Lesen des Textes finden wir heraus, dass Nina am Vorabend des aktuellen Geschehens an den See, zur Stätte ihres einstigen Debüts als Schauspielerin gekommen war („Gestern war ich spät am Abend im Garten, um zu sehen, ob unser Theater noch steht [...]"), und dort nach zwei Jahren zum ersten Mal wieder weinen konnte: ein Hinweis darauf, dass sich etwas löst, eine Wende einsetzt, eine neue Richtung eingeschlagen wird. Nina besucht also den Ort ihrer Initiation (das Ausgangsereignis für den 4. Akt), und kann danach erst aus freien Stücken Kostja aufsuchen, den sie vorher mehrfach abgewiesen hat, mit dessen Stück für sie alles begann und dessen Muse sie damals war. Und sie wird von hier aus ihren Weg weitergehen, nichts wird sie mehr aufhalten. Ohne Ninas Erscheinen und das anschließende Gespräch mit Kostja würde hinter der Bühne kein Schuss fallen, Arkadina, Trigorin, Dorn und alle anderen würden den Abend Karten spielend und Wein trinkend beenden. Wieder ist es Nina, die die Ereignisse in Gang setzt, die als eigentliche Unruhestifterin, als „troublemaker" in diesem 4. Akt und letztlich im ganzen Stück agiert. Das im Einzelnen zu belegen, geht hier zu weit, es kündigt sich aber bereits im 1. Akt an. An dieser Stelle mag genügen, den 3. Akt auf diese Aussage hin zu prüfen: Kostja wird hier als der große Unruhestifter gezeigt und benannt. Der eigentliche Grund für seine Rebellion, seinen verunglückten Selbstmord, seine rasende Eifersucht auf Trigorin usw. ist aber Ninas Abwendung von ihm und ihre Hinwendung zu Trigorin, ihre Veränderung. Das heißt, die Unruhe des 3. Aktes (des Krisenaktes) hängt primär mit ihrer Figur zusammen, obwohl sie auf der Bühne weniger physische Präsenz und weniger Text hat als Kostja.

Nebenbei soll darauf hingewiesen werden, wie fein Čechov immer wieder kompositorische Parallelen oder gegenläufige Bewegungen der Figuren gestaltet: Im 4. Akt zeichnet er die zunächst spiegelbildliche Bewegung Ninas in Trigorins Figur, der ebenfalls nicht wegen Sorins Siechtum auf das Gut zurückkehrt, sondern mit der Absicht (als Begleiter Arkadinas), den Ort am See für sein „interessantes Sujet" wieder aufzusuchen. Die Möwe allerdings – Ninas Pseudonym und symbolhaftes Bild für ihre Figur –, die mit diesem Ort verbunden ist, hat er vergessen. Seiner künstlerischen Methode, Menschen als Objekte für seine Erzählungen zu nutzen, ist er indes treu geblieben.

Im 4. Akt entscheiden sich die Konflikte, entscheidet sich das Stück, von der Überaufgabe her gesprochen. Das Hauptereignis hängt stets mit dem Ausgangsereignis zusammen. Konstantin Treplev, der mit dem Anspruch auf neue Formen mit seinem Text in das Stück eintritt, knüpft seine Kunstauffassung, sein „Leben in der Kunst" ausschließlich an die Liebe Ninas (Kunst geht durch Liebe). In dem Moment, wo er erkannt hat, dass es nicht um neue oder alte Formen geht, sondern um das „freie Strömen" aus der Seele, klopft es, und Nina erscheint zum letzten, klärenden Gespräch. Nina, die ihren Weg in die Kunst suchte und als Muse von Kostja ihren Anfang nahm, wendet sich danach unwiderruflich von ihm ab und geht ihren Weg allein weiter mit der Erkenntnis, die Hauptsache sei nicht der Ruhm und der Glanz, sondern die Fähigkeit, „ertragen zu können" und zu „glauben" (Kunst geht durch den Glauben). Sie verwirklicht ihren Traum, im Gegensatz zu Kostja.

> Nina. Trage dein Kreuz und glaube. Ich glaube [...] und wenn ich an meinen Beruf denke, habe ich keine Angst mehr vor dem Leben.

Kostja *(betrübt)*. Sie haben Ihren Weg gefunden, Sie wissen, wohin Sie gehen, ich dagegen treibe immer noch im Chaos der Träume und Bilder, ohne zu wissen, wozu und wer das braucht. Ich habe keinen Glauben und weiß nicht, worin mein Beruf besteht.

Nach diesem entscheidenden Gespräch mit Nina zerreißt Konstantin alle seine Manuskripte und geht ab, um sich zu erschießen, in der Gewissheit, gescheitert zu sein. Die eben zitierte Textpassage betrifft die Zone des Hauptereignisses, die Kulmination des Stückes. Ob ein Regisseur das Hauptereignis nun an dieser Stelle im Dialog szenisch akzentuiert oder an der Stelle unmittelbar nach dem Dialog mit Nina, wo Kostja seine Werke zerreißt, liegt in seinem Ermessen. Als Träger einer bestimmten Idee, auf deren Gefahren bereits Doktor Dorn den jungen Rebellen nach dessen misslungener Uraufführung aufmerksam gemacht hat (1. Akt: „Dorn. Sie müssen wissen, wofür Sie schreiben, sonst, wenn Sie diesen malerischen Weg ohne bestimmtes Ziel gehen, werden Sie sich verirren und Ihr Talent wird Sie ins Verderben stürzen."), erkennt Konstantin jedenfalls, dass er in eine ausweglose Position geraten ist, denn sein Ziel hat er nicht gefunden.

Wichtig scheint mir in diesem Zusammenhang noch, dass das wichtigste Konfliktthema vor allem am Beispiel der beiden Hauptfiguren transportiert wird: Erstarrung/Stillstand/Tod versus Bewegung/freies Strömen/Leben. Konstantin vertritt, wie sein Name schon verrät, das Konstante, er fühlt sich, als hätte er einen „Nagel im Hirn", er ist derjenige, der nicht aufbricht, nachdem er Honorare erhält für seine Erzählungen, obwohl das mangelnde Geld früher als Grund fungierte, nicht weggehen zu können aus der Provinz. Er ist einer, der die Bewegung des Lebens stets anhalten will um einer fixen Idee willen und der keine Veränderungen akzeptiert – das wird immer wieder deutlich, u.a. im 3. Akt in der Szene mit Arkadina, wo er, unpassend für sein Alter, auf einer Mutter-Kleinkind-Position beharren will. Nina Zarečnaja hingegen, die Figur, die von „jenseits des Flusses" kommt, ist stets in Bewegung, in Veränderung begriffen, auf dem Weg, auch wenn er Schicksalsschläge bereithält. Sie bricht mit ihrem Elternhaus, verlässt es ohne finanzielle Mittel, folgt ihrer Berufung selbst nach dem Tod ihres Kindes und dem Scheitern ihrer Beziehung zu Trigorin. Sie ist damit die Figur mit der positivsten Veränderung und hoffnungsvollsten Entwicklung im Stück, trotz ihres Leides. Arkadina und Trigorin, die zwar äußerlich viel in Bewegung sind (Gastspiele, Reisen etc.), machen innerlich keine Veränderungen durch, sie bleiben bei ihrer Kunst- und Lebensauffassung, die sie längst konserviert haben. Metaphorisch wird das Thema „Bewegung/Stillstand" in der symbolhaften Behandlung der Tiere im Stück verdichtet: die Möwe, die von Konstantin erschossen, deren freier Flug gewaltsam unterbrochen wird; die Pferde als Bild der Fortbewegung, deren Herausgabe der Gutsverwalter Šamraev mit fadenscheinigen Argumenten immer wieder verweigert. Auch der Hund bleibt bei ihm an der Kette. Šamraev verstärkt damit äußerlich, hypertrophiert und leicht karikiert, in seiner Rollenfunktion die inneren Positionen Arkadinas, Trigorins, aber teilweise auch Kostjas: Wie ein grobschlächtiger Türschließer leugnet er, dass Leben Bewegung, Veränderung bedeutet (seine Handlungsabsicht: bremsen, verhindern, konservieren), seine Äußerungen zur Kunst sind stets der Vergangenheit verhaftet, und er ist derjenige, der die Möwe ausstopfen, konservieren lässt. Dieses Thema wird auch mit anderen Figuren in verschiedensten Nuancen durchgespielt. Maša zum Beispiel verändert ihre Position nur äußerlich, indem sie Mevedenko heiratet und vom Gut wegzieht, ihre Liebe und Sehnsucht gilt aber nach wie vor, wenn nicht sogar stärker, Kostja; im 4. Akt weicht sie kaum von seiner Seite.

Natürlich gibt es weitere kontroverse Themen, die über die Figuren im Stück verkörpert werden (Künstlichkeit/Wahrhaftigkeit; Wachsein/Schlaf; Liebe/Nichtliebe; Realisierung/Nichtrealisierung von Träumen; Einsamkeit/Geselligkeit; Arbeit/Untätigkeit u.a.m.), die bei einer Inszenierung sehr genau ausgearbeitet werden müssen.

Čechov gestaltet in seinem Stück mit den Figuren eine Kette von Dreiecksbeziehungen, die trotz ihres Strebens oder ihrer Wünsche keinerlei Harmonie zustande bringen, im Gegenteil, die Beziehungen brechen sinnlos auseinander, obwohl für alle Personen und Auffassungen Raum genug wäre, seien sie nun Konservative oder Avantgardisten, Verfechter des Realismus, Naturalismus, Symbolismus, Impressionismus oder des Shakespeare-Theaters. Alle diese Stilrichtungen werden von Čechov bedient oder von seinen *personae dramatis* erwähnt.

In der Drehachse, in gewisser Distanz zu den virulenten Konflikten, steht Sorin, der sieche und immer wieder einschlafende „Möchtegern-Künstler". Um ihn herum kreisen, räumlich vorgestellt, in Dreiecksbeziehungen:

1) Šamraev – Polina Andreevna – Dorn.
2) Polina Andreevna – Dorn (der einst auch Liebhaber von Arkadina war) – Arkadina.
3) Dorn – Arkadina – Trigorin.
4) Arkadina – Trigorin – Nina.
5) Trigorin –Nina – Kostja.
6) Nina – Kostja – Maša.
7) Kostja – Maša – Medvedenko.

Im Mittelpunkt stehen die sich spiegelnden Dreiecksverhältnisse 4) und 5).

Die Figuren der ersten Dreiecke sind leicht ins Komische überzeichnet (Šamraev, Polina, Dorn, teilweise auch Arkadina und Trigorin), die Letzteren spielen eher die Tragödie: Kostja, flankiert vom Engel des Lebens in Weiß (Nina) und dem Engel des Todes in Schwarz (Maša), wobei der tragisch gefärbte Kreis mit Medvedenko wieder ans Komische grenzt.

Im Kontrast zu den zerbrechenden eckigen menschlichen Verbindungen stehen die harmonischen runden Formen, die Čechov in der Natur zeichnet: der See, die aufgehende Mondscheibe. Seine Sehnsucht nach Harmonie von Mensch und Natur, von Kunst und Leben, von Wissenschaft und Spiritualität, wird in diesem Stück evident. Davon zeugt auch das rätselhafte Stück-Fragment, der „Monolog der Weltseele", den Čechov dem jungen Konstantin Treplev zuschreibt und der von Nina gespielt wird. Irgendwann, nach einer Zeit, die nicht nach menschlichem Zeitmaß gemessen wird, sondern nach kosmischem (in 200.000 Jahren), wird der Widerspruch zwischen Materie und Geist, zwischen Inhalt und Form in Harmonie aufgelöst sein.

Wie hinreichend bekannt, endet die Aufführung von Kostjas Stück, der Endzeitstimmung verbreitende Monolog über die „Weltseele", mit einem Desaster, oder, modern ausgedrückt: mit einem Premierenskandal. Vor allem Arkadina als Vertreterin des Illusionstheaters ist entrüstet über die „Dekadenz" des Werkes und die Prätention auf neue Formen der Kunst. Es ist tatsächlich alles andere als einfach, dieses Stück im Stück für die Bühne umzusetzen. Häufig wird es – in Deutschland durchaus üblich – als Parodie verstanden, was bei oberflächlicher Betrachtung verständlich ist, meiner Meinung nach das Fragment aber nicht erschließt, sondern ins Lächerliche verzerrt und seine Wirkung damit verspielt. Ich möchte keinesfalls leugnen, dass Čechov hier Humor mit ins Spiel bringt, am Kern des Textes aber geht eine derartige Umsetzung wohl vorbei. Sie würde sich lediglich die Sichtweise Arkadinas zu eigen machen. Im russischen Symbolismus, mit dem Čechov bekannt war, wurden natürlich „dekadente" Themen des Niedergangs, einer verfallenden Kultur, behandelt. Der russische Theaterwissenschaftler Boris Zingerman findet denn auch thematische Parallelen zur Philosophie Vladimir Solov'evs und Dmitrij Merežkovskijs Roman *Smert' bogov* (Götterdämmerung) genauer: zu den Ausführungen seines Protagonisten Jamvlik über die Weltseele:

Текст, написанный Константином Треплевым, напоминает о некоторых эсхатологических мечтательных умонастроениях, характерных для философских сочинений Вл. Соловьева 90-х годов и для первого поколения русских символистов.[7]

Der von Konstantin Treplev geschriebene Text erinnert an einige eschatologische, träumerische Denkrichtungen, die für die philosophischen Werke Vl. Solov'evs in den 90er Jahren und für die erste Generation der russischen Symbolisten charakteristisch waren.

Der erste Philosoph, der den Begriff „Weltseele", weit vor Solov'ev oder Merežkovskij benutzte, war jedoch Platon in seinem Werk *Timaios.* Platon spricht hier von der Weltseele als der Bewegerin der Welt, die alles Körperliche und seine Elemente enthalte und alles erkenne. Herder und Goethe sprechen einige Jahrhunderte später von einem „Weltgeist", der wollend, erkennend und schaffend die Welt organisiere, in der Romantik, bei Schelling, ist wiederum die „Weltseele" das unbewusst schaffende Prinzip, das die gesamte Natur zu einem allgemeinen Organismus verknüpft.[8] Der Sprung von Platons „Weltseele" zum griechischen Mythos von der Erdenmutter Demeter (lat. Ceres) und ihrer Tochter Persephone (lat. Proserpina) ist nicht groß. Dieser Mythos handelt vom Sterben der Seele und ihrer Wiederauferstehung: Demeter verliert ihre Tochter Persephone an den Hades. Persephone muss sich durch die Tiefe des Erdendunkels hindurcharbeiten, um sich verwandelt mit der Mutter wieder vereinen zu dürfen und das Geisteslicht zu erblicken. Eduard Schuré zeigt, dass Platon mit den Mysterien von Eleusis, die diesen Mythos zum Inhalt hatten, gut vertraut war.[9]

Dieser antike Mythos ist eine der möglichen schlüssigen Deutungen des rätselhaften Textes von Treplev, die auch insofern passt, als die Vertreter der Dekadenz sich nicht selten den antiken Stoffen zuwandten. Darüber hinaus macht das Theater im Freien, das Kostja errichten lässt, mit der Natur als Kulisse, durchaus Anleihen beim alten griechischen Theater. Wobei nicht zu vergessen ist, dass Čechov stets mit einem Augenzwinkern dabei ist, der Text, wie schon erwähnt, auch von Humor durchzogen ist. Ob nun symbolistisch gedeutet oder nach griechischem Mythos, liegt in der Entscheidung des Regisseurs und seiner künstlerischen Konzeption. Eine weitere Lesart und damit eine Möglichkeit, diesen Text spielbar zu machen, ohne ihn ins Lächerliche zu ziehen, den Spagat zwischen Ernst und Leichtigkeit zu vollziehen, ergibt sich, wenn man sich strikt an die bereits erwähnte Überaufgabe hält und den ganzen Text im Hinblick auf Kunst, auf das Theater spielt. Das heißt, der Schauspieler hält über diesen monologischen Text seinen „Dialog mit dem Theater" und seinen Anforderungen. Dass dies möglich ist, wurde in praktischer Arbeit von der Verfasserin geprüft.[10] Grob skizziert, besteht der Stücktext „Menschen, Löwen, Adler ..." (Monolog der Weltseele) aus vier Teilen; er handelt von:

1) der sinnlichen Welt, mit der Theater, mit der Kunst immer zu tun hat;
2) der seelischen Welt (die Weltseele; die sich bei jeder Aufführung in eine andere Figur verwandelnde Seele des Schauspielers: *in mir ist die Seele Alexanders des Großen und Cäsars, und Shakespeares, und Napoleons*), die Verschmelzung von menschlichem Bewusstsein und tierischem Instinkt;
3) die untersinnliche Welt, in der man sich verlieren kann; die „fahlen Feuer" einer künstlichen, illusionsverhafteten Kunstwelt, die sich unablässig verändert;
4) der seelische Endkampf, die Aussicht auf Überwindung des Gefangenseins und des Durchstoßens zur „Harmonie des Schönen" und dem „Reich des höheren Weltwillens", mit anderen Worten: ins Reich des „Wahren, Schönen, Guten" oder der ewigen Ideen. Ein Zustand, der im Alltag der Kunst, des Theaters, höchst selten gelingt.

---

[7] Zingerman, S. 314.
[8] Philosophisches Wörterbuch. Hg. Georgi Schischkoff. Stuttgart 1965, S. 465, 640.
[9] Eduard Schuré: Die großen Eingeweihten. Bern, München, Wien 1989, S. 344, 346 ff.
[10] „Directors Masterclass" von Prof. J. Alschitz (Akt.Zent, Intern. Theaterstudio Berlin), November 2004.

Da der Blickpunkt in diesem Text sehr hoch, in kosmischer Höhe, angesetzt ist, erscheint der Mensch mit seinen Problemen winzig. Wir kennen die Gesetze des Kosmos, die Gesetze der Schöpfung nicht, wir meinen nur, sie zu kennen. Čechov setzt auch den künstlerischen Standpunkt sehr hoch an, und es ist nicht verwunderlich, dass die *Möwe* bei ihrer Uraufführung 1896 im St. Petersburger Aleksandrinskij Theater, wie ihr Protagonist, mit einem Premierenskandal endete, ungeachtet der bekannten Umstände, wie der unzulänglichen Regie- und Schauspielarbeit und der neuartigen Dramaturgie. Čechov stellt provokante, bis heute aktuelle Fragen mit diesem Stück, mit seinen Figuren: Wer bin ich? Woher komme ich? Wohin gehe ich? Was tue ich? Was für ein Wissen habe ich? Was ist mein Theater (meine Mission)? Und dabei kennt er völlig nüchtern den Verdauungsapparat des Menschen auch von innen.

Es gäbe noch viel auszuführen zu diesem Stück, allein die intertextuellen Bezüge zu Shakespeare-Stücken, zu Molière und Maupassant und die verwandten Motive in Stücken von anderen Autoren sind einen eigenen Beitrag wert und nicht erschöpfend erforscht. Ein Ausloten der Vielfältigkeit und Tiefe der Čechovschen Texte wäre besonders wünschenswert im Hinblick auf die in deutschen Theatern meist einseitige und flache Behandlung seiner Stücke.

Zuletzt sei erwähnt, dass bei der Umsetzung eines Theatertextes mit Schauspielern die russische Theaterschule nicht nur von einer dramaturgischen, sondern auch von einer „Analyse der Handlungen" ausgeht, damit die Akteure wissen, wohin sie zu spielen haben (Richtung, Vektor des Handelns) und was sie als Figur anstreben, wohin sie wollen. Handlung bedeutet hier in erster Hinsicht nicht einfach die physische Aktion, die z.B. im Text geschrieben steht, sondern die innere, die seelische Bewegung, die einen entsprechenden physischen Ausdruck zur Folge hat.[11] Angedeutet wurde diese andere Art der praktischen Aufgabenstellung bei den Ausführungen zu Šamraev, zu Nina und Kostja.

Ich möchte meinen Lehrern Anatolij Vasil'ev in Moskau/Lyon und Jurij Alschitz, Berlin, danken, dem Regisseur Viktor Terelja in St. Petersburg, der mich auf Schuré und den Mythos von Demeter und Persephone hinwies, sowie den Studenten der Theaterwissenschaft an der FU Berlin, mit denen ich das Vergnügen hatte, im Sommersemester 2005 an diesem Stück weiter zu forschen. Es handelt sich um ein „work in progress".

Literatur

Alschitz, Jurij: Die Vertikale der Rolle. Berlin 2003.
Hoffmeier, Dieter: Stanislavskij. Auf der Suche nach dem Kreativen im Schauspieler. Stuttgart 1993.
Knebel', Marija O.: O dejstvennom analize p'esy i roli. Moskva 1961.
Philosophisches Wörterbuch. Hg. Georgi Schischkoff. Stuttgart 1965.
Schuré, Eduard: Die großen Eingeweihten. Bern, München, Wien 1989.
Toporkov, Vasilij: Stanislavskij bei der Probe. Hg. Dieter Hoffmeier. Berlin 1997.
Toporkov, Vasilij: Anatolij Vasil'jev: Der literarische Text und die Improvisation. In: Anatolij Vasil'ev: Dem einzigen Leser. Hg. u. übers. v. Ruth Wyneken. Berlin 2003, S. 361-386.
Zingerman, Boris: Teatr Čechova i ego mirovoe značenie. Moskva 2001.

[11] Vasilij Toporkov: Anatolij Vasil'jev: Der literarische Text und die Improvisation. In: Anatolij Vasil'ev: Dem einzigen Leser. Hg. u. übers. v. Ruth Wyneken. Berlin 2003, S. 361ff.

Reinhard Lauer

Die drei Schwestern in Čechovs Sicht

Das dramatische Œuvre Anton Čechovs ist über 100 Jahre alt. Die vier großen Dramen – *Čajka, Djadja Vanja, Tri sestry* und *Višnevyj sad* – wurden zwischen 1895 und 1904 uraufgeführt. Sie bilden seit ihrem Erscheinen eine unaufhörliche Herausforderung und einen Maßstab für die theatralische Kunst. Abgesehen von Shakespeare gibt es wohl keinen Dramatiker, der so wie Čechov in immer neuen Anläufen neu interpretiert würde, der sozusagen eine immerwährende Modernität unter Beweis stellte. Mit besonderer Vorliebe arbeiten sich an ihm die heutigen dekonstruktivistischen Regisseure ab. Sie verlegen die Handlung der *Drei Schwestern* aus der russischen Provinzgarnison der 1880er Jahre in ein Altersheim der DDR – Gipfel der Tristesse! – oder lassen Skater über eine leere Bühne rasen.[1] Kann das funktionieren? Danach scheint das eigensinnige Autorentheater nicht zu fragen. Aber schon wäre denkbar, dass eine Aufführung mit historischer Werktreue mit einem Mal als der letzte Gag landet!

Allein, hier soll keine Theaterkritik getrieben werden, sondern aus literaturwissenschaftlicher Sicht rekonstruiert werden, welche künstlerischen Intentionen in Čechovs dramatischem Text, d.h. im literarischen Text, realisiert wurden, wie sich also die *Tri sestry* aus der Sicht ihres Autors ausnahmen. Aus den Daten der Entstehungsgeschichte und den Textverhältnissen lassen sich ziemlich eindeutige Schlüsse ziehen, wenn im Stück auch Keime zu Entwicklungen enthalten sind, die über den zeitgenössischen Rezeptionshorizont weit hinausgehen. Einige allgemeine Bemerkungen zum dramatischen Werk Čechovs seien vorangestellt.

1.

Das literarische Werk von Anton Pavlovič Čechov besteht aus erzählenden und dramatischen Werken. In ihrer literarischen Bedeutung stehen die einen den anderen nicht nach. Sicher ist, dass seine Erzählungen und Dramen zu den Höhepunkten nicht nur der russischen, sondern der Weltliteratur zählen.

Čechovs Werk kennt keine großen heroischen Gesten, keine Besessenheit und Megalomanie – es ist von Tolstoj oder Dostoevskij äonenweit entfernt. Vielmehr zeichnet es sich aus durch eine einzigartige Mischung von Heiterkeit und Skepsis, durch Klarheit der Beobachtung, des Stils und der Sprache; es behandelt den Alltag, die kleinen Dinge des Lebens. Doch für den, der Čechov zu lesen und zu deuten versteht, sind in seinem Werk alle geistigen, philosophischen, sozialen und politischen Grundfragen seiner – und wohl jeder anderen – Zeit vernehmbar. Bei der Beschäftigung mit Čechov darf man nicht außer Acht lassen, dass er praktizierender Arzt war, ein guter, engagierter Arzt. Daraus wohl erklärt sich sein Streben nach wissenschaftlicher, exakter Methode; Beobachtung, Beschreibung, Dokumentation sind sein Metier, er zielt auf Diagnose und Anamnese, es geht um die Wahrheit. Unübersehbar ist sein soziales Engagement; er will helfen, nicht nur im klinisch-medizinischen Sinne, sondern durch Verbesserung der sozialen Bedingungen, des Bildungswesens und der menschlichen Beziehungen, ohne sich Ideologien und Theorien zu verschreiben. Im Gegenteil: Die Ideologieferne ist das dritte wichtige Moment seiner künstlerischen Einstellung, wie Čechov immer wieder betont hat.

---

[1] Vgl. auch die Beiträge von Raffaella Fortarel und Gudrun Goes im vorliegenden Band (Anm. d. Hg.).

Die außerliterarischen Bedingungen wie auch literarischen Koordinaten der Zeit hätten an sich in Čechov am ehesten einen Naturalisten erwarten lassen. Ob er das wurde, soll am Ende dieser Ausführungen bestimmt werden.

2.

Čechovs dramatisches Schaffen setzte früh ein, mit dem wahrscheinlich in den Jahren 1877 bis 1879 in Taganrog geschriebenen Gesellschaftsdrama, das heute unter dem Titel *Platonov* bekannt ist. Dieses Werk wiederholt in vollem Maße den dramatischen Stil Ostrovskijs. Die folgenden Dramen der 1880er Jahre zeigen den Kampf Čechovs mit diesem Vorbild. Die Ablösung von Ostrovskij ist im Voranschreiten von der ersten zur zweiten Fassung der Dramen *Ivanov* und *Lešij* zu erkennen, Letzteres später in der vollständig umgearbeiteten Version bekannt als *Djadja Vanja*. Im Gegensatz zur konstruierten, jedoch in den Details realistisch ausgeführten Dramatik Ostrovskijs und der aus dem Leben gegriffenen, aller dramatischen Bedingtheiten ledigen Stücke Tolstojs ist in Čechovs *Onkel Vanja* der Verzicht auf Konstruktionen, Verwicklungen und Entwicklungen, auf „Handlung" im hergebrachten – aristotelischen – Sinne zu erkennen. Liebesbeziehungen werden nur in Ansätzen ausgeführt, sie gelangen nicht zur Auflösung oder Vollendung; der Versuch Onkel Vanjas, sich zu erschießen, gerät zur Farce. Das Stück endet damit, dass der Zustand wieder hergestellt wird, der zu Beginn des Stückes bestand, d.h. vor der Ankunft des Professorenehepaars. In Čechovs reifen Stücken „passiert" wenig, und was „passiert", ist unauffällig, alltäglich, belanglos; es wird vorgeführt in brüchiger Kommunikation. Charakter und Schicksal der handelnden Personen bilden sich in ihrer Vergangenheit und Zukunft, während die Gegenwart, also das eigentliche Bühnengeschehen, nur die Leere und Ziellosigkeit des Alltagslebens ausbreitet, dies allerdings in einer Fülle und Vollständigkeit der realistischen Details, die sonst nur der große Roman zu leisten vermag. Peter Szondi hat die treffende Formel geprägt:

> In den Dramen Tschechows leben die Menschen im Zeichen des Verzichts. Verzicht vor allem auf die Gegenwart und die Kommunikation kennzeichnet sie: Verzicht auf das Glück in der realen Begegnung.[2]

Diese Resignation, in der sich Sehnsucht und Ironie zu einer Haltung der Mitte verbinden, bestimme, nach Szondi, auch die Form der Dramen Čechovs:

> Verzicht auf die Gegenwart ist Leben in der Erinnerung und in der Utopie, Verzicht auf die Begegnung ist Einsamkeit.[3]

Diese Grundstruktur gilt für die vier großen Dramen Čechovs. Der Verzicht auf Kommunikation drückt sich aus im Aneinander-vorbei-Sprechen, in Monologen oder Selbstgesprächen und nicht zuletzt in den für Čechov so typischen Pausen. Diese Pausen sind ein „realistisches" Verfahren, denn auch in der wirklichen, lebendigen Gesprächsführung entstehen von Zeit zu Zeit Pausen, sei es des Nachdenkens, der Verlegenheit oder der Wortlosigkeit. Sie sind ein Grenzfall, eine Nullstelle des Redens; und sie markieren die Einsamkeit, in der Čechovs Personen befangen sind. Ohne Frage gibt Čechovs Dramaturgie der Pause besondere regietechnische Fragen auf, es scheint, dass mit ihnen zuerst der mit Čechov befreundete Regisseur Konstantin Stanislavskij fertig geworden ist.

---

[2] Peter Szondi: Theorie des modernen Dramas. Frankfurt/M. 1963, S. 32.
[3] Ebda.

Die dramatische Komposition war erstmals in *Čajka* gänzlich neu konzipiert – oder eigentlich aufgegeben worden. Die Eingangsszenen ließen über eine lange Strecke nicht erkennen, auf welche Konfliktlage sich der an die klassische Exposition gewöhnte Zuschauer überhaupt einzustellen habe. Ebenso wenig war auszumachen, auf welche Sinnkonstruktion das Geschehen zulaufen könnte, da sämtliche Bühnenfiguren mit ihren offenen oder latenten Konflikten herumliefen – wie die Hühner auf dem Hühnerhof. Aus dieser diffusen Anlage schälte sich dann doch ein konkretes Thema heraus, das die *Möwe* gar zum programmatischen Stück Čechovs machte: die Kunstproblematik, verquickt mit dem Generationsgegensatz.

Es gehört zu Čechovs künstlerischem Ansatz, die sozioökonomischen Verhältnisse seiner Zeit, der 1880er/1890er Jahre in Russland, also die wirtschaftliche Situation der kleinen Gutsbesitzer, Bewirtschaftungsformen und Ertragslage, kommerzielle Perspektive sowie ökologische Aspekte in den Stücken auszubreiten, was freilich eher beiläufig als aufdringlich geschieht. Der *nervus rerum* wird in den Stücken durchaus beim Namen genannt. In *Onkel Vanja* soll das Gut, in das Onkel Vanja und und seine Nichte Sonja all ihre Kraft investiert haben, verkauft werden. In den *Drei Schwestern* setzt Andrej Prozorov das väterliche Anwesen buchstäblich aufs Spiel: Er verpfändet es wegen seiner Spielschulden, ohne Rücksicht darauf, dass es den Geschwistern gemeinsam gehört (vgl. 13; 165, 171). Im *Kirschgarten* werden die prachtvollen Obstbäume gefällt, um einer Datschenkolonie zu weichen.

Das zeitgenössische Publikum hatte sich in den 1890er Jahren rasch auf die neue symbolistische Kunstrichtung eingestellt; es suchte bei der Aufnahme eines literarischen Werkes nach einer Bedeutung, die hinter der vordergründigen Information verborgen liegen musste. Genau diesen Erwartungshorizont drückt beispielsweise Gor'kij in einem Brief aus, den er nach einer Aufführung von *Djadja Vanja* 1898 an Čechov schrieb.[4] Čechovs Stücke kamen dem entgegen. Immer wieder musste es scheinen, als weise die Alltäglichkeit, die in seinen Dramen vorgeführt wurde, über sich hinaus, als sei mit ihr Bedeutsameres ausgesagt, als bestünden in ihnen zwei Ebenen: eine vordergründig-banale und eine hintergründig-bedeutsame. Immer wieder musste es scheinen, als erhielten bestimmte Gegenstände oder Requisiten über ihre pragmatische Funktion hinaus einen besonderen Sinn, stünden für irgendetwas anderes. Sie konnten als Symbol aufgefasst werden, also als Gegenstand oder gegenständliches Bild, das einen weiteren Bezugskreis erhielt. Bei Čechov werden innerhalb der Stücke bestimmte Gegenstände symbolisch aufgeladen: Das Herrenhaus in *Onkel Vanja* ist Symbol für das Opfer und das ungelebte Leben der handelnden Personen; der Wald ist Symbol für ein besseres Dasein in der Zukunft; die Afrika-Karte und der Vogelbauer stehen für Freiheit und Unfreiheit. Am deutlichsten tritt Čechovs Symbolkunst in der *Möwe* hervor. Das Symbol, die Möwe, wird – anders als bei den auf die Transzendenz zielenden Symbolisten – auf realistische Weise aufgebaut; es steht, recht interpretiert, für die Gesamtverhältnisse des Stückes. Zwar mag es anfangs so aussehen, als sei Nina, die junge Schauspielerin, die Möwe, die den ihr gemäßen Lebensraum sucht und unversehens „abgeschossen" wird. Der Sinnaufbau des Stückes indes beweist am Ende, dass die Möwe für alle steht – außer für Nina, die ihr Schicksal tapfer selbst in die Hand genommen hat.

Čechovs Beitrag zur russischen Dramatik und Dramaturgie bestand darin, dass er, über Ostrovskij hinausgehend, den Abbau „dramatischer Bedingtheiten" weiterführt. Insofern treffen naturalistische Charakteristika auf seine Stücke durchaus zu. Hier nämlich ist die „Natürlichkeit" der Vorgänge, die genaue Wiedergabe milieuhafter, stimmungshafter und sozialpsychologischer Details das entscheidende künstlerische Kriterium. Dabei kann sogar auf „klare" Sujet-, Dialog- und Charakterkomposition verzichtet werden. Im Gegensatz zu Tolstoj und der

[4] Brief an Čechov, geschrieben nach dem 8. Dezember 1898. Maksim Gor'kij: Polnoe sobranie sočinenij. Pis'ma v 24 tt. T. 1 (Pis'ma 1888–1899). Moskva 1997, S. 291. Gor'kij erkennt in *Djadja Vanja* und *Čajka* eine neue Art der dramatischen Kunst, die sich zum vergeistigten und tief durchdachten Symbol erhebe.

sozialpädagogischen Zielsetzung der engagierten Naturalisten unterlegt Čechov jedoch seinen Stücken keine wie auch immer geartete Tendenz. Vergangenheits- und Zukunftsprojektionen sind jeweils relativiert durch die schlechte Gegenwart. Andererseits werden auf der Figurenebene durchaus aktuelle Diskurse behandelt – sozusagen als authentische Details einer bestimmten, historisch-konkreten Wirklichkeit, doch keineswegs als „Autorenmeinung". Der Verzicht auf Gegenwart ist bei Čechov der Verzicht auf bewegte Handlung wie auf handlungsbewegende Charaktere; an ihre Stelle tritt die Darstellung der „schlechten Gegenwart". Diese aber wird bei Čechov immer mit größter Akribie herausgearbeitet als eine spezifische innere wie äußere „Situation".

Neben der Symbolisierung bestimmter Gegenstände ist die Lyrisierung der Sprache ein besonderes Kennzeichen seiner Stücke. Ohne diese beiden Verfahren wäre Čechov nur der pedantische Beobachter einer bestimmten gesellschaftlichen Sphäre, also ein Naturalist. Erst durch ihre symbolischen und lyrischen Qualitäten gewinnen seine Stücke ein komplexeres Bedeutungsparadigma, das einen größeren Spielraum für Interpretationen und szenische Realisierungen schafft – Kennzeichen großer literarischer Werke.

Zwischen den großen Stücken Čechovs bestehen manche Ähnlichkeiten. Alle spielen sie in der russischen Provinz, im Gutsbesitzermilieu; alle bringen ein Herrenhaus und seine Bewohner auf die Bühne; einige Personen reisen aus der Hauptstadt (Moskau) an und wieder dorthin zurück; Moskau ist als Kontrastfolie allenthalben spürbar. Die Konfliktlage ist und bleibt diffus; in allen Stücken wird eine gestörte Kommunikationsstruktur vorgeführt; das banale Geschehen lässt eine sinngebende Symbolschicht ahnen: Alle diese Momente sind in Čechovs schwierigstem Stück, den *Drei Schwestern*, mit besonderer Intensität ausgeführt.

3.

Das Stück *Drei Schwestern* wurde 1900, in der Zeit vom August bis zum Dezember, niedergeschrieben.[5] Man hat genauestens rekonstruiert, welche biographischen Ereignisse und Erfahrungen Čechov verarbeitet hat, wo er seine Kenntnisse über eine Garnisonsstadt in der Provinz, über die Offiziersgesellschaft und über das Duellieren gewonnen hat. Vieles deutet darauf hin, dass es sich um Gegebenheiten in der Stadt Voskresensk handelt, die Čechov 1884 kennen gelernt hatte.[6] Eine Besonderheit der Entstehungsgeschichte ist darin zu sehen, dass das Stück im Auftrag des Moskauer Künstlertheaters geschrieben wurde und dass sowohl der Intendant, Vladimir Nemirovič-Dančenko, als auch der Regisseur der Uraufführung, Konstantin Stanislavskij, starken Einfluss auf die dramaturgische Gestaltung nahmen. Da Čechov meinte, das Stück sei „langweilig" (*skučno, skučnovato*)[7], hatte er einige Knalleffekte eingebaut, so im 3. Akt einen Selbstmordversuch Mašas und im 4. Akt das Totengeleit Tuzenbachs – gemahnend fast an das Totengeleit in Wagners *Götterdämmerung*. Diese Bühnenvorgänge wurden auf Drängen Stanislavskijs wieder eliminiert. Mit anderen Worten: Čechov stimmte zu, dass das Stück immer weiter auf „Alltäglichkeit" hin verändert wurde – auf die reine Zustandsbeschreibung ohne grelle Effekte. Textänderungen wurden übrigens bis unmittelbar vor der Uraufführung am 31. Januar 1901 im Moskauer Künstlertheater vorgenommen.

Bei einer der vorangehenden Probelesungen kam es zu folgendem Missverständnis: Čechov war davon überzeugt, eine lustige Komödie, ein Vaudeville, geschrieben zu haben. Die Schaupieler aber fassten das Stück als ernstes Drama auf und brachen bei der Lesung in Trä-

---

[5] Zur Entstehungsgeschichte vgl. 13, 423ff.

[6] Čechov weilte mit seiner Familie im Sommer 1884 in Voskresensk und Zvenigorod. Vgl. Rosamund Bartlett: Anton Čechov. Eine Biographie. Aus d. Engl. übers. v. Anna Blum. Wien 2004, S. 113.

[7] Mehrere Äußerungen in diesem Sinne sind belegt (vgl. 13, 427).

nen aus. Auch hier ließ sich Čechov umstimmen und versah das Stück mit der neutralen Gattungsbezeichnung „Drama" (13, 430).

Čechovs Drama besteht aus vier Akten. Die Handlung spielt in einer russischen Provinzstadt, fernab der großen Bahnlinien, dem Standort einer Artilleriebrigade.

Im Mittelpunkt des Geschehens stehen die Schwestern Prozorov, drei junge Frauen, deren Namensetymologie auf „Scharfsichtigkeit" (*prozorlivost'*) verweist. Ol'ga ist eine Lehrerin an einem Mädchengymnasium, 28 Jahre alt, stets müde von der Arbeit; sie trägt ein blaues Kleid[8]; am Ende wird sie Leiterin (*načal'nica*) des Lyzeums sein. Maša ist mit dem Lehrer Kulygin verheiratet; sie ist stets schwarz gekleidet. Irina, die Jüngste, arbeitet als Telegraphistin; sie ist weiß gewandet. Im 1. Akt feiert sie, 20 Jahre alt, ihren Namenstag; im 3. Akt wird sie 24 Jahre alt sein. Der Bruder der drei Schwestern, Andrej Prozorov, arbeitet als Beamter in der Gouvernementsverwaltung. Zur Vorgeschichte, die sich mosaikartig rekonstruieren lässt, gehört, dass der Vater der Prozorovs, Brigadegeneral und Standortskommandant, ein Jahr zuvor gestorben ist. Vor elf Jahren war er aus Moskau in die Provinz versetzt worden. Moskau ist für die Schwestern der ideale Wunschort geblieben, zu dem sie zurückstreben. Der Ruf „В Москву!" (Nach Moskau!) zieht sich wie ein Leitmotiv durch das Stück von Anfang bis Ende.[9]

Nach dem Tode des Vaters hat Bruder Andrej den Besitz der Schwestern an sich gebracht und Schulden auf das Anwesen aufgenommen. Seither muss der Lebensstil der drei Schwestern merklich eingeschränkt werden. Gleichwohl ist das Haus der Prozorovs noch immer der eigentliche gesellschaftliche Treffpunkt der Provinzstadt; hier kommt in allen vier Akten die provinzielle gute Gesellschaft zusammen. Es sind jeweils die gleichen Personen anwesend. Die Akte bilden demnach vier Zustandsbeschreibungen, stets mit identischer Personenausstattung – in genau bestimmten zeitlichen Abständen:

1. Akt – ein Jahr nach General Prozorovs Tod; Irinas Namenstag wird gefeiert;

2. Akt – Andrej und Nataša sind inzwischen verheiratet; ihr Kind befindet sich im ersten Lebensjahr;

3. Akt – eine Nachtszene, während in der Stadt eine Feuersbrunst wütet; Nataša ist inzwischen Mutter von zwei Kindern, Bobik und Sofočka; Irina ist 24 Jahre alt;

4. Akt – Auflösung der Garnison, die Truppen ziehen ab; bei einem Duell der beiden Bewerber um Irina, Tuzenbach und Solenyj, findet Tuzenbach den Tod.

Auf verschiedenen Zeitebenen wird, bei nur geringfügigen Veränderungen der Lebensumstände, das immer Gleiche vorgeführt: Frustration, Unausgefülltsein, leere Hoffnungen. Ermattung und Erschlaffung – alles unterbrochen nur durch kleine Streitigkeiten und Techtelmechtel. Die Grundtendenz der Handlung zielt auf den Abbau von Illusionen und Hoffnungsmomenten für alle Personen. Es gibt keine Verwirklichung des Traums vom Glück. Am Ende stehen der Tod Tuzenbachs und der Abzug der Garnison.

Man könnte das Stück mit einer viersätzigen Symphonie vergleichen, bei der jeder Satz eine besondere Grundstimmung oder Klangfarbe aufweist. Hierbei spielen naturalistisch motivierte Klangphänomene eine gewichtige Rolle, akustische Begleiterscheinungen, die Čechov in den Didaskalien mit großer Sorgfalt ausführt. Nicht nur, dass die Personen öfter mal vor sich hinsingen oder -pfeifen (13, 120), es wird vielmehr jedem Akt eine bestimmte Unter-

---

[8] Die habituellen Merkmale, vor allem auch die Farben der Kleidung, sind bei Čechov genau kalkuliert. Vgl. Boris Christa: Vestimentary Markers in Chekhov's Play. In: Anton P. Čechov – Werk und Wirkung. Hg. Rolf-Dieter Kluge. Wiesbaden 1990. Teil I, S. 182-192.

[9] Moskau ist das markanteste Leitmotiv des Stückes; es wird zehn Mal aufgerufen (13; 148, 149, 156, 158, 166, 168, 171, 176, 182, 184). Ferapont ist sich nicht sicher, ob in Petersburg oder Moskau bei einer Kälte von –200° zweitausend Menschen erfroren seien (13, 182). Zur Bedeutung der beiden Hauptstädte für Čechov vgl. Bartlett, S. 83ff., 168ff.

tönung verliehen: Im 1. Akt dringt von hinter der Bühne Andrejs Geigenspiel hervor (13; 129, 134); im 2. Akt wird hinter der Bühne, kaum vernehmbar, Akkordeon gespielt (13, 139); Tuzenbach setzt sich ans Klavier und spielt einen Walzer, zu dem Maša tanzt (13, 152); im 3. Akt läutet in der Brandnacht die Sturmglocke (*nabat*) (13; 157, 159, 171); im 4. Akt ertönt das „Gebet einer Jungfrau“ (13, 175); Harfe und Geige vorüberziehender Wandermusikanten sind zu vernehmen (13; 177, 183); später hört man in der Ferne den Schuss, durch den Tuzenbach fällt (13, 185), während gleich darauf die muntere Militärmusik der abziehenden Truppe zu hören ist (13, 186ff.).

Im Zusammenwirken mit optischen Effekten, wie sie die Didaskalien ebenfalls vorsehen, wird auf diese Weise in jedem Akt eine spezifische Stimmung erzeugt, die den atmosphärischen Rahmen für das Bühnengeschehen abgibt. Von der Autorenintention her geht es offensichtlich um die möglichst genaue Realisierung von Geräusch- und Lichtkonglomeraten, wie sie in der Wirklichkeit gegeben sind.

4.

Wer sind nun die Personen, die die vier Akte des Dramas bevölkern? Es sind nicht einmalige, einzelne Gestalten, sondern Personen, die zunächst durch Gruppenmerkmale und erst in zweiter Linie durch die Besonderheiten des individuellen Charakters gekennzeichnet sind. Vier Gruppen sind in dem Stück zu unterscheiden, denen sich jede der Figuren zuordnen lässt:

Da sind zunächst die drei Schwestern, Generalstöchter, denen die Lebensressourcen abhanden kommen. Obwohl sie erwachsen sind, fällt es ihnen schwer, ohne Eltern zu leben. Ihnen fehlen die Ordonanzen und Burschen. Arbeit, der Gedanke, arbeiten zu sollen oder zu müssen, wird ihnen zur Obsession. Das Dekadenzmotiv der Müdigkeit und Erschöpfung, begleitet von klagenden Ausrufen (устала; замучилась), ist eng an die drei Schwestern geknüpft, vor allem an Ol'ga, die Älteste. Niemand in dieser Gesellschaft – das gilt ebenso für die Offiziere und Beamten – hat jemals gelernt, sinnvoll zu arbeiten. Man redet vom Arbeiten, handelt aber nicht. So erscheinen die drei Schwestern verwöhnt und hoch sensibel, sie sind nicht in der Lage, eigenverantwortlich zu leben. Gleichwohl sind Ol'ga, Maša und Irina charakterlich und nach ihrem Temperament durchaus eigenständig modelliert. Am anziehendsten unter ihnen ist Maša; unglücklich verheiratet, lässt sie sich in ein Liebesverhältnis mit Oberstleutnant Veršinin ein, das von allen Konfliktlinien des Stückes am deutlichsten ausgebreitet wird.

Die zweite Gruppe bilden die Offiziere der Garnison, allen voran der Batteriekommandant Oberstleutnant Veršinin, ein Mittvierziger, wohl die interessanteste Gestalt des Stückes. Hinzu treten Stabskapitän Solenyj, Leutnant Baron Tuzenbach, der Militärarzt Čebutykin und die beiden Unterleutnants Fedotik und Rodė. Sechs Offiziere also, von denen, außer Veršinin, nur Tuzenbach und Solenyj stärker profiliert sind. Diese beiden sind in Irina verliebt, während Čebutykin durch permanentes Zeitunglesen und sinnlose Äußerungen als Kommunikationsverweigerer in Erscheinung tritt. Sein Lieblingslied, ein französischer Schlager, den er ständig vor sich hinträllert, lautet: „Тара-ра ... бумбия ... сижу на тумбе я ... (13; 176, 188).Veršinin ist der Einzige, der eine utopische Vorstellung von einem glücklichen Leben – in 200/300 Jahren! – entwickelt (13, 163). Während draußen das Feuer wütet, spricht er von einem künftigen glücklichen Leben: Man werde auf das jetzige Leben mit Furcht und Lächeln blicken; alles Jetzige werde ungeschlacht und schwerfällig, unbequem und seltsam erscheinen. Aber an Maša gewandt prophezeit er, dass künftig alle so leben werden wie sie, Maša, das heißt sensibel, kultiviert und ohne quälende Arbeit, und dass es dann Menschen geben werde, besser als sie, Maša (13, 163).

Čechov hatte sich, um die Militärs schildern zu können, in allen Fragen der Uniformierung, der militärischen Etikette und Titelanrede wie auch der Durchführung von Militärtransporten kundig gemacht. Um so erstaunlicher, dass er das Militär nicht karikiert oder satirisch abwertet. Natürlich sind Čebutykin und Solenyj – der Letztere ein neuer Lermontov[10] – komisch konturiert, aber eben nur so weit, wie letztendlich alle Figuren bei Čechov. Weder findet die übliche Verhöhnung des *miles gloriosus* statt, noch lässt sich von der Autorenintention her irgendein Hauch von Antimilitarismus festmachen. Die Militärs sind Menschen wie alle anderen auch. Ja, bei Čechov, der nie Militärdienst geleistet hat und dem es vergönnt war, in einer langen Friedensperiode zu leben, sind die Offiziere der Garnison den drei Schwestern nichts Geringeres als ein Unterpfand der Hoffnung.

Ein wenig anders stellt sich die dritte Gruppe dar, die „Zivilisten". Zu ihr gehört Andrej Prozorov samt seiner Frau Nataša, ferner Fedor Kulygin, Mašas Gatte, und der Zemstvo-Vorsitzende Protopopov, der zwar nicht in Person auf der Bühne erscheint, doch immer wieder erwähnt wird (er scheint ein Verhältnis mit der impertinenten Nataša zu haben.) Die „zivile" Gruppe enthält die abstoßendsten Figuren des Dramas. Maša charakterisiert sie im 2. Akt im Gespräch mit Veršinin: „[...] между штатскими вообще так много людей грубых, не любезных; не воспитанных" (13, 142; [...] unter den Zivilbeamten gibt es so viele grobe, unhöfliche und unerzogene Menschen).

Andrej Prozorov wollte Wissenschaftler werden, doch endet er als subalterner Beamter, der sich vor dem unbedarften Diener Ferapont aufspielt (13, 141). Wie erwähnt hat er wegen seiner Spielschulden das gemeinsame Haus der Geschwister verpfändet. Kulygin ist ein anderer „Mensch im Futteral", immer fröhlich, dabei aber hinterlistig und intrigant. Nataša schließlich, eine „Bürgerliche" (*meščanka*), wie sie Maša einmal verächtlich nennt (13, 153), bildet das unerfreuliche Gegenstück zu ihren Schwägerinnen. Sie stammt aus einer Kaufmannsfamilie, trägt eine geschmacklose grüne Schärpe, verhält sich habgierig und taktlos. Ungeniert spielt sie sich mit ihren Kindern Bobik und Sofočka vor den kinderlosen Schwägerinnen auf. Offenbar hat sie sich in ein Verhältnis mit dem Chef ihres Mannes, dem Verwaltungschef Protopopov, eingelassen. Sie ist es, die die Fichtenallee und die Bäume im Garten abholzen lassen will (13, 186). (Dieses Motiv aus *Djadja Vanja* und dem *Kirschgarten* wird auch am Schluss kurz apostrophiert.[11])

Als vierte Gruppe wären die beiden uralten dienstbaren Geister zu nennen: Anfisa, die alte Njanja der drei Schwestern, inzwischen über 80 Jahre alt, und der Zemstvo-Diener Ferapont.[12] Beide arbeiten noch im hohen Alter und sorgen für ihre Herrschaft, aber sie sind zugleich „Volkes Stimme", die die hochgestochenen Überlegungen und Idiosynkrasien der Herrschaft wieder zurechtrückt. Die Schwestern hängen an ihrer Njanja. Im 3. Akt macht Nataša ihrer Schwägerin Ol'ga Vorhaltungen, warum man denn die alte Anfisa, die doch zu nichts mehr tauge, nicht aufs Dorf zurückschicke (13, 159). Ol'ga kann das nicht ertragen, ihr wird schwarz vor Augen: Jede noch so kleine Grobheit, jedes taktlos gesagte Wort regt sie auf...

Für Nataša ist die Alte „Bedienung" (*prisluga*), auf die man keine Rücksicht zu nehmen braucht; für Ol'ga ist sie der freundliche Geist, der sie aufgezogen hat.

---

[10] Schon in seinem frühesten Stück *Platonov* hatte Čechov literarische Folien hinter Figuren und Handlung aufscheinen lassen. In den *Drei Schwestern* ist die Lermontov-Folie (13, 177) als Reflex des russischen Byronismus zu sehen. Schon in den *Gubernskie očerki* (Skizzen aus dem Gouvernement) Saltykov-Ščedrins hatte sich der Lermontov-Typus in die Provinz verzogen. Vgl. Reinhard Lauer: Die literarischen Folien in A.P. Čechovs frühem Drama „Platonov". In: Gelebte Literatur in der Literatur. Studien zu Erscheinungsformen und Geschichte eines literarischen Motivs. Bericht über Kolloquien der Kommission für literaturwissenschaftliche Motiv- und Themenforschung 1983–1985. Hg. Theodor Wolpers. Göttingen 1986, S. 255-271.

[11] Vgl. Reinhard Lauer: Die Waldzerstörung in der russischen Literatur. Motiv – Diskurs – Allegorese. In: Ergebnisse und Perspektiven der literaturwissenschaftlichen Motiv- und Themenforschung. Bericht über Kolloquien der Kommission für literaturwissenschaftliche Motiv- und Themenforschung 1998–2000. Hg. Theodor Wolpers. Göttingen 2002, S. 251-285.

[12] Beider Namen gehen auf das Griechische zurück: Anfisa – „die Blühende", Ferapont – „der Diener".

Ohne Zweifel hat der „objektive" Čechov in der Personengruppierung stillschweigend eine Wertungsskala eingebaut, die jedoch, genau betrachtet, gängige Vorurteile umkehrt: Verwöhnte Fräuleins und Offiziere sind nicht notwendig negativ einzuschätzen...

5.

Es war schon gesagt worden, dass es in Čechovs Dramen keine systematisch aufgebauten, aristotelisch konstruierten Konflikte gibt. Auch in den *Drei Schwestern* finden sie sich nicht. Allein schon die Gruppenanordnung der Personen (3 Schwestern, 6 Offiziere, 3 Zivilisten) erschwerte eine zielgerichtete Konfliktmodellierung. Am stärksten noch ist in der Gesamthandlung die Liebe zwischen Veršinin und Maša – beide sind verheiratet – präsent, aber sie führt zu keiner Lösung. Als die Truppen abziehen, verabschiedet sich Veršinin von der weinenden Maša; sie rezitiert, wie so oft, die Anfangsverse von Puškins *Ruslan i Ljudmila* – und verhaspelt sich dabei (13, 185).

Solenyjs Werben um Irina und deren Beziehungen zu Tuzenbach sind ebenfalls nur ansatzweise erkennbar. Liebe, Wünsche, Hoffnungen, Aversionen – alles wird nur angedeutet, scheint sich zu entfalten, endet oder verschwindet, wie so oft im wirklichen Leben. In dieser diffusen Konfliktstruktur markieren die kleinen Aversionen und Streitigkeiten oder Aufmerksamkeiten und Freundlichkeiten, kurz: das kleine Auf und Ab der Alltagsbeziehungen, die bewegenden Segmente und somit das eigentliche dynamische Element des Handlungsablaufes. Čechov hat wohl als Erster eine Kunst der Dispersion entwickelt, welche die auf die beteiligten Personen bezogenen Handlungs- und Redepartikel über den ganzen Text streut.

Zur Gestaltung des alltäglichen Leerlaufs hat Čechov eine große Palette sprachlicher Verfahren zur Hand. Es sind einmal thematische Leitmotive, die das Denken und Reden der einzelnen Personen beherrschen und kennzeichnen: Veršinins utopische Vorstellungen, das Thema der Arbeit bei Irina und Tuzenbach. Die Leitmotive erscheinen als Zitate oder Kalauer: Mašas Zitat aus *Ruslan i Ljudmila* oder Lieder wie das unsägliche „Тара-ра ... бумбия" bei Čebutykin. Maša und Veršinin verständigen sich mit einer Art Geheimcode, der, wie in dem folgenden wunderbaren Liebesdialog (13, 163ff.), bereits die metalogische Sprache (*zaum'*) der Futuristen und Dadaisten vorwegnimmt:

> Маша. Трам-там-там...
> Вершинин. Трам-там...
> Маша. Тра-ра-ра?
> Вершинин. Тра-та-та. *(Смеется.)* (13, 163/64)
>
> Maša. Tram-tam-tam...
> Veršinin. Tram-tam...
> Maša. Trarara?
> Veršinin. Tratata. *(Lacht.)*

Die Personensprachen sind mit höchster Kunst individualisiert. So, wenn Irina im 3. Akt, im Bewusstsein der ausweglosen Lage, aufheult: „О, ужасно, ужасно, ужасно! [...] Я не могу, не могу переносить больше!.. Не могу; не могу!.." (13, 166; Oh, schrecklich, schrecklich, schrecklich. [...] Ich kann und kann das nicht mehr aushalten!.. Ich kann nicht, ich kann nicht!..). Oder wenn Mašas Mann, Kulygin, sich immer wieder selbst versichert: „Я доволен, я доволен, я доволен!" (13; 165ff., 174; Ich bin zufrieden, ich bin zufrieden, ich bin zufrieden!). Hier scheint sich die Personenrede zu automatisieren, zu verselbstständigen, und es tritt der Wortkünstler Čechov in Erscheinung, auf den als Erster Vladimir Majakovskij 1914 in dem Essay *Dva Čechova* (Zwei Čechovs) hingewiesen hat.[13]

6.

Ausgehend vom Čechovschen Dramentext der *Drei Schwestern* wäre, namentlich auch unter Beachtung der Suggestionen, die vom Moskauer Künstlertheater ausgingen, die angemessenste Bühnenrealisierung des Stückes wohl ein naturalistisches Stimmungsdrama, ohne politische oder ideologische Tendenz. Denn alle Textinformationen legen unzweifelhaft eine naturalistische Rekonstruktion des kruden Alltags in einer russischen Provinzgarnison in den 1890er Jahren nahe.

Allerdings zeigen sich in dem Stück bereits auch Ansätze zu einer anderen Sichtung der Wirklichkeit. Werden die „Alltagskonflikte", der banale Fluss des Alltags, so ernst genommen, dass sie keinerlei Konstruktion mehr ertragen, so bewegt man sich auf einer Geschehensebene, die von Sinnlosigkeit, Zufall und Beliebigkeit beherrscht wird. Die alltägliche Existenz wird absurde Existenz.

Unverkennbar ist in dem Stück eine musikalische und optische Instrumentierung angelegt. Die vier Akte gleichen „impressionistischen" Stimmungsbilder, die in jedem Falle aus authentischen Wirklichkeitspartikeln aufgebaut, also naturalistisch motiviert sind. Auch sie gewinnen paradigmatisch eine überhöhende, symbolische Bedeutung, die nicht weit von den synästhetischen Konfigurationen des Symbolismus entfernt sind.

Wenn „Kommunikation" auf das Wiederholen stereotyper Wendungen und Repliken zurückgeführt wird, wenn sie durch den Einsatz von Liedtexten, Zitaten, Kalauern, metalogischen Text und Pausen weitgehend schon ge- oder zerstört ist, dann bedeutet das einen Schritt hin zum Drama der Avantgarde. In Čechovs Dramen, vor allem seinen *Drei Schwestern*, sind die Keime zur Dramaturgie der Gegenwart, zum absurden, zum experimentellen Theater unverkennbar angelegt.[14] Neue Studien zu Čechov[15] weisen überzeugend nach, dass Čechovs Menschenbild, seine „Anthropologie ohne Illusionen", die ohne Postulate, aber auch ohne Verurteilung des menschlichen Handelns auskommt, nach wie vor große Aktualität besitzt. Neue Dramaturgie und neue Anthropologie gehen bei ihm Hand in Hand. Ausgangspunkt allerdings war ein menschenfreundlicher Naturalismus. Čechov gibt ein noch heute gültiges Modell menschlichen Seins – mit all den Hoffnungen und Enttäuschungen, die wir allesamt tagtäglich durchleben.

Literatur

Bartlett, Rosamund: Anton Čechov. Eine Biographie. Aus d. Engl. übers. v. Anna Blum. Wien 2004.

Bauer, Gerhard: „Lichtstrahl aus Scherben". Čechov. Frankfurt/M., Basel 2000.

Christa, Boris: Vestimentary Markers in Chekhov's Play. In: Anton P. Čechov – Werk und Wirkung. Hg. Rolf-Dieter Kluge. Wiesbaden 1990. Teil I, S. 182-192.

Dlugosch, Ingrid: Anton Pavlovič Čechov und das Theater des Absurden. München 1977.

Gor'kij, Maksim: Brief an Čechov, geschrieben nach dem 8. Dezember 1898. In: Maksim Gor'kij: Polnoe sobranie sočinenij. Pis'ma v 24 tt. T. 1 (Pis'ma 1888–1899). Moskva 1997.

---

[13] Leider lassen sich auch in den besten Übersetzungen der Dramen Čechovs die sprachlichen Feinheiten nicht vollständig retten. Ob heutige Regisseure darauf überhaupt noch achten, scheint fraglich.

[14] Vgl. Ingrid Dlugosch: Anton Pavlovič Čechov und das Theater des Absurden. München 1977.

[15] Gerhard Bauer: „Lichtstrahl aus Scherben". Čechov. Frankfurt/M., Basel 2000; Peter Rippmann: Der andere Čechov. Ein Pamphlet. Bielefeld 2001.

Lauer, Reinhard: Die literarischen Folien in A.P. Čechovs frühem Drama „Platonov“. In: Gelebte Literatur in der Literatur. Studien zu Erscheinungsformen und Geschichte eines literarischen Motivs. Bericht über Kolloquien der Kommission für literaturwissenschaftliche Motiv- und Themenforschung 1983–1985. Hg. Theodor Wolpers. Göttingen 1986, S. 255-271.

Lauer, Reinhard: Die Waldzerstörung in der russischen Literatur. Motiv – Diskurs – Allegorese. In: Ergebnisse und Perspektiven der literaturwissenschaftlichen Motiv- und Themenforschung. Bericht über Kolloquien der Kommission für literaturwissenschaftliche Motiv- und Themenforschung 1998–2000. Hg. Theodor Wolpers. Göttingen 2002, S. 251-285.

Rippmann, Peter: Der andere Čechov. Ein Pamphlet. Bielefeld 2001.

Szondi, Peter: Theorie des modernen Dramas. Frankfurt/M. 1963.

Jenny Stelleman

Čechov's *Tat'jana Repina* and His *Tri sestry*

Just as *Bezotcovščina* served as a 'pre-text' for *Ivanov,* in my view *Tat'jana Repina* served as a pre-text or rather as a 'practice run' for *Tri sestry.* In comparing both plays I would like to concentrate on the similar communicative situation, which comes to the fore both in the constellation or the grouping of the figures and in the 'ritual-like' *'dialog vne partnera'* (the dialogue beyond the partner), which is disrupted by an external factor. In its outward appearance, this dialogue in *Tri sestry* is comparable to the panoramic form of the *'dialog vne partnera'* in *Tat'jana Repina.* In both cases we see unconnected responses that are not really registered by the other characters and therefore seldom provoke an adequate reaction. In *Tat'jana Repina* the *'dialog vne partnera'* is motivated by the sacred ritual that is repeatedly and regularly disrupted by the secular comments of the onlookers. As we shall see, the same effect also occurs in *Tri sestry,* albeit with a wholly different design and motivation. The aforementioned aspects are also strongly connected with the space, the church in *Tat'jana Repina* and the Prozorov house in *Tri sestry,* which can also be considered as a 'sacred place', where some are allowed to enter and to behave according to implicit rules and others are not. In the discussion of the figure-constellation and the communicative situation, I will elaborate on this and also examine possible thematic correspondences and/or elaborations in comparison with *Tat'jana Repina* to sustain my view.

In March 1889 Čechov wrote his *Tat'jana Repina,* as a personal gift to Suvorin. It is a one-act play to which Suvorin's piece of the same name serves as prelude.[1] From this perspective, Čechov's piece can be seen as a fifth act or epilogue, in which Tat'jana Repina's (E. Kadmina's) story is extended, as it dwells upon Sabinin's marriage with the rich widow Olenina and is then brought to a conclusion.

Firstly, *Tat'jana Repina* is thematically linked to the vaudevilles Čechov wrote in 1888/89, which showed great interest in all aspects of the wedding ceremony. Marriage, as a social and cultural institution that usually forms a high point in man's life, is 'a rite of passage' (van Gennep)[2] accompanied by religious as well as various secular and social ritual actions. Čechov describes the worldly, individual ritual actions leading up to a wedding in *Predloženie*, as well as the manner in which they are repeatedly frustrated.[3] In *Svad'ba* he shows the 'festive' ritual actions performed after the marriage ceremony. In both instances, the ritual actions and the accompanying 'high' or joyful emotions are, as it were, 'de-ritualized' or exposed by ensuing profanation. With *Tat'jana Repina*, in which the religious ritual of the consecration of marriage in church is represented, Čechov has now covered all aspects of marriage.

Secondly, *Tat'jana Repina* falls within the series of plays Čechov wrote purely for himself. In this sense, the play is in line with *Bezotcovščina*; neither play was ever published during his lifetime. Both pieces were written 'freely', without the author having to worry about mise en scène or censorship. *Tat'jana Repina,* written eight or nine years later, is not at all com-

---

[1] A.S. Suvorin: Ochota na ženščin/Tat'jana Repina. St. Peterburg 1887. Suvorin elaborated this version in 1888. It was performed in December 1888 in the Aleksandrinskij Theatre and in the Malyj Theatre in Moscow in January 1889. In the later production Čechov was very much involved.

[2] Arnold van Gennep: The Rites of Passage. Transl. by M.B. Vizedom and G.I. Caffee, introd. by S.T. Kimball. Chicago 1960 (see esp. Chapter VII).

[3] To B. Zingerman the marriage proposal is one of Čechovs 'regular' themes, which is present from his first humorous stories untill his last major drama, *The Cherry Orchard* (Lopachin's proposal to Varja). (B. Zingerman: Teatr Čechova i ego mirovoe značenie. Moskva 1988, p. 171).

parable to his first in length or content. No uninformed reader would ever ascribe both pieces to the same author. In my view, an investigation of *Tat'jana Repina* is extremely important for any reconstruction of Čechov's poetics, because it may have made an important structural contribution to his innovations with regard to action and dialogue. In a very natural way this drama already possesses the prolixity, the duration, the ennui – motivated here by the lengthy ritual – and the various *byt* elements, all of which would come to be so characteristic for his later major plays. In order to focus on the central problem, the peculiar communicative situation in *Tat'jana Repina* during the wedding ceremony, only a short introduction into the play will be given now.

Introduction

The ritual action in *Tat'jana Repina* is aimed at the bride and groom; they have to participate in this action as a 'rite of passage' that serves as a consecration of the sacred, mysterious joining of man and woman. The congregation is present to join in the experience of the ritual act. As with any rite, the congregation is both participant and onlooker. Even though a part of the congregation, the theatre group of Matveev and the students has made its displeasure about the wedding known, they all submit to the ritual to be performed in spite of their profane comments. Here the notion of 'acceptance' of R. Rappaport can be applied: "By performing a liturgical order the participants accept, and indicate to themselves and to others that they accept whatever is encoded in the canon of that order." 'Acceptance' does not equal 'belief': "[it] is not a private state, but a public act." "Acceptance [...] can be unconvinced and 'insincere', but insincerity does not nullify acceptance."[4] The lengthy ceremony is felt by all concerned to be very uncomfortable, augmented by the physical discomfort due to the crowded and stuffy atmosphere in the church, making 'acceptance' increasingly difficult. The community is not swept up by the eternally sacred or mysterious, but increasingly distances itself from it through its comments, letting itself get swept up more and more by the secular and spectacular, or the "заразительность самоубийств" (12, 86; suicide's catching[5]). As we will see further on, these internal disruptions occur from the very start of the communicative situation.

Apart from these, the ritual is further disrupted by an external factor, the unclear, yet all too audible moaning of the unknown Lady in Black, which the entire congregation, but Sabinin in particular finds very unpleasant. At the same time, however, the moans can in a way be seen as an impersonal expression wholly identical (as a kind of keynote) to the group experience. Due to the increasing moans of the Lady in Black, the mystery of the matrimonial union is gradually replaced by the mystery of this actual woman for Sabinin, whom he alone holds to be Tat'jana Repina risen from the grave. Although the Lady in Black intends to disrupt the ceremony, there is no resulting public scandal. The ritual is concluded before the Lady in Black, by now in agony as a result of the poison she has taken, is able to throw her accusations at Sabinin. Her intention to disrupt the ritual and to expose the inappropriateness of the wedding, about which the recipient learns only after the ceremony, has in fact failed. In this second phase of the play, which follows right after the conclusion of the ritual, we are shown the clergymen outside of their official capacity. In the by now empty and dark church they talk about the ritual as only one of many they perform, about the tea, the bill etc. The mystery of the Lady in Black is also exposed here: she is no ghost risen from the grave but an actual, living woman who has taken poison, like Tat'jana Repina. We have already learned

---

[4] Roy Rappaport: Enactments of Meaning. In: A Reader in the Anthropology of Religion. Ed. M. Lambek. Cambridge, Boston 2008, pp. 453, 454, 455.

[5] Translations are mine, unless indicated otherwise.

that she must be the fifth in a series of suicides in the manner of Tat'jana Repina – another occurrence of repetition. Moreover, the phenomenon is presented as some sort of infectious disease, suggesting that more suicides are bound to follow. This is confirmed by the Lady in Black herself, who now calls on *all* women to follow suit to avenge themselves on a loveless man, shouting that everyone should take poison. The element of repetition is made complete and even satirized by the fact that there is no evidence that this lady was actually abandoned by a man. No woman hears her plea, however, and even the intended addressee (Sabinin) is absent. Her only, in fact wrong, audience consists of the male clergymen, who are not aware of the bride and groom's previous history and look on in amazement as this woman writhes in agony on the floor (in front of the altar), tearing her clothes off.[6] (This scene constitutes the end of the play, below Čechov wrote, The rest I leave to the imagination of Mr. Suvorin.)

The communicative situation (Tat'jana Repina)

After this short outline of the entire one-act we shall now focus on the communicative situation in the first phase of the action, which may be represented as concentric circles:

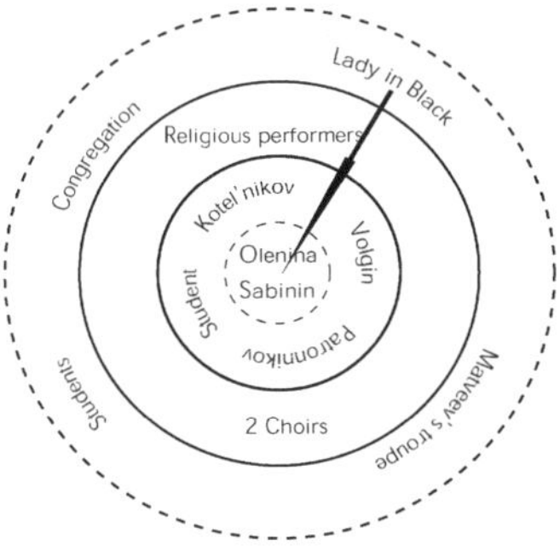

Figure 1

From this figure follows that the bride and groom and their witnesses form the inner circle. The clergy and the two choirs surrounding them make up the second circle, while the congregation, made up of various groups (the community, Matveev's theatre group, Repina's friends, who are all familiar from Suvorin's piece and the students), is spread out around them as the third circle.

Ad. 1: We will discuss the various groups, starting from the *centrepiece, which is formed by the bride and groom, who are both accompanied by two witnesses*. Contrary to what one might expect, the pair is not 'together' in the true sense of the word. The groom, in particular, is not concentrating on the rite itself. His focus is not on the bride either. During the ceremony Sabinin talks almost exclusively with his witnesses, especially Kotel'nikov, about the burdensome weight of the crown, about the ritual that never seems to end and, later, about the woman whom he supposes to be the revengeful Repina. Olenina does not understand his discomfort. She is not aware of the Lady's presence and has apparently not heard her moans either. To top it all off, Sabinin tries to leave his new wife's side immediately after the ritual to perform a *panichida* for Tat'jana Repina, but Kotel'nikov puts a stop to this and takes him

[6] Of interest in this context are E. Durkheim's comments that "in so-called 'piacular' ceremonies, whose purpose is to cope with a catastrophe", "self-mutilation is quite common in the case of mourning and lamenting women". (E. Durkheim: The Elementary Forms of Religious Life. Transl. by C. Cosman, Introd. and Notes by Mark S. Cladis. Oxford 2001, pp. 289, 292).

back to his bride (12, 93).[7] In short, the traditional mutual focus of the bride and groom, losing themselves in each other and in the ritual, is not realized here. In this small, but focal communicative unit, therefore, a certain 'separation' is already apparent: it falls apart and so in itself forms a disruption within the ritual action, resulting in their failure to experience the ritual.

The small circle of witnesses yields the very same image. Here, too, we encounter the lack of involvement in the ritual as well as complete ignorance about the formalities involved. Among themselves, the witnesses talk about the heavy crown and the lack of fresh air, comment on the musical qualities of the choir ("хороший бас" (12, 82; a fine bass)), and from time to time reprove Sabinin, the main disruptive factor on this level. Volgin's remark at the end of the service is significant in this context: "Что же вы стоите? Целуйтесь!" (12, 92; Why are you standing there? Kiss each other!). As far as the witnesses are concerned, then, we might say that, regardless of their ignorance of the ritual, they do ensure that Sabinin's 'disruptions' are kept within bounds.

Ad. 2: The ritual 'communication' of the clergy and both choirs of the second group is not based on understanding or exchanging information, but on following traditional prescribed patterns, and therefore on a complete consensus, in which the choirs regularly repeat the clergy's words. This 'communication' cannot be disrupted, right up to the moment the external disruptions by the community apparently overstep a certain boundary. That is where the clergyman Father Ivan calls the congregation to order. In the liturgy, the text being read at that point has indeed reached the culmination of the most sacred mystery. After the crowd has quieted down, Father Ivan continues with the ritual and no longer allows himself to be disrupted – even though the disruptions become more frequent toward the end. This is caused by the fact that the ritual is speeded up by the transition to shorter liturgical texts. This leads to an agitated chaos that comes to an end almost the instant everyone leaves the church.

Ad. 3: In contrast with the second group, the third is more heterogeneous. Its members are, at first, truly focused on the ritual: the comments by the crowd, including Kokoškina, are limited to the witnesses and the bride. After a short while, however, the commentary turns towards other people in the church (such as the governor, present incognito; 12, 82/83), the stuffiness and lack of room, and the duration of the ceremony. Later still, the comments turn to subjects like Repina, her suicide, the suicide's 'contagion', a wife of a doctor has poisoned herself, and Repina poisoning the air in the church. With this subject, the third circle here converges with the innermost communicative circle, particularly Sabinin. Aside from the moans of the Lady in Black and the charged image of Tat'jana Repina, within both the inner and outer circle the way the characters suffer under the heat and the lengthiness of the ritual are also identical. The repetition of these themes in this way provides a similar monotony to that of the ritual itself; the sacred 'monotony' becomes a reflection and a counterweigh to the secular 'monotony'.

Apart from the intentional, but external disruption by the Lady in Black, the ritual is also exposed or profaned *during* the ritual by both the inner and the outer communicative circle. The middle circle, representing the clergy, stays committed throughout and sees the ritual through to the end. In the concluding part of the action, so after the ceremony has ended, it is however this middle group, that in a way itself exposes or profanes the ritual in retrospect. Not only because the clergymen themselves verbally range it with a series of other rituals (cf.

[7] With this, Kotel'nikov prevents a scandal and saves the relationship. (In Suvorin's play, too, Kotel'nikov more than once succeeds in preventing 'scandalous scenes' between Sabinin and Repina.) This very scene is, of course, also very much reminiscent of the various scenes in Gogol's *Ženit'ba* (The Marriage), in which the 'hero' Podkolesin is constantly trying to leave his future bride and Kočkarev keeps bringing him back. (At February 19th Čechov attended a performance of *Ženit'ba* in Moscow, cf. his letter to Suvorin dated February 20, 1889; P., 160.)

above), but also because the holy of holies is profaned – the altar on which the Lady in Black most unreverentially dies. The dominant, authoritative role of the clergy during the ritual in the first part is now replaced in the second by an intense helplessness.

In summary, the most important aspects of *Tat'jana Repina* with respect to Čechov's poetics in my view are firstly, the ritual action itself, based mainly on the repetition of both verbal utterances and non-verbal patterns; secondly, the profanation or the exposure or erosion of the ritual during the ceremony, which is caused by the comments of the community, the moans of the Lady in Black, but also by the fact that the performers and/or the ritual act itself has not the power and the ability to actually affect the congregation as a whole and make them a true homogeneous group. In contrast, it is not the sacred, but the prosaic and the spectacular that is experienced here. By investigating the communicative situation and the constellation of the groups we were able to detect all these disruptions.

We can add to this that, in succession the verbal layer in the play consists of liturgical texts and repetitions by the two choirs, alternated with snatches of utterances by the representatives of the various groups, – interspersed with the frequent moaning of the Lady in Black. The utterances are only rarely taken in or heard by others. These are unconnected comments, not intended to lead to a reaction or conversation, since any utterance outside of the liturgy by definition violates the ritual. That is why 'tsss' is heard a number of times and several people comment verbally on the inappropriateness of speaking.[8] The succession of responses shows an almost strict regularity: the liturgical text, whether spoken by the clergymen or sung/repeated by the two choirs, consistently separates the utterances of one of both groups, according to the following pattern: liturgy – congregation – liturgy – bride and groom/witnesses – liturgy – congregation – liturgy, and so on. The utterances of both the bride and groom and the congregation in some cases include three to four successive responses and in that way form either limited conversations by individual characters or an impersonal consensus dialogue. The liturgical text as well, in itself based on consensus, can encompass three to four successive 'responses'. By this demarcation of the utterance(s) of each group at both beginning and end by the liturgical text of the clergymen or choirs, the ritual is given some kind of inexorable movement, cutting off or cutting through any other initiative to speak. At the same time it also shows the artificial veneer of the ritual, which has lost its true bond with the community. The overall 'verbal acoustic' impact of this complicated communicative situation presents in essence a huge, panoramic *'dialog vne partnera'* avant la lettre, which Čechov in my view transferred with modifications to *Tri sestry*.

In his later period, in which Čechov wrote his best-known plays, he no longer uses these stark contrasting groups (compare also *Ivanov)*, but instead presents more equivalent characters, who together form a more homogeneous group, the family. The family is shown in its daily routine, within which external and internal disruptions occur that are much more subtle than those in the earlier pieces, disturbing the equilibrium of the daily routine. In *Tri sestry* the disruptions, the monotony, the 'ritual' and the dialogue beyond the partner are also realized, but all these aspects are of a wholly different design and motivation. The disruptions are here subtly interlaced within the ritual-like dialogue and mythical ideal, although these manifest themselves differently than those in *Tat'jana Repina.* The situation's monotony and permanence are now expressed in part by the temporal dimension – the long periods of time separating all acts; the manner in which the status quo endures despite the occasionally voiced intentions to make changes, and in the characteristic *'dialog vne partnera'*, realized here by

---

[8] For an elaboration on the repeated 'tsss' and the Lady in Black's moaning, see H. Schmid: Reden, Töne, Geräusche und Musik in Čechovs vergessenen Einaktern. In: Stimmen – Klänge – Töne. Synergien im szenischen Spiel. Ed. Hans-Peter Bayerdörfer. Tübingen, p. 265.

the extremely dominant use of conversation[9], as well as in the persistent utopian dream of the three sisters. This takes on mythical proportions and is strongly idealized, i.e. projected onto the future, making their ties with the here and now very weak, just as the ritual itself in *Tat'jana Repina.*[10]

What now is the impact here of the ritual, and especially of the ritual communication encountered earlier in *Tat'jana Repina*? For the positivistic Durkheim, the motivation for religion and rituals in general is mainly a confirmation and strengthening of the social cohesion within the community. This certainly holds true for the minor, more personal rituals within the family circle, like the birthday and feast days, for instance.[11] In *Tri Sestry,* the recurrent, yearly rituals, such as Irina's name day (Act I), the carnival (Act II), form the motivation for the acts, particularly in the first half of the play. The fire in Act III is an isolated event[12], as is the departure of the soldiers in Act IV, although this is embedded in both a military and a social ceremony. As seen earlier in *Tat'jana Repina*, Čechov does not use ritual for the affirmative release it brings, nor does it reinforce the social cohesion of the entire community. In *Tri sestry* as well the social cohesion (see Durkheim) during these ritual feast days is no more than a thin and artificial veneer, while the high expectations placed on it, based on the high standards of the three sisters and grounded in a past that is long gone, are increasingly forced aside by an experience of the more prosaic present.

The communicative situation (Tri sestry)

The way in which Čechov construes the communicative situation in *Tri sestry* is largely comparable to that of *Tat'jana Repina.* The group of characters as a whole is, of course, much smaller than in *Tat'jana Repina*, but it is also more homogeneous, making the differences, as well as the disruptions, much more subtle. As with *Tat'jana Repina,* we can describe *Tri sestry's* communicative situation as a set of concentric circles:

---

[9] The conversation is a type of dialogue, which according to Mukařovský is "removed to a considerable degree from a direct dependence on external circumstances, both on their interlocutor's emotional and volitional and the material situation." "The relation to reality […] cannot be completely suppressed, but the main emphasis in the conversation is not placed on it. Hence the tendency toward the variability of the theme during a conversation […] even when conversation concerns some concrete case, what 'is meant' by it is a generality." So, a conversation is a speechtype in which the addressee is not really specified and in which the participants are not personally committed to each other. Generalizations, clichee's and social rituals (though Mukařovský does not use the word) prevail, "consequently, there is quite a lot of artificiality in it".) (J. Mukařovský: The Word and Verbal Art. New Haven, London 1977, pp. 91, 92, 93/94).

[10] For the elaboration of this self-image, the use of conversation and the resulting status quo I refer to J. Stelleman: Aspects of Dramatic Communication. Action, Non-action, Interaction. (A.P. Čechov, A. Blok, D. Charms). Amsterdam, Atlanta 1992.

[11] "The private individual cult is the only one that mingles rather intimately with secular life." (Durkheim, p. 229).

[12] Cf. Čechov's own comment that when using four acts, the third takes up a special position: "Гвоздь пьесы – III акт, но не настолько гвоздь, чтоб убить последний акт" (P. 3, 211; The hit of a play is the third act, but not so that it beats the last act down). For the particular significance of the third act in *Tri sestry* see Stelleman, p. 74.

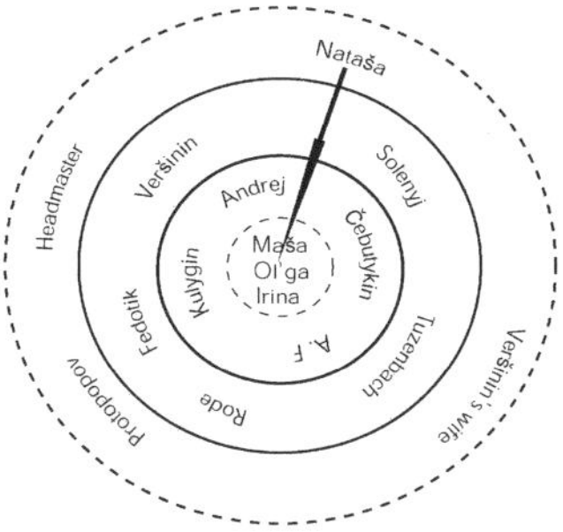

Figure 2

1) The inner circle is made up of the 'small' collective of the three sisters and their immediate surroundings: Andrej, their brother; the in-laws Kulygin and Nataša (from the conclusion of the first act onwards); Čebutykin, the army doctor who has been living with them for several years; and Anfisa and Ferapont, the servants.
2) The second circle is formed by the military: Veršinin, Solenij, Tuzenbach (who has left the military at the start of the third act), Fedotik and Rodė.
3) The outer circle consists of all the characters off-stage, namely: Protopopov (Nataša's suitor and, later, Andrej's boss), the principal at Kulygin's school, and Veršinin's wife.

Ad. 1: The three sisters form the nucleus of the play. It is around them that the most closely connected characters are grouped. Formally and spatially, this group is comparable to the one formed by the bride and groom and their witnesses in *Tat'jana Repina*. The bridal pair, however, was subjected to the ritual, whereas the three sisters seem to *define* the ritual. This is expressed in the similar ways in which they communicate and in the way they hold on to their worldview (в Москву/to Moscow), grounded in past experience and projected onto a distant future. They show a strong inclination to reject their current lives as they develop in the present, hindering any changes or modifications to their worldview. We could, in fact, say that the three sisters have created a kind of intimate myth or ideal self-image to which they hold on regardless of what happens. This myth or ideal self-image is based on their childhood and on their unwillingness to acknowledge the (changed) circumstances in which they find (and have put) themselves. Despite this reluctance, however, we see them in fact repeatedly making choices which differ from what might be expected given the ideal self-image (Maša has married the teacher Kulygin, Ol'ga gets more and more involved in the school). This in itself, paradoxically, forms yet another reason to cling to and maintain the self-image with even more tenacity. Anything that disrupts or might possibly disrupt this self-image is systematically ignored, or when it *is* registered, does not result in a confrontation. To a large extent, this ideal self-image that must be maintained, whatever the cost, underlies the cohesion between the three sisters (it is their shared secret) and their communicative behaviour towards all other characters. This is expressed in their ritual-like dialogue and the peculiar interaction which is based largely on *delikatnost'* (tactfulness) and therefore also on unwritten rules involving 'taboo'.[13] Though the three sisters form the fixed nucleus of all communicative situations they are more comparable to the group of religious performers in *Tat'jana Repina*, which comes to the fore in their tenacity, rigidity, and monotony. Their implacability is expressed in their rejection, disapproval and disregard for any comment or act that fails to comply with the *delikatnost'*-code and for this alone is perceived as criticism. The fact that they are unable to confront the other characters and assert their own views, and pass on their items of cultural value (which they fail to memorize), implies a certain helplessness and powerlessness. Another aspect shared by the religious group in *Tat'jana Repina*. (Compare

[13] For a discussion of the taboo, see Stelleman, pp. 67-70.

Father Ivan's call to order, which fails to have the intended result. Olga trying to convince Nataša that she should also hold on to the *delikatnost'*-code in Act III.)

The group of characters that are closely related to the three sisters are typified by the fact that the three sisters reject them and banish them from the true nucleus. Purely formally, as in space and as the group most closely related to the inner circle, we might view them as parallel to the witnesses surrounding the bride and groom in *Tat'jana Repina,* but this does not hold with regard to their position in the plot or the dialogue. Whereas the witnesses repeatedly brought Sabinin back to the ritual and to his bride, these characters, Andrej gradually, Nataša especially, and, obviously, also Čebutykin repudiate the myth and the 'ritual-like' dialogue in their own ways.

This is the case with Andrej, who the sisters hoped would become a professor and take them to Moscow. In the course of the play, he gradually attempts to withdraw from the implicit appeal made to him, and from his sisters' rigid code. The sisters respond by ignoring him completely (from the second act onwards they no longer directly speak with him, only complain *about* him). Kulygin to a large extent conforms to the prevailing code of the Prozorov household, just as he has completely accommodated himself to the principal of his school. He also avoids confrontation, revealed for instance by the way he ignores Maša's affair with Veršinin, effectively turning a blind eye to it.

Nataša, who turns out to be the major disruptive factor, is another matter. Originally from a totally different background, she is completely herself and thus appears not to notice the implicit rules and norms set and hold on to by the three sisters. She does exactly what she wants, and since the three sisters are unable and unwilling to relinquish their self-imposed *delikatnost'*, she achieves everything without any confrontations or obstacles. As a central disruptive factor, she is comparable to the Lady in Black in *Tat'jana Repina.* Starting out as an external disruptive factor, in the course of the ritual the Lady in Black attempts to physically penetrate the heart of the sacred act (cf. the crowd's comments on the subject), more and more becoming an internal disruptive factor. This is accompanied by the auditory element of her increasingly loud moaning. The Lady, however, fails to achieve her goal at the time and to the addressee intended. With Nataša, we see a number of similarities as well as differences with regard to this disruptive role. Her marriage to Andrej transforms her, like the Lady in Black, from an external not very meaningful disruptive factor (see Act I) into an integrated, internal and ultimately dominating disruptive factor. As the Lady in Black was distinguished by her moans as her sole means of expression, so Nataša is distinct from the other characters by both her loud voice and her language, including the frequent use of imperatives (towards the servants), vocatives and performative verb forms generally not used by the other characters.[14] Like the Lady in Black, her appearance is noticed and commented upon by the sisters as well as by the military, and she is also ignored. Just as the Lady in Black, she performs two functions: firstly, at plot level she serves to set off the way in which the three sisters artificially maintain the social cohesion and their rigidity, as well as emphasizing their powerlessness on the level of both dialogue and action; secondly, she personifies the impersonal, vital force that in one way or the other is likely to destroy the (old) orderly lives and the self-image of the three sisters. In this way she is also connected to the impersonal and personal forces at work off-stage and in the outer circle. The unintentional disruption of Nataša does succeed, the intentional disruption of the Lady in Black failed. However negatively Nataša may be portrayed and is generally regarded, her disruption is not a result of any deliberate design, but rather of the circumstance that she is never corrected or obstructed in any way.

Ad. 2: The second group, consisting of the military, is characterized by a strong tendency to conform to the three sisters since they are of the same social stratum and enjoy their com-

[14] Excepting Solenyj. For a comparison of these two characters with regard to their latent destructive tendency, see Stelleman, p. 89.

pany. Moreover, their love of philosophizing and conversation make them ideal partners for the three sisters, which also comes to the fore in their non-performative speech. What this group might have to say by way of comment or criticism does not really have to be registered by the three sisters, precisely because of the non-performative character of their utterances. When one of the military does give a comment, the sisters immediately react by ignoring the character or prefer not to answer properly – cf. for instance, the provocative comments by Solenyj, and Tuzenbach's direct question to Irina in Act IV, asking whether she really loves him – with all its consequences. This second group can be viewed as a kind of buffer, that by its polite and non-confrontational behaviour and the prerogatives of the conversation, contributes to maintaining the ritual communication and the related myth (the self-image) of the three sisters. The military, as it were, protect the three sisters from direct contact or confrontation with the people they wish to exclude. This is the reason why the military often serve as the 'wrong' addressees, to whom the sisters can express their dissatisfaction without having to fear any consequences. Usually, after all, this dissatisfaction is subsequently put into perspective or generalized by the military, which is part of the reason why the sisters' grievances never result in action. Veršinin especially, but Čebutykin also with his "все равно" (nothing matters), neutralizes any complaint.

Ad. 3: The third and final group, which obviously cannot really be called a group, is characterized by the fact that these figures are represented exclusively through sounds, attributes or reported speech.[15] Protopopov, the wife of Veršinin and the director of the school of Kulygin, represent the actual outward circumstances of the three sisters – life in a parochial, prosaic, provincial town that lacks all style. The sisters would prefer to shut out and ignore this outside world, but through non-verbal signs it manages to make its presence in their home felt even more strongly.

The frequent moans of the Lady in Black in *Tat'jana Repina*, as well as the unspecified comments in the crowd about the way she pushes forward are disruptions, which could be said to be transformed here into what we have designated as the third group. Into the off-stage character Protopopov, first of all, who initially does not intrude personally, but allows himself to be represented by sound (the sleigh bells in Act II) and objects (the cake in Act I, papers in Act III). When he finally manages to enter the Prozorov house in person in Act IV, the other characters are all outside.[16] Protopopov's presence in the house can be seen as corresponding to the 'denouement' in *Tat'jana Repina*, in which the Lady in Black also makes herself known only after the church has emptied. As in *Tat'jana Repina*, no actual confrontation ensues. Whereas first the secular congregation and, later, the clergy in *Tat'jana Repina* remain onlookers with regard to the Lady in Black, the three sisters are also onlookers by the end of the play, when Nataša and Protopopov take over the house, as they do nothing to prevent or obstruct them.

The wife of Veršinin, an off-stage figure without a name, is represented by means of written notes she is sending him. Veršinin, called "влюбленный майор" (13, 127; the lovesick major), and who can, in this respect, be compared to the Don Juan-like Sabinin, has added Maša to his long string of sweethearts. His wife repeatedly writes him notes in which she announces her intention to commit suicide. The series of suicides in *Tat'jana Repina,* in which the Lady in Black was the fifth, is in this case turned into a series of suicide attempts by one and the same, and notably off-stage, character. Because of their repetitive nature they no longer get a response from anyone, with the result that they are 'de-dramatized' and made ridiculous. Cf. Veršinin: "Вечно эти истории... [...] Жена опять отравилась" (13, 149; It's

[15] For this, see H. Schmid: Ist die Handlung die Konstruktionsdominante des Dramas? In: Poetica 8 (1976) 2, Amsterdam 1976, pp. 177-207.

[16] This forms a parallel with the carnival guests whom Nataša, with her indifference to traditional rituals, excludes in Act II.

always the same […] My wife has taken poison again).[17] The combination of a Don Juan-like character and a wife who (for this reason?) repeatedly attempts to kill herself, reminds us, of course, of their prototypes in Suvorin's play: Sabinin and Tat'jana Repina.

The third off-stage figure is the head of the Kulygin's gymnasium, who runs the school very rigidly. He is represented by his double, Kulygin, who reports about him, admires and imitates him.

None of these off-stage figures are permitted to enter the Prozorov house, because they stand for everything the sisters despise. Eventually, however, the sisters are too powerless to defend their home. Protopopov's and Nataša's presence in the house in Act IV forms the culmination of this development: Just as in *Tat'jana Repina* the sacred is now completely permeated by the profane, showing that the sacred is not embedded within the actual reality, and is a mere artificial construct.

Conclusion

The three sisters form the heart of the communicative situation in *Tri Sestry*, which means they spatially and formally occupy the position taken up by the bride and groom in the communicative situation in *Tat'jana Repina*. In contrast to the bride and groom, however, who are the 'object' of the (initiation ritual of the) sacred performers, the three sisters are the 'performers'. Though the life of the elder sisters (Ol'ga and her school, Maša and Kulygin) is already grounded in the petty bourgeois milieu, they somehow do not seem to accept that these changes were also of their own doing. They feel that they have been forced to live the way they do, an idea which Irina is gradually accepting too.[18] This is the very reason that they cling to a life and a pattern that no longer exists in an attempt to maintain an 'ideal' status quo and social cohesion. The only place where they can successfully hold on to their 'ideal' is their parental home, that they turned into a 'sacred' space, which no one is allowed to enter, who is likely to disrupt their 'ideal or utopian' way of living. Through their implicit and rigid ordering of the ritual-like conversational behaviour they in a way dominate the other characters, as the religious group in *Tat'jana Repina*, and enforce an artificial social cohesion that is either absent or gradually eroded – in fact a cohesion that is 'without substance'. Just as in *Tat'jana Repina,* we find that all characters, with the exception of Nataša, in a way display 'acceptance' (Rappaport) with regard to the ideal self-image/myth and the ritual communication (cf. the protective behaviour of the military towards the three sisters). But we have also seen that disruptions occur from within these groups. Just as in *Tat'jana Repina*, where the secular replaced the sacred, the 'lower' and 'provincial' win out against the 'higher' and 'cultural'. An interesting factor is that the performatives in which the ritual is commonly expressed (cf. Rappaport's 'factive'[19]), as in *Tat'jana Repina*, forming a strong appeal to all participants, are absent in the ritual communication as established by the three sisters. Here the

---

[17] In his notebook Čechov made Maša poison herself. "Среди черновых записей к пьесе 'Три сестры' находим: 'Кулыгин, узнав, что Маша отравилась, прежде всего боится, как бы не знали в гимназии.' [Amidst the draft notes to the play 'The Three Sisters' we find: 'After Kulygin was informed that Maša has poisoned herself, he first of all is anxious that at the gymnasium people will find out about it too.'] (12, 307, лист 13, № 16). См. также слова Маши: 'Я отравилась' [See also the words of Maša: 'I have poisoned myself'], там же, № 10." (Z.S. Papernyj: Zapisnye knigi Čechova. Moskva 1976, p. 40).

[18] See for the significance of the conflicting role models of her elder sisters Stelleman, pp. 63-75.

[19] "Performatives differ in the scope of the action they complete. If an authorized person, following a proper procedure, names a ship the Queen Elizabeth, the ship is so named. […] The naming, which not only constitutes an action but actually brings into being the state of affairs with which it is concerned, is of the class of performatives that we may call 'factive'. […] many actions completed in ritual – dubbings, declarations of peace, marriages, purification – are factive […]." (Rappaport, p. 450).

phatic element dominates, disregarding the direct, extra-verbal situation[20] and favouring the impersonal, the generalizing, and the philosophising. In this way the verbal utterances are detached from the extra-verbal situation, with the result that the dialogue is detached from actual 'reality', just as the ritual was in *Tat'jana Repina*. The performatives, the appeal to the addressee to maintain the code and not breach or criticize it (cf. Father Ivan, who uses his authority to call the congregation to order), have largely been transferred to the non-verbal, paralinguistic behaviour in *Tri sestry*. Disregard, taboos, evasions, silences, repetitive themes, selection of 'wrong' addressees, not expecting a response, changing the subject – these are all expressions of this rather 'closed' interaction.[21] With this innovative construction of the dialogue Čechov was able to transform the panoramic *'dialog vne partnera'* in the church in *Tat'jana Repina* into the more 'intimate' *'dialog vne partnera'* in the Prozorov house.

Literature

Durkheim, E.: The Elementary Forms of Religious Life. Transl. by C. Cosman, Introd. and Notes by Mark S. Cladis. Oxford 2001.

Gennep, Arnold van: The Rites of Passage. Transl. by M.B. Vizedom and G.I. Caffee, introd. by S.T. Kimball. Chicago 1960.

Mukařovský, J.: The Word and Verbal Art. New Haven, London 1977.

Papernyj, Z.S.: Zapisnye knigi Čechova. Moskva 1976.

Rappaport, Roy: Enactments of Meaning. In: A Reader in the Anthropology of Religion. Ed. M. Lambek. Cambridge, Boston 2008.

Schmid, H.: Ist die Handlung die Konstruktionsdominante des Dramas? In: Poetica 8 (1976) 2, Amsterdam 1976, pp. 177-207.

Schmid, H.: Reden, Töne, Geräusche und Musik in Čechovs vergessenen Einaktern. In: Stimmen – Klänge – Töne. Synergien im szenischen Spiel. Ed. Hans-Peter Bayerdörfer. Tübingen 2002.

Stelleman, J.: Aspects of Dramatic Communication. Action, Non-action, Interaction. (A.P. Čechov, A. Blok, D. Charms). Amsterdam, Atlanta 1992.

Suvorin, A.S.: Ochota na ženščin/Tat'jana Repina. St. Peterburg 1887.

Watzlawick, P.; J. Beavin Bavelas & Don J. Jackson: Pragmatics of Human Communication. (A Study of Interactional Patterns, Pathologies, and Paradoxes). New York, London 1967.

Zingerman, B.: Teatr Čechova i ego mirovoe značenie. Moskva 1988.

[20] Cf. Mukařovský, p. 91.

[21] See for closed versus open interaction systems chapter IV in P. Watzlawick, J. Beavin Bavelas & Don J. Jackson: Pragmatics of Human Communication. (A Study of Interactional Patterns, Pathologies, and Paradoxes). New York, London 1967.

Richard Peace

The Cherry Orchard – Settings and Directions

Čechov began to write seriously for the theatre relatively late in his career, and – from his background as a successful writer of short stories – the theatre presented him with a certain problem. Whereas, before, there was only the text between writer and reader, dramatic productions introduced a new doubly insulating layer; his work could only reach his audience through, on the one hand, the interpretative filter of the director, and on the other, that of the actors. If to overcome this, however, he were to resort to clear precise directions and authoritative, detailed notes, he would defeat the very nature of his art which relied on suggestion and ambiguity.

Before him Gogol' had faced a similar problem. As a short-story writer his techniques also were ambiguous and oblique, and when he saw his play *The Government Inspector* (Revizor) on stage, he was appalled, and spent much time and ink in an effort to interpret its meaning.[1] Čechov went down this road only once, and then only in private correspondence. In a letter to Suvorin he gives a long justification and interpretation of his early play *Ivanov*, yet when it came to more mature works he kept his authorial remarks to a minimum, even when he did not particularly like what he saw on stage.[2]

During the production of *The Seagull* Stanislavskij records his bafflement, that while Čechov criticised his portrayal of Trigorin, the only advice he offered was that Trigorin wore check trousers and had holes in his shoes.[3] Similarly in the portrayal of Vojnickij in *Uncle Vanja* he merely pointed to his own stage direction, that the character wore wonderful ties, and later added that Astrov whistled.[4]

Clothes and sounds are important indicators of character and mood in all Čechov's plays. In *The Cherry Orchard* characterisation through clothing is particularly noticeable in the minor characters. The broad nature of Piščik is visually expressed in his wide, cossack type breeches (*šarovary*; 13, 203). The clothes of Šarlotta accentuate her masculine characteristics in Act II, and in Act III her clown-like nature. Trofimov has the clothes of a student, and the clumsy, comic nature of Epichodov is epitomised by his squeaking boots. Firs, in spite of his advanced years, is something of a quick-change artist. At the beginning of Act I, as he rushes to greet Ljubov' Andreevna, he is wearing an ancient livery and a tall hat (13, 199). Not long after this he enters again, but in a jacket and a white waistcoat (13, 202), he then dons white gloves (13, 203). At the opening of Act III he is in a tailcoat (13, 229), and in his final scene, at the end of the play "he is wearing, as always, a jacket and a white waistcoat, and slippers on his feet" (Он одет, как всегда, в пиджаке и белой жилетке, на ногах туфли; 13, 253).

Evocative sounds too are a feature much commented on: from the shepherd's pipe at the end of Act I to the ominous sound of the "breaking string" in Act II, which recurs at the very end of the play along with the sounds of axes chopping down the Cherry Orchard. But sounds in Čechov's plays are calculated for artistic and symbolic effect; they are certainly not gratu-

---

[1] I.e. *Teatral'nyj raz"ezd* (Leaving the Theatre after the Performance of a New Comedy); *Razvjazka "Revizora"* (The Dénouement of "The Government Inspector"); *Preduvedomlenie dlja tech, kotorye poželali by sygrat' kak sleduet "Revizora"* (A forewarning to those who would like to play "The Government Inspector" as it should be played). See N.V. Gogol': Polnoe sobranie sočinenij. Leningrad 1937-52. T. IV, pp. 112ff.

[2] See: Letter to A.S. Suvorin, 30 Dec. 1888 (P. 3, 108-116). In a letter to Ol'ga Knipper (14 Oct. 1903) Čechov does, however, give a casting list with certain observations about characters (P. 11, 273/74).

[3] K.S. Stanislavskij: A.P. Čechov v chudožestvennom teatre. (Vospominanija). In: A.P. Čechov v vospominanijach sovremennikov. Moskva 1986, p. 381 (hereafter referred to as Vosp. sov.).

[4] Ibid., pp. 382, 387.

itous, nor is their chief function the promotion of greater realism. We know that Čechov criticised directors who tried to introduce extraneous sound with this end in view.[5] Much commented on, too, is the lack of sounds – the pauses, which seem so meaningful.[6] All these are indicated in Čechov's directions.

Čechov was present at rehearsals of *The Cherry Orchard* and Stanislavskij records his frustration at attempts to get meaningful comments from the author. Čechov, as if it were one of his short stories, seemed to consider his play a complete statement in itself, saying, for example: "Listen, I have written there all I know."[7] He seemed to expect his director to comprehend his work in the same way that he expected a reader to understand what he had written, without further need of explanation. At the same time, Stanislavskij tells us, that he "would laugh so good-naturedly, and smile with pleasure, when the efforts of scene-painter and director coincided with his own idea".[8]

Čechov's list of *dramatis personae* gives little information about the physical and psychological peculiarities of his characters, and many of his stage directions have an enigmatic quality. Stanislavskij spoke of his replies to his questions as a director as having more the nature of puzzles (rebuses), which one had to solve.[9] Indeed, many of the actual written stage directions seem to have this quality. Čechov, it seems, does not wish to commit himself, but merely to suggest what he sees as an inherent ambiguity in human situations and relationships.

Such ambivalence extends to the very title, whose significance appears to depend on the way it is stressed. Čechov baffled Stanislavskij by his inexplicable delight in his first thought for a title: *Víšnevyj sad* – a delight which he did not explain, but even seemed disconcerted by Stanislavskij's failure to comprehend. Two days later Čechov showed equal delight in his amended title –*Višnëvyj sad*, but he still left Stanislavskij to work out the difference (i.e. a commercial as opposed to a non-commercial orchard).[10]

The stage-setting for Act I seems fairly detailed, yet it contains information which would not go amiss in a short story, but seems otiose as practical stage directions. What are we to make, for example, of: "[...] it is cold in the orchard. There is a morning frost" ([...] в саду холодно, утренник; 13, 197)? Not only does it refer to conditions off-stage, whose only effects on-stage are the closed windows (and these are stipulated in the directions themselves) but this state of affairs is actually mentioned almost immediately on stage in the words of Epichodov: "There's a morning frost now, three degrees of frost, and the cherry trees are in bloom" (Сейчас утренник, мороз в три градуса, а вишня вся в цвету; 13, 198).

Much the same could be said of the opening statement of the stage-setting: "A room which up to the present is called a nursery" (Комната, которая до сих пор называется детскою; 13, 197). Vestigial nomenclature is hardly a concrete stage direction – it is not a specification

---

[5] "'Listen!' Čechov said to somebody, but so that I could hear, 'I shall write a new play, and it will begin like this: How marvelous, how quiet! You can't hear either birds, or dogs, or cuckoos, nor an owl, nor a nightingale, no clocks, no bells, not a single cricket.' Of course is was a brickbat in my direction." (Stanislavskij, Vosp. sov., p. 411).

There is an interesting record in Mejerchol'd's diary (quoted in Vosp. sov.) of Čechov's reaction to the staging of *The Seagull*:

"Čechov protested against the off-stage croaking of frogs and whirring of crickets.

'What's this for?' Anton Pavlovich asked in a displeased voice.

'It's realism', the actor replied.

'Realism', repeated A.P. with a grin, and after a little pause, said 'theatre is art'." (Vosp. sov. p. 680).

[6] Some of these in *The Cherry Orchard* are interpreted by J.L. Styan in his study: Čechov in Performance. A Commentary on the Major Plays. Cambridge 1971, pp. 252, 278, 281, 308, 310, 321.

[7] Ibid., p. 394.

[8] Ibid.

[9] Ibid., p. 410.

[10] Ibid., pp. 409/10.

for rocking horses and toys, as such. It is a formula in which "*do sich por*" (up to the present), and "*nazyvaetsja*" (is called) are just as important as "*detskaja*" (nursery). It's aim is atmospheric, and provides a symbolic background, taken up later in the act, when the stage directions call for Anja to speak in a childish manner (13, 201), and continued in Firs' treatment of Gaev as though he is *still* a child – a thread which goes throughout the whole play, and finds its more sophisticated echo in the behaviour of Ljubov' Andreevna herself.

The directions for the stage-setting of Act II communicate, to a reader at least, a sense of indeterminacy – of things being there and not there. The setting calls for large stones, which "apparently" were once gravestones (but not a graveyard, Čechov would insist).[11] Even more indeterminate is the distant town "which can only be seen in very good, clear weather" (бывает виден только вочень хорошую, ясную погоду; 13, 215) – a direction which calls, not only for the skills of a subtle scenery-painter, but also for those of a meteorologist. Even the cherry orchard itself is not quite there: "To one side, poplar trees tower darkly. It is there that the cherry orchard begins" (В стороне, возвышаясь, темнеют тополи: там начинается вишневый сад; 13, 215).

There is an apparently ominous undertow in these directions, not only indicated in the cemetery which is not a cemetery, but also in the fact that Šarlotta has a rifle, and is discovered fiddling with the buckle on its strap. Nor is this the only gun on stage; almost immediately Epichodov reveals a revolver, and vaguely talks of suicide (13, 216). According to one of Čechov's well-known sayings: "If a pistol is hung on the wall in the first act, it ought to be fired in the next, otherwise don't hang it up."[12] As opposed to all Čechov's previous plays, no gun is ever fired in *The Cherry Orchard*. They are instruments of tragedy in the hands of comic characters – titillating markers of dramatic indeterminacy.

Epichodov is a patently comic character, yet he is named "Twenty-two misfortunes" (двадцать два несчастья; 13; 199), and he talks of suicide. The description of Šarlotta's dress, together with her rifle, in the opening stage directions emphasises masculinity and suggests her ambivalent sexuality, a point subtly suggested by her action after her opening speech (in which she reveals that she herself does no know who she is): "*She gets a gherkin out of her pocket and eats it*" (*Достает из кармана огурец и ест*; 13, 215). The action in itself is comic, but if to a Freudian the gherkin suggests a phallic symbol, it also has a more ambivalent resonance: it recalls a feminine sexual identification from Act I: Jaša's exclamation: "Oh.. little gherkin!" (Гм... Огурчик!; 13, 202) as he makes his crude advance on Dunjaša, and causes her to drop a saucer.

In this act Jaša and Dunjaša also carry on the theme of ambivalence, but on a social level. It is a time when social divisions are losing their hard edges. Čechov shows this blurring of master/servant relationships through his stage directions. The maid and the valet have social pretensions: Dunjaša looks in a mirror and powders her nose (13, 215); Jaša smokes a cigar, and reacts to the master, Gaev, with scarcely concealed laughter (13, 218).

The stage setting for Act III continues the theme of social change. The "cavaliers" at this grand ball are local minor officials, and the maid Dunjaša is allowed to dance (13, 229). The significance of this scene of social decline, presented visually in the opening directions, is made explicit verbally later in the act by the old retainer Firs (13, 235).

The opening directions also reveal something else: the ambivalence of human emotions. Thus we read: "Varja quietly cries, and wipes her tears as she dances" (Варя тихо плачет и, танцуя, утирает слезы; 13, 229). Physically she is engaged in a ritual of enjoyment; emotionally her action shows her unhappiness. The stage directions show a similar emotional ambivalence for the entry of Gaev later in the act: "[...] in his right hand he has some pur-

---

[11] See P. 11, 284.

[12] See Vosp. sov., n. 23, p. 663 and ibid. p. 293 for Nemirovič-Dančenko's account of the origin of this saying.

chases [anchovies and herring – traditional accompaniments for the drinking of vodka – R.P.] with his left hand he is wiping away tears" ([…] в правой руке у него покупки, левой он утирает слезы; 13, 239) – tears which rapidly disappear when he hears servants playing on his billiard table.

The ambiguity associated with tears, epitomised above all in the frequent stage direction "through tears" (*skvoz' slezy*), is a central point at issue in the *Cherry Orchard*. Čechov himself tried to clarify his intentions, but again, his explanations have something of the quality of a rebus. Thus he wrote in response to a telegram from Nemirovič-Dančenko:

> Почему в телеграмме горовишь о том, что в пьесе много плачущих? Где они? Только одна Варя, но это потому, что Варя плакса по натуре, и слезы ее не должны возбуждать в зрителе унылого чувства. Часто у меня встречается сквозь слезы, но это показывает только настроение лица, а не слезы. (P. 11, 283/84)

> Why in the telegram do you say that there are a lot of weeping people in the play? Where are they? There is only Varja, but that is because Varja is a cry-baby by nature, and her tears should not arouse any gloomy feeling in the spectator. Frequently in my work you will come across "through tears", but this merely indicates the mood of the person, not tears.

So tears are not tears, they are indicators of mood, and the phrase "through tears" is not just associated with Varja, it is given, as directions for such central characters as Ljubov' Andreevna and Gaev, and also for the more minor figures of Dunjaša, Trofimov and Piščik. Its ambiguity is set almost from the outset in the very first words spoken in the play by Ljubov' Andreevna: "*(joyfully, through tears)*. The Nursery!" (*(радостно, сквозь слезы)*. Детская!; 13, 199), followed shortly afterwards by a stage direction for Firs: "*(Weeps from joy.)*" (*(Плачет op радости.)*; 13, 203). Stanislavskij records that there was nothing that Čechov defended more strongly than that neither of his plays, *Three Sisters* and *The Cherry Orchard*, was a heavy drama of Russian life, but a light-hearted comedy, almost a vaudeville.[13]

The formula adopted by Čechov is not "*in* tears" or "*with* tears"; the preposition he has chosen is "through". It suggests the flux of some intermediate state, and, as we have seen in Čechov's own interpretation, the tears are somehow there and not there, like the town in Act II, and even, it might be said, the cherry orchard itself. The stage directions sometimes call for laughter, too, in this indeterminate state. Ill-contained laughter is indicated in Jaša's attitude to Gaev (13; 218, 233) and Lopachin's non-proposal to Varja in Act IV is preceded by suppressed laughter off-stage (13, 250). The illusion of "there/not there" is given dramatic expression in Šarlotta's disappearing tricks with cards, and her conjuring up of both Anja and Varja from a mere rug, as well as the production of non-existent voices through ventriloquy.

The characters themselves can be caught between states of "there and not there", of awareness and non-awareness. At the end of Act I the stage directions show Anja in a state of half-sleep (13, 214), and earlier in the act Piščik, in mid sentence, had experienced a short narcoleptic episode. This can be seen as a moment of bizarre comedy, possibly related to his earlier consumption of all Ljubov' Andreevna's pills, yet a similar episode occurs at the opening of Act III, where once again Piščik suddenly snores in the middle of a sentence, only to start back into consciousness: "*(He snores and immediately wakes up.)*" (*(Храпит и тотчас просыпается.)*; 13, 229).

The climax of Act III is conveyed through an echoing effect in the stage directions, which, although verging on the comic, manages to convey two radically opposed emotions. Ljubov' Andreevna, learning that she has lost the estate, is devastated: "[...] and would have fallen if she were not standing near an armchair and a table" ([…] она упала бы, если бы не стояла возле кресла и стола; 13, 240). But her almost downfall is Lopachin's crude triumph: "The

---

[13] Vosp. sov., p. 394.

new landowner is coming, the owner of the cherry orchard!" (Идет новый помещик, владелец вишневого сада!) he says with a certain degree of irony, and the stage directions read "*(He accidentally knocks a little table, almost upsetting the candelabra.)*" (*(Толкнул нечаянно столик, едва не опрокинул канделябры.)*; 13, 241).

The final act is also one of emotionally charged echoes. The opening directions call for the stage set of Act I, but the echo is an empty one: there are no curtains at the windows, no pictures on the walls, and what furniture remains is piled in a corner – described by one of Čechov's suggestive directions: "as though for a sale" (точно для продажи). Here again it is atmosphere which is important, as Čechov's directions suggest: "There is a feeling of emptiness" (Чувствуется пустота; 13, 242). Arrival and departure are a further echo. Before the masters appear on stage in Act I it is left empty; in Act IV it is empty again on their departure – until the hapless, forgotten Firs appears to conclude the play, and the cherry trees glimpsed in bloom in Act I are reduced to the echoing sounds of their destruction.

No one was aware that Firs had been left behind. Awareness versus non-awareness, reality versus dream, is a central issue in the play. Both Ljubov' Andreevna and her brother close their eyes to their real situation; they attempt to live in a world which is "there and not there" – a long-gone childhood, full of happiness and beauty, symbolised by a cherry orchard, which never quite comes into focus. The elusiveness of this world is captured in Čechov's equally elusive stage directions, and the rebus-like "explanations" wrung from him by Stanislavskij, Nemirovič-Dančenko and others.

Effects in Čechov's plays must not be crudely emphasized. The director must not compete with the author. In his plays, as in his stories, Čechov seeks the direct and unmediated reaction of a readership or an audience to what are, undoubtedly, the subtle ambiguities of his art.

Literature

Gogol', N.V.: Polnoe sobranie sočinenij. Leningrad 1937-52. T. IV.

Stanislavskij, K.S.: A.P. Čechov v chudožestvennom teatre. (Vospominanija). In: A.P. Čechov v vospominanijach sovremennikov. Moskva 1986, pp. 373-416.

Styan, J.L.: Čechov in Performance. A Commentary on the Major Plays. Cambridge 1971.

Jurij Domanskij

Финал *Вишневого сада*: драма и театр

И.Е. Гитович по поводу сценических интерпретаций *Трех сестер* заметила:

> […] ставя сегодня Чехова, режиссер из многослойного содержания пьесы выбирает все-таки – сознательно или интуитивно – историю про что-то, что оказывается ближе. Но это неизбежно *одна* из историй, *одна* из интерпретаций. Другие же смыслы, заложенные в систему образующих чеховский текст «высказываний», остаются нераскрытыми, ибо раскрыть *систему* за те три-четыре часы, что идет спектакль, невозможно.[1]

Этот вывод может быть спроецирован и на другие «главные» пьесы Чехова, прежде всего – на *Вишневый сад*, ведь театральная практика прошедшего века со всей убедительностью доказала две вещи, которые, на первый взгляд, противоречат друг другу: драмы Чехова на театре ставить нельзя, потому что любая постановка оказывается неполноценной относительно бумажного текста; драмы Чехова много, активно и часто успешно ставятся на театре.

Такое противоречье продиктовано как очевидной сложностью перекодировки чеховского драматического текста в текст театральный и желанием постановщика сложность эту преодолеть, так и не менее очевидной простотой, порождающей иллюзию легкого пути при перекодировке Чехова с бумаги на сцену. Камнем преткновения при такой перекодировке оказывается, прежде всего, ремарка, воплощающая, как и положено ремарке в драме, авторскую позицию, но воплощающая таким образом, что при внимательном взгляде авторская позиция не только не раскрывается, а, пожалуй, даже скрывается – скрывается от читателя и уж тем более от зрителя:

> […] в драматургии Чехова ремарка […] не только становится полноправным особом раскрытия характера, не только создает эмоциональную атмосферу, «настроение» пьесы, но в сложном взаимодействии с диалогом продуцирует ее смысл.[2]

Авторская позиция, представленная в эпически-лирических чеховских ремарках, заставляет по-иному работать и довольно частые в пьесах Чехова ремарки чисто драматургические – указывающие на жест, интонацию, мизансцену. В результате и «текст» оказывается куда как более многомерен, чем в «чистой», «традиционной» драматургии.

Но не только ремарка, не только паратекст указывает на смысловую многомерность пьес Чехова. В подобном ключе могут быть рассмотрены и реплики персонажей, ведь в них подчас важно не *что* произносится, а *как* произносится. Тем более что Чехов далеко не всегда снабжает реплики соответствующими интонационными ремарками, а ког-

---

[1] И.Е. Гитович: Пьеса прозаика: Феномен текста. В: Чеховиана. «Три сестры» – 100 лет. Москва 2002, с. 14. Еще более радикально И.Е. Гитович высказалась на конференции в Баденвейлере (октябрь 2004 г.): «Кажущаяся неисчерпаемость возможностей режиссерских манипуляций с чеховскими текстами, равно как и попытка переделок пьес – перенесение их фабул в другое время и пространство, что многими считается знаком сохраняющегося внимания именно к Чехову, – все это вызвано на самом деле чрезмерной и провоцирующей неопределенностью текста, а неопределенность текста связана с нагрузками на драматургическое слово, которых оно – по природе своей – выдержать не может, так как в основе остается словом прозаическим.» (И.Е. Гитович: Драматургия прозаика, или Гениальные непьесы Чехова. В: Антон П. Чехов как драматург. Резюме. Tübingen, Badenweiler 2004, с. 22). См. статью И. Гитович в данном сборнике.

[2] Т.Г. Ивлева: Особенности функционирования чеховской ремарки. В: Чеховские чтения в Твери. Тверь 1999, с. 134/35.

да снабжает, то эти ремарки зачастую еще более запутывают интерпретатора. Как видим, система основного текста и паратекста указывает на очень разные интерпретации при перекодировке драматического текста в театральный. Но все это потенциально заложено в бумажном тексте: у Чехова «само слово таит безграничную игру смысловых оттенков как залог читательской и зрительской интерпретации».[3] Итак, драма Чехова, как *любая драма*, нуждается в постановке на театре, но как *драма Чехова* – сопротивляется постановке. Почему? Наверное, ответить на этот вопрос пока невозможно, но хотя бы наметить подступы к ответу мы попытаемся.

Исследователи, занимающиеся изучением проблемы театрализации драмы, пришли к выводам о том, что при перекодировке драматического текста в текст театральный неизбежно происходит процесс метатекстуализации:

> По отношению к ДТ [драматическому тексту – Ю.Д.] (*материнскому*) ТТ [театральный текст – Ю.Д.] вступает как метатекст, как элемент в системе интерпретации текста, как декодер семиотических фрагментов текста-объекта […]. В ТТ реализуются интенциональные посылки комментатора-режиссера, обладающие иногда отличными от ДТ векторами смысла.[4]

– или вторичной интерпретации:

> Вторичная интерпретация драматургического текста – это связь пьесы с опытом интерпретатора (режиссера, переводчика), определяющая новый текст (спектакль, перевод), созданный на основе пьесы. Это переопредмечивание смыслов пьесы в новой форме.[5]

Из этого следует, что авторский бумажный текст при акционализации становится полиавторским. Но вместе с тем очевидно и то, что все возможные смыслы, реализованные в акционном варианте, заложены уже в варианте бумажном как инварианте относительно всех театральных интерпретаций, однако эксплицировать эти смыслы можно лишь при акционном исполнении; если это реплики – то при их озвучивании. Нас будет интересовать соотношение текста письменного, графического и текста устно-визуального, текста, реализуемого на сцене, текста, содержащего не *указания* на мизансцену, жест и интонацию, как текст бумажный, а собственно *мизансцену, жест и интонацию*. Возможность такого подхода заложена уже в том, что «драматургический текст предназначен и рассчитан для вторичной интерпретации, а все другие тексты – нет».[6]

Наша сегодняшняя задача: рассмотреть с учетом потенциальной театрализации возможности финала *Вишневого сада*. Под финалом мы понимаем заключительное явление пьесы (если бы чеховские тексты членились, как в классической драме, на явления).[7]

---

[3] А.П. Кузичева: Что же главное в прозе и драме Чехова. В: Творчество А.П. Чехова (Поэтика, истоки, влияние). Таганрог 2000, с. 44.

[4] В.П. Ходус: Корреляция драматургического и театрального текста: А.П. Чехов – К.С. Станиславский. В: Речь. Речевая деятельность. Текст. Таганрог 2000, с. 164.

[5] А.А. Сафронов: Смыслообразование в драматургическом тексте и его вторичных интерпретациях. Автореф. дисс. канд. филол. наук. Тверь 2003, с. 4.

[6] Там же, с. 7.

[7] И новаторство этих позиций в пьесах Чехова может быть определено по двум, по меньшей мере, параметрам: при перекодировке драматического текста в театральный и в контексте традиции драматургии. Так, напр., Р.-Д. Клуге пишет: «У Чехова можно констатировать присутствие четких функций отдельных действий: в первом – экспозиция, представление персонажей, обстоятельств и конфликтов, во втором – развертывание проблем и конфликтов; в третьем – решение или нерешение конфликтов заранее уже ожидаемым или даже известным образом; в четвертом – повторное подтверждение ситуации в форме эпилога.» (Р.-Д. Клуге: Антон Чехов и Сэмюэль Беккет – структурное сравнение больших драм Чехова с трагикомедией «В ожидании Годо». В: Studia Rossica. O literaturze rosyjskiej nowei i dawnei. War-

Вот «финальное явление» *Вишневого сада*:

Сцена пуста. Слышно, как на ключ запирают все двери, как потом отъезжают экипажи. Становится тихо. Среди тишины раздается глухой стук топора по дереву, звучащий одиноко и грустно.

Слышатся шаги. Из двери, что направо, показывается Фирс. Он одет, как всегда, в пиджаке и белой жилетке, на ногах туфли. Он болен.

Фирс *(подходит к двери, трогает за ручку)*. Заперто. Уехали… *(Садится на диван.)* Про меня забыли… Ничего … я тут посижу… А Леонид Андреевич, небось шубы не надел, в пальто поехал… *(Озабоченно вздыхает.)* Я-то не поглядел… Молодо-зелено! *(Бормочет что-то, чего понять нельзя.)* Жизнь-то прошла, словно и не жил… *(Ложится.)* Я полежу… Силушки-то у тебя нету, ничего не осталось, ничего… Эх ты… недотёпа!.. *(Лежит неподвижно.)*

Слышится отдаленный звук, точно с неба, звук лопнувшей струны, замирающий, печальный. Наступает тишина, и только слышно, как далеко в саду топором стучат по дереву.

Занавес

(13, 253/54)

Традиционная, а вернее, наиболее часто встречающаяся интерпретация этой сцены связана с экспликацией мотива смерти.[8] Но, разумеется, и это лишь одно из возможных толкований. Уже ремарка, предваряющая появление Фирса, решается крайне необычно, соотносит в себе две коррелирующиеся оппозиции: визуальную (пустота – заполнение) и звуковую (тишина – звуки). Начинается все с пространственной пустоты, постепенно наполняющейся звуками из «засценья»: «Сцена пуста. Слышно, как на ключ запирают все двери, как потом отъезжают экипажи.» После этого другая система: пустота + тишина – «Становится тихо». Затем снова звук из «засценья», но на этот раз звук, решенный в системе не только с пустотой, но и с тишиной: «Среди тишины раздается глухой

szawa 2000, с. 433). Е.Д. Толстая полагает: «Строго говоря, чеховские нововведения суть направлен-ные всплески раздражения: все лишнее – долой, все слишком явно и грубо; действие – за сцену, вместо саморазоблачительного монолога – пауза, вместо самоубийства – звуковой эффект, вместо бравурных финалов – открытые, мучительно провисающие концы, и всегда нежелание высказаться полностью.» (Е. Толстая: Поэтика раздражения: Чехов в конце 1880 – начале 1890-х годов. Москва 2002, с. 13).

[8] Сравним две разные трактовки – режиссерскую и исследовательскую – при всем их принципиальном различии мотив смерти оказывается ключевым в обоих случаях. Екатерина Богопольская пишет о постановке *Вишневого сада* в театре Одеон (Париж), режиссер Жорж Лаводан, премьера 22 января 2004 г.: «В символике Лаводана конец Вишневого сада равнозначен смерти: рушатся декорации, исчезают тюлевые завесы, остается черная дыра, пустота. Один на один с этой пустотой остается голый человек на голой земле – Филипп Морье-Жену вкладывает в последний монолог Фирса интеллектуальное напряжение и холодное, отстраненное отчаяние текстов Беккета. И как-то неожиданно вспоминается: этот монолог Фирса – вообще последний, что был написан для театра Чеховым, умершим полгода спустя после премьеры ‹Вишневого сада›. И тогда становится понятно, что этот абсолютно белый цвет тоже нужен был Лаводану как цвет траура, смерти.» (Екатерина Богопольская: Парижский сад. В: Чеховский вестник. № 14. Москва 2004, с. 90). А вот точка зрения А. Королева, который рассматривает финал *Вишневого сада* «с точки зрения африканской символики»: «[…] в пространстве беременной чистоты, в сердце материнской утробы оживает ребенок вишневого сада – полумертвый старик, страхолюдное дитя, почти труп.» (А. Королев: Белая Африка. «Вишневый сад» и африканская символика. В: Век после Чехова. Международная научная конференция: Тезисы докладов. Москва 2004, с. 101). Добавим к этому и иную трактовку, которая, как это ни парадоксально, тоже основана на мотиве смерти, ведь редукция мотива это тоже способ его актуализации: «Исходный смысл ‹Вишневого сада› – ‹в звуке лопнувшей струны›, этом водоразделе между жизнью и бытием. И еще он – в неувядаемости цветущего Сада и в неумирании старого Фирса. Это Треплев может у Чехова умереть, пускай и за сценой. Фирс же в финале приготовляется не умирать, а *вечно жить*. Он тут не долгожитель уже, а *вечножитель* – в поэтическом, разумеется, смысле. В финале последней чеховской пьесы, пьесы-завершения, и Сад рубят, и Дом заколачивают, как гроб, и Фирс, несомненно ‹в починку не годится›… Все так. Но остается непобедимость жизни, которая извиняет смерть за ее необходимость, но никак и никогда не примиряется с нею. Чтобы выразить это, быть может, и мало театра.» (В.В. Гульченко: Финалы последних чеховских пьес. В: Драма и театр. Вып. II. Тверь 2001, с. 87).

стук топора по дереву…» Заметим, как протяженна во времени вся эта сцена, представленная в ремарке. И это при том, что она не содержит реплик, т.е. звучащее вербальное здесь отсутствует, а источники невербальных звуков находятся вне видимого зрителями пространства сцены. И казалось бы, вся эта система прописана предельно точно – все звуки (запирание дверей, отъезд экипажей, даже *глухой* стук топора) не предполагают никаких иных толкований, кроме тех, что прописаны автором. Но концовка ремарки сводит всю эту точность на нет метафорической характеристикой стука топора – «одиноко и грустно». Таким образом, в этом микроэпизоде опять важна оказалась не точность авторских указаний режиссеру, а возможность передать настроение, ведь если для этого изначально не достаточно средств театра, то можно прибегнуть и к метафорике.

И дальше снова звуки, которые теперь, как мы понимаем, сливаются со стуком топора – «Слышатся шаги». Не будем искать символического значения слияния стука топора и шагов Фирса в пустоте и тишине; достаточно констатировать напряженность, скрытую в системе звучащего (но не вербального) и визуального (но статичного в силу ненаполненности, пустоты). И только здесь пустота заполняется выходом Фирса. Его появление тоже прописано предельно точно и в соответствие с канонами театра: мизансцена («Из двери, что направо, показывается Фирс»), костюм («Он одет, как всегда, в пиджаке и белой жилетке, на ногах туфли»). Но опять же последняя фраза ремарки «Он болен» рушит в один миг традицию, ведь эта ремарка передает состояние Фирса, а не какие-то внешне характеристики. Не будем в очередной раз указывать на очевидную несценичность чеховской ремарки – об этом не раз писали и говорили. Нам сейчас важно обратить внимание на то, что в ремарке соседствуют элементы традиционные, вполне поддающиеся однозначной театральной интерпретации, и элементы, выражающие авторское отношение, передающие состояние. В результате формируется система чисто драматического и эпического (а, точнее, эпическо-лирического), вспомогательного и авторского. Именно в амбивалентной родовой природе этой системы и кроется одна из трудностей перекодировки чеховского драматического текста в театральный.

Но все еще более осложняется, когда дело доходит до реплики. Знаменитый финальный монолог Фирса графически организован таким образом, что соединяет в систему то, что говорит Фирс (основной текст), и то, что он делает в процессе говорения (ремарки, указывающие на действие, жесты). Жестовые ремарки предельно точны, почти абсолютно театральны: «подходит к двери, трогает за ручку», «садится на диван», «Ложится», «Лежит неподвижно». Театральны и ремарки, близкие к интонационным («Озабоченно вздыхает», «Бормочет что-то, чего понять нельзя»). Но вот семантика и количество этих ремарок для однозначного интонационного воплощения реплики Фирса на театре очевидно недостаточны. Эти ремарки мы даже в строгом смысле не можем назвать интонационными, характеризующими речевое действие; это, скорее, обозначение действия персонажа в более широком, не только и не столько речевом, смысле; они, пожалуй, даже ближе к ремарке физического действия[9], а значит поддерживает не столько интонационные особенности реплики, сколько особенности мизансцены и жеста, правда, с явным указанием на звучащую природу, звучащую, но не вербальную, хотя и близкую к вербальной в силу аналогичного происхождения. Таким образом, в монологе Фирса *прямых* указаний на интонацию нет. Это, например, дало право актеру маленького подмосковного театра в фильме *Третий вариант* (по повести А. Дмитриева *Призрак театра*, сценарий Андрея Максимова, режиссер Константин Худяков, 2003, роль этого актера исполнил Игорь Кваша) сыграть монолог Фирса с агрессивной интонацией.

---

[9] Подробнее типологию ремарок см.: А.Б. Пеньковский, Б.С. Шварцкопф: Типы и терминология ремарок. В: Культура речи на сцене и на экране. Москва 1986, с. 150-170.

Но все же *непрямые* указания на интонацию в реплике Фирса присутствуют – они выражены в пунктуационных знаках: многочисленных многоточьях, которые встречаются как перед ремарками, так и внутри реплики, и двух восклицательных знаках, один из которых расположен в начале многоточья. Конечно, неизбежно задаемся вопросом: можно ли считать пунктуацию ключом к интонации? А если да, то что тогда значит письменное многоточье при его озвучивании? Паузу?[10] Думается, что и да и нет. Видимо, придется признать, что пунктуационный знак многомернее, чем прямое указание на интонацию в словесной ремарке. А это означает, что обильная пунктуация в реплике Фирса позволяет актеру применять более широкий спектр интонационных возможностей, чем было бы при прямых ремарках, характеризующих речевое действие; а то, что пунктуация эксплицирована в системе многоточий и восклицательных знаков, этот спектр увеличивает еще больше. То есть реплика Фирса организована таким образом, что соединяет в систему строго и точно обозначенные жесты и предельно широко допустимый интонационный спектр произносимого. Это соединение тоже может быть обозначено как синтез драматического и эпическо-лирического начал.

Финальная ремарка, вынесенная в отдельный абзац, начинается с указания на «звук лопнувшей струны», ставший знаком загадочности чеховской драматургии, «своего рода эталоном засценья в театре XX века».[11] Добавим к существующим интерпретациям только то, что при всей смысловой сложности эта ремарка в основе своей не должна, вроде как, вызывать сопротивления при постановке: ведь нужно просто дать звук лопнувшей струны, а этот звук легко воспроизводим и столь же легко узнаваем. Другое дело, что автор сам осложняет задачу звукорежиссера, когда во 2-м действии вербально эксплицирует реакцию персонажей на этот звук, ведь никто из присутствующих как на звук лопнувшей струны на него не реагирует: сорвалась бадья, птица кричит, но только не струна лопнула (словно пару минут назад не проходил мимо Епиходов с гитарой). Сложность и в характеристике звука: «отдаленный», «точно с неба», «замирающий, печальный». А после этого в финальной сцене снова корреляция оппозиции звука и тишины, как было до монолога Фирса: «Наступает тишина, и только слышно, как далеко в саду топором стучат по дереву.» Только сцена теперь не пуста – на ней Фирс, но не менее статична, чем была тогда, когда на ней никого не было, ведь Фирс «лежит неподвижно». Напомним, кроме того, что обе звуковые ремарки самого финала – звук лопнувшей струны и стук топора по дереву – являются на данный момент в драматическом тексте повторенными: звук лопнувшей струны был во 2-м действии, при чем описывался теми же словами, что и в финале; а стук топора был до реплики Фирса (другое дело, что при сценической интерпретации этот звук должен, скорее всего, сопровождать монолог Фирса).[12]

Как видим, финал *Вишневого сада* строится на корреляции противоречий. И весь *Вишневый сад* сделан на корреляции таких противоречий. В этом сложность его и пре-

---

[10] А.Б. Криницын полагает, что паузы в числе прочего обозначаются у Чехова и многоточьями – «самыми короткими, но все равно ощутимыми по своей протяженности и значению.» (А.Б. Криницын: Семантика молчания в драмах Чехова. В: Антон П. Чехов как драматург. Резюме докладов конференции. Баденвейлер, октябрь 2004, с. 39).

[11] В. Гульченко: За кулисами чеховских пьес: Театроведы Израиля размышляют… В: Чеховский вестник. № 12. Москва 2003, с. 37.

[12] Возможна и такая трактовка паратекста финала *Вишневого сада*: «Щелканье закрывающихся замков закономерно завершает постепенно исчезающий звук отъезжающих от дома экипажей. Отсюда – использование в ремарке *настоящего длящегося* времени, фиксирующего постепенность осуществления каждого действия. Угасание звуков **дома** сопровождается звуками, маркирующими смерть **сада**, неразрывно с ним связанного. Параллельно с ними в последний раз звучит пограничный звук *лопнувшей струны*, и, наконец, в самой ближайшей перспективе, возможно, в момент опускания занавеса, на сцене устанавливается ничем более не нарушаемая тишина вечности, в которой растворяется человеческий мир.» (Т.Г. Ивлева: Автор в драматургии А.П. Чехова. Тверь 2001, с. 119/20).

лесть. Даже в контексте остальных пьес Чехова *Вишневый сад*, по крайней мере финал этой пьесы, наиболее репрезентативен в плане столкновения традиционно драматического, театрального и эпическо-лирического авторского, не поддающегося точной сценической интерпретации. В этом нам видится ключ ко всей чеховской драматургии, разрешение противоречья между тем, что Чехова ставить в театре нельзя, потому что при постановке многогранность смыслов графического текста утрачивается, и тем, что Чехова активно и часто удачно в театре ставят.[13]

Итак, финал *Вишневого сада* при всей его нетривиальности для театра, содержит эксплицированную интенцию на акционность через усиление указаний на синтетическую природу, на корреляцию разных по своей природе субтекстов, выраженных тем не менее в единой системе графических слов, которые только транслируют субтексты потенциально невербальные. Эти потенциально невербальные субтексты вступают в конфронтацию как друг с другом, так и с чисто вербальным субтекстом. В результате полностью вербальный текст перестает быть словоцентричным, тяготея к вербально представленной синкретичности. Это происходит даже тогда, когда ремарка решается вполне традиционно для театра. В финале *Вишневого сада* источники невербальных звуков находятся за сценой, а сами эти звуки по сути своей вполне поддаются театрали-зации. Однако их авторская характеристика («одиноко и грустно», «точно с неба», «замирающий, печальный») вступает в конфронтацию с простой природой этих звуков. Таким образом, бумажный чеховский текст, активно сопротивляясь однозначной театрализации, является, вместе с тем, во-первых, плацдармом для театрализации, средоточием неисчерпаемого множества театральных интерпретаций, а во-вторых, эксплицирует авторское представление о театральном тексте – эксплицирует только в графической вербальной системе реплик и ремарок. И вдумчивый читатель вполне в состоянии увидеть это представление, мысленно перекодировать драматический текст в текст театральный.

Вся же полнота смыслов оказывается возможна только при соотнесении бумажного и максимального числа разнообразных *настоящих* акционных версий, ведь смысл эпизода в бумажном варианте оказывается редуцирован при воплощении его на театре, а смысл, возможный в сценическом варианте, все-таки прямо не предусмотрен в тексте «бумажном» и может быть только «дочитан» при сценической интерпретации, ведь «в чеховской драматургии заложена потребность домыслить ее волей будущего воплотителя».[14] И смыслы эти рождаются не только во взаимодействии паратекста и основного текста – в корреляции авторской позиции и точек зрения персонажей; но и во взаимодействии традиционного для драмы и неприемлемого для этого рода литературы. При театральной постановке чеховских пьес можно эксплицировать какую-то одну грань того или иного микроэлемента, все же прочие грани останутся лишь в бумажном тексте. Но все же чеховская драма это именно драма. Просто драма с необычным для драмы способом экспликации авторской позицией. Такая драма, в отличие от более традиционной, позволяет творцам спектакля стать соавторами драматурга, позволяет зрителю в каждой постановке одного и того же драматического текста видеть новое произведение, а этого, по всей видимости, и добивался Чехов.

---

[13] Отметим и еще одну характерную деталь: В финале *Вишневого сада* нет «музыкального номера», тогда как финалы пьес *Дядя Ваня*, *Чайка* и *Три сестры* такие «номера» содержат. В финале *Дяди Вани* «Телегин тихо играет на гитаре», в финале *Чайки* Дорн «*напевает*», в финале *Трех сестер* Чебутыкин «*тихо напевает*» под музыку военного марша знаменитую «Тарарабумбию». В *Вишневом саде* есть только стук топора и звук лопнувшей струны, который в контексте финалов остальных пьес может быть рассмотрен как знак *смерти музыки*, как редукция возможной музыкальной вставки.

[14] Л.А. Давтян: О своеобразии художественного пространства драматургии А.П. Чехова. В: Чеховские чтения в Твери, с. 128.

Таким образом, только *система* драматического и театрального текстов и оказывается способной относительно полно представить смысловой потенциал чеховской драмы, что соответствует авторской интенции. И нельзя не согласиться с Э.А. Полоцкой, писавшей в начале 1990-х гг.:

> […] я не берусь оценивать актерские и тем более режиссерские работы над «Вишневым садом», я только пытаюсь некогда увиденное на сцене соотнести с тем, что уже известно из самой пьесы, и благодаря театру нахожу иногда потенциальные смыслы, в ней заложенные.[15]

Литература

Богопольская, Е.: Парижский сад. В: Чеховский вестник. № 14. Москва 2004 <http://chekhoviana.narod.ru/vest_14.htm>.

Гитович, И.Е.: Пьеса прозаика: Феномен текста. В: Чеховиана. «Три сестры» – 100 лет. Москва 2002, с. 6-18.

Гульченко, В.В.: Финалы последних чеховских пьес. В: Драма и театр. Вып. II. Тверь 2001.

Гульченко, В.: За кулисами чеховских пьес: Театроведы Израиля размышляют… В: Чеховский вестник. № 12. Москва 2003 <http://chekhoviana.narod.ru/vest_12.htm>.

Давтян, Л.А.: О своеобразии художественного пространства драматургии А.П. Чехова. В: Чеховские чтения в Твери. Тверь 1999.

Ивлева, Т.Г.: Особенности функционирования чеховской ремарки. В: Чеховские чтения в Твери. Тверь 1999.

Ивлева, Т.Г.: Автор в драматургии А.П. Чехова. Тверь 2001.

Клуге, Р.-Д.: Антон Чехов и Сэмюэль Беккет – структурное сравнение больших драм Чехова с трагикомедией «В ожидании Годо». В: Studia Rossica. O literaturze rosyjskiej nowei i dawnei. Warszawa 2000.

Королев, А.: Белая Африка. «Вишневый сад» и африканская символика. В: Век после Чехова. Международная научная конференция: Тезисы докладов. Москва 2004.

Криницын, А.Б.: Семантика молчания в драмах Чехова. В: Антон П. Чехов как драматург. Резюме докладов конференции. Баденвейлер. Октябрь 2004, с. 39.

Кузичева, А.П.: Что же главное в прозе и драме Чехова. В: Творчество А.П. Чехова (Поэтика, истоки, влияние). Таганрог 2000.

Пеньковский, А.Б.; Шварцкопф, Б.С.: Типы и терминология ремарок. В: Культура речи на сцене и на экране. Москва 1986, с. 150-170.

Полоцкая, Э.А.: «Неугомонная» душа: «Вишневый сад». Раневская в пьесе и на сцене. В: Театр, 1993, № 3.

Сафронов, А.А.: Смыслообразование в драматургическом тексте и его вторичных интерпретациях. Автореф. дисс. канд. филол. наук. Тверь 2003.

Толстая, Е.: Поэтика раздражения: Чехов в конце 1880 – начале 1890-х годов. Москва 2002.

Ходус, В.П.: Корреляция драматургического и театрального текста: А.П. Чехов – К.С. Станиславский. В: Речь. Речевая деятельность. Текст. Таганрог 2000.

---

[15] Э.А. Полоцкая: «Неугомонная» душа: «Вишневый сад». Раневская в пьесе и на сцене. В: Театр, 1993, № 3, с. 87.

Viktor Gul'čenko

Пятое действие *Вишневого сада*

В канун XX века и на заре его Чехов и Эйнштейн, независимо друг от друга, почувствовали и каждый по-своему поэтически или научно обосновали главнейший конфликт нового столетия. Это конфликт времени и бытия, это нарушение прежних устойчивых связей между временем и бытием.

Чехов писал эпические комедии. Его *Вишневый сад* – поэма. Это современная трагедия под маской «комедии», комедии самой жизни, разумеется.

Пьесы Чехова *Три сестры* и, в особенности, *Вишневый сад* – в бо́льшей степени «вертикальные», нежели «горизонтальные».

Горизонтали «Вишневого сада»: «В Париж! В Париж!». Париж тут выступает в роли Москвы. Здесь имеют место французские настроения героев *Вишневого сада* – там хорошо, где нас нет…

Вертикали «Вишневого сада»: Прохожий (во 2-м акте) и Симеонов-Пищик (в 4-м акте), на которого Чехов частично возлагает здесь функции Прохожего, и, конечно же, Фирс – прежде всего Фирс.

Точка пересечения горизонталей и вертикалей: «звук лопнувшей струны». И тут можно говорить о «звуке лопнувшей струны» в свете теории относительности. И тут можно выдвигать рядом с фигурою Чехова фигуру Эйнштейна.

Он, этот звук, и есть завязка пятого акта *Вишневого сада.* Из предыдущих четырех актов мы узнаем, что случилось с персонажами. Из пятого, ненаписанного, но подразумеваемого акта мы можем узнать гораздо бо́льшее: что с ними *не случилось и не может случиться.*

И в этом смысле *Вишневый сад* – трагедия. По существу, весь XX век, да и нынешний, похоже, тоже – и есть *пятое действие «Вишневого сада»*, *прямое продолжение* великой чеховской пьесы.

Нет смысла, на наш взгляд, тянуть в пятый акт *Вишневого сада* некие фабульные нити, хотя не составляет большого труда представить себе будущее того же, например, Гаева в облике Барона из горьковской пьесы *На дне*. Но все дело в том, что у Чехова не может быть *Вишневого сада-2*. В истинно фабульном смысле продолжение *Вишневого сада* как раз и *не воспоследует*.

Чем же ценны пьесы Чехова, этого главного, как выразился Борис Зингерман, «действующего лица в европейской театральной культуре XX века»?

Пьесы Чехова ценны энергией театрального действия, которая и обеспечивает им долговременный, если не сказать, *вечностный* запас прочности.

Энергия театрального действия, в сущности, и делает эти пьесы классическими.

Вспомним знаменитую мхатовскую постановку *Три сестры* 1940 г., осуществленную Немировичем-Данченко едва ли не в возрасте Фирса (ему было 83 года тогда) – пронизанный легким дыханием художественной молодости спектакль мхатовского старца стал, в частности, своего рода предвестием, предчувствием итальянского неореализма послевоенной поры. Казалось, это не вершининская бригада, не военные уходили из провинциального города в какую-то даль, а сама пьеса Чехова вновь устремлялась вперед, к новым художественным горизонтам.

Чехов помогает нам понять не только и не столько его самого, сколько других, часто, кажется, совсем на него не похожих авторов и, в конце концов, понять самих себя.

В этом – историзм чеховских пьес, в этом – источник их неиссякаемого новаторства. Пьесы Чехова *всегда в цвету*, как и его Вишневый Сад.

Сила произведений Чехова-драматурга многократно умножается необыкновенными их финалами. Пьесы без развязки, они, разумеется, имеют определенную фабульную завершенность, но в сюжетном смысле они непременно уводят читателя (и, увы, гораздо реже – зрителя) в некую загадочную зону, где путаются, сталкиваются одно с другим настоящее и прошлое, а будущее беспомощно пасует перед ними и тщетно силится стать наконец реальным будущим – *возникнуть*, *свершиться, произойти*, но, опять же, увы… Пространственные подмены тут тоже очевидны: Москва, в конце концов, не приближается, а, кажется, навсегда уже отдаляется от поникших сестер Прозоровых, и если они и походят на три дерева, то это засыхающие, погибающие деревья, срубленные не топором, а судьбою; Париж, куда в самом деле устремляется было Раневская, в поэтическом отношении еще менее достижим, чем Москва, – он теперь наглухо заколочен в душе самой героини, как этот вот, сейчас уже бывший, ее дом. Точнее будет сказать: Париж как таковой уже *исчерпан* в ней. Осталось лишь осиротевшее стремление туда – в будущее, которого нет, а мосты в настоящее и, тем более, в прошлое сожжены. Примерно то же самое происходит и в *Дяде Ване*, и в *Чайке*, где путь действовавших в данных пьесах лиц лежит ровно в *никуда*, в черную дыру, в «Бермудский треугольник».

Финалы чеховских пьес недвусмысленно трагедийны, хотя сами пьесы справедливо могут считаться комедиями. Финалы именно *трагедийны*, а не обязательно впрямую трагичны.

«В пьесах Чехова», – заметил в 1924 г. М. Григорьев, –

> много трагического, но оно не излагается в форме трагедии: у него трагическое, фатум, смешивается, сочетается со случайным, нелепым и потому смешным. В этом отношении Чехова можно сблизить с Шекспиром, у которого также элементы трагические сочетаются с комическими, например, в «Гамлете». […] Но следует отметить и различие: у Шекспира сочетаются комические *сцены* с трагическими, у Чехова – комическое и трагическое – внутри одной сцены.[1]

Жанр последней пьесы Чехова сходным образом почти восемьдесят лет спустя очень точно определил Борис Парамонов:

> Драматическая поэтика Чехова – водевиль, осложненный темой смерти. Смерть дает комическое разрешение жизненным драмам. […] смерть в «Вишневом саде» присутствует не в грубой своей реальности, а как некий уравнивающий всех героев масштаб, «бесконечное».[2]

А саму пьесу *Вишневый сад* он вообще отнес к кукольному театру, где «одна из кукол, Петя Трофимов, восклицающий ‹Здравствуй, новая жизнь!›, на самом деле приветствует смерть».[3] У того же Парамонова, как и у другого исследователя Бориса Зингермана в его замечательной работе *Между Европой и Азией*[4], есть ценнейшие наблюдения, касающиеся пространства в чеховских произведениях – прозаических и драматических. Вот еще одно из замечаний Б. Парамонова:

> […] человека, родившегося в том или ином месте земной поверхности, его душу, а, следовательно, и культуру, из этой души растущую, формирует прежде всего ландшафт, то есть нечто предельно конкретное.[5]

---

[1] М. Григорьев: Сценическая композиция чеховских пьес. Москва 1924, с. 100, 110.
[2] Борис Парамонов: Провозвестник Чехов. В: Борис Парамонов: Конец стиля. Москва 1997, с. 264/65.
[3] Борис Парамонов: Чехов: к столетию смерти. Выступление на радио «Свобода», 2004 г.
[4] См. Борис Зингерман: Театр Чехова и его мировое значение. Москва 2001, с. 173-191.
[5] Борис Парамонов: Россия в лицах: Чехов. Выступление на радио «Свобода», 2001 г.

В связи с вышесказанным было бы интересно соотнести чеховские рассказы *Степь*, *В родном углу* с тем же описанием местности во 2-м действии *Вишневого сада*. Можно было бы увидеть, например, что здесь не только жизнь упирается в смерть, но и смерть, как это ни парадоксально, в свою очередь, упирается в жизнь.

Вот, между прочим, какими словами заканчивается чеховский рассказ *В родном углу*:

> Очевидно, счастье и правда существуют где-то вне жизни... Надо не жить, надо слиться в одно с этой роскошной степью, безграничной и равнодушной, как вечность, с ее цветами, курганами и далью, и тогда будет хорошо... (9, 324)

Дух небытия, своего рода «буддистское» мирочувствование обнаруживала у Чехова еще Зинаида Гиппиус. Продолжая ныне ее линию, Борис Парамонов говорит о чеховской растворенности человека в пейзаже как о реальном выражении этого самого «буддийского небытия». «Много позднее, – указывает далее Парамонов, – провидец Шпенглер, начав писать о России, обнаружил ее, как это у него называлось, прафеномен – как раз в степи: степь – праобраз России: ширь во все стороны в отсутствие выси, горизонталь, а не вертикаль.»[6] И в этом, добавим мы от себя, еще одно проявление *горизонтальности* и *вертикальности* сюжетов чеховских пьес. Цитируя Шпенглера, Парамонов приводит его слова о том, что «мистическая русская любовь – это любовь равнины»[7], и далее:

> Человек Запада смотрит вверх, русский смотрит вдаль, на горизонт. Так что порыв того и другого в глубину следует различать в том отношении, что у первого это есть страсть порыва во все стороны в бесконечном пространстве, а у второго – самоотчуждение, пока «оно» в человеке не сливается с безграничной равниной... Русская, безвольная душа, прасимволом которой предстает бесконечная равнина, самоотверженным служением и *анонимно* тщится затеряться в горизонтальном бренном мире...[8]

Можно сказать, наверное, и то, что если Шпенглер писал о *закате Европы*, то Чехов добавил сюда свой взгляд и на *закат Азии* – точнее, на ту евразийскую местность, каковой и является Россия.

В пьесах Чехова и в *Вишневом саде*, в особенности, горизонталь России как Азии, как Востока пронизывается вертикалью Европы как Запада. Россия, Азия предстают у него как равнина-земля, а Европа, Запад – как небо.

В свете вышесказанного тот же «звук лопнувшей струны» мы воспринимаем как сверхглубинную, сквозную вертикаль, простирающуюся с «неба» (в ремарке) под землю, – в «шахту» (слова Лопахина). Звук этот может напомнить какой-то сверхмощный космический луч: он буквально пронзает не только эту местность, но и всю Землю, весь земной шар и, прежде всего, равнину, прежде всего Россию…

Финалы чеховских пьес эпичны, ибо быт тут простирается непосредственно в бытие, соотносится, сопрягается с ним. «Сто, двести лет», «мы увидим небо в алмазах», «мы отдохнем» и даже «если бы знать» – это не пустые слова, а наполненные всем предшествующим существованием чаяния героев, которым *никогда не суждено* воплотиться в яви. «Может быть, нам только кажется, что мы существуем, а на самом деле нас нет» (Чебутыкин; 13, 162).

Разумеется, как и большинство людей, чеховские персонажи живут надеждами, но их надежды – *абсолютно, окончательно безнадежны*. «Счастья у нас нет и не бывает, мы только желаем его» (Вершинин; 13, 149). «Все надежды пропали. Тысячи народа

---

[6] Парамонов: Чехов: к столетию смерти.
[7] Парамонов: Россия в лицах: Чехов.
[8] Там же.

поднимали колокол, потрачено было много труда и денег, а он вдруг упал и разбился. Вдруг, ни с того, ни с сего» (Маша Прозорова; 13, 177).

«Ни с того, ни с сего» – в этих Машиных словах, между прочим, основа основ сюжетостроения чеховских драм, в особенности, *Вишневого сада*. Отсюда и трагедийность финалов, исполненных у Чехова какого-то подспудного вагнеровского размаха.

Романсы, звуки колотушки, лай собак, шум дождя, пение сверчка – все это, конечно, мило, но недостаточно, чтобы передать ощущение *полетности* чеховских персонажей, которые хоть и летят в конце концов в бездну, но все-таки *летят*! Чайка тут важна не тем, что она птица, а как раз тем, что способна *красиво* летать – и возноситься вверх и устремляться вниз.

Финалы чеховских пьес – это *прерываемый полет*. Неожиданно, внезапно прерываемый.

Почему заколачивают дом в последнем акте последней чеховской пьесы?

Казалось бы, понятно: люди из него уезжают и новому хозяину Лопахину хочется поберечь дом до нового времени.

Но Чехов недвусмысленно дает понять в финале *Вишневого сада*: нового времени не будет. Жизнь дома Раневской, Гаева и Фирса заканчивается сейчас, на наших глазах. Другой жизни не будет. Белый цвет жизни (цветение вишни) уравнивается, в конце концов, с белым цветом смерти – цветом савана. Так, между прочим, случилось и в жизни самого Чехова: два фланелевых костюма, заказанных во Фрайбурге буквально за несколько дней до кончины, оказались сшитыми для покойника…

Столетний «дорогой, многоуважаемый шкаф», годящийся Фирсу в ровесники, оказался живее многих живых существ, продолжающих населять этот ветшающий дом в умирающей усадьбе. А по существу, здесь не умирают люди или вещи, а *вымирает, исчерпывается* всё.

Впрочем, не всё: *вымирает* Дом, но *не исчерпывается* Сад и *не исчерпывается* Фирс – в поэтическом, разумеется, смысле.

Счетчик времени, включенный 22-го (воистину: «двадцать два несчастья»!) августа, работает здесь как никогда бесперебойно и четко: до конца *этой* жизни осталось столько-то месяцев, недель, часов, минут… Называются 46 минут, потом 20 минут, потом: «Я посижу еще одну минутку», – попросит Раневская (13, 252). Эта «минутка» для нее действительно – *последняя*. Эта «минутка» может стать целым спектаклем финала, во всяком случае – одной из кульминационных его точек – непременно. И все же пора ехать на станцию, то есть каждому – в свое *никуда*.

Не будет, в сущности, ни Парижа, ни Харькова. Как не было в *Трех сестрах* ни царства Польского, ни Читы, ни Москвы. Все это остается где-то там, за горизонтом сюжетов. А здесь, в пространстве последней пьесы, скоро не станет ни Дома, ни Сада. Здесь затевается дачная местность и, стало быть, набегут, словно тараканы, дачники.

Уцелеет, разумеется, Яша – грядущий Хам. К концу XX века – и мы печальные тому свидетели – Россия окончательно подпадет под безраздельную его власть, власть *хамократии*…

«Русская ‹воля›, – говорится все у того же Шпенглера, – значит, прежде всего, отсутствие долженствования, состояние свободы, причем не для чего-то, но *от чего-то*, и прежде всего *от* обязанности личного деяния.»[9] Уже поэтому следует внимательней относится к словам Фирса о «воле» как о «беде» – истинной, между прочим, беде.

Как покажет время, из двух вероятных «новых русских» победил именно Яша.

Лопахин – *не случился*. Как *не случился* и не скоро еще случится капитализм в России.

Не случился Гаев, «человек восьмидесятых годов».

---

[9] Цит. по Парамонов: Россия в лицах: Чехов (курсив мой – В.Г.).

Не случились Варя, Аня, Петя.

И даже Симеонов-Пищик, который, нимало не затруднившись, разбогател вдруг за счет англичан, нашедших на его участке белую глину, – *не случился*.

Случилась Раневская – но какой ценой! Бросив семью, дом на произвол судьбы и махнув снова в Париж, где есть не раз предававший и бросавший ее любимый. Раневская случилась как Женщина – и это прекрасно, хотя и печально.

Но, конечно, более других *случился* у Чехова Фирс.

На самом деле никто, конечно же, Фирса не забыл. Он остался в пустом доме сам. Заблаговременно спрятался от людских глаз, как умирающее животное, предпочитающее совершать это в одиночестве. Да и куда деться Фирсу, когда он тоже есть Сад, неотъемлемая и живая часть его. Он может исчезнуть только *вместе с Садом*, который, разумеется, легко вырубить, но невозможно уничтожить как некую духовную субстанцию, недоступную грядущему Хаму.

В финале *Вишневого сада*, в стремительно (дело идет к отсчитыванию секунд!) сужающемся пространстве между Домом и Садом мыкаются Раневская и Варя; дважды осиротевшая Шарлотта; Гаев, предоставленный теперь исключительно коробочке с леденцами и судьбе и просто обязанный, покидая этот Дом, трогательно проститься с неодушевленным близким приятелем своим – столетним шкафом; Аня, тоже оставшаяся наедине с увядающей своей юностью; плешивый бездельник Петя, уныло приветствующий новую жизнь. Все они вместе теперь – *отъезжающие* и каждый из них бесконечно, безраздельно одинок. Мелькнет тут и ошалевший от нечаянного фарта Пищик – повезло дураку! Его появление напомнит нам о карте Африки: вот ведь бывает где-то и *другая* жизнь. После его ухода только и остается, что заколачивать опустевший дом как крышку коллективного гроба.

С исчезновением Пищика отодвинется в небытие Дом.

С оставшимся внутри заколоченного помещения Фирсом воспарит к горним высям Сад. Пока еще живой старик счастливо вознесется вместе с ним…

Фирс существует лишь в прошлом и, по всему видно, вполне довольствуется данным положением: дело не только в том, что он дряхл и стар, а именно в том, что он есть и его нет, что, находясь здесь, он *здесь отсутствует* (тут прошлое время решительно утрачивает какие-либо связи с настоящим). Вплотную приблизившаяся смерть Фирса неизбежна прежде всего в силу несомненной своей *эпичности*: старик угасает, как угасает день (это ни хорошо и ни плохо, это – *естественно*), он отправляется в вечность вместе с обреченным Садом. Кажется даже, что тут сливаются воедино не только души Фирса и Сада, но их плоть.

«Главное невидимо действующее лицо в чеховских пьесах, как и во многих других его произведениях», – по известному замечанию М. Курдюмова, –

> беспощадно уходящее время. Не только в каждом действии, но почти в каждой сцене как будто слышится бой часов и каждый удар их говорит о том, что жизнь уходит, унося с собою несбывшиеся мечты, неосуществимые надежды, что остаток жизни, становясь все теснее и теснее, превращается постепенно из светлой большой залы в темный чуланчик, где только одна дверь последняя – смерть и конец всему. Чеховские герои не только не творцы жизни, но даже и не действуюшие лица в ней, а скорее тоскующие зрители или статисты, которые, повинуясь не своей, а чьей-то чужой воле, передвигаются по закоулкам жизненной сцены всегда покорные и раздавленные этой своей покорностью.[10]

В конце концов, от Дома и Сада останутся одни лишь тени.

---

[10] М. Курдюмов: Сердце смятенное. О творчестве А.П. Чехова 1904–1934. Paris 1934, с. 29.

Финал *Вишневого сада* полон призраков. Смерти как таковой в самой пьесе нет – но даже при ее чтении вас почему-то пронзает цепким холодом одиночества и безудержным отчаянием прощания. Прощания навсегда.

4-й акт пьесы, состоящий из череды сцен-прощаний, весь целиком и есть *Прощание*. Прощание не только людей с Домом и Садом, но и Дома и Сада с ними.

Жизнь умирает, да здравствует вечность!..

Не побеждают герои *Вишневого сада* – но героически побеждает пьеса.

Времена гармонии Дома и Сада, славную пору их слиянности и единства еще помнит Фирс. Его оппонент Яша – дитя дисгармонии.

«Звук лопнувшей струны», почувствованный Фирсом раньше других и только потом услышанный ими, – клин в былую гармонию.

Зазор, отставание в улавливании «звука» – очень интересный и очень важный момент.

В чеховской музыке *Вишневого сада*, безусловно, самое сильное и самое запоминающееся место – «звук лопнувшей струны», дважды повторенный.

Почему дважды?

Потому что «звук» этот, который уже сам по себе – эхо, эхо Мировой души, дважды повторенный, делается как бы эхом эха, тенью эха. Многократно множится. Трансформируется. Ревербирируется. Параллелится. Становится относительным.

Волны этого «звука» – как волны самого времени в океане бытия.

В пьесу *Вишневый сад* «звук» этот донесло эхо *Чайки* с ее монологом о Мировой душе.

«Звук лопнувшей струны», равно как и эхо этого «звука», тоже влияют на психологическое состояние персонажей.

Стук топора раздается лишь в самом конце пьесы. Но топор, по существу, заносится над Садом уже в самом начале сюжета. И еще до начала, задолго до начала, возникает «звук лопнувшей струны»: он направляется сюда откуда-то из очень далёкого далёка, постепенно приближается все ближе и ближе и приходит неожиданно, хотя, с другой стороны – ожидаемо.

Только тут, в финале, «звук лопнувшей струны» достигает наконец поверхности Земли и обретает собственно *звук*: тайное делается явным, неслышимое – слышимым. Здесь «звук лопнувшей струны», как указано в чеховской ремарке, «слышится». Прежде, во 2-м акте, автор напишет иначе: «раздается». «Раздается» еще не значит «слышится». В знаменитом спектакле Джорджо Стрелера, например, это и было обозначено… *отсутствием звука* как такового – полнее, кажется, его и выразить невозможно.

«Звук», повторим еще раз, шел сюда очень долго. Во 2-м акте, собственно, был еще не сам «звук», а лишь весть о «звуке» – эхо.

«Звук лопнувшей струны» и есть глас Судьбы, зов Рока.

Теория относительности имеет у Чехова своего первооткрывателя и свое название. Этот первооткрыватель – Фирс. И это название – «всё враздробь».

«Звук лопнувшей струны» напрямую связан также с фигурой Прохожего, мало разгаданного пока чеховского персонажа.

Прохожий – это своего рода *неожидаемый Годо* из пьесы Беккета.

Функцию чеховского Прохожего можно свести к тому, что он способен перевести стрелки сюжета с рельсов комедии на рельсы трагедии.

Прохожий – последний *Другой, Иной,* человек, которого нечаянно занесло в чужую для него местность, абсолютно и решительно не похожий на здешних обитателей. Это Годо, которого-таки дождались, хотя и вовсе не ждали.

Кто же он на самом деле, этот таинственный чеховский Прохожий, какими ветрами и откуда явило его в последнюю чеховскую пьесу? Быть может, Прохожий и есть предвозвестник этого самого «звука лопнувшей струны», явившийся предупредить беспечных обитателей Сада о вселенской угрозе?

С Прохожим в сюжете пьесы возникает совсем другой ракурс восприятия всего происходящего – вернее, всего *непроисходящего.*

И это *непроисходящее* – истинный сюжет пьесы, подводная часть айсберга, верхушкой которого становятся события четырех актов, происходящие тоже в основном за сценою: там, откуда простираются горизонты *непроисходящего.*

Оттуда, из космоса *непроисходящего*, из дальних далей ненаписанного пятого акта последней своей пьесы смотрит грустно улыбающийся Чехов на собственных героев, да и на себя тоже.

Бездействующие лица – вот что, прежде всего, сближает чеховских персонажей и героев театра абсурда. Это – один из ярких примеров того, как замечательная чеховская пьеса действительно живет и изменяется во времени.

Надо сказать, что при этом, как справедливо отозвался А. Горнфельд о данной особенности многих чеховских героев, «сплошь и рядом – исключения редки – бессилие и бездействие у него опоэтизированы, обласканы, всегда они человечны, нежны, благородны и уж во всяком случае заслуживают всяческого снисхождения. Мало того: Чехов готов и умеет убедить нас, что в этом бессилии есть какая-то правда, какая-то сила».[11] Да, решительно поддержим мы пытливого исследователя: самое интересное, что сила чеховских героев – как раз в их бессилии, в активном, мучительном *осознании* этого бессилия.

У Чехова, на наш взгляд, имеют место быть воля персонажа и воля автора как факт *двоеволия,* а не своеволия кого-либо из них. Темперамент автора и темперамент персонажа тут впрямую зависят один от другого. И, в свою очередь, финалы чеховских пьес есть результат слияния, проявления этих дух воль сразу. Может быть, стоит вести речь о своего рода *двоевластии воль,* лишь упрочающем в данном случае это бессилие?

А вот как смотрит на данную коллизию еще один исследователь чеховского творчества В. Карасев. Он пишет:

> В «Вишневом саде» верх взяло равнодушие. […] Оно не в отрицании жизни, а в сознании ее неизменности. Чехов увидел жизнь как круг, как повтор, как цепь следующих друг за другом природных циклов. […] Если в предыдущих пьесах персонажи лишь предполагали о том, каким будет их будущее, то в «Вишневом саде» это будущее показало себя само: после аукциона, то есть после окончания «старой» жизни, герои остались такими же, как и были прежде.[12]

И, наконец, последний парадокс, также всецело наделенный двойственностью: вся Россия – «наш сад»; и вся Россия «трещит под топорами». Данный парадокс в том, что и то и другое – *правда.* Умом Россию, действительно, не понять.

Сад Астрова имеет такое же право на цветение, как приобретенный Лопахиным Сад – на увядание. Впрочем, Вишневый сад приговорен на уничтожение не влюбленным купцом, а Судьбою, Роком; Лопахин – всего лишь невольный исполнитель всевышней воли, палач не по найму, но по случаю.

Вишневый сад – пьеса предельного, итогового драматизма. Конфликтны здесь не взаимоотношения героев, а они сами – всеми своими мыслями и чувствами они противостоят самим же себе, не виня других, а на себя досадуя за непрожитое и несделанное. Привычные их беспечность, беззаботность и легкомыслие – лишь видимость, маска, за которою они весьма неприхотливо, но весьма при этом искусно прячут истинные свои

[11] А. Горнфельд: Чеховские финалы. В: Красная новь, 1939, Кн. 8/9, с. 297.
[12] Л.В. Карасев: Вещество литературы. Москва 2001, с. 241.

страдания. Этим чеховские герои удивительно походят на своего автора, как четвероногие друзья человека, собаки, прежде всего, походят на своих хозяев, «зеркалят» их.

Вишневый сад можно продать, можно вырубить, но невозможно вытравить Сад из сознания персонажей, изгнать его из их памяти, которая в конце концов окажется для них подлинней самой реальности – *памятью в настоящем времени.* Past in the Present.

Май, весна уже далеко позади, но когда Сад рубят, он все равно *продолжает цвести.* Скажем больше: он будет цвести *всегда…*

Понятно, что Сад больше Дома и вбирает в себя последний. Понятно и то, что глубинный конфликт этой пьесы как раз коренится в противоречии между Домом и Садом. Противоречии то угасающем, то усиливающемся и выливающемся к финалу пьесы в торжество Сада и поражение Дома. Весь комизм ситуации (и он же – ее трагизм) определяется межеумочным, нелепейшим и неудобнейшим положением, в каком оказываются все чеховские персонажи: они буквально разрываются между Домом и Садом. За исключением Фирса.

Сад – торжествует. Дом – меркнет.

Гаев, раньше других разочаровавшийся в словах, этот гамлетствующий «человек восьмидесятых годов», уже давно и успешно пользуется исключительно «бильярдным языком». Слов мало, а смысла, который он всякий раз вкладывает в эту свою «тарарабумбию», – много. Фирс, до последнего хранивший верность словам, как верность Дому, оставшись в нем один, вынужден бормотать под занавес нечто весьма невнятное, где легко теряется его открытие насчет «жизнь-то прошла». Этим последним кратким фирсовским монологом Чехов, в сущности, суфлировал настроению зала. Сам же герой в это время уже воспарял к вечности вместе с Садом, уже осваивался в другой «подлинной действительности» – действительности Молчания.

Сад победил Дом. Молчание одержало верх над Словом. Вот он, новый «сюжет для небольшого рассказа». Вот она – завязка нового, пятого действия *Вишневого сада.* Действия, в котором скорее всего уже и вовсе не будет слов: они тоже, как и персонажи, достигнут пределов своей исчерпанности.

Чтобы изложить это пятое действие в полном объеме, уже нужен не только Чехов, но и, допустим, Ионеско. В том же финальном бормотании Фирса нарождался язык последнего. А дальше нужен еще и Беккет с уже его «звуком лопнувшей струны», вылившимся в музыку *ожидания Годо*, не менее таинственную; с уже его экстравагантными приключениями слов и т.д. и т.п. Таким образом, в составе пятого действия *Вишневого сада* оказываются многие произведения грядущего столетия. Драма XX века вышла из чеховского *Вишневого сада*, как предшествующая ей русская литература – из гоголевской *Шинели.*

Исходный смысл *Вишневого сада* – в «звуке лопнувшей струны», этом водоразделе между жизнью и бытием. И еще он – в неувядаемости цветущего Сада и в неумирании старого Фирса.

Это Треплев может у Чехова умереть, пускай и за сценой. Фирс же в финале приготовляется не умирать, а *вечно жить.* Он тут не долгожитель уже, а *вечножитель* – в поэтическом, разумеется, смысле.

В финале последней чеховской пьесы, пьесы-завещания и Сад рубят, и Дом заколачивают как гроб, и Фирс, несомненно, «в починку не годится»… Всё так.

Но остается непобедимость жизни, которая извиняет смерть за ее необходимость, но никак и никогда не примиряется с нею.

Чтобы выразить это, быть может, мало театра. Во всяком случае, мало только реплик и обменивающихся ими персонажей. Персонажи Чехова тогда и становятся героями, когда они взаимодействуют не только друг с другом, но еще и с пространством и временем.

Перед самым отъездом в Баденвайлер я увидел в Москве оригинальную чешскую постановку чеховского *Медведя*. Милая шутка в одном действии в данном случае обернулась неким синтетическим представлением, главными компонентами которого были музыка и звуки. Григорий Степанович Смирнов вел свой монолог в окружении джазового квартета, вернее, это квартет *вел* и его монолог и все действие в целом. Нет возможности сейчас шире говорить об этом, но увиденное лишний раз напомнило о том, что уже давно продолжает занимать: зрелый Чехов творил свои произведения на заре теории относительности, воздухоплавания, кинематографа и джаза, что заметно и по тому же *Вишневому саду* с его причудливой взрывной мелодикой и изящными парадоксальными синкопами. Но это уже – сюжет другого «небольшого рассказа».

Литература

Горнфельд, А.: Чеховские финалы. В: Красная новь, 1939, Кн. 8/9.
Григорьев, М.: Сценическая композиция чеховских пьес. Москва 1924.
Зингерман, Борис: Театр Чехова и его мировое значение. Москва 2001.
Карасев, Л.В.: Вещество литературы. Москва 2001.
Курдюмов, М.: Сердце смятенное. О творчестве А.П. Чехова 1904–1934. Paris 1934.
Парамонов, Борис: Провозвестник Чехов. В: Борис Парамонов: Конец стиля. Москва 1997.
Парамонов, Борис: Россия в лицах: Чехов. Выступление на радио «Свобода», 2001 г.
Парамонов, Борис: Чехов: к столетию смерти. Выступление на радио «Свобода», 2004 г.

II.2. Raum und Zeit

Alena Petrova

Zu Čechovs Muster der Raumgestaltung in seinen vier großen Bühnenstücken

In diesem Vortrag möchte ich eine Besonderheit der dramatischen Raumdarstellung bei Čechov aufzeigen. Dazu untersuche ich die Struktur des fiktiven Raums und dessen Widerspiegelung in der Segmentierung des Bühnenraums in seinen vier großen Bühnenstücken – *Die Möwe* (1895/96), *Onkel Vanja* (1897), *Die drei Schwestern* (1900) und *Der Kirschgarten* (1903). Der Analyse der Einzeltexte werden Vorüberlegungen zu Besonderheiten der Raumdarstellung im Drama vorangestellt.

Zur dramatischen Raumgestaltung

Die Besonderheiten der dramatischen Raumdarstellung ergeben sich aus dem Doppelcharakter des Dramas als Dramentext und Dramenaufführung: Im Gegensatz zu den rein imaginativen Räumen in Epos und Lyrik verfügt der multimediale Raum des Dramas neben dem Raum des Textes auch über einen sinnlich konkretisierten Raum im Falle einer Aufführung. Das Vorhandensein eines Bühnenraums hat Auswirkungen auf den Raum-Umfang, auf die Techniken der Raumdarstellung[1] und auf die Raum-Struktur. Ich werde mich im Folgenden auf die strukturellen Besonderheiten des Raums im Drama konzentrieren. Der Raum eines Dramentextes setzt sich aus verschiedenen Segmenten des fiktiven Schauplatzes und aus den Räumen einzelner Figuren zusammen. Diese Elemente werden bei einem aufgeführten Drama durch entsprechende Strukturen des gesprochenen und des szenischen Raums wiedergegeben. Beim Bühnenraum ist dabei vor allem das Verhältnis zwischen den Bereichen *on stage* und *off stage* zu berücksichtigen.

Zum Muster der Raumgestaltung bei Čechov

Bei allen vier großen Bühnenstücken Čechovs kann man eine Zweiteilung des fiktiven Makroraums des Textes feststellen: die Provinz, die den Schauplatz des Geschehens liefert, und die Großstadt, die zum Ziel der Sehnsüchte der Figuren wird, die aber entweder unerreichbar bleibt (wie Moskau für die drei Schwestern) oder die Verwirklichung des Traums vom Glück unmöglich macht (wie Moskau für Nina in der *Möwe*). Eine solche Zweiteilung schlägt sich in der Struktur des Bühnenraums wie folgt nieder: Die Provinz ist *on stage* präsent und gehört sowohl dem szenischen als auch dem gesprochenen Raum an, die Großstadt liegt dagegen im *off stage*-Bereich und ist somit dem gesprochenen Raum allein zuzuordnen.

[1] Dies wirkt sich auf den Umfang des Raums im Drama insofern aus, dass das nicht auf der Bühne Darstellbare ausgespart bleibt. Auf der Ebene der Techniken der Raumdarstellung kommen zu den textuellen Mitteln Bühnenmittel (Bühnentypus, Dekorationen, Requisite, Beleuchtung und akustische Signale) und die aktionale Raumkonstituierung (Positionierung und Bewegungen der Figuren auf der Bühne) hinzu.

Auch das bei Čechov prinzipiell neue Verhältnis zwischen *on stage*- und *off stage*-Bereichen soll hier angesprochen werden. Im geschlossenen Drama mit hierarchischer Bühnenstruktur finden die „wichtigeren" Aktionen auf der zentralen Spielfläche statt und die weniger bedeutenden Vorgänge werden in den peripheren Kulissenraum verbannt. In Čechovs Dramen hingegen verschieben sich die Akzente, so dass sämtliche dynamischen Ereignisse als Kulissenhandlungen dargeboten werden, während sich auf der Bühne das zustandhafte Geschehen manifestiert. Auch das, was sich nicht in der fernen Großstadt abspielt, sondern hier und jetzt geschieht, findet oft nicht mitten auf der Bühne statt, sondern in den unmittelbar an den Schauplatz anschließenden Räumen außerhalb der Bühne, die meist durch akustische Signale thematisiert werden (z.B. die Axthiebe der Holzfäller im *Kirschgarten*, die Schüsse hinter der Bühne in den übrigen drei Stücken).

Die Möwe

Wie sieht die Struktur des fiktiven Raums in der *Möwe* aus? Den Schauplatz des Geschehens liefert das Landgut von Sorin an einem Ort, von welchem weder sein Name noch seine genaue Lokalisierung im Text angegeben sind. Eine Reihe kleiner provinzieller Städte und Großstädte wie Poltava, Tver', Elizavetgrad, Elec, Charkov', Odessa, Kiev und Petersburg werden genannt; dem Landgut am unbenannten Ort steht aber in erster Linie Moskau gegenüber. In Moskau leben die Schauspielerin Arkadina und der Schriftsteller Trigorin, die sich nur im Sommer auf dem Landgut von Arkadinas Bruder Sorin aufhalten. Für sie bedeutet das Leben in der Großstadt vor allem Arbeit und Erfolg; es ist mit Freude und Turbulenzen erfüllt. Auf dem Lande suchen sie Erholung und verbringen ihre Tage in Nichtstun und in Langeweile. So sagt Arkadina:

> Ах, что может быть скучнее этой вот милой деревенской скуки! Жарко, тихо, никто ничего не делает, все философствуют... Хорошо с вами, друзья, [...] но... сидеть у себя в номере и учить роль – куда лучше! (13, 24)
>
> Ach, was kann öder sein als diese gute alte Langeweile des Landlebens! Es ist heiß, still, niemand tut irgendetwas, alle philosophieren... Mit euch ist gut sein, Freunde, [...] aber... im Hotelzimmer sitzen und eine Rolle lernen – ist unvergleichlich besser.

Die Vorstellung vom angenehmen und interessanten Großstadtleben und vom sorgenvollen, meist unerfreulichen Leben auf dem Lande wird auch von den Bewohnern des Landguts geteilt. So spricht Sorin von den städtischen Vorzügen des Telefons und der Droschken und will zumindest für ein paar Stunden in die Stadt fahren, um aus seinem Einsiedlerleben auszubrechen:

> Хочется хоть на час-другой воспрянуть от этой пескариной жизни[2], а то очень уж я залежался, точно старый мундштук. (13, 35)
>
> Ich möchte nur für ein paar Stunden diesem Gründlingsleben entfliehen, ich bin ja schon ganz vergammelt, wie ein altes Zigarettenmundstück.

---

[2] Während Sorin sein „Gründlingsleben" auf dem Lande überhaupt nicht gefällt, will Trigorin nichts anderes als Angeln: „Если бы я жил в такой усадьбе, у озера, то разве я стал бы писать? Я поборол бы в себе эту страсть и только и делал бы, что удил рыбу" (13, 54; Wenn ich auf einem solchen Gut leben würde, an einem See, würde ich da anfangen zu schreiben? Ich würde diese Leidenschaft in mir besiegen und würde nicht anderes tun als angeln).

Ihm ist allerdings klar, dass sein Wunsch, in der Stadt zu leben, wie viele seiner Wünsche, nicht mehr realisierbar ist. Mit bitterer Ironie schlägt er sich als Prototyp für die Hauptfigur einer Erzählung unter dem Titel „Человек, который хотел“ (Der Mensch, der wollte) vor:

> В молодости когда-то хотел я сделаться литератором – и не сделался; хотел красиво говорить – и говорил отвратительно [...]; хотел жениться – и не женился; хотел всегда жить в городе – и вот кончаю свою жизнь в деревне, и все. (13, 48)

> In der Jugend wollte ich einmal Schriftsteller werden – und bin es nicht geworden, ich wollte schön reden – und habe abstoßend geredet [...]; ich wollte heiraten – und habe nicht geheiratet; ich wollte immer in der Stadt leben – und jetzt beende ich mein Leben auf dem Land, und das war's.

Dem großstädtischen Künstlerpaar der älteren Generation (Trigorin und Arkadina) steht in der *Möwe* ein junges Paar gegenüber, das auf dem Lande lebt und davon träumt, sich künstlerisch zu betätigen (Treplev und Nina). Der angehende Schriftsteller Treplev äußert nicht den Wunsch, in die Stadt zu ziehen. Man kann annehmen, dass er mit seinem Leben auf dem Landgut vor der Ankunft Trigorins zufrieden war. Von seinem Rivalen in den Schatten gestellt fühlt sich Treplev auf literarischem Gebiet unterlegen und der Liebe seiner Mutter Arkadina und seiner Angebeteten Nina beraubt. Während seine Anerkennung als Schriftsteller zwei Jahre später eine Tatsache ist, leidet er nach wie vor darunter, dass Trigorin immer noch die Liebe genießt, die ihm, Treplev, verwehrt bleibt.

Die Landbewohnerin Nina ändert dagegen ihr Leben schlagartig, indem sie Trigorin aus Liebe in die Stadt folgt und hofft, dort eine Karriere als Schauspielerin zu machen. Sie scheitert zwar im Privatleben – denn sie wird von Trigorin bald verlassen und verliert auch ihr Kind –, findet dafür aber Halt im Schauspielberuf, auch wenn sie lernen muss, dass nicht Ruhm und Glanz, sondern harte Arbeit und die Fähigkeit, vieles auszuhalten, das Wichtigste darin ausmachen. Sie wird schließlich nicht in Moskau, sondern in der Provinzstadt Elec in eine Theatertruppe aufgenommen. Ihr Leben auf dem Lande (vor dem Erscheinen Trigorins) empfindet sie rückblickend als heiter und harmonisch:

> Какая ясная, теплая, радостная, чистая жизнь, какие чувства – чувства, похожие на нежные, изящные цветы... (13, 59)

> Was für ein klares, warmes, freudiges, reines Leben, was für Gefühle – Gefühle, die zarten, feinen Blumen gleichen...

Man kann also behaupten, Moskau hat die Hoffnungen von Nina enttäuscht. Und neuen Lebensmut kann sie auf dem Lande schöpfen:

> А теперь, пока живу здесь, я все хожу пешком, все хожу и думаю, думаю и чувствую, как с каждым днем растут мои душевные силы... (13, 58)

> Und jetzt, wo ich hier wohne, gehe ich immer barfuß, ich gehe und denken, denke und fühle, wie mit jedem Tag meine seelischen Kräfte wachsen...

Moskau, das eine wichtige Rolle für mehrere Figuren im Stück spielt, gehört eindeutig dem Bereich *off stage* an. Wie konstituiert sich das auf der Bühne präsentierte Landgut Sorins? Im 1. und 2. Akt spielt sich das Geschehen im Freien ab: Man sieht eine Bühne, aufgestellt vor einem See, oder eine Bank im Schatten einer Linde, ein Haus mit großer Terrasse rechts und wiederum den See[3] links. Im 3. und 4. Akt verlagert sich das Geschehen in die Innenräume des Hauses, zuerst in das Esszimmer und später in das Wohnzimmer, das zugleich das Arbeitszimmer von Treplev ist. Durch akustische Signale von außerhalb wird aber immer wieder der Ausschnittcharakter der auf der Bühne sichtbaren Räumlichkeiten angedeutet: Man hört Lachen, Husten, Schritte, den Lärm einer Abschiedsszene und das Klopfen des Nachtwächters, das Rauschen der Bäume im Hof und das „Heulen“ des Windes in den Röhren, ein Lied vom anderen Ufer und einen melancholischen Walzer aus einem Nebenzimmer. Man hört auch einen Schuss am Ende. Hier wird das Čechovsche Prinzip der Gewichtung von einzelnen Bühnenraumbereichen sichtbar: Während auf der Bühne Lotto gespielt wird, erschießt sich Treplev hinter der Bühne.

Onkel Vanja

Den Schauplatz in *Onkel Vanja*[4] stellt das Landgut des Professors Serebrjakov dar: der Garten, das Esszimmer, das Wohnzimmer und das Zimmer von Onkel Vanja, das gleichzeitig als sein Schlafzimmer und als Gutsverwaltung dient. Auf dem Gut, das als Mitgift für die erste verstorbene Frau Serebrjakovs gekauft wurde, leben vier Personen: Onkel Vanja, der Bruder der Verstorbenen, seine Mutter Marija Vasil'evna, Sonja, die Tochter Serebrjakovs aus erster Ehe, sowie ein verarmter Gutsbesitzer. Onkel Vanja und Sonja verwalten das Gut, arbeiten Tag und Nacht, um dem Professor, der in einer Großstadt[5] lebt, das ganze Geld zu schicken. Als der emeritierte Professor mit seiner zweiten Frau zu einem längeren Besuch kommt, wird die übliche Lebensordnung und der Seelenfrieden der Landgutbewohner gestört: Sie lassen alles stehen und liegen und beschäftigen sich mit den Krankheiten und Launen des Professors, und Onkel Vanja und der Arzt Astrov verlieben sich in die schöne junge Frau des Professors Elena Vasil'evna. Im Gespräch mit ihr gelangt Onkel Vanja zu der Einsicht, dass er sein Leben umsonst gelebt hat:

> Сейчас пройдет дождь, и все в природе освежится и легко вздохнет. Одного только меня не освежит гроза. Днем и ночью, точно домовой, душит меня мысль, что жизнь моя потеряна безвозвратно. Прошлого нет, оно глупо израсходовано на пустяки, а настоящее ужасно по своей нелепости. [...] Чувство мое гибнет даром, как луч солнца, попавший в яму, и сам я гибну. (13, 79)

> Jetzt regnet es, und alles in der Natur erfrischt sich und atmet auf. Nur mich allein erfrischt das Gewitter nicht. Tag und Nacht, wie ein Nachtmahr, drückt mich der Gedanke, dass mein Leben unwiederbringlich verloren ist. Vergangenheit gibt es keine, sie ist sinnlos verschleudert worden für Nichtigkeiten, und die Gegenwart ist in ihrer Dummheit unerträglich. [...] Mein Gefühl geht umsonst zugrunde, wie ein Sonnenstrahl, der in eine Grube fällt, und ich selbst gehe auch zugrunde.

Die Erwähnung des Gewitters und der Vergleich mit dem in einer Grube zugrunde gehenden Sonnenstrahl verraten in Onkel Vanja einen Landbewohner; die Nähe zur Natur ist allerdings nur eine unzureichende Stütze in seinem sorgenvollen, unerfreulichen Dasein. Astrov dagegen

---

[3] Der See zaubert nach Dr. Dorn eine besondere Atmosphäre, eine Mischung aus Nervosität und Liebe: „Как все нервны! Как все нервны! И сколько любви... О, колдовское озеро!“ (13, 20; Wie nervös alle sind! Wie nervös alle sind! Und wieviel Liebe ... Oh, du verwunschener See!).

[4] Hier ist die Gattungsangabe bezeichnend: „Сцены из деревенской жизни“ (Bilder aus dem Landleben).

[5] Außer dieser unbenannten Großstadt, die für das zweiteilige Raummodell diesen Textes konstitutiv ist, werden noch die folgenden Städte erwähnt: Petersburg, Moskau, Char'kov, Tula und Kursk.

meint, in der Natur einen wahren Ausgleich zu seinem harten Berufsleben als Arzt gefunden zu haben: Er verwaltet eine Försterei. Mit Stolz erzählt er von seinem Kampf gegen die Waldrodung:

> [...] быть может, это в самом деле чудачество, но когда я прохожу мимо крестьянских лесов, которые я спас от порубки, или когда я слышу, как шумит мой молодой лес, посаженный моими руками, я сознаю, что климат немножко и в моей власти и что если через тысячу лет человек будет счастлив, то в этом немножко буду виноват и я. (13, 73)

> [...] vielleicht ist es tatsächlich seltsam, aber wenn ich an den Bauernwäldern vorbeifahre, die ich vor dem Abholzen gerettet habe, oder wenn ich höre, wie mein junger Wald rauscht, den ich mit meinen eigenen Händen gepflanzt habe, dann wird mir klar, dass das Klima ein wenig auch in meiner Hand liegt und dass, wenn der Mensch in tausend Jahren glücklich sein wird, daran auch ich ein wenig schuld sein werde.

Aber wie die von Astrov erstellten Karten[6] zeigen, ist die Zerstörung des Waldes unaufhaltsam: Vor 50 Jahren nahm der Wald die Hälfte der Gesamtfläche des Landkreises ein, vor 25 Jahren war es nur noch ein Drittel, jetzt gibt es nur noch wenige Oasen, die nach 10–15 Jahren verschwinden werden, ohne dass an die Stelle der zerstörten Natur urbane oder andere kultivierte Lebensformen treten. Abgesehen von seiner Beschäftigung mit dem Wald, gibt es für Astrov keinen Lichtblick in seinem Leben auf dem Lande:

> Вообще жизнь люблю, но нашу жизнь, уездную, русскую, обывательскую, терпеть не могу и презираю ее всеми силами моей души. А что касается моей собственной, личной жизни, то, ей-богу, в ней нет решительно ничего хорошего. Знаете, когда идешь темною ночью по лесу, и если в это время вдали светит огонек, то не замечаешь ни утомления, ни потемок, ни колючих веток, которые бьют тебя по лицу... Я работаю [...] как никто в уезде, судьба бьет меня не переставая, порой страдаю я невыносимо, но у меня вдали нет огонька. (13, 83/84)

> Im Allgemeinen liebe ich das Leben, aber unser Leben, das provinzielle, russische, spießige, kann ich nicht ausstehen und verachte es aus ganzer Seele. Und was mein eigenes, persönliches Leben angeht, so gibt es in ihm weiß Gott entschieden nichts Gutes. Wissen Sie, wenn man in dunkler Nacht durch den Wald geht, und wenn dann in der Ferne ein Licht blinkt, dann spürt man weder Erschöpfung noch Dunkelheit, noch die dornigen Zweige, die einem ins Gesicht schlagen... Ich arbeite [...] wie niemand im ganzen Kreise, das Schicksal schlägt mich ununterbrochen, manchmal leide ich unerträglich, aber ich habe kein Licht in der Ferne.

Der Professor betrachtet seinen Aufenthalt auf dem Lande als Verbannung, fern vom Treiben der Universitätsstadt, in der er arbeitete und gefeiert wurde:

> Всю жизнь работать для науки, привыкнуть к своему кабинету, к аудитории, к почтенным товарищам – и вдруг [...] очутиться в этом склепе, каждый день видеть тут глупых людей, слушать ничтожные разговоры... Я хочу жить, я люблю успех, люблю известность, шум, а тут – как в ссылке. Каждую минуту тосковать о прошлом, следить за успехами других, бояться смерти... (13, 77)

> Das ganze Leben für die Wissenschaft arbeiten, an sein Arbeitszimmer gewöhnt sein, an das Auditorium, an die verehrten Kollegen – und plötzlich [...] in diese Gruft geraten, hier jeden Tag dumme Menschen sehen, nichtssagende Gespräche mitanhören... Ich will leben, ich liebe den Erfolg,

---

[6] Während Astrovs Karten einen praktischen Bezug aufweisen, ist die im Zimmer von Onkel Vanja hängende Landkarte von Afrika für niemanden nützlich. Bezeichnend ist auch, dass sich neben dieser Karte ein Vogelkäfig – das Gefängnis eines Stars – befindet. Die beiden Bühnenrequisiten werden zu Symbolen von Onkel Vanjas Dasein: Afrika ist fern, und der Käfig ist Realität.

liebe den Ruhm, den Lärm, doch hier ist es wie in der Verbannung. Jede Minute der Vergangenheit nachtrauern, die Erfolge anderer mitansehen, Angst vor dem Tod haben...

So kommt der Professor zu dem Entschluss, dass er nicht zum Leben auf dem Lande geschaffen ist. Und da die Erträge des Gutes zu gering sind, um davon in der Stadt leben zu können, beschließt er, das Gut zu verkaufen. Als er seine Absicht verkündet, kommt es zu einem Eklat. Er entkommt kaum den Schüssen Onkel Vanjas und reist mit seiner Frau nach Char'-kov ab. Das Leben auf dem Gut nimmt wieder seinen gewohnten Lauf, vom Glauben geprägt, zumindest nach dem Tod stille Freude und verdientes Glück erfahren zu dürfen.

Die drei Schwestern

In *Drei Schwestern* fällt der Schauplatz mit dem Haus der Prozorovs in einer Gouvernementsstadt zusammen. Der 1. und der 2. Akt spielen sich im Wohnzimmer ab, der 3. Akt findet im Zimmer von Ol'ga und Irina und der 4. Akt im alten Garten statt. Andrej Prozorov und seine Schwestern Irina, Maša und Ol'ga leben hier seit 11 Jahren. Davor lebten sie in Moskau[7], und ihr einziger Wunsch besteht darin, nach Moskau zurückzukehren. Die älteste Schwester Ol'ga arbeitet als Lehrerin, Maša ist mit dem Gymnasiallehrer Kulygin verheiratet, die jüngste, Irina, arbeitet zuerst im Telegrafenamt, dann bei der Stadtverwaltung und schließlich im Gymnasium. Die feinfühligen und gebildeten Schwestern leiden unter der drückenden Atmosphäre der Provinz und hoffen, dass ihr Bruder, der als Sekretär im Zemstvo arbeitet, eine Professur in Moskau annimmt. Er kann aber ihre Erwartungen nicht erfüllen und verwächst immer mehr mit dem provinziellen Milieu, indem er die ungebildete und machtsüchtige Nataša heiratet und Kinder bekommt. Die Hoffnungen, nach Moskau überzusiedeln, schwinden allmählich. So hat Irina im 1. Akt (also Anfang Mai) noch die Gewissheit, dass sie im Herbst umziehen werden. Die Schwestern erinnern sich an ihre Kindheit in der Staraja Basmannaja, an ihre Erziehung, an die Besuche von Veršinin, dem Regimentskameraden des Vaters, und an das Grab ihrer Mutter auf dem Novodevičij-Friedhof. In der nächsten Fastnachtswoche ist die Rede vom Umzug im Juni. Auch die Karten versprechen es:

Выйдет пасьянс, я вижу. Будем в Москве. (13, 148)

Die Patience geht auf, sehe ich. Wir werden in Moskau leben.

Andrej schwärmt von Moskauer Restaurants und der Universität und Maša vom Moskauer Wetter. Irinas dreimaliger Ausruf „В Москву!“ (Nach Moskau!) beschließt den 2. Akt. Im 3. Akt kommt bei Irina der Verdacht auf, dass man nie nach Moskau fahren wird:

[...] а жизнь уходит и никогда не вернется, никогда, никогда мы не уедем в Москву... Я вижу, что не уедем... (13, 166)

[...] und das Leben geht dahin und kommt nie wieder zurück, nie, nie werden wir nach Moskau ziehen... Ich sehe, dass wir nicht hinziehen werden...

Sie klammert sich aber immer noch an ihre Hoffnungen; so erklärt sie Ol'ga gegenüber ihr Einverständnis, den ungeliebten Baron Tuzenbach zu heiraten, wenn sie nur nach Moskau fahren:

---

[7] Außer Moskau werden auch Petersburg, Saratov, Čita, Berdičev und der Kaukasus thematisiert.

> [...] я выйду за него, согласна, только поедем в Москву! Умоляю тебя, поедем! Лучше Москвы ничего нет на свете! Поедем, Оля! Поедем! (13, 171)
>
> [...] ich heirate ihn, einverstanden, nur fahren wir nach Moskau! Ich flehe dich an, fahren wir! Etwas Besseres als Moskau gibt es nicht auf der Welt! Fahren wir, Olja! Fahren wir!

Im 4. Akt ist Irina schon überzeugt, dass ihr Vorhaben nie zustande kommen wird, und akzeptiert ihr Schicksal:

> Я так и решила: если мне не суждено быть в Москве, то так тому и быть. Значит судьба. Ничего не поделаешь... Всё в божьей воле, это правда. (13, 176)
>
> Also habe ich beschlossen: wenn es mir nicht beschieden ist, in Moskau zu leben, dann soll es wohl so sein. Dann ist es eben das Schicksal. Da kann man nichts machen... Alles liegt in Gottes Hand, das ist die Wahrheit.

Auch Ol'ga, die Schuldirektorin wird, sieht ein, dass ihre Pläne, nach Moskau zu ziehen, gescheitert sind:

> В Москве, значит, не быть... (13, 484)
>
> In Moskau werde ich also nicht leben...

Die Schwestern müssen nicht nur auf ihren Moskau-Traum verzichten, sie werden auch langsam aus ihrem eigenen Haus vertrieben. Zunächst sollen Irina und Ol'ga in einem Zimmer wohnen, damit Natašas Sohn Bobik ein besseres Zimmer hat. Später, als Ol'ga im Gymnasium lebt und Irina das Haus verlässt, soll Andrej in ihr Zimmer umziehen, und sein Zimmer kommt der Tochter Sofočka zu. Das Haus wird auch wegen Andrejs Spielschulden verpfändet, ohne dass dazu die Erlaubnis der Schwestern erfragt wird. Man kann also eine gewisse Verengung des Raums zum Schluss des Dramas beobachten. Man könnte die Verlagerung des Geschehens in den Garten im 4. Akt als eine Raumerweiterung in dem Sinne auffassen, dass das Haus jetzt nur einen kleinen Teil der Landschaft ausmacht (es ist von einer Tannenallee, vom Fluss, vom Wald am anderen Ufer und von der Straße die Rede); es handelt sich aber in Wirklichkeit um eine Raumreduktion, nämlich um den Verlust der Privatsphäre. Die durch den Garten gehenden Passanten (Soldaten, Musikanten usw.) symbolisieren die Tatsache, dass die Schwestern nicht mehr über ihr Haus verfügen.

In diesem Stück kann man eine noch größere Bedeutung des *off stage*-Bereichs konstatieren als in der *Möwe* und in *Onkel Vanja*. Das ferne, der Vergangenheit angehörende Moskau beherrscht die Gedanken der Figuren mehr als ihre gegenwärtigen Erlebnisse in der Provinzstadt. Die Gegenwart wird quasi ausgeblendet oder als scheinbares Dasein betrachtet:

> Может быть, нам только кажется, что мы существуем, а на самом деле нас нет. (13, 162)
>
> Vielleicht scheint uns nur, dass wir existieren, und in Wirklichkeit gibt es uns gar nicht.

Das richtige Leben ist woanders, und das Wichtigste findet wiederum hinter der Bühne statt, was durch akustische Signale angedeutet wird. So steht das Schellengeklingel des Dreigespanns für Natašas Liebesverhältnis mit Protopopov; das Sturmläuten und das Vorbeifahren der Feuerwehr verweist auf den Brand im Dorf; die Ausrufe im Garten „Ау! Гоп-гоп!“ und später ein Schuss in der Ferne sind Signale des Duells zwischen Tuzenbach und Solenyj; der Marsch bedeutet den Abzug der Truppen und somit die Trennung von Maša und Veršinin. Auch Lachen, Singen und Musizieren gehören meistens dem *off stage* an (vgl. Andrejs Geigenspiel, das Ziehharmonikaspiel auf der Straße, das Singen des Kindermädchens, das Lachen der Verkleideten, das Harfen- und Geigenspiel der Straßenmusikanten usw.), während Seufzen, Sprechen unter Tränen und Weinen auf der Bühne geschehen und langsam die Oberhand gewinnen.

Der Kirschgarten

Der Schauplatz des *Kirschgartens* ist das Landgut von Ljubov' Andreevna Ranevskaja. Der 1. Akt spielt sich im Kinderzimmer ab. Im 2. Akt wird das Haus in die weite Landschaft eingebettet:

> Поле. Старая, покривившаяся, давно заброшенная часовенка, возле нее колодец, большие камни, когда-то бывшие, по-видимому, могильными плитами, и старая скамья. Видна дорога в усадьбу Гаева. В стороне, возвышаясь, темнеют тополи: там начинается вишневый сад. Вдали ряд телеграфных столбов, и далеко-далеко на горизонте неясно обозначается большой город, который бывает виден только в очень хорошую, ясную погоду. (13, 215)

> Freies Feld. Eine alte, windschiefe, längst aufgegebene Kapelle, neben ihr ein Brunnen, große Steine, offenbar früher einmal Grabplatten, und eine alte Bank. Zu sehen ist ein Weg, der zu Gaevs Gut führt. Seitlich, aufragend, dunkle Pappeln; dort beginnt der Kirschgarten. In der Ferne eine Reihe Telegraphenmasten, und weit weit weg am Horizont zeichnet sich undeutlich eine große Stadt ab, die nur bei sehr schönem, klarem Wetter zu sehen ist.

Im 3. Akt verlagert sich das Geschehen zwar in die Innenräume zurück, die Tendenz der Raumerweiterung bleibt aber noch wirksam. Denn auf der Bühne sind zwei Zimmer gleichzeitig präsent, in welchen verschiedene Aktionen stattfinden: Im Saal findet eine Lesung von A. Tolstojs *Grešnica* (Die Sünderin) statt und es wird getanzt; im Wohnzimmer unterhält die Zauberkünstlerin Šarlotta das Publikum und es wird geplaudert. Mehrere weitere Räume werden durch akustische Signale evoziert: Im Vorzimmer spielt ein jüdisches Orchester; man hört das Zusammenstoßen der Kugeln aus dem Billardzimmer und Petja die Treppe herunterfallen. Im 4. Akt wird aber die Weite schlagartig zurückgenommen: Die Dekorationen des Kinderzimmers sind wieder da, mit dem Unterschied, dass jetzt die Leere den Raum regiert: Es gibt wenig Möbel und viele Koffer auf der Bühne.

Dem Landgut stehen im Stück gleich zwei Großstädte gegenüber. Die eine Stadt, die in den Regieanweisungen zum 2. Akt erwähnt ist, liegt 20 Werst vom Landgut entfernt. Dort soll am 22. August die Zwangsversteigerung des Landguts samt dem Kirschgarten stattfinden. Um dies zu verhindern, kehrt Ranevskaja Anfang Mai aus Paris zurück. Paris ist die zweite Großstadt, die durchgehend (vor allem durch Telegramme von Ranevskajas Geliebtem) präsent ist. Eigentlich will Ranevskaja diese Episode aus ihrem Leben vergessen, am Ende fährt sie aber wieder nach Paris zurück.

Die zwei wichtigsten Ereignisse im Stück – die Versteigerung und die Zerstörung des Kirschgartens – geschehen *off stage*. Das zweite Ereignis ist gleichsam die Konsequenz des ersten, denn auf diese Art und Weise demonstriert der neue Besitzer Lopachin seine Macht:

> Приходите все смотреть, как Ермолай Лопахин хватит топором по вишневому саду, как упадут на землю деревья! Настроим мы дач, и наши внуки и правнуки увидят тут новую жизнь... (13, 240)

> Kommt alle her und schaut, wie Ermolaj Lopachin im Kirschgarten die Axt über dem Kirschgarten schwingt, wie die Bäume zur Erde fallen! Wir werden Sommerhäuser bauen, und unsere Enkel und Urenkel werden hier ein neues Leben sehen...

Eine ähnliche Handlung steht auch am Ende der *Drei Schwestern*. Sobald die neue Herrin auf dem Landgut, Nataša, weiß, dass die Schwestern ihres Mannes das Haus verlassen, verkündet sie ihre Absicht, als Erstes die Tannenallee und den Ahorn abholzen zu lassen:

> Велю прежде всего срубить эту еловую аллею, потом вот этот клен. По вечерам он такой некрасивый... (13, 186)[8]
>
> Als ersten lasse ich diese Tannenallee fällen, dann hier diesen Ahorn. Abends ist er so hässlich...

Lopachin beginnt mit dem Fällen der Kirschbäume, als die alten Besitzer des Landguts noch da sind. Die ersten Axthiebe der Holzfäller verstummen zwar, als er darum gebeten wird, bis zu ihrer Abreise zu warten. Aber kaum gehen sie hinaus, sind die Axthiebe in der sich verdichtenden Stille nicht mehr zu überhören:

> Сцена пуста.[9] Слышно, как на ключ запирают все двери, как потом отъезжают экипажи. Становится тихо. Среди тишины раздается глухой стук топора по дереву, звучащий одиноко и грустно. (13, 253)
>
> Die Bühne ist leer. Man hört, wie alle Türen abgeschlossen werden, wie danach die Equipagen wegfahren. Es wird still. Inmitten der Stille erklingt das dumpfe Klopfen einer Axt gegen Holz, einsam und traurig.

Nachdem der alte kranke Diener Firs, der von seinen Herren vergessen wurde, auf der Bühne erscheint, kommen die gleichen akustischen Signale wieder, wobei zu ihnen das Geräusch einer zerrissenen Saite hinzukommt, das schon im 2. Akt das traurige Schicksal des Kirschgartens vorwegnimmt:

> Слышится отдаленный звук, точно с неба, звук лопнувшей струны, замирающий, печальный. Наступает тишина, и только слышно, как далеко в саду топором стучат по дереву. (13, 254)
>
> Ein ferner Laut ist zu hören, wie vom Himmel, der Laut einer gesprungenen Saite, ersterbend, traurig. Stille tritt ein, und es ist nur zu hören, wie weit weg im Garten mit einer Axt auf Holz geschlagen wird.

Schlussbemerkung

Abschließend lässt sich feststellen, dass der Raum in Čechovs Dramen zweigeteilt ist, und zwar in Land und Großstadt. Das Leben auf dem Lande wird meistens sowohl von Landbe-

---

[8] Vgl. die beiden Handlungen im Lichte von Astrovs Ausführungen zur Waldzerstörung in Rußland: „Русские леса трещат под топором, гибнут миллиарды деревьев, опустошаются жилища зверей и птиц, мелеют и сохнут реки, исчезают безвозвратно чудные пейзажи [...]. Лесов все меньше и меньше, реки сохнут, дичь перевелась, климат испорчен, и с каждым днем земля становится все беднее и безобразнее“ (13, 72; Die russischen Wälder erzittern unter der Axt, Milliarden von Bäumen sterben, die Behausungen von Tieren und Vögeln werde verwüstet, Flüsse versanden und trocknen aus, wunderbare Landschaften verschwinden unwiederbinglich [...]. Wälder gibt es immer weniger und weniger, die Flüsse trocknen aus, das Wild ist verschwunden, das Klima ist verdorben, und mit jedem Tag wird die Erde ärmer und unansehnlicher).

[9] Vgl. die andere „Qualität“ von „Сцена пуста“ am Anfang des Stücks: Der steigende Lärm in den Nebenzimmern ist ein Vorbote der Ankunft der ganzen Gesellschaft vom Bahnhof. Es ist eine Leere, bevor sich die Bühne füllt. Am Ende ist es dagegen eine absolute Leere. Dies wird auch durch die Hintergrundgeräusche unterstützt: An die Stelle des Vogelgesangs am Anfang treten die Axthiebe am Ende.

wohnern als auch von Großstädtern als sorgenvoll und unerfreulich abgewertet. Dramentechnisch kommt dies dadurch zum Ausdruck, dass alle dynamischen und entscheidenden Aktionen hinter die Bühne verlagert werden. Die Großstadt erscheint auf den ersten Blick als ein positiver Gegenpol; zumindest schwärmt man davon und sehnt sich danach. Bei genauerem Hinsehen stellt sich aber heraus, dass dieses Ziel entweder unerreichbar bleibt oder den Traum vom Glück nicht wahr werden lässt. Es ist nämlich ein charakteristischer Zug von Čechovs Helden, dass sie ihr Glück nirgendwo finden, weder auf dem Lande noch in einer Großstadt. So sagt Veršinin zu den drei Schwestern:

> [...] вы не будете замечать Москвы, когда будете жить в ней.[10] Счастья у нас нет и не бывает, мы только желаем его. (13, 149)
>
> [...] Sie werden Moskau gar nicht bemerken, wenn Sie erst dort leben werden. Wir besitzen das Glück nicht und können es nicht besitzen, wir wünschen es uns nur.

Die Menschen von heute müssen dafür leiden, dass künftige Generationen ein glücklicheres Leben haben werden – das ist die Botschaft der zukunftsorientierten Helden wie Astrov, Tuzenbach, Veršinin, Lopachin und Trofimov. Veršinin formuliert es so:

> Мне кажется, все на земле должно измениться мало-помалу и уже меняется на наших глазах. Через двести – триста, наконец тысячу лет, – дело не в сроке, – настанет новая счастливая жизнь. Участвовать в этой жизни мы не будем, конечно, но мы для нее живем теперь, работаем, ну, страдаем, мы творим ее – и в этом одном цель нашего бытия и, если хотите, наше счастье. (13, 146)
>
> Mir scheint, alles auf Erden muss sich allmählich verändern und verändert sich bereits vor unseren Augen. In zweihundert, dreihundert, in tausend Jahren schließlich – es geht nicht um den Zeitraum – wird ein neues, glückliches Leben beginnen. Teilhaben werden wir an diesem Leben nicht, aber wir leben heute dafür, arbeiten, ja, leiden, wir erschaffen es – und allein darin liegt das Ziel unseres Daseins und, wenn Sie so wollen, unser Glück.

Die Zweiteilung in ‚Schreckbild Land' und ‚Wunschbild Großstadt'[11] wird aber nicht dadurch aufgehoben, dass sich das glückliche Leben in einer Großstadt als eine Illusion entpuppt. Denn Illusionen sind für Čechovs Helden überlebensnotwendig: sie sind beinahe die einzigen Lichtblicke im sonst unerträglichen Dasein.

Literatur

Sengle, F.: Wunschbild Land und Schreckbild Stadt: Zu einem zentralen Thema der neuen deutschen Literatur. In: Studium Generale 16 (1963), S. 619-631.

[10] Dabei wird Moskau mit einem Vogel verglichen, den ein Gefangener vom Gefängnisfenster aus begeistert beobachtet und den er früher nie bemerkt hätte. Nach seiner Freilassung „bemerkt er die Vögel bereits wie früher nicht mehr" (он уже по-прежнему не замечает птиц; 13, 149).

[11] Zur Begriffsbestimmung vgl. F. Sengle: Wunschbild Land und Schreckbild Stadt: Zu einem zentralen Thema der neuen deutschen Literatur. In: Studium Generale 16 (1963), S. 619-631.

Lana Garon

Дом в пьесах Чехова – центр притяжения или точка отталкивания?

1.
Тема Дома является одной из постоянных в русской литературе.

Дом выступает как отражение быта персонажей, их имущественного состояния, их привязанностей, устремлений, их ценностных ориентиров. Наконец, самого их способа жить и принимать смерть.

Дом выступает и как отражение бытия, существования, пребывания в мире – как некая духовная основа. Основа основ этого существования.

В творчестве Чехова тема Дома также занимает одно из центральных мест. Как в прозе, так и в драматургии. Более того, дом зачастую выглядит как одно из «действующих лиц» произведения, почти «антропоморфно». Порой, кажется, что у него есть имя, реплики, поступки, даже человеческая внешность. И он активно участвует в конфликте: он «действует».

Бездомность и сиротство, присутствующие во многих чеховских произведениях, относятся автором к наивысшим несчастьям человека. И наоборот, дом поэтизируется и чаще всего воспринимается читателем и зрителем как непреходящая ценность человеческой жизни.

Вместе с тем роль дома в жизни персонажей драматически двояка: с одной стороны, уют, цветы, общение хозяев и гостей, сама поэзия дома благотворно влияют на его обитателей, с другой – эти же качества дома неожиданно становятся тормозом в развитии личности, причиной духовного обнищания человека, узости его запросов, «обмещанивания».

Исследователи творчества Чехова давно обратили внимание на такую пространственную оппозицию в поэтике Чехова, как «дом – мир». Подробно этот аспект рассматривается в работе М. Горячевой *Проблема пространства в художественном мире А. Чехова*:

> Уютный дом чеховских героев не становится благом, местом, пригодным для жизни. Чаще это пространство малое, замкнутое, противопоставленное большому миру [...], и, чтобы человеку найти себя, удовлетворить свои духовные потребности, нужно покинуть «дом», уйти в «мир». [...] Оппозиция «дом – мир» вливается в противопоставление малого и большого в пространстве, микро- и макромира, смысловые начала которых оказываются более сильными.[1]

Любопытно исследовать, как ведут себя герои Чехова по отношению к Дому не только в прозе, которая уже основательно проанализирована, но и в драматургии.

2.
Если принять утверждение, что Дом противопоставлен Миру, то получается, что сестры рвутся «в Москву! в Москву!», как в манящий простор за стенами дома, как в большое пространство, где можно более полно осуществить себя, реализовать свои таланты и способности, где возможностей для сущностного раскрытия личности больше.

[1] М.О. Горячева: Проблема пространства в художественном мире А. Чехова. Дисс… канд. филол. наук. Москва 1992, с. 137/38.

Но когда-то они уже покинули отчий дом, за пределами которого мог оказаться тот самый большой мир. Первый путь ухода из дома – пусть не по своей воле, а с отцом, – но они уже проделали: из родного угла, из дома детства на Старой Басманной они очутились здесь, и их новый дом стал средоточием интеллектуальной и светской жизни городка и военного гарнизона, размещенного в нем, – с мечтами о будущем, пленительной праздной беспечностью, флиртами, праздниками, чаепитиями и вообще радостью существования...

В том маленьком захолустном городке дом сестер выглядит как большой мир для тех, кто стекается сюда при первой же возможности. Но если бы вдруг исполнилась мечта сестер, и они снова попали бы в Москву, нет никакой уверенности в том, что там, в городе столичном, они оказались бы в центре событий, востребованными и чувствовали бы себя способными к самоосуществлению.

Дом на Старой Басманной, возможно, такая же «глухомань» по отношению к московской жизни, как здешняя усадьба Прозоровых – по отношению к дому на Старой Басманной...

В сущности, сестры и не борются за свой замечательный, уютный дом, не пытаются его сохранить. Они легко, комната за комнатой, уступают его молоденькой хищнице Наташе, для которой этот дом, возможно, как раз и является ее «большим миром», пределом ее мечтаний.

В сущности, сестры уступают дом без борьбы, потому что не дорожат им. У них, якобы, есть иная, главная, цель – Москва. Но посмотрите, как судьба распоряжается ими: Ольга с нянькой Анфисой получила казенное жилье при гимназии, Маша остается с нелюбимым мужем, Ирина собирается уехать на кирпичный завод, где будет учительствовать. Не станут ли сестры впоследствии сожалеть о потерянном доме, где так уютно, интересно и насыщенно им жилось?!

Дядя Ваня фактически ценой потери себя отстоял усадьбу, которую чуть не продал профессор Серебряков. Войницкий прозрел и уже хорошо понимает цену гелертерских трудов своего бывшего кумира. Но что, он, дядя Ваня, станет счастливее? Или хотя бы приблизится к идеалу человека, каким он его себе представляет? Удел его – по-прежнему сохранять чужое хозяйство.

Нина Заречная. Прелестная девушка, убегавшая из родительского дома на другой берег озера, в усадьбу Аркадиной и Сорина, чтобы быть причастной к миру творческой и художественной интеллигенции, позднее убежавшая из дома навсегда, ставшая актрисой. Она, что, ушла в «большой мир»? Скорее всего городок Елец, куда Нина взяла ангажемент на всю зиму, станет для нее все тем же временным пристанищем, откуда она снова устремится на поиски еще «бóльшего мира»...

Иванов мечется между своим домом и усадьбой Лебедевых. «Мой дом мне опротивел, и жить в нём для меня хуже пытки» (12, 37).

> Дома мне мучительно тяжело! Как только прячется солнце, душу мою начинает давить тоска. Какая тоска! Не спрашивай, отчего это. Я сам не знаю. Клянусь, не знаю! Здесь тоска, а поедешь к Лебедевым, там еще хуже. Вернешься оттуда, а здесь опять тоска, и так всю ночь... Просто отчаяние!.. [...] Ты помолись за меня Богу, Аня! (12, 19/20)

Кстати, в спектакле театра «Ленком» (режиссер – Марк Захаров, художник – Олег Шейнцис) *Иванов* дом Иванова сценографически зеркально повторялся в доме Лебедевых. Пустое серое пространство со снятыми с петель дверями и оконными рамами.

В *Вишневом саде* возвращение Раневской в родную усадьбу заканчивается ее отъездом обратно в Париж, где, как можно догадаться, ничего хорошего ее не ждет:

> Мама живет на пятом этаже [...], у нее какие-то французы, дамы, старый патер с книжкой, и накурено, неуютно. [...] Дачу свою около Ментоны она уже продала, и у нее ничего не осталось, ничего. (13, 201)

К рассказу Ани следует добавить еще, что в Париже Раневскую ждет любовник, который камнем висит у нее на шее.

Лопахину и сама усадьба, и, тем более, роскошный вишневый сад, ни к чему. Бесполезность для себя своей покупки он очень хорошо осознает. Оттого и напивается. Оттого такая горечь в каждом его движении, в каждом слове...

Вишневый сад вместе с усадьбой продан. Дом покидают его обитатели, устремляясь, кто куда... Но только не в «большой мир»!..

«Пространство, которое их окружает, пребывает в сдвинутом состоянии. Оно притягивает к себе героев, удерживает и – отталкивает от себя.»[2]

Герои чеховских пьес мечутся от одного дома к другому, от «уголка детства» в «большой мир» и обратно, от одной мечты к другой. Центробежные и центростремительные силы сменяют друг друга. Возникает ощущение бессмысленности движения, тупика, безвыходности ситуации, бега по замкнутому кругу. Как кружение с легким тонким звуком волчка, который дарит имениннице Федотик и который неминуемо должен упасть. «У лукоморья дуб зеленый, златая цепь на дубе том... Златая цепь...».

3.

Но есть еще одна оппозиция, вполне традиционная для русского сознания: Земля и Небо. Это – чувство временности пребывания здесь, на земле. Это – то самое двоеми-рие, в котором пребывает наша душа. «Жилица двух миров», по слову Тютчева:

> О вещая душа моя!
> О, сердце, полное тревоги,
> О, как ты бьешься на пороге
> Как бы двойного бытия!..[3]

Беспокойство, чувство некой бездомности внутри даже самого уютного дома, а порой чувство его чуждости и даже враждебности, томление по некоему иному, лучшему миру, которое толкает героев вон из дома в другое пространство, где они так же будут испытывать неясное чувство неустроенности, бездомности – не есть ли все это смутное, подсознательное ощущение, что где- то есть дом истинный, совершенный, вечный ?!

Известно, что Чехов избегал какой-либо тенденциозности, указующего перста. Но ведь он не мог не думать об этом, не замечать той первоосновы бытия: двоемирие, единство всего сущего, связь всего со всем и отдельная связь Земли и Неба. Единые всеобщие законы жизни, равнодушные, точнее, бесстрастные к отдельно взятой особи... То, что эти проблемы занимали Чехова, несомненно.

В статье *Моральный кодекс Чехова* академик Ю. Степанов делает предположение, что в чеховском мире присутствует «как мысль или, скорее, как ощущение: за непосредственно видимыми событиями жизни есть нечто непосредственно ненаблюдаемое, что определяет собой ход жизни».[4]

Проза Чехова дает весьма очевидные доказательства этих его умонастроений (см.: *Степь*, *В овраге*, *Студент* и другие).

---

[2] Б. Зингерман: Театр Чехова и его мировое значение. Москва 1988, с. 136.
[3] Ф.И. Тютчев: Лирика в 2 тт. Т. I. Москва 1965, с. 130.
[4] Ю. Степанов: Константы: словарь русской культуры. 2001, с. 778.

Но и в пьесах они тоже прослеживаются, и при желании их можно «вычитать». Так Н.Я. Берковский высказывает мысль, на наш взгляд, примерно такого же порядка, но он связывал эти наблюдения лишь с молодыми героями пьес, с обещанием их будущего:

> Однако в драмах Чехова есть нечто [...] – свет, доходящий из далекого будущего.
> В драмах Чехова происходит интерференция световых волн, в освещение из дня сегодняшнего проникает освещение, идущее из будущего.[5]
>
> В этой драме, где фабула вся стоит на борьбе за вишневый сад как имущество, как собственность, где так много разговоров о тысячах, которые могли бы спасти его, присутствует и нечто иное – дух утопии, предчувствие времен, когда начисто забудутся все дела этого рода и не они будут заполнять жизнь человечества.[6]

Таким образом, можно сказать, что метания чеховских героев, их постоянное чувство неудовлетворенности, то притяжение их к дому, то столь же сильные отталкивания от него, отторжения – все это связано в какой-то мере с темой поиска не мнимости, а истинного Дома. Дома для души, Дома завершенного, надземного, Дома нездешнего и нерукотворного.

То есть, иными словами, – Царствия Божьего.

4.

Как-то, рассуждая о произведениях, предназначенных для сцены, известный французский режиссер Жан Вилар сказал: «Последнее слово принадлежит Поэту».

Мы хорошо знаем, как заканчиваются пьесы Чехова. Однако вспомним еще раз: ведь это – чеховские финалы! (Цитаты даются с некоторыми купюрами, дабы заострить и подчеркнуть наше наблюдение.)

Иванов

[Ремарка:] Отбегает в сторону и застреливается (12, 76).

Чайка

Дорн. Дело в том, что Константин Гаврилович застрелился... (13, 60).

Три сестры

Ирина. Придет время, все узнают, зачем всё это, для чего эти страдания, никаких не будет тайн, а пока надо жить... [...]
Ольга. [...] и, кажется, еще немного, и мы узнаем, зачем мы живем, зачем страдаем... [...] Если бы знать, если бы знать! (13, 187/88)

Вишневый сад

Любовь Андреевна. В последний раз взглянуть на стены, на окна... По этой комнате любила ходить покойная мать... [...] Мы идем!.. [...]
Фирс. [...] Заперто. Уехали... [...] Жизнь-то прошла, словно и не жил... [...]

---

[5] Н.Я. Берковский: Литература и театр. Москва 1966, с. 153.
[6] Там же, с. 159.

Слышится отдаленный звук, точно с неба, звук лопнувшей струны, замирающий и печальный. Наступает тишина, и только слышно, как далеко в саду топором стучат по дереву. (13, 253/54)

Дядя Ваня

Соня. [...] и Бог сжалится над нами [...]. Мы услышим ангелов, мы увидим все небо в алмазах, мы увидим, как все зло земное, все наши страдания потонут в милосердии, которое наполнит собою весь мир, и наша жизнь станет тихою, нежною, сладкою, как ласка. Я ВЕРУЮ, ВЕРУЮ... (13, 115/16)

Последнее слово принадлежит Поэту.

P.S.: XX век с его войнами, революциями, социальными потрясениями, жестокостью и свирепым атеизмом не мог не внести свои коррективы в русскую литературу. Тема Дома продолжается в драматургии, но уже в соответствии с новым укладом жизни, другим мировоззрением, в совершенно ином идеологическом контексте.

Литература

Берковский, Н.Я.: Литература и театр. Москва 1966.
Горячева, М.О.: Проблема пространства в художественном мире А. Чехова. Дисс… канд. филол. наук. Москва 1992.
Зингерман, Б.: Театр Чехова и его мировое значение. Москва 1988.
Степанов, Ю.: Константы: словарь русской культуры. 2001.
Тютчев, Ф.И.: Лирика в 2 тт. Т. I. Москва 1965.

Aleksej Grjakalov

Феномен «выпадения времени»: драматизация современности
(Заметки о метафизике времени в творчестве Чехова)

Поэтому мне и кажется, что время есть не что иное, как растяжение, но чего? не знаю; может быть, са-мой души.
Аврелий Августин

Вневременная отзывчивость пьес Чехова побуждает говорить об особом представлении времени в его творчестве. «Время Чехова» подчинено особой драматургии – актуализирована драма самого времени. Может быть и обратный ход: драма времени представлена временем драмы.

Можно сказать, что Чехов помогает освободиться от «тисков рационализма» Нового времени. И хотя позитивистский «по образованию» человек внешне продолжает его линию, на самом деле создает совершенно другую картину. Даже речь о картине мира требует уточнения: классическая *картина мира* как раз и оказывается под вопросом. Поэтому ни социологически ориентированная критика, ни современная семиотическая «аналитика» не схватывают того, что представляет Чехов. У него нет и быть не может никакой правильной *реальности* или правильного понимания, которые можно представить посредством критики или дескрипции умолчаний, разрывов коммуникативной цепи и т.п.

При анализе важно не только вскрытие имманентного смысла и раскрытие вовлеченности и участия. Не идея жизни и не происшествие («драма на охоте»), а событие жизни, которое постоянно уходит из-под определений: Чехову нужно представить человека как человека, в том числе как телесное существо, а слово представить как слово. Нет никакой реальности – есть реалии слова.[1]

Мир Чехова – мир оформленной телесности и предметности. Телесная и психическая усталость не поддается устранению с помощью ума («русская усталость»). Происходит постоянное смещение не только времени, но и временности – они расплавляются в том, что может быть названо *длительностью*. «Небо в алмазах» – идеальный топос – не находится и не может находиться ни в каком времени. Чистое представление за пределами утопии и антиутопии. Это не возгонка к некоему будущему – (*«Мы еще увидим небо в алмазах»*) – как идеальной временной расположенности. Это знак подрыва современности.

«График существования» у Чехова представляет собой особого рода *топологическую* схему, которая дает возможность говорить о смысле в пределах события.[2] Сорасположенность персонажей и действий, обращенность фигур – символическая множествен-

---

[1] «Не идея рождает слово, а слово рождает идею. […] Утверждения его – это не вытащенная из жизни правда, а заключение, требуемое логикой слов.» (В.В. Маяковский: Два Чехова. В: А.П. Че-хов. Pro et contra. Творчество А.П. Чехова в русской мысли конца XIX – начала XX в. 1887–1914. СПб. 2002, с. 974).

[2] Тема *события* обращает ко всему многообразию его понимания – от Dasein фундаментальной онтологии Хайдеггера, «философии поступка» М.М. Бахтина, «чистого события» как безличной доиндивидуальной сингулярности (Ж. Делез) и совозможного характера процедур понимания («единство моментов истин») Алена Бадью до «научного концепта» в трудах А.Н. Уайтхеда. Соответственно представление события может выступить как актуальная организации субъективности.

ность происходящего сохраняет органику естества. Времена действия топологически сорасположены – уже это дает возможность выйти за пределы современности. Вневременной пафос («Мы еще увидим небо в алмазах») не находится ни в каком историческом времени или во времени героической судьбы. Это время чистого утверждения. Пафос. В отношении к которому смещена любая конкретная фигура или смысловая проекция.

Давая критику современности («жизнь не роман»), Чехов поставил вопросы о пределах современности – апофатически намечены возможности представления события жизни. Поэтому необходимы «алогичные» *фигуры*, которые, кстати сказать, как раз и вызывают множество вопросов. Внешняя немотивированность или семантическая неопределенность утверждают обратное – это знаки *другого* (времени, человека, истории). Выпадение времени («идея времени») соотнесено не с вневременной идеальной абстракцией, а обращено к тому, что структурно сорасположено – речь идет об особом опространствливании времени.

Внешне действие кажется вполне доступным традиционному объяснению («драма жестоко ранит современного человека и пробуждает в душе надежду на избавление от тирании идеалов, вызывая перед нами видения более совершенной жизни»). Но драма у Чехова выступает против самой себя – перемешивает время. Точнее говоря, перемещает времена. Время не складывается в последовательность разрозненных фрагментов. Все действие осуществляется как бы одновременно – наступает что-то совсем *другое*.[3]

Опыт Чехова позволяет говорить о драматургии современности в том смысле, что как бы приуготавливает ее и дает возможность ее понять. Причем понимание не является вживанием и толкованием – это не герменевтика. Смысл рождается через сопоставление позиций – это особая топологическая логика или топологически ориентированная драматургия смысла. Герой – гений места, а не времени. Поэтому так значимы сообщества и отношения. И если обратить разговор к современности, то сегодняшнее человечество существует не в идеальном измерении всеобщего мира, возможность которого была поставлена под сомнение уже Кантом, а во множественности сообществ. Каждое изживает в своем собственном месте собственную временность – общий разговор кажется иногда совсем невозможным. Важно отыскивание простран-ства, в котором могут друг друга видеть и слышать. Только совместность дает возмож-ность видеть и слышать – разрознен-ные голоса, подрывая друг друга, оказываются в пространстве общего разговора.

Каждый призыв может натолкнуть на противоположное начало – драмы представляют «общество риска». Призыв осуществлен как *пафос* – это энергия становления в чистом виде. Призыв именно выступают формой реализации *пафоса* – это форма утверждения (Ницше). Пафос дан не всем («пафос характеризует только хороших»). Провалы времени не стянуты к некоему единому смыслу объяснения – смыслу подлинности. Поэтому Чехову так важна текстуальная сторона существования: нужно разместить «случайное» (происшествие, высказывание, смех) в тексте – происшествие станет событием.

Он исходит из первичной жизненной онтологии. Из первичного естественного органического христианства, среди которого он вырос. Это, можно сказать, вера до веры, понимание до понимания. Ведь что-то же *есть*. Но как это представить в драматических формах?

---

[3] Ср.: «Все вдруг поняли, что живут в царстве чеховщины, что оно всех давит, и все почувствовали, что ему наступает конец. Одни об этом жалели, другие радовались. Жалели созерцатели, радовались деятели. Но и те другие видели в чеховщине некоторый итог, сегодняшнюю современность. Чувствовался кризис.» (Д.В. Философов: Быт, событие и небытие. В: А.П. Чехов: Pro et contra, с. 861).

Это время может быть дано как время события – внешней его характеристикой выступает то, что событие не завершается смысловым синтезом: событие открывает за собой другое событие. Происходит смещение предшествующего смысла – в пределе происходит открывание смысла существования до его манифестаций.[4]

«Печальная сторона жизни» предшествует происшествию, она именно собы-тийна или, если угодно, постоянна. И Чехов показывает ее в тот момент, когда она предельно проявлена. Это катастрофизм времени – распад его возможного (казалось бы) синтеза. Это как бы действие после времени – времена сталкиваются друг с другом, не давая точно фиксировать происходящее.

Исчерпанность больших нарраций, о которой будут говорить в конце XX века, у Чехова представлена: невозможность написания «большого романа» это не личностная проблема, а осознание исчерпанности, – «Большой рассказ» современности завершен. На смену пришла очевидность соотнесенных смыслов – актуализировано то, что разбивает «Большой рассказ». И «Большое время» проваливается между этими разбивками-очевидностями. Невозможна традиционная линейная герменевтика смысла – невозможна именно в России. Опыт России выступает как предупреждение для всех.

Методически могут быть выделены *«современное время»* (современность), *вечное время* (религиозное или метафизическое), *экзистенциальное* время подлинного существования. Это с неизбежностью влечет вопрос о синтетическом времени взаимодействия, которое может оказаться модернизированным вариантом «вечности».

Но именно *синтез* невозможен. По Чехову Иоганнес – герой пьесы Гауптмана *Одинокие* – одинок совсем не патологически. Он одинок социально. Болезненность поведения в частной жизни проистекает из причин отнюдь *не* частных, а общих. Это разлад «между настоящим и прошлым» в историческом смысле – («болен не герой, а время»).

В настоящем есть лишь ощущение стремительного изживания – будущее стремительно превращается в прошлое. Это оборачивается неуместностью – нет времени, в котором можно было бы занять собственное место. Структура драмы ориентирована на демонстрацию этого провала: нет времени, в котором может состояться встреча. И это отсутствие сразу выносит действие за пределы экзистен-циального представления.

Герои живут как бы в разных временах: они одновременно «как люди» близки друг другу, «как исторические антагонисты» противоположны (*Вишневый сад*).

Чехов дает критику раздробленности. Выброс смысла в будущее («вперед») совершается в пародийной форме – в упаковках старого, что лишь намекает на возможное событие. Сбой в общей логике повествования или немотивированные с точки зрения классической нарративности смысловые действия-жесты намечают другую логику развертывания смысла, сбой классической логики есть одновременно же и демонстрация нового. Иными словами, катастрофизм представлен не хронологически, а топологически. Из разных мест драматического пространства в *одно и то же время* следуют смысловые импульсы: происходит сопоставление позиций. Значимо не развертывание, а сочетание.

Чехов неоднократно упоминает в письмах имена Канта, Шопенгауэра, Ницше – это философы, предельно внимательные к времени и современности. Для Канта время – апри-

[4] «То событие событий, что *есть* мир, что *есть* человек, случилось раньше чем мы могли его наблюдать. Мы его видим происшедшим. И теперь уже не так важно, решим ли мы, например, что все это сотворил Бог, или что все возникло случайно или что мы сами во сне все создали – все это толкование по следам события, которое совершилось слишком рано, чтобы человек успел при нем присутствовать. [...] Философия вспоминает о раннем событии. В этом смысле, а не в смысле повторов все философы говорят одно.» (В.В. Бибихин: Слово и событие. Москва 2001, с. 19).

орная форма чувственности («трансцендентальная эстетика»). В работе *Мир как воля и представление* Шопенгауэр дает понимание воли – она затихает, делая «безволь-ного» человека особого рода созерцающим медиумом. Мир как бы проговаривается сквозь него. А у Ницше подчеркнут динамизм существования – первым философом современности он называл себя именно потому, что соотнес свое время с вечностью.

В чеховской метафизике времени предложен другой ход. Чехов создает феноменологическое время: прошлое или будущее переживаются как настоящее в том смысле, что только так они и могут переживаться. Сознание удерживает в памяти прошлое как настоящее и воображает будущее как настоящее. Настоящее – горловинка песочных часов – «играет роль», – без него ничего, но и в нем ничего не задерживается. Стремительно изживаются все времена.

Тема «выпадения времени» соотнесена с темой алогизма: алогизм – сбой временной последовательности событий, смещение темпоральных констант, наложение проекций.[5] Абсурдным действие становится в смещении времени. Время смещается – утрачивает свое традиционное месторасположение. То есть подрывается именно пространственностью, местностью – из других, не включенных в линейную логику развертывания смысла мест, появляются немотивированные, алогичные, «случайные» положения. Представленные в очевидном алогизме, сюжетно и семантически немотивированные, не имеющие объяснимой прагматической установки. Отсюда глоссалалические смысловые жесты («Цицикар. Тарарабумбия»). Это предельные проявления эффекта смещения континуальности смысла. Более простые связаны с переключением логики смысла слов из одного смыслового топоса в другой.

И если остаться в пределах темпорального понимания, то можно сказать, что открывается длительность, а не (со)временность. Это как бы стремление обыграть время – сыграть на (невозможное) опережение и обыграть неудачу в конкретном времени исполнения.

Происшествие приобретает характер *события* – событие не просто включено в символический смысловой ряд, а в такой процесс порождения смысла, где он сам оказывается под вопросом. Под вопросом самая возможность смыслособытия не в его конкретности, а в целом. Подрывается современный смыслопорядок, более того, утверждается мысль о том, что он вообще невозможен. Бессмысленно искать некое классическое понимание – его просто-напросто нет. И не может быть. Нужна другая логика понимания, на необходимость которой указывают провалы и смещения време-ни.

Можно сказать, что Чехов уходит от определяющего «синтезирующего» взгляда на современность. Смысл не складывается из примирения и снятия антитетических положений. Смысл не может быть реконструирован при помощи семиотических усилий уже в силу того, что нет «правильного» понимания. Неудачным является не тот или иной смысл, а классическая стратегия временно́го смыслоге-неза.

Смысл возникает не в развертывании, а в сопоставлении. Времени как бы вообще нет: *als ob*. И если говорить о метафизических предпосылках такой стратегии, то это именно линия Канта и Шопенгауэра: в трансцендентальной эстетике время и пространство задают возможности исполнения позиций. Единство восприятия является не

---

[5] «Чехов был внимателен к алогизмам жизни; об этом свидетельствуют его Записные книжки, где можно обнаружить массу сюжетов, кажущихся неправдоподобными, абсурдными в силу необычности, ненормальности (‹Молодой человек собрал миллион марок, лег на них и застрелился›; ‹Умер от того, что боялся холеры›). Это еще одно доказательство неустанного интереса Чехова к тому ‹перевернутому› миру, который чаще всего отображается в анекдоте, являющемся основой водевиля.» (Су Не Лиеде: Чеховский водевиль и «театр абсурда». В: Чеховские чтения в Ялте и XX век. Сборник научных трудов. Вып. 9. Москва 1997, с. 91.)

(со)временным, а задано всеобщими условиями опыта. Соответственно это предполагает другого субъекта – трансцендентальный субъект уже «содержит» в себе все времена как бы в одном схватывании. Для него все про-исходит в одном времени. Жизнь не мнимость – она именно жизнь («органика») – поэтому внутри проживаний должен быть восстановлен изначальный порядок родства и утверждающей силы. А пока его нет, возможны лишь символы утверждения: чистый пафос утверждения с «человеческим лицом».

Поэтому современность, в котором смыслы могут казаться устойчиво присутствующими, представляет лишь иллюзорную (психологическую, литературную или социологическую) телеологию. Не в меньшей степени иллюзорными являются попытки семиотически организовать единство смысла: синтез невозможен. Провалы времени подрывают доверие к такой устойчивости, поскольку же фиксация осуществляется именно во времени, то подрывается самая идея времени. С этим связаны постоянные смещения «временной философии».

Питер Брук называет Чехова «мастером монтажа».[6] Монтаж – это сорасположенность. Структурация. Монтаж предполагает сбой линейности времени: расположение разновременных действий в одном событии. Как проявляется этот эффект в пьесах Чехова? И подтверждается ли он «письмом» и построением («монтаж»)?

Представлена актуальность сорасположенности – актуализированы характеристики внимания пространства: организация пространства посредством слышания (звук струны). Характеристики единого (обозримого) пространства. Действие обращено как бы ко всем временам – к тому, что повторяется.[7] Поэтому можно говорить о том, что выпадение времени – условие для драматургического оформления современности (драматизация современности). Драматизировать, чтобы подниматься над временем. Чехов, по мысли Клода Фриу, выступает прежде всего свидетелем 80-х годов – периода, «когда казалось, будто время остановилось».[8]

Выпадение времени представлено на всех уровнях: чеховская «свобода от партий данной минуты» одним представлялась огромным преимуществом (В.Г. Короленко), другим – огромным изъяном (Толстой). Но во всех случаях – это именно уклонение от идеи момента. И выпадение идеи момента обращено не к некоей (вне)временной абстракции, а к тому, что соединяет один момент с другими – к тому, что структурно сорасположено во временном потоке.

Миг имеет тогда значимость, когда соотнесен с другими мигами – речь идет об особом опространствливании времени.[9] Чехов, можно сказать, включается в полемику с современностью – за современность и против нее – еще тогда, когда формируется предельная субъективность («возвышенное»). В раннем письме к Ал.П. Чехову он резко возражает против «субъективничанья» – конкретный случай «семейного творчества»

---

[6] «Вместо того, чтобы резко разграничивать переходы от одного кадра к другому – т.е. может быть, и от места к месту, – он переходит от чувства к другому чувству за мгновение до того, как оно будет выражено. В тот момент, когда зритель рискует слишком сосредоточиться на одном персонаже, ситуация неожиданно меняется. У Чехова нет ничего неподвижного. Чехов показывает людей и общество в постоянном процессе изменения, он драматург движения жизни, одновременно серьезный и улыбающийся, забавный и горький. […] Чехов не выносил драматический тон и замедленность, навязываемые режиссером [Станиславским – А.Г.].» (Питер Брук о Чехове. В: Литературное наследство. Т. 100, Кн. 1: Чехов и мировая литература. Москва 1997, с. 118).

[7] «Вот почему мы повторяем и повторяем – нет, это не то слово, мы ищем и возвращаемся к началу. Невозможно вообразить себе, что кто-то в один прекрасный день придет к окончательной и неизменной постановке.» (Питер Брук о Чехове, с. 120).

[8] Переводы произведений Чехова во Франции (1960–1980). Обзор Софии Лазарюс. Пер. О.А. Пощежинской, под ред. А.Л. Андрес. В: Литературное наследство. Т. 100, Кн. 1, с. 10.

[9] В евразийских исследованиях появится термин *месторазвитие*: тут, возможно, обобщение «неклассической историософии» Чехова.

поставлен в общий ряд понимания «формы».[10] Схваченность временным превращает писателя в «субъективного писаку». «Незаискивающий протест» – против современности с ее субъективностью.[11] Выпадение современности – все достойное в прошлом.[12]

Современное предельно стушевано, его как бы вовсе не существует. Бытие («жизнь») – невозможно. Эта порождает чувство вины («всегда чувствует себя виноватым») и невозможность понимания причины и природы вины. Иванов: «Вероятно, я страшно виноват, но мысли мои перепутались, душа скована какой-то ленью, и я не в силах понимать себя. [...] День и ночь болит моя совесть, чувст-вую, что глубоко виноват, но в чем собственно моя вина, не понимаю...» (11; 226, 248). И «русская герменевтика» невозможна, нужны иные стратегии осмысления существования. Одиночество усиливает непонимание. Утрата временности порождает вопрос о месте: «Куда деваться?».

Иными словами выпадение времени оборачивается вопросом о месте существования. Сама субстанция временности оказывается смещенной: настоящего – нет, прошлое – невозвратимо, будущее – неопределенно и не имеет перспектив. И то, как сам Чехов в письме к Суворину *графически* представил ситуацию, свидетельствует именно об этом: график существования представляет собой особого рода *топологическую схему*.

Невозможно поставить вопрос о развитии смысла (жизни) во времени. Жизнь утомленного человека «очень не ровна». Все утомленные люди не теряют способности возбуждаться в сильнейшей степени, но очень ненадолго, причем после каждого возбуждения наступает еще большая апатия.[13] Схема лишена смысловой континуальности – представлены провалы во времени, когда пик экзистенциального напряжения буквально совпадает с провалом. Преемственность смыслов линейной схемы (современность наследует прошлое, устремляясь к будущему) оказывается неосуществимой, порождая неизбежные личностные утраты. Нет упорядочивающей волнистой линии смысла.

Как возможен смысл? – Чехов отвечает на вопрос. Топологическая схема существования дает возможность говорить о смысле в пределах события: структурация смыслов, сорасположенность персонажей и действий, обращенность фигур – так в множественности происходящего сохраняется органика естества. Начала и концы вынесены за (со)временность, экзальтация временности обманчива – молодость (возвышенное) быстро проходит, проявляясь в импульсивных вспышках-воспоминаниях.[14]

---

[10] «Начну с формы письма. […] Ты слезоточишь от начала письма до конца… Во всех письмах, впрочем, и во всех произведениях… Можно подумать, что ты и дядя состоите из одних только слезных желез. Я не смеюсь, не упражняю своего остроумия. Я не тронул бы этой слезоточивости, этой одышки от радости и горя, если бы они не были так несвоевременны и… пагубны» (П. 1, 54). «Субъективность ужасная вещь. [...] В (незаискивающем) протесте-то и вся соль жизни, друг» (П. 1, 55).

[11] «Главное, берегись личного элемента», – предупреждает Чехов в письме к брату Александру от 8 мая 1889 г. Именно личное – субъективное, (со)временное – не дает осуществиться «объективному» взгляду. Сорасположенность позиций как бы устраняет субъективность – одна избыточная возвышенность «гасится» другой в пространстве происходящего события. Субъективная временность как бы выпадает из происходящего (П. 3, 210).

[12] «Прошлое у него прекрасно, как у большинства русских интеллигентных людей. Нет или почти нет того русского барина, который не хвастался бы своим прошлым. Настоящее всегда хуже прошлого. Почему? Потому что русская возбудимость имеет одно специфическое свойство: ее быстро сменяет утомляемость» (П. 3, 109).

[13] «Все утомленные люди не теряют способности возбуждаться в сильнейшей степени, но очень ненадолго, причем после каждого возбуждения наступает еще большая апатия. Это графически можно изобразить так: Падение вниз, как видите, идет не по наклонной плоскости, а несколько иначе» (П. 3, 112).

[14] «Разочарованность, апатия, нервная рыхлость и утомляемость являются непременным следствием чрезмерной возбудимости, а такая возбудимость присуща нашей молодежи в крайней степени. Возьмите литературу. Возьмите настоящее… Социализм – один из видов возбуждения. Где же он? […] Социалисты поженились и критикуют земство. Где либерализм? Даже Михай-ловский говорит, что все шашки

Драматизировать – поставить в соответствие в жизненном пространстве – время как бы расслаивается и перестает существовать историческая единая линейность. Современность и ее идеология дает сбой в каждой точке пространства.

Дана как бы особая апофатика смысла в отношении к современности: отказ современности быть настоящим означает обращение к некоему времени над временем. В таком «времени времен» растворяются и теряют силы (со)временные объяснения. И в этом постоянная энергия воздействия творчества Чехова – пьеса не является ересью современности, – современность лишь растворяет в пьесе очевидные идеологизированные смыслы.

Давая критику современности («жизнь не роман»), Чехов поставил вопросы о пределах самой современности в целом, апофатически намечая возможности представления событий. О героях пьесы Чехов писал как о людях, которые появились не из «умственности», не случайно – они «результат наблюдения и изучения жизни». Собственную философию Чехова можно было бы назвать особого рода органицизмом.[15] И это тем более значимо, что Чехов говорит об отсутствии трансценденции в творчестве – о «плоском месте», отсутствует «какая-то цель» ближайшая («крепостное право, освобождение родины, политика, красота или просто водка…») или отдаленная («бог, загробная жизнь, счастье человечества и т.п.»).[16] Письмо разворачивается своей собственной силой. Почти – по инерции.[17]

Ложны однозначные ответы даже в тех случаях, когда это «философия великих мира сего».[18] Именно внимание к *естественному* удерживает от субъективизма: сохраняется состояние жизненного порядка.[19] Нет надежды на время: *письмо* как бы вневременно. И в этом смысле Чехов близок тому, что делали Федоров, Розанов, русские космисты, с которыми роднит Чехова внимание к науке. У Чехова в отличие от космистов нет утопии науки и техники, но есть серьезное отношение к культуре и науке.

теперь смешались. А чего стоят все русские увлечения? Война утомила, Болгария утомила до иронии, Цукки утомила, оперетка тоже…» (П. 3, 111/12).

15 «А если знаешь, как велико сходство между телесными и духовными болезнями, и когда знаешь, что те и другие болезни лечатся одними и теми же лекарствами, поневоле захочешь не отделять душу от тела» (П. 3, 208).

16 «Мы пишем жизнь такою, какая она есть, а дальше – ни тпрру, ни ну… Дальше хоть плетями нас стегайте. У нас нет ни ближайших, ни отдаленных целей, и в нашей душе хоть шаром покати. Политики у нас нет, в революцию мы не верим, бога нет, привидений не боимся, а я лично даже слепоты и смерти не боюсь» (П. 5, 133). Но далее: «Кто ничего не хочет, ни на что не надеется и ничего не боится, тот не может быть художником» (П. 5, 133/34).

17 «Пишем мы машинально, только подчиняясь тому давно заведенному порядку, по которому один служит, другие торгуют, третьи пишут…» (П. 5, 134).

18 «Черт бы побрал философию великих мира сего! Все великие мудрецы деспотичны, как генералы, и невежливы и неделикатны, как генералы, потому что уверены в безнаказанности. Диоген плевал в бороды, зная, что ему за это ничего не будет; Толстой ругает докторов мерзавцами и невежничает с великими вопросами, потому что он тот же Диоген, которого в участок не поведешь и в газетах не выругаешь. Итак, к черту философию великих мира сего» (П. 4, 270).

19 «Мне кажется, что не беллетристы должны решать такие вопросы, как бог, пессимизм и т.п. Дело беллетриста изобразить только, кто, как и при каких обстоятельствах говорили или думали о боге или пессимизме. Художник должен быть не судьею своих персонажей и того, о чем говорят они, а только беспристрастным свидетелем. Мое дело только в том, чтобы быть талантливым, т.е. уметь отличать важные показания от не важных, уметь освещать фигуры и говорить их языком. […] Пишущим людям, особливо художникам, пора уже сознаться, что на этом свете ничего не разберешь, как когда-то сознался Сократ и как сознавался Вольтер» (П. 2, 280/81). Обратим вни-мание на *персонажи* и *фигуры*. Современность пронизана мелкодействием – выход в том, чтоб обратиться к устойчивым фигурам и персонажам, которые как бы подняты над (со)временностью. И только в этой (объективной) возвышенности способы ее объяснять.

Смещены однозначные истины («Если публика выйдет из театра с сознанием, что Ивановы – подлецы, а доктора Львовы – великие люди, то мне придется подать в отставку и забросить свое перо»; П. 3, 114). Призывы героев Чехова – это почти подражание Ницше. Но отличие в том, что у Чехова переживание будущего как настоящего делает его «человеческим», а не «сверхчеловеческим».

В письме к А.С. Суворину от 30 декабря 1888 г. Чехов, пишет, что в характеристике Иванова часто попадается слово «русский»:

> Не рассердитесь за это. Когда я писал пьесу, то имел в виду только то, что нужно, то есть одни только типичные русские черты. Так, чрезмерная возбудимость, чувство вины. Утомляемость – чисто русские. Немцы никогда не возбуждаются, и потому Германия не знает ни разочарованных, ни лишних, ни утомленных... Возбудимость французов держится постоянно на одной и той же высоте, не делая крутых повышений и понижений, и потому француз до самой дряхлой старости нормально возбужден. Другими словами, французам не приходится расходовать свои силы на чрезмерное возбуждение; расходуют они свои силы умно, поэтому не знают банкротства. (П. 3, 115)

Выпадение времени оборачивается вопросом о *месте* существования.

Литература

Бибихин, В.В.: Слово и событие. Москва 2001.

Питер Брук о Чехове. В: Литературное наследство. Т. 100, Кн. 1: Чехов и мировая литература. Москва 1997, с. 118-120.

Маяковский, В.В.: Два Чехова. В: А.П. Чехов. Pro et contra. Творчество А.П. Чехова в русской мысли конца XIX – начала XX в. 1887–1914. СПб. 2002.

Переводы произведений Чехова во Франции (1960–1980). Обзор Софии Лазарюс. Пер. О.А. Пощежинской, под ред. А.Л. Андрес. В: Литературное наследство. Т. 100, Кн. 1: Чехов и мировая литература. Москва 1997, с. 7-26.

Су Не Лиеде: Чеховский водевиль и «театр абсурда». В: Чеховские чтения в Ялте и XX век. Сборник научных трудов. Вып. 9. Москва 1997.

Философов, Д.В.: Быт, событие и небытие. В: А.П. Чехов: Pro et contra. Творчество А.П. Чехова в русской мысли конца XIX – начала XX в. 1887–1914. СПб. 2002.

Maja Volčkevič

Настоящая жизнь прошлого как драматургический прием Чехова

«Die Vergangenheit steht noch bevor» – «Прошлое еще предстоит». Эта фраза могла бы стать исходным тезисом, когда мы размышляем о построении чеховских пьес, мотивации поступков героев, скрытых механизмах воздействия автора на судьбы героев.

С момента премьер *Иванова*, *Чайки*, *Дяди Вани*, *Трех сестер* и *Вишневого сада* возникли и существуют для зрителей, критиков, исследователей, режиссеров, актеров так называемые «вечные – всем известные вопросы», обращенные к драматургу Чехову.

«Какой смысл вкладывал автор в монолог Мировой души?» «Станет ли Нина Заречная настоящей актрисой?»

«Отчего три сестры не покупают пресловутый железнодорожный билет и никогда не уедут в Москву?»

«Что обозначает собой Африка и реплика Астрова в последнем действии *Дяди Вани*?»

«Какова природа чувства сына лавочника Лопахина к владелице вишневого сада Раневской?»

«Что за символ – звук лопнувшей струны?»

Ответы на эти и другие вопросы определяют концепцию спектакля, толкование роли, толкование символа или образа. Но все они заявлены, если можно так выразиться, в тексте самих пьес. Тогда как существуют вопросы, которые не озвучены героями – но на важность которых автор намекает нам, дает повод для размышлений, иногда даже указывает косвенными репликами – как будто хочет, чтобы мы сами обнаружили эти секретные «боковые комнаты». Именно они, как кажется, могут помочь приблизиться к скрытым мотивам поступков героев, корни которых таятся в прошлом.

О каком прошлом идет речь? Общеизвестно, что о прошлом ностальгируют или вздыхают многие герои чеховских пьес. Треплев о той поре, когда мать служила на казенной сцене и, как ему кажется, любила его.

Дядя Ваня о том времени, когда встречал молодую еще Елену Андреевну в доме своей покойной сестры и не решился сделать ей предложение. Сестры Прозоровы как потерянный рай вспоминают Москву.

А персонажи *Вишневого сада* просто зачарованы прошлым, иногда кажется, что настоящее для них – страшный сон, кошмар, от которого надо лишь пробудиться. В прошлом цветет незаложенный еще вишневый сад, мужики состоят при господах, а господа при мужиках, в нем жив маленький Гриша. Но речь идет не об этом прошлом – не об иллюзиях, несбывшихся мечтах, ностальгических грезах героев.

О такой тоске по прошлому Чехов написал, когда толковал А.С. Суворину своего *Иванова* – «Прошлое у него [Иванова] прекрасное, как у большинства русских интеллигентных людей. Нет или почти нет того русского барина или университетского человека, который не хвастался бы своим прошлым. Настоящее всегда хуже прошлого» (П. 3, 109).

Сладкое или обманувшее прошлое узаконено в речах героев. Но есть и другое – то, о котором они не говорят, есть так называемые фигуры умолчания и автор довольно настойчиво расставляет, если так можно выразиться, эти фигуры среди действующих лиц НАСТОЯЩЕГО чеховских пьес.

В *Чайке*, например, это отец Треплева – тот самый, который был по паспорту киевским мещанином, хоть и известным актером. О нем упомянет Треплев в 1-м действии. Аллюзии *Чайки* на *Гамлета* заложены в самой пьесе, они необходимы Чехову как подсказка читателю и зрителю. Исследователи справедливо обращали внимание на треугольник Треплев–Аркадина–Тригорин, соотнося его с материнско-сыновними взаимоотношениями в трагедии Шекспира. Но в *Гамлете* есть еще и образ отца, видимый только одному Гамлету. Именно с явления призрака трагедия Шекспира, где все действующие лица уже готовы к действию и начинается завязка трагедии.

Об отце Константина никто больше в *Чайке* не упомянет, хотя истоки отторжения Аркадиной от сына, отторжения почти биологического, вероятно надо искать не в жестокосердии актрисы, не в том, что любовник, по выражению Треплева, стал между сыном и матерью, но в том прошлом актрисы, о котором та не хочет вспоминать. В ее отношении к отцу Треплева, к обстоятельствам рождения – если вспомнить, что Треплев появился на свет, когда Аркадиной было восемнадцать, как Нине Заречной.

Что была за жизнь у Аркадиной до поступления на сцену, как восприняла ее решение семья? Каков был ее путь на сцену? Очевидно, что сама актриса не желает говорить об этом. Когда сын начинает вспоминать время, когда та служила на казенной сцене и однажды побили прачку а потом ухаживала за ней (казалось бы, свои добрые деяния всегда вспоминать приятно), Аркадина отвечает, что не помнит этого.

Пьеса Треплева о Мировой душе – безусловно, самая большая загадка в загадочной *Чайке*.

В том числе еще и потому, что сын актрисы не написал «жалкого водевиля», но почему-то решил воззвать к «почтенным старым теням», которые носятся в ночную пору над озером. Почтенные старые тени над озером – если конечно предполагать, что имение раньше принадлежало родителям Сорина и Аркадиной, могли, наверное, многое порассказать ее сегодняшним обитателям.

Вспомним, что первая фраза мистерии о Мировой душе звучит непосредственно за цитатой из 3-го действия *Гамлета*, когда сын обвиняет мать в забвении прошлого, забвении его отца, а призрак короля незримо присутствует при этом.

«Мой сын! Ты очи обратил мне внутрь души, и я увидела ее в таких кровавых, в таких смертельных язвах – нет спасенья!» (13, 12) – декламирует Аркадина. Исполнение пьесы сорвет именно Аркадина – не из-за того, что испугается почтенных старых теней – хоть и суеверна, и боится трех свечей. Просто именно Аркадиной, живущей, как модно теперь говорить – «здесь и сейчас» – наиболее чужд тот взгляд, который отпускает настоящее, зато поднимает с глубин прошлое и соединяет с будущим.

На берегу прекрасного озера, где было столько романов – о чем с охотой вспоминает Аркадина – свершались и другие сюжеты, которые существуют в *Чайке* лишь как последствия. Равно как и в пьесах *Дядя Ваня*, *Три сестры*. Неочевидные, странные, непонятные сюжеты – о которых говорят в пьесах Чехова пожимая плечами или недомолвками, постоянно замолкая – они не то что стыдные или позорные – не то, что называется «скелет в шкафу». И в этом отличие скрытой архитектуры пьес Чехова от пьес его современника Ибсена, например. Есть «скелет в шкафу», который выпадает из шкафа и в *Кукольном дома* и в *Приведениях*. В драматургии же Чехова тайна – не побудитель действия даже, но скрытое звено цепи, та неявная микроструктура, без расшифровки которой непонятен молекулярный состав ткани произведения. Мать Нины, почему-то завещавшая все свои деньги не дочери, а мужу – и этим предопределившая многие коллизии в жизни Нины. Отец Нины – отписавший отчего-то все деньги своей жене, мачехе Нины – что стоит за этими сюжетами, такими странными в безоговорочных решениях отца и матери Нины Заречной.

Конечно, можно возразить – что эти внутренние сюжеты в сюжетах, подземные замурованные ходы и выходы значимы, но уже необъяснимы. Но ведь то же прошлое, которое еще предстоит – это история, которую никто уже не расскажет, которая, как кажется, похоронена – это, например, правда о смерти отца Гамлета. И именно ее приходит рассказать призрак, именно ее Гамлет просит разыграть перед Клавдием, чтоб обратить его очи «внутрь души» и понять, как действовать. Тогда вопрос – что пытается сказать Чехов устами своего героя, его странной пьесой о почтенных тенях, например, о том прошлом, что уже, как кажется, погребено – непразден.

Известно, что еще в первом варианте *Чайки* Чехов хотел дать внезапное явление такой вот истории прошлого, предопределившей расклады настоящего – должно было выясниться, что Маша – дочь доктора Дорна. В окончательном варианте автор отказался от такого драматургического хода, оставив зрителю лишь внешние обстоятельства, – Маша сторонится своего отца, мучительно тянется к Дорну, ощущает себя рожденной не для скучной жизни дочери управляющего и жены сельского учителя.

Конечно, можно возразить, что драма жизни такой героини не исчерпывается тайной ее рождения и особенным отношением к ней матери. Но если говорить о приемах Чехова драматурга, то, очевидно, что намеки и скрытые указания зрителю необходимы ему не меньше, чем очевидная логика жизни, определяемая средой, обстоятельствами, характером, эпохой, наконец.

Чехов избегает мелодраматизма и его клише в своей драматургии, но пресловутая недоговоренность и подтекст пьес Чехова сотканы и из скрытых символов.

В *Дяде Ване* – сценах деревенской жизни – под одной крышей собираются люди, которым есть что предъявить друг другу по счетам прошлого. Войницкий клянет разочаровавшего его Серебрякова, которому он посвятил жизнь, Соня с подозрением смотрит на Елену Андреевну еще со свадьбы отца и мачехи и сам Серебряков признается, что каждую минуту тоскует о прошлом. И предъявление счетов непрожитого прошлого в *Дяде Ване* состоится, достигнув кульминационной точки в сцене, когда Войницкий стреляет в профессора.

Разумеется, драма главного героя – драма непрожитой собственной жизни и прозрения ничтожества Серебрякова – одна из важнейших в *Дяде Ване*. Но можно ли и здесь рассматривать следствия без причины? Почему покойная сестра Войницкого, существо ангельской кротости и чистоты, и доброты любившая Серебрякова, тем не менее, завещала имение Соне? Не потому ли, что в отличие от матери Нины Заречной, имела основания предугадать повторный брак своего очаровательного мужа и то, что дочь может лишиться крова и средств к существованию?

Зачем в пьесе устами самой простодушной, а, следовательно, самой непредвзятой и искренней героини – няньки Марины – несколько раз настойчиво дается указание на некую тайну из прошлого. Эту тайну знает дядя Ваня, но она неведома Соне. Марина говорит Серебрякову: «Вера Петровна, покойница, Сонечкина мать, бывало, ночи не спит, убивается» и чуть позже реплика звучит снова – «Вера Петровна бывало, все убивается, все плачет... Ты, Сонюшка, тогда была еще мала, глупа...» (13, 78). А дядя Ваня несколько раз повторяет, вспоминает свою покойную сестру «А х, если бы она знала! Если бы она знала!», причем фраза эта специально выделена автором. Соня переспрашивает – «Дядя, что знала?» (13, 82), и Войницкий сразу сворачивает разговор, не в силах объяснить Соне, что он имеет в виду.

Если Елена Андреевна бывала в доме покойной матери Сони и была ее подругой, то история Елены Андреевны и красноречивого Серебрякова могла начаться много раньше кончины его первой жены. Образ Серебрякова, так же как и образ Аркадиной, обычно для постановщика и исполнителя рисуется не столь многогранно, как других героев. Серебряков предстает эгоистичным ограниченным малосимпатичным стариком, так же, как и Аркадина – самолюбивой, энергичной примой провинциальной сцены.

Но, если в поиске ответа на вопрос о драме жизни дяди Вани спросить себя – что такого неотразимо привлекательного было в этом ограниченном эгоисте, если им были очарованы до самозабвения, до самопожертовования столь непохожие герои как сам дядя Ваня, Мария Александровна, Соня и Елена Андреевна, и куда это исчезло теперь? Да, в настоящем Серебряков сухарь, вобла, ипохондрик, заедающий чужой век и это очевидно всем, кроме матери Войницкого. Но тогда непонятно, как мог человек измениться столь кардинально или еще ни одним актером не сыграно его былое очарование и магия, которые не могли бесповоротно исчезнуть в настоящем. Недаром дядя Ваня постоянно бьется над этой загадкой – ведь Серебрякову удалось очаровать не только свою семью, ему удалось зачаровать судьбу. «Сын простого дьячка, бурсак, добился ученых степеней и кафедры, стал его превосходительством, зятем сенатора и прочее» (13, 67).

Для этого мало одного трудолюбия и ловкости. Недаром Войницкий, так и найдя ответа на вопрос, почему он отдал свою молодость служению гения профессора, восклицает: «Я – сумасшедший! А не сумасшедшие те, которые под личиной профессора, ученого мага, прячут свою бездарность, тупость, свое вопиющее бессердечие» (13, 107).

Быть может, это слово – личина – может быть рассмотрено как одно из ключевых в вопросе о настоящей жизни прошлого в драматургии Чехова – причем без того негативного оттенка, которое оно имеет в современном русском языке. Первоначальное значение личины – всего лишь маска. Маска может скрывать фигуру или образ человека, которого нельзя разгадать, если верить только личине. Как верил Войницкий в Серебрякова.

Есть такая непонятная фигура прошедшего, нависающая над настоящим на протяжении всей пьесы, и в *Трех сестрах*. Пьеса начинается словами Ольги: «Отец умер ровно год назад […]» (13, 119). Если обратить внимание, то во всех речах детей генерала Прозорова, когда они вспоминают о своем отце слышится странная интонация, странное чувство – это не светлая печаль, не благодарная память, не тоска по ушедшему. Это опять же зачарованность тенью, от которой хочется освободиться. В самом деле – если продолжить цитату первой реплики, то мажорный конец ее не соответсвует началу.

«Было очень холодно, тогда шел снег. Мне казалось, я не переживу, ты лежала в обмороке, как мертвая. Но вот прошел год, и мы вспоминаем об этом легко, ты уже в белом платье, лицо твое сияет» (13, 119). Андрей вторит сестре: «Отец, царство ему небесное, угнетал нас воспитанием. Это смешно и глупо, но в этом все-таки надо сознаться, после его смерти я стал полнеть и вот располнел в один год, точно мое тело освободилось от гнета» (13, 131).

Генерал Прозоров, угнетавший детей воспитанием, заставлявший вставать дочерей в семь часов утра – непроясненная, незримо руководящая настоящим фигура. Именно он одиннадцать лет назад привез дочерей и сына из Москвы, которую они так любили, в провинциальный город. Мать Прозоровых, как и мать Сони, вспоминается детям как чистое и прекрасное существо. Эта частица прошлого тоже не окончательно уничтожена автором в настоящем – доктор Чебутыкин, горячо любивший жену генерала Прозорова, не может покинуть ее дом и после ее смерти.

Такие явные «указательные знаки» прошлого, явные носители скрытой тайны (много раз выдвигалась догадка, что Ирина – на самом деле – дочь Чебутыкина) есть в каждой пьесе Чехова. Автор упорно заставляет своего зрителя разгадывать загадки. Что за личность была генерал Прозоров? Командующий бригадой, но не солдафон, раз дал детям такое небыкновенное, как сейчас бы сказали, гуманитарное образование и готовил сына к карьере университетского профессора. Пьеса названа Чеховым – *Три сестры*. Не без оснований можно предполагать в контексте проблемы – настоящая жизнь прошлого – что трагическая невозможность изменить свою судьбу по своей воле, невоплощенность собственного предназначения таится в этой неразъединимой связи детей Прозорова. Они прежде всего – сестры и брат. В Москву для Ольги и Ирины можно уехать только вместе, никак не порознь. «Я выйду замуж за барона, только прошу тебя – поедем в Москву»! (13, 171) – молит Ирина Ольгу, готовая даже на такую жертву.

Неясно, кому и во имя чего приносится эта жертва, какой страх перед жизнью вместе со своим замечательным воспитанием впечатал в души своих детей этот бригадный генерал. Очевидно лишь, что этот страх жизни и самоосуществления так огромен, что дети Прозорова готовы препоручить поступок, важное решение кому угодно, лишь бы не принимать его самостоятельно. Ирина следует Ольге, несостоявшийся профессор Андрей попадает под пяту Наташи.

А Маша, самая очаровательная из сестер Прозоровых, вынуждена подчинять свою жизнь Кулыгину, много старшего ее по возрасту и не отличающегося никакими особенными достоинствами. Если задуматься, да еще вспомнить, каким неинтересным чаще всего предстает учитель Кулыгин в постановках *Трех сестер* – то союз Маши и Кулыгина еще более парадоксален, чем выбор Елены Андреевны в *Дяде Ване*.

Серебряков хотя бы витийствовал с университетской кафедры, был обожаем молодежью, имел успех у дам, Елена Андреевна была увлечена. Но красавица, дочь генерала, из далеко не бедной семьи, приехавшая в провинцию из Москвы и явно состоящая в собственном положении и в провинциальном городе и добрый, скучный, ограниченный, учитель?

Парадоксальность и интерес к фигуре генерала возрастает, если вспомнить признание Маши: «Меня выдали замуж, когда мне было восемнадцать лет, и я своего мужа боялась, потому что он был учителем» (13, 142). Маша боялась своего мужа – это чувство, страх перед старшим, очевидно, ей хорошо знакомо с детства. По сути, если пытаться рассмотреть пути каждого из Прозоровых – то несколько иначе могут выглядеть их нереализованные, оказавшиеся невостребованными надежды, увлечения, мечты, – профессорство Андрея, иностранные языки, музыка, служба Ольги в гимназии, личное счастье, наконец.

Хотя бы потому что выбор за них был совершен в прошлом, а в настоящем они не пытаются и не в силах изменить проложенную колею. Они способны лишь, как испуганные дети в отсутствии властного отца, поступать или назло предписанному, или пытаться следовать предначертанному. В конце пьесы звучит фраза Ольги – «Если бы знать!» – если бы знать, зачем живет каждая из сестер Прозоровых – вопрос, на который каждая из них не находит ответа – и потому спешит объявить настоящее прошлым – «пройдет время и мы уйдем навеки»… Настоящая жизнь в *Трех сестрах*, о которой так тоскуют герои, так и не наступает.

Действие *Вишневого сада* этой точки зрения – это сплошное последствие того, что содеяно в прошлом, причем последствие непоправимое. В нем, как и других пьесах, множество «подземных коридоров», запутанных лабиринтов. Но главное, что отличает *Вишневый сад* от других пьес Чехова – что прошлое в нем окончательно настигает настоящее, и затягивает всех героев в своеобразную воронку, дыру. «Напоминаю вам, господа: двадцать второго августа будет продаваться вишневый сад. Думайте об этом! Думайте!» (13, 227) – предупреждает героев Лопахин – это лопахинское «Думайте» звучит как последнее напоминание о настоящем времени, которое истекает, подходит к концу.

Ни у одного героя *Вишневого сада*, кроме разве лакея Яши – нет будущего. Ни у Раневской, уже пробовавшей отравиться из-за нечастной любви и вновь к ней устремляющейся, ни у вечного фразера Гаева, ни у Шарлотты, ни у Лопахина, ни у Вари, ни у вечного неудачника Епиходова с его револьвером. Очевидно, что не будет осуществления своей жизни у мечтателя и вечного студента Трофимова. Не говоря уже о наивной хрупкой Ане, которой в лучшем случае предстоит избывать тяжелым трудом и борьбой за существование то, что ее родители и дядя так легко пустили на ветер.

Исследователи уже замечали связь между пресловутой «порвавшейся связью времен» в *Гамлете* и «звуком лопнувшей струны» в *Вишневом саде*. Связь времен, столь многослойная, нелинейная, непоследовательная, существующая по законам, придуманным автором, окончательно прерывается в драматургии Чехова в *Вишневом саде*. Самый старый персонаж пьесы, сплошное олицетворение прошлого – Фирс – остается забытым в опустевшем доме. «Ничего не осталось, ничего...» (13, 254) – произносит Фирс. К этому «ничего» – «нулю» – «пустоте» сводится в конечном счете параллельное, сквозное существование прошлого в ткани настоящего в пространстве чеховской драматургии.

«Пройдет время и мы уйдем навеки [...]» – финальный монолог *Трех сестер* (13, 187).

«[...] когда наступит наш час, мы покорно умрем [...]» – финал *Дяди Вани* (13, 115).

Пьеса Треплева о том, что будет через двести тысяч лет, настойчиво цитируемая героями *Чайки*, рассуждения Пети Трофимова о прекрасном будущем человечества – выходов в будущее отдельного человека не существует ни в сознании героев, ни в сознании автора. Тень призрачного далекого будущего накрывает героев, не имеющих настоящего и находящихся во власти прошлого.

По сути, Чехов разговором о призрачном будущем обращает настоящее в прошлое.

Nikolaj Kapustin

Прошлое, настоящее и будущее в драме А.П. Чехова *Три сестры* и в творчестве В.А. Жуковского

В работах о Чехове можно встретить мнение, что в его произведениях иллюзорное представление о чем-либо обладает большей ценностью, чем реальная жизнь. Неважно, что в конкретной действительности нет того, о чем грезит герой или героиня, – важно, что существует сама греза или иллюзия. Согласно такой точке зрения, Чехов утверждал «принципиальную неразличимость вымысла и реальности».[1] При этом подразумевается, что иллюзия возводится на неоспоримый аксиологический пьедестал не только героями, но и автором, что Чехову свойственны черты ирреализма, допускающего существование «миров иных» и характеризующегося иррационализмом мировосприятия и миропонимания.

Подобную логику легко спроецировать и на пьесу *Три сестры*: ее героини хотя и не вернулись в Москву реально, но не раз побывали там в своих воспоминаниях, что, в сущности (в той системе координат, о которой шла речь), равносильно самой реальности.

Такую трактовку можно было бы сразу же отбросить как неадекватную замыслу Чехова и его миропониманию. Но, изначально не соглашаясь с ней, правильнее все-таки остановиться на том, как ощущают себя персонажи *Трех сестер* в потоке времени. Еще важнее прояснить авторский взгляд на поиски его героями утраченного прошлого или на их «путешествия» в будущее. Понять же специфику этого взгляда поможет творчество писателя, в отличие от Чехова действительно принадлежащего к ирреальному типу творчества, а конкретнее – к романтизму.[2] Речь идет о В.А. Жуковском.

Почему о нем?

Отвечая на этот вопрос, нельзя не вспомнить, что у Жуковского есть повествовательный философский этюд, имеющий то же название, что и пьеса Чехова. Однако совпадение в названии чисто внешнее, и в таком качестве оно, разумеется, не может служить опорой для сравнения. Есть другое основание для сопоставления столь непохожих художников. Дело в том, что мотив мысленного «путешествия» из неудовлетворяющего настоящего в идеальное прошлое или будущее – один из центральных (если вообще не центральный) в художественном мире Жуковского. Нет необходимости доказывать его особую значимость в пьесе Чехова *Три сестры*. К тому же и сестры, и Вершинин, и Тузенбах, и Андрей, с трудом переносящие настоящее, живущие прошлым или надеющиеся на будущее, наделены романтическим типом сознания. Чеховская пьеса обращена к вопросу о соотношении мечты и реальности – проблеме, истоки которой в русской литературе восходят к творчеству Жуковского.

Сопоставляя, важно учесть неоднозначность воплощения темы времени у Жуковского и, соответственно, более близкие и более далекие по отношению к пьесе Чехова концептуальные решения. Не лишним будет отметить и то, что сравнение проводится исключительно на типологическом уровне. В первую очередь оно призвано акцентировать разницу авторских трактовок мотива *путешествия* во времени и – в конечном итоге – неправомерность сближения Чехова с ирреальным типом творчества.

---

[1] В.А. Редькин: Черты ирреализма в рассказах А.П. Чехова 1886 года. В: Чеховские чтения в Твери. Сборник научных трудов. Вып. 3. Тверь 2003, с. 111.

[2] Вопрос о природе творческого метода Жуковского остается дискуссионным. Признавая, что не все из созданных им произведений принадлежат к романтизму, автор настоящей статьи тем не менее считает, что доминантой художественного видения Жуковского является романтическое двоемирие.

Дальше всего от чеховской драмы отстоит упомянутый философский этюд *Три сестры* (1808), содержащий уравновешенно-спокойный, лишенный драматизма взгляд на время как некую целостность, в котором прошлое, настоящее и будущее, открываясь человеку в разные мгновения жизни, обеспечивают гармонию его существования. В юности человек может и должен любить настоящее. Но «розы настоящего», согласно заверениям одной из сестер, олицетворяющей у Жуковского Прошедшее, «никогда не родятся без шипов». Тогда на помощь человеку приходит Завтра, а в «минуты испытания, минуты одиночества души…» – Прошедшее.[3] Подобное представление выражено и в финале стихотворения *Уединение* (1813). Напоминающее концепцию чеховской пьесы, оно, в сущности, очень далеко от нее, поскольку лишено драматизма. В данном случае Жуковский выстраивает идеальную, гармонизирующую жизнь, экзистенциальную модель, кстати, далеко не единственную в его творчестве.

Вопреки распространенным представлениям, Жуковский отнюдь не является певцом ровной и безмятежной меланхолии. Его лирический герой нередко изображен в кризисной ситуации неудовлетворенности настоящим, типологически близкой той, в какой оказываются чеховские персонажи. Помогающие жить опоры, которые он находит, порой вызывают сомнение Жуковского. Не случайно отдельные его стихотворения строятся как своего рода «двуголосые» композиции, когда один «голос» стремится убедить другой в истинности своей «программы» существования (таково, к примеру, стихотворение *Утешение в слезах*, 1817). Несомненно, что носители разных позиций есть проекции самого автора – две стороны его сомневающейся души. В ряде стихотворений Жуковский ведет спор с самим собой, находя возражения против высказанных ранее настроений и мыслей. В оптимистическом по поэтической концепции бытия стихотворении *Теон и Эсхин* (1814), где, впрочем, тоже два «голоса», он как бы откликается на окрашенное в пессимистические тона послание к *Тургеневу, в ответ на его письмо* (1813). Все это указывает на внутреннюю борьбу, совершающуюся в душе поэта-романтика, и лишает его представление о жизни той однозначности, которую ему нередко приписывают. При этом свои доминанты у Жуковского, конечно, есть, и именно их в первую очередь и нужно учитывать, приступая к сопоставлению с Чеховым.

Вначале – несколько цитат из лирики Жуковского:

Минутная краса полей,
Цветок увядший, одинокой,
Лишен ты прелести своей
Рукою осени жестокой.

Увы! нам тот же дан удел,
И тот же рок нас угнетает:
С тебя листочек облетел –
От нас веселье отлетает.

Отъемлет каждый день у нас
Или мечту, иль наслажденье.
И каждый разрушает час
Драгое сердцу заблужденье.

(*Цветок*, с. 31)

[3] В.А. Жуковский: Три сестры. В: В.А. Жуковский: Сочинения. Москва 1954, с. 486. Далее ссылки на это издание приводятся в тексте статьи (номер страницы указывается в скобках после цитаты).

Или:

Природа та ж… но где очарованье?
Ах! С нами, друг, и прежний мир пропал;
Пред опытом умолкло упованье;
Что в *оны дни* будило радость в нас,
То в нас *теперь* унылость пробуждает;
Во всем, во всем прискорбный слышен глас,
Что ничего нам жизнь не обещает.

(*Тургеневу, в ответ на его письмо. Послание*, с. 51)

Приведенные строки могли бы служить эпиграфом к пьесе Чехова *Три сестры*. В ней, говоря языком Жуковского, время тоже «отъемлет» мечту, разрушает «драгое сердцу заблужденье», «пред опытом умолкает упованье», и уже «ничего не обещает» жизнь. Однако мы совершим серьезную ошибку, поставив знак равенства между взглядом Жуковского и Чехова на течение времени и перспективы бытия. Во-первых, потому, что цитированные стихи Жуковского не принадлежат к числу тех, которые выражают наиболее свойственное ему представление о жизни. Во-вторых, внешние соответствия не исключают, как известно, принципиальных внутренних различий. Ощущение себя в потоке времени у персонажей Жуковского и Чехова существенно разнится. Еще более различаются авторские взгляды на мысленные «путешествия» героев в прошлое или будущее.

Героев лирики Жуковского и пьесы Чехова (особенно сестер) томит настоящее. Отсюда – обращенность к прошлому, которая в том и в другом случае приобретает форму элегического воспоминания. По словам французского поэта Ш. Мильвуа, «ничто так не пристало элегии, как воспоминание о том, чего уже нет».[4] Такое воспоминание является общим местом, loci communes элегического жанра, причем клише возникло еще во времена Пушкина (не случайно именно этим мотивом открываются подражательные стихи Ленского «Куда, куда вы удалились, / Весны моей златые дни?»). Образ прошлого в таких случаях идеализируется, элегия граничит с пасторалью.

Устремленность в прошлое в элегиях Жуковского – это прежде всего возможность вернуться в мир таких ценностей, как творчество, дружба, любовь. Прошлое в его художественном мире (если речь идет о сопоставлении двух временных пластов), как правило, всегда лучше настоящего и в ценностном отношении сопоставимо только с мечтами о будущем. Нечто подобное наблюдается и в пьесе *Три сестры*. Образ оставшейся в прошлом и прозреваемой в будущем Москвы ассоциируется с детством (в представлениях Ирины), противостоит холоду провинции и соотносится с мотивами весеннего цветения, теплом и светом (в сознании Ольги) или же присутствует как что-то идеальное независимо от состояния природы (восприятие Маши).

Внешнее сходство налицо. В чем отличия?

Воспоминание о прошлом в поэзии Жуковского – одна из важнейших опор существования. Его столь высокий ценностный статус определяется тем, что оно не отделено от настоящего, в котором Жуковскому важна жизнь сознания, духа. Воспоминание становится памятью, прошлое – актуальным настоящим. По сути, прошлое для Жуковского – не является прошлым, потому что память о нем определяет самоощущение человека в настоящем:

Увы! Я любил… и ее уже нет!
    Но счастье, вдвоем столь живое,

[4] Цит. по В.А. Мильчина: Французская элегия XVIII – первой четверти XIX века. В: Французская элегия XVIII–XIX веков в переводах поэтов пушкинской поры. Москва 1989, с. 20.

Навеки ль исчезло? И прежние дни
Вотще ли столь были прелестны?

О! нет: никогда не погибнет их след;
Для сердца прошедшее вечно.

(*Теон и Эсхин*, с. 62)

С таким убеждением («для сердца прошедшее вечно») соотносится представление и о других субъективных, творимых сознанием началах подлинного бытия – фантазии и воображении. Драматизм существования, переживаемый лирическим героем Жуковского и внешне находящий выражение в противопоставлении прошлого и настоящего, если и не полностью, то в значительной мере снимается.

Воспоминание о Москве поддерживает и чеховских героинь. Но время в их сознании дискретно: есть прошлое – и есть унылое настоящее, они разделены. Лирический герой Жуковского в принципе довольствуется воспоминанием. Для чеховских героинь одного воспоминания мало. Действительно, если бы его было достаточно, они бы и не стремились к перемещению в пространстве – в Москву: было бы довольно путешествия во времени. Никакая «творимая легенда», возникающая в сознании романтиков (или символистов) и в значительной мере снимающая драматизм бытия, у Чехова полностью заместить реальное не может. И если лирический герой Жуковского находит удовлетворяющий его контакт с прошлым, поскольку субъект сам творит тот мир, в котором он хочет жить, то в пьесе *Три сестры* такой контакт недостижим. Воспоминание не способно гармонизировать существование в той мере, как это возможно в художественном мире Жуковского. Степень драматизма у Чехова оказывается неизмеримо выше. Его усиливает и занимающий заметное место в пьесе мотив забвения, утраты памяти, которая, следовательно, не может быть тем надежным онтологическим основанием, каким является в поэтическом творчестве Жуковского.

Драматизм усугубляется, а ценностный статус воспоминания снижается еще и потому, что Чехов дает понять, что образ Москвы в сознании сестер идеализирован. Реально она иная. И уж во всяком случае не сводящаяся к представлению о чем-то расцвеченном одной, светлой краской. Примечательно, в частности, что прибывший из Москвы Вершинин гораздо более очарован провинцией и неохотно вспоминает о московском прошлом. Его Москва – это главным образом «угрюмый мост», под которым шумит вода, и грустное одиночество. Во 2-м действии пьесы он скажет, что обретающий что-либо человек быстро перестает ценить то, что обретает – так будет и с Москвой, о которой мечтают сестры. Подобного рода соположенность разных точек зрения на одно и то же, наличие реплик-противовесов, контрастных друг другу по смыслу, – характерная черта композиции *Трех сестер* и важнейшая форма выражения авторской позиции.

В рассказах *У знакомых* и *Архиерей*, близких по времени создания к пьесе *Три сестры*, идеальный образ прошлого корректируется самими персонажами. Подгорин и преосвященный Петр воспринимают его как известный феномен человеческого сознания, склонного идеализировать то, что уходит (по словам Пушкина, «что пройдет, то будет мило»). «Милое, дорогое, незабвенное детство! Отчего оно, это навеки ушедшее, невозвратное время, отчего оно кажется светлее, праздничнее и богаче, чем было на самом деле?» (10, 188) – размышляет преосвященный Петр из рассказа *Архиерей*. Тот же скепсис и у Подгорина: «Уже не тянуло в Кузьминки, как прежде. Грустно там. Нет уже ни смеха, ни шума, ни веселых, беспечных лиц, ни свиданий в тихие лунные ночи, а главное нет уже молодости; да и все это, вероятно, очаровательно только в воспоминаниях…» (10, 8). Сестры не поднимаются на такой уровень рефлексии, не догадываются о том, что идеализируют свое прошлое. Однако об этом, несомненно, знает автор. Романтическая по своей природе мечта о прошлом, сливающаяся с мечтой о будущем, лишена в его глазах того высокого пьедестала, какой уготован ей в поэтическом мире Жуковского. Более того, порой образ Москвы дается в комическом свете.

Словам Андрея, мечтательно представляющего себя в трактире у Тестова или в Большом Московском, противостоят реплики Ферапонта. Это те самые фразы-противовесы, о которых уже шла речь, но в данном случае выполняющие роль комического контрапункта. В результате происходит дискредитация высокого, в том числе идеализированного сестрами и Андреем образа Москвы. Для Ферапонта, передающего рассказ подрядчика, Москва оказывается местом, где «какие-то купцы ели блины; один, который съел сорок блинов, будто помер. Не то сорок, не то пятьдесят» (13, 141). Из того же ряда и вторая реплика: «И тот же подрядчик сказывал – может, и врет, – будто поперек всей Москвы канат протянут» (там же).

Мечтательному, склонному к идеализации прошлого романтическому сознанию в пьесе *Три сестры* предъявляется счет. Он менее ощутим, чем в повести *Степь*, где склонность к воспоминанию проецируется на свойства русского национального характера: «Русский человек любит вспоминать, но не любит жить [...]» (7, 64). И все-таки ощутим – при всем тонком и отнюдь, конечно, не сводящемся к критицизму восприятии автором жизненной ситуации, изображенной в *Трех сестрах*. «У кого Москва, у кого кирпичный завод. Только бы зажмуриться и не жить», – почувствовал эту авторскую интенцию И. Анненский.[5] Не так у Жуковского, в поэзии которого идеальный образ минувшего и влекущее к нему воспоминание не лишаются в глазах автора своего идеального статуса даже в том случае, если с прошлым связано представление о страдании:

Сижу задумавшись; в душе моей мечты;
К протекшим временам лечу воспоминаньем…
О дней моих весна, как быстро скрылась ты,
    С твоим блаженством и страданием!

(*Вечер*, с. 12)

Воспоминание – не единственная экзистенциальная опора в поэзии Жуковского. Кризисное состояние, которое испытывает его лирический герой, помогают преодолеть и другие нетленные, с точки зрения поэта, ценности. Это фантазия (*Моя богиня)*, воображение (*К Воейкову*), поэзия (*К Батюшкову*), уединение (*Уединение*), приносящие утешение слезы (*Утешение в слезах*, *Три сестры*), совсем не такие, как слезы персонажей чеховских *Трех сестер*. Это дружба (*Мечты*; *Тургеневу, в ответ на его письмо. Послание*; *К Тургеневу, в ответ на стихи, присланные им вместо письма*), поэзия (*К Батюшкову*), небезучастное к человеку небо (*Жизнь*).

В ряду этих, помогающих жить, ценностей особого внимания заслуживает та, на которую возлагают надежды и герои *Трех сестер*. Речь идет о труде. Однако это внешнее сходство лишь выразительнее подчеркивает отличия.

В стихотворении *Уединение* труд оказывается в ряду наиболее дорогих и значимых образов-понятий Жуковского:

Вблизи под сенью мирт
Кружится рой *Харит*,
И пляску соглашает
С струнами *Аонид*;
Смотря на них, смягчает

[5] И. Анненский: Три сестры. В: И. Анненский: Избранные произведения. Ленинград 1988, с. 481.

Наука строгий вид,
При ней сын размышленья
С веселым взглядом *Труд* –
В руке его сосуд
Счастливого забвенья
Сразивших душу бед,
И радостей минувших,
И сердце обманувших
Разрушенных надежд;
Там зрится *Отдых* ясный,
Труда веселый друг,
И сладостный *Досуг*… (с. 50)

Вряд ли нужно подробно останавливаться на мотиве труда в пьесе *Три сестры*, где он разочаровывает, не приносит удовлетворения, хотя и манит к себе, используя слова Жуковского, ищущих «счастливого забвенья». Тема труда задается одной из первых реплик Ольги: «Оттого, что я каждый день в гимназии и потом даю уроки до вечера, у меня постоянно болит голова […]» (13, 120) – и продолжена универсальной для творчества Чехова ситуацией «казалось – оказалось». Мечты Ирины о труде, возникающие в 1-м действии, переходят в разочарование во 2-м: «Труд без поэзии, без мыслей…» (13, 144). В 4-м действии они возникают вновь, с ними уходит из жизни Тузенбах, но безусловной ценностью, надежной опорой существования, как в мире Жуковского, они не оказываются: упование уже обманывало.

Пожалуй, наиболее безотрадный взгляд Жуковского на прошлое, настоящее и будущее содержится в послании *Тургеневу, в ответ на его письмо* (1813). Здесь состояние его лирического героя оказывается наиболее близким тому, какое испытывают расставшиеся с мечтой о Москве героини Чехова. Однако даже в данном случае заметны отличия. У лирического персонажа Жуковского остаются две опоры, которые поддерживают его существование в мире. Это дружба («Но дружба нам звездой отрады будь») и смерть, представление о которой при всей неоднозначности трактовок в творчестве Жуковского дается преимущественно в положительном ореоле, соответствующем мировоззрению романтика:

Когда ж? когда?.. Друг милый, упованье!
Гробами их рубеж означен тот,
За коим нас свободы гений ждет,
С спокойствием, бесчувствием, забвеньем.
Пришед туда, о друг, с каким презреньем
Мы бросим взор на жизнь, на гнусный свет;
Где милое один минутный цвет; […]. (с. 52)

В связи с этим закономерен и завершающий стихотворение мотив смерти-утешительницы, не понятный, конечно, героиням пьесы *Три сестры*, хотя и близкий Соне из *Дяди Вани*:

Нам счастья нет: зато и мы – не вечны. (с. 52)

Лирическим героем Жуковского смерть преимущественно воспринимается как «пристань горестных сердец», «верный путь к покою», как мир, в котором сохраняются лучшие мгновения прежнего, память о прошлом, обретается свобода, счастье, желанное (*К Нине*, *Певец*, *Песня*, *Теон и Эсхин* и др). Часть этих представлений выражена в знаменитых строках из стихотворения *На смерть А<ндрея Тургенева>*:

> Прости! не вечно жить! Увидимся опять;
> Во гробе нам судьбой назначено свиданье!
> Надежда сладкая! приятно ожиданье! –
> С каким веселием я буду умирать! (с. 8)

Такое представление о смерти определяется христианским мировоззрением Жуковского.

Герои Чехова лишь однажды вспоминают о вере (слова Маши во 2-м действии пьесы). Иным, естественно, оказывается и их отношение к смерти, с которой не связано никаких успокаивающих надежд. Суть этого отношения выражена Тузенбахом: «И через тысячу лет человек будет так же вздыхать: ‹ах, тяжко жить!› – и вместе с тем точно так же, как теперь, он будет бояться и не хотеть смерти» (13, 146). Отношение самого Чехова к смерти, если учитывать весь контекст его творчества, было сложным. Но как автор *Трех сестер* он, вероятно, разделял мысль своего персонажа. В 3-ем действии Ирина думает о самоубийстве: «И как я жива, как не убила себя до сих пор, не понимаю…» (13, 166). «Не убила себя» по той причине, о которой говорит Тузенбах: она находится в ситуации между нежеланием жить и страхом смерти. Тематический повтор (хотя и не буквальный) можно расценить как проекцию авторских представлений о смерти.

Другой, вершининский, вариант будущего касается жизни последующих поколений и также далек от персоналистического варианта Жуковского, который соотнесен с судьбой конкретного, ныне живущего человека.

Таким образом, наделять Чехова признаками ирреального, романтического мировоззрения – значит искажать его взгляд на жизнь, лишать его художественный мир той предельной степени драматизма, какая ему присуща. Об этом наглядно свидетельствует романтическое сознание героев *Трех сестер*, которое вращается в кругу констант романтического мировосприятия, заданных в русской литературе Жуковским. Меланхолия, грусть, кризисные ситуации, переживаемые героем Жуковского, в значительной мере преодолеваются, потому что человек в конечном итоге сам, в своем сознании, творит мир, в котором живет. Не так в *Трех сестрах* Чехова (впрочем, не только), где «творимой легенды» мало, где она непрочна, ненадежна, а ее носители оказываются бессильны перед неумолимыми реалиями текущей жизни.

Литература

Анненский, И.: Три сестры. В: И. Анненский: Избранные произведения. Ленинград 1988.
Жуковский, В.А.: Три сестры. В: В.А. Жуковский: Сочинения. Москва 1954.
Мильчина, В.А.: Французская элегия XVIII – первой четверти XIX века. В: Французская элегия XVIII–XIX веков в переводах поэтов пушкинской поры. Москва 1989.
Редькин, В.А.: Черты ирреализма в рассказах А.П. Чехова 1886 года. В: Чеховские чтения в Твери. Сборник научных трудов. Вып. 3. Тверь 2003.

Andreas Ebbinghaus

Zeitproblem und Dramenstruktur in Anton Čechovs *Die drei Schwestern* und *Der Kirschgarten*

Unter den vier ‚großen' Theaterstücken Anton Čechovs zeigen die beiden zuletzt entstandenen, *Tri sestry* und *Višnevyj sad*, eine eigentümliche Nähe zueinander, wie sie in dieser Weise zwischen anderen Dramen des Autors nicht wahrgenommen werden kann. Es wird berichtet, dass in manchen szenischen Interpretationen beide Stücke „fast bis zur Unterschiedslosigkeit" zusammenrücken[1], wobei ganz offensichtlich die dramenpoetische Anlage der *Drei Schwestern* auf die Praxis der Inszenierung des *Kirschgartens* ausstrahlt – denn es sind gewiss die *Drei Schwestern*, die im Bewusstsein der Rezeption das Paradigma der strukturellen (und teilweise auch der thematischen) Spezifika des Dramatikers Čechov vorgeben. Entzieht man sich der modellsetzenden Wirkung der *Tri sestry* und behält die Differenzen in der Realisierung eines offenbar ähnlichen thematischen Vorwurfs im Auge, kommt der Gedanke an eine irgendwie gelagerte Korrektur-Beziehung des letzten zum vorletzten Stück in den Sinn, wie er in der Tat in der wissenschaftlichen Literatur hin und wieder geäußert wurde. Eine solche Korrektur-Beziehung zwischen dem *Kirschgarten* und den *Drei Schwestern* (und ggf. darüber hinaus zu früheren Stücken) kann man in ‚weltanschaulicher' Hinsicht ausmachen.[2] Sie beansprucht indes Interesse vor allem auch in dramenpoetischer Hinsicht, hat eine vergleichende Deutung des Variablen und Invariablen in der Struktur beider Stücke doch Konsequenzen für eine Interpretation der Modernität des Čechovschen Theaters, die nicht zufällig meist an den *Tri sestry* dargestellt wurde[3], in denen sie sich am weitesten entwickelt zeigt (man denke an Neuerungen wie die Reduktion der Bedeutung der Handlung oder die Problematisierung des Dialogs).

Zum Invariablen in der Struktur der beiden Stücke, das sie mit keinem der anderen Dramen Čechovs teilen, gehört eine einfache Grundfunktion innerhalb der jeweils dargestellten ‚Geschichte' (man könnte an die Proppschen Elementarfunktionen bei der Beschreibung des Märchens denken): Eine oder mehrere Hauptfiguren verhalten sich Handlungsnotwendigkeiten gegenüber untätig und ermöglichen durch diese ihre Passivität eine (unter Umständen ganz periphere) Aktion eines Opponenten, die den Verlust eines materiellen Wertes, hier eines räumlichen Objekts, herbeiführt. Der am Ende verlorene Raum – in dem einen Stück erscheint er im Titelwort (der Kirschgarten), im anderen ist er im 4. Akt sinnfällig in einer Außenansicht auf der Bühne zu sehen (das Wohnhaus der Schwestern) – steht im Bedeutungsaufbau beider Dramen symbolisch für die *Zeit*, die ihr eigentliches Thema darstellt. Ein Strukturver-

[1] B. Zelinsky: Der Kirschgarten. In: Tschechows Dramen. Hg. B. Zelinsky. Stuttgart 2003, S. 103-142, hier S. 116, geäußert mit Bezug auf die Inszenierungen Rudolf Noeltes von 1965 (*Drei Schwestern*) und 1970 (*Der Kirschgarten*).

[2] R.-D. Kluge wies auf den „unsentimentalen Aufbruch aus dem Kirschgarten" am Ende der Komödie hin und fand in *Višnevy sad* eine „nüchterne Seinsbejahung", mit der Čechov die „nach rückwärts fehlgeleitete Suche nach einer Utopie und die nur vagen, wenn auch sympathischen Hoffnungen der Protagonisten in den vorigen Stücken" „korrigiere". (R.-D. Kluge: Anton P. Čechov. Eine Einführung in Leben und Werk. Darmstadt 1995, S. 131). Übrigens könnte für eine solche Korrektur-Beziehung auch mancher Umstand aus der Entstehungsgeschichte des *Kirschgartens* sprechen. Čechov hat bald nach den ersten Aufführungen der *Tri sestry* das „starke Verlangen" verspürt, dem Moskauer Künstlertheater ein neues Stück abzuliefern, wobei die Gattungszugehörigkeit („ein vieraktiges Vaudeville oder eine Komödie") für Čechov früh feststand. Vgl. den Brief an Ol'ga Knipper vom 22.4.1901 (P. 10, 15).

[3] So u.a. von P. Szondi: Die Theorie des modernen Dramas. Frankfurt/M. 1956, S. 32-40, oder H. Schmid: Ist die Handlung die Konstruktionsdominante des Dramas? Čechovs *Drei Schwestern* als Beginn einer Paradigmenerweiterung der dramatischen Gattung. In: Poetica 8 (1976), S. 177-207.

gleich zwischen den *Tri sestry* und *Višnevyj sad* im Zusammenhang mit diesem in beiden Stücken zentral thematisierten Problem der *Zeit*, wie er hier unternommen werden soll, legt den Gedanken nahe, dass die dramenpoetische Differenz zwischen beiden Stücken wesentlich bedingt ist durch die spezifische Form der Realisierung des Zeit-Themas. Dessen unterschiedliche Behandlung wirkt auf die Struktur der Dramen ein und bringt zwei Strukturvarianten der späten Čechovschen Dramatik hervor: In welcher Weise jeweils Zeit aufgefasst wird und welche Beziehungen die Figuren zu ihr entwickeln – dies ist entscheidend verantwortlich dafür, dass sich an den *Tri sestry* das Bild einer dramaturgischen Abstraktheit und Modernität einstellt (die gerne, aber doch unzutreffend mit der Čechovschen Dramenpoetik generell identifiziert wird), während *Višnevyj sad* zu einer konventionelleren Behandlung von Raum, Figur, Intrige, Handlung, Zeitstruktur usw. *zurückzukehren* scheint.

Es ist sinnvoll, ja sogar notwendig, in der Interpretation der beiden Dramen nicht nur die drei Zeitdimensionen Vergangenheit, Gegenwart und Zukunft im Auge zu haben, sondern darüber hinaus zwei Zeitbegriffe zu unterscheiden, die man als „innere" bzw. „äußere" Zeit bezeichnen kann. Mit äußerer Zeit soll hier ein objektiver, mit innerer Zeit dagegen ein subjektiver Zeittyp gemeint sein. Die innere Zeit ist eine subjektive Zeit, die nicht über die Wahrnehmung der Dauer von Zuständen und der Geschwindigkeit von Bewegungen und Veränderungsprozessen erfasst, sondern vom Subjekt inhärent erinnert, wahrgenommen oder entworfen wird. Sie ist das Produkt von Zeitvorstellungen, durch die besondere Verknüpfungen zwischen Vergangenheit und Gegenwart sowie zwischen Zukunft und Gegenwart hergestellt werden. Die äußere oder objektive Zeit ist dagegen die in ihrer Dauer gemessene bzw. messbare, an die Materie gebundene und in Veränderungen sichtbare Zeit. Cum grano salis fällt der Gegensatz von äußerer und innerer Zeit mit der Bergsonschen Unterscheidung von „verräumlichter" Zeit und Zeit als „reiner Dauer" zusammen. Bergson hatte an den Besonderheiten der Zeiterfahrung erkannt, dass es neben der physikalischen Zeit, der chronologischen Zeit der Uhren, eine andere Zeitform gibt, die er als erlebte (oder „gelebte") Zeit bezeichnen möchte. Sie ist der inneren Welt der Bewusstseinszustände zugeordnet, in der die Objekte nicht in einer räumlichen Distanz und damit in einer quantifizierenden Sprache beschreibbar, sondern unklar voneinander getrennt (in imaginativer Kontiguität), dafür aber qualitativ unterschieden (emotional unterschiedlich bewertet) vorliegen.[4]

Tri sestry

Schauen wir unter diesem Aspekt zuerst auf die *Drei Schwestern*.

Das Stück handelt – kurz und vorläufig ohne Differenzierung zwischen den Figuren dargelegt – vom Verlust aller drei Dimensionen der Zeit – der Gegenwart, der Vergangenheit und der Zukunft – als Folge einer Prävalenz der inneren über die äußere Zeit. Vergangenheit und Zukunft werden subjektiv als ‚Zeitgestalten' entworfen, die sich letztlich als nicht beständig erweisen müssen, während die Gegenwart als eine Zeitdimension, in der Veränderungen stattfinden (oder herbeigeführt werden sollten), ignoriert wird. Die Blindheit gegenüber der faktitiven Kraft der Zeit lässt deren durativen Aspekt indes nur umso deutlicher bewusst werden, bevor am Ende der *Verlust der Zeit* im Verlust des Raumes (in der ‚Vertreibung' der Schwestern aus dem Haus) symbolisch sinnfällig wird.

Der 1. Akt, es ist Irinas Namenstag während des einsetzenden Frühlings, beginnt heiter. Die Situation könnte unter den Stichworten ‚Pläne' und ‚Sinnsuche' (man beachte das Thema Arbeit) stehen. Die Vergangenheit ist in Erinnerungen an einen früheren Namenstag und an den früheren Familienwohnsitz in Moskau präsent. Mit Moskau ist auch ein entschiedenes

---

[4] Vgl. H. Bergson: Sur les données de la conscience [1888]; dtsch. unter dem Titel: Zeit und Freiheit. Hamburg 1994, dort bes. S. 60ff.

Zukunftsprogramm für Ol'ga und Irina formuliert: die Rückübersiedlung an den ehemaligen Lebensort. Schon im Verlauf des 1. Aktes schwindet indes die Euphorie nach und nach und wird verdrängt durch Nervosität, Gereiztheit und unterdrückte Aggressionen, die zum Aktende hin zunehmen. Der 2. Akt könnte unter dem Stichwort ‚Stagnation' stehen. Die gezeigte und die erzählte[5] Aggressivität sind weiter angestiegen. Der Zukunftsplan ‚Moskau', bei Irina in den *Traum* verlagert, erscheint entrückt und im abergläubischen Kartenlegen gar zu einer Entscheidung des Schicksals mutiert. Die Blindheit der Schwestern gegenüber dem *gegenwärtigen* Gang der Dinge offenbart sich darin, dass die abendliche Feier, auf die man sich am Aktanfang freute, am Aktende nicht stattgefunden haben wird. Deren Absetzung durch Nataša geschah unmerklich und ohne Widerstand, und ebenso noch kaum erkennbar sind weitere Ansätze einer Initiative der Schwägerin, das Leben im Haus zu dominieren: Ganz beiläufig meldet sie Raumbedarf für ihren kleinen Sohn an.[6] Der 3. Akt könnte unter dem Stichwort ‚Verluste' stehen. Hier häufen sich Motive des *Vergessens* und des *Verlernens*: Erinnerungen (an Moskau, an die Jugend) sind entfallen, und Fähigkeiten (das Klavierspiel, Sprachkenntnisse bei den Schwestern, vgl. auch Čebutykins professionelle Kenntnisse) sind verloren gegangen.[7] So wie die Vergangenheit partiell vergessen ist, so ist auch die Zukunft kaum noch antizipiert. Beides verblasst synchron. Irinas „auch wir werden fortziehen" verliert vorübergehend die Zielbestimmung ‚Moskau' (13, 166). Die soziale und psychische Desorganisation der Schwestern ist weiter fortgeschritten. Es scheitern Versuche, Klärungen in den Beziehungen herbeizuführen (der Beziehungen der Schwestern zu ihrem Bruder und zu dessen Frau, der Beziehungen Irinas zu ihrem Verehrer). Der Akt spielt in einer Dachkammer, in der nun Ol'ga und Irina wohnen. Die im 2. Akt angedeutete Verdrängung der Schwestern hatte im zeitlichen *off*, in der Zwischenaktzeit vom 2. zum 3. Akt, eingesetzt. Im räumlichen *off* des 3. Aktes symbolisiert der Brand die *vernichtende* Gewalt der Zeit, die thematisch über diesem Akt steht: Fedotik hat mit seiner gesamten Habe auch Fotos und ein Notizbuch (13, 164) – Dokumente vergangener Zeiten – *materiell* verloren, während, thematisch verknüpft, an Andrej der Verlust der ehemaligen Zukunft besprochen wird. Der 4. und letzte Akt könnte unter den Stichwörtern ‚Bilanzen' und ‚Katastrophen' stehen. Die faktitive Qualität der Zeit, die solange ignoriert worden war, tritt mit Macht hervor im bevorstehenden Abzug der Kompanie. Die Schwestern sitzen nun *vor* dem Haus, in dem Nataša ihren Liebhaber empfängt, womit eine ganz abseitig entwickelte Nebenlinie im Stück ihren Abschluss findet. Die immer nur beiläufig angedeutete besitzergreifende Aktivität Natašas erlangt in der faktischen Übernahme des Hauses ihren materiell sinnfälligen Erfolg. Ol'ga hat widerstandslos dem Sog ihres schulischen Berufsfeldes, das doch nur ihre Kräfte verzehrt, nachgegeben. Maša verzweifelt an der Einsicht, Glück nicht einmal „hin und wieder", in erhofften „kleinen Stückchen" halten zu können. Irinas Entschluss, Tuzenbach zu heiraten und fortzuziehen – um überhaupt fortzuziehen –, kommt zu spät, denn es bewahrheitet sich Solenyjs seinerzeit unbeachtet gebliebende Ankündigung aus dem 1. Akt, Tuzenbach „in zwei oder drei Jahren" eine Kugel durch den Kopf zu schießen (13, 124).

Die dominierende Zeitform, dies ist deutlich geworden, ist in *Tri sestry* die innere (subjektive) Zeit, während die äußere Zeit, insbesondere in ihrem Ereignisaspekt, von den Schwestern verdrängt und aus der dramatischen Handlung weitgehend herausgehalten wird.

---

[5] Vgl. Irinas Bericht eines Vorfalls im Telegrafenamt (13, 144), vgl. auch unten.

[6] 13, 139 u. 155. Diese und die Initiative zur Absetzung der Feier rahmen den Akt ein.

[7] Maša verlernte das Klavierspiel: „Sie spielte drei Jahre nicht mehr... *oder vier*", so Irina (Три года не играла... или четыре; 13, 161). Čebutykin bekennt: „[...] alles habe ich vergessen, was ich wusste. Nichts erinnere ich. Nichts" ([...] все позабыл, что знал, ничего не помню, решительно ничего; 13, 160). Irina selbst hat Italienisch verlernt und klagt: „Alles vergesse ich, jeden Tag vergesse ich" (Все забываю, каждый день забываю; 13, 166).

Die *Zukunft* ist für die Schwestern zuerst lebhaft, aber zunehmend erkennbar als innere Zeit, als Funktion einer subjektiven Zeitvorstellung präsent. Deutlich wird dies an der Art ihres Abbaus. Dieser vollzieht sich in einer abgestuften Zunahme von *Mittelbarkeit*. Man ist an das später in der Nachfolge Henri Bergsons von Eugène Minkowski entwickelte Modell der „gelebten Zeit" erinnert, in der sich in der Dimension der Zukunft die „Zeitgestalten" (figures temporelles) durch ihren „unmittelbaren", „mittelbaren" und „absoluten" Zeitbezug unterscheiden.[8] In den *Tri sestry* ist der Übergang der „zeitschaffenden" (hier „zukunftsschaffenden") Zeitfiguren von der unmittelbaren (antizipierte Aktivität; feste Erwartung) über die mittelbare (Wunsch; Hoffnung) in eine entrückte und gleichzeitig verblasste Absolutheit (auf dieser Stufe, auf der Minkowski „ethische Haltung" und „Gebet" ansetzt, ist das Kartenlegen anzusiedeln) leicht nachzuvollziehen. Der Zukunftsbezug von der Gegenwart her wird zunehmend abstrakter, bevor er verzweifelt in weiter Ferne gesehen[9] und schließlich, dem *Schicksal* gehorchend, resignierend aufgegeben[10] wird. Vorher ist Veršinin willkommen und erfolgreich darin, Eindruck (vor allem auf Maša) zu machen: Er prägt die Zukunft in seinem hohlen Gerede bekenntnishaft zu einer Heilserwartung ohne jegliche chronologische Dimension aus.[11]

Die Vergangenheit erscheint, bevor sie sich analog ebenfalls verflüchtigt, in einem anfangs bezeichnenderweise engen Gegenwartsbezug. Die erste Replik des Stückes ist nicht zufällig ein Fall von „reflexiver" Gegenwartsgestaltung, wenn der Gegenwartsmoment Anlass ist, den Tod des Vaters zu erinnern: „Отец умер ровно год назад, как раз в этот день, пятого мая" (Vater ist genau vor einem Jahr gestorben, genau an diesem Tag, am fünften Mai; 13, 119). Gegenwart wird (lediglich) als Fortsetzung der Vergangenheit geschaffen, sie „konstituiert sich durch reflexiven Bezug auf vergangene Zeitschichten".[12] Nur so gestützt kann Vergangenes erinnert werden, während umgekehrt die Gegenwart dadurch gekennzeichnet ist, dass sie „durch Rückbezug auf vergangene Ereignisse gewonnen wird".[13]

Ol'ga, deren fehlende eigene aktive Gegenwartsgestaltung mehrmals zur Sprache kommt, erinnert am klarsten Vergangenes und zeigt am deutlichsten Züge einer solchen ‚reflexiven Gegenwartsgestaltung'.[14] Deren sichtbarste Auswirkung, eine vollkommen wehrlose Selbstauslieferung an die Gegenwart[15], korreliert mit der Intensität von Zukunftssehnsüchten (vgl.

---

[8] Eugène Minkowski: Le temps vécu. Études phénomenologiques et psycho-pathologiques [1933]. Paris 1995; vgl. auch: Ders.: Die gelebte Zeit. 2 Bde. Salzburg 1971-72. Auf einer Ebene des „persönlichen Strebens" (élan personnel) unterscheidet Minkowski die Begriffe „Aktivität" (activité), „Wunsch" (désir) und „ethische Handlung" (action éthique), auf einer Ebene des „Werdens" (devenir) die Haltungen „Erwartung" (attente), „Hoffnung" (espoir) und „Gebet" (prière).

[9] Irina: „[…] niemals, niemals werden wir nach Moskau fortgehen… Ich sehe, dass wir nicht gehen werden" ([…] никогда, никогда мы не уедем в Москву... Я вижу, что не уедем...; 13, 166), dieselbe oben zitierte Replik, in der sie auch das Vergessen beklagt!

[10] Irina: „Wenn es mir nicht bestimmt ist, in Moskau zu leben, so soll es denn sein" (если мне не суждено [!] быть в Москве, то так тому и быть; 13, 176).

[11] Veršinin: „In zwei- oder dreihundert Jahren, schließlich in tausend Jahren – *die Zeit spielt hierbei keine Rolle* […]" (Через двести-триста, наконец, тысячу лет, – *дело не в сроке* […];13, 146; Hervorhebung von mir – A.E.). Zeit spielt für Veršinin bei seinem „Philosophieren" tatsächlich keine Rolle: Im 1. Akt hatte er sich immerhin noch auf „zweihundert, dreihundert Jahre" festgelegt (13, 131).

[12] Christian Hick: Zeit-Leben und Zeit-Leiden. Zeitanalyse durch existentielle Semantik. In: Zeit und Zeitlichkeit. Hg. Christian Kupke. Würzburg 2000, S. 75-100 (teilweise im Anschluss an D. Wood: The Deconstructions of Time. Atlantic Highlands 1989).

[13] Ebda., S. 89ff.

[14] So in der Erinnerung: „[…] in Moskau steht um diese Zeit alles in Blüte […]" ([…] вот в эту пору в Москве уже все в цвету […]; 13, 119).

[15] So will Ol'ga die berufliche Karriere nicht, die sie mit sich geschehen lässt, und damit ist ist auch das Projekt ‚Moskau' mitentschieden: „Du wirst Vorsteherin, das ist beschlossen, Olgachen", ist sich Nataša schon am Beginn des 3. Aktes sicher (Тебя выберут, Олечка. Это решено; 13, 159). Im 4. Akt dann resümiert Ol'ga, sie habe nicht Schulvorsteherin werden wollen und sei es nun doch geworden, und: „Das heißt, in Moskau werden wir nun nicht leben..." (В Москве, значит, не быть...; 13, 184).

13, 120 u.ö.). Bei Maša ist ein selektives Vergessen[16] festzustellen, das auf eine Gleichgültigkeit gegenüber äußerer Zeit bei gleichzeitig verstärktem Aufbau von ‚Räumen' innerer Zeit verweist. Dies entspricht ihrer Lebenssituation, die sie allein auf „Glück *in Abständen*, in kleinen Happen" (урывочками, по кусочкам; 13, 177) hoffen lässt, ihr eine Zukunftsperspektive ‚Moskau' aber verwehrt. Ihre Verbindung zur Poesie verweist, wie schon ihre szenische Präsentation im *tableau* einer allegorischen Melancholie am Anfang des Stückes[17], auf die weltabgewandte Verortung ihrer Gefühle und Wünsche jenseits der äußeren, objektiven Zeit. Im Drang nach Pflege und Bewahrung einer inneren revoltiert sie gegen die äußere Zeit, aus der sie am liebsten heraustreten würde: „Glücklich, wer nicht merkt, ob jetzt Sommer oder Winter ist. Mir scheint, wenn ich in Moskau wäre, wäre mir das Wetter gleichgültig..." (Счастлив тот, кто не замечает, лето теперь или зима. Мне кажется, если бы я была в Москве, то относилась бы равнодушно к погоде...; 13, 149). Das am Dramenende aus den Händen geglittene Glück sieht sie im poetisierten Bild vergangener Zeit, in den (Zug-)Vögeln („Und nun fliegen auch schon die Zugvögel... *(Schaut empor)*. / А уже летят перелетные птицы... *(Глядит верх.)*"; 13, 178). Irina wiederum gab nach dem Tod des Vaters die Strukturierung ihres Lebens entlang der äußeren, objektiven Zeit zuerst auf: Der Vater hatte die Schwestern stets morgens um sieben Uhr aufstehen lassen. Jetzt wacht Irina weiter um diese Zeit auf, liegt aber in Gedanken bis neun Uhr oder länger (13, 123). Die regulative Macht der äußeren Zeit wird hintergangen. Anders aber als Ol'ga, die dazu nicht fähig ist, und anders als Maša, deren Situation dies nicht erlaubt, sieht die jüngste der Schwestern die Notwendigkeit, sich dem Leben, d.h. der Gegenwart, zu stellen. Einen wichtigen Aufschluss hierüber bietet der Subtext ihres Berichts über einen Vorfall auf dem Telegrafenamt. Eine Kundin, die eine *Todesmitteilung* telegrafieren lassen wollte, aber keine genaue Adresse hatte, herrschte Irina an mit den Worten *„мне некогнда"* (ich habe keine Zeit) und versendet das Telegramm „ohne Adresse, einfach nach Saratov" (13, 144). Irinas mehr oder weniger unbewusste Angst vor der dereinst verlorenen (und mit dem Tod *abgelaufenen*) Zeit bricht hier aus ihr heraus. Auch präfiguriert die Episode Irinas Entscheidung, mit Tuzenbach an einen beliebigen anderen Ort zu ziehen, nachdem sich die Rückkehr nach Moskau nicht verwirklicht. Die ‚Verweigerung' gegenüber der äußeren Zeit, die Irina anfangs und die beiden älteren Schwestern generell charakterisiert, findet sich auch bei Čebutykin, symbolisiert in seiner stets inaktuellen Zeitung. Auch die von ihm fallen gelassene Porzellanuhr, die als ein Erinnerungsstück ihre chronografische Funktion bereits verloren hatte, beweist mit ihrem Zerbrechen ihre symbolische Funktion für den Verlust der Zeit endgültig.

Bis zum 4. Akt wird objektive, äußere Zeit im Ganzen von allen drei Schwestern, und von Ol'ga am deutlichsten, in ihrem Ereignischarakter verdrängt. Bisweilen aber ist der Aspekt der Dauer thematisiert, und zwar dann, wenn *vergangene* Zeit sichtbar wird in Ergebnissen, die am Ende längerer, lediglich *allmählich* Veränderung bringender Zeiträume stehen. Objektive Zeit wird, wenn sie nicht einschneidende, abrupte, sondern unmerkliche, schleichende Veränderungen zeitigt, nur post factum wahrgenommen: Andrej ist an einem Punkt des Dramas erkennbar „dick geworden", Irina dagegen „hager" (13; 120, 144). Das in dieser Weise vollzogene Vergangen-Sein von objektiver Zeit wird von einigen Figuren in einzelnen bewussten Momenten konstatiert.

Mit der tief greifenden Veränderung des Lebens, die sich im 4. Akt durch den Abzug der Kompanie ankündigt, tritt die äußere, objektive Zeit notwendig stärker ins Bewusstsein der Figuren. Genau terminiert sind jetzt der Abzug dreier Batterien (auf „genau ein Uhr"; 13, 177)

---

[16] Maša kann sich manchmal nicht mehr an das Gesicht der Mutter erinnern (13, 128), andererseits ist ihr als Einziger Veršinin mitsamt seinem Kosenamen „verliebter Major" aus der Moskauer Zeit erinnerlich (13, 127). Die Moskauer Vergangenheit wird von Maša transformiert in einen Raum innerer Zeit, in dem allein Motive der Liebe, des persönlichen Glücks Platz finden.

[17] Vgl. die Regieanweisung, die eine Schwarz gekleidete, ein Buch lesende Maša vorschreibt (13, 119).

und Čebutykins Ortswechsel für einen Tag und ein Jahr (13, 173). Die objektive Zeit ist versinnbildlicht in einer Reihe von Motiven. Maša sieht Zugvögel, und wenn Fedotik am Beginn des 4. Aktes (erneut, so wie schon im 1. Akt) ein Foto macht und dabei „Да постой!" (Bleib doch stehen!; 13, 172) ruft, ist dieser Versuch der Konservierung von Zeit ein (vergebliches) Manöver gegen die äußere, objektive Zeit. Veršinins wohlfeile Zukunftsvision eines glücklichen Lebens hervorragender Menschen erfährt eine implizite Revision in Andrejs Feststellung, die Stadt sei *schon zweihundert* Jahre alt und habe doch keine besonderen Menschen hervorgebracht (13, 181): Ebensolche zwei Jahrhunderte, wie sie Veršinin aus der wirklichen Zeit herausgestellt hatte, haben tatsächlich schon einmal stattgefunden und sind real bereits Vergangenheit geworden. Papiere Irinas, die er ihr vor dem Abschied, der ein Abschied in den Tod sein wird, zurückgeben will, hat Tuzenbach auf einen Tisch unter einen *Kalender* gelegt (13, 181). Tuzenbach trug ein Bewusstsein für die äußere Zeit, in die man sich einzufügen hat stets mit sich.

Die weitgehende Ausblendung der erst am Ende mit einiger sinnfälliger Deutlichkeit wieder hervortretenden objektiven Zeit ist für das Ganze des Dramas bezeichnend, das hierin der Perspektive der Schwestern folgt. Das Stück unternimmt es, die (allmählich verblassende und schwindende) innere Zeit der Schwestern in den Vordergrund zu stellen und sie nicht etwa in gleich gewichteter Konkurrenz oder im Konflikt, sondern in größtmöglicher Ablösung von der äußeren Zeit, gegen die sich die Schwestern verweigern, wirken zu lassen. Die äußere, objektive Zeit – der *chronos* als gemessene und sich in Veränderungen manifestierende Zeit – erscheint daher in der dramatischen Struktur der *Tri sestry*, bevor sie erst am Ende des Stückes wieder bewusst werden muss, *minimalisiert* und *verdeckt*.

Die Minimalisierung der äußeren Zeit findet ihren Ausdruck bereits in einer besonderen Gestaltung des Verhältnisses von szenisch dargestellter und nicht dargestellter (Zwischenakt-)Zeit. Die *Drei Schwestern* bilden einzelne, gleichsam zufällig aufgefangene Momente ab, zwischen denen jeweils mehrere Monate oder auch Jahre liegen (wobei verschiedene Jahreszeiten vertreten sind). Die so gebildete Länge der fiktiven Zwischenaktzeit ist im dramatischen Werk Čechovs ohne Parallele.[18] Die abgebildeten Zeitfenster sind in ihrem objektiv-chronologischen Verhältnis zueinander nicht einmal gänzlich widerspruchslos zu bestimmen[19], und sie sind ganz von einem möglichen, sie verbindenden Ereignisfaden – vor allem von der zeitlich-kausalen Konsequenz einer Intrige – abgelöst. Auch ist der weitere historische Zeitrahmen weniger klar fixierbar als in anderen Stücken. Wann dieses Stück genau spielt, braucht nicht konkretisiert zu werden.[20] Wie ein antikes Drama scheint es ‚aus der Zeit herausgehoben' zu sein (und Assoziationen an die antike Tragödie sind ja vielfach formuliert worden).

Die Minimalisierung der äußeren Zeit findet ihren Ausdruck sodann in der lang anhaltenden relativen Ereignislosigkeit des szenisch Präsentierten. Die dramatische Intrige als Ausdruck der äußeren, objektiven Zeit ist reduziert, und: sie hat bis zur Katastrophe am Dramenende *verdeckt* (d.h. für Figuren und Zuschauer unmerklich) abzulaufen. Diesem Erfordernis ist die Darstellung der Absichten Natašas unterworfen. Die Hauptintrige des Stückes[21], die statt einer veritablen dramatischen Intrige nur noch eine Rest-Intrige ist, ist, weil sie weitge-

---

[18] C.J.G. Turner: Time in Chekhov's *Tri sestry*. In: Canadian Slavonic Papers 28 (1986) 1, S. 64-79, hier S. 65.

[19] Ebda., S. 67.

[20] Es um die Jahrhundertwende zu datieren, ist nicht zwingend, und streng genommen muss man es auch räumlich in Russland situieren nur, solange man nicht den Namen der Hauptstadt (Moskau), der so oft genannt wird, und einige wenige Realia austauschen möchte. Einigermaßen einfach ist die Transposition des Stückes in außerrussische Räume, wie sie in der Inszenierungsgeschichte auch immer wieder vorgenommen wurde.

[21] Die ‚Vertreibung' wird als Moment des Geschehens in *Tri sestry* bisweilen wenig beachtet, vgl. aber Richard Peace, der sie zuletzt noch einmal deutlich herausgestellt hat im Aufsatz: R. Peace: Die drei Schwestern. In: Tschechows Dramen, S. 76-102, hier S. 78f.

hend verdeckt ablaufen soll, in ihrem Umfang minimalisiert. Als Quelle von Veränderung und damit als Manifestation von objektiver Zeit hat sie in den Hintergrund zu treten. Die Aktionen Natašas, die für die Schwestern zum Raumverlust auf dem Wege einer schleichenden Übernahme des Hauses führen, sind – bis auf wenige Andeutungen im szenischen Spiel[22] – in die Zwischenaktzeit verlegt, und sie brauchen auch nicht stark zu sein, um sich durchzusetzen, weil die Schwestern so schwach sind. Sie dienen letztlich nur dem Zweck, das Nicht-Handeln, das Ausbleiben von Aktion auf Seiten der Schwestern sichtbar zu machen. Die Intrige ‚Verdrängung aus dem Haus' verliert den Charakter gezielten dramatischen Handelns und wird zu einem bloßen Index für die *Rache der Zeit* an jenen, die sie nicht ergreifen. Die periphere Rest-Intrige der Nataša ist Mittel zum Zweck, *die Katastrophe des Verlustes der Zeit* im Bild des verlustig gegangenen Elternhauses sinnfällig zu machen.

Auch eine zweite Intrige, der Tuzenbach-Solenyj-Konflikt, findet hier ihren Sinn. Ihre Funktion und künstlerische Notwendigkeit mag – auch angesichts der dramatisch-tragischen Lösung im tödlich endenden Duell – erst nicht recht einsichtig sein. Entscheidend auch an dieser Intrige ist ihr verdeckter Charakter. In einer frühen Redaktion der *Drei Schwestern* sollten die Aktionen Solenyjs das gesamte Stück über weitgehend unkenntlich bleiben.[23] Erst in die endgültige Redaktion hat Čechov verstreute Andeutungen der Aversionen Solenyjs eingearbeitet in Form von einzelnen Sticheleien gegen Tuzenbach, die für die Zuschauer – wie für Tuzenbach selbst – gleichwohl vorläufig recht unverständlich sind. Erst am Ende tritt Solenyj für Tuzenbach, wie Nataša für die Schwestern, als etwas bisher nicht Wahrgenommenes auf.[24] Mit ihrem Merkmal des *Verdeckten*, des *Unmerklichen* ist die Solenyj-Intrige eine Spiegelung der Nataša-Intrige. Beide dramatische Intrigen sind minimalisiert und verdeckt gehalten, weil sie dem objektiven *chronos*, dem äußeren Zeittyp zugeordnet sind, der in *Tri sestry* ganz hinter der inneren Zeit verschwinden soll.

Seine strukturelle Anlage verdankt das Drama *Tri sestry* also diesem seinen Plan, die Titelfiguren in ihrer Verdrängung der äußeren Zeit und ihrer Klammerung an eine innere Zeit zu zeigen, die ihnen gleichwohl verlustig geht.

Višnevyj sad

Anders liegen die Dinge in *Višnevyj sad.* Čechovs letztes Drama realisiert das Thema der Zeit im Vergleich zu den *Tri sestry* grundsätzlich anders in zweierlei Hinsicht. Zum einen tritt die äußere, objektive Zeit, die in *Tri sestry* unbeachtet, verdrängt und verborgen bleiben sollte, mit Macht hervor, bestimmt die dramatische Szenerie, bekommt in Lopachin einen agilen Protagonisten und zwingt die dramatischen Figuren zur Reaktion. Zum anderen trägt das Verhältnis zur inneren Zeit andere Züge und nimmt eine andere Entwicklung als in *Tri sestry.* Die Vergangenheit als persönliche innere Zeit ist jetzt nicht mehr nur temporaler Raum einer imaginären Rückkehr, sondern auch fortwirkende seelische Last. Auch geht sie nicht verloren in einem memorialen Verblassen, sondern wird überwunden. Dadurch eröffnet sich ein realerer, *unmittelbar* bleibender Zukunftsbezug, der in *Tri sestry,* wie gesehen, mehr und mehr hinter einem mittelbaren und vagen verschwindet und dadurch das gleiche Schicksal erleidet wie der Vergangenheitsbezug.

---

[22] Vgl. die erwähnten Stellen, 13, 139 u. 155, sowie 159 (zu Ol'ga: „Du hast deine Schule, ich den Haushalt [...]" / Ты в гимназии, я – дома, у тебя ученье, у меня – хозяйство).

[23] Vgl. dazu den Kommentar der Akademie-Ausgabe, S. 431, sowie A.R. Vladimirskaja: Dve rannie redakcii p'esy „Tri sestry". In: Literaturnoe nasledstvo. T. 68: Čechov. Moskva 1960, S. 1-86.

[24] Vielleicht meint dies Tuzenbach, wenn er sagt: „Was für Nichtigkeiten und dumme Kleinigkeiten doch manchmal im Leben ganz unvermittelt Bedeutung erlangen, einfach so mir nichts, dir nichts" (Какие пустяки, какие глупые мелочи приобретают в жизни значение, вдруг ни с того ни с сего; 13, 181).

Der erstgenannte Aspekt, die Präsenz der äußeren, objektiven Zeit, ist bereits in der Konkretisierung des Handlungszeitpunktes gegeben. *Der Kirschgarten* reflektiert in Andeutungen die jüngste Epoche der Sozial-, Wirtschafts- und auch Zivilisationsgeschichte Russlands. In den Kulissen gibt es Telegrafenmasten und eine Eisenbahn. Mit der Bedrohung des titelgebenden Raumes, des Kirschgartens, kündigt sich der Einbruch der „Maschine" gegen die „Idylle"[25] an. Mit ihm sind der soziale Aufstieg einer ökonomisch aktiven Klasse, die von Lopachin repräsentiert wird, und der ökonomische Niedergang des russischen Landadels, für den die Ranevskaja steht, verbunden.[26] Das Stück zeigt somit, anders als *Tri sestry*, einen zeitgeschichtlich konkretisierten Handlungszeitpunkt. Die Figuren selbst weisen ein Bewusstsein für gesellschaftlich-soziale und zivilisatorische Veränderungen auf, und Lopachins „Gedenke deiner Herkunft!" (Надо себя помнить!; 13, 198) ist angebracht für eine Reihe von Bediensteten-Figuren. Einen Diener Firs, für den die neue Epoche mit der Bauernbefreiung begonnen hatte, bringen die Erscheinungen des sozialen und kulturellen Wandels zu der Diagnose, die Welt sei im Zerfall („враздробь", also ‚in Unordnung', ‚zerstückelt'; 13, 222). Die weit reichende Attraktion der nicht-russischen Kultur[27] ist ein weiteres Indiz für die Auflösung alter Ordnungen.

Zu diesem also zeitgeschichtlich konkretisierten Handlungszeitpunkt tritt Zeit als objektive, äußere Zeit in den Vordergrund durch die (wieder) aktivierte dramatische Intrige, in der sich die vornehmliche Äußerungsform objektiver Zeit, die Veränderung der Verhältnisse, dramatisch manifestiert. Nicht mehr, wie in *Tri sestry*, reduziert auf die Funktion einer weitgehend ins zeitliche *off* verlagerten Hilfs- oder Pseudointrige, die lediglich dazu dient, das Nicht-Handeln der Hauptfiguren zu ‚bestrafen', ist die Intrige in *Višnevyj sad* als Ereignis der äußeren Zeit, als Teil einer zeitgeschichtlich konkretisierten Gegenwart motiviert.[28] Entsprechend umfasst *Višnevyj sad* einen kürzeren Zeitrahmen als *Tri sestry* (nicht Jahre, sondern explizit die Monate Mai bis Oktober), und dieser ist eng an das Hauptereignis der Intrige angebunden (an das Auftreten und die Lösung eines Problems). Während somit in *Tri sestry* eine scheinbar ereignislose äußere Zeit über die Akte hinweg – mit Ausnahme des katastrophisch endenden 4. Aktes – in scheinbar mehr oder weniger zufälligen Ausschnitten in ihrem Vergehen abgebildet ist, tritt äußere, objektive Zeit in *Višnevyj sad* in eine Konfrontation mit der inneren.

Dass die dramatische Intrige die Handlung als Konfrontation mit der äußeren, objektiven Zeit profilieren soll, ist daran sichtbar, dass der Hauptträger der dramatischen Intrige, Lopachin, gleichsam als Inkarnation der äußeren Zeit gestaltet ist. Mit seiner (von Gaev über-

---

25 Vgl. St.L. Baehr: The Machine in Chekhov's Garden. Progress and Pastoral in *The Cherry Orchard*. In: Slavic and East European Journal 43 (1999) 1, S. 99-121.

26 Ausführlich zum „sozialen Wandel" als „dominantes Thema" in *Višnevyj sad* schreibt R. Peace: Chekhov. A Study of the Four Major Plays. New Haven 1983, bes. S. 127ff.

27 Neben der ökonomischen Konkretisierung der Situation des Adels steht die kulturelle Problematik, die Frage der kulturellen Affinität des Adels, d.h. der Gegensatz von Russischem und Französischem in der Kultur. Dieses Problem wird bis hinunter zu den Dienerfiguren dargestellt, die von der Faszination durch den Westen infiziert sind. In Šarlotta steigert sich dieses Thema zu einem auch biografischen Identitätsproblem. Dunjaša sorgt sich um das Problem der Bildung, Jaša bringt das Verfeinerte des Ausländischen herein (wenn auch erfolglos). Viel stärker als in den *Drei Schwestern* werden verschiedene Sprachstile ausgefaltet, die ebenfalls meist nur durch Prätention zur Anwendung kommen. Solche sozialen und kulturellen Motive der Transition deuten die Auflösung der festen alten Strukturen an.

28 Dagegen ist die Handlung, die den Raumverlust der Hauptfigur bewirkt, in *Tri sestry* allein charakterlich motiviert. Die Aktionen Natašas sind ihrem unangenehmen, rücksichtslosen Naturell geschuldet. Das Vulgäre und Parvenühafte dieser Figur bleibt als soziales Merkmal weitgehend im Impliziten. Lopachin, der Aufkäufer des Kirschgartens, handelt demgegenüber nach den ökonomischen Gesetzen der aufstrebenden Mittelklasse, und er tut es übrigens in anständiger Weise, nämlich erst, nachdem es ihm nicht gelungen war, die Ranevskaja zu einer Entscheidung zu bewegen.

hörten) Bemerkung „Да, время идет“[29] formuliert er im 1. Akt das heimliche Motto des Stückes (während die funktional äquivalente Verbalisierung des Leitgedankens der Schwestern „В Москву, в Москву“ (Nach Moskau, nach Moskau) ganz an die innere Zeit gebunden ist). Laufend schaut Lopachin auf die (Taschen-)Uhr, spricht über Fahrpläne und andere Zeitpunkte und Zeiträume. Wenn sich mit ihm und der Ranevskaja ein Vertreter des „Prosaischen“ und eine Vertreterin des „Romantischen“[30] gegenüberstehen, gründet diese Opposition auf der unterschiedlichen Affinität zur äußeren resp. inneren Zeit.

Indes sind die Ranevskaja und ihr Bruder Gaev, was das Verhältnis zur inneren Zeit betrifft, nicht gänzlich mit den Schwestern in Čechovs vorigem Stück gleichzusetzen. Der zweite in *Višnevyj sad* gegenüber *Tri sestry* modifizierte Aspekt betrifft die Behandlung der inneren Zeit, vornehmlich in der Dimension der Vergangenheit. Die Analogie zwischen den Ideal-Räumen ‚Moskau‘ und ‚Garten‘ trägt nur vorläufig, denn zum einen tritt in *Višnevyj sad* neben den realen Schauplatz in der Jetzt-Zeit, das Landgut, mit Frankreich ein neuer Flucht- und Lebensraum hinzu, der in *Tri sestry* keine Entsprechung hat. Zum anderen hat der Kirschgarten als vermeintlicher Ideal-Raum einer inneren Zeit für Ranevskaja eine in Wahrheit ambivalente Qualität.

Einerseits ist der Kirschgarten ein verklärter Ort der eigenen Kindheit, als den ihn Ranevskaja und ihr Bruder erhalten wollen. Er ist der Raum einer sicheren Beständigkeit, die sich den Kindern in der zuverlässigen zyklischen Wiederkehr der Tage und Jahreszeiten bestätigte: „[…] von hier aus sah ich in den Garten, das Glück wachte jeden Morgen mit mir auf, und dann *war er der gleiche*, *nichts hatte sich verändert* […] Oh, mein Garten! Nach einem dunklen, unwirtlichen Herbst und einem kalten Winter bist du wieder jung […]“ ([...] глядела отсюда на сад, счастье просыпалось вместе со мною каждое утро, и тогда он был точно таким, ничто не изменилось. [...] О, сад мой! После темной, ненастной осени и холодной зимы опять ты молод [...]; 1. Akt: 13, 210; Hervorhebung von mir – A.E.). Die Ranevskaja beschwört den Garten als einen Raum, der eine geschlossene, als unberührbar gewünschte ideale Zeit in sich aufnimmt. Die gleiche Bedeutung hat das Kinderzimmer, das ihr eigenes und dann das Kinderzimmer ihrer Kinder war. Es wird in der Eingangsszene freudig als *unverändert* begrüßt. Der rekurrent unternommene Versuch, das Ewig-Gleiche zu beschwören, weitet sich auf die Wahrnehmung der Hausbewohner aus.[31] Hierin zeigt sich der Wunsch nach einer Konservierung der Vergangenheit als Besitz in der Gegenwart, wodurch auch die Weigerung, sich den Projekten Lopachins zu stellen, psychologisch konkreter motiviert ist als die Antriebsarmut der Schwestern Prozorov. Aus der Beziehung zur eigenen Kindheit als innere Zeit speist sich psychologisch auch der Infantilismus des Geschwisterpaares.[32] Hier haben Inszenierungen angeknüpft, die den Kirschgarten als „Garten der altgewordenen Kinder“[33] gedeutet haben.

Nur Trofimov, dessen Anblick Varja der Stiefmutter eine Weile ersparen will, weil er als ehemaliger Hauslehrer die Mutter an deren verunglücktes Kind erinnern könnte, erscheint der Ranevskaja, und erst später im Stück, als „schrecklich gealtert“ (13, 232). Die äußere, objektive Zeit, die die Ranevskaja an den anderen Hausbewohnern ignoriert, tritt nicht zufällig aus-

---

[29] „Ja, die Zeit vergeht“ (Да, время идет; 13, 203), wieder aufgenommen im 2. Akt, als Lopachin drängt „[…] время не ждет“ ([...] die Zeit wartet nicht; 13, 218).

[30] Peace: Anton Chekhov, S. 121.

[31] „Und Varja ist immer noch die gleiche [...]“ (А Варя по-прежнему все такая же [...]; 13, 199), vgl. auch 13, 204 (dass. zu Varja), sowie: „Du bist immer noch der gleiche, Lenja“ (Ты все такой же, Леня; zu Gaev: 13, 208).

[32] Zu den Motiven des Infantilen, die hier nicht dargestellt werden sollen, siehe Svetlana Evdokimova: What’s so Funny about Losing One’s Estate, or Infantilism in *The Cherry Orchard*. In: Slavic and East European Journal 44 (2000), S. 623-650, bes. S. 629-633.

[33] K. Klinger: Der Garten der altgewordenen Kinder. Die drei Dimensionen von Tschechows *Kirschgarten* in Giorgio Strehlers Inszenierung. In: Theater heute 15 (1974) 7, S. 6-11.

gerechnet an dieser Figur ans Licht. Denn der Garten ist eben nicht nur Ort der eigenen Kindheit, die als „reine Dauer“ zu einer unantastbaren inneren Zeit geworden ist.

Er ist andererseits auch Ort des Todes des Sohnes Griša, der im Alter von sieben Jahren im Fluss ertrank (so Anja [13, 202], aber auch Ranevskaja [13, 220], die dabei den Fluss stärker herausstellt). Als das Fließende, Veränderung Bringende, im heraklitischen Sinne in jedem Moment bereits nicht mehr mit sich selbst Identische wird der Fluss zum Symbol der objektiven Zeit, die sich gegen die Statik der idyllischen inneren Zeit wendet, indem er deren Begrenzung markiert. Zu diesem Fluss, der offenbar auch räumlich die Grenze des Kirschgartens ist, haben drei Figuren ein offenes, aktives Verhältnis: Im 1. Akt will Lopachin „den Kirschgarten und *das Land entlang des Flusses*“ (вишневый сад и землю по реке; 13, 205; Hervorhebung von mir – A.E.) zu Datschen-Grundstücken machen, und Anja und Trofimov gehen am Ende des 2. Aktes von den Pappeln fort nicht etwa zum Garten, sondern sie wenden sich zum Fluss, weil es „dort schön“ sei (хорошо; 13, 288). Die Ortswahl ist eine Entscheidung gegen den einen (inneren, subjektiven) und für den anderen (äußeren, objektiven) Zeittyp, den die beiden jungen Leute früher als andere im Stück annehmen.

Die Ranevsakaja, die nach dem Tod ihres Mannes einen anderen Mann geliebt und mit ihm gelebt hatte, versteht den Unfalltod des Sohnes als Strafe für ihre „Sünden“ (vgl. die lange Replik im 2. Akt: 13, 220). Der so gestiftete Nexus von Sünde und Tod nimmt das Wort des Römerbriefes auf, nach dem durch die Sünde der Tod in die Welt gekommen ist.[34] Der Kirschgarten, der schon in der Verklärung in der inneren Zeit ein biographisches Paradies war, teilt mit dem biblischen Paradies dadurch auch das Merkmal der Endlichkeit. Denn zum Garten Eden gehören eben auch die Sünde und die Vertreibung. Die Sünde, durch die der Tod „ist in die Welt gekommen“, brachte damit auch den Beginn der Geschichte des Menschengeschlechtes in einer äußeren, objektiven Zeitlichkeit. Den Tod und die Sünde anzunehmen ist daher Voraussetzung dafür, das Menschsein anzunehmen.

Diesen Prozess erleben wir am Ende des Stückes, wenn sich der vorher als Bedrohung empfundene Verlust des mit der inneren Zeit verbundenen Kirschgartens als eine Befreiung und gleichzeitig als eine Annahme der äußeren Zeit gestaltet. Es ist auffällig, dass auf dem dramatischen Höhepunkt der Handlung am Ende des 3. Aktes der („Boten-“)Bericht über die Versteigerung des Gartens von der Ranevskaja überhaupt nicht verbal kommentiert wird. Die Heldin weint zwar, und Anja tröstet sie, aber keine verbale Äußerung von ihr wird dem Zuschauer angeboten, bevor der Akt bald darauf endet. Anja dagegen spricht bereits aus, dass die Loslösung vom Garten eben auch eine Zukunft eröffnet: „Вишневый сад продан, его уже нет [...] но не плачь, мама, у тебя *осталась жизнь впереди*“ (Der Kirschgarten ist verkauft, er ist fort […], aber weine nicht, Mama, dir bleibt das zukünftige Leben; 13, 241; Hervorhebung von mir – A.E.). Ranevskajas erste längere Replik im 4. Akt ist dann bereits getragen von Erleichterung und hoffnungsfroher Sicht auf die Zukunft. Sie bestätigt Gaevs Bemerkung, sie sehe „irgendwie besser aus“. Sie, die vorher stets über Schlaflosigkeit geklagt hatte, schlafe nun gut, der Zustand ihrer Nerven sei besser („Да. Нервы мои лучше, это правда. [...] *Я сплю хорошо.*“ / Ja, meine Nerven sind besser geworden, das stimmt. [...] *Ich schlafe gut*; 13, 247/48; Hervorhebung von mir – A.E.). Gaev hatte die Spannung vor dem Verkauf und die Erleichterung danach explizit zum Ausdruck gebracht:

> В самом деле, *теперь все хорошо*. До продажи вишневого сада мы все волновались, страдали, а потом, когда вопрос был решен окончательно, бесповоротно, все успокоились, повеселили даже... (13, 247; Hervorhebung von mir – A.E.).

[34] „Derhalben, wie durch *einen* Menschen die Sünde ist in die Welt gekommen und der Tod durch die Sünde, so ist der Tod zu allen Menschen durchgedrungen, weil sie alle gesündigt haben“ (Röm. 5,12).

> In der Tat. *Jetzt ist alles gut.* Bis zum Verkauf des Kirschgartens haben wir uns alle aufgeregt und gelitten, aber als dann die Frage endgültig und unabänderlich entscheiden war, beruhigten wir uns und wurden sogar heiter...

Der Schritt, die Last der Vergangenheit abzuwerfen, kam am Ende des 3. Aktes nicht mehr auf die Bühne. Er fällt in die Zwischenaktzeit und wird im 4. Akt als bereits vollzogen präsentiert.

Der 4. Akt kehrt zum Schauplatz des 1. Aktes zurück und zeigt am Kinderzimmer die nun geläuterte Beziehung zur inneren Zeit. Die Möbel, die sinnfälligen Zeichen einer als präsent vorgehaltenen Vergangenheit, werden entsorgt und geben den Blick frei auf die Wände und Decken, die die Ranevskaja betrachtet, als habe sie sie nie vorher angeschaut (13, 252). Auch die alten Bilder sind abgenommen (Regieanweisung: 13, 242). Diese ‚Aus-Räumung', die kein Verlust von Erinnerung bedeuten muss, ist Vorbedingung für das Heraustreten aus der inneren und das Ankommen in der äußeren Zeit.

Diesen Weg gehen eine Reihe von Figuren. Die Ranevskaja kann ihn nun gehen, weil der Garten für sie zwar einerseits Ort einer idealen Zeit, andererseits aber auch Erinnerung an die nicht aufgearbeitete Schuld war. Gaev, dessen Infantilismus sich vollkommen auflöst, ist als Angestellter in eine Bank eingetreten. Varjas Perspektive für den Fall ihrer Nicht-Verheiratung war es anfangs, in ein Kloster zu gehen[35], was eine ewige Abschottung von der äußeren und eine spirituelle Versenkung in die innere Zeit bedeutet hätte. Nun beschließt sie, eine neue Stellung als Wirtschafterin anzunehmen. Trofimov wird zum Studium wieder nach Moskau gehen, wo die Professoren ganz und gar nicht, wie Lopachin ironisch anmerkt, „allesamt *auf ihn warten*" (*небось всё ждут*, когда приедешь; 13, 243; Hervorhebung von mir – A.E.), wo also die Zeit, aus der er sich herausbegeben hatte, weiter verlaufen war. Gaevs, Varjas und Trofimovs Perspektiven bedeuten eine Abkehr von den Räumen der inneren Zeit und eine Rückkehr in den *chronos* der Gegenwart.

So bietet das letzte Stück Čechovs eine Variation zum thematischen Vorwurf der *Tri sestry*. Die relative Handlungslosigkeit des zeitlich vorangehenden Dramas ist eine Funktion seiner Konzentration auf die in nach und nach verblassenden Vergangenheits- und Zukunftsfiguren gegebene innere Zeit der Titelheldinnen (und einiger Nebenfiguren). In den auseinandergezogenen Fragmenten der dargestellten dramatischen Gegenwart ist ereignishaftes Geschehen verdeckt und die Wahrnehmung der äußeren, objektiven Zeit so lange ausgeblendet, bis am Dramenende der Verlust der ignorierten Zeitdimension Gegenwart in den persönlichen Bilanzen und äußerlich sinnfällig in der ‚Vertreibung' aus dem Haus der Eltern hervortritt. Diesem thematischen Vorwurf verdankt die dramatische Struktur der *Tri sestry* neben der Reduktion der Intrige auch die recht abstrakt bleibende psychologische Motivierung der Inertie der Hauptfiguren. Wenn das Drama *Višnevyj sad* in einigen Merkmalen zu einer äußerlich konventionelleren dramatischen Struktur zurückzukehren scheint, indem es seine Figuren in eine dramatische Intrige hineinstellt und ihr Verhalten konkreter biografisch motiviert, hat es innere, subjektive und äußere, objektive Zeit (wieder) miteinander konfrontiert.

---

[35] Diese Option ist zuerst nur im psychologischen Subtext der Repliken Varjas verborgen, die vorgibt, sobald sie Anja erfolgreich verheiratet haben werde, in ein Kloster „und zu den heiligen Orten" pilgern zu wollen („dann hätte ich Ruhe" / я бы тогда была покойней; 13, 202). Der subtextuelle Zusammenhang mit dem vorangehenden Dialog mit Anja verrät, dass sie diese Perspektive nicht, wie vorgetragen, für den Fall der Verheiratung Anjas, sondern in Wahrheit für den Fall sieht, dass *sie selbst nicht verheiratet* sein würde (13, 202). Später wird dieser verborgene Zusammenhang in den Obertext gehoben: sie beklagt Lopachins Distanziertheit und erklärt, sie würde, wenn sie nur ein wenig Geld hätte, „[...] weit weggehen. In ein Kloster würde ich gehen" ([...] ушла бы подальше. В монастырь бы ушла; 13, 232). Die immer noch nicht ganz aufrichtig an eine letztlich nicht notwendige Bedingung geknüpfte Option Varjas wäre eine Verweigerung gegenüber der Zeit, eine Zuflucht an einen Ort, der gleichsam den Stillstand der Zeit verspricht.

Man kann darüber spekulieren, ob die nicht wenigen auffälligen Motivüberschneidungen, die *Višnevyj sad* mit *Tri sestry* verbinden, von Čechov als intertextuelle Bezüge gedacht sind, durch die die deutlich zeitgeschichtlich unterfütterten Vorgänge in *Višnevyj sad* von den in *Tri sestry* eher im Charakterlichen verbleibenden Lösungen abgesetzt werden sollen. So steht das allein Natašas herrschsüchtige Konsequenz anzeigende Abholzen der Bäume auf dem Grundstück der Prozorovs gegen die ökonomisch geforderte Umgestaltung des Kirschgartens, der zudem symbolisch das ganze Russland bedeutet (so Trofimov: 13, 227). Das Motiv des *Vergessens* betrifft in den *Drei Schwestern* persönliche biografische Umstände und Fähigkeit des Individuums (Klavierspiel, Sprachkenntnisse), im *Kirschgarten* steht ein Vergessen kulturellen Wissens (der Verlust der Kenntnisse um das Trocknen und Vermarkten von Kirschen) vor dem individualpsychologischen Aspekt. Entsprechend stehen sich Bilder der inneren und solche der äußeren Zeit gegenüber: Die Zukunftsentwürfe Veršinins und Trofimovs differieren deutlich darin, dass sie im ersten Fall keinerlei Relevanz für die Gegenwart beanspruchen (also der dritten Stufe der Minkowskischen „Zeitgestalten" der Zukunft entsprechen), im zweiten dagegen aufrichtig Gegenwartsbezug intendieren. Unterschiedliche Verwirklichung von Zukunftsintentionen zeigen sich auch den Übersetzungen, die Andrej Prozorov wohl doch nicht anfertigt[36], mit denen Trofimov dagegen bereits Geld verdient hat (13, 244). Der zerbrechenden, persönliche Erinnerungen tragenden Porzellanuhr Čebutykins steht in *Višnevyj sad* die chronografisch aktuelle und immer wieder befragte Taschenuhr Lopachins gegenüber – zwei Bilder, die die unterschiedliche Behandlung des Themas Zeit in den beiden letzten Stücken Čechovs konzentriert zur Anschauung bringen.

Literatur

Baehr, St.L.: The Machine in Chekhov's Garden. Progress and Pastoral in *The Cherry Orchard.* In: Slavic and East European Journal 43 (1999) 1, S. 99-121.

Bergson, Henri: Sur les données de la conscience [1888]; dtsch. unter dem Titel: Zeit und Freiheit. Hamburg 1994.

Evdokimova, Svetlana: What's so Funny about Losing One's Estate, or Infantilism in *The Cherry Orchard.* In: Slavic and East European Journal 44 (2000), S. 623-650.

Hick, Christian: Zeit-Leben und Zeit-Leiden. Zeitanalyse durch existentielle Semantik. In: Zeit und Zeitlichkeit. Hg. Christian Kupke. Würzburg 2000, S. 75-100.

Klinger, K.: Der Garten der altgewordenen Kinder. Die drei Dimensionen von Tschechows *Kirschgarten* in Giorgio Strehlers Inszenierung. In: Theater heute 15 (1974) 7, S. 6-11.

Kluge, R.-D.: Anton P. Čechov. Eine Einführung in Leben und Werk. Darmstadt 1995.

Schmid, H.: Ist die Handlung die Konstruktionsdominante des Dramas? Čechovs *Drei Schwestern* als Beginn einer Paradigmenerweiterung der dramatischen Gattung. In: Poetica 8 (1976), S. 177-207.

Minkowski, Eugène: Le temps vécu. Études phénomenologiques et psycho-pathologiques [1933]. Paris 1995.

Peace, R.: Chekhov. A Study of the Four Major Plays. New Haven 1983.

Peace, R.: Die drei Schwestern. In: Tschechows Dramen. Hg. B. Zelinsky. Stuttgart 2003, S. 76-102.

Szondi, P.: Die Theorie des modernen Dramas. Frankfurt/M. 1956.

Turner, C.J.G.: Time in Chekhov's *Tri sestry.* In: Canadian Slavonic Papers 28 (1986) 1, S. 64-79.

Vladimirskaja, A.R.: Dve rannie redakcii p'esy „Tri sestry". In: Literaturnoe nasledstvo. T. 68: Čechov. Moskva 1960, S. 1-86.

Wood, D.: The Deconstructions of Time. Atlantic Highlands 1989.

Zelinsky, B.: Der Kirschgarten. In: Tschechows Dramen. Hg. B. Zelinsky. Stuttgart 2003, S. 103-142.

[36] „[...] we may well doubt that Andrei ever makes the translation from English that he proposes in Act I [...]." (Turner, S. 70).

Robert Louis Jackson

What Time is it? Where are we Going?
Čechov's *Cherry Orchard*: The Story of a Verb

Как раньше, так и на этот раз, во время репетиции "Вишневого сада" приходилось точно клещами вытягивать из Антона Павловича замечания и советы, казавшиеся его пьесы. Его ответы походила ребусы, и надо было их разгадывать. [...] "Я же все написал, – я же не режиссер, я – доктор."
K.S. Stanislavskij, *Moja žizn' v iskusstve*[1]

A leggere lentamente in profondita, guardandosi avanti e indietro.
Anonymous

"Пришел поезд"; "Едут!"; "Едут!"; "Едут!"; "Пойдем встречать"; "Пройдемте здесь [...] детская!"; "Время идет!"; "Выход есть. Возле прошла железная дорога"; "Идите спать"; "Иду, иду"; "Пойдем в постельку... Пойдем!"

(The train has arrived; They're coming!; They're coming!; Their coming!; Let's go and meet them; Come through here [...] the nursery!; Time is marching on!; There's a way out. The railroad passed near-by; Go to sleep; I'm going, I'm going; Let's go to bed... Let's go!)

"Наши идут"; "Епиходов идет"; "Кто-то идет"; "[Ничто] идет"; "Могу ли я пройти здесь прямо на станцию?"; "Человечество идет"; "Мы идем [...] к яркой звезде"; "Вот оно счастье, вот оно идет"; "Пойдемте к реке, там хорошо".

(Our's [children] are coming; Epikhodov is coming; Somebody is coming; [Naught] is coming; Can I pass through here directly to the station?; Mankind is coming; Let's go down to the river, it's nice there.)

"О, скорее бы все это прошло, скорее бы изменилась как-нибудь наша нескладная, несчастливая жизнь"; "Идет новый помещик", "Пойдем со мной, пойдем, милая, отсюда, пойдем!..."

(Oh, that all this would pass quickly, that somehow our awkward, unhappy life would change quickly; A new landowner is coming; Come with me, let's go away from here, my dearest, let's go!)

"До поезда осталось всего сорок шесть минут"; "Жизнь [...] проходит", "Ехать бы к нам", "пройдет зима, настанет весна", "надо ехать", "пора ехать!", "Уедем", "Идемте!", "поезд придет", "до весны. Выходите, господа...", "Мы идем!"

[1] Cf. K.S. Stanislavskij: Moja žizn' v iskusstve. In: K.S. Stanislavskij: Sobranie sočinenij v 9 tt. T. I. Moskva 1988, pp. 344/45.

(Forty six minutes is all that remain before the train [leaves]; Life […] is passing; Let's be off; Winter will pass, spring will arrive; We have to get going; Time to go! Let's leave; Let's get going; The train will arrive; Until spring. Out with you, gentlemen…; We are coming!)

"Уехали"; "Жизнь-то прошла".

(They've gone; Life has passed by.)[2]

The phrases joined together here, predominantly making use of the going and coming verbs *idti* and *chodit'* (to go, to come, or to travel, primarily on foot) and its derivatives, but occasionally also making use of the verb *echat'* (go, come, travel [used for persons traveling in some conveyance]), all point in the direction of a coherent line of action and thought in *Višnevyj sad.* These verbs are used to describe not only ordinary physical movement or action in the everyday life of the characters, but also to give expression to the play's central theme of time: actual, historical and metaphysical. In our discussion we are concerned with how Čechov draws these verbs into the orbit of his artistic symbolic thought, how they become, as it were, means of transportation for the various themes of coming and going, arrival and departure, farewell and reunion, sleep and awakening, death and resurrection; how they give expression to them in all the banal and profound, comic and tragic ways in which these themes and realities are perceived and experienced in human existence.

We shall give attention to key moments or situations in which Čechov uses these verbs with marked semantic intention.[3]

The theme of time and of the going and coming verbs (in this instance *prijti* and *poezd* – cognate of *poezdit'*) make a joint appearance in the first line of the play, where Lopachin remarks: "Пришел поезд, слава Богу. Который час?" (13, 197; The train has arrived, thank God. What time is it?). With "Который час?" the clock in *Višnevyj sad* starts ticking. Time is running out, or has run out, for the estate and its cherry orchard and, in particular, for Ljubov' Andreevna and her family. Everybody seeks refuge from the present in the past or future, in plans for happiness or dreams of luck (the word *sčast'e*, happiness, also means luck). No one in Ljubov' Andreevna's family entourage is able to focus sensibly on the present, on its needs and deadlines – no one, that is, except Ermolaj Lopachin, and even he has lapses with respect to time, and experiences tensions between the past and present, and the present and future.

Lopachin lives by the clock. He is the timekeeper in the play. It is given to him to exploit not only the present, that is, to buy the estate and its orchard, but succinctly to express the profound wrench and disjointedness of the present moment; to express in one sentence not only the dislocation, the pain, the suffering that the present represents to everybody, including himself, but to define what it is that gives that experience its tragicomic character.

О, скорее бы все это прошло, скорее бы изменилась как-нибудь наша нескладная, несчастливая жизнь. (13, 241)

Oh, that all this would pass quickly, that somehow our awkward, unhappy life would change quickly.

---

[2] The verbs *chodit'* and *idti* (to go on foot, to walk), and *ezdit'* and *echat'* (to ride, to drive) – each pair of verbs represents indeterminate and determinate imperfectives – and the various derivatives of these verbs can and should be translated in various ways in English. For purposes of analysis I have made an effort to translate these verbs as literally as possible.

[3] This essay, of course, in no way exhausts the ways in which Chekhov has mobilized the rich semantic resources of the "going and coming" verbs in *Višnevyj sad.*

That which is *neskladnyj* – without logical sequence or connection, disjointed, disconnected, inharmonious, awkward, disproportional, or irregular – can give rise to *nesast'e* (misfortune, unhappiness); but that which is *neskladnyj* also is the essence of the humorous, of the ridiculous, and of the absurd. Life for Ljubov' Andreevna's gentry family has long run out of *zakonomernosti* or regularities; almost nothing is left but "двадцать два несчастия" (twenty two misfortunes).

Whatever their number, these misfortunes add up to a "несчастливая жизнь" (an unhappy or unfortunate life); large or small, comic or tragic, these *nesčast'ja*, like Šarlotta's magic tricks, are paradigmatic for a life in which chance is king, everything is in limbo, and up for auction. In the larger existence which makes up reality or realities, however, there are *zakonomernosti*, or regularities that make themselves felt and play a determining role in life. The so-called "passage" of time uncovers such regularities necessities and, in turn, moves people to act or not to act.

The opening line of *Višnevyj sad* – "Пришел поезд, слава Богу. Который час?" (The train has arrived, thank God. What time is it?) – brings into focus one such regularity. The first line announces the arrival of the train carrying Ljubov' Andreevna, Anja, and the lackey, Jaša. The same train is bringing to the country the merchants, businessmen, and *dačniki*, or summer people, who are changing the landscape of Russia. This train with its new passengers, like most other historical developments in Russian history, is late, but it has arrived.[4] In this sense, Lopachin's "слава Богу" reflects not only true familial feeling at the arrival of Ljubov' Andreevna Ranevskaja, but, viewed in the context of Russian historical development and his place in it, pleasure at the arrival of the train of history.

Yet Lopachin has overslept. One might think that this merchant-peasant, whose skill as a business man depends upon being on time and in time, is out of step with time. The opposite is the case. He is out of step only with the old masters' time: a spirit of time, according to the maid Dašen'ka, to which the dogs gave expression by staying awake all night in expectation of the arrival of their masters. Though Lopachin is "vexed" that he overslept, his yawn defines the seismic shift that has displaced master's time or, more accurately, master-serf time in favor of merchant's time.

The question "Который час?" is certainly the wake-up call in Act I of the play – an act in which sleep and sleepiness is on everybody's minds. "Который час?" is a prelude to Lopachin's constant and insistent reminders to Ljubov' Andreevna and her family that they must take action if they are not to lose the estate and its orchard. Yet in a broader sense the question also points to the dislocation of time, the absence of any real sense for the present, the absence of structuring temporal regularities.

Time in *Višnevyj sad* is multileveled, and the various levels intersect with one another to form a very unstable present: master's and serf's time; romantic pastoral time redolent of the Golden age; congealed intelligentsia time with its self-glorification; capitalist time and the idea of bourgeois "salvation"; student-utopian time with its "bright star" of the future; and, buried in people's consciousness, absolute time of *Revelations* where death and destruction is followed by the vision of "a new heaven and a new earth" (*Rev.* 21,1). "Который час?" responds to all these temporal and spiritual realities. It is not only a wake-up call, but a going-to-bed call, that is, it signals both reveille and taps.

"Вот пройдемте здесь" (Pass through here, come this way), we hear a voice say in the background of an empty stage at the beginning of Act I. And "passing through", with all the suffering that passage entails, is what *Višnevyj sad* is about. "Пройдемте здесь", repeats

---

[4] In fact, Russian railways made a slow start in comparison with the networks of the industrialized nations of Europe. By 1880, however, the Russian railway network was nearly on a par with the networks of European nations. By 1900 it had surpassed every European country with the exception of Germany.

Anya again, as Ljubov' Andreevna and her entourage pass through halls or rooms and into the *detskaja*, the nursery, where Ljubov' Andreevna ecstatically greets her childhood world.

It is as though Ljubov' Andreevna were passing through a birth canal to the nursery; or, to view this passage from a different perspective, passing back through the birth canal to womb-land, the quintessential nursery. "Детская, милая моя, прекрасная комната… Я тут спала, когда была маленькой… […] И теперь я как маленькая…" (13, 199; My darling nursery, my beautiful room… I slept here when I was a child… […] And now I am like a child…).

Lopachin's question "What time is it?" is asked again by Ljubov' Andreevna's sleepy and dreamy daughter, Anja, a short while into Act I. "Птицы поют в саду. Который час теперь?" (13, 202; The birds are singing in the garden. What time is it now?). This is a perfectly natural question to ask between two or three in the morning. Yet the birds that are twittering in the *Višnevyj sad* suggest an innocent pre-fall world, or garden of Eden. Indeed, what time *is* it for Anja?

Lopachin's constant reminders, his prodding words about the impending sale of the estate – *rešite*, *podumajte* (decide, think, or give some thought [to the matter]), and the family's inability to face up to reality – create a sense of passing time and impending disaster. It is, of course, people who move or stand still, act or remain inactive. "The future stands firm […], it is we who move in endless space", as Rilke puts it poetically.[5] Yet the notion of time as something that *passes* is a powerful one. Through a play on the phrase, "время идет" (time is passing), Čechov both dramatizes and parodies the sense of passing time.

Thus, in response to Gaev's remark, "[…] а теперь мне уже пятьдесят один год, как это ни странно" (13, 203; […] and now I'm already fifty one year's old, strange as it seems), Lopachin matter of factly replies: "Да, время идет" (Yes, time passes). Gaev retorts: "Кого?" (what? but also, who?). And Lopakhin repeats: "Время, говорю, идет" (Time, I say, is passing).

English translations of *Višnevyj sad* usually translate "время идет" as "time is passing" or "time flies". Gaev's "Кого?" awakens the sleeping metaphor, "время идет"; it anthropomorphizes *vremja* turning *time* into a kind of metaphysical monster, or *kamennyj gost'* (stone guest) on the march, or – to borrow a word V.E. Meyerhold uses with reference to the unseen presence of death in Act III of *Višnevyj sad* – *Užas* (Horror).[6]

In fact, Ronald Hingley's translation – "Time marches on" – effectively conveys the sense of both the sleeping and awakened metaphor in "время идет".[7] To Lopachin's – "Время, говорю, идет" – Gaev responds with a complete non-sequitur: "А здесь пачулями пахнет" (And here it smells of pachouli). His remark is followed by Anja's: "Я пойду спать" (I'm going to sleep). Gaev completely shuts out time with his nonsense. Anja, on the other hand, deals with the issue by going off to sleep. Čechov's point, of course, is that *vremja* is *not* sleeping. Time is on the march! "Время идет!"

No detail is without meaning in Čechov's poetic drama. Early in Act I, Čechov hints in a subtle way, by means of an everday exchange between and Lopachin, at the arrival of monster time, or "misfortune", and what it has in store for Ljubov' Andreevna and her family. Only moments before the arrival of Ljubov' Andreevna, this brief conversation takes place:

> Дуняша. […] Человек [Епиходов] он несчастливый, каждый день что-нибудь. Его так и дразнят у нас: двадцать два несчастия…
> Лопахин *(прислуживается)*. Вот, кажется, едут…

---

[5] "Die Zukunft steht fest [...] wir aber bewegen uns im unendlichen Raume." (Rainer Maria Rilke: Briefe an einen jungen Dichter. Frankfurt/M., Leipzig 1992 [1929], p. 43).

[6] V.Ė. Mejerchol'd: Stat'i. Pis'ma. Reči. Besedy. Moskva 1968, Part I, p. 85. Letter of Meyerhold to Čechov, May 6, 1904.

[7] The Oxford Chekhov. Uncle Vanya, Three Sisters, The Cherry Orchard, The Wood-Demon. Translated and edited by Ronald Hingley. Vol. III. London 1964, p. 151.

Дуняша. Едут! Что же это со мной… похолодела вся.
Лопахин. Едут, в самом деле. Пойдем встречать… […]
Дуняша *(в волнении)*. Я и сейчас упаду… Ах, упаду! (13, 199)

Dunjaša. […] He [Epichodov] is an unfortunate man, every day there's something. They tease him around here: twenty two misfortunes…
Lopachin *(listening)*. I think they're coming now.
Dunjaša. They're coming! What's the matter with me… I'm cold all over.
Lopachin. They're really coming… Let's go and meet them.
Dunjaša. I'm going to faint now… Oh, I'm going to faint!

Lopachin's words "Вот кажется, едут…" (I think they're coming now) announce the arrival of the family. Yet the exchange between him and Dunjaša has an important other dimension: The thrice-repeated word *edut* directly picks up on *čto-nibud'*, *nesčastlivyj čelovek* and, finally, *dvadcat' dva nesčast'ja*. In a word, *nesčast'e* (misfortune) is coming, *čto-nibud'* (something) is coming, *dvadcat' dva nesčast'ja* are coming. "Епиходов идет" (Epichodov is coming), we learn in Act II, while Varja complains in Act III that he walks around like a guest ("разхаживаешь, как гость"; 13, 238). Not surprisingly, his etymological motor root is *chod*, or movement. What is important at the opening of *Viševnyj sad,* however, is that *nesčast'ja* (misfortunes) are on the way; and the signs are unmistakable: "Едут!" "Едут!" "Едут!" Dunjaša, unlike Lopachin, has good reason to shiver and feel faint!

"Against a background in Act III of inane ‚stamping' [of feet] […] horror comes on stage unnoticed by anybody", Meyerhold wrote the dying Čechov, offering his impressions on what he felt was taking place in the ballroom scene in *Višnevyj sad.* "Gaiety, in which I hear the sounds of death. In this act there is something Maeterlinckian, terrible" (В третьем акте на фоне глупого ‚топотанья' […] незаметно для людей входит Ужас. […] Веселье, в котором слышны звуки смерти. В этом акте есть что-то метерлинковское, страшное).[8] In fact, the "sounds of death", of "Horror", and of the "soundless" movement of "fate" (*rok*) about which Andrej Belyj once spoke[9], are first heard in the refrain "Едут!" "Едут!" "Едут!" in the deceptively plain dialogue between Dunjaša and Lopachin.[10]

In this connection, it is especially appropriate for Lopachin to say to Dunjaša, "Пойдем встречать" (13, 199; Let's go and meet [them]), that is, let's go and meet Ljubov' Andreevna and her family. In the light of Čechov's poetic subtext, however, we may say that Lopachin's remark also signals confidence in his ability to meet the challenge of *marching time*, that is, "misfortune", and slay the monster. It is no accident that it is precisely Lopachin who, noting Russia's "громадные леса, необъятные поля, глубочайшие горизонты" (huge forests, boundless fields, deep horizons), remarks that "живя тут, мы сами должны по-настоящему быть великаны" (13, 224; living here we ourselves really should be giants).

There is a build-up of *pojdu* (I'm going or coming) and *pojdem* (let's go or come) in the play; these locutions, however, are generally linked not with a desire to confront the challenge of time, that is, the crisis of the estate, but to evade it. At the beginning and end of Act I much of the "going", that is, much of the activity of *idti* and its derivative forms, involves literally

[8] Mejerchol'd: Stat'i. Pis'ma. Rechi.

[9] "Как страшны моменты, когда рок неслышно подкрапывается к обессиленным. Везде тревожный лейтмотив грозы, везде нависающая туча ужаса" (How terrible are those moments when fate soundlessly steals up on the helpless. The alarming leitmotif of calamity is [to be found] everywhere, and everywhere the threatening clouds of horror [are present]). (Andrej Belyj: Arabeski. Kniga statej. In: Kritika. Ėstetika. Teorija simvolizma. Ed. by A.Ja. Zis' et al. Vol. II. Moskva 1994, p. 365).

[10] The only rival in Russian dramatic literature to Čechov's genius for investing everyday language and speech with profound meaning is Puškin. For illustrations of this aspect of Puškin's dramatic art, see my essay: Moral-Philosophical Subtext in *The Stone Guest*. In: Alexander Pushkin's Little Tragedies. The Poetics of Brevity. Ed. by Svetlana Evdokimova. Madison/Wisc. 2003, pp. 191-208.

"going to sleep" – something which the travelers, in particular, Anja, are certainly in need of. Going to sleep, in a metaphorical sense, however, carries with it overtones of dreaminess and dreams, and often allusions to dream's first cousin, death, or the eternal sleep. "Завтра утром встану, побегу в сад…", says the excited Anja. "О, если бы я могла уснуть!" (13, 200; Tomorrow morning I'll get up and I'll run into the garden... Oh, if I could only fall asleep!). Anja's wish to go to sleep and wake up in the morning sets the stage for her wide-eyed visions of a "new marvellous world" (новый, чудесный мир; 13, 248) later on in the play.

At the end of Act I, the linkage of sleep with death is only glancingly evoked by the association of the word *pokojna* (content) with *pokojnaja* (calm, restful, but also deceased). "Выдать бы тебя за богатого человека, и я бы тогда была покойней, пошла бы себе в пустынь" (13, 202; If only we could marry you to a rich man, and I could then be at peace, I'd go myself to a hermitage), says Varja to Anja. *Pokojnaja* here must be translated as "at peace", "tranquil", "at ease", but its alternate meaning "deceased" appropriately belongs to subtext in its allusion to Varja's stiffness and coldness (as for death, she will later in the text be identified with Shakespeare's Ophelia).

Elsewhere *pokojnyj* is used in the sense of deceased, and Čechov plays on the double meaning in the word. "Я теперь покойна! Я покойна, я счастлива" (13, 213; I am content! content, I am happy), Anja exclaims after hearing Gaev's unrealistic plan for rescuing the estate. His irritated response to Firs' angry effort to get him to go to sleep "Иду, иду… ложитесь" (13, 214; I'm going, I'm going, you go to bed [i.e. lie down]) is the first hint in the play of what will be Firs' last action at the play's end: lying down and dying.

In the last several lines at the end of Act I *pojdem* is used six times. "Пойдем в постельку… Пойдем!.. Пойдем!.. […] Душечка моя уснула! Пойдем..." (13, 214; Let's go to bed… Come along!.. Come along!.. […] My darling has fallen asleep! Let's go…), says Varja. The stage direction "Идут" (They go [into Anja's room]) that accompanies Varja and Anja as they go off to sleep, also leads the reader or audience into a bucolic pastoral scene: "Далеко за садом пастух играет на свирели. Петя Трофимов идет через сцену и, увидев Варю и Аню, останавливается" (In the distance beyond the orchard a shepherd is playing on a pipe. Petja walks across the stage and, seeing Varja and Anja, stops). And, indeed, like Petja, time seems to have stopped in this pastoral scene.

Thus, as Anja, child-like is led off to bed, motifs of sleep bordering on dream, bordering on a Golden age, accumulate around her. Typically, the pastoral is an imitation of rural life, usually the life of an imaginary Golden age, with the loves of shepherds and shepherdesses as a focus. This is where Anja is *going,* and in this sense her nature makes for a congenial match with the utopian idealist Petja Trofimov.

"Тссс… Она спит… спит… Пойдем, родная…" (13, 214; Sh… she's asleep… she's asleep… Come along, my precious one), Varja says, while Anja mumbles quietly, "half-dreamily": "Я так устала… все колокольчики…" (I'm so tired… I keep on hearing bells). And again, Varja: "Пойдем, родная, пойдем…" (Let's go, my precious one, let's go…). Anja, one might say, is asleep with pastoral dreams for the entire play. In the last line of Act I, Petja, in the spirit of a pastoral idyll, links the sleepy Anja with the sun and spring: "Солнышко мое! Весна моя!" (My sunshine! My spring!). This is the spring of a Golden Age.

A sense of closure accompanies the accumulating references to *going to sleep* in Act I. The connection between two *sleeps*, everyday sleep with its dreams and the dreamless sleep of death, is accentuated by a seamless transition from the sleepy end of Act I to the somber setting of Act II. The immediate surroundings, as presented in the opening line of Čechov's stage directions, are marked by images of emptiness, breakdown, death and decay: a field, an abandoned little chapel (*časovenka*), and next to it a well, and remnants of what was once a cemetery: "большие камни, когда-то бывшие, по-видимому, могильными плитами" (13,

215; large stones that evidently were once grave stones), and an old bench. "Скоро сядет солнце" (The sun is about to set).

The type of little chapel, or *časovenka* (the root of the word is *čas*, or *hour*) that is mentioned was typically a small wooden structure with icons where pilgrims could pray, read psalms or verses at prescribed hours, that is, *služit' časy*, observe the canonical hours. The abandoned chapel is a reminder of the dislocation of time in the world of *Višnevyj sad*, not only of temporal time and regularities, but also of absolute time. The mention of a large stones that "evidently" once were grave stones contributes to a sense of both physical and spiritual-religious desolation. It is significant that Čechov twice insisted in letters to the directors of the play that there was no cemetery, but that there *had been* one a long time ago.[11]

The meditative and somber pastoral garden scene approaches its denouement at the end of Chapter Two. "Епиходов идет…", "Епиходов идет…" (13, 224; Epichodov is coming…; Epichodov is coming…), "Солнце село […]" (The sun has set […]). "Вдруг раздается отдаленный звук, точно с неба, звук лопнувшей струны, замирающий, печальный" (A distant sound, as if out of the sky, the sound of a breaking string, dying away, mournful, is heard). The sound is followed by Firs' mention of the *nesčast'e* or "misfortune": "Перед несчастьем то же было" (The same thing happened before the misfortune). "Перед каким несчастьем?" (Before what misfortune?), Gaev asks, and Firs responds: "Перед волей" (Before the emancipation).

Ljubov' Andreevna's response to the theme of "misfortune" is immediate: "Знаете, друзья, пойдемте, уже вечереет" (13, 226; You know, my friends, let's go. Night is falling). Turning to Anja, she says: "У тебя на глазах слезы… Что ты, девочка?" (You have tears in your eyes… What is it, child?). To which Anja replies: "Это так, мама. Ничего" (Just so, Mama. It's nothing).

Petja at this point changes the subject with his remark: "Кто-то идет" (Somebody is coming). The announcement, "Кто-то идет" links up first of all with Anja's response to her mother over her tears: "ничего", "[Ничто] идет". *Naught* is coming. The device Čechov uses here is similar to his linking of *čto-nibud'* (something) and *nesčast'ja* (misfortunes) with the thrice-repeated verb "Едут!" at the beginning of Act I.

Petja's "Кто-то идет", of course, faces forward: the remark focuses on the approach of the frightening and omen-marked *prochožij* (passerby). In him, as in Epichodov, we find a member of the *chod* family – a *prochožij*. Both the designation of the stranger as a *prochožij* and his question – "[…] могу ли я пройти здесь прямо на станцию?" ([…] can I go straight through here to the station?) – aptly awakens the theme of *passage*, or *prochod*, and its frightening side. The painful social significance of the arrival of the insolent lackeys is similarly announced when, at the beginning of Act I, Jaša asks "delicately", as he walks across the stage: "Могу ли я пройти-с?" (13, 202; May I pass through here?). As the play progresses Jaša asserts his presence with increasing boldness.

It is not by chance that Lopachin associates the appearance of the frightening passerby with the word and concept, *bezobrazie* (ugliness, but also shapelessness, deformation, desecration of beauty and form). *Bezobrazie* – such is the essence of the arrival of the rapacious lackeys such as Jakov and of the banal Epichodovs; such is the nature of the historical passage to the railroad station; such is the significance of the passage of the railroad itself across the gentry land of *Višnevyj sad.*

---

[11] "Во втором акте кладбища нет" (There is no cemetery in Act II), Čechov wrote to V.I. Nemirovič-Dančenko, October 23, 1903. The matter was important enough for Čechov to make the same point again a few weeks later in a letter to Stanislavskij, November 23, 1903, this time more emphatically: "Кладбища нет, оно *было* очень давно. Две три плиты, лежащие беспорядочно, – вот и все" (There's no cemetery, there *was* one a long time ago. Two or three gravestones, lying around in disorder, – that's all [Čechov's italics]). (See 11; 284, 312).

The theme of "coming" or "going", of "passage", of closure, and of death, as it relates to the historical cherry orchard, becomes more insistent and marked in the course of the play. The *idet* theme emerges as the theme of approaching disaster, that is, the coming of *vremja – nesčast'e – Epichodov – Jaša – čto-nibud' – kto-to [ničto] – prochožij – poezd* (*time – misfortune – Epichodov – Jaša – something – somebody – naught – passerby – the train).*

Petja Trofimov's triumphant "человечество идет" (mankind is coming) theme, about which he speaks in Acts II and III, appears at first glance to be the counterpoint to the ill-boding *idet* theme. His "человечество идет", however, belongs typologically *not* to what has been in the making and is about to overwhelm the present, but to what is coming down the chute from the future; it belongs to dreams of a golden age (whether the past or future). Čechov, however, finds no special promise in the collective arrival of "humanity" or in Petja's qualifications as a leader, or general. "Никаких генералов нет" (13, 222; There aren't any generals). He's raving, Ljubov' Andreevna remarks in Act II apropos of Gaev's hope that there's a general in town who might offer the family a loan. At this moment, Gaev, observing the approach of Petja, Varja, and Anja, remarks: "Наши идут" (Our's are coming), a remark that in the play's ironical subtext conflates the Petjas, Anjas, and Varjas with generals. In short, there are no generals among these young people.

Yet Petja speaks like a general: "Человечество идет вперед" (13, 223; Mankind is marching forward), he proclaims. This new *čelovečestvo*, in contrast to Lopachin's monster-time, is still a creature in the making. Right now, as Petja explains, mankind is only "perfecting its forces" (совершенствуя свои силы). He speaks confidently, however: "Я предчувствую счастье, я уже вижу его…" (13, 228; I have a premonition of happiness, I already see it…). The future indeed is approaching, and like Lopachin's *vremja* (time) it is approaching on foot: "Вот оно счастье, вот оно идет, подходит все ближе и ближе, я уже слышу его шаги" (Happiness, here it comes, it is approaching closer and closer, I already hear its footsteps), Petja says at the very end of Act II. Čechov, too, hears these steps, and recognizes in Petja's *sčast'e* the same old *nesčast'e*, but now in disguise: "я уже слышу его шаги". *Užas* (horror) is hidden in Petja's words: "UŽ[e]S[lyšu]".[12] Petja's "happiness" is coming (счастье идет). Disaster is on its way. Whether from the past, present, or future, "Our's are coming" (Наши идут).

"The distant sound", Firs' mention of the *nesčast'e* (his word for the Emancipation of the serfs), and finally the appearance of the *prochožij* generate a sense of fear or premonition of disaster. Čechov marks it with a flurry of "goings". Varja (frightened): "Я уйду… я уйду…" (13, 226; I'm going away…, I'm going away…); Ljubov' Andreevna: "Пойдемте, господа, пора" (13, 226; Let's go, everybody, it's time); Lopachin: "Охмелия, иди в монастырь…" (13, 226; Ochmelija [Ophelia], be off to the nunnery…); Ljubov' Andreevna: "Идемте, господа" (13, 227; Let's go, everybody). And if the approaching twenty-two *nesčast'ja* of the philistine Epichodovs have been forgotten, Lopachin indirectly reminds us of their presence when he declares to everybody that on the "twenty second of August" the estate will be sold.

In the midst of these "goings", and as if responding to the sense of alarm in the air, Petja's counterpoint theme grows more militant and shrill: "Вперед! Мы идем неудержимо к яркой звезде, которая горит там в дали! Не отставай, друзья!" (13, 227; Forward! We are marching irresistibly to a bright star that burns off in the distance! Forward! Do not fall behind, friends!). Anja's response to Petja's rhetoric of the future only deepens our sense of the hu-

[12] Čechov's play with "uže slyšu" (as a mask for *užas*) echoes Tolstoj's phonetic-semantic play with "U! Uu! U!…", *uže*, *neuželi*, *užasno*, and *užas* in his novella *Smert' Ivana Il'iča* (The Death of Ivan Il'ich, 1886). *Užas*, "horror", the horror of death, is lurking everywhere in the language of Ivan Il'ič's colleagues. See my discussion of this phenomenon, and other examples of word-and-sound play in Tolstoj's novella in: Text and Subtext in the Opening and Closing Lines of *The Death of Ivan Ilych,* or Phonetic Orchestration in the Semantic Development of the Story. In: Tolstoy Studies Journal (University of Toronto, Canada), 1997, Vol. IX, pp. 11-23.

man comedy: clapping her hands, she exclaims: “Как хорошо вы говорите!” (How nicely you put it!).

Petja is, indeed, an eloquent idealist. In this connection, Ljubov’ Andreevna’s characterization of Petja’s behavior, at one point in the play, as “ridiculous” – “Смешной вы!”, “смешной чудак”, “смешной человек” (13, 234/35; You are ridiculous!; a ridiculous oddity; a ridiculous man) – has marked significance.

Petja’s lofty rhetoric, his “premonition” of “happiness”, his “bright star”, his insistence that we do everything to help anyone “who is searching for the truth” (13, 223; тем, кто ищет истину), brings to mind Dostoevskij’s well-known *Son smešnogo čeloveka* (The Dream of a Ridiculous Man, 1877). In that story the Ridiculous Man recounts his dream-visit to a bright “star”, one that turns out to be the earth’s mythic pre-fall paradise. Here on one of the islands of a pastoral “Greek Archepelago” he first celebrates the “прекрасные” (beautiful) “дети солнца” (children of the sun), and then sexually corrupts them. Awakening from his dream he foregrounds *not* his corruption of paradise, but his idyllic vision of an “an earth not corrupted by the sin of the fall”, a vision of truth (*istina*). It is this vision that he sets out to preach to the world.

Through his allusion to *The Dream of a Ridiculous Man* Čechov not only underscores the element of parody in his portrait of the innocent and virtuous Petja, but also foregrounds the central metaphysical theme in *Višnevyj sad*: the theme of “paradise lost” and of nostalgia for Eden. That nostalgia is eminently present in Ljubov’ Andreevna, Anja, Petja, and Lopachin.

The last two lines of Act II, spoken against the background of the sad strains of Epichodov’s guitar, in a muted way suggest the gathering momentum of forces leading to the sale of the estate and the destruction of the *višnevyj sad*:

> Аня. [...] Пойдемте к реке. Там хорошо.
> Трофимов. Пойдемте. (13, 228)
>
> Anja. [...] Let’s go down to the river. It’s nice there.
> Trofimov. Let’s go.

Čechov follows this exchange of remarks with the stage direction: “Идут”. Anja and Petja are going down to the river, the same river where Ljubov’ Andreevna’s son, Griša, had drowned. The river, too, itself is classically associated in myth with death and with ritual crossing over into knowledge and experience. Petja and Anja have yet to cross that river. In this context, Anja’s comment, “Пойдемте к реке. Там хорошо”, is as jarring as is her response to Petja’s rhetoric about the “bright star” of the future a moment earlier: “Как хорошо вы говорите” (How nicely you put it!).

Where, or in what world, is Anja living? It is noteworthy that the above cited exchange between Anja and Petja is bracketed by Varja’s voice calling out: “Аня! Где ты?” (Anja, where are you?), and then again: “Аня! Аня!” – an echo, perhaps, of the haunting end of Turgenev’s *Pevcy* (The Singers). In any case, it is now the reader’s turn to ask: “Который час?” (What time is it?). The answer of the play is: It’s later than you think.

Act III opens with Piščik’s mention of his “two strokes” (уже два раза удар был; 13, 229) and concludes with Lopachin’s death blow to the estate. Petja’s “footsteps” of approaching *schast’e* now become the “stamping” feet (Топочет ногами; 13, 240) of a triumphant Lopachin announcing misfortune to the Ranevskaja family. For Lopachin it no longer “Время идет!” but “Идет новый помещик, владелец вышневого сада!” (13, 242; The new master, the owner of the cherry orchard is coming!). The new master accidentally bumps into a small table and nearly knocks over the candlesticks as he announces the “новая жизнь” (new life) that will follow the destruction of the *Višnevyj sad*. In the new order more than artifacts of the gentry past will at danger: the new owner "will take an ax to the cherry orchard" (хватит топором по вышневому саду).

In the extraordinary finale to Act III, historical time, speeding up in the feverish rhythms of Lopachin's narrative of the auction, transmutes into apocalyptic time: a time of destruction, though a time, too, for the sorrowful and plangent: "О, скорее бы все это прошло… скорее бы изменилась как-нибудь наша нескладная, несчастливая жизнь" (13, 241; Oh, that all this would pass quickly, that somehow our awkward, unhappy life would quickly change); a time, too, for intimations of a new world.

Lopachin's poignant words appear to affect even the banal and wooden Piščik. Yet if he is affected, it is only in his desire to distance himself from unhappiness. Piščik shares neither Lopachin's nor Ljubov' Andreevna's distress. He takes Lopachin by the arm and says of Ljubov' Andreevna: "Она плачет. Пойдем в залу, пусть она одна… Пойдем…" (13, 241; She is weeping… Let's go into the hall, let her be alone… Let's go…).

Quite different from Piščik's indifference, and full of warmth and empathy, is Anja's response to her mother in the final lines of Act III. Piščik's "пойдем" leaves Ljubov' Andreevna alone in her misery; Anja's "пойдем", we note, will seek to lead her mother beyond apocalyptic disaster to a vision of a new heaven and a new earth.

> Мама!.. Мама, ты плачешь? Милая, добрая, хорошая моя мама, моя прекрасная, я люблю тебя… я благословляю тебя. Вышневый сад продан, его уже нет, это правда, правда, но не плачь, мама, у тебя осталась жизнь впереди, осталась твоя хорошая, чистая душа… Пойдем со мной, пойдем милая, отсюда, пойдем!.. Мы насадим новый сад, роскошнее этого, ты увидишь его, поймешь, и радость, тихая, глубокая радость опустится на твою душу, как солнце в вечерний час, и ты улыбнешься, мама! Пойдем, милая! Пойдем!.. (13, 241)

> Mama!… Mama, you're crying? My dear, kind, good mama, my beautiful one, I love you… I bless you. The cherry orchard has been sold, it no longer exists, that's true, true, but don't cry, mama, life remains for you ahead, your good, pure soul remains… Come with me, let's go away from here, my dearest, let's go!.. We'll plant a new orchard, more gorgeous than this one, you will see it, you will understand, and joy, a quiet, deep joy will descend on your soul, like the sun at the evening hour, and you will smile, mama! Let's go, my dearest! Let's go!..

Anja's words are lyrical, tender and touching. They are imbued, however, with Čechovian dramatic irony. At first glance, her words appear to be simple, unambiguous, down to earth: the estate with its garden, its orchard, has been sold; you have the rest of your life to live; let's go away; we'll plant a new orchard. In fact, Anja's appeal to her mother has the character of a pastoral, a Christian elegy, an elegiac vision of a new world.

Her words of consolation might have been uttered at her mother's deathbed. "У тебя осталась жизнь впереди, осталась твоя чистая душа…" (Life remains for you ahead, your good, pure soul remains...). What is "left" for Ljubov' Andreevna is life "up ahead", in a misty future, the disembodied life, it would seem, of a "pure soul". What could be "gorgeous" than the *višnevyj sad*? The garden of Eden. Paradise regained. The language in this passage is biblical and autumnal: all this splendor, Anja tells her mother, she will "see" and will "understand": "joy, quiet, profound joy will descend on your soul, like the sun at evening dusk, and you will smile". Not without reason does Čechov's text allude to Epichodov at this point.[13] "You will smile, mama! Let's go, dearest, let's go..!" We recall here Anja's words at the end

[13] An earlier line in Act I vaudevillian in character, and spoken by Epichodov, appears to parody Anja's consoling thought about smiling in misfortune. Responding to Lopachin at one point Epichodov remarks: "Каждый день случается со мной какое-нибудь несчастье. И я не ропщу, привык и даже улыбаюсь" (13, 198; Every day some kind of misfortune happens to me. And I *don't complain* and *even smile*; my italics – R.L.J.). Epichodov utters the same line in a slightly altered form toward the end of Act III: "У меня несчастье каждый день, и я, позволю себе так выразиться, только улыбаюсь, даже смеюсь" (13, 238; I have a misfortune every day, and I, allow me to so express it, only smile, even laugh).

of Act II when she and Trofimov go down to the river where her brother Griša, Ljubov' Andreevna's son, died: “Пойдемте к реке. Там хорошо” (13, 228; Let's go to the river. It's nice there).

The images of descent and of the setting sun suggest the grave and death. The “joy” that Anja projects for her mother, however, is that of resurrection. We recall Anja's sleepy ecstasy at the beginning of Act I: “Завтра утром встану, побегу в сад… О, если бы я могла уснуть!” (13, 200; Tomorrow I'll get up, I'll run into the garden… Oh, if only I could fall asleep!). Viewed in retrospect, these words seem to allude to the “mystery” of *Corinthians*: “We shall not all sleep, but we shall all be changed, […] the dead will be raised incorruptible, and we shall be changed” (*1. Cor.* 15,51-52) (Не все мы умрем, но все изменимся […] и мертвые воскреснут нетленными, а мы изменимся).

Anja's appeal to her mother, with its subtle allusions to a golden age, is made again at the beginning of Act IV as the family prepares to leave the estate. Here, as before, dreamy fantasy underlies an outwardly practical concern for her Ljubov' Andreevna's well-being. Anja is urging her mother who is going off to Paris to return soon from that city:

> Ты, мама, вернешься скоро, скоро… не правда ли? […] Мы, мама, будем вместе читать разные книги… Не правда ли? *(Целует матери руки.)* Мы будем читать в осенние вечера, прочтем много книг, и перед нами откроется новый, чудесный мир… *(Мечтает.)* Мама, приезжай… (13, 248)
>
> Mama, you'll return quickly, quickly… isn't that true? […] Mama, we'll read all sorts of books… Isn't that true? *(Kisses her mother's hands).* On autumn evenings we'll read, we'll read all sorts of books, and a new, marvelous world open up before us… *(Dreamily.)* Mama, come back…

Anja, indeed, is dreaming – and full of a strange nostalgia for the future. The “new, marvelous world” that she holds out before her mother, the world to which she would like her mother to return “quickly, quickly” is essentially the same timeless world of the golden age, paradise, with which she seeks to console her mother after the loss of the *višnevyj sad* at the end of Act III. Ljubov' Andreevna's answer is tenderly patronizing, but her choice of words makes it clear that she grasps the fantastic nature of Anja's suggestion, that is, the subtext of the golden age that underlies Anja's appeal: “Приеду, мое золото” (13, 248; I'll come, my treasure). The word translated as “treasure” here is *zoloto*, “gold”, or, “golden one”.

Act IV is replete with the coming and going verbs *idti* and *echat'*. They are used in an energetic and spirited way. The crisis of the estate has been resolved, and people are going off, after all, not to die, but to live out their lives. The high spirits, the almost cathartic mood, however, like the “farewells” at the end of *Tri Sestry*, mask a sense of finality, a sense of the irrevocable passing of a world. Even Petja seems to be grasping at straws when he insists again: “Человечество идет к высшей правде, к вышнему счастью, какое только возможно на земле, и я в первых рядах!” (13, 244; Mankind is marching toward the highest truth, the highest happiness, such as is only possible on earth, and I am in the first ranks!).

To Lopachin's question “дойдешь?”(Will you get there?) Petja answers, after a pause, “Дойду, или укажу другим путь, как дойти” (I'll get there or I'll show others the way to get there). At this point, Čechov's stage note reads: “The sound of an ax striking a tree is heard in the distance.” Mankind's march to the “highest happiness”, it is clear, will be accompanied by destruction. The sound of the ax – the way of the world, or, in a word, *užas* – points also to the innocence of Petja's desire to show the way.

“Пора ехать” (It's time to go), says Lopachin to Petja. “Мы друг перед другом нос дерем, а жизнь знай себе проходит” (13, 246; Let's get going. We turn up our noses at each other, but life goes on its own way). Gaev's remark, a moment later, seems to echo that sentiment. “Ехать бы нам. Уже немного осталось” (13, 247; We should be on our way. Only a little [time is] left). Ljubov' Andreevna's words – "Пройдет зима, настанет весна, а там тебя [милый дом] уже не будет, тебя сломают" (Winter will pass, spring will come but you [dear house] will no longer be, they will smash you up) – underscores the theme of destruction.

The play draws to a close with a chorus of *idti's* and *echat's*. "Надо ехать" (13, 251; We must be off), says Ljubov' Andreevna. "В дорогу!" (13, 251; We're off!), exclaims Anya joyously. "[…] пора ехать!" (13, 252; […] time to go!), calls out Petja. "Уедем – и здесь не останется ни души…" (13, 252; We are going and not a soul will remain here…) says Ljubov' Andreevna. "До самой весны" ('Till spring), adds Lopachin – a man whose "spring" will bring much activity. "[…] идемте садиться в экипажи… […] Сейчас поезд придет!" ([…] come now into the carriages… […] The train will arrive at any moment), calls out Petja and again, "Идем, господа!.." (Let's go, everybody!..). "Идем!" (13, 253; Let's go!), says Ljubov' Andreevna. "Идем!", exclaims Lopachin again. "Значит, до весны. Выходите, господа… до свиданция!.." (Until spring then. On your way out, everybody… Until the station!..). Lopachin wanted to say "до свидания" (good-by), but unconsciously conflates the word *stancija* (station) with *svidanie* (meeting), thus suggesting "until the station" rather than "until we meet again". For Lopachin, spring has already begun, and his connection with the past ends at the station.

"выход есть" (13, 205; there's a way out), Lopachin had insisted earlier with respect to his plan to save the estate financially. The *vychod*, or way out, turns out in the end to be simply "out!" or exile… "Выходите, господа!" (On your way out, everybody!).

Farewell to Eden

In the penultimate scene of the play we are witness to an expulsion from Eden scene.[14] Ljubov' Andreevna and Gaev, the last to leave the house, embrace and break down in tears. She bids farewell to her garden in essentially the same terms that she greets it in Act I, but her mood now is not one of joy, but of grief:

> О, мой нежный прекрасный сад!… Моя жизнь, моя молодость, счастье мое, прощай!… прощай! […] В последний раз взглянуть на стены, на окна… По этой комнате любила ходить покойная мать… (13, 253)
>
> Oh, my tender, beautiful garden!… My life, my youth, my happiness, farewell… farewell! […] For the last time – a look at the walls, the windows… Our dear mother liked to walk about this room…

The scene is a moving one, although touched with melodrama. In a stage note Čechov remarks that Ljubov' Andreevna and Gaev actually have been "waiting" for the moment when they could give expression to their feelings. Čechov, perhaps, was counseling actors not to play this scene as high tragedy. Yet the grief and tears of Ljubov' Andreevna and Gaev are compelling.

Ljubov' Andreevna's last words – "Мы идем!.." (13, 253; We are coming!..) conclude her farewell to the cherry orchard and to her youth. They are uttered in direct response to Anja's and Petja's insistent and cheeerful calls from outside the house – "Мама!.." "Ау!..". Her "Мы

[14] It is interesting to note that in one of his first and, in theme at least, one of his most Dostoevskian stories *Za jabločki* (About Little Apples, 1880), Čechov uses the biblical scene of the expulsion of Adam and Eve from the garden of Eden as a recognizable frame of reference for sharp social satire. See my chapter "Dostoevsky in Chekhov's Garden of Eden" in my book: Dialogues with Dostoevsky. The Overwhelming Question. Stanford/Cal. 1993, pp. 83-103.

идем!" is the last of several such expressions. *Idem* and *idemte* were on everybody's lips as they prepared to leave for the railroad station.

Ljubov' Andreevna's "Мы идем!" might appear to be the end of the matter. Yet no component of Čechov's text, even the smallest, is an island unto itself. Ljubov' Andreevna's "Мы идем!", while anchored in the present moment, belongs to a poetic-semantic field of associations and imagery linked with the verb *idti*; it contributes to this field of meanings, but it is also affected by it, that is, it *attracts* special meaning and value by virtue of its relation to that field or context.

Petja and Anja not only call out "Мама!.." and "Ау!.." to Ljubov' Andreevna at the end of Act IV. These calls, as it were, are heard earlier in the play in the form of Petja's and Anja's appeals to Ljubov' Andreevna to heed their voices and visions. In this context, Ljubov' Andreevna's "Мы идем!" echoes Petya's "Мы идем": "мы идем [...] к яркой звезде", "Человечество идет вперед", "счастье [...] идет" (we are marching [...] toward a bright star; mankind is marching forward; happiness [...] is coming). Ljubov' Andreevna, to be sure, argues with Petja, she faults him for his youthfulness, naivety, and innocence, and for the fact that he did not "suffer through" (*perestradat'*) all the "questions" he boldly presumes to solve. She does not discount his idealism, however, and relates to him warmly, if critically. She looks upon him as "ridiculous" and eccentric, but respects his purity: "Ну, Петя... ну, чистая душа... я прощения прошу..." (13, 235; Now, Petja... now, [my] pure soul... please forgive me...), she says after offending him on one occasion. "Пойдемте танцевать" (Let's dance). That invitation has its deeper meaning: A ridiculous person herself in the contradictions of her nature, in her impracticality, and in her refusal to let go of her idealized *višnevyj sad*, Ljubov' Andreevna, one might say, is in a dance with Petja, a dream-dance with purity itself. It is from Petja, the reader recalls, not from Lopachin that she momentarily asks help: "Спасите меня, Петя" (13, 233; Save me, Petja).

Her "Мы идем!" may be seen in particular as a response to Anja's elegaic-utopian appeals at the end of Act III and the beginning of Act IV. "Приеду, мое золото" (I'll come, my treasure), she had responded. Ljubov Andreevna, of course, has no more intention of returning to Russia to read books about the "new, marvelous world" opening up than she is prepared to accept Lopajhin's plan for commercial "salvation" (*spasenie*). Yet she herself has formed her own Edenic ideal; she has recognized in the *višnevyj sad* her childhood paradise, one watched over by "небесные ангелы" (13, 210; heavenly angels). On this plane of consciousness she is fully in accord with Anja, Petja, and Lopachin, all of whom in one form or another are unable to escape the magic of the *višnevyj sad*; all of whom are infused with poetic and nostalgic longing for a lost paradise. Anja has her *čudesnyj* (marvelous) new world. The word "marvelous" appears in Petja's vocabulary. He sees all of Russia as "наш сад" (our garden). "Земля велика и прекрасна, есть на ней много *чудесных* мест" (13, 227; All Russia is our garden. The earth is vast and beautiful, there are many *marvelous* places on it).

Lopachin consoles Ljubov' Andreevna with the thought that the *dačniki* of the future will take up farming, "И тогда ваш Вышневый сад станет счастливым, богатым, роскошным..." (13, 206; And then your cherry orchard will become happy, rich, splendid...). His real estate man's dream is charged, however, with a nostalgia for paradise. "Выход есть" (There's a way out), he assures Ljubov' Andreevna. His plan is to divide up the cherry orchard land into lots – Čechov uses the verb *razbit'*, meaning "to divide", but also "to smash" – and then lease the land for summer dachas. He rounds out his proposal for saving the estate with the words: "Одним словом, поздравляю, вы спасены. Местоположение *чудесное*, река глубокая" (13, 205; In a word, I congratulate you, you are saved. A *marvelous* site, a deep river; my italics – RLJ). Is this a weekend place for Moscow's *dačniki*? Or is it the Promised Land by the river Jordan?

Lopackhin's plans for his marvelous site are predicated on destruction. Yet destruction is also part of the prophecy. "Woe, woe, woe to the inhabitants of the earth" (Горе, горе, горе живущим на земле) (*Rev*. 6: 7-8; 8: 13). The theologically-tinged language of Petja – *grech* (sin), *dolg* (debt), "искупить наше прошлое" (13, 228; expiate our past), "искупить [...] страданием" (expiate [...] through suffering), the search for *istina* (truth), *sčast'e* (happiness) and the "яркая звезда" (bright star) – also invokes the old Christian paradigm. Whatever their actual lives, preoccupations, disputes about the present, past, or future, Ljubov' Andreevna, Anja, Petja, and Lopachin in their depths cannot do without the old dream of a "new heaven and a new earth".

Anja begs her mother to return to Russia, in effect, to her, Anja's, dream-world. Indeed, the dreams of Anja, Petja, Lopachin, and Ljubov' Andreevna herself do postulate a return to paradise – a dream that is impossible to realize and yet, it seems, a dream that is impossible to drive out of one's consciousness. In this context, Ljubov' Andreevna's "Мы идем!.." echoes an old dream. In her journey through life she "suffers through", in her own quixotic way, the punishment of history and the collapse of her personal world, yet without relinquishing her dream, and without ceasing in her own tragicomic, often witless and self indulgent ways, to give practical embodiment to the principles of love and pity and compassion and sacrifice. These "old verities and truths of the heart" – to borrow a phrase from William Faulkner's Nobel Speech – Čechov will not relinquish to the march of time.

As a statement rooted in the moment Ljubov' Andreevna's "Мы идем!.." combines a clear recognition that one can't go home again with a spirited, though ill-omened, will to return to Paris, to a world that with some realism she seems prepared to take on its own terms.

In a letter to Lydia A. Avilova a few months before he died, Čechov concluded with some lines that seem applicable, as one Russian critic has suggested, to the philosophical dimensions of Čechov's characterization of Ljubov' Andreevna:

> Всего Вам хорошего, главное – будьте веселы, смотрите на жизнь не так замысловато; вероятно, на самом деле она гораздо проще. Да и заслуживает ли она, жизнь, которой мы не знаем, всех мучительных размышлений, на которых изнашиваются наши русские умы, – это еще вопрос.[15]
>
> All the best to you, chiefly – be cheerful, don't look on life so subtly; probably things are really far more simple. Indeed, does this life which we do not know deserve all the tormenting reflections with which our Russian minds wear themselves out – that is still a question.

The double ending of the play – Ljubov' Andreevna's her farewell to Eden and her spirited "Мы идем!..", and Firs' "Жизнь-то прошла" and his farewell to his strange paradise – provides complementary views on the questions the play has posed, as well as complementary aspects of Čechov's own worldview. On the one hand, there is the elementary truth of life, of being, of the rights of the present, of love, of instinctual movement forward into life regardless of what that life has in store for us: "время идет" time is bearing down on us, but in spite of everything, "Мы идем!..".[16] On the other hand, there is the all-regulating truth of death, the

---

[15] Letter to Lidija A. Avilova, February 14, 1904 (P. 12, 34/35). See Boris I. Zingerman's characterization of Ljubov' Andreevna in his study: Teatr Čechova i ego mirovoe značenie. Moskva 1988, pp. 330, 337.

[16] There is a striking parallel, of course, between Ljubov' Andreevna's words, "Мы идем!.." and Lesnickij's dream-chant "Мы идем" (we go on, we keep going) in *Po delam služby* (On Official Business, 1899). Lesnickij dreams he is marching side by side with Lošadin, the central figure in the story. Earlier in the narrative it is the blizzard that sings the song of suffering and pain. Now the two men pick up the chant of the blizzard that circles around them: "Мы идем, мы идем, мы идем... [...] Мы несем на себе всю тяжесть этой жизни, и своей, и вашей..." (10, 99; We keep going, we keep going, we keep going... [. . .] We bear the burden of this life, own and your's...). These words give powerful expression to the ethical idea at the center of Lošadin's nature. Les-

truth of passage, one that Čechov makes audible and amplifies in the distant, mysterious, and melancholy sound of the breaking string that resounds, "точно с неба" (as if from the sky), for a second and final time at the play's end: a sound that brings us back to the opening line of the play and to a question that lies hidden in full view: a question that shakes up all priorities, arouses anew all sorts of "tormenting reflections", and forces into the foreground the ultimate question of the meaning of this life we live, its direction, its desires, and its dreams: "Который час?" (What time is it?).

Literature

Belyj, Andrej: Arabeski. Kniga statei. In: Kritika. Ėstetika. Teorija simvolizma. Ed. by A.Ja. Zis' et al. Vol. II. Moskva 1994, pp. 6-449.

Jackson, Robert Louis: Dialogues with Dostoevsky. The Overwhelming Question. Stanford/Cal. 1993.

Jackson, Robert Louis: Text and Subtext in the Opening and Closing Lines of *The Death of Ivan Ilych,* or Phonetic Orchestration in the Semantic Development of the Story. In: Tolstoy Studies Journal (University of Toronto, Canada), 1997, Vol. IX, pp. 11-23.

Jackson, Robert Louis: Moral-Philosophical Subtext in *The Stone Guest*. In: Alexander Pushkin's Little Tragedies. The Poetics of Brevity. Ed. by Svetlana Evdokimova. Madison/Wisc. 2003, pp. 191-208.

Mejerchol'd, V.Ė.: Stat'i. Pis'ma. Reči. Besedy. Part I. Moskva 1968.

The Oxford Chekhov. Uncle Vanya, Three Sisters, The Cherry Orchard, The Wood-Demon. Translated and edited by Ronald Hingley. Vol. III. London 1964.

Rilke, Rainer Maria: Briefe an einen jungen Dichter. Frankfurt/M., Leipzig 1992 [1929].

Stanislavskij, K.S.: Moja žizn' v iskusstve. In: K.S. Stanislavskij: Sobranie sočinenij v 9 tt. T. I. Moskva 1988.

Zingerman, B.: Teatr Čechova i ego mirovoe značenie. Moskva 1988.

nickij's and Lošadin's marching chant, "Мы идем" is also full of the high spirit of endurance and challenge to life. This challenge to life is inherent, too, in Ljubov' Andreevna's "Мы идем!..".

II.3. Einzelne Themen und Motive

Gerhard Bauer

Gesellschaft auf Čechovs Bühne: dezimiert / sublimiert / imaginiert

„[...] weit, weit hinten am Horizont zeichnet sich undeutlich eine große Stadt ab, die nur bei sehr gutem, klarem Wetter sichtbar wird“ ([...] далеко-далеко на горизонте неясно обозначается большой город, который бывает виден только в очень хорошую, ясную погоду; 13, 215). So ist im *Kirschgarten* für den 2. Akt, der an einem Feldweg vor Gaevs Gut spielt, das Verhältnis zwischen der vorgeführten kleinen Welt und der dahinter ahnbaren, aber ausgesparten größeren, hier eben städtischen Welt einmal atmosphärisch bezeichnet. Wie sieht es sonst in Čechovs Dramen aus – damit meine ich seine vier weltweit anerkannten Dramen, die er nach allen Regeln seiner dramatisch-poetischen Ökonomie durchgestaltet hat? Wie ist der jedes Mal eng begrenzte Ausschnitt der Gesellschaft mit der weiten, gründlich ausdifferenzierten russischen Gesellschaft seiner Zeit verbunden? Wie bringt Čechov das zur Erscheinung, was er *nicht* auf die Bühne bringt?

In seinen Erzählungen von den frühen Humoresken bis zur *Braut* (Nevesta, 1903) lässt Čechov faktisch die ganze russische Gesellschaft in ihrer sozialen Spannweite auftreten. Die Bauern erscheinen nicht bloß als Klischee, nicht nur als Problem für reformversessene Intellektuelle, sondern in Person, in differenzierten Gestalten, mit einer eigenen Vernunft begabt und um ihre eigenen Interessen kreisend. In den großen Dramen aber sind sie wieder zurückgestuft und bilden nur die selbstverständliche Umgebung der einzig interessierenden begüterten Schicht. Hie und da tauchen sie als Gegenstand des Gesprächs auf, aber nur oberflächlich, wie die Herrschaften eben so von „ihren“ Bauern redeten. „Nicht ohne Grund liebt mich der Bauer“, sagt Gaev, wenn er von *seinen* „Überzeugungen“ redet. „Den Bauern muss man kennen!“ (Недаром меня мужик любит. Мужика надо знать!; *Kirschgarten*, 1. Akt: 13, 214).[1] Auf der Bühne präsent sind Bauern einzig in Form von Dienstboten in einer sehr traditionellen Skala von plump bis gutmütig und ergeben – bis im *Kirschgarten* auch das Personal sich sichtlich weiterentwickelt: Das Dienstmädchen Dunjaša beginnt ihre „Nerven“ zu kultivieren. Der äußerst schnöselige „junge Lakai“ Jaša denkt statt an die Herrschaft nur noch an sein Vergnügen, allenfalls an seinen Aufstieg. Wofür der alte Firs steht und was ihm blüht, wird ja im Stück stark akzentuiert und wurde schon oft eindringlich bedacht.[2]

Handwerker kennen die Erzählungen in einer Fülle von Berufen, vom Friseur und Drechsler bis zum Maler. Darunter sind große Könner ihres Metiers und mitunter große Tüftler. Außerdem kommen charakteristische Überschneidungen vor, indem etwa der Sargtischler auch noch ein veritabler Geiger ist o.Ä. Wie kahl ist dagegen die Berufswelt in den Dramen; wie wenig *können* und verstehen die darin auftretenden Herrschaften! Der „Alleskönner“ Andrej,

---

[1] Die Übersetzungen von Peter Urban (in Einzelbänden, Zürich 1973-74) habe ich dankbar herangezogen, aber mich nicht immer an Urbans Lösungen gehalten.

[2] Obgleich das Haus voll ist von Dienstboten – neben diesen drei namentlich aufgeführten und einer Schar von anonym bleibenden erwähnt Varja noch vier „alte“ mit Namen, die in der „alten Gesindestube“ wohnen und Unfug treiben (1. Akt: 13, 214) – ist Firs der Einzige, der überall nach dem Rechten sieht (3. Akt: 13, 236). Dass er am Schluss „vergessen“ wird, erscheint als Folge einer bedauerlichen Lücke in der sonst gewahrten Abfolge von Befehlen, Weitersagen und Ausführen. Hinter der puren Unordnung scheint aber ein ganz plausibles Motiv des Zögerns zu stecken: Keiner will das alte Faktotum so wie beschlossen einfach ins Krankenhaus abschieben. Dass er im alten, zum Abbruch bestimmten, inzwischen verrammelten Haus „seiner“ Familie übrig bleibt, wahrt die Würde seiner Person, d.h. seiner Position besser als jede human-hygienische Lösung seines ‚Falls‘.

der Bruder der drei Schwestern, der es dann nicht mal zum Professor in Moskau bringt, erfreut seine Schwestern zum wiederholten Mal mit hübsch geschnitzten Bilderrähmchen, woraufhin selbst dem höchst beredten Ehrengast der Familie die Worte fehlen (1. Akt: 13, 130). Fabrikarbeiter tauchten auch in den Erzählungen nicht auf oder nur als ehemalige, als Invaliden, aber ihre Existenz setzte immerhin den Fabrikbesitzern, d.h. deren sensiblerer zweiter Generation, intensiv zu. Nichts davon in den Dramen. Ärzte gibt es immerhin, doch an Juristen fehlt es sehr[3], sonst ginge weder der Streit mit dem Professor, der sich das Gut On-kel Vanjas unter den Nagel reißt, noch die schleichende Enteignung der drei Schwestern durch ihre Schwägerin so drastisch-hilflos aus. Fehlanzeige auch bei Polizisten, Verwaltungsbeamten, Starosten, und auch von den Sträflingen, die der Erzähler Čechov erst richtig zu Ehren gebracht hat, taucht hier keiner auf. Das Rechtssystem als solches scheint abwesend zu sein: Onkel Vanja stellt zu seiner Verblüffung fest, dass er trotz eines Mordversuchs nicht einmal angeklagt wird.[4] Händler und der Handel selbst sind so gut wie abwesend. Wenn im letzten der vier Dramen ein Kaufmann auftritt – sachte zunächst, doch zunehmend lässt er seine Muskeln spielen – so ist es um den Lebensraum der so kulturvoll existierenden adligen Familie geschehen, und das wird inszeniert wie der Untergang einer Welt. Hinzu kommt, dass im letzten Drama auch die Njanja gestorben ist, die in den drei anderen Damen eine nicht zu unterschätzende verbindend-verbindliche Rolle gespielt hat, und dass statt des so wichtigen Arztes nur noch mitgebrachte Medikamente auf die Bühne kommen, und selbst die werden unbrauchbar gemacht: alle auf einmal von einem gar nicht Betroffenen geschluckt, also als wirkungslos diskreditiert (1. Akt: 13, 208).

Abwesendes eben als Lücke bewusst zu machen, gehört zu den großen Künsten Čechovs.[5] Einige wenige Mankos werden auch in den Dramen als solche ausgespielt, etwa die generelle Ferne von Fragen historisch-politischer oder politökonomischer Relevanz, eine auffällige Unbeholfenheit gegenüber lebenspraktischen Aufgaben sowie Tolpatschigkeit in den diversen Versuchen, sich auf das Gebiet von Verallgemeinerungen oder Spekulationen zu wagen. Auch das Ausbleiben von Erwartetem, die Entbehrung, die unerfüllte und schon in sich selbst unsichere Sehnsucht werden atmosphärisch stark fühlbar gemacht, die langen Abschiede nicht zu vergessen. Wenn Elena in *Onkel Vanja* für ihre Erregung und ihre neue Freundschaft mit ihrer Stieftochter Sonja einen richtigen Ausdruck sucht, möchte sie am liebsten Klavier spielen, und Sonja freut sich darauf. Es ist aber Nacht, der Tyrann der Familie spielt wieder krank, also muss Sonja fragen gehen, ob er es erlaubt. Was sie zurückbringt, ist nur ein Wort, das letzte des Aktes: „Нельзя!“: es geht nicht, du darfst nicht, und es klingt wie: In diesem verwünschten Haus werden nie wieder lebende Menschen Musik machen (2. Akt: 13, 89).

Noch häufiger aber wird, gerade in den Dramen, das Fehlende überdeckt, überspielt, verredet; freilich so, dass es als Lücke weiterhin durchscheint. Die acht bis vierzehn im Personenverzeichnis genannten Figuren zumeist der gehobenen Schicht, nominell den „Gebildeten“ zugezählt, füllen den Bühnenraum und den gedachten Spielraum „Gesellschaft“ so aus, als wären sie komplett und hätten und könnten alles, was benötigt wird. Die reellen Zukunftschancen dieser Schicht sind so kläglich, dass man besser nicht daran rührt, und Lebensinteressen, Selbstverwirklichungsinteressen werden nur in der für Čechov typischen „welken“ Form geäußert: sacht, anheim stellend, wie ein Gedankenspiel, allenfalls wie ein Herzenswunsch, doch ohne jeden energischen Einsatz. Selbst Alleinstehende unterhalten sich mit sich selbst so, dass sie das kompensieren, was ihnen in ihrer inneren oder äußeren Einsamkeit

3 Anwälte oder Staatsanwälte bilden in den Erzählungen oft ein episch relevantes Paar mit den Medizinern.

4 Er zieht die richtige Folgerung daraus: Er gilt also für verrückt. Noch zutreffender wäre allerdings der Schluss, dass diese ganze Welt als nicht normal gezeichnet wird.

5 In meiner Monographie „Lichtstrahl aus Scherben. Čechov“ (Frankfurt/M. 2000) habe ich den „räuberischen Manipulationen an ohnehin zarten Figuren“ ein eigenes Kapitel gewidmet, gestützt allerdings überwiegend auf erzählende Texte.

fehlt. Die Gesellschaft „lebt" im Menschen nicht weniger als der Mensch in der Gesellschaft, fand Arthur Miller beim Nachdenken über Čechovs Theater: „Der Fisch ist im Wasser, und das Wasser ist im Fisch."[6] Ob Dr. Astrov in *Onkel Vanja* „niemanden braucht" oder ob Andrej in den *Drei Schwestern* nur irgendjemanden braucht, um mit ihm zu reden, und wenn es ein Schwerhöriger ist, der ihn laufend missversteht – immer geht die Redeveranstaltung, die noch so schäbige Kompensation mit ein in die Einsamkeit der Einzelgänger oder „Käuze". Andrej findet sich sogar im vorgestellten „riesigen" Saal eines Restaurants in Moskau, wo er niemanden kennt, „nicht fremd", während er sich da, wo er ist, umgeben von lauter Bekannten, „fremd und einsam" vorkommt (2. Akt: 13, 141). Was die Figuren von der Gesellschaft brauchen, ist Respons, Anerkennung oder nur irgendeine Beachtung. Die berufsmäßigen Schauspieler und Schriftsteller in der *Möwe* sind in einem geradezu klinischen Sinne abhängig vom Applaus. Sie bekommen ihn hie und da, wohldosiert: hier ein unerwarteter Kenner (der sich in der Kunst jedoch nicht recht auskennt), dort eine verführerisch frische „Naive" (die jedoch in dem Novellisten Trigorin vor allem den Mann Trigorin liebt, oder vergeblich nach ihm sucht). Die Nicht-Schauspieler definieren sich ebenfalls über die Reaktionen ihres ‚Publikums'.[7] Selbst eine so bescheidene, nur als Publikum benötigte Nebenfigur wie der bankrotte Nachbar Piščik im *Kirschgarten* wünscht sich zum Abschied, dass seiner dereinst von den Nachbarn gedacht wird, und bestellt sich vorsorglich etwas wie einen mündlichen Epitaph: „‚Da gab es mal auf der Welt so einen, einen solchen... Simeonov-Piščik... möge er in den Himmel kommen'" (Был на свете такой, сякой... Симеонов-Пищик... царство ему небесное; 4. Akt: 13, 249). Die Sorge, ob die nach uns kommenden ‚richtigen' Menschen dereinst an „uns", an die ganze Generation mit ihren so ratlosen Anstrengungen „denken" werden, evtl. gar „mit einem guten Wort", wird ab und zu geäußert.[8] Das „Leben", d.h. vor allem der „Lärm" der entbehrten Stadt wird gegen die Nichtswürdigkeit und „Dummheit" des Landlebens (vor allem in puncto Konversation) ausgespielt (*Onkel Vanja*, 2. Akt). Aus bloßer Angst vor dem Alleinsein oder der „Stille" wird im *Kirschgarten* (3. Akt) aus den spärlichen Mitteln der bankrotten Familie, aus einem herumtingelnden jüdischen Orchester mit sechs Instrumenten und mittels zusammengetrommelter Honoratioren aus der nahen Stadt ein Fest, ein „kleiner Abend" gezaubert, aber leider ist und bleibt er nur Ersatz. Die drei Schwestern schaffen es, mit den Mitteln der Provinz ein relativ sprühendes Leben um sich herum zu gestalten. Ihr Salon zieht die halbe Stadt und vor allem das Offizierscorps der Stadt an. In Worten wird er zu einer blühenden, geradezu üppigen Oase erhoben.[9] Die Betonung dieser einen Oase macht aber den Hintergrund, die sonstige ‚Wüste', erst recht fühlbar, und die Fliehkräfte[10] und zerstörerischen Potenzen zeigen sich auch permanent im Vordergrund, bis das

[6] Zit. nach: Über Čechov. Hg. Peter Urban. Zürich 1988, S. 301.

[7] Onkel Vanja nennt seine verstorbene Schwester nicht nur „nobel" und „großmütig", sondern führt auch zu ihrer Beglaubigung an, dass sie mehr Verehrer hatte als ihr Mann, der Professor, Schüler (1. Akt: 13, 68).

[8] Vielleicht als Trost, vielleicht auch als vergebliche Hoffnung; vgl. *Onkel Vanja*, 1. Akt: 13, 64 und 4. Akt: 13, 108; *Drei Schwestern*, 4. Akt: 13, 188. Zudem wird das Gedenken an die, leider nachlassende, Fähigkeit des Gedächtnisses geknüpft (*Drei Schwestern*, 1. Akt: 13, 127) und wird die ganze Existenz einer „vergeblichen" Figur wie Čebutykin in die Liebe zu der im Vordergrund stehenden Familie, ja zu ihrem bloßen Dasein (für ihn) gesetzt (1. Akt: 13, 125/26).

[9] Außer den 14 namentlich aufgeführten Personen (und zwei mit Namen erwähnten Kleinkindern) treten namenlos 14 einzelne Offiziere, Soldaten, Bedienstete und eine Gruppe von Fastnachtssängern auf; aus der Stadt werden mehr als 21 Personen erwähnt (fünf davon stecken sogar irgendwo im Haus, nur nicht auf der Bühne) und nochmals sieben einzelne und zwei Gruppen von außerhalb der Stadt, die meisten in Moskau. In Zitaten und Anspielungen ist die halbe russische Literaturgeschichte zuzüglich Cicero, Juvenal, Shakespeare, Voltaire, Balzac und Jacques Offenbach präsent.

[10] Insbesondere Andrej, der das Haus sowohl verspielt (und verpfändet) als auch, ungewollt, seiner Frau in die Hände spielt, zeichnet sich dadurch aus, dass er „ständig weggeht" (1. Akt: 13, 130). Nach wenigen Repliken ist er einfach nicht mehr da, Regieanweisung: „ist unbemerkt gegangen" (1. Akt: 13, 132 – die gleiche Kunst beherrschen auch andere: 3. Akt: 13, 160). Die radikale Konsequenz daraus aber, ganz zu gehen und „ohne sich

Haus, das von so viel wirklichem und geträumtem, projiziertem Leben erfüllte Haus, dieser Taubenschwarm und die Leimrute für die heterogensten Figuren[11], der lebendigsten seiner Bewohnerinnen so verhasst ist, dass sie es nie wieder betreten möchte (4. Akt: 13, 178). Wichtige Funktionen des gesellschaftlichen Miteinanders sind, auch in den leicht oder stark reduzierten Ensembles der Čechov-Bühne, noch intakt. Die Figuren finden sich und verfehlen sich, sie schaffen es, sich miteinander zu verständigen und einander misszuverstehen, sie gehen mit ihrem Gerede in vielerlei Tonlagen und Stilhöhen einander gründlich auf die Nerven[12]; sie tauschen sich aus über den neuesten Klatsch wie über wahre Ladenhüter der philosophischen Spekulation, und sie „stören" einander – Stören ist geradezu eine Grundfunktion von Čechovs Theater. Das Zusammenkommen aber und das Miteinanderleben klappt immer schlechter. Liebesgeschichten gehen auf der Bühne wie hinter der Bühne überhaupt nur traurig aus. Im *Kirschgarten* bleiben die drei eigentlich bereitstehenden Paare definitiv getrennt. Kinder fehlen fast ganz, die Kleinkinder des fragwürdigen Paars Andrej–Nataša sind, weiß Čechov, nicht der mindeste Ersatz für die wunderbaren Kindergestalten, die er in seiner Erzählprosa geschaffen hat. Eine ganz merkwürdige Betrachtung steuert der alte Firs bei, der noch die Zeit vor der „Befreiung" kannte und sie vorzieht. Damals waren alle noch, wo sie hingehörten, Herrschaften wie Bauern, seitdem aber seien alle „vereinzelt" („враздробь"; 13, 222 – Urban übersetzt: „auseinander"; 631) – kein Mensch verstehe mehr irgendetwas.

Natürlich ist die Pseudogesellschaft oder Ersatzgesellschaft, wie sie in den Landhäusern und dem einen Stadthaus dieser vier Dramen existiert, mit festen Banden an die real existierende Gesellschaft des spätzaristischen Russischen Reiches gebunden. Dafür sorgen schon die Gewohnheiten und die vorherrschenden Redegegenstände. Dafür sorgt der traditionelle Lebenszuschnitt mit allen eingebauten Modernisierungen bis zum ständigen Fotografieren, auch die Unerlässlichkeit oder geradezu Heiligkeit der Arbeit, die in den Köpfen sonderbare Wellen schlägt. Dafür sorgt nicht zuletzt die Bindung ans Geld, die die interessanteren dieser Figuren ständig verreden[13], die sie aber nicht loswerden, selbst wenn sie das Geld, das sie schon längst nicht mehr haben, noch mit vollen Händen ausstreuen, wie Ljubov' Ranevskaja.

Zwei Zuchtinstrumente der damaligen russischen Gesellschaft werden in Čechovs Dramen noch für sich aufs Korn genommen: das Militär in den *Drei Schwestern* und der personelle Apparat der Pädagogik in allen vier Stücken.

Im ständigen Palaver zwischen Offizieren und Zivilisten in den *Drei Schwestern* wird die Existenz des Militärs ausgesprochen unsachlich, d.h. als ästhetische Erscheinung genommen. Die Uniformierten stellen mehr dar als die Zivilpersonen. Sie sind strikter präsent und gefasst, brauchen sich weniger Gedanken über den Zweck des Daseins zu machen, jedenfalls so lange sie jenen Rock tragen. Die Zivilgesellschaft kann demgegenüber einpacken. Die ganze Stadt wird „veröden", wenn das Militär abrückt, der Salon der Prozorovs sowieso. Auch wenn das Militär ausnahmsweise mal zu etwas Praktischem gut ist – in der Notsituation, als ein Teil der Stadt brennt –, wird diese Hilfstätigkeit rein ästhetisch beurteilt: Als *molodcy* haben sie sich

---

umzuschauen", wie Čebutykin ihm weniger rät als ihm als Phantasiebild andient (4. Akt: 13, 178/79), bleibt wie manches andere jenseits seiner Kraft.

[11] Übrigens auch ein wahres „Durchgangslager" – schon seiner Lage wegen (zwischen Stadt und Fluss) sowie in seiner Mehrfunktionalität als Zuflucht und Salon, als Stadthaus mit allen Attributen eines Landsitzes (s. 4. Akt).

[12] Fast noch schlimmer als die Leidensbekundungen der anderen, wenn z.B. der Bruder und Onkel Gaev im *Kirschgarten* wieder mal loslegt, ist die gleichmütige Duldung, etwa Dorn zu Polina: „[...] macht nichts. Wenn es Ihnen schwerfällt zu schweigen, sprechen Sie weiter" (eine der gestrichenen Stellen, unmittelbar vor dem fatalen Schuss, mitgeteilt von Peter Urban in seiner Übersetzung der *Möwe*, Zürich 1973/1996, S. 94).

[13] Gleich zu Beginn der *Möwe* dekretiert Maša ihrem späteren Ehemann gegenüber: „Aufs Geld kommt es nicht an" (Дело не в деньгах; 13, 5). Das bleibt aber „Theorie", wie Medvedenko ihr nachweist: Gegen die praktische Gewalt der Bedürfnisse, die Zahl von hungrigen Mündern, die Kärglichkeit des Gehalts kommt ein so leichtfertig dahergeredeter Idealismus nicht an.

erwiesen, als Draufgänger und Prachtkerle, ein „goldenes Volk" (vielleicht: Völkchen). Der Autor setzt ein deutliches Fragezeichen hinter diesen Ausdruck: Gleich anschließend bedenkt Kulygin den alten Stabsarzt Čebutykin mit der Ehrenbezeichnung *molodec*, und zwar ausdrücklich deshalb, weil der sich, in dieser Stunde der Gefahr, betrunken hat (3. Akt: 13, 160/61). Etwas ernster ist die Feststellung, die der Kommandeur der abziehenden Batterie ausdrücklich als sein Abschiedswort trifft: Die Kriege, die Existenzberechtigung des Militärs, seien weggefallen und hätten „einen riesigen leeren Fleck" hinterlassen, den bis jetzt, obgleich „die Menschheit" leidenschaftlich danach suche, noch nichts ausfüllen könne (4. Akt: 13, 184).[14] Hinter der oberflächlichen Hinnahme wie hinter dieser geschichtsphilosophischen Infragestellung demonstriert aber der Gang der Handlung[15] eine bedrohliche, wenn man so will eine archaisch-barbarische Potenz des Militärs in Friedenszeiten: Die zunächst harmlose Blasiertheit Solenyjs, von allen unterschätzt, wächst sich unversehens aus bis zur Mordlust und zum kaltblütigen Mord unter dem Deckmantel des Duells, und nicht minder bedrohlich wirkt die Hilflosigkeit und Sprachlosigkeit Tuzenbachs diesem Komplott gegenüber.

Die Lehrer- und sonstigen Pädagogenfiguren kommen in Čechovs Dramen ähnlich schlecht weg, wie man es von seinen Erzählungen gewohnt ist. Medvedenko in der *Möwe* ist ein unfreier, pedantischer Mensch wie Kulygin in den *Drei Schwestern*, auch wenn der Erstere eher ein galliger Typ ist, der Letztere immer wieder in unbegründete Heiterkeit (dicht an Albernheit) ausbricht. Kulygin bringt immerhin sein Latein a) richtig und b) sinngemäß auch in der Konversation an, aber er ist ein derartiger Autist, nicht der Pädagogik, sondern der Aufrechterhaltung von Schule überhaupt, dass er als sein Lebenswerk ein Verzeichnis aller Schüler seines Gymnasiums der letzten fünfzig Jahre verfasst hat und es seiner Schwägerin schon zum zweiten Mal offeriert, nach Widerspruch aber ungerührt dem Oberstleutnant weitergibt, damit der es „aus Langeweile" liest (1. Akt: 13, 133). Beide Lehrer gehören nur als „Angeheiratete" in die gute Gesellschaft, um die es jeweils geht, und bekommen das ab und an zu spüren. Auch der Professor in *Onkel Vanja* gehört nur durch Heirat in die besseren Kreise und zu den Begüterten, doch das hindert ihn – einen Ausbund an Unfähigkeit, Unliebenswürdigkeit und Prätention – nicht, alle Übrigen nach seiner Pfeife tanzen zu lassen. In den *Drei Schwestern* kommt hinzu, dass auch die Älteste Lehrerin ist, und zwar eine betont fleißige (und dementsprechend erschöpft), die immer stärker in ihre Schule hineinwächst, und dass die Jüngste nach Ausprobieren zweier anderer Alternativen ebenfalls Lehrerin wird: Sie will in Zukunft ihr Leben „denen hingeben [oder ‚widmen'], die es, vielleicht, brauchen" (всю свою жизнь отдать тем, кому она, быть может, нужна; 4. Akt: 13, 187). Außer in dieser einen Zukunftsperspektive mit ihrer für Čechov bezeichnenden Ungewissheit und außer in einer Anekdote von einem Schüler, der sich etwas Ungehöriges herausgenommen hat (*Drei Schwestern*, 4. Akt: 13, 185/86), kommen die Objekte der pädagogischen Tätigkeit gar nicht vor. Die vielleicht einmal erworbene Bildung relativiert sich. Drei Fremdsprachen zu können, ist hier und jetzt, in dieser lausigen Provinzstadt, überflüssiger Luxus (1. Akt: 13, 131). Irina entschwindet ein Teil ihrer selbst, wenn sie ihr Italienisch vergisst, wenn sie z.B. die offenbar nie gebrauchten Vokabeln für das Fenster oder für die Decke über ihr nicht mehr weiß (3. Akt: 13, 166). In der letzten Komödie ist der Mann der kommenden Ordnung einer, der (gleich auf der

---

[14] Vielleicht soll auch ein gewisser Abstieg gegenüber früher gezeichnet werden, bezogen auf den militärischen Rang und Glanz. Er fällt in den *Drei Schwestern* kaum auf: Der frühere Batteriekommandeur, der Vater der drei Schwestern, war General, der jetzige, Veršinin, ist „nur" Oberstleutnant. Hellhörig kann man aber werden, wenn man die deplatzierte, in ihrer Verallgemeinerung funktionslose Äußerung der Madame Ranevskaja aus dem nächsten Drama dazu nimmt: „Generäle gibt es doch gar nicht" (Никаких генералов нет; *Kirschgarten*, 2. Akt: 13, 222).

[15] Nur dieser Handlungsstrang in einem der vier Dramen ist mit der Stringenz und Kontinuität, ja einer gewissen Unheimlichkeit ausgestaltet, welche herkömmlicherweise der Genrebezeichnung „dramatisch" zugeschrieben werden.

ersten Seite) von sich bekennt, dass er gelesen und nichts verstanden hat, gelesen hat und darüber eingeschlafen ist (*Kirschgarten*, 1. Akt: 13, 198). Aber in der letzten Komödie werden auch die Lehrerfiguren eigentümlich relativiert, so als ob die Pädagogik von ihnen als bloßen Menschen wieder abgezogen würde. Petja war einst der Hauslehrer des verstorbenen Jungen der Familie; jetzt ist er nichts als ein „ewiger Student", „kahl", fast räudig, voll von gescheiten und unpassenden Einfällen, zum Schwiegersohn der Familie noch nicht oder eher niemals geeignet. Und die „Gouvernante" Šarlotta ist mehr Zauberkünstlerin, Bauchrednerin und „einsame Seele" als Gouvernante. In ihr wird die Zweckfreiheit, die Intentionslosigkeit auch der Rede gewissermaßen zur Person. Ein Zusammenhang mit der Pädagogik besteht allenfalls darin, dass man eine ähnlich freie, einfallsreiche, aus dem Moment lebende Pädagogik vielleicht erträumen könnte.

Zurückhaltung, Abschwächung und Andeutung kennzeichnen Čechovs Kunst überhaupt und insbesondere seine dramatische Kunst in ihrer reifsten Stufe. Nur nichts „Überflüssiges" auf die Bühne bringen![16] Statt Handlung lieber Zustände und Gesten, statt *action* Hinweise auf eine lang anhaltende Passion.[17] Also begnügt er sich mit relativ kleinen Kreisen von Personen und ziemlich leisen oder undeutlichen oder bald abbrechenden Bewegungen. Die größten Themen werden auf Konversationsgegenstände reduziert, und wichtige Probleme oder Problemfelder erscheinen nur in sublimierter Form, als Einfall, als sporadisch auftauchende Reflexion. Die Sorge, wo die Menschen bleiben, die ihren Wohnplatz verloren haben, war in den Erzählungen in einer ganzen Reihe von „Kostgängern" gestaltet, und dort wurde Armut, Alter, betrügerische oder strukturell unaufhaltsame Expropriation dafür verantwortlich gemacht. In der *Möwe* klingt diese Sorge wenigstens an in Ninas Turgenev-Zitat, in der drastisch unterstrichenen Vertreibung aus ihrem Elternhaus, atmosphärisch stärker aber ist ihre nur verbal ausgemalte Ungebundenheit und Ruhelosigkeit als „Möwe". In *Onkel Vanja* wendet die resolute Njanja das bittere Wort, das Telegin nachgerufen wurde, „Gnadenbrotempfänger" (*prižival*), ins Allgemeine und Anthropologische: Alle Menschen seien vor Gott Gnadenbrotempfänger (4. Akt: 13, 106). Im nächsten Stück wird auch die Njanja von ihrem angestammten Platz vertrieben, allerdings gilt hier die Ersatzlösung, in der Dienstwohnung ihrer Herrin, als Gipfel des Glücks (4. Akt: 13, 183). Und im *Kirschgarten* trifft die Vertreibung die gesamte Familie samt Anhang, und sie produziert die weite Skala von Nostalgie bis zu Befreiung und Aufbruch. Das große Anliegen der Grübler und Weltverbesserer wird in den Dramen verflüchtigt bis zur Spekulation über die Menschheit, die in hundert oder mehr Jahren ganz anders, „glücklich", sagen sie, sein werde; oder es äußert sich als spritziger Einfall, wie in Trofimovs Vorstellung, der Mensch verfüge womöglich über 95 Sinne mehr als die aktuell benutzten, und diese könnten doch anders als die bekannten fünf nach dem Tod des Einzelnen noch weiterleben (2. Akt: 13, 223).

Die Religion in ihrer ererbten Form des orthodoxen Ritus wird in den Dramen auffällig zurückgenommen und entschieden sublimiert. Das gesamte kirchliche Personal, das im gesellschaftlichen Leben der Zeit noch eine beträchtliche Rolle spielte, von dem in Čechovs Erzählungen wenigstens einzelne bemerkenswerte Priester und ein Bischof sowie Diakone, Klosterinsassen und Pilger auftreten, ist schon aus Gründen der Zensur auf Čechovs Bühne wie in den Theaterstücken seiner Zeit nicht existent.[18] „Gott hilft", „Gott weiß" und „Gott gebe" heißt es zwar hie und da, aber unterhalb dieser *façon de parler* sind die Menschen auf sich

---

[16] Vgl. Mejerchol'ds Bericht von einem Probengespräch mit Čechov am 11.9.1898; zit. nach: Über Čechov, S. 251.

[17] Von einer „szenischen Passion" spricht Gadda; zit. in: Über Čechov, S. 282. – In den ersten drei Dramen fielen noch je zwei Schüsse oder ein Schuss; für das letzte meldet Čechov mit Stolz („nebenbei bemerkt"), dass „im ganzen Stück kein einziger Schuß" fällt (Во всей пьесе ни одного выстрела [...]; 25.9.1903 an Ol'ga Knipper: P. 11, 256).

[18] Rolf-Dieter Kluge wies in der Diskussion darauf hin, dass die Darstellung geistlicher Personen im zeitgenössischen Drama generell untersagt war.

selbst angewiesen und mit sich selbst allein, günstigenfalls noch miteinander allein. Was sie ihre „Seelen" nennen, ihr gesuchtes und postuliertes besseres Ich, ihre Lebensmöglichkeiten vor allem in intellektueller und emotionaler Hinsicht und ihre Anforderungen aneinander, all diese unerfüllten und problematischen Ansätze ihrer Selbstverwirklichung sind zwar in ihrer eigenen Kompetenz und Regie nicht sonderlich gut aufgehoben, aber offensichtlich haben sie niemanden sonst, und sie sollen auch auf nichts und niemanden außer sich selbst vertrauen. Es ist schon viel, wenn sie ihr tatsächliches Leben zugleich als Versuch oder Experiment begreifen, wie Veršinin, der davon fabuliert, das erste (normale) Leben sei nur wie ins Unreine geschrieben/gelebt, also müsse noch ein zweites kommen, gewissermaßen die Reinschrift (1. Akt: 13, 132). Sie leben in einem kirchenfreien Raum und ziemlich emanzipiert, diese Dramenfiguren Čechovs, aber sie sind gewissermaßen ihre eigenen Priester (sowie Prediger, Beichtväter, hie und da auch Magier und Fetische).

Je unbestimmter und unausgeführter der Dramatiker Čechov die sozialen Beziehungen seiner Figuren lässt, umso mehr Raum öffnet er der Imagination.[19] Diese Verschiebung in den Potentialis war, so möchte ich annehmen, der Hauptgrund für die schon oft beobachtete Sparsamkeit seiner Darstellung. Was die auftretenden Figuren füreinander sind und miteinander anfangen würden oder könnten, bleibt in der Schwebe. Es wird nur angedeutet oder gleich wieder zurückgenommen oder nur gewünscht und nicht ausgelebt. Das unverwirklichte Potenzial zu freierer Emotionalität vor allem in den *Drei Schwestern*, die stockende und pochende Spannung in allen vier großen Dramen legt ständig nahe, dass es auf etwas anderes ankäme als das tatsächliche Leben mit seinen Beschränkungen. Es verweist oft ebenso dringlich wie ratlos auf andere Beziehungen zueinander, vielleicht auf eine ganz andere Dimension des Lebens. Weil die Figuren in ihren realen Berufen und Situationen und Stellungen zueinander nicht recht aufgehen, suchen und fragen sie ständig nach dem, was ihnen fehlt, oder tragen sie es dem Publikum auf, den Zeugen ihrer Defekte, sich das so sichtlich Fehlende auszumalen. Auch die atmosphärische Gestaltung der Bühne ist voll von Verweisen auf das Ausgesparte. Die Innenräume haben viele Öffnungen nach außen oder gehen direkt in Naturräume über. Das Licht, die verschiedensten Töne, die Natur dringen von außen herein oder verleiten die Einbildungskraft, sich jenseits der nur provisorischen Kulissen zu ergehen. Die Musikanten überall, das Klappern der Wächter auf ihren Metallplatten, der ersterbende Ton „wie" von einer reißenden gespannten Saite, die Karte Afrikas an der Wand eines landwirtschaftlichen Kontors im tiefsten Russland – das alles bringt keine bestimmte soziale Wirklichkeit auf die Bühne, nicht „die Armen" überhaupt und nicht die wirklichen Arbeiter etwa in den Kohlebergwerken, sondern nichts als eine Ahnung von ihnen. In der Form dieser offen gehaltenen Ahnung aber wird der soziale Sinn, wenn man so will die soziale Phantasie, energischer erregt, als wenn der Autor etwa den unbestimmten „Wanderer", der im 2. Akt des *Kirschgartens* (13, 226) die gute Gesellschaft mit einem sonderbaren Zitat beglückt[20] und mit der Bitte um 30 Kopeken irritiert, als entlassenen Arbeiter aus der Zündholzfabrik des Herrn Soundso im fernen oder nahen Kursk identifiziert hätte.[21]

Das Unbestimmte gibt um vieles mehr zu denken als das Festgelegte. Auch das Diffuse, das Entbehrte, das Negierte und das Abstrakte hat immer noch Teil an der sozialen Konkretion der zeitgenössischen Lebens- und Gesprächswelt. Wenn ein junges Genie wie Treplev in der *Möwe* sich um Jahrtausende wegsehnt aus den nichtswürdigen Zuständen seiner Zeit,

---

[19] Auch darin stand er nicht allein, wie Andreas Guski in der Diskussion unterstrich. Parallelen und Erbschaften wurden vor allem in Sektion I der Tagung herausgearbeitet. Hier muss ich mich damit begnügen, Čechovs spezifische Nuance der Sublimierung und Imagination der so markant reduzierten Sozialbeziehungen zu skizzieren.

[20] Es ist, wie Peter Urban aufschlüsselt, eine Mixtur aus Nadson und Nekrasov.

[21] Der Bezeichnung nach könnte dieser *prochožij* (wörtl: Vorübergehender, Passant) auch ein entlaufener Sträfling sein.

wenn er alles durchstreicht, was an Menschen und Tieren jemals auf der Erde existiert hat, dann entsteht zwar ein gewisser Hohlraum, feierlich akzentuiert durch die dreimalige „Kälte", „Leere", „Angst", aber nihilistisch wird er gerade nicht und auch nicht hohl-formalistisch, nicht einmal so künstlich-abstrakt, wie Treplevs Altersgenossen im „Silbernen Zeitalter" der russischen Literatur zu schreiben pflegten. Nur indem seine ruhige, sacht steigernde Periode der Reihe nach aufzählt, was alles gewesen ist und sich geregt hat, stößt sie vor zu der intendierten großen Negation. Der Kranich, der schreiend auf der Wiese erwacht (13, 13), teilt selbst der Absage, die ihn hinfortstreichen will, seine Lebendigkeit mit. Ebenso wird die große „Kälte" in einem so warmen Ton vorgetragen (und überdies von der geliebten, sehr bereitwilligen Nina), dass auch den Hörern warm wird.

Die Imagination hat es auf der Bühne dank deren trügerischer Konkretionen, dank ihrer unangemessenen Geselligkeit und Vertraulichkeit schwerer als in der Erzählprosa. Aber sie kämpft, bei Čechov umso lebhafter, umso methodischer und im Ergebnis verweisungsreicher. Das Soziale wird in seinem Drama so gut wie nie direkt ausgesprochen oder als verlässlich vorhanden behandelt. Es wird zu einer regulativen Idee wie das Schöne selbst, wie die Bewegung, wie die Äußerung in Worten. Es lässt sich nicht vorschreiben und kontrollieren, es lässt sich nur „anmuten", wie Kant das genannt hat, nur nahe legen, in momentanen und zeichenhaften Bekundungen anspielen. Die Komplexität und Vieldeutigkeit, mithin auch Offenheit von sozialen Beziehungen kann in sinnlosen Silben wie in Mašas lautem „Tra-ta-ta" (als Antwort auf Veršinins „Tram-tam-tam") plötzlich aufleuchten, während sie in den wohl gesetzten Worten etwa ihres Ehemannes Kulygin über stabile Beziehungen verborgen bleibt und höchstens verredet wird. Čechov setzt, vor allem in seinen Dramen, auf die Metapher und die Anspielung, seine Texte wirken durch Sublimierung und Imagination. Seiner wohl erwogenen poetologischen Überzeugung nach sind diese Kräfte besser geeignet, das Soziale wie das Individuelle, das Gegebene wie das Fehlende vor unsere Sinne zu rücken, als die konventionelle oder auch naturalistische Vergegenwärtigung.

Literatur

Bauer, Gerhard: Lichtstrahl aus Scherben. Čechov. Frankfurt/M. 2000.
Über Čechov. Hg. Peter Urban. Zürich 1988.

Wasilij Szczukin

Исчислимое и невыразимое. О драме А.П. Чехова *Три сестры*

Во время вдумчивого, медленного чтения чеховских произведений в них удается обнаружить целый ряд поразительных сигналов и знаков. Так, например, если мы начнем таким образом читать *Три сестры*, то окажется, что текст пьесы прямо-таки наводнен именами числительными – количественными и порядковыми. Чтобы в этом убедиться, достаточно прочитать хотя бы первые пять страниц (13, 119-124).

Действие начинается со слов Ольги, которая напоминает, что отец умер ровно год (**один** год) назад, **пятого** мая, в именины Ирины, и что тогда тоже били часы (при этом часы на сцене бьют **двенадцать** раз). Далее Ольга говорит о том, что отец выехал с ними из Москвы **одиннадцать** лет назад и что ей очень захотелось туда вернуться. Сестры продолжают мечтать о Москве, говорят о том, как светло у них на душе, и примерно на минуту поток числительных прекращается. Но вот Ольге приходит в голову, что брат Андрей некстати располнел, а она постарела, и числа возвращаются на сцену. «Мне **двадцать восемь** лет», – говорит старшая сестра, и почти сразу же после этого вошедший Тузенбах сообщает сестрам, что у них сегодня будет с визитом новый батарейный командир Вершинин и (в ответ на вопрос Ирины) что ему **сорок – сорок пять** лет, что женат он во **второй** раз и что у него **две** дочки. После этого следует нелестное мнение барона о жене его командира, а далее – неповторимо чеховский диалог невпопад:

> Соленый *(входя из залы в гостиную с Чебутыкиным).* **Одной** рукой я поднимаю только **полтора** пуда, а **двумя пять**, даже **шесть** пудов. Из этого я заключаю, что **два** человека сильнее **одного** не **вдвое**, а **втрое**, даже больше...
> Чебутыкин *(читает на ходу газету).* При выпадении волос... **два** золотника нафталина на **пол**бутылки спирта... растворить и употреблять ежедневно... *(Записывает в книжку.)* Запишем-с! *(Соленому.)* Так вот, я говорю вам, пробочка втыкается в бутылочку, и сквозь нее проходит стеклянная трубочка... Потом вы берете щепоточку самых простых, обыкновеннейших квасцов... (13, 122)[1]

И вдруг – голос Ирины:

> Ирина. Иван Романыч, милый Иван Романыч!
> Чебутыкин. Что, девочка моя, радость моя?
> Ирина. Скажите мне, отчего я сегодня так счастлива? Точно я на парусах, надо мной широкое голубое небо и носятся большие белые птицы. Отчего это? Отчего?
> Чебутыкин *(целуя ей обе руки, нежно).* Птица моя белая... (13, 122/23)

И это – сразу после **двух** золотников нафталина и щепоточки квасцов...

И так далее. Поток упоминаемых чисел (в том числе дробей: **четверть, половина, полтора**) или порядковых «номеров» (**первый, пятый** и т.п.) то ослабевает, то вновь усиливается, но ясно одно: чисел очень много.

Правду сказать, статистический подсчет числительных, употребляемых в тексте *Трех сестер* и в других произведениях Чехова мною не проводился, и потому мои наблюдения могут претендовать лишь на относительную точность. Тем не менее, если хотя бы «на глаз» сравнить выбранную мною пьесу с другими чеховскими пьесами, то

---

[1] Курсив везде А.П. Чехова, жирный шрифт мой – В.Щ.

окажется, что Чехов всегда был склонен к довольно частому упоминанию чисел. Так, например, в середине последнего действия *Чайки* трагедия жизни разворачивается на фоне игры в лото, а лото – это непрерывное называние чисел.[2] Обитатели и гости усадьбы Сорина то и дело выкрикивают: «девяносто», «двадцать семь», «восемьдесят восемь» и т.п. – обсуждая прозу Треплева и как бы составляя рациональный баланс ее достоинств и недостатков, а сам он в это же самое время исполняет на рояле нечто неисчислимое – меланхолический вальс (13, 53-55). Зато в других актах *Чайки* «волны числительности» заметны в меньшей степени. Куда ощутимее выглядят они в *Дяде Ване* и что еще внушительнее в *Вишневом саде*. Однако такого количества и таких периодически накатывающихся на зрителя или читателя потоков чисел, как в *Трех сестрах*, нет ни в одной другой чеховской пьесе. Констатация этого факта наводит на мысль, что ритмические потоки чисел в этой пьесе появляются не случайно: они несут в себе немаловажное значение, постижение которого приблизит нас к пониманию многих тайных смыслов этой непростой «драмы в четырех действиях» – единственного драматического произведения Чехова с числительным, пробравшимся в само заглавие.

В эмоциональном же плане *Три сестры* построены, если можно так сказать, согласно женской, а не мужской логике. Разговор о школьных тетрадях, о лекарствах и серой веренице дней внезапно может смениться радостью и воодушевлением, которые так же молниеносно, в силу чьих-то неосторожно брошенных слов или, казалось бы, случайных событий и совпадений, уступают место слезам и меланхолии («мерлехлюндии»), которая очень скоро может смениться ощущением полноты жизни, любви, птичьего полета... И так далее, без конца, ритмично и волнообразно, как в природе или в музыке. Так нередко меняется погода, так меняется настроение, особенно женское настроение. И потому *Три сестры* – это, кроме всего прочего, пьеса о природе женской души. Автор должен был найти приемы, при помощи которых можно было бы передать естественную, «женскую» ритмичность смены настроений.

Одним из средств, которыми пользовался Чехов в процессе эмоционально-ритмической организации драматического текста, являются именно числа, вернее – обилие чисел, «счетность» изображаемого мира, периодически противопоставляемая антиквантативности иных его аспектов. Если задать себе труд проследить интенсивность появления числительных в *Трех сестрах*, то легко заметить, что этот параметр подчинен законам ритмической, а в некотором смысле даже ее «музыкальной» организации сценического действия: герои то начинают считать и нумеровать разные вещи, то вдруг как по команде (все сразу или лишь некоторые из тех, что находятся на сцене) словно забывают о числах. Следующие одна за другой волны повышенной «числительности» и «счетности» различных проявлений сущего чередуются с волнами повышенной лиричности, эмоциональной приподнятости – и тогда о числах все хотя бы на мгновение забывают.

Иное важное обстоятельство, непосредственно связанное с семантикой чисел в *Трех сестрах*, заключается в том, что многие из упоминаемых в пьесе чисел обозначают меры **времени** – количество минут, часов, недель, месяцев или лет.[3] Образы времени вообще относятся к самым важным, самым значительным в смысловой структуре пьесы; они могли бы стать предметом особого исследования. В свою очередь, часы – символ измеримости времени, а значит, и размеренности, ритмичности, предсказуемости, упо-

[2] Быть может, уместна была бы параллель между игрой в лото в *Чайке* и в рассказе *Детвора* (1886): там играют бессознательно жестокие дети, тут – бессознательно жестокие взрослые.

[3] Самый короткий временной отрезок, упоминаемый в тексте *Трех сестер* – это семь минут, на которые спешат часы в доме Прозоровых (13, 134), самый длинный – миллион лет в монологе Тузенбаха из 2-го акта («Не то что через двести или триста, но и через миллион лет жизнь останется такою же, как и была»; 13, 147).

рядоченности жизненных процессов. Человек Нового времени, на заре которого появились механические часы, привык ассоциировать время с числами и стрелками, а не с высотою солнца над горизонтом и не со звоном колокола в соседнем монастыре, напоминающего о внеземном, неизмеримом и вечном.[4] Впоследствии же «наблюдать часы» стало настолько привычным занятием европейцев, что воображаемый ими образ мироздания стал напоминать большие часы. Ньютон и Декарт построили рационально-механистическую модель мира, которая на целые века стала обязательной для всех школьных программ. На уроках математики и физики ей обучались и ученицы Ольги Прозоровой, и их внуки.

Часы в *Трех сестрах* играют важную роль. В 1-м и 2-м действиях это часы в гостиной, которые спешат на семь минут и на которые разные герои то и дело смотрят. В 3-м действии, во время пожара, это другие, фарфоровые часы покойной матери: они стоят в комнате Ольги и Ирины, и их-то нечаянно разбивает Чебутыкин. Пожар потушен, разбитые часы, к счастью, не главные в доме, и настоящей катастрофы в пьесе так и не происходит: даже смерть Тузенбаха не воспринимается столь трагично, как было бы в том случае, если бы Ирина его любила. Однако старый, относительно безмятежный ритм жизни трех сестер все-таки нарушен, а момент излома совпадает с пожаром, с исповедью полюбившей и изменившей мужу Маши и – с гибелью фарфоровых часов. И даже в заключительном действии, в саду, пусть часов и не видно, все все-равно говорят о времени, считая часы и минуты до ухода военных, до дуэли Тузенбаха и Соленого, до окончательной разлуки. А рядом, разумеется, присутствует образ большого времени, вернее, как в *Короле Лире* или в чеховском рассказе *Студент*, связи времен – идеализируемого прошлого, идеализируемого и неясного будущего и «проклятого», полного страданий настоящего, которое уже скоро станет идеализируемым прошлым.[5]

Но ведь то, что Чебутыкин разбил мамины фарфоровые часы – не только маленькая катастрофа или предзнаменование будущих катастроф. В контексте пульсирующих потоков чисел, подспудно утомляющих зрителя или читателя, символ разбитых часов, то есть потери счета времени может оказаться обстоятельством если не отрадным, то парадоксальным образом обнадеживающим. Ведь, как известно, «**счастливые** часов не наблюдают». А три сестры и симпатичные военные не только ищут утраченное время – они пытаются заглянуть в будущее, которое никакими часами измерить нельзя, но которое можно предчувствовать сердцем.

Сопоставление обыденного мира чисел и «горнего» мира невычисляемых сущностей лежит в основе партитуры всей пьесы. По сути дела, это та же самая трудно разрешимая проблема, о которой говорит во 2-м акте Вершинин: «Русскому человеку в высшей степени свойственен возвышенный образ мыслей, но скажите, почему в жизни он хватает так невысоко?» (13, 143). Видимо, потому что в невообразимо трудных для жителя Западной Европы природных и социальных условиях (вспомните *Степь*, *Мужиков*, *В овраге*) возвышенно мыслить гораздо легче, чем сводить концы с концами, благоустраивать квартиру, воспитывать детей, ладить с родней и соседями. Быт всегда был ахиллесовой пятой великоруса, а пока не налажена повседневная жизнь, до тех пор в кровь и плоть нации не войдут никакие правовые нормы и ни о каком гражданском обществе не может быть и речи. Осознаем ли мы спустя сто с лишним лет, что чеховские три сестры затем и явились в русской литературе (а значит, и в русском культурном со-

---

[4] Любопытная деталь: 3-м акте за сценой бьет набат по случаю пожара.

[5] Ср. также в *Степи*: «Из этого разговора Егорушка понял, что у всех его новых знакомых, несмотря на разницу лет и характеров, было одно общее, делавшее их похожими друг на друга: все они были люди с прекрасным прошлым и с очень нехорошим настоящим; о своем прошлом они, все до одного, говорили с восторгом, к настоящему же относились почти с презрением. Русский человек любит вспоминать, но не любит жить; [...]» (7, 64).

знании), чтобы предпринять героическую попытку сделать благоустроеннее и благороднее не сферу идей и утопических упований, а самую обыкновенную жизнь, с ее часами, минутами, верстами и пудами? Не упразднить, не преодолеть, а именно освоить и облагородить? И что им это во многом удалось – удалось лучше, чем всем предшествовавшим и всем последующим героям и героиням нашей литературы?

И все же вернемся к пьесе. В начале 2-го действия Чехов ненавязчиво изображает контраст двух соприкасающихся друг с другом миров, двух порядков жизни. С одной стороны, в комнате висят те же настенные часы, что висели в 1-м действии, и показывают они восемь часов, вернее, четверть девятого. Андрей и Наташа говорят о разных житейских заботах и о том, в котором часу обещали прийти ряженые. Но в то же самое время «за сценой на улице едва слышно играют на гармонике» (13, 139), а **гармоника** в системе чеховских мотивов означает нечто светлое – воспоминание о счастливых минутах, о красоте, **гармонии**, а может быть, и о том, что Чехов называл Богом живого человека.[6] Как сочленить меж собою эти два мира? Не получается: вот и Вершинин, рассказывая о больной дочке и о ссоре с женой, не обходится без холодных цифр: бранились с семи до девяти утра. Но потом он вдруг объясняется Маше в любви, и хотя шум в печке предвещает печальный конец их романа, иллюзия счастья берет свое: влюбленные ни разу не упоминают чисел, не думают о расчетах. Иначе говорит о своей любви более прагматичный, но не менее благородный Тузенбах: «И каждый вечер буду приходить на телеграф и провожать вас домой, буду десять – двадцать лет, пока вы не прогоните...» (13, 144). Но уставшая на службе и так и не полюбившая барона Ирина не слушает, ее занимают житейские неурядицы и... цифры: Андрей две недели назад проиграл двести рублей, до отъезда в Москву осталось сколько? – один, два, три, шесть месяцев, а Чебутыкин не заплатил за квартиру за восемь...

Но Вершинин думает совсем о другом, и недаром он просит чаю («Полжизни за стакан чаю!»; 13, 145). Чай в русской традиции напиток «философский», возбуждающий ум и утопическую фантазию: недаром его любили и идеалисты сороковых годов, и нигилисты-шестидесятники, и народники-террористы семидесятых – вспомним *Бесы* Достоевского или известную картину В.Е. Маковского *Вечеринка*.[7] «Историософский» диалог Вершинина и Тузенбаха выглядит не столь отвлеченным: он пестрит цифрами. Правда, это не просто числа, а «красивые» обозначения больших промежутков времени: двести, триста лет, миллион лет. Сетования Ирины на тяжелую службу совсем забыты, и на сцене воцаряется атмосфера высокой культурности и особой лирической задушевности. Неужто мир исчислимой обыденности (ведь цифры-то не исчезли) понемногу сливается с миром благородных мечтаний и готовности к деяниям? Быть может. Во всяком случае оба мира у Чехова сосуществуют бок о бок, параллельно, и граница между ними зыбка и легко проходима. Это как будто плохо, потому что благородные мечты слишком легко могут пасть жертвой житейских дрязг, парализующей «тины мелочей» (выражение Салтыкова-Щедрина).

3-е действие организовано подобным образом. Дважды на сцене преобладает «жизни мышья беготня», сопровождаемая упоминанием числовых параметров. Чаще всего это обозначение временных отрезков, лет: няне Анфисе восемьдесят второй год, служит

---

[6] В *Скучной истории* есть фрагмент, когда Николай Степанович рассказывает Кате о самых счастливых минутах своей молодости: «Бывало, гуляю я по нашему семинарскому саду... [...] Донесет ветер из какого-нибудь далекого кабака пиликанье гармоники и песню, или промчится мимо семинарского забора тройка с колоколами, и этого уже совершенно достаточно, чтобы чувство счастья вдруг наполнило не только грудь, но даже живот, ноги, руки...» (7, 283). Любопытно, что в этом фрагменте гармоника звучит издалека, «за сценой», как и в *Трех сестрах*.

[7] «Чайную» мифологему не преминули высмеять постмодернисты. Героиня романа В.Г. Сорокина *Тридцатая любовь Марины* пьет крепкий чай из «диссидентской» чашки, к которой прикасались губы Синявского, Владимова или Буковского.

она у Прозоровых тридцать лет; Ольга в эту ночь «постарела на десять лет» (13, 159); Чебутыкин два года не пил, а тут вдруг взял и напился; Маша три или четыре года не играла на рояле и все забыла; Кулыгин и Маша женаты семь лет, но ему кажется, что он венчался только вчера. Упоминаются и деньги: у вышеупомянутого Андрея Сергеича карточных долгов на тридцать пять тысяч, и он заложил дом, который принадлежит всем четверым. Однако почти все герои способны на некоторое время в мыслях и чувствах оторваться от этой суеты сует, регламентируемой беспощадными часовыми стрелками. Лирическая волна накатывает, казалось бы, без какой бы то ни было мотивировки, вдруг – накатывает через несколько секунд после того, как Чебутыкин разбивает фарфоровые часы (поистине «счастливые часов не наблюдают»). В момент всеобщего огорчения и замешательства провинившийся горе-врач еще успевает сообщить, что «у Наташи романчик с Протопоповым» (13, 162), как вдруг незадолго до этого пришедший с пожара и занятый своими мыслями Вершинин смеется, произносит «переходную» фразу («Как все это в сущности странно!»; 13, 162). Тут же, после короткой паузы звучит его монолог о девочках, что стояли у порога дома в одном белье и – об удивительной, в самом деле странной связи времен и о поступательном движении исторического времени.

В монологе философствующего полковника также упоминаются числа: или годы, двести – триста лет (все-таки герои пьесы чаще всего говорят именно о годах), или... три сестры. Видимо, согласно чеховскому замыслу, именно с трех сестер начинается робкое, осторожное, но все же заметное движение к возможному будущему счастью (возможному – но не неизбежному):

> Вершинин. [...] И когда мои девочки стояли у порога в одном белье, босые, и улица была красной от огня, был страшный шум, то я подумал, что нечто похожее происходило много лет назад, когда набегал неожиданно враг, грабил, зажигал... Между тем, в сущности, какая разница между тем, что есть и было! А пройдет еще немного времени, каких-нибудь двести – триста лет, и на нашу теперешнюю жизнь также будут смотреть и со страхом, и с насмешкой, все нынешнее будет казаться и угловатым, и тяжелым, и очень неудобным, и странным. О, наверное, какая это будет жизнь, какая жизнь! *(Смеется.)* [...] Вот таких, как вы, в городе теперь только три, в следующих поколениях – больше, все больше и больше, и придет время, когда все изменится по-вашему, жить будут по-вашему, а потом и вы устареете, народятся люди, которые будут лучше вас... *(Смеется.)* Сегодня у меня какое-то особенное настроение. Хочется жить чертовски... *(Поет.)* Любви все возрасты покорны, ее порывы благотворны... *(Смеется.)*
>
> Маша. Трам-там-там...
>
> Вершинин. Трам-там... (13, 163)

Таким образом, автор «переводит» сознание своих героев от чисел, знаменующих измеримые и исчисляемые житейские дрязги, сперва к числам «возвышенным» (двести – триста лет, три сестры), а затем и вообще к **лирической неисчислимости**. Вершинин несколько раз смеется и один раз поет о любви которой «все возрасты покорны» – а как раз на свой возраст герои пьесы сетуют при каждом удобном случае. Когда же объясняются в любви, когда смеются и когда поют, тогда никогда ничего не считают. Смех неизмерим, музыка же, как и лирика, с одной стороны, подчиняется математическим правилам гармонии, но с другой заключает в себе структурные уровни, которые невозможно выразить одними числами или словами. Не случайно Маша и Вершинин выражают свою любовь не полноценными лексемами, а звукоподражанием, сродни забавному детскому лепету.[8] Чехов как будто соглашается с романтиками, которые утвержда-

[8] По словам А.Р. Кугеля, так, обходясь без слов, объяснялась в «Славянском базаре» в присутствии Чехова одна влюбленная актриса (вероятно, Л.Б. Яворская), которая впоследствии сама играла Машу. (А.Р. Кугель [Homo Novus]: Листья с дерева. Воспоминания. Ленинград 1926, с. 68).

ли, что язык не в состоянии выразить красоту мироздания и неповторимую прелесть человеческого чувства, ибо кроме логически представляемого и исчисляемого в мире есть **невыразимое** (das Unaussprechliche)[9]. И поэтому, наверное, когда после монолога Вершинина на сцене на некоторое время воцаряется атмосфера всеобщей влюбленности, числа никем из героев вообще не упоминаются. Недаром ближе к концу 3-го акта, когда героям удается преодолеть вторую волну бытовой конкретики и «мерлехлюндии», Маша признается сестрам, что любит полковника, и после этого стремится как бы избавиться от необходимости выражаться членораздельно и вразумительно, логически оформленным словом, предпочитая молчание и даже «сумасшествие»: «Призналась вам, теперь буду молчать... Буду теперь, как гоголевский сумасшедший... молчание... молчание...» (13, 169). Однако cum tacent, clamant: молчание означает погруженность в галактику невыразимого, до предела насыщенную прозрениями, эмоциями и «молчаливыми» смыслами.

Однако озабоченность героев «выразимым» и «исчислимым» бытом вновь и вновь приходит на место лирической отрешенности и милого детского лепета. По всей вероятности, человек не может все время быть погруженным ни в бытовую прагматику, ни в сладкий лирический сумрак невыразимого. И числа возвращаются на сцену так же незаметно, как исчезли несколько минут назад. Без арифметики и без часов так же трудно, как и без веры, надежды и любви. В этом заключается еще одна истина из тех, что предлагает Чехов зрителям и читателям *Трех сестер* – истина не безупречная, но стоящая того, чтобы над ней задуматься.

В последнем, 4-м действии преобладает осенняя атмосфера прощания и... тройственности. Сегодня уйдут **три** батареи, завтра опять **три** – и останутся **три** сестры. А Соленый, который считает себя похожим на Лермонтова, будет **третий** раз драться на дуэли. А сразу после его выстрела безусый Кулыгин, желая развеселить плачущую Машу, надевает маскарадные усы и бороду, которые он отнял у гимназиста **третьего** класса. Тройки в 4-м акте расположены в тех местах, которые несут особую семантическую нагрузку. Но чтобы не слишком было видно конструкцию, Чехов вносит в численный алгоритм некоторое разнообразие: некоего Козырева выгнали за ut consecutivum из пятого класса, у Кулыгина орден Станислава второй степени, жена и дочери Вершинина проживут в этом городе еще два месяца, батареи уйдут не в три, а в час. И еще чаще, еще напряженнее, чем в предыдущих действиях, герои смотрят на часы и куда-то не поспевают. А впрочем, волнообразная смена настроений от прагматичной озабоченности мелочами к лирическому растворению в возвышенно-невыразимом и обратно на сцене по-прежнему присутствует.

Однако последний акт не похож на другие тем, что в нем немного больше музыки. Музыки без слов, как доносящаяся издалека игра на гармонике во 2-м действии. Причем принцип тройственности остается в силе: на сцене по очереди звучат три мелодии – соло, дуэт и оркестровая пьеса.[10] Первая из них – это популярная в то время «Молитва девы», которая доносится из открытого окна: Наташа играет ее на рояле для своего Протопопова. Спустя же несколько минут «слышно, как где-то далеко играют на арфе и скрипке» (13, 177). Никто этого не замечает, все погружены в свои мысли и заботы. Но мелодия продолжает звучать, а потом, видимо, надолго замолкает – в тексте нет соответствующей ремарки. Тем временем Тузенбах идет стреляться с Соленым, Вершинин

[9] Этот термин впервые появляется, вероятно, в трудах Вильгельма-Германа Ваккенродера, а затем у Тика и Шеллинга. См.: Г.А. Гуковский: Пушкин и русские романтики. Москва 1965, с. 46; В.Н. Топоров: Из исследований в области поэтики Жуковского. В: Slavica Hierosolymitana. 1977, с. 41; Е.Г. Эткинд: «Внутренний человек» и внешняя речь. Очерки психопоэтики русской литературы XVIII–XIX вв. Москва 1998, с. 19-21.

[10] На этот факт обратил мое внимание чеховед Анатолий Самуилович Собенников. Приношу ему глубокую благодарность.

никак не может дождаться Маши, Андрей катает колясочку с ребенком... Власть невыразимого осознается внезапно:

Бродячие музыканты, мужчина и девушка, играют на скрипке и арфе; из дому выходят Вершинин, Ольга и Анфиса и с минуту слушают молча; подходит Ирина.

> Ольга. Наш сад, как проходной двор, через него и ходят, и ездят. Няня, дай этим музыкантам что-нибудь!..
> Анфиса *(подает музыкантам).* Уходите с Богом, сердечные. *(Музыканты кланяются и уходят.)* Горький народ. От сытости не заиграешь. (13, 183)

Музыканты, вроде бы, мешают, да и вообще музыка, оказывается, не от счастья (не от «сытости»), но на сцене, где время строго просчитано, арфа и скрипка звучат целую минуту, и все «слушают молча». А после того, как музыкантов попросили уйти, Вершинин нервно смотрит на часы: пора прощаться навсегда. И снова, но уже в последний раз, со сцены звучат числительные: жена с девочками поживет тут еще месяца два, завтра в городе не будет ни одного военного, и – уже после выстрела Соленого – в третьем классе Кулыгин отбирает у кого-то усы и бороду...

Далее до конца пьесы никакие числа упоминаться не будут. Маша плачет. Наташа планирует переселить детей в комнату уезжающей Ирины, срубить еловую аллею и насажать всюду цветочков. Ее речь прерывается третьей в заключительном акте мелодией: уходящие военные играют марш, и не перестанут играть, пока не закроется занавес. Музыкальная триада сводится, таким образом, к тому, что восприятие зрителя последовательно переходит от пошленькой «Молитвы девы» через задумчивую лирическую мелодию арфы и скрипки к своего рода синтезу того и другого – бравурному маршу, в котором, как в самой жизни, можно найти и пошлость, и подлинную радость, и «прощальную» меланхолию.

«Если бы знать, если бы знать!» – повторяет Ольга под занавес, и в ее словах слышится естественное для человека Нового времени желание познать и выразить заветное и задушевное в простых и понятных формулах – лучше всего в числах. Ведь в мире должно быть место для натуральных чисел. Но и для неисчислимого должно быть место.

Попытаюсь подвести итог моим рассуждениям. Мне представляется, что текст *Трех сестер* был исподволь прочувствован Чеховым как своего рода эмоционально-лирическая партитура с преобладанием не визуальных, а акустических параметров. В ее основе лежит противостояние двух семантических полей. Одним из них оказывается позитивистская картина мира, царство арифметической и механической постижимости. С подобных представлений о мире, с картезианской модели вселенной, подобной огромному часовому механизму, начиналось Новое время. Умение подвергать жизнь анализу, помноженное на прагматизм и недоверие к утопиям, способствовало рациональному жизненному благоустройству. Но к сфере гуманитарной, в которой обитают живые люди, картезианский или позитивистский анализ неприменим. И потому тянет человека к противоположному семантическому полю – к невыразимому, к аморфной и далеко не всегда рациональной задушевности. Это поле у Чехова выражается не с помощью чисел, а музыкально-лирической аурой интегральной, недискретной «метапредметности». Тем самым автор *Трех сестер* становится соединительным звеном между романтизмом[11] с его поисками невыразимого и модернизмом, который открыл красоту и гармонию в том, что обыденному, позитивистскому сознанию казалось неразумным и даже безобразным.

---

[11] Среди русских предшественников Чехова особое место занимает Тургенев – поздний романтик, но в то же время просветитель-рационалист, который высоко ценил известные достоинства позитивизма, но тем не менее как художник всю жизнь находился в плену импрессионистских видений и фантазий.

Литература

Гуковский, Г.А.: Пушкин и русские романтики. Москва 1965.
Кугель, А.Р. [Homo Novus]: Листья с дерева. Воспоминания. Ленинград 1926.
Топоров, В.Н.: Из исследований в области поэтики Жуковского. В: Slavica Hierosolymitana. 1977, с. 32-101.
Эткинд, Е.Г.: «Внутренний человек» и внешняя речь. Очерки психопоэтики русской литературы XVIII–XIX вв. Москва 1998.

Andreas Guski

Ökonomien des *Kirschgartens*

In fast allen Dramen Čechovs ist der Schauplatz des Geschehens ein Gutshaus, das früher oder später zum Gegenstand ökonomischer Interessenskonflikte wird. Dies entspricht einerseits einer vom russischen Realismus entwickelten Norm, nach der das Setting des Textes grundsätzlich einer gesellschaftlichen Motivation bedarf. Der Handlungsort ist als Szene nicht einfach gegeben; vielmehr bedarf er einer Begründung, die ihn auch als Wirtschaftsraum zur Geltung bringt. Hinzu kommt ein gattungstypologisches Merkmal. Dem Plot der Komödie, besonders dem des Vaudevilles, als das Čechov den *Kirschgarten* konzipiert hatte und ausdrücklich inszeniert sehen wollte, liegen häufig finanzielle Motive wie ungedeckte Wechsel, Schulden, erschlichene Erbschaften oder Zinsfälligkeitstermine zugrunde, in denen jene „niederen" Leidenschaften freigesetzt werden, die man überentwickeltem Gewinnstreben, Geldgier und Geiz gemeinhin zuschreibt.

Gehören wirtschaftliche Motive somit zu den Selbstverständlichkeiten einer Gesellschaftskomödie, so hat gleichwohl die ökonomische Dimension des Handlungsortes in keinem anderen Stück Čechovs eine so weitreichende Bedeutung für das Geschehen insgesamt und für das Profil der einzelnen Figuren wie im *Kirschgarten.*[1] Das Schicksal, ist man versucht zu sagen, tritt hier vor allem als Ökonomie in Erscheinung; tatsächlich jedoch trifft dies deshalb nicht zu, weil die Ökonomie in diesem Stück nicht in Erscheinung tritt, sondern als unsichtbare Macht hinter dem Horizont bleibt. Wenn Francis Fergusson die Zeiterfahrung der Figuren des *Kirschgartens* ein „Leiden an der Veränderung" (suffering of change) nennt[2], so lässt sich dies ökonomisch präzisieren. Die Zeiterfahrung der Figuren ist ein Leiden an jenem tiefgreifenden wirtschaftlichen Wandel, der sich in Russland nach 1861 und beschleunigt in den 1880/90er Jahren vollzieht. Durch ihn wird der russische Adel in eine Krise gestürzt, die den Stoff für eine Tragödie hätte abgeben können. Čechov aber macht daraus eine Komödie, die zum Vaudeville wird, also farcenhafte Züge besonders dort annimmt, wo die ökonomischen Einstellungen der russischen Aristokratie, hier repräsentiert durch die Familie der Gutsbesitzerin Ljubov' Andreevna Ranevskaja, verhandelt werden.

Die „Ökonomie" der Kirschgartengesellschaft zeichnet sich, wie gleich zu Beginn der Handlung deutlich wird, durch einen erheblichen Mangel an Rationalität aus. Der Kontorist Epichodov bringt kein einziges Mal ein Problem des ihm obliegenden Rechnungswesens zur Sprache. Die Buchführung scheint für ihn weder als Thema noch als Gegenstand zu existieren.[3] Epichodov ist eine Vaudeville-Figur, ein unglücklicher Clown, dem grundsätzlich misslingt, was er anpackt; daher sein Spitzname „zwei linke Hände" (двадцать два несчастья; 13, 199). So wie ihm der Blumenstrauß entgleitet, den er Dunjaša in der ersten Szene überreichen will, so dürfte ihm auch das Geld, das er zu verwalten hat, durch die Finger gehen. Symbolischerweise entgleitet zu Beginn des 2. Aktes auch der Ranevskaja ihr Portemonnaie, so dass sie, wie es im Regiehinweis heißt, die „Goldmünzen über den Boden verstreut" (*Уронила портмоне, рассыпала золотые*; 13, 218). Dies ist ein Gestus der Abundantia, der in der abendländischen Kunstgeschichte eine lange ikonographische Tradition hat, eine Gebärde freilich, die sich Ljubov' Andreevna, wirtschaftlich ruiniert, wie sie ist, buchstäblich

---

[1] So auch die klassische sowjetische Lesart, die auf die Aktualität des Bankrott-Themas in der russischen Presse der 1880er und 1890er Jahre hinweist. Vgl. den Kommentar zum *Kirschgarten* (13, 483).

[2] Vgl. Francis Fergusson: The Cherry Orchard. A Theater-Poem of the Suffering of Change. In: Chekhov. A Collection of Critical Essays. Hg. Robert Louis Jackson. Englewood Cliffs/N.J. 1967, S. 147-160.

[3] Varja, die Ziehtochter der Ranevskaja, die den Haushalt besorgt, klagt denn auch: „Wir halten uns einen Kontoristen, aber keiner weiß wozu" (Конторщика держим, а неизвестно – для чего; 13, 238).

nicht leisten kann. Ihr ökonomisches Bewusstsein artikuliert sie in dieser Szene selbst mit naiver Offenheit. Sie blickt in ihr Portemonnaie und stellt fest: „Gestern war noch viel Geld da, und heute nur noch ganz wenig“ (Вчера было много денег, а сегодня совсем мало; 13, 218) Was sie an ihrer eigenen ökonomischen Lage wahrnimmt, ist allein die An- oder Abwesenheit von Geldmünzen, für deren ständigen Abfluss sie sorgt, ohne die Summe ihrer Ausgaben zu registrieren, geschweige denn sich für die Quellen des Geldzuflusses zu interessieren. Für die Ranevskaja ist der Kirschgarten ein Stück Heimat, symbolisches Unterpfand von Geborgenheit, Dauer und Identität. Dies ist die rührende, genauer die sentimentale Dimension der Heimkehrbilder des 1. Aktes. Andererseits ist der Kirschgarten für die Ranevskaja eine selbstverständliche Erwerbsquelle, mit der sie ihr aufwendiges Leben im Ausland finanziert, ohne eine Ahnung zu haben, welchen Ertrag das Gut tatsächlich abwirft. Nachdem sie ihr Vermögen in Frankreich durchgebracht hat, hat sie sich hierher geflüchtet, um Ruhe zu finden. Mit der Veräußerung des Kirschgartens jedoch beraubt sie sich und ihre Familie dieses Refugiums für immer.

Leonid Andreevič Gaev, der Bruder der Ranevskaja, dem in ihrer Abwesenheit die Leitung des Gutes obliegt, wirkt trotz seiner erst 51 Jahre wie ein leicht dementer Greis, der bis hinein in seine körperlichen und sprachlichen Reflexe besessen ist von seiner einzigen Leidenschaft, dem Billardspiel. Das Motiv einer nicht nur dekadenten[4], sondern geradezu infantilen Spielsucht wiederholt sich im 3. Akt in den Kunststücken, mit denen Šarlotta die Kirschgartengesellschaft unterhalten muss, aber auch in der Tanzbesessenheit des Gutsbesitzers Simeonov-Piščik. Hier ließe sich von einer kulturellen Misswirtschaft insofern sprechen, als Spiel und Ernst sich nicht in jener Balance befinden, die normalerweise dadurch hergestellt wird, dass – bei Erwachsenen zumindest – das Spiel als ein typisches Freizeitverhalten den Lohn für vorausgegangene Leistung durch Arbeit darstellt.

Gesamthaft verkörpert die Gesellschaft des Kirschgartens jenes Prinzip der Verschwendung, das den Lebensstil des höheren russischen Adels jahrhundertelang geprägt hatte. Verschwendung bedeutet ein ruinöses Missverhältnis zwischen Einnahmen und Ausgaben. Der Primat des Ausgebens, des Abfließens von Mitteln dort, wo weder Überfluss noch überhaupt ein Zufluss ist, kurzum der Vorrang des Konsums in der Ökonomie der Kirschgarten-Gesellschaft manifestiert sich im Genuss von exotischen Gütern wie Champagner und Fröschen ebenso wie im Verschleiß französischer Liebhaber oder dem Erwerb mediterraner Villen. In der Figur des Gutsbesitzers Simeonov-Piščik erhält diese Genusssucht als Fressgier eine groteske Gestalt. Simeonov-Piščik, der von sich selbst sagt, er könne von nichts anderem reden als von Geld (13, 229) und der sich ständig auf der Suche nach neuen Kreditquellen befindet, verschlingt, was ihm in die Finger kommt: nicht nur den kompletten Inhalt einer Schachtel Tabletten, die er der Ranevskaja entreißt, sondern auch ein ganzes Fass Gurken.

Champagner, Froschschenkel, Kaffee, Anchovis – solche in Russland mehr oder weniger fremdartigen Güter, stehen symbolisch für Bedürfnisse, die durch das Ferne und Fremde befriedigt sein wollen. Wert kommt hier nur dem Exotischen zu, während das Nahe für wertlos gehalten wird. Deshalb wird übersehen, was die Nähe an Gütern hervorbringt, nämlich Kirschen. Der Kirschgarten ist verwildert, seine Wege sind zugewachsen (13, 233), er trägt nur noch jedes zweite Jahr Frucht (13, 205). Der alte Diener Firs aber erinnert sich, dass die Produkte des Kirschgartens früher, also um die Jahrhundertmitte, eine gute Einnahmequelle waren. Die getrockneten, marinierten oder eingekochten Kirschen wurden bis nach Moskau und Char'kov verkauft, denn sie waren „weich, saftig, süß und duftend...“ (мягкая, сочная, сладкая, душистая...; 13, 206). Dafür gab es spezielle Rezepte. Die aber sind in Vergessenheit geraten. Damit hat der Kirschgarten, wie schon im 1. Akt deutlich wird, seinen ursprünglichen Gebrauchswert verloren. Er ist nur noch eine emotionale und ästhetische Ressource, Gegen-

[4] Zum Dekadenz-Motiv bei Čechov s. Hans Rothe: Anton Tschechov oder Die Entartung der Kunst. Opladen 1990 (= Vorträge der Rheinisch-Westfälischen Akademie der Wissenschaften, G 306).

stand nostalgischer Erinnerungen. Und da man sich seines eigentlichen Zwecks nicht mehr erinnert, wird er nunmehr veräußert.

Unausgeglichen sind die Haushalte der Kirschgarten-Gesellschaft zudem in anderer Hinsicht. Neben der Disproportion zwischen Ernst und Spiel als falschem Verhältnis von Leistung und Lohn kennzeichnen auch den Gefühlshaushalt der Protagonisten krasse Ungleichgewichte. Einerseits gibt es – wie beim Kirschgarten, der nur alle zwei Jahre, dann aber viel zu viel Früchte trägt – Gefühlsüberschüsse, die in sentimentalen Ergüssen abgebaut werden. Andererseits reagiert die Ranevskaja auf die Mitteilung, dass ihre Amme verstorben sei, bemerkenswert emotionslos. Bevor sie antwortet, nimmt sie einen Schluck Kaffee, dann folgt ein mechanisches „Ja. Friede ihrer Asche. Man hat's mir geschrieben" (Да, царство небесное. Мне писали; 13, 204). Diese emotionale Kälte wiederholt sich im Verhalten ihres Bruders Leonid Gaev, der vom Tod eines anderen Bediensteten berichtet und sich dabei ein Bonbon in den Mund schiebt (13, 205). Ein Ungleichgewicht von Wärme und Kälte, von Gefühlsüberschuss und Gefühlsmangel prägt auch das Finale, in dem, nicht weniger sentimental als im 1. Akt, Abschied vom Kirschgarten genommen und der alte Firs im leeren Haus schlicht vergessen wird wie ein Rezept zum Marinieren von Kirschen.

Unausgewogen ist in der Kirschgarten-Gesellschaft nicht zuletzt das Verhältnis von Reden und Handeln, von Wort und Tat. Letzteres freilich ist kein spezielles Problem dieser Gesellschaft, sondern eines der russischen Intelligencija insgesamt, das hier vor allem an der Person des ewigen Studenten Petja Trofimov verdeutlicht wird. Trofimov steht jenseits der Ökonomie der Kirschgartengesellschaft. Im Finale lehnt er das Geld, das Lopachin ihm anbietet, mit den Worten ab: „Und wenn du mir 200.000 anbötest, ich nähme sie nicht. Ich bin ein freier Mensch" (Дай мне хоть двести тысяч, не возьму. Я свободный человек; 13, 244). Das Geld, fügt er hinzu, das heutzutage von Arm und Reich als höchstes Gut geschätzt werde, habe nicht die geringste Macht über ihn (13, 244), ist für ihn also wertlos. Trofimovs Projekt einer geldfreien Gesellschaft antizipiert die utopischen Entwürfe der frühen, heroischen Phase der Oktoberrevolution.[5] In dieselbe Richtung weist sein viel zitierter Monolog[6] „Ganz Russland ist unser Garten" (Вся Россия наш сад) am Ende des 2. Aktes, der die schädlichen Folgen von Privatbesitz und Leibeigenschaft anprangert, denen sich auch das Idyll des Kirschgartens verdanke (13, 227/28). Trofimov ist gescheit, er ist ein Idealist, er hat ein gutes Herz, er ist sympathisch, er glaubt an das, was er sagt; und doch ist er zugleich ein Schwätzer ein Viel-, ja ein Nur-Redner. Seine Worte sind ungedeckte Schecks. Sie bleiben abstrakt; sie sind, wie ihm die Ranevskaja zu Recht vorhält (13, 233), nicht durch eigene Erfahrung, also auch nicht durch eigene Praxis gedeckt. Trofimov spricht unablässig von der Notwendigkeit, die Ärmel hochzukrempeln und zu arbeiten, aber er tut nichts. Er ist in Anja verliebt, behauptet aber, er stehe über der Liebe (13, 235). Er redet davon, dass die Menschheit hurtig voranschreite (13, 223), den lichten Horizonten eines besseren Morgen entgegen, er selbst allen voran, und fällt mit lautem Getöse die Treppe hinunter (13, 235). Das Pathos der historischen Aufwärtsbewegung findet ein jähes Ende im Slapstick.

Während die Kirschgarten-Gesellschaft Konversation betreibt, feiert, tanzt, spielt oder in sentimentalen Erinnerungen schwelgt, kurzum: während sie nichts tut, schafft im Hintergrund jenes Geld, von dem Trofimov frei zu sein glaubt, Fakten. Anders ausgedrückt: Während die Aristokratie feiert, arbeitet das Kapital. So die Bedeutung der Dramaturgie des 3. Aktes. Die Versteigerung des Kirschgartens wirkt *off stage* viel stärker, als wenn sie als Auktion in Szene gesetzt worden wäre. Ökonomie wird so wahrnehmbar als Tätigkeit einer „versteckten Hand", allerdings nicht im Sinne von Adam Smith, sondern als Resultat einer fatalen Verdrängung

[5] Vgl. Kirill Postoutenko: Money and [the Russian] Revolution. Why Cultural History Needs Its Own Theory of Money. In: Literatur und Kommerz im Russland des 19. Jahrhunderts. Hg. Andreas Guski, W. Schmid. Zürich 2004 (= Basler Studien zur Kulturgeschichte Osteuropas, Bd. 8), S. 123-142.

[6] Vgl. dazu etwa V. Ermilov: Dramaturgija Čechova. Moskva 1954, S. 306f.

des Ökonomischen: pecunia olet. Als Lopachin erstmals vorschlägt, das Gut zu parzellieren und an *dačniki* zu verpachten, reagiert Gaev mit dem gereizten „So ein Blödsinn!" (Какая чепуха!; 13, 206). Der von Lopachin errechneten jährlichen Rendite des Kirschgartens von 25.000 Rubeln hält die Ranevskaja dessen ästhetischen Wert gegenüber: den des Interessanten: „Verzeihen Sie, mein Lieber, aber Sie haben keine Ahnung. Wenn es im ganzen Gouvernement irgendetwas Interessantes, ja geradezu Bemerkenswertes gibt, dann allein unseren Kirschgarten" (Милый мой, простите, вы ничего не понимаете. Если во всей губернии есть что-нибудь интересное, даже замечательное, так это только наш вишневый сад; 13, 205). Um dies zu bekräftigen, merkt ihr Bruder Gaev an, dass dem Kirschgarten im Konversationslexikon von Brockhaus-Ėfron ein eigenes Lemma gewidmet sei. Damit unterstreicht er noch einmal den Gegensatz von Ökonomie und Ästhetik, denn das Interessante, das dem Sprachspiel der Konversation zuzuordnen ist, stellt einen rein ästhetischen Wert dar.

Nicht nur die Tätigkeit des Kapitals, auch die Sphäre der gesellschaftlichen Arbeit bleibt hinter dem Horizont der Kirschgarten-Gesellschaft. Der Gegenort zur Idylle des Kirschgartens ist jene „große Stadt", die das Bühnenbild des 2. Aktes „weit-weit hinten am Horizont" (далеко-далеко на горизонте) zeigt und die „nur bei sehr schönem, klarem Wetter zu sehen" (виден только в очень хорошую, ясную погоду) sein soll (13, 215). Dort wird das Gut versteigert; dort wohnen die wohlhabenden und erwerbstüchtigen Bürger, die demnächst als *dačniki* den Kirschgarten in Besitz nehmen werden; von dorther kommen Eisenbahnlinie und Telegraphenleitung als Zeugen des technischen Fortschritts. Dort spielt die Musik – nicht hier, auf einem alten Dorffriedhof, der an Thomas Gray und Vasilij Žukovskij erinnert, nicht hier, wo Epichodov elegisch auf der Gitarre klimpert und alle „in Gedanken versunken sitzen" (все сидят задумавшись; 13, 215). Nach einiger Zeit ertönt in einer der typisch Čechovschen Pausen – wieder sind „alle in Gedanken versunken" (Все сидят, задумались; 13, 224) – jener merkwürdige Laut, über den viel gerätselt wurde: ein Laut „wie vom Himmel, der Laut einer gesprungenen Saite, ersterbend, traurig" (точно с неба, звук лопнувшей струны, замирающий, печальный; 13, 224). Eine plausible Erklärung für diesen mysteriösen Ton gibt es nicht. War es ein Tierlaut, ein Uhu vielleicht oder ein Reiher? Oder war es, wie Lopachin vermutet, das Bersten eines Förderseils in einem entfernten Bergwerk, also ein Hinweis auf ein Grubenunglück, eine Katastrophe? Keine dieser Erklärungen kann völlig überzeugen, schon gar nicht, weil sich, bevor im Schlussbild das dumpfe Dröhnen der Äxte im Kirschgarten ertönt, das eigentümliche Geräusch wiederholt – eine Doppelung, für die es keinen rational nachvollziehbaren Grund geben kann. Gleichwohl darf Lopachins Erklärung zumindest als mögliche Deutung in Anspruch genommen werden. Wenn in der Ferne das Förderseil eines Schachts gerissen ist, so wäre dies ein bedrohliches Zeichen aus jener fernen Welt der Arbeit[7], die so gar nicht zu derjenigen der Kirschgarten-Gesellschaft passt: ein ähnliches Zeichen wie später in Belyjs *Peterburg* der Hinweis auf die drohenden Inseln, wo sich das Proletariat zum Kampf gegen die Petersburger Aristokratie rüstet.

Bliebe abschließend nach der Ökonomie des Mannes zu fragen, der nicht nur in der Welt des Kirschgartens, sondern auch in der großen Welt der Städte zu Hause ist, nämlich der Ökonomie Lopachins. Dieser hat sich, wie viele Unternehmer der russischen Gründerzeit, vom Sohn eines leibeigenen Bauern und Dorfkrämers zum reichen Geschäftsmann gemausert. Darüber ist er als Mensch nicht zum hartherzigen *samodur* (Starrkopf) verkommen, wie wir ihn aus der Typengalerie Aleksandr Ostrovskijs kennen. Lopachins Plan zur Rettung des Gutes der Ranevskaja mag brutal anmuten, doch ist er die einzige Möglichkeit, Ljubov' Andreevna und ihrer Familie zu Einkünften in einer Größenordnung zu verhelfen, die ihrem auf-

---

[7] Vgl. Beverly Hahn: Chekhov. A Study of the Major Stories and Plays. Cambridge, London, New York, Melbourne 1977, S. 17: „It is the sound of social transition, of the passing away of a particular class, as the wheels of a society begin to turn. As the string snaps in the sky over characters momentarily silent and stilled the historical process that will absorb them is almost palpable."

wendigen Lebensstil Rechnung trügen. Da sich die Ranevskaja hierzu aber nicht entschließen mag, kommt das Gut unter den Hammer, und Lopachin wird es ersteigern. Es macht ihn als Menschen sympathisch, dass sein unverhohlenes, naives, aber durchaus begreifliches Frohlocken darüber, dass er, der Sohn eines Leibeigenen, den Besitz seiner früheren Herrschaft erworben hat, nicht lange währt, sondern in einen Katzenjammer über dieses „ungereimte, unglückliche Leben" (нескладная, несчастливая жизнь; 13, 241) umschlägt. Eine Begründung für diesen Stimmungsumschwung liefert der Text nicht. Lopachins Reaktion zeigt jedoch, dass der neuen Klasse russischer Geschäftsleute, die es im letzten Drittel des 19. Jahrhunderts zu mitunter märchenhaftem Reichtum gebracht hat[8], noch jenes Selbstbewusstsein fehlt, das vom westlichen Unternehmertum mit seiner in Jahrhunderten gewachsenen Leistungsethik längst entwickelt wurde. Lopachin verkörpert einen Unternehmertypus, den man in Anlehnung an den Begriff des „reuigen Aristokraten" als „reuigen Unternehmer" bezeichnen könnte.[9] Menschlich gewinnt Lopachin durch die eigentümliche Gebrochenheit seines Selbstbewusstseins als Unternehmer; als Mensch verliert er jedoch durch ein anderes Missverhältnis, nämlich durch die Disproportion zwischen geschäftlichem Erfolg und seinem Versagen in der Liebe. Bis zuletzt überwindet er sich nicht, Varja den von allen seit langem erwarteten Heiratsantrag zu machen. Ob dies einem Mangel an Mut oder an Leidenschaft zuzuschreiben ist, bleibt letztlich belanglos. Anstatt Varja, die Pflegetochter der Ranevskaja, in einer einmalig günstigen, von den anderen arrangierten Situation des Finales endlich um ihre Hand zu bitten, erklärt er: „Ich fahre gleich nach Char'kov... mit diesem Zug. Es gibt viel zu tun" (А я в Харьков уезжаю сейчас... вот с этим поездом. Дела много; 13, 251). Lopachins Gefühlshaushalt ist defizitär. Quelle seiner einzigen Lust ist das Geschäft. Aber vielleicht tut man ihm damit Unrecht. Vielleicht ist Lopachin nicht einmal liebesunfähig, sondern nur nicht imstande zu sagen, dass er Varja liebt. In diesem Fall wäre er das negative Pendant zu Trofimov. Leidet der Intellektuelle an einem Überschuss an Worten und einem Defizit an Taten, so der Kaufmann an einem Zuviel an Taten bzw. Geschäften und einem Zuwenig an Worten. Wie auch immer – ob nun ein Defizit an Gefühlen oder an Worten: Lopachin erweist sich als ein Meister dort, wo es ums Tauschen geht (zuletzt wird er den zur Ware gewordenen Kirschgarten gegen Datschen tauschen), und er versagt dort, wo es um ein Sich-Austauschen und ein Sich-Mitteilen geht. Insofern empfiehlt sich der Typus Lopachin und mit ihm die Welt der Geschäfte als Alternative zum dekadenten Adel ebensowenig wie der intellektuelle Typus Trofimov.

Čechov aber lässt keinen Zweifel daran, dass es die Lopachins sind, denen die Zukunft gehört. Im Besitzwechsel des Kirschgartens, seiner Einspeisung in eine „Zirkulation" (13, 246), die ihn zum Äquivalent beliebig vieler anderer Waren mit gleichem Marktwert macht, besteht die ökonomische und menschliche Pointe des Stücks, die von einem Happy End ebenso weit entfernt ist wie von einem tragischen Schluss. Das tragische Ende des alten Firs bekommt ein heiteres Gegengewicht dadurch, dass Simeonov-Piščik und Gaev von Fortuna auf komische Weise begünstigt werden. Auf Piščiks Grundstück haben englische Ingenieure bauxithaltigen Lehm gefunden, so dass er über Nacht reich geworden ist. Dies aber macht ihn nicht glücklicher. Im selben Atemzug, indem er dies mitteilt, erwähnt er einen Philosophen, der zur Lösung aller menschlichen Probleme den Selbstmord empfehle. Leonid Gaev, der Bruder der Ranevskaja, wird nach dem Verkauf des Kirschgartens eine Stelle bei einer Bank annehmen, immerhin mit einem Jahreseinkommen von stattlichen 6.000 Rubeln. Ob er sich für diesen Beruf eignet, erscheint mehr als zweifelhaft, ist aber unbedeutend. Wichtiger ist die ökonomi-

---

[8] Vgl. dazu auch Klaus Heller: Unternehmertum und Unternehmertypen im Rußland des 19. Jahrhunderts. In: Literatur und Kommerz im Russland des 19. Jahrhunderts, S. 101-122.

[9] Erinnert sei an Industriebarone wie Savva Timofeevič Morozov, der nicht nur als Mäzen des Moskauer Künstlertheaters auftrat, sondern auch die Parteikasse der russischen Sozialdemokraten füllte. Vgl.: 1000 let russkogo predprinimatel'stva. Iz istorii kupečeskich rodov. Moskva 1995, S. 138f.

sche Perspektive solch unverhofften Wohlstands. Gaev wird zum Angestellten jenes Kapitals, das sein ansonsten dekadent überentwickelter Geruchssinn (vgl. 13, 247) eigentlich verachten müsste: pecunia olet. Am Eigentum Piščiks, der seinen Boden mit hohem Gewinn verpachtet, wiederholt sich das Schicksal des Kirschgartens. Der eigene Grund und Boden, jener Ort also, den man als Heimat bezeichnet, weil Familien dort seit Generationen gelebt haben und begraben wurden, ist tatsächlich nichts als eine Ware. Als solche ist er beliebig veräußerbar und verwandelbar, egal ob für den Abbau von Bauxit, für Villenkolonien oder für Eisenbahntrassen.

Trofimov bringt Lopachins Rolle auf den Punkt: Die Lopachins sind gesellschaftlich notwendig, „so wie im Sinne des Stoffwechsels ein Raubtier gebraucht wird, das alles auffrisst, was ihm über den Weg läuft“ (как в смысле обмена веществ нужен хищный зверь, который съедает все, что попадается ему на пути; 13, 222). Dies ist keine Dämonisierung des gefräßigen Kapitals, wie die sowjetische Forschung meinte, sondern im Gegenteil der Versuch einer nüchternen, quasi naturwissenschaftlichen Sicht auf die neue Klasse. Das Gesetz der Waren- und Geldzirkulation als Ursache gesellschaftlichen Wandels wird mit der Figur des Stoffwechsels auf eine Meta-Ebene übersetzt, die – wie Peter Urban (Urban, 993) im Verweis auf Marc Aurel andeutet – zugleich einen Trost in der Erkenntnis bietet, dass jede Art von Stoff-wechsel, letztlich also auch der von Leben und Tod, dem gleichen Universalgesetz der Natur folgt: „Wenn aber für die Elemente selbst nichts Schlimmes darin liegt, dass sich ein jedes fortgesetzt in ein anderes verwandelt, warum sollte jemand die Wandlung und Auflösung aller Elemente fürchten? Sie ist doch naturgemäß; nichts Schlechtes aber ist naturgemäß.“[10] Die Natur mag grausam sein, aber sie ist gerecht, denn ihr gegenüber kann ein jegliches gleiche Geltung beanspruchen. Die Gleichgültigkeit der Natur gegenüber dem Werden und Vergehen ihrer Geschöpfe kann der Mensch nur ertragen, indem er ihr mit gleicher Indifferenz, mit Gleichmut begegnet, mit jener Ataraxia, um deren Gewinn es der von Čechov bewunderten Stoa zu tun war.[11] Die Bedeutung dieses Motivs übersteigt das Problem der verschiedenen „Ökonomien“ der Periode des aufstrebenden Kapitalismus, das auch dem Plot des *Kirschgartens* zugrunde liegt, bei weitem. Gleichwohl wäre damit ein Blickpunkt gewonnen, von dem aus die Abfolge der gesellschaftlichen und ökonomischen Systeme im Russland der vorrevolutionären Periode nicht teleologisch, als linearer Prozess, d.h. als jener Fortschritt modelliert wird, den Čechov in der Figur Trofimov karikiert und auf den die sowjetische Forschung das Stück festgelegt hat. Vielmehr nimmt von diesem Blickpunkt aus das Neben- und Nacheinander der verschiedenen sozialen und ökonomischen Systeme die Figur des Kreises an, einer Sinnfigur, in der jedes Element, wenn die Reihe an ihm ist, mit gleicher Notwendigkeit die Bühne der Geschichte betritt, wie es von ihr wieder abzutreten hat, wenn es seine Rolle gespielt hat.

Literatur

Ermilov, V.: Dramaturgija Čechova. Moskva 1954.

Fergusson, Francis: The Cherry Orchard. A Theater-Poem of the Suffering of Change. In: Chekhov. A Collection of Critical Essays. Hg. Robert Louis Jackson. Englewood Cliffs/N.J. 1967, S. 147-160.

Hahn, Beverly: Chekhov. A Study of the Major Stories and Plays. Cambridge, London, New York, Melbourne 1977.

Heller, Klaus: Unternehmertum und Unternehmertypen im Rußland des 19. Jahrhunderts. In: Literatur und Kommerz im Russland des 19. Jahrhunderts, S. 101-122.

Marc Aurel: Wege zu sich selbst. Zürich 1951.

[10] Marc Aurel: Wege zu sich selbst. Zürich 1951, S. 53.

[11] Vgl. dazu auch Peter Thiergen: Zum Begriff „Gleichgültigkeit“ bei A.P. Čechov. In: Anton P. Čechov – Philosophische und religiöse Dimensionen im Leben und Werk. Hg. V.B. Kataev, R.-D. Kluge, R. Nohejl. München 1997, S. 19-28.

Postoutenko, Kirill: Money and [the Russian] Revolution. Why Cultural History Needs Its Own Theory of Money. In: Literatur und Kommerz im Russland des 19. Jahrhunderts. Hg. Andreas Guski, W. Schmid. Zürich 2004 (= Basler Studien zur Kulturgeschichte Osteuropas, Bd. 8), S. 123-142.

Rothe, Hans: Anton Tschechov oder Die Entartung der Kunst. Opladen 1990 (= Vorträge der Rheinisch-Westfälischen Akademie der Wissenschaften, G 306.

Thiergen, Peter: Zum Begriff „Gleichgültigkeit“ bei A.P. Čechov. In: Anton P. Čechov – Philosophische und religiöse Dimensionen im Leben und Werk. Hg. V.B. Kataev, R.-D. Kluge, R. Nohejl. München 1997, S. 19-28.

1000 let russkogo predprinimatel'stva. Iz istorii kupečeskich rodov. Moskva 1995.

Małgorzata Świderska

Изображение «чужого» в пьесах А.П. Чехова

В данной статье делается попытка рассмотреть изображение «чужого» – «чужих» культур и персонажей – в избранных пьесах А.П. Чехова с имагологической точки зрения, так как подобных интерпретаций до сих пор не было.

Сначала – в первой части статьи – объясняются применяемые в ней имагологическо-герменевтические метод и терминология интерпретации литературного текста, которые я впервые выработала в диссертации написанной в университете в Тюбингене под научным руководством профессора Рольфа-Дитера Клуге. В этой работе я изучаю изображение Польши, польских персонажей и польской культуры в художественных произведениях Ф.М. Достоевского.[1]

Затем, во второй части, этот метод и терминология применяются в интерпретациях четырех драматических произведений А.П. Чехова – ранней пьесы без названия, известной как *Платонов* или *Безотцовщина* (1881), а также пьес *Иванов* (1887/88), *Леший* (1889/90) и *Дядя Ваня* (1896).[2]

1.

Имагология – один из методов изучения феномена «чужого», проявляющегося в литературных текстах – возникла как область сравнительного литературоведения в начале XX века во Франции. Предметом имагологических исследований являлся тогда «образ иностранца» в национальных литературах. Несмотря на положительную цель имагологии – преодолеть «ложные» образы и предрассудки – французские исследователи верили сначала в существование «национальных характеров», т.е. в то, что называется «душой народа», так что имагологические исследования находились под влиянием различных идеологий – даже расизма и фашизма.[3] Только с конца 60-х гг. XX века Гюго Дизеринк – бельгийский компаративист, работающий в Западной Германии – освободил имагологию от идеологических влияний.[4] За последние годы имагология достигла даже заметных научных результатов – прежде всего в Германии и во Франции.

Теоретической основой моей диссертации, а также данной статьи, является поэтому модифицированный метод одного из выдающихся французских компаративистов – Жана-Марка Мура. Кроме того я опираюсь на теории продуктивной и репродуктивной фантазии (*l'imagination productrice et reproductrice*) французского философа Поля Рике-

---

[1] Małgorzata Świderska: Studien zur literaturwissenschaftlichen Imagologie. Das literarische Werk F.M. Dostoevskijs aus imagologischer Sicht mit besonderer Berücksichtigung der Darstellung Polens. München 2001 (= Slavistische Beiträge, 412).

[2] Об изображении «чужого» в прозе Чехова с точки зрения литературоведческой имагологии я говорила в докладах, прочитанных на чеховских конференциях в Варшаве и в Мелихове (март и июнь 2005 г.). Ср.: Изображение «чужого» в прозе А.П. Чехова. В: Dzielo Antoniego Czehowa dzisiaj. Red. naukowa: A. Wolodźko-Butkiewicz, L. Lucevicz. Warszawa 2005, и: Немцы и немецкая культура в рассказах и повестях А.П. Чехова. В: Век после Чехова: Международная научная Конференция. Тезисы докладов. Москва 2004, с. 244-246.

[3] Świderska: Studien zur literaturwissenschaftlichen Imagologie, c. 21-28.

[4] См. напр. Hugo Dyserinck: Zum Problem der „images“ und „mirages“ und ihrer Untersuchung im Rahmen der Vergleichenden Literaturwissenschaft. B: Arcadia (1966) 1, c. 107-120, и Hugo Dyserinck: Komparatistische Imagologie jenseits von „Werkimmanenz“ und „Werktranszendenz“. B: Synthesis (1982) 9, c. 27-40.

ра, на так называемой *l'imagination social* – в ее двух вариантах, таких как *идеология* и *утопия*, которую первоначально использовал в своих работах Жан-Марк Мура.[5]

Образование *l'imagination sociale* способствует созданию культурно-опосредованных образов «чужого» в литературе. Образы «чужого» не являются однако прямой копией действительности, но имеют идеологический или утопический характер, играют в тексте интегрирующую роль – как *идеология*, или субверсивную, разрушающую данную группу, нацию или культуру роль – как *утопия*. Этому диалектическому отношению между идеологическими и утопическими вариантами *l'imagination sociale* данной культуры соответствует диалектика двух типов образов «чужого» в литературных текстах. Следуя работам Жана-Марка Мура я назвала эти два типа *alter* и *alius*, так как значение латинских местоимении *alter* и *alius* соответствует диалектике идеологической и утопической фантазии данной культуры. Итак, образы типа *alter* обозначают другого в паре, в которой оба ее элемента находятся в прямом отношении друг к другу и определяют друг друга, свое собственное тождество и тождество данной группы; образы типа *alius* – обозначают тоже чужое, но совсем чужое, неопределенное, или дальнее чужое, находящееся за пределами мира данной группы или культуры. *Alius* – это утопическое творение, отвергающее идеологию данной группы или культуры. Образы *alter* имеют стереотипный характер, между тем как образы *alius* имеют мифический или символический характер.

В данной статье, как и в упомянутой выше работе, применяется однако другая терминология. Вместо неопределенных и многозначных имагологических и других компаративистских понятий как например *образ*, *имаготип* или *миф чужого*, я использую общее понятие *имаготема* (*Imagothème*). Каждая имаготема состоит из *имагем* (*Imageme*), проявляющих идеологический или утопический характер. Итак, чужие имагемы в произведениях Чехова – все элементы чужих культур, также чужие персонажи – напр. армяне, англичане, евреи, французы, немцы или поляки –, фиктивные или подлинно существовавшие, национальные или этнические стереотипы, а также всякие другие упоминания какой-либо чужой культуры. Целью имагологической интерпретации текста – выяснить, какую функцию внутри мира текстов Чехова имеют эти имагемы как продукты *l'imagination sociale*, при чем учитывается их культурный контекст. Кроме того делается также попытка выяснить и понять, насколько все эти имагемы могут образовать в данном произведении Чехова какую-либо имаготему – идеологическую или утопическую. Что касается типологии персонажей произведений Чехова, они также могут играть идеологическую роль и выступать в форме *alter* или являться частью утопии в форме *alius*, приобретая в этом значении даже сакральный характер (чужое как *numinosum*).[6]

2.

«Чужие» персонажи и другие элементы «чужих», «нерусских» культур, по моей терминологии – «чужие» имагемы – проявляются во всех драматических произведениях А.П.

---

[5] Jean-Marc Moura: L'imagologie littéraire, essai de mise au point historique et critique. B: Revue de Littérature comparée (1992) 263, 66, Juillet-Septembre, 3, c. 271-287, и Jean-Marc Moura: L'image du tiers monde dans le roman français contemporain. Paris 1992, и также Paul Ricœur: Du texte à l'action. Essais d'herméneutique II. Paris 1986.

[6] См. также статьи автора о немецких персонажах и о немецкой культуре в произведениях Достоевского: *«Спасибо немец: Gott ... ... Я ведь чту, чту ... Я ведь преклоняюсь. О, не знаете души моей. Я Шиллер. Любитель»*. Deutsche Kultur als Mittel zur Charakterisierung russischer Figuren in den literarischen Werken F.M. Dostoevskijs. B: Itinera slavica. Studien zu Literatur und Kultur der Slaven. Festschrift für Rolf-Dieter Kluge zum 65. Geburtstag. Ред. H. Willich-Lederbogen, R. Nohejl, M. Fischer, H. Setzer. München 2002, c. 269-278, и: Fremdheit in den Romanen F.M. Dostoevskijs. Eine Interpretation aus imagologischer Sicht am Beispiel ausgewählter deutscher Figuren. B: Dostoevsky Studies (2003), New Series, Vol. VII, c. 115-130.

Чехова – с самых ранних по самые поздние. Во второй части статьи применяются объясненные выше имагологическая терминология и герменевтический метод в интерпретациях избранных пьес – *Платонов* [*Безотцовщина*], *Иванов*, *Леший* и *Дядя Ваня*. Хотя рассмотрение «чужого» во всех пьесах Чехова является научным дезидератом, в данной статье возможно указание лишь на некоторые особенности изображения «чужого» на примере упомянутых выше четырех пьес, причем делается попытка выяснить и понять роль проявляющихся в них «чужих» персонажей – имагем – как элементов какой-либо имаготемы – т.е. их функцию и структуру, так называемую «глубинную семантику» (Paul Ricœur)[7], как творения идеологической или утопической *l'imagination sociale*.

В ранней пьесе без названия известной под заглавием *Платонов* или *Безотцовщина* (1881) выступают два «чужих» персонажа – Абрам Абрамович Венгерович и его сын студент – Исак Абрамович. Абрам Абрамович и его сын изображены как контраст русских персонажей – прежде всего Платонова, т.е. как персонажи типа *alter*. Каждый из них построен на основе отрицательного (русского) стереотипа еврея, которого можно также найти у других русских писателей, современников и предшественников Чехова – например у Достоевского.[8] Венгерович – богатый еврей – у него 63 кабака (11, 42), кроме того он покупает имение генеральши Войницевой, намеревается купить ее шахты, и дает деньги взаймы (11, 157/58). Несмотря на его стереотипную «коммерческую» деятельность, он однако изображен не только как этнический стереотип, но как сложная личность. Также его сын Исак – психологически сложный персонаж. Венгерович и его сын любят и уважают друг друга, что отличает их от других «отцов и детей», проявляющихся в этой пьесе, которые не понимают, презирают, или даже ненавидят друг друга. Венгерович знает, что деньги дают ему власть, но несмотря на чувство власти и на собственное достоинство он подвергается оскорблениям со стороны персонажей русской национальности – доктора Трилецкого, Глаголева и Платонова – «Вам занимаешь деньги с охотой, а вы ... смеяться, пошутить любите... Нехорошо, господа! Я старик... У меня есть дети... Считай подлецом, но обходись по-человечески...» (11, 72). Абрам Абрамович ненавидит и хочет отомстить Платонову за свои обиды. Он нанимает преступника Осипа, который должен побить и даже искалечить Платонова, так, чтобы тот всю жизнь помнил «благодарного кабатчика» (11, 68 и 71). Также сын Венгеровича – Исак – психологически амбивалентная личность. Он также ненавидит Платонова и хочет отомстить ему за обиды отца, но в то же самое время он беседует с ним о поэзии, обнаруживая черты «романтика» наряду с чертами утилитариста и «русского нигилиста» (11, 98-100). Хотя Исак хорошо знает, что он для Платонова «чужой», он все-таки хочет доказать ему, что и у евреев есть «настоящие» поэты – Ауэрбах, Гейне, и даже Гете, чем он вызывает насмешки и раздражение Платонова (11, 99/100). Исак хочет сначала выйти за пределы своего мира и срывает с себя золотую цепь – подарок отца и символ своего богатства, но он не в состоянии бросить ее (11, 100-102). Абрам Абрамович и его сын обнаруживают таким образом не только черты идеологических персонажей типа *alter*, но также черты утопических персонажей типа *alius*, так как они разрушают мир Платонова и других русских персонажей.

---

[7] Ср. Ricœur, с. 156: «Ce que veut le texte, c'est nous mettre dans son sens, c'est-à-dire – selon une autre acception du mot ‹sens› – dans la même direction. Si donc l'intention est l'intention du texte, et si cette intention est la direction qu'elle ouvre pour la pensée, il faut comprendre la sémantique profonde en un sens foncièrement dynamique; [...] interpréter, c'est prendre le chemin de pensée ouvert par le texte, se mettre en route vers l'orient du texte.»

[8] См. напр. Świderska: Studien zur literaturwissenschaftlichen Imagologie, с. 101 и сл.

Что касается этих русских персонажей – они почти все изображены при помощи чужих имагем. Итак Платонов говорит Софье Егоровне, что все видят в нем «второго Байрона» (11, 33), а он сам хотел когда-то стать «Христофором Колумбом» (там же). Грекова утверждает – «вам всем кажется, что он [Платонов] на Гамлета похож» (11, 70). Она сама со своей стороны говорит по-немецки, философствует и занимается химией (11; 10, 69 и 160). Иван Иванович Трилецкий – отец – читал, как Базаров, *Stoff und Kraft* Бюхнера: «Теперь Мамону служу, а в молодости богу не молился. Базаристей меня и человека не было... Материя! Штоф унд крафт!» (11, 59). Его сын – цинический доктор Трилецкий – унаследовал однако это материалистическое мировоззрение (см. напр. 11; 8, 14-17, 26/27, 107 и 112/13). Венгерович называет его даже иронически «иерусалимским дворянином», что подчеркивает его «нерусскую» жажду денег (11, 15). Сын генеральши Войницевой – Сергей Павлович Войницев – будучи менее материалистических взглядов, думает о том, чтобы сыграть роль Гамлета. В отчаянии он говорит Платонову: «Что я? Я ничего... Так... Больной, недалекого ума, женоподобный, сантиментальный, обиженный богом... С наклонностью к безделью, мистицизму, суеверный» (11, 146), несмотря на то, что по словам Анны Петровны: «Их, а не тебя спасать нужно! Платонов не любит ее [Софьи]! [...] Он обольстил ее, как ты когда-то свою глупую немку!» (11, 159). Возвратившийся «прямо из Парижа» (11, 45) сын Глаголева не терпит России, потому что в России «воздух несвежий! Какой-то промозглый, душный [...]. Невежество, вонь...» (11, 75/76). Только два персонажа в песье о Платонове изображены без помощи чужих имагем – это жена Платонова – Саша – и преступник Осип. Платонов заставляет Сашу читать «западных» авторов, например роман Захер-Масоха *Идеалы нашего времени*, но она ничего не понимает (11, 94), так как по словам Платонова – она «глупа» как «Авдотья, Матрена, Пелагея» (11, 51/52). Из всех персонажей только кроткая и наивная Саша сохраняет русское культурное тождество и православную веру, так как Осип – второй персонаж из «народа», которого Платонов называет даже «Илья Муромец» (11, 41) – преступник и он не способен веровать как Саша. Поэтому ему не удастся добраться до Киева и других святых мест (11, 92), а в финале пьесы его убивают мужики (11, 154).

В ранней пьесе Чехова доминирует таким образом имаготема России, находящейся под влиянием «Запада» и «чужих» – евреев-капиталистов, таких как Венгерович, причем «западные» идеи разрушают русское культурное тождество большинства персонажей. «Православная Русь», которую воплощает Саша не имеет уже почти никакого значения, а Саша – как говорит Платонов – «чуть видна из-за графина с водкой» (11, 51).

Во второй пьесе *Иванов* (1887/88) проявляется только один «чужой», но «руссифицированный» персонаж – жена Иванова – Анна Петровна, прежняя Сарра Абрамсон. Сарра – положительный персонаж типа *alter*, так как она служит контрастом Саше. Из любви к Иванову она отказалась от своей веры, родителей и богатства (12, 13). Она любит Иванова ради его самого и не хочет как Саша спасать его «деятельной любовью» (12, 58/59). Но несмотря на всю сложность этого персонажа – Сарра-Анна сохраняет некоторые черты отрицательного стереотипа еврейки. Она верит, что «судьба ее обсчитала» (12, 21), а дядя Иванова – граф Шабельский – дразнит ее, говоря с еврейским акцентом (12, 14). В ранней редакции пьесы он говорит даже: «Играть с вами нет никакой возможности... Слуха у вас меньше, чем у фаршированной щуки, а туше возмутительное... Семитическое перхатое туше, от которого на десять верст пахнет чесноком...» (11, 221). Как в ранней, так и во второй редакции *Иванова* все русские персонажи изображены при помощи чужих имагем. Итак, граф Шабельский семенит и вертится как стереотипный «полячок» Достоевского (11, 229 и 251).[9] Его фамилия – Шабельский – звучит по-польски, так как польское слово «szabla» значит «сабля». Кроме того Шабельский не любит России (11, 284/85) и все время тоскует по Париже, где похоронена его жена (12, 16). У отца Саши – Лебедева – был дядя гегелианец (12, 34), а он сам знает Шопенгауэра (12, 73). Лебедев сравнивает также Сашу с Жорж Занд (12, 263). Что касается центрального персонажа пьесы – Иванова, в ранней редакции он изображен почти без помощи чужих имагем, а в финале он умирает от усталости, отчаяния и тоски (11, 292). В поздней редакции Иванов сравнивается с Гамлетом и Манфредом Байрона (12, 37), а Саша хочет бежать с ним в Америку (12, 38). Кроме того Иванов убивает себя, что подчеркивает его «демонический» характер (12, 76). Как в *Платонове* так и в *Иванове* доминирует имаготема России, т.е. русской провинции, находяшейся под влиянием идеи «Запада», разрушающих «русское» культурное тождество почти всех персонажей.

Также в двух следующих пьесах – *Леший* (1889/90) и *Дядя Ваня* (1896) – почти все персонажи проявляют отчужденность от русских реалий, причем самый отчужденный персонаж – отставной профессор Серебряков. Войницкий называет его иронически «герр профессор» (13, 70 и 90/91), а сам профессор чувствует себя в деревне «как на чужой планете» или «в ссылке» (13, 77 и 98). В комедии *Леший* Серебряков «всю жизнь служил науке» – даже в Париже и в Гейдельберге (12, 147/48). Влюбленный в его жену Войницкий сравнивает его даже с Дон Жуаном, утверждая, что и Дон Жуан не имел такого успеха у женщин как Серебряков (12, 130 и 13, 68), так как для Елены Андреевны Серебряков – «статуя командора»: «Ну бери меня, статуя командора, и проваливайся со мной в свои двадцать шесть унылых комнат! Туда и мне дорога!» (12, 197). Со своей стороны Войницкий уверен, что при данных условиях он сам мог бы стать Шопенгауэром или Достоевским, что подчеркивает его культурную амбивалентнось (12, 176 и 13, 102). Что касается персонажей Сони, «Лешего»-Хрущова и доктора Астрова – в комедии *Леший* Соня – «институтка» (12, 156) и она более эмансипирована, чем в поздних «сценах из деревенской жизни». Соня много читает и «философствует» в своем дневнике, например о любви: «Нет, я никогда не полюблю... Любовь – это эгоистические влечение моего я к объекту другово пола...» (12, 136), причем сам Хрущов – проявляет черты «народника» (12, 156). В *Дяде Ване* – Соня сохраняет веру и православное культурное тождество. Только она и старая няня Марина воплощают положительную имаготему православной России, так как доктор Астров превращается из прежнего идеалиста *Лешего* в более отчужденного от России, цинического материалиста (см. напр. 13; 63/64, 72 и 81/82).

Подводя итоги этого краткого обзора можно утверждать, что во всех рассмотренных выше четырех пьесах доминирует отрицательно изображенная утопическая имаготема России – русской провинции –, находящейся под влиянием субверсивных идеи «Запада», разрушающих русское (православное) культурное тождество. Только в пьесах *Платонов* и *Дядя Ваня* слабо обозначается положительная имаготема «православной Руси», которую воплощают наивные и кроткие – Саша, а также Соня и няня Марина.

[9] См. Świderska, напр. с. 186, 239/40, 254-257, 333/34, 354-360, 379-409 и 433.

Литература

Dyserinck, Hugo: Zum Problem der „images" und „mirages" und ihrer Untersuchung im Rahmen der Vergleichenden Literaturwissenschaft. B: Arcadia (1966) 1, c. 107-120.

Dyserinck, Hugo: Komparatistische Imagologie jenseits von „Werkimmanenz" und „Werktranszendenz". B: Synthesis (1982) 9, c. 27-40.

Moura, Jean-Marc: L'image du tiers monde dans le roman français contemporain. Paris 1992, и также Paul Ricœur: Du texte à l'action. Essais d'herméneutique II. Paris 1986.

Moura, Jean-Marc: L'imagologie littéraire, essai de mise au point historique et critique. B: Revue de Littérature comparée (1992) 263, 66, Juillet-Septembre, 3, c. 271-287.

Świderska, Małgorzata: Studien zur literaturwissenschaftlichen Imagologie. Das literarische Werk F.M. Dostoevskijs aus imagologischer Sicht mit besonderer Berücksichtigung der Darstellung Polens. München 2001 (= Slavistische Beiträge, 412).

Świderska, Małgorzata: *«Спасибо немец: Gott …… Я ведь чту, чту … Я ведь преклоняюсь. О, не знаете души моей. Я Шиллер. Любитель».* Deutsche Kultur als Mittel zur Charakterisierung russischer Figuren in den literarischen Werken F.M. Dostoevskijs. B: Itinera slavica. Studien zu Literatur und Kultur der Slaven. Festschrift für Rolf-Dieter Kluge zum 65. Geburtstag. Ред. H. Willich-Lederbogen, R. Nohejl, M. Fischer, H. Setzer. München 2002, c. 269-278.

Świderska, Małgorzata: Fremdheit in den Romanen F.M. Dostoevskijs. Eine Interpretation aus imagologischer Sicht am Beispiel ausgewählter deutscher Figuren. B: Dostoevsky Studies (2003), New Series, Vol. VII, c. 115-130.

Świderska, Małgorzata: Изображение «чужого» в прозе А.П. Чехова. B: Dzielo Antoniego Czehowa dzisiaj. Red. naukowa: A. Wolodźko-Butkiewicz, L. Lucevicz. Warszawa 2005.

Швидерска, М.: Немцы и немецкая культура в рассказах и повестях А.П. Чехова. В: Век после Чехова: Международная научная Конференция. Тезисы докладов. Москва 2004, с. 244-246.

Anatolij Sobennikov

Драматургия А.П. Чехова в свете античных представлений о роке

В философской содержательности чеховских пьес особую роль играет понятие судьбы. В текстах оно встречается нечасто. Соня, например, говорит: «Будем терпеливо сносить испытания, какие пошлет нам судьба» (13, 115). В 1-м действии *Трех сестер* Вершинин скажет: «Да. Забудут. Такова уж судьба наша, ничего не поделаешь» (13, 128). Однако значение этого понятия определяется не частотностью его употребления в слове героев, а особой соотнесенностью человеческой жизни со временем, т.е. художественным гнозисом Чехова. «Претворение жизни в судьбу и составляет алхимию искусства» – заметил современный философ.[1]

Как же происходит претворение жизни в судьбу в пьесах Чехова? Первое, что бросается в глаза – поступок героя уходит на периферию. Попытки героев что-то изменить в своей жизни не имеют результата. В *Чайке* Маша выходит замуж, чтобы забыть Треплева («Вот взяла и решила: вырву эту любовь из своего сердца, с корнем вырву»; 13, 33). Однако в 4-м действии она по-прежнему любит Константина. Треплев может убить чайку и положить у ног любимой девушки, стоять под ее окном, «как нищий», рвать ее письма и фотографии, признаваться в любви. Но Нина Заречная любит не его, а Тригорина. Нина Заречная тоже совершает поступок; уезжает в Москву и становится актрисой. Но ее доля – играть перед «образованными купцами». В *Дяде Ване* воля персонажей, усилия, которые они предпринимают, оказываются тщетными. Серебряков хотел продать имение, но оно не продано. Астров хотел устроить в лесной сторожке свидание с Еленой Андреевной, но оно не состоялось. Выстрел Войницкого ничего не меняет в судьбе героя, даже отношения с Серебряковым у него не изменились. По словам автора пьесы, «выстрел ведь не драма, а случай»[2], т.е. он не вытекает из логики характера или логики обстоятельств.

Судьбоносный поступок лишается у Чехова своего статуса. В 4-м действии *Трех сестер* барон Тузенбах выходит в отставку, но он мог бы этого и не делать, так как во 2-м действии Соленый заявил: «Клянусь вам всем святым, соперника я убью» (13, 154). Смерть героя объясняется не его поступком, не жесткой детерминированностью причин и следствий, а экзистенциальной ситуацией – любовью к Ирине. В *Вишневом саде* обречены на провал все попытки спасти имение. Гаев говорит Ане в 1-м действии: «Честью моей, чем хочешь, клянусь, имение не будет продано!» (13, 213). Но ни Лопахин, ни ярославская бабушка, ни заем под векселя не могут помочь Гаеву и Раневской. В 1-м действии мы узнаем, что торги назначены на двадцать второе августа, именно в этот день Лопахин покупает имение, «прекрасней которого ничего нет на свете».

Один из сквозных чеховских мотивов, связанных с философемой судьбы, это несовпадение экзистенциальных ожиданий человека с тем, что предлагает жизнь. Классический пример – стремление сестер уехать в Москву. В тексте нет ни одного рационального объяснения, почему они не могут этого сделать. В *Трех сестрах* он становится сюжетным мотивом, организующим драматическое действие. Но есть и другие примеры, в которых на первый план выступает смысловая функция. Сорин в *Чайке* предлагает племяннику сюжет: «Человек, который хотел». Сам он хотел быть литератором – и не стал, хотел жениться и – не женился. На реплику Дорна: «Хотел

[1] М. Эпштейн: Поступок и происшествие. К теории судьбы. В: Вопросы философии, 2000, № 9, с. 68.
[2] Альманахи. Кн. 23. II. Москва: Шиповник, 1914, с. 194.

стать действительным статским советником – и стал» Сорин отвечает: «К этому я не стремился. Это вышло само собою» (13, 48/49). Ольгу в *Трех сестрах* «сделали» начальницей, в рассказе *Архиерей* преосвященного Петра «сделали» ректором семинарии.

В 1-м действии *Вишневого сада* Раневская, когда Варя подает ей телеграммы из Парижа, говорит: «С Парижем кончено…» (13, 206). Однако в 4-м действии она возвращается в Париж. «Первая печаль» Раневской – больной Фирс, которого нужно положить в больницу. Аня говорит матери, что Фирса «уже отправили в больницу» (13, 249). Однако Фирса благополучно забыли. «Вторая печаль» – Варя. Лопахин «хоть сейчас» (13, 249/50) готов сделать предложение, но когда Раневская призывает Варю, объяснения не происходит. Аня в 1-м действии признается в любви к саду, но в 4-м действии приветствует «новую жизнь», уже без сада (13, 253). Конечно, во всех этих случаях можно найти психологические мотивировки, например, Лопахин не делает предложения Варе потому, что тайно любит Раневскую. Но чеховские герои *никогда* не достигают тех целей, которые ставили перед собой, за исключением персонажей второго плана. Яша хотел уехать в Париж – и едет.

В драматургии Чехова не только поступок героя не имеет результата, но и роль случая в сюжетном строении меняется. В его пьесах нет «ошибок странных» и «тайн».[3] Современный исследователь пишет:

> Сюжет пьес у Чехова строится на событиях предсказуемых, вычисляемых. Мир его драм – царство антислучая. Случай же не исключается из изображаемого жизненного потока совсем. Но отводится на периферию драматического действия.[4]

Счастливый случай (фортуна) выпал только Пищику. К нему случайно приехали англичане, и нашли в его имении белую глину. Гаев по характеру игрок, но свое имение он «проел на леденцах», а не проиграл в биллиард (несчастный случай).

Все несчастные случаи происходят у Чехова за сценой и не имеют логического объяснения (у Нины Заречной умер ребенок, у Вершинина сгорел дом, у Раневской утонул сын). Персонажи с патриархальным, религиозным сознанием верят в Провидение, в жизнь после смерти. «Мы отдохнем», – говорит Соня. На Божью волю ссылается Варя. Раневская смерть сына и утрату вишневого сада воспринимает как наказание за грехи. Но едва ли точка зрения персонажей, и тех, кто надеется на волевое усилие, и тех, кто верит в провидение, совпадает с авторской точкой зрения. Так в чем же ее суть?

Мы полагаем, что чеховскому пониманию судьбы ближе всего античная традиция, в которой за стершимся от длительного исторического употребления понятием Рок стояли «живые вещи».[5] В основе античного миропонимания лежало представление о божественном Космосе. «То, что в сфере божественной присутствует как внутренний порядок (dice) и то, что предстает людям как чуждая непоколебимая сила (anance), – это мир судьбы, целое, в котором каждый имеет свою часть, удел (moira)», – писал В.П. Гайденко.[6] В изначально завершенной целостности у каждого предмета есть своя доля,

[3] Буало, Н.: Поэтическое искусство. Москва 1957, с. 78.

[4] М.О. Горячева: Случай и антислучай в драматургическом сюжете Чехова. В: Известия РАН. Сер. Литературы и языка, 2004, № 10, с. 23.

[5] Речь идет о преодолении диахронии, выводящей исследователя к проблеме происхождения и генезиса вещей. В центр мы должны поставить живую экзистенцию. М. Мамардашвили писал: «Мы попытаемся подойти к этому материалу так, чтобы в нем почувствовать те живые вещи, которые стоят за текстом и из-за которых, собственно, он и возникает.» (М. Мамардашвили: Лекции по античной философии. Москва 2002, с. 5).

[6] В.П. Гайденко: Тема судьбы и представление о времени в греческом мировоззрении. В: Вопросы философии, 1969, № 9, с. 92.

которая «оказывается высшим смыслом его существования».[7] В.Н. Ярхо отметил, что *moira* обозначает

> отрезок времени, достающийся на этом свете каждому человеку и неизбежно завершающийся смертью [...] Поскольку же никому не дано знать заранее, какова будет продолжительность его жизненной «доли», то понятие «мойры» исключает всякую предопределенность, не говоря уже о фатализме, чуждом древнегреческому сознанию.[8]

Таким образом, античный рок – не есть детерминизм в современном понимании.

В античной философии, в частности у Гераклита, бытие всегда становящееся. М. Мамардашвили так комментирует философа: «[...] все есть наличное сцепление, как оно сложилось, не заданное заранее, не имеющее никаких гарантий, которые существовали бы сами по себе, как скала.»[9] И в пьесах Чехова ничего не предопределено заранее. Все стало, произошло, случилось на наших глазах. Треплев, бросив к ногам Нины чайку, заявил, что скоро таким же образом он убьет самого себя. Но попытка самоубийства была неудачной. Он обещает матери, что больше этого не повторится. Однако в 4-м действии звучит роковой выстрел. Для читателя и зрителя выстрел ничем не подготовлен: ни логикой сюжета, ни ситуацией, ни литературной традицией.

Чехова роднит также с античностью проблема знания/незнания человеком своей судьбы, которая является частью более общей проблемы познания мира. В хрестоматийном письме к А.С. Суворину Чехов писал: «Пишущим людям, особливо художникам, пора уже сознаться, что на этом свете ничего не разберешь, как когда-то сознался Сократ [...]» (П. 2, 280/81). Герои Чехова пытаются заглянуть в будущее, исходя из своих субъективных представлений. В *Трех сестрах* в 1-м действии Ирина говорит: «Брат, вероятно, будет профессором, он все равно не станет жить здесь» (13, 120). Она же говорит в 4-м действии: «Мы с бароном завтра венчаемся, завтра же уезжаем на кирпичный завод, и послезавтра я уже в школе, начинается новая жизнь» (13, 175). Но брат не станет профессором, сестры не уедут в Москву, а барон Тузенбах будет убит на дуэли. Человек у Чехова, так же как в античной драме, не знает своей доли, своей мойры. Хор у Софокла в *Антигоне* утверждает: «Человеку не дан и в прошлом, / И ныне, и впредь закон: / Бди, борись – все тщетно; / В уделе Земном все под Бедой ходит.»[10]

В сфере субъективных представлений стоит также обратить внимание на иллюзии, связанные с профессиональной деятельностью. Заречная говорит:

> За такое счастье, как быть писательницей или артисткой, я перенесла бы нелюбовь близких, нужду, разочарование, я жила бы под крышей и ела бы только ржаной хлеб, страдала бы от недовольства собою, от сознания своих несовершенств, но зато бы уж я потребовала славы... настоящей шумной славы... (13, 31)

Астров уверен, что, «если через тысячу лет человек будет счастлив» (13, 73), в этом будет виноват и он. Ирина в 1-м действии *Трех сестер* «знает», что человек должен работать, и «в этом одном заключается смысл и цель его жизни, его счастье, его восторги» (13, 123). Однако эти и подобные им высказывания оцениваются автором как личные мифы. Нина Заречная поймет, что «главное не слава», а «уменье терпеть». Пафос Астрова будет дискредитирован рюмкой водки, которую принес ему на подносе работник, и словами: «Все это, вероятно, чудачество, в конце концов» (13, 73). Ирина в 3-м действии «ненавидит» и «презирает» «все, что ей дают делать», и ей кажется, что она

---

[7] Там же, с. 93.
[8] В.Н. Ярхо: Древнегреческая литература. Трагедия. Москва 2000, с. 309.
[9] М. Мамардашвили: Лекции по античной философии. Москва 2002, с. 74.
[10] Софокл: Драмы. Москва 1990, с. 144.

уходит «от настоящей, прекрасной жизни [...] все дальше и дальше» (13, 166). Метафора счастья в речи Пети профанируется ситуацией, ибо Петя и Аня слышат шаги Вари (вместо «шагов счастья»). С полным основанием можно говорить об «иронии судьбы» – «усмешке властных сил жизни над человеческими стремлениями».[11]

«Новая жизнь», о которой так часто говорят чеховские герои, в своей экзистенциальной сути всегда оказывается старой жизнью. В последней пьесе Чехова только на первый взгляд доминируют исторический детерминизм (дворянские усадьбы сменяются дачами) и исторический оптимизм. Высказывания Лопахина («Настроим мы дач, и наши внуки и правнуки увидят тут новую жизнь»; 13 , 240), Пети Трофимова («Здравствуй, новая жизнь!»; 13, 253), Ани («Начинается новая жизнь, мама!»; 13, 247) отражают субъективные ожидания героев. Они не догадываются, что в новой жизни таятся новые несчастья.

Пьеса заканчивается звуком лопнувшей струны, «замирающим, печальным». Во 2-м действии, когда раздался этот звук, Раневская вздрогнула. Все интерпретации, которые предложили спутники Раневской, связаны с бедой (в шахтах сорвалась бадья, кричит филин, «несчастье» Фирса). Звук лопнувшей струны – символ судьбы, ее иррациональных проявлений. Над героями Чехова, как точно заметил современный исследователь, «витает тень Кассандры».[12] Предсказывает свою гибель Треплев, знает, что больше никогда не увидится с Еленой Андреевной Астров. В *Трех сестрах* монолог Ольги: «[...] захотелось на родину страстно» – перебивается Чебутыкиным: «Черта с два!» (13, 120). В этих и других случаях перед нами не просто формальный прием, позволяющий проводить параллели с античной драмой. Речь должна идти об архаичных структурах человеческой психики с одной стороны, и живой экзистенции, с другой. Люди с древнейших времен пытались заглянуть за грань неведомого, разрешить противоречие свободы/необходимости, случайности/предопределенности в акте предвидения.

Этим же целям служат многочисленные приметы. Суеверные представления чеховских героев не выходят за рамки городского или усадебного ареалов. Аркадина, по словам Треплева, «боится трех свечей, тринадцатого числа» (13, 7/8). И когда героиня заявляет: « Я никогда не думаю ни о старости, ни о смерти» (13, 21) – мы ей не верим. В данном случае приметы выполняют характерологическую, а не прогностическую функцию. Но вой собаки в *Чайке* (Собачий вой – на вечный покой), гудение в трубе и в самоваре (*Три сестры* и *Вишневый сад*), крик совы или филина (*Иванов*, *Вишневый сад*) являются для героев дурным предзнаменованием. На именинах Ирины за столом оказываются тринадцать человек: «Кулыгин. Тринадцать за столом! Родэ *(громко)*. Господа, неужели вы придаете значение предрассудкам?» (13, 137). В праздничной атмосфере именин все заканчивается *смехом*. Однако в мифотектонике пьесы 13 отнюдь не безобидное число. На тайной вечере присутствовали Христос и 12 апостолов, среди которых был Иуда. Наташа за столом – чужая, лишняя, Иуда. Именно она разрушит прозоровский дом, с его христианской атмосферой (апология труда, социального равенства, соблюдение праздничного ритуала во время святок). У Чехова почти нет «счастливых» примет. В 1-м действии *Вишневого сада* Дуняша разбила блюдечко. «Это к добру» (13, 202), – скажет Варя. В данном случае примета не помогла: свадьба Вари и Лопахина не состоялась.

Еще один способ испытания судьбы – гадание. На цветах, обрывая лепестки, гадает Треплев: «Любит – не любит, любит – не любит, любит – не любит. *(Смеется.)* Видишь, моя мать меня не любит» (13, 8). Нина протягивает Тригорину руку: «Чет или нечет? Тригорин. Чет. Нина *(вздохнув)*. Нет. У меня в руке только одна горошина» (13,

---

[11] Т.К. Шах-Азизова: Линия Гамлета, или герой драмы перед лицом рока. В: Понятие судьбы в контексте разных культур. Москва 1994, с. 269.

[12] И.Н. Фадеева: Новаторство драматургии А.П. Чехова. Тверь 1991, с. 83.

34). В *Трех сестрах* Ирина раскладывает пасьянс: «Ирина. Выйдет пасьянс, я вижу. Будем в Москве. Федотик. Нет, не выйдет. Видите, осьмерка легла на двойку пик. *(Смеется.)* Значит, вы не будете в Москве» (13, 148).

Приметы и гадания включены в семиотическую систему мирообраза Чехова как знаки трансцендентного. С трансцендентной реальностью связаны также предчувствия героев. Перед приходом Нины Треплев испытывает беспокойство, его душа «томилась ужасно». «Томит беспокойство» Аню (13, 200). Когда Ирина слышит в саду крик: «Ау! Гоп – гоп!», она вздрагивает. «Меня как-то все пугает сегодня» – говорит она (13, 175). Получив известие о смерти барона Тузенбаха, героиня скажет: «Я знала, я знала…» (13, 187). «Беспокойный взгляд» выдает барона Тузенбаха (13, 180). «Тузенбах. Какие пустяки, какие глупые мелочи иногда приобретают в жизни значение, вдруг ни с того ни с сего. По-прежнему смеешься над ними, считаешь пустяками, и все же идешь и чувствуешь, что у тебя нет сил остановиться» (13, 181). В становящейся действительности у Чехова ничего не предопределено заранее, и в то же время в ней царит необходимость, закрепленная в повторяющихся мотивах. Стоят у калитки лошади Нины и ей «пора ехать», поданы лошади и «надо уезжать» Елене Андреевне, «надо идти, уже пора» барону Тузенбаху, «уже пора» садиться в экипажи героям вишневого сада.

О тайне жизни и смерти напомнят читателям и зрителям покойная мать Сони («где она теперь»), умершие отец и мать сестер, покойная мама Раневской и ее утонувший сын Гриша («Мальчик погиб, утонул… Для чего?»; 13, 211). С чеховскими покойниками связан еще один, идущий от античности, мотив – памяти/забвения. «Так и сойдешь в Аид, / Тень без лика, в толпе / Смутных теней, / Стертых забвением», – писала древнегреческая поэтесса.[13] В *Вишневом саде* Чехов упоминает в ремарке 2-го действия «большие камни, когда-то бывшие, по-видимому, могильными плитами». О людях, которые лежали под этими плитами, уже ничего неизвестно, их забыли. В *Трех сестрах* Ольга скажет: «Пройдет время, и мы уйдем навеки, нас забудут, забудут наши лица, голоса и сколько нас было, но страдания наши перейдут в радость для тех, кто будет жить после нас […]» (13, 187/88).

В древнегреческих представлениях о судьбе, дошедших до нас по литературным памятникам, есть общефилософское зерно. Однако особым образом понятие судьбы актуализировалось в драме. «Ведь греческая трагедия это прежде всего драма – не истории Греции, а драма тех же завязок на прошлое и будущее, внутри которых, как кукушка из окошечка, как раз и может появляться человеческое существо», – заметил М. Мамардашвили.[14] Эдип у Софокла совершил свое преступление в прошлом, но судьба города, его будущее зависит от того, понесет ли убийца Лая наказание в настоящем. Стремясь найти убийцу, Эдип узнает свою «долю» («Я должен знать свое происхожденье»). Персонажи Софокла действовали по своей воле, стремясь уйти от предсказания. По своей воле они действуют и тогда, когда узнают истинное положение вещей. Иокаста кончает жизнь самоубийством, а Эдип ослепляет себя. Напряжение в пьесе образуется не жесткой связью причин и следствий, а тем, что герой свободно принимает свою судьбу («И пусть судьба идет своим путем»).

Все пьесы Чехова заканчиваются тем, что герои принимают свою судьбу. Готова нести свой крест Нина Заречная, будут работать Войницкий и Соня, Ирина готова уехать в деревню и стать учительницей, смиряются с утратой имения герои *Вишневого сада*. О.М. Фрейденберг писала: «В греческой трагедии велика роль объективного начала, о которое разбивается воля человека; оно действует вопреки человеку, прав он или не прав в своем субъективном плане, и носит форму неизбежности и предначертания –

[13] Сапфо: Срок настанет... В: Античная лирика. Москва 1968, с. 65.
[14] Мамардашвили, с. 98.

судьбы».[15] Но главный итог чеховских финалов, конечно, не в том, что воля героев «разбилась о судьбу». Главное в том, *что* они противопоставляют слепой судьбе. Как и в античные времена, они могут противопоставить ей только нравственный стоицизм.

Литература

Альманахи. Кн. 23. II. Москва: Шиповник, 1914.
Буало, Н.: Поэтическое искусство. Москва 1957.
Гайденко, В.П.: Тема судьбы и представление о времени в греческом мировоззрении. В: Вопросы философии, 1969, № 9, с. 88-98.
Горячева, М.О.: Случай и антислучай в драматургическом сюжете Чехова. В: Известия РАН. Сер. Литературы и языка, 2004, № 10.
Мамардашвили, М.: Лекции по античной философии. Москва 2002.
Сапфо: Срок настанет... В: Античная лирика. Москва 1968.
Софокл: Драмы. Москва 1990.
Фадеева, И.Н.: Новаторство драматургии А.П. Чехова. Тверь 1991.
Фрейденберг, О.М.: Миф и литература древности. Москва 2000.
Шах-Азизова, Т.К.: Линия Гамлета, или герой драмы перед лицом рока. В: Понятие судьбы в контексте разных культур. Москва 1994, с. 268-277.
Эпштейн, М.: Поступок и происшествие. К теории судьбы. В: Вопросы философии, 2000, № 9, с. 65-77.
Ярхо, В.Н.: Древнегреческая литература. Трагедия. Москва 2000.

[15] О.М. Фрейденберг: Миф и литература древности. Москва 2000, с. 372.

II.4. Besondere Aspekte

Donald Rayfield

Семейство Бронтэ (Brontë), Гейша, и *Три сестри*

В ноябре 1896 г., сразу после душу-раздирающего провала *Чайки* в Петербурге, Чехов посвятил себя будничным занятиям, среди которых были выбор и покупка книг для таганрогской общественной библиотеки. Часть книг он выбирал сам, часть покупал по заказам др-а Иорданова, попечителя таганрогской библиотеки. 11 ноября Чехов попросил брата Александра достать четыре книги, среди которых была биография *Семейство Бронтэ*, написанная некой Ольгой Петерсон. Конечно, нет прямых свидетельств, что Чехов читал каждую книгу, которую он пересылал в Таганрог; очень может быть, что он даже не всех перелистывал. Но *Семейство Бронтэ* упоминается три раза в его переписке, просто потому что брат Александр, как обычно, не сразу выполнил заказ брата, а послал книгу с опозданием. Поэтому, в отличие от других посылок в Таганрог, *Семейство Бронтэ* не было выслано туда 10 декабря и застряло в Мелихове около месяца. Совершенно правдоподобно, поэтому, что Чехов успел ознакомиться с содержанием. К тому же есть одна совершенно нелогичная, но веская причина, по которой заглавие книги должно было привлечь внимание Чехова: странная (и до сих пор не расшифрованная) ирландская фамилия Бронтэ не могло не воскресить в памяти Чехова одного его таганрогского школьного учителя, преподавателя танцев Вронди. По-гречески Вронди и Бронте пишутся одинаково: Bronth. (Кстати, и сегодня существует классическая школа русских танцев Вронди на Кипре.)

Как биограф, Ольга Петерсон не блистала талантом: она писала для высших женских курсов конспект предыдущих англоязычных биографий. Слишком много места она посвящает запутанным и в то же время не очень занимательным приключениям отца и предков Бронтэ в Северной Ирландии, а последняя треть биографии состоит в пересказе некоторых романов сестер Бронтэ.

Тем не менее, начало и середина этой биографии поразительно предвосхищают сюжет еще не написанной и наверное даже не задуманной пьесы *Три сестры*. Я даю перечень того материала, который мог перейти из жизни сестер Бронтэ в судьбу сестер Прозоровых.

Остались в живых три сестры Бронтэ (старшая Шарлотта, средняя Эмили, младшая Анн). Их мать так давно умерла, что ее даже не вспоминают. Они воспитаны отцом, Патриком Бронтэ, который, точно как полковник Прозоров, заставлял своих дочерей вставать в семь утра. В отличие от отца Прозоровых, умершего до начала пьесы, Патрик Бронтэ пережил всех своих детей, но покойный полковник Прозоров и живой пастор Бронтэ так же духовно и физически приковывают своих дочерей (они и во взрослом возрасте живут в доме, куда он их привел). Живут семьи на суровом севере, далеко от столицы и далеко от мягкого климата, откуда отец с матерью переехали. Живут они почти без подруг или местных знакомых, и постепенно все они незаметно для себя переходят от статуса ученицы в статус учительницы. Вся надежда семьи поставлена на многообещающего брата (Андрея Прозорова, Бранвеля Бронтэ), который более начитан, более живой, а самое главное – более честолюбив, чем его сестры. Андрей Прозоров играет на скрипке, Бранвель Бронтэ пишет акварели и маслом. Все сестры должны терпеть горькое разочарование. Братья связываются с женщиной не их круга и делают себя глубоко несчастными. Правда, Бранвель в конце концов не женился на своей вдовушке: она ради наследства от покойного мужа бросила его, а Андрей Прозоров женился и был обманут и унижен с помощью своего начальника Протопопова. Оба брата начинают расточать и семейные деньги и таланты и спиваются. Только Андрей Прозоров должен вечно жить своим позором, а Бранвель Бронтэ быстро освобождается от бренных уз: он умирает от алкоголя, опия и туберкулеза. Кстати, судьба Бранвеля, художника-неудачника, любовника беспорядочного, наркомана и чахоточного до боли похожа на судьбу брата Чехова Николая, и читать о его кончине даже в вялом пересказе Петерсон без сомнения было мучительно для Антона Павловича.

В общих чертах, сходство Бронтэ и Прозоровых заслуживает вниманія. К тому же у сестер Бронтз доживает свой век верная, но совершенно глухая няня Тэбби, во многом предшественница чеховской Анфисы. Если бы Чехов внимательно читал биографию, он уловил бы еще один сюжет: Шарлотта, учась и преподавая в частном пансионе в Брюсселе попадает под влияние своего руководителя, директора Мсьё Héger. Сейчас биографы открыто говорят, что Шарлотта влюбилась в Мсьё Héger – только в 2004 г. ее письма к нему опубликованы –, а Ольга Петерсон лишь намекает на увлечение Шарлотты (холодное отношение Мадам Héger к Шарлотте). Не совсем похоже на увлечение молодой Маши будто бы умным Кулыгиным, но все-таки это еще один камень в постройке фабулы.

Ни одна европейская страна не интересовала Чехова так мало, как Англия: рано обьявив, что англичане происходят от замороженной рыбы, Чехов проявлял ко всей английской культуре, кроме Шекспира и, в меньшей мере, Диккенса, постоянное и глубокое равндодушие. Когда молодая Ольга Васильева начала переводить его на английский язык, он был озадачен и вежливо, но настойчиво отбивался от всех ее предложений и вопросов. Не удивительно, что о сестрах Бронтэ он никогда, ни до ни после появленія книги Петерсон, не упоминает, несмотря на то, что роман Джейн Эир уже давно стал очень модным романом для русских читательниц.

Не следует преувеличивать: тематика *Трех сестер* не нуждается в стимуле из-за границы. У братьев Чеховых было не меньше пяти связей, знакомств или романов с тремя сестрами, от Гольден до Шавровых, и было бы даже удивительно, если бы Чехову не взбрело в голову написать пьесу с таким названием. Тем более, что тема трех сестер, судьбу которых определяет, и иногда портит, любящий отец, пропитывает историю русского романа: напомним бедных сестер Епанчиных у Достоевского, или счастливых Щербацких у Толстого.

Сестры Бронтэ, сами собой, не составляют больше половины сюжета *Трех сестер*. К тому же, у сестер Бронтэ нашелся выход, который закрыт для сестер Прозоровых. Они все проявляли свою гениальность в литературе и при жизни или посмертно получили признание в столице. Чехов пишущих баб плохо терпел: даже предлагал запереть их в Мюр и Мерилиз и поджечь магазин. К тому же, Прозоровы должны жить, а Бронтэ должны были рано умирать. У Чехова женщины редко умирают от туберкулеза – Сарра в пьесе *Иванов*, Клеопатра в повести *Моя жизнь*, например. Вообще, смерть от туберкулеза – доля чеховских мужских персонажей.

Если можно увидеть в семействе Бронтэ зародыш сюжета *Трех сестер*, то в зарождении фабулы сыграла свою роль одна английская пьеса, очень известная и в Германии и в России в 1890-х гг. В рассказе *Дама с собачкой* Чехов пишет «шла первый раз ‹Гейша›. Он [Гуров] вспомнил об этом и поехал в театр». Сам Чехов по всей вероятности присутствовал на ялтинской премьере *Гейши* 6 сентября 1899 г., за три недели до того, как он закончил рассказ *Дама с собачкой* (и может быть он увидел ее год тому назад в Москве).

Современный русский зритель почти совсем не знает этой милой, но пошлой оперетки Сиднея Джонса: единственное, что записано в советское время, это музыка «Песни влюбленной золотой рыбки» в экранизации Гейфецем *Дамы с собачкой.*

Русский перевод (сделанный с немецкого) *Гейши* сильно отличается от английского подлинника: погибшая золотая рыбка, аллегорически японская гейша Мимоза-сан, которая влюблена в англичанина-моряка Ферфакса, в этом переводе гораздо ближе к Маше Прозоровой-Кулыгиной, влюбленной в Вершинина и брошенной им:

Ария начинается так: «Рыбке золотой / Скучно под водой / Бесцельно снует она / Изнывает душой, Свой истратив покой. Ах влюбилась она / Без ума в моряка. Стоял перед акварием, Бросал он крошки ей всегда. И вот что думала она: Меня так часто кормит он, Знать он мной пленен, Ах он в меня влюблен.»

В конце арии: «Рыбка стихла вся / Игра ей на ум нейдет. Ее кавалер, Молодой офицер, Про нее уж забыл. И ее не кормил. Страданья он ей причинил.»

Фабула *Гейши* проста и нелепа: приплывают три английских офицера (в подлиннике всего два), Кеннингхам, Ферфакс и Гуди, и переворачивают весь дом, где работают Гейши, под надзором китайского владельца чайной.

Гейша начинается приблизительно так, как пьеса *Три сестры*. Сначала денщик Чебутыкина вносит самовар, и сразу потом появляется красивый неотразимый офицер Вершинин, а в конце 1-го действия все уже собраны и посажены за стол. Правда, в английском подлиннике оперетки гейши увлекаются смелостью и красотой английских моряков, а в немецких и русских переводах гейш манят не красота и остроумие, а толстые кошельки гостей. Тем не менее, во всех вариантах Мимоза-сан и Ферфакс влюбляются, несмотря на то, что у Ферфакса есть Молли, его невеста, которая тайком поехала за ним в Японию, и что Мимоза-сан должна выйти замуж за местного японского чиновника, Маркиза Имари. На самом деле положение гейши Мимоза-сан сложнее, чем положение Маши Прозоровой, ибо у нее, кроме чиновника-жениха есть и влюбленный японский военный, Катана. Ферфакс все-таки обучает японку исскуству целования. Как Вершинин, он знает, что его в конце концов, как военного человека, заставят уехать и бросить свою возлюбленную. Но в этом отношении, он более откровенен, чем Вершинин. В середине русского варианта, или в начале английского подлинника, офицеры должны подстерегать бедных гейш:

К нам на встречу все бегут,
И к нам женщины все льнут.
Покоряем так легко мы их сердца.
Как настал разлуки час
Обнимают они нас
И сверкает в очах слеза.

У Ферфакса жена-невеста гораздо более предприимчива, чем госпожа Вершинина. Она открыто й тайно борется со своей соперницей, и даже сама готова переодеться Гейшей. Но сначала она заигрывает с Ферфаксом. В английском варианте, она напоминает ему, как он любил играть с игрушечным барабанщиком точно так, как сейчас играет с гейшами.

В русском переводе любовное заигрывание намного ближе к зашифрованному разговору Вершинина с Машей:

Вот сейчас пойдет игра, тра-тра, тра-тра, та, та
Поспешите, господа, тра, тра, та, та
Подходят все сюда тра, тра, та, та.

В чеховедении принято мнение, что это разговор любовников «тра-та-та» подслушало Чеховым в марте 1896 г. в Москве, после того как они с Сувориным вернулись ночным поездом из Петербурга с двумя актрисами, Никитиной и Холмской. Не менее вероятно, что Чехов заимствовал «тра-та-та» из дуэты Молли и Ферфакса в *Гейше*.

Нарушение тремя офицерами спокойной однообразной жизни группы женщин, в оперетке *Гейша*, совпадает с основной фабулой всех канонических чеховских пьес: из столицы приезжают на лето (или на два-три лета) к постоянным провинциальным жителям и, уезжая, оставляют их на произвол судьбы, лишая последней надежды и радости. Но мы находим и другие чеховские мотивы в оперетке: над домом, где работают гейши, висит угроза: он продается на аукционе за долги. Может быть, это единственный пункт, где судьба дома Войницких и Вишневого сада совпадает с судьбой японской чайной. В оперетке, как принято, все кончается счастьем. Моряки уплывают, Ферфакс мирится с своей Молли и спасает ее от японского чиновника; японскому чиновнику подсовывают другую невесту, влюбленную в него француженку -переводчицу Джульетту, а Мимозу-сан отдают замуж за любящего японского капитана Катана. Счастливая Япония в конце оперетки, как и в начале, совершенно непохожа на пермскую грусть и томление, пропитывающие всю чеховскую пьесу. Тем не менее, и оперетка и чеховская пьеса заканчиваются веселым военным маршем. Такие совпадения не в первый раз подсказывают, как Чехов умел из комедии сделать трагедию.

Давно замечено, до какой степени *Три сестры* вдохновлены Шекспиром: и Наташа, когда тушит свечи и кричит на мужа, и Соленый, который свои руки тщетно прыскает духами, напоминают Лэди Макбет. Но к Шекспиру мы, я подозреваю, должны прибавить еще два английских источника, семейство Бронте и оперетку *Гейша* Сидни Джонса, не говоря уже об англо-американской водевильной песне «Тара-ра-бумбия», которая в России превратилась в марш артиллеристов, которым заключается пьеса.

Семейство Бронтэ и Три сестры

Brontë< **Bronth** **>Вронди**

ирландская фамилия в Йоркшире — греческая фамилия в Таганроге

County Down > **Haworth, Yorkshire > London** — Москва > **Пермь > Москва**

Reverend Patrick Brontë — **Полковник Сергей Прозоров**

интенсивно воспитывают своих трех дочереи после смерти матери

Branwell Brontë
Влюбляется в замужнюю женщину на 20 лет старше себя

Андрей Прозоров
женится на мещанке

они обмануты, расточают деньги, бросят карьеру, спиваются

Charlotte
ученицей влюбляется в своего учителя Héger

Маша
еще школьницей влюбляется в учителя Кулыгина

обе глубоко несчастны

Emily, Ann — **Ольга, Ирина**

не влюбляются а ищут счастья в работе

Tabby — **Анфиса**

старые няни оглохли, но остались на всю жизнь у сестер

Гейша и Три сестры

Mimosa-san
томится в японской чайной

Маша
жена Кулыгина, томится

Fairfax — **Вершинин**

офицеры издалека пленяют и пленяются, хотя у них есть уже жена/невеста

Molly — **Вершинина**

которой все хорошо известно

Cunningham, Goody — **Тузенбах, Родэ**

подыгрывают влюбленной паре

– над домом сестер/Гейш висит угроза: гейш и сестер оттуда выживут

– любящая пара (Fairfax/Molly, Вершинин/Маша) общается «тра-та-та»

– оперетка и пьеса обе заканчиваются военным маршем

Gordon McVay

Три сестры и Наташа

1.

О чем пьеса *Три сестры*? О быте и бытии, о времени и вечности, о любви и одиночестве, о труде и праздности, о надеждах и разочарованиях, о пустоте человеческих желаний и о красоте человеческих устремлений, о мудрости и глупости, о том, как жить, и о том, как не жить...

И – о трех сестрах и Наташе.

Антон Павлович Чехов слывет «объективным» писателем. Известны такие его высказывания в письмах к А.С. Суворину: «Художник должен быть не судьею своих персонажей и того, о чем говорят они, а только беспристрастным свидетелем» (П. 2, 280) «Суд обязан ставить правильно вопросы, а решают пусть присяжные, каждый на свой вкус» (П. 3, 46).

Однако Лидия Дмитриевна Громова (Опульская) справедливо возражает:

> Чехов не объективный и тем более не беспринципный писатель. Объективность – обязательно безразличие, равнодушие, всеядность. Пусть, как до конца честный и скромный писатель, он не скрывает и даже заявляет, что не знает «настоящей правды»[1], но он постоянно ищет ее, отрицает ложь и везде остается поэтом человечности. [...] Он только не хотел порабощать читателя, угнетать его – даже и самыми «высокими идеями»...[2]

Драматург и прозаик Леонид Зорин отмечает:

> Главное качество Чехова – всегда уходя в тень, он, вместе с тем, напряженно исповедален. Имеющий уши да слышит![3]

Беда (или счастье?) в том, что каждый слышит по-своему...

Вокруг трех сестер и Наташи с самого начала мнения резко расходились. С одной стороны, А.В. Луначарский негодовал на «этих глупых трех сестер»:

> Все персонажи «Трех сестер», на наш взгляд, достойны осмеяния, и пошлая свояченица героинь мало чем пошлее самих пресловутых трех сестер. [...]
> Три сестры, молодые, красивые, образованные, с пенсией отца-генерала, со своим домом, одна – начальница гимназии, другая – любимая и любящая, третья – во цвете юности, стонут и плачут по совершенно неведомой причине. Им, видите ли, хочется в Москву! Господи, Твоя воля, да поезжайте в Москву, кто вас держит?[4]

С другой стороны, Корней Чуковский так размышлял о «победе» трех сестер:

> Пусть они не увидят Москвы, пусть Наташа, пестрая, мелкая, слепая, шершавое животное, ворвется к ним в их святой, словно светящийся дом [...].
> [...] Их дом, где всё не так, всё не то, где всё глупые ненужные слезы, Чехов так-таки превратил в святыню. [...]

---

[1] «Никто не знает настоящей правды» – слова в повести *Дуэль* (7; 453, 454, 455).

[2] Л.Д. Громова (Москва), письмо Г. Маквею от 7 декабря 2003 г. Все письма, процитированные ниже адресованы Г. Маквею.

[3] Л.Г. Зорин (Москва), письмо от 7 марта 2004 г.

[4] А.В. Луначарский: О художнике вообще и некоторых художниках в частности. В: Русская мысль Москва, 1903, кн. 2, с. 59/60.

– Ля Софи е дорми дежа, – говорит Наташа, а у нас такое чувство, как будто она в какой-то церкви, в алтаре кричит неприличное слово, как будто она чем-то оскорбляет сестер, и тут только мы замечаем, что сестры для нас уже не только милы, а и святы [...].[5]

И с тех пор идет многоголосый спор о пьесе и ее персонажах.

В наши дни, с одной стороны, американский ученый Лоренс Сенелик осуждает «нереальность ценностей» трех сестер:

При всех привилегиях хорошего воспитания, любящей семьи и материальных благ сестры прозябают, не просто потому что они проживают в провинции, а потому что они не сумели создать никаких ценностей, которые могли бы придать смысл их существованию.[6]

С другой стороны, как будто речь идет о совсем другой пьесе и совсем других персонажах, в оценке Бориса Исааковича Зингермана три сестры и им подобные – «эти юные прекрасные существа», «скромные изящные чеховские интеллигенты».[7] Зингерман пишет: «Образ трех сестер, как ‹Троица› Рублева, по своим гармоничным очертаниям и краскам совпадает с образом родной природы.»[8]

Особую промежуточную позицию занимает Владимир Борисович Катаев, который упорно указывает на «скрытую общность» между всеми персонажами пьесы и на то, что «виноваты все мы».[9]

За последние годы и я попытался сформулировать свою точку зрения на пьесу *Три сестры* и ее персонажей. Мной опубликованы на английском языке отдельная монография и несколько небольших статей.[10]

Не желая повторить уже опубликованное, кратко изложу некоторые свои мысли и соображения по поводу Наташи и трех сестер. После этого приведу суждения русских писателей и литературоведов в ответ на мои письменные вопросы.

Итак, в нескольких словах.

К трем сестрам я отношусь с глубоким сочувствием, несмотря на их явные «слабости» и «недостатки»[11] (или отчасти именно из-за них!).

---

[5] К. Чуковский: Чехов и христианство. В: Мир, 1910, № 5, с. 359.

[6] См. Laurence Senelick: Anton Chekhov. London 1985, с. 107, 108, 110/11.

[7] Борис Зингерман: Театр Чехова и его мировое значение. Изд. второе, доп. Москва 2001, с. 13, 6.

[8] Там же, с. 81. См. также Т.Б. Князевская: Провидческое у Чехова (Четыре постановки «Трех сестер»). В: Чеховиана. Чехов в культуре XX века. Статьи, публикации, эссе. Москва 1993, с. 135/36.

[9] Чехов «поворачивает каждого из действующих лиц так, что в *каждом*, пусть ненадолго, открывается то, что уравнивает его с Наташей». (В.Б. Катаев: Литературные связи Чехова. Москва 1989, с. 212; см. там же, с. 209-213). «Но, сталкивая разных героев или группы героев, Чехов настаивает на скрытой, не замечаемой ими самими общности.» (В.Б. Катаев: Буревестник Соленый и драматические рифмы в «Трех сестрах». В: Чеховиана. «Три сестры» – 100 лет. Москва 2002, с. 125). См. также другие публикации В.Б. Катаева, напр.: «Три сестры». В: Чеховский вестник. Москва, 1997, № 1, с. 28-31; Чехов – метадраматург XX века. В: Альманах Мелихово. Мелихово 2000, с. 6-14.

[10] См. Gordon McVay: Chekhov's «Three Sisters». London 1995. См. также, напр.: Gordon McVay: Three Sisters. В: Plays & Players. London, February 1991, No. 446, с. 32; Chekhov's «Three Sisters». Longing for the Ideal. В: Rusistika. England, June 1991, No. 3, с. 2-7; The Three Sisters (Tri sestry). В: International Dictionary of Theatre. Volume 1: Plays. Chicago, London 1992, с. 796/97; Moscow Meditations. В: Plays & Players. London, November 1992, No. 464, с. 78/79; Peggy Ashcroft and Chekhov. В: Chekhov on the British Stage. Cambridge 1993, с. 78-100 (85-89).

[11] У сестер есть моменты неделикатности, нечуткости, бестактности, может быть, даже жестокости. Напр.: Ольга бестактно критикует пояс Наташи (13, 136). Маша бывает грубовата, сердита, ругается, она незаслуженно обрушивается на Анфису (13, 149), изменяет любящему мужу. Юная Ирина наивна и мечтательна, она нетерпеливо, грубо обращается с дамой на телеграфе (13, 144), неспособна ответить на любовь Соленого (13, 154) и Тузенбаха (на протяжении всей пьесы, а особенно в прощальной сцене; 13, 180/81), и т.д.

Три сестры устремлены ввысь, к свету, к небу, и воплощают огромное духовное томление, тоску по идеалу. Сестры страстно мечтают о счастье, любви, вдохновенном труде, они ищут веры и смысла жизни.[12]

Сестры Прозоровы и их друзья лишены большинства отрицательных черт, которых сторонился сам Чехов. Они не мелочны, не вульгарны, не пьяны, не грязны, не глупы, не пусты, не самодовольны, не ограниченны, не лицемерны. Они не сводят смысл жизни к выращиванию крыжовника (*Крыжовник*), к мелким запретам и ограничениям (*Унтер Пришибеев*, *Человек в футляре*), к накоплению денег (*Ионыч*), к погоне за знаменитостями, престижем и случайными любовными связями (*Попрыгунья*). Сестры Прозоровы мягкосердечны, духовны, простительно простодушны, беззащитны и совершенно человечны. Они жаждут более счастливой, более красивой, более содержательной жизни.

Виноваты ли они в том, что им не удается достичь недостижимого?

Три сестры – Ольга, Маша, Ирина. *Ольга* Книппер – будущая жена писателя. *Маша* – его сестра. *Ирина* – роль, в которой он впервые увидел Книппер («Если бы я остался в Москве, то влюбился бы в эту Ирину»; П. 7, 289).

Случайно ли такое совпадение имен?

А к Наташе я отношусь с отвращением. Хотя она и не является традиционной «злодейкой», я не нахожу у Наташи ни одной «положительной» черты. Наташа неисправимо вульгарна, властолюбива, нагла, мелка, пошла.

Чем нормальнее, миловиднее, безобиднее она представляется в 1-м действии, тем она со временем становится омерзительнее и страшнее.[13]

«Романчик» Наташи с Протопоповым (в отличие от романа Маши с Вершининым) предшествует ее замужеству и не обрывается в течение четырех лет замужества. Если роман Маши с Вершининым овеян печалью, то «романчик» Наташи с Протопоповым – грязен.

Чехов прекрасно сознавал: «Дети святы и чисты. Даже у разбойников и крокодилов они состоят в ангельском чине» (П. 3, 121). Но какие у Наташи могут быть «здоровые» дети? В лучшем случае они вырастут пухленькими, толстенькими бутузами – и в то же время – нравственными калеками.

И какая у Наташи может быть материнская любовь? Своих детей она расставляет словно пешки на шахматной доске прозоровского дома. Приторные, псевдоматеринские излияния Наташи настолько отвратительны, что даже самый чадолюбивый зритель или читатель готов аплодировать чудовищной по своей сути реплике Соленого: «Если бы этот ребенок был мой, то я изжарил бы его на сковородке и съел бы» (13, 148/49).

Мир, населенный Наташами, Протопоповыми и их отпрысками, был бы жутким. Мир, в котором такие, как сестры Прозоровы, стали бы большинством, был бы почти раем на земле. Но, увы, три сестры бездетны. Будущее человеческого рода выглядит бесперспективным.[14]

Легко обвинить трех сестер в безволии, пассивности, инертности, хотя такие «недостатки» являются как раз обратной стороной «добродетелей» – неагрессивности, мягкости, культурности, порядочности.

[12] Прекрасны слова Маши: «Мне кажется, человек должен быть верующим или должен искать веры, иначе жизнь его пуста, пуста... Жить и не знать, для чего журавли летят, для чего дети родятся, для чего звезды на небе... Или знать, для чего живешь, или же все пустяки, трын-трава» (13, 147).

[13] Путь Наташи можно проследить от «Я боюсь [...]; Я так боюсь! […] Я боюсь [...]» (13; 139, 140) до «я велю... Велю... я велю» (13, 186). «Наташи – будущие Начальники концлагерей.» (Э. Бройде: Чехов. Мыслитель. Художник. Frankfurt/M. 1980, с. 93).

[14] Навряд ли бездетные сестры завидуют плодовитой Наташе. В окончательном тексте сцены объяснения с сестрами Чехов исключил несправедливые слова Андрея: «просто каприсы […] капризничанья старых дев. Старые девы никогда не любили и не любят своих невесток – это правило…» (13; 296, 439).

У сестер есть душа. У Наташи – нет. «И радость заволновалась в моей душе» (Ольга; 13, 120); «Я не знаю, отчего у меня на душе так светло!» (Ирина; 13, 120); «Томится душа моя» (Маша; 13, 168); «[...] душа моя, как дорогой рояль [...]» (Ирина; 13, 180). Слово «душа» ни разу не появляется на устах Наташи.

Если по Библии судить, то при мысли о трех сестрах приходят на память заповеди блаженства. Блаженны нищие духом, плачущие, кроткие, блаженны алчущие и жаждущие правды, милостивые, блаженны чистые сердцем, миротворцы, изгнанные за правду...[15] А при мысли о Наташе: «Какая польза человеку, если он приобретет весь мир, а душе своей повредит?».[16]

Критики часто обращают внимание на слова Чехова в письме к Ольге Книппер от 15 сентября 1900 г.: «Четыре ответственных женских роли, четыре молодых интеллигентных женщины» (П. 9, 117). Однако, в более поздних письмах автор (словно изменив свое отношение к Наташе) обычно упоминает только *трех* героинь, т.е. трех сестер.[17]

На самом деле, в чем проявляется «интеллигентность» Наташи? Может быть, в том, что она беззастенчиво коверкает французский язык?[18] В лучшем случае Наташа воплощает отрицательные черты русской «интеллигенции». Помните другое чеховское письмо: «Я не верю в нашу интеллигенцию, лицемерную, фальшивую, истеричную, невоспитанную, ленивую» (П. 8, 101).

В итоге, мне кажется, что «скрытая общность» трех сестер и Наташи поверхностна и второстепенна. В сущности, они – антиподы, прямые противоположности.

В результате, «победа» Наташи в 4-м действии пуста. Три сестры обитают в совсем иной духовной вселенной по сравнению с их приземленной невесткой. Склонности, мечты и надежды у них совсем разные.

Едва ли надо добавить, что Чехов изображает всё расширяющуюся пропасть между персонажами не в черно-белых тонах, прямолинейно, назидательно, декларативно, а постепенно, изящно, тонкими штрихами.

Итак, как следует по-настоящему называть чеховских трех сестер? В пародии Буренина *Девять сестер и ни одного жениха* их зовут – Шура, Мура, Дура, Пелагея, Дорофея, Ахинея, Инна, Кретина и Ерунда.[19] Кто же они на самом деле – «эти глупые три сестры»[20], «три ужасные сестры»[21], три слепые сестры[22], три парки, – или три грации, «Троица» Андрея Рублева?

---

[15] Евангелие от Матфея 5,3-10.

[16] Евангелие от Матфея 16,26. См. также от Марка 8,36.

[17] Чехов упоминает только трех героинь в письмах от 16 октября 1900 г. (П. 9, 133) и 8 марта 1901 г. (П. 9, 222). Однако, в письме от 13 ноября 1900 г. он пишет, что в пьесе «4 героини» (П. 9, 139).

[18] В декабре 1900 г. К.С. Станиславский писал Чехову: «Когда Наташа заговорила по-французски, Калужский несколько минут валялся по полу от смеха (успокойтесь, жена не шаржирует этого места).» (Цит. по кн.: Переписка А.П. Чехова в 3 тт. Москва 1996. Т. 3, с. 119/20).

[19] Граф Алексис Жасминов [В.П. Буренин]: Девять сестер и ни одного жениха, или Вот так бедлам в Чухломе! Символическая драма в 4-х действиях с настроением. В: Новое время, 1901, № 8999, 18 марта.

[20] Слова А.В. Луначарского (см. прим. 4).

[21] «Три сестры, три ужасные сестры, сколько зла вы нам наделали» – слова И.Н. Ге. См.: Дядя Ваня [И.Н. Ге]: Три сестры. В: Новости дня, 1901, № 6361, 1 марта (цит. в ст.: Л.Е. Бушканец: «Три сестры» и «чеховщина» в русском обществе начала XX века. В: Чеховиана. «Три сестры» – 100 лет. Москва 2002, с. 307, 315).

[22] *Три слепые сестры* (Les Trois Soeurs aveugles) – стихотворение Мориса Метерлинка 1896 г. См. Richard Peace: Chekhov's «Modern Classicism». В: The Slavonic and East European Review. London, January 1987, Vol. 65, No. 1, с. 23.

2.

В попытке узнать отношение других читателей и зрителей к трем сестрам и Наташе, я обратился к ряду корреспондентов с вопросами на данную тему. По поводу трех сестер я задал следующие вопросы:

1) Как Вы относитесь к трем сестрам, Андрею (и Тузенбаху, Вершинину, и другим персонажам) в *Трех сестрах*? Считаете ли Вы, что они – безвольные, слабые смешные люди? Смотрите ли Вы на них холодно, с иронией, с презрением – или с сочувствием, с восхищением?
2) Почему, на Ваш взгляд, три сестры не переезжают в Москву? Из-за слабости и безволия – или они сами (сознательно? полусознательно? подсознательно?) знают что и там в Москве для них счастье не существует?
3) В чем «слабые» и «сильные» стороны их характеров и отношения к жизни?
4) Как, на Ваш взгляд, сам Антон Павлович смотрел на Ольгу, Машу, Ирину, Андрея, Тузенбаха, Вершинина и других?

Все письма, процитированные ниже, получены мной в период 1998–2004 гг. Их авторы – русские писатели или литературоведы и критики.

Относительно трех сестер неудивительно, что мнения расходились. Преобладала к ним явная симпатия, хотя некоторые корреспонденты признавали (и иногда осуждали) безволие и пассивность сестер. После исторического опыта XX века жизнь и страдания трех сестер, да и чеховские пьесы вообще, нередко оцениваются по-новому.

Прозаик Евгений Попов пишет о Чехове:

> Пьесы его трансформировало время, до которого он, к его счастью, не дожил. [...]. Чехов в этом, разумеется, не виноват [...]. Однако факт есть факт: после ГУЛАГа, Холокоста, Хиросимы невозможно всерьез сострадать метаниям героев его пьес.[23]

Однако, целый ряд корреспондентов выражал глубокое сочувствие Ирине, Маше и Ольге. Мне особенно по душе высказывания следующих литературоведов и писателей.

Эмма Артемьевна Полоцкая отвечает:

> К семейству Прозоровых отношусь с *сочувствием*. Они не смешны. Живые люди с обычными человеческими слабостями. Силы воли и целеустремленности в самом деле нет, но внутри все они устремлены к лучшему – к Москве сначала, потом – к жизни (см. Заключительные реплики на фоне музыки). Не сказала бы, что это безволие.
> А А[нтон] П[авлович] видел их слабости больше, чем мы, читатели и зрители. Ольга, встретившая Наташу так бестактно, – не вяжется с интеллигентностью. Долгие речи Вершинина; безволие (вот уж точно) Андрея, терпящего глумление (не в словах, а на деле) жены... – все это автор видел, п[отому] ч[то] «сделал».[24]

Татьяна Борисовна Князевская взволнованно пишет:

> К трем сестрам, Тузенбаху, Вершинину, даже Андрею я отношусь с сочувствием, они для меня не «безвольные, слабые, смешные» люди, а просто люди, люди живые прежде всего, не очень счастливые, не очень удачливые, и Андрея я не осуждаю, за то, что он смирился со своей судьбой и не устраивает скандалов Наташе, а просто жалею его, как жалею и Тузенбаха, и трех сестер, и Вершинина, и думаю, что так же жалею, как жалел их сам Чехов – без надрыва и слезы в голосе, но просто понимал каждого, входил в его положение и сочувствовал ему. А не переезжают они в Москву потому, что жизненные обстоятельства засасывают их, и образ прошлого, светлого детства и юности, связанного с Москвой, кажется

[23] Е.А. Попов (Москва): Ответы Гордону Маквею от 9 февраля 2004 г.
[24] Э.А. Полоцкая (Москва), письмо от 13 марта 2002 г.

им поэтому особенно светлым и прекрасным. Они понимают, что в юность вернуться невозможно, поэтому и ничего не предпринимают для того, чтобы переехать в Москву со своими баулами и чемоданами – ведь в прошлое вернуться невозможно.[25]

Татьяна Константиновна Шах-Азизова писала:

Вы слишком категорично ставите вопросы, снова предлагаете альтернативу («или – или»). Как на них смотреть – с иронией и презрением или с сочувствием и восхищением? Выберу среднее: с сочувственной иронией. Тот, кто смотрит на них с презрением, сам того достоин; в нем нет ни человечности, ни чеховской свободы и широты. Восхищение – это слишком пафосно; это не чеховская краска. В этой пьесе Чехов словно сам проходит и нам предлагает пройти тест на человечность. Все (почти все) – люди как люди, со слабостями, грехами и чистотой душевной. Смешные, велеречивые, но – свои, родные. [...]
Осталась проблема Москвы. Почему не уезжают? – Выстроено так, что и не могут. Обстоятельства против (как скажет Ольга, «Все делается не по-нашему»). Маша замужем, Андрей оброс семьей, дом заложен, денег нет, Ольгу выбрали начальницей... Всё это для обычного человека – нешуточные причины. Но Чехов словно нарочно выстраивает эту цепочку причин, чтобы показать: не дано. Никому ничего не дано сделать, изменить свою жизнь, и не из-за слабости только. Некий Рок стоит за всем этим [...], хотя является иногда в мелочах, в чем-то даже комичном. В пьесах Чехова никому не дано изменить свою жизнь; «новая жизнь» есть предмет мечтаний или отнесена куда-то далеко.[26]

Леонид Зорин размышлял в таком же духе:

Вы спрашиваете, как я отношусь к героям *Трех сестер*? Что до меня, то я отношусь к ним с сочувствием («восхищение», в данном случае, вряд ли адекватное слово), хотя человеку, прошедшему 20-й век, вполне уместно восхититься их воспитанием, их строем чувств, их тонкостью, их лексикой – от всего этого ничего не осталось.
Но главное ощущение, которое не покидает от знакомства с ними – их обреченность в этом мире. Это чувство чаще всего возникает, когда читаешь Чехова. Поэтому так естественны для читателя сочувствие, соучастие. Думаю, что и Чехов испытывал нечто сходное. При том, что он жесткий и требовательный автор, он всегда человечен [...]. (Особняком, пожалуй, стоит Наташа – о ней несколько ниже.) [...] Поэтому – я вновь говорю об обреченности – усилия этих людей, большей частью, бесплодны. Они это и сами чувствуют. Оттого-то и сестры не переезжают в Москву. Москва это мечта, символ, обозначение какой-то другой жизни. В мечту и в символ не переезжают. Антон Павлович и сам томился в Ялте и страстно мечтал о Москве, но когда, наконец, осенью 1903 года в нее переехал, счастливей не стал. Может быть, стал (по многим причинам) даже несчастней. Там хорошо, где нас нет.[27]

Драматург Людмила Николаевна Разумовская отвечала:

Вы спрашиваете о персонажах *Трех сестер*. Что они – безвольны, слабы, смешны?
Да. Можно их увидеть так.

---

[25] Т.Б. Князевская (Virginia [США]), письмо от 10 августа 2000 г.

Т.Б. Князевская зорко отмечает: «Великая, величайшая, всепроникающая человечность, понимание людей и сочувствие им – вот воздух чеховского творчества. Он видит мир таким, каков он есть – без розовых, голубых или серых очков. Он величайший – и единственный в России подлинный, настоящий демократ – великий истинный демократ – потому, что понимает людей и жалеет их, и принимает жизнь такою, как она есть, не спрашивая и не давая рецептов к ее исправлению. Это не объективность и реализм, это невиданное до него проникновение в глубину души каждого, умение ее понять и всей силой своей души сочувствовать ее беде или радости» (письмо от 6 февраля 2002 г.).

См. также Tat'jana B. Knjazevskaja: Религиозные (православные) корни чеховской идеи смирения и терпения. В: Anton P. Čechov – Philosophische und religiöse Dimensionen im Leben und im Werk. Hg. Vladimir B. Kataev, Rolf-Dieter Kluge, Regine Nohejl. München, 1997, с. 451-457.

[26] Т.К. Шах-Азизова (Москва), письмо от 8 августа 2002 г.

[27] Л.Г. Зорин (Москва), письмо от 12 мая 2004 г.

> Но они же – цельные, чистые, прекрасные, романтичные, благородные.
> Но они же могут быть злыми, жестокими, даже уродливыми (иногда), даже пошлыми (не все). [...]
> Чеховские персонажи – благодатный материал для самой широкой, даже – взаимоисключающей – трактовки. Наше отношение – говорит, м[ожет] б[ыть], не столько об объекте отношения, сколько о нас самих. [...]
> Да отчего же они, в конце концов, всё не едут в Москву?! Уж казалось бы, чего проще, сел в поезд – и вперед!
> По-моему, это только у американцев с их happy end(ом) и все о'кеем – как в аптеке.
> А европеец (более сложное существо), а христианин (еще более сложное), а русский – знают, что «на свете счастья нет, а есть покой и воля» (А. Пушкин).[28] [...]
> Поток жизни оказывается сильнее отдельных, самых страстных, самых ярких мечтаний о жизни, и желаний жизни... Поток жизни... А можно сказать – судьба. А можно сказать – воля Божия. А можно сказать – крест.[29]

Людмила Разумовская продолжает свои раздумья:

> Что же сказать о *Трех сестрах*? Почему именно этот «сюжет» особенным образом тревожит и умиляет душу? Разбитые мечты, неосуществленные надежды, несчастная любовь – все это есть и в других пьесах. Терпение и смирение перед судьбой (а точнее, перед волей Божьей) – и в *Чайке*, и в *Дяде Ване*... Может быть, потому, что в облике трех сестер есть что-то неуловимо-благородное, грациозное и возвышенное, почему их «гибель» и вызывает величайшую горечь и сопереживание... Это как в диком запущенном саду – заглушаемые сорной травой, крапивой и лебедой, – прекрасные розы. Они растут и не жалуются на удушающие их сорняки, не гневаются, не негодуют. Они тихо и молча благоуханно цветут, а после – так же тихо и молча, с достоинством умирают.
> [...] Именно потому, быть может, появляется в конце пьесы в трех сестрах нечто *ангельское*. После всего, после смертей, крушений и катастроф, их монологи – не *от мира сего*, это какое-то *ангельское пение*... Да, наверное, это: – неотмирность. [...] Наташа – от мира. А они (сестры) – Христовы, и *потому* – будут этим миром заглушены и затоптаны, на каком-то невидимом и незаметном кресте – распяты.[30]

Последнее слово предоставляется Л.Д. Громовой. Лидия Дмитриевна лаконично замечает:

> Чеховские «три сестры» – не безвольные, не слабые, а просто русские, т.е. привыкшие покоряться судьбе. Вы знаете, как мы трудно расстаемся с местом! Да и в самом деле в России трудны эти перемещения: где жить, где работать, денег нет... Пожалейте нас, как, думаю, жалел и Чехов. Активность у нас принимает обычно черты Наташи – отвратительные.[31]

3.

Что касается Наташи, то дело обстоит гораздо проще. Я обратился к своим корреспондентам со следующим вопросом:

> Как Вы относитесь к Наташе в пьесе *Три сестры*? Считаете ли Вы, что она – «злодейка», олицетворение пошлости, полная противоположность трем сестрам – или Вы в чем-то сочувствуете Наташе, уважаете ее энергию, силу, практичность?

---

[28] У Пушкина: «На свете счастья нет, но есть покой и воля» (из стихотворения *Пора, мой друг, пора! покоя сердце просит*, 1834 г.).

[29] Л.Н. Разумовская (Санкт-Петербург), письмо от 14 февраля 2002 г.

«Т[о] е[сть] вопрос стоит не о достижении земного счастья (хотя к этому все равно чел[овек] по своему человечеству стремится), но – в конечном итоге – о примирении с несчастьем (в этом – достоинство чел[овека]), ибо – ‹мир во зле›, ибо страдание приближает ко Христу и т.д.» (там же).

[30] Л.Н. Разумовская (Санкт-Петербург), письмо от 19 марта 1999 г.

[31] Л.Д. Громова (Москва), письмо от 7 декабря 2003 г.

Ответы (хотелось бы добавить – слава Богу!) – почти единодушны. Некоторые критики совершенно правильно указывают на то, что робкая Наташа в 1-м действии пьесы выглядит иной, чем неприкрытая хищница последнего действия. Другие с горечью отмечают, что в нынешней России Наташи расплодились.

Лия Соломоновна Левитан пишет:

> Наташа эгоистична, даже цинична; когда она мечтает срубить дерево (а Чехов-то деревья и сады любит!) и насажать цветочков и «будет запах», так от этого запаха плохо пахнет![32]

В сущности, никто не находит для Наташи ни одного доброго слова. Итак – преподнесем новой хозяйке прозоровского дома громадный букет дурно пахнущих «цветочков» – то есть, отрицательных высказываний литературоведов и писателей.

Первым выступит Леонид Зорин:

> Авторы любят своих героев независимо от их добродетелей (все они – их дети, Гоголь, наверняка, любил и Хлестакова и Ноздрева и Собакевича) – тем не менее, Наташа – такое средоточие торжествующей пошлости, такая квинтэссенция самодовольной победоносности, что отнестись к ней с милосердием трудно. Все, что враждебно и отвратительно Антону Павловичу, в ней живет и цветет. [...] Иной раз, мне даже казалось, что он сводит некие счеты.[33]

Лидия Дмитриевна Громова писала:

> Энергия, практицизм, направленные лишь на защиту *своего*, личного – дурной знак. Чтобы закричать: Кто оставил здесь вилку? – большой энергии не надо. Лишь вздорность хозяйки-мещаночки. И наглость тоже. О детях, конечно, надо заботиться, но не так бестактно. Очень не люблю и не принимаю эту Наташу. Чехов, по-моему, тоже не скрывает отрицательного отношения. Вспомните «романчик с Протопоповым». Романчик![34]

Эмма Артемьевна Полоцкая заявляет:

> Не уважаю Наташу – она для меня, как и Яша, – редкий экземпляр чеховских персонажей без светлой стороны. Собственно, не чеховский персонаж – однозначный. Даже материнская любовь у нее противна. Энергия, которая вызывает разрушение дома, потом сада.[35]

В ответ на мою мысль, что три сестры и Наташа в сущности являются прямыми противоположностями, Эмма Артемьевна откликнулась следующими словами:

> По поводу *Трех сестер* Вы абсолютно правы, дорогой. [...] Сам Чехов тоже относился к Наташе, как мы с Вами, это видно из его письма с упоминанием леди Макбет.[36]

---

[32] Л.С. Левитан (Хадера/Израиль), письмо от 1 июля 2004 г.

[33] Л.Г. Зорин (Москва), письмо от 12 мая 2004 г.

[34] Л.Д. Громова (Москва), письмо от 7 декабря 2003 г.

[35] Э.А. Полоцкая (Москва), письмо от 13 марта 2002 г.

[36] Э.А. Полоцкая, письмо, почтовый штемпель: Kyiv, Ukraine [Киев, Украина], 20.7.04.

Чехов писал К.С. Станиславскому 2 (15) января 1901 г.: «Вы пишете, что в 3-м акте Наташа при обходе дома, ночью, тушит огни и ищет жуликов под мебелью. Но, мне кажется, будет лучше, если она пройдет по сцене, по одной линии, ни на кого и ни на что не глядя, à la леди Макбет, со свечой – этак короче и страшней» (П. 9, 171).

Леонид Максович Цилевич отзывается о Наташе и трех сестрах: «С самого начала и до конца они – антиподы. [...] Наташу я отказываюсь воспринимать как человека, это – не более чем ‹шаршавое животное›. [...] Надо только уметь своевременно распознать ее хищническую сущность – *принципиально* отличную от ‹сущностей› трех сестер» (письмо из Хадеры [Израиль] от 2 июля 2004 г.).

Татьяна Борисовна Князевская возмущалась по поводу Наташи:

> Как можно говорить об уважении «силы, энергии и практичности» Наташи в *Трех сестрах*? Чем сильнее, энергичнее и практичнее хам, тем он опаснее. Для меня Наташа – олицетворение хамства, недочеловек, и, по-моему, Чехов именно так к ней и относился. В мире чеховских героев немного хамов – хотя в русской жизни их было предостаточно [...]. В *Вишневом саде* – это лакей Яша, но в таком чистом виде как Наташа хамство у Чехова больше не встречается. Слово «ненавидит» к Чехову неприложимо, но, конечно, он не считал ее человеком. Она и безвкусна, и вульгарна, и зла, и груба, и истерична, и беззастенчиво нагла, агрессивна и еще мужу изменяет – второго такого букета нет ни у одного другого персонажа Чехова. Так и хочется сказать, когда смотришь спектакль – ах, какая сволочь![37]

Что касается мысли об уравнивании трех сестер и Наташи, Татьяна Борисовна отвечала:

> Ваш вопрос о Наташе и трех сестрах меня удивляет – общее у них то, что каждая имеет по два глаза, две руки и две ноги. В остальном между Наташей и тремя сестрами пропасть.[38]

Последней выступит Татьяна Константиновна Шах-Азизова:

> [...] Сразу скажу о Наташе. Так вот: в пьесах Чехова крайне мало людей, отношение к которым у него откровенно недружелюбно, до того, что доктор Львов, профессор Серебряков, Соленый, Наташа, Яша становятся знаками чего-то скверного, чуждого для автора и для нас. Появляются порой даже плакатные краски, как в финале *Трех сестер* у Наташи. Пока никто, кажется, не занимался этой проблемой «водораздела» между героями, порога чеховского терпения, чеховских нравственных «табу». Ведь никто из них – не монстр, не «злодей»; каждый любит, или страдает, или одержим некоей «идеей фикс», или бывает смешон. Чехов и здесь объективен. Но есть какая-то черта, за которой он отказывает герою в своем, так скажем, расположении – резко, категорично.
> Причины как будто разные: хамство Яши, черствость Серебрякова, догматизм Львова, мещанский напор Наташи, наигранный демонизм Соленого. Но ведь и другие герои не без греха, однако остаются в круге «своих». Что здесь для Чехова неприемлемо и заставляет его сгущать краски? Переход дурного слова или дурных манер в действия, агрессия по отношению к ближнему, «преступления против человечности», хотя и в малом (по сравнению с позднейшими) масштабе? – Мне кажется, стоит поискать здесь. А что думаете Вы?[39]

4.

Творчество Чехова, в том числе и пьеса *Три сестры*, вызывает у многих читателей и зрителей ту созерцательную грусть, в которой переплетены надежда и отчаяние.

В восприятии некоторых людей преобладает отчаяние, у других – надежда.

Мне хотелось бы закончить свою статью тем, что процитирую раздумья двух из моих самых любимых корреспондентов.

Говорит драматург Леонид Зорин:

> «От себя не убежишь», – гласит народная мудрость.
> Поэтому, когда мы говорим об объективности Чехова, мы должны чувствовать условность этой характеристики. Объективен, ибо реалист, объективен, ибо, как истинный художник, не терпел тенденциозности. Субъективен, ибо по первой же фразе я чувствую Чехова, горечь его спокойствия, его неуходящую боль, его принужденную дань надежде. Он не хочет лишать ее своего читателя (как гуманист), но для него самого надежды на счастье нет. Пессимизм Чехова тягостен поэтому лишь для автора, а нас с Вами он просветляет, вызывает

---

[37] Т.Б. Князевская (Virginia/США), письмо от 15 февраля 2001 г.
[38] Т.Б. Князевская (Virginia/США), письмо от 21 мая 2004 г.
[39] Т.К. Шах-Азизова (Москва), письмо от 8 августа 2002 г.

> доверие, делает мужественней. Для думающего и чувствующего человека иметь такого собеседника как Чехов – счастье, вот почему он всегда будет актуален. Думаю, что, чем дальше, тем больше.[40]

Наконец, душой и сердцем (если несколько нерешительно – разумом) я присоединяюсь к лирической исповеди Людмилы Николаевны Разумовской:

> А эти прекрасные чеховские финальные «надежды-утешения-успокоения»?! Надежды – на что?..
> Уж, конечно, не на то, что вот, Бог даст, все в жизни у нас устроится, Вершинин соединится с Машей, Ирина тоже полюбит какого-нибудь замечательного джентльмена и все будет о'кей. О, нет! Наоборот!
> Полная ясность и трезвое понимание того, что жизнь – «кончена», что надежды на «счастье» не оправдались, а впереди – только долготерпение и труд.
> И в то же время – такой поэтический, пронзительный, опрокидывающий всю унылую пустоту и бессмыслицу жизни – подъем, взлет души! Откуда? Почему? Если все так трагично и мрачно?
> И я Вам отвечу: – это тысячелетнее, живое, непогребенное, вошедшее в плоть и кровь, и душу, – неуничтожимое – христианство, прозревающее за бессмысленностью, дикостью и абсурдом жизни – «небо в алмазах», фаворский свет и Бога живого! (Даже у как бы «неверующего» Чехова, но всей силой своей гениальной интуиции утверждающего веру в бессмертие и красоту человеческой души, в смысл и гармонию мира и вечное спасение.)
> А путь к этому (царству Божию) (не путать с царством демократии и прав человека!) – известен: – Неси свой крест и веруй!..[41]

Итак – о чем пьеса *Три сестры*? О бренности и несовершенстве человеческой жизни, о хрупкости счастья, о неуловимости любви, о ненадежности – но и необходимости – надежды («o, fallacem hominum spem!»), о памяти и забвении, о стремлении и самодовольстве, о «тоске по высшем смысле жизни»[42] и равнодушии («все равно!»), о благородстве и наглости, о духе и плоти, о быте и бытии.

И – о трех сестрах и Наташе.

Литература

Бройде, Э.: Чехов. Мыслитель. Художник. Frankfurt/M. 1980.

[Буренин, В.П.] Граф Алексис Жасминов: Девять сестер и ни одного жениха, или Вот так бедлам в Чухломе! Символическая драма в 4-х действиях с настроением. В: Новое время, 1901, № 8999, 18 марта.

Бушканец, Л.Е.: «Три сестры» и «чеховщина» в русском обществе начала XX века. В: Чеховиана. «Три сестры» – 100 лет. Москва 2002, с. 305-316.

[Ге, И.Н.] Дядя Ваня: Три сестры. В: Новости дня, 1901, № 6361, 1 марта.

Зингерман, Борис: Театр Чехова и его мировое значение. Изд. второе, доп. Москва 2001.

---

[40] Л.Г. Зорин (Москва), письмо от 25 сентября 2004 г.

В письме от 7 июня 2004 г. Леонид Зорин размышлял: «Вот и Соня на что-то надеется. Но ведь она не прожила еще XX века. Впрочем надежда ее [...] на грани отчаяния и я бы не смог разделить эти два чувства. Кого она утешает-уговаривает? Дядю Ваню? Себя? Неудавшуюся жизнь? Судьбу? Да все тут вместе. Возможно, что и одинокий человек, который писал эту пьесу, убеждал себя: ‹Потерпи, мой друг, потерпи, смерть не за горами, мы отдохнем, мы отдохнем... Отдохнем от этого мира, от населяющих его людей, от лжи, пошлости, измен, коварства, от вечной зависти всяких Ежовых и похожих на них Щегловых›... Возможно, что так.

‹Через триста лет› заклинают и уповают персонажи *Трех сестер*. Господи! – через триста лет, это все равно, что ‹через тысячу лет›, это все равно, что ‹на том свете›...».

[41] Л.Н. Разумовская (Санкт-Петербург), письмо от 8 ноября 1998 г.

[42] Слова С.Н. Булгакова. «В произведениях Чехова ярко отразилось это русское искание веры, тоска по высшем смысле жизни, мятущееся беспокойство русской души и ее больная совесть.» (Чехов как мыслитель. Москва 1910, с. 13).

Катаев, В.Б.: Литературные связи Чехова. Москва 1989.
Катаев, В.Б.: «Три сестры». В: Чеховский вестник. Москва, 1997, № 1, с. 28-31.
Катаев, В.Б.: Чехов – мета-драматург XX века. В: Альманах Мелихово. Мелихово 2000, с. 6-14.
Катаев, В.Б.: Буревестник Соленый и драматические рифмы в «Трех сестрах». В: Чеховиана. «Три сестры» – 100 лет. Москва 2002, с. 120-128.
Князевская, Т.Б.: Провидческое у Чехова (Четыре постановки «Трех сестер»). В: Чеховиана. Чехов в культуре XX века. Статьи, публикации, эссе. Москва 1993, с. 130-136.
Луначарский, А.В.: О художнике вообще и некоторых художниках в частности. В: Русская мысль. Москва, 1903, кн. 2.
Переписка А.П. Чехова в 3 тт. Т. 3. Москва 1996.
Чуковский, К.: Чехов и христианство. В: Мир, 1910, № 5.

Knjazevskaja, Tat'jana B.: Религиозные (православные) корни чеховской идеи смирения и терпения. B: Anton P. Čechov – Philosophische und religiöse Dimensionen im Leben und im Werk. Hg. Vladimir B. Kataev, Rolf-Dieter Kluge, Regine Nohejl. München, 1997, c. 451-457.
McVay, Gordon: Three Sisters. B: Plays & Players. London, February 1991, No. 446.
McVay, Gordon: Moscow Meditations. B: Plays & Players. London, November 1992, No. 464, c. 78/79.
McVay, Gordon: The Three Sisters (Tri sestry). B: International Dictionary of Theatre. Volume 1: Plays. Chicago, London 1992, c. 796/97.
McVay, Gordon: Peggy Ashcroft and Chekhov. B: Chekhov on the British Stage. Cambridge 1993, c. 78-100.
McVay, Gordon: Chekhov's «Three Sisters». London 1995.
Peace, Richard: Chekhov's «Modern Classicism». B: The Slavonic and East European Review. London, January 1987, Vol. 65, No. 1, c. 13-25.
Senelick, Laurence: Anton Chekhov. London 1985.

Angelina Chanilo

К характеристике действующих лиц пьесы А.П. Чехова *Вишневый сад*:

О.Р. Васильева как прототип женского персонажа пьесы (по неопубликованной статье Н.А. Брыгина)

16 марта 1904 г. Ольга Леонардовна Книппер писала в Ялту А.П. Чехову:

> Москвин умоляет, нельзя ли ему вставить фразу в четвертом акте. Когда он давит картонку, Яша говорит: «Двадцать два несчастия», и Москвину очень хочется сказать: «Что же, это со всяким может случиться». Он ее как-то случайно сказал, и публика приняла. Разрешишь? (П. 12, 311)

В ответном письме 20 марта, Чехов писал: «Скажи Москвину, что новые слова он может вставить, я их сам вставлю, когда буду читать корректуру. Даю ему полнейшую carte blanche» (12, 67).

В печатный текст пьесы эта фраза не была вставлена. Она включена в текст сценической редакции Художественного театра. Но фраза, записанная Чеховым, сохранилась в Ялтинском доме писателя. В небольшом блокноте в письменном столе, на первой странице, где записаны два адреса, черными чернилами, рукою Чехова написано: «Епих. Что ж, это со всяким может случиться.»

Этот ценнейший автограф и по сей день хранится в Ялтинском Доме-музее Чехова. Это последняя строка, написанная Чеховым в марте 1904 г. к пьесе *Вишневый сад*.

В примечаниях к *Вишневому саду* написано:

> В журнальной редакции повести «Три года» есть мотив, относящийся к образу обедневшего дворянина Панаурова [...]. Про него говорили, что свое состояние, он проел и пропил на лимонаде [...]. Этот мотив вновь зазвучал во II действии в реплике Гаева, который, кладя в рот леденец и смеясь, признается: «Говорят, что я все свое состояние проел на леденцах…» (13, 484)

Указанно, что первоисточник о «проеденном состоянии» это журнал *Русская мысль* 1895 г.

Полагаю, что к этим примечаниям нужно добавить как первоисточник слова самого Чехова о «проеденном состоянии», относящиеся к 1889 г.

В июле 1889 г. Чехов вместе с братом Иваном Павловичем, несколько дней провел в Одессе. В это время здесь на гастролях находились артисты Малого театра. Чехов посещал спектакли, и все свободное время проводил с артистами, или точнее с артистками театра.

Брат уехал раньше, а Чехов из Одессы поехал в Ялту, с дороги посылает ему письмо 16 июля 1889 г., в котором сообщает:

> Без тебя жил я почти так же, как при тебе. [...]
> В 12 ч. брал я Панову [актрису театра – А.Х.] и вместе с ней шел к Замбрини есть мороженое (60 коп.), шлялся за нею к модисткам, в магазины за кружевами и проч. Жара, конечно, несосветимая. (П. 3, 230)

А по приезде в Ялту написал А.Н. Плещееву 3 августа 1889 г.: «Ехал я за границу, но попал случайно в Одессу, прожил там дней десять, а оттуда, проев половину своего состояния на мороженом (было очень жарко) поехал в Ялту» (П. 3, 233).

В начале 70-х гг. ко мне с письмом обратился литературовед из Одессы Никита Алексеевич Брыгин[1], с большим количеством вопросов о писателях, которые бывали или жили в Одессе и были хорошо знакомы А.П. Чехову.

Но больше всего было вопросов об Ольге Родионовне Васильевой и просьба, если в музее есть ее фотография, то ему прислать копию. Его просьбу я выполнила, послала ему фотокопию Васильевой, с дарственной надписью Евгении Яковлевне, матери писателя, и ответила на все интересующие его вопросы. Между нами завязалась переписка, я отвечала на его вопросы, а он сообщал мне все новые и новые сведения о Васильевой, которые ему удалось обнаружить в Одессе. Через некоторое время он мне прислал статью *Сюжет для небольшого романа. Одесские визиты А.П. Чехова.*[2]

Его исследования и примечания были очень интересны, и я его адресовала в Чеховскую группу Института мировой литературы, работавших в то время над академическим собранием сочинений Чехова, но там не очень доброжелательно отнеслись к статье Н.А. Брыгина.

А на мой взгляд, она заслуживает внимания исследователей творчества Чехова, а не только тех 9 строк упоминания в примечаниях к пьесе Чехова *Вишневый сад* (13, 487), где принимается только сообщение Васильевой в письме к Чехову, что она летала на воздушном шаре. Не только этот факт перешел в пьесу от О.Р. Васильевой.

Хочется отметить, что многие черты характера и поведения Васильевой отражены в образе Ани Раневской, что в свои 16–17 лет она была очень самостоятельной. Такой описывает Чехов Аню в своей пьесе, и что в пьесе речь идет о продаже имения, это тоже от Васильевой, о продаже большого домовладения в Одессе.

И очень ценно, в статье Н.А. Брыгина, это то, что он проследил всю жизнь О.Р. Васильевой. Так что есть основания считать ее в большой степени прототипом Ани Раневской в пьесе *Вишневый сад*.

Позволю себе ознакомить с некоторыми фактами биографии О.Р. Васильевой из статьи Н.А. Брыгина[3] и еще прибавить небольшие примечания, также отраженные в пьесе Чехова *Вишневый сад.*

Ницца. 1898.

Обитателю «Русского пансиона» г-ну Антону Чехову передали письмецо из Канн от г-жи Васильевой. В строгих и почтительных тонах неизвестная дама просила указать дни и часы, когда она могла бы приехать для личной беседы. Причина визита – испросить разрешение на перевод некоторых рассказов.

Причина веская, хотя и не очень оригинальная. [...]

«Я не считаю себя опытной в литературных попытках, но некоторые Ваши рассказы глубоко тронули меня», – вполне объективно сообщала г-жа Васильева, тут же, однако, сходя на подозрительную скороговорку: «Беспокоить Вас долго ни в каком случае я не буду – прошу только одну минуточку времени».

«Только одну минуточку». Знакомо. [...]

---

[1] Н.А. Брыгин позже становится основателем и директором Литературного музея в Одессе, открывшегося в 1984 г.

[2] Вечерняя Одесса, 22 ноября 1974 г.

[3] Н. Брыгин: Времен стремительная связь. Одесса 1977.

А что если просительница из каннского отеля Св. Карла была этакой скучающей курортной дамой «с запросами», ищущей модных знакомств?

Как бы подтверждая такое предположение, г-жа Васильева впоследствии и впрямь вела себя несколько... загадочно и непонятно. Если Антон Павлович останавливался в Москве, допустим, в гостинице «Дрезден», совершенно случайно тут же в одном из соседних номеров оказывалась и г-жа Васильева. Чехов снова ехал в Ниццу – и возле него неизбежно возникала ее тень. Чехов поселялся в Ялте, на Аутке, а с соседней дачи Соколова уже несли записочку: «Простите, ради бога, что я так начинаю соседство, но, пожалуйста, если можете, пришлите мне 30 р., а пока примите золото». Чехов мгновенно и почему-то радостно отвечал, что он готов всю жизнь быть ее банком.

Сколь беспредельна чеховская деликатность!

«Чехов... очень мягко реагировал на ее бестактности», – сокрушался один из исследователей переписки Чехова и Васильевой П.С. Попов [...] и приводил упомянутую «долговую» записку Васильевой, писанную на Аутке.

Между тем стоило только чуточку повнимательнее вчитаться в ту же злополучную записку, как становилась очевидной простая истина: количество присланных Васильевой «в залог» золотых дублонов многократно перекрывало «просимую» сумму, а вся записка выглядела всего лишь как робкий предлог известить Чехова: «Я уже здесь, милый Антон Павлович! Откликнитесь...».

Чехов был менее поверхностен [...] в выводах о личных качествах и намерениях своих корреспондентов, поэтому тогда в Ницце откликнулся на письмецо Васильевой с готовностью и в высшей степени учтиво:

«Милостивая государыня! Меня легче всего застать утром до 10 часов и в 4–6 пополудни. С почтением и готовый к услугам А. Чехов».

5 января 1898 года он отправит свой ответ в Канн, нимало не подозревая, что «только одна минуточка» обернется семью годами близкого знакомства.

«Милостивая государыня» была преисполнена самых серьезных намерений. Она собиралась переводить произведения Чехова на английский язык. Для первого опыта ею был избран рассказ «Егерь», тот самый, о котором столь восторженно отозвался некогда Григорович и который открыл молодому писателю путь в крупнейшие столичные газеты. Что ж, для английского читателя, не знакомого еще с чеховскими произведениями, рассказ был выбран удачно, со вкусом. Г-жа Васильева оказывалась не только всецело «в материале» – беглое заверение ее о том, что творчество Чехова ей близко по духу, не было пустой фразой. [...]

«Егерь» в переводе Васильевой появляется в английском журнале «Нью Эйдж» [...].

Г-жа Васильева берется за перевод «Человека в футляре», затем приступает, [...] к «Дяде Ване». Переводя, в высшей степени старательно, часто обращаясь к автору за всякого рода справками, Васильева разно обнаруживает как с вою добросовестность, так и незнание русского языка. [...]

Васильевой совсем невдомек, например, что такое «латаные штаны». И Антон Павлович терпеливо принимается объяснять ей, что «латаный – это не руское, а южно-русское слово...». [...]

Постепенно только одна переводческая деятельность перестанет удовлетворять г-жу Васильеву. Она энергично ищет и более убедительных способов доказать свою приверженность чеховскому таланту.

«Глубокоуважаемый Антон Павлович!.. Я собираюсь издать сборник в пользу голодающих... Несколько литераторов обещали мне доставить кое-что к 15 марта; но вот что главное: я ужасно хотела бы посвятить Вам этот сборник, и мои сотрудники радостно поддержали эту мысль – теперь все зависит от того, как Вы сами на

это посмотрите. Прошу Вас, если только не имеете особых причин, не лишайте нас этой радости».

У Чехова оказалось достаточно причин лишить госпожу Васильеву предстоящей радости.

«Чтобы издать удобочитаемый, мало-мальски интересный литературный сборник, нужно иметь много опыта, литературных связей и терпения...».

Литературные связи Васильевой, как выяснилось, отличал самый высокий уровень. Ее «сотрудниками», то есть согласившимися участвовать в сборнике, были – К. Баранцевич, В.И. Немирович-Данченко, Г. Матчет, Е. Сириков, К. Бальмонт, Т. Щепкина-Куперник и др. [...]

Имя Чехова, по глубокому убеждению Васильевой, достойно венчало бы этот «букет» знаменитостей.

Но скромнейший Антон Павлович смотрел на затею энергичной переводчицы и ее «сотрудников» весьма неодобрительно. «Я прошу Вас понять, что уклоняюсь я от чести не из скромности, а из убеждения, что к таким явлениям, как народный голод, нужно относиться в высшей степени серьезно и пользоваться им, например, для того, чтобы прицеплять к нему чье бы то ни было имя, нельзя. Это несерьезно».

Деликатный и тактичный Чехов отчитал г-жу Васильеву, как девчонку.

А будучи еще в Ницце, он заставил ее, как девчонку, обегать всех ее каннских знакомых в поисках стихотворения Некрасова «Железная дорога», которое экстренно понадобилось ему в работе над рассказом «У знакомых»; Когда Васильева справилась с заданием, Антон Павлович подарил ей... «Каштанку».

«Вчера я получила Вашу ‹Каштанку›, за которую Вам несказанно благодарна. Какой странный этот Ваш рассказик – после его чтения, встречая собаку, забываешь, что она собака, а не Ваша мыслящая ‹Каштанка›»,– совсем по-детски восторгалась О. Васильева.

Встречаясь с нею в Ницце, Антон Павлович, по всей видимости, называл ее только по имени и, наконец, вынужден был сделать замечание: «В Ницце Вы не сказали и теперь в письме не сообщили, как Вас по отчеству...».

В очередном письме Ольга Васильева робко допишет: «Родионовна». И тут же похвастается: «Летом мы ставили у нас Ваше ‹Предложение›, и хотя все роли исполнялись нами, девочками, успех был полный».

Так и было старательно выведено: «девочками».

Стало быть, и ответственнейшие переводы для чопорного английского журнала, и формирование солидного литературного сборника, [...] были делом рук девочки, как тогда говорили – барышни!

Рассказывая о ней своему другу доктору М.А. Членову, в письме от 19 января 1901 года, Чехов предупреждал: «Это барышня 20–22 лет».

Антон Павлович немного ошибся. Благодаря своей чрезвычайной самостоятельности и деловитости, Олечка Васильева выглядела, очевидно, старше своих лет. В июле 1901 года ей должно было исполниться девятнадцать.

Метрическая выписка из книги Покровской церкви в Одессе: Ольга Родионовна родилась 10 июля 1882 года.

Следовательно, во время знакомства с Чеховым в Ницце ей шел шестнадцатый год, а литературный сборник «В помощь пострадавшим от неурожая в Самарской губернии» (Издано О.Р. Васильевой. Москва 1900) выпускала настойчивая и, прямо скажем, упрямая семнадцатилетняя барышня. [...]

Не без лукавства и озорства, но с чувством выполненного долга она писала Чехову: «Никак не могу удержаться... посылаю Вам мой сборничек». [...]

Во время голода 1837 года Оля Васильева пятилетним ребенком была взята на воспитание, а затем и удочерена состоятельной бездетной одесской домовладелицей Ольгой Никифоровной Жеребцовой, которой принадлежало также крупное имение в селе Волста, Смоленской губернии. Женевская вилла, как выяснилось, была поименована Волстой в память о родной Смоленщине.

Оля Васильева получила, по всей вероятности, домашнее воспитание, жила в Англии и Франции, в совершенстве изучила английский и французский языки, русскому же пришлось доучиваться позднее, переписываясь с Антоном Павловичем.

А переписка эта после встреч Оли с Антоном Павловичем [...] завязалась весьма оживленная.

«С тех пор, как я побывала у Вас в Ницце, – писала Оля в июле 1898 года из смоленской Волсты, – у меня в душе нашлось что-то лучшее, чего прежде в ней не было; каждое слово, сказанное Вами, должно быть навсегда осталось в моей памяти.

Полно мне об этом расписывать, скажу только еще раз, что лучше того времени, которое я провела у Вас, светлее его, должно быть никогда не будет в моей жизни».

Тремя месяцами позже из Москвы в Ялту последовал Чехову от Ольги Васильевой прямо-таки программный документ:

«Если уж возводить культ, так до конца... Благословите меня оттуда на служение Вам». [...] Чехов относился к Олечке очень тепло, дружески, писал удивительно тактичные, деликатные, порой едва ли не отеческие письма.

А Ольга Родионовна? Что ж, она была готова пожертвовать всем ради Антона Павловича.

В 1900 году со смертью удочерившей ее О.Н. Жеребцовой Ольга Родионовна получила в наследство крупное домовладение в Одессе по Торговой, 1.

Отлично зная от общих знакомых, что Чехов вынашивает идею создания «образцово-показательной» клиники, она тут же предлагает продать одесское имение и на вырученные деньги соорудить в Одессе лечебницу. Предложение Чехову нравится. [...] (Братья О.Р. Васильевой не позволили ей продать домовладение для этой цели).

С февраля 1901 года в письмах Чехова к Васильевой появятся такие обязательные приписки: «А как поживает моя дочь? Поклонитесь этой хорошей девочке и скажите ей, чтобы она не забывала меня... ‹Пришлите› мне фотографию моей дочери». [...]

Следуя примеру своей приемной матери, Ольги Никифоровны Жеребцовой, Оля Васильева сама удочерила двух малышек. В переписке с Антоном Павловичем она посвящает им немало теплых восторженных слов.

Чехов очень любил детей и более чем охотно вступил с Васильевой в своеобразную «игру», именуя отныне девочек и своими дочерьми, а сам выступая в роли строгого папаши.

Летом 1901 года Ольга Родионовна будет приводить Машеньку на ялтинскую дачу Чехова. [...]

Узнав о бракосочетании и внезапном отъезде Чеховых в Аксеново на кумыс, Оля напишет Чехову мужественное заботливое письмо. А вскоре она увлечется... воздухоплаванием. В ее письмах к Антону Павловичу замелькают такие строки: «Завтра полечу на шаре...», «Поднималась на шаре – почти никакого впечатления...», «Два дня тому назад нас 6 человек сделали свободный полет – только, по-моему, слишком короткий – от 10 до 3-х с половиной часов. К тому же туман был над Парижем, который почти все время полета закрывал горизонт. Но было очень хорошо!» И вдруг совсем по-девчоночьи: «Я сегодня долго ревела...». Ольга Родионовна очень сдружилась с матерью Чехова. [...]

Окружает Евгению Яковлевну заботой и вниманием. То шлет ей какое-то особенно «уютное» меховое боа, то посылает собственные и Машеньки фотографии, пишет отдельные от Чехова письма. Имя Евгении Яковлевны станет главной, а потом и единственной ниточкой, связывающей сердца, думы и... переписку двух корреспондентов.

Ольга Родионовна открывается все новыми и новыми гранями своего незаурядного характера, [...] Чехов не переставал удивляться, читая ее последующие письма.

«Я настоящая студентка, – восторженно писала она из Женевы 2 марта 1902 года, – и каждое утро бегаю на лекции... Одним словом, чувствую себя чудно, чудно, чудно!» [...]

14 октября 1903 года Чехов заканчивал переписывать начисто только что завершенный титаническим труд – пьесу «Вишневый сад». В тот же день единственный переписанный экземпляр пьесы уйдет в Москву для чтения режиссерами Художественного театра. Но ровно через две недели (!!) – 28 октября – из далекой Женевы Чехов получит взволнованное письмо Ольги Родионовны: «Я сейчас окунулась в Ваш ‹Вишневый сад›, и меня так захватило и мне так досадно на самое себя...».

Кто мог послать экземпляр «бесцензурной» до ноября-декабря новой пьесы Чехова в Женеву? Удивляла также реплика Ольги Родионовны: «И мне так досадно на самое себя...».

Жгучий интерес («меня так захватило») и столь неожиданная досада...

[...] Что касается захватывающего интереса, Ольгу Родионовну можно было понять. Едва открыв пьесу, в которой речь шла о так хорошо знакомой ей по Одессе «продаже имения», Васильева сразу же натолкнулась на одну из первых реплик вернувшейся из-за границы дочери Раневской, семнадцатилетней Ани:

– А в Париже я на воздушном шаре летала!

Для Оли, писавшей некогда Чехову буквально то же самое и о Париже, и о воздушном шаре, реплика эта могла прозвучать не иначе, как гром среди ясного неба, и уж, конечно же, заставить не только внимательно вчитаться в каждое слово пьесы, но и вдуматься тщательно в обильный ее подтекст.

Не без душевного трепета, наверное, открывала Ольга Родионовна в характере Ани присущие ей самой черты: и порывистость, и мечтательность, и девическую наивность, странным образом сочетавшуюся с решимостью в трудные минуты жизни, чистую и ясную душу[...].

Какие-то частицы ее души, детали биографии, грани ее незаурядного характера Антон Павлович использовал для образа Нади из последнего рассказа «Невеста» и в большей степени, – юной героини «Вишневого сада» Ани Раневской. [...]

В 1903 году любовь к воздухоплаванию приведет Васильеву в Севастополь, на полеты военных воздушных шаров. Там она познакомится с таким же любителем, вследствие чего... ее фамилия удвоится: Васильева-Милеант.

В последний раз побывав на ялтинской даче и в последний раз повидав Чехова (на сей раз вместе с мужем) 15 августа 1903 года, Ольга Родионовна напишет Антону Павловичу из Севастополя:

«То, что я у Вас побыла, на меня подействовало, как бывало прежде, и я сошла немножко с моей новой колеи. Блажить больше не буду, и сегодня вечером мы отсюда уезжаем. Но не могу сказать, чтобы я от этого хорошо себя чувствовала».

Получив от знакомых врачей известия о катастрофическом положении здоровья Чехова, о большом целебном значении для него сухого альпийского воздуха, Ольга Родионовна немедленно напишет ему из Женевы:

«Не собирается ли Ольга Леонардовна с Вами на лето в Швейцарию? Я все лето буду в Женеве и потому усиленно прошу... ко мне на полный пансион. И рыбу можно ловить – и в Роне, и в озере».

Письмо, датированное 8 марта 1904 года, по адресу дошло [...].

Спустя две недели Чехов напишет Ольге Родионовне: «Мы все живы и здоровы, о чем и спешу довести до Вашего сведения. Крепко жму Вашу руку и прошу не забывать искренне преданного Вам А. Чехова...». Это было последнее письмо Антона Павловича Чехова к Ольге Родионовне Васильевой.

В заключение исследований Брыгина, следует добавить еще некоторые детали, перешедшие в пьесу Чехова от О.Р. Васильевой, но уже к образу Любови Андреевны Раневской. В списке действующих лиц в пьесе Чехова *Вишневый сад* указанно: «Варя – приемная дочь 24 лет» (13, 196) – это тоже от Васильевой. Она сама была приемной дочерью богатой одесской домовладелицы. И у Васильевой были две приемные девочки.

У О.Р. Васильевой была дача около Женевы, а в пьесе Чехова у Раневской была дача около Ментоны.

В Ялтинском музее Чехова, сохранились фотографии и вещи связанные с памятью о Васильевой. Фотография Васильевой с дарственной надписью матери Чехова (копия с этой фотографии экспонируется в Литературном музее в Одессе).

Еще одна фотография Васильевой 1902 г., сделанная фотографом В. Чеховским в Москве, у которого снимался и А.П. Чехов. Эта фотография явно предназначалась Антону Павловичу, но из скромности и деликатности Васильевой, дарственной надписи на ней нет.

Еще хранятся в музее две фотографии воспитанницы Васильевой Маши, присланные А.П. Чехову.

Васильева подарила матери Чехова меховую пелерину, за которую от имени матери Чехов благодарит Ольгу Родионовну в своем письме от 9 августа 1900 г. (П. 9, 97).

Эту пелерину до конца своих дней носила сестра писателя, Мария Павловна.

В музее также хранится ковер, который О.Р. Васильева купила в Алжире и подарила Чехову в апреле 1900 г. То есть к новоселью на Белой даче.

Литература

Брыгин, Н.: Сюжет для небольшого романа. Одесские визиты А.П. Чехова. В: Вечерняя Одесса, 22 ноября 1974 г.

Брыгин, Н.: Времен стремительная связь. Одесса 1977.

II.5. Die Eigenart von Čechovs Dramen im Spiegel der Genre-problematik

Irina Gitovič

Драматургия прозаика, или Гениальные *непьесы* Чехова

То, что Чехов – едва ли не самый неисчерпаемый драматург XX века, давно стало общим местом. В качестве доказательства обычно фигурирует еще одно общее место – поистине астрономическое число постановок чеховских пьес, а также различных их переделок и адаптаций. Между тем, само по себе оно вряд ли приблизило век минувший и век настоящий к постижению чеховского текста. Созерцая, скажем, будни гарнизона в одной из стран бывшего соцлагеря, где оказались сестры Прозоровы, или метания Тригорина, все проблемы которого в его гомосексуальности, или превращение персонажей *Вишневого сада* в зайцев, думаешь не о Чехове, а о том – зачем это все? И можно ли, например, так же безнаказанно перекраивать Ибсена, Стриндберга, Гауптмана, Островского?

Театральный спектакль сегодня стремится стать самодостаточным текстом. При этом текст ставящейся пьесы оказывается для режиссера, роль которого в XX веке стала едва ли не равной роли драматурга, чем-то вроде пускового механизма для собственной творческой фантазии. И чеховские пьесы тут – в силу каких-то своих особенностей – дают возможность безграничной свободы для режиссерского манипулирования. Самого же чеховского слова режиссеру оказывается то ли мало, то ли наоборот – слишком много. Возникает естественный вопрос – почему?

Попытаюсь попробовать если и не ответить на этот вопрос, то поискать пути к такому ответу.

Как известно, все большие чеховские пьесы, начиная с *Иванова*, казались их первым зрителям не совсем пьесами. А современники всегда лучше, чем потомки, чувствуют, где автор, которого они читают или смотрят, не совпадает со сложившимся каноном. Они первыми и почувствовали, что увиденные ими пьесы отличаются от канона сценичности именно тем, что *похожи на романы*.

Интересно и то, как быстро изменился самый стереотип восприятия этого отклонения. Сначала оно расценивалось как недопустимое посягательство на основы драматургической формы, а после успеха мхатовских постановок было объявлено главным достоинством – Чехов сумел средствами драматургии показать то, что до него возможно было сделать только в прозе. И с того времени именно это положение превратилось в установочный стереотип восприятия Чехова-драматурга. А установка, как известно, играет в интерпретации немаловажную роль. Она и была задана XX веку, инерция ее еще жива и в начавшемся XXI веке.

Славой великого драматурга-реформатора Чехов обязан Московскому Художественному театру и не в последнюю очередь творческой воле Вл.И. Немировича-Данченко. Сегодня самый этот факт вызывает вопрос – а что если бы не произошло того исторического разговора в Славянском базаре, с которого начался МХТ? Если б появился какой-то другой театр и выбрал бы себе другое знамя? Что было бы с драматургией Чехова? Сколько и каких пьес он написал бы? Или – не написал? И что было бы с театром XX века?

Анализ альтернативных вариантов сегодня становится чем-то вроде научной моды, и, наверное, действительно самое интересное в истории и жизни – это то, что не произошло, но, может быть, могло бы произойти… Тем не менее история пошла по тому сценарию, по которому пошла, а вот соединение в нем имен Чехова и Немировича образует сюжет, который как раз доказывает, что исторический выбор случаен только до определенной степени случайности, а назревшая тенденция в качестве вектора возможных поворотов и выборов выбирает тот путь, который по основным параметрам в тот момент, видимо, оказывается самым реальным.

Хорошо известно, как страстно Чехов-прозаик хотел быть драматургом и как болезненно относился к своей репутации в этом качестве. Во всяком случае, столько сомнений, сколько он высказывал по поводу своих пьес, у него никогда не возникало по проводу прозы. Такое ощущение, что в прозе он чувствовал себя хозяином положения, а в драматургии – больше узурпатором чужого пространства.

А вот драматург и режиссер Немирович, который в их общие с Чеховым времена был очень авторитетным драматургическим писателем, наоборот страстно хотел, чтобы его воспринимали как серьезного прозаика. Даже собирался одно время бросить все, что связано с театром, и целиком отдаться прозе. И – если про Чехова говорили, что он пишет пьесы, похожие на романы, то Немирович наоборот писал романы, в каждом абзаце выдающие драматурга.

Чехов начал с неуклюжей юношеской пьесы, едва ли не вдвое превышающей допустимый объем нормальной пьесы. В ней, как справедливо считается, предсказано многое из того, что выльется в будущем в новации его драматургии. Но не менее интересно, что в ней он обнаружил задатки… большого прозаика. Перечитывая ее сейчас – в контексте писательских дебютов его современников и реальности текущего литературного процесса того времени – думаешь, какой же материал для романа погиб в этой пьесе. Потому что по авторскому видению она должна была бы быть… романом. Почему же честолюбивый молодой автор не попробовал написать роман, как это делает во все времена большинство начинающих?

Думается, что сработал абсолютный слух к форме – свойство настоящего таланта. Для того, чего требовала романная форма в тех образцах, которые к этому времени были юному автору знакомы по его читательскому опыту – а он в пьесе лежит на по-верхности – у молодого автора просто отсутствовал необходимый *опыт языка*.

Пьесу же написать было намного легче – в ней стиль остается непроявленным, на поверхность выходит история, в ней – действие. А начинающий автор был еще больше, чем усердным читателем, усердным зрителем. А опыт зрителя – это, в частности, память о матрицах драматургической формы.

Но при этом, очевидно – тоже с самого начала писательства, в основе которого лежит повышенное языковое самоощущение – он интуитивно предощущал какие-то возможности художественного языка, которые в языке прозы, им же самим создаваемом, реализоваться до конца не могли. И искал выхода в единственной тогда, кроме, так сказать, чистой литературы, доступной ему художественной реальности – в представлениях о сценических технологиях. С этого, собственно, Чехов-драматург и начинался.

Немирович же – наоборот – болезненно реагируя на исчерпанность привычного сценического языка, которую ощущал, прежде всего, как драматург, искал способы преодоления его ограниченности в технологиях прозы.

Если положить рядом тексты Чехова и Немировича, все это видно воочию. И дело не в масштабах дарований Чехова и Немировича, а в общей тенденции времени, которая не исчерпывается только одной этой парой имен – а в типе и структуре «высказываний», если воспользоваться термином Бахтина, которые образуют тексты прозы и тексты драматургии, и в объективно намечавшейся их предпочтительности или необходимости для того реального времени.

Немировичу неслучайно движущей силой в реформировании театра виделась *хорошая литература,* существующая в виде *прозы.* И в пьесах Чехова его больше всего привлекало то, что называют «веществом прозы», т.е. особая фактура и смысловая вместимость прозаического слова. Он, видимо, надеялся преобразовать «веществом прозы» подуставшее «вещество театра».

Чехов же – по исходной одаренности, по типу природного слуха к слову и воображения – был все-таки прозаиком. Его текст объективно не допускал вторжения *внутрь* высказывания, ибо оно было художественно завершено и с самого начала – с включения его в контекст – рассчитано в своей внутренней самодостаточности на *ответное понимание*. Сценическое же слово заведомо предполагает вторжение, и точно также *с самого начала* рассчитано на то, что должно быть сыграно, т.е. чем-то дополнено. И только в таком виде оно и обретает заданную полноту смыслов, хотя и остается при этом словом – или высказыванием – данного текста.

Видимо, точно так же, как мы говорим о специфике прозы поэта, можно говорить и о специфике прозы драматурга или – в нашем случае – специфике *драматургии прозаика*, т.е. об объективно существующей особенности исходного языкового дарования. В качестве «прерогативы» результатов творчества, она уже на уровне «речевого замысла», «речевой воли» (термины Бахтина) определяет способ организации «высказывания». Хотя – «лингвистическое преимущество» любой индивидуальной особенности языкового видения, как называл писательскую одаренность Иосиф Бродский, всегда при этом оказывается помноженным на некие объективные потребности и возможности литературы в каждый данный момент ее истории. Что мы и увидим в отношении времени Чехова и самого Чехова, если расширим круг текстов, которые обычно держим в поле зрения в качестве контекста, текстами – прозаическими и драматургическими – чеховского времени и попытаемся увидеть *типологию реально шедших тогда процессов*. Так вот драматургия прозаиков – не столько как феномен даже, а скорее как путь – была достаточно распространенным явлением чеховского времени, правда в силу инерции установки предшествующего времени плохо проявленным и как-то до сих пор не осмысленным.

Видимо, в тот конкретный исторический момент логика развития художественного мышления требовала расширения сферы распространения более сложных форм художественного языка, чем привычные формы его сценического варианта, которыми к тому времени владела зрительская масса. И Немирович, и Чехов – каждый по-своему – эту актуальную потребность времени в «расширении речи» интуитивно ощущали как личную необходимость. Другие же их современники писали, не очень рефлексируя на сей счет и просто подчиняясь тенденции.

Ну, а Чехов готовностью к этой задаче природным своим языковым дарованием, помноженным на биографию, был что называется выбран литературой для ее решения. А будучи выбранным, оказался для XX века неразгаданной загадкой – и в притяжениях к нему, и в отталкиваниях, из которых состоит его репутация драматурга.

Эта загадка видится мне в том, что чрезмерная нагруженность драматургического слова его пьес особым «веществом прозы», которое и составляет их главную особенность, делает принципиально **невозможной** любую попытку языком сцены адекватно раскрыть все то, что потенциально заключено в самом слове этих пьес. Эта-то манящая, как горизонт, невозможность, подспудно ощущается именно *как невозможность* режиссерами, чем, видимо, одновременно и раздражает, и привлекает к Чехову снова и снова. Но ощущается она и обычным, не очень искушенным и непредвзятым зрителем, который является немаловажным звеном в акте эстетической коммуникации, осуществляя обратную связь.

Став *по функции высказывания* словом драматургическим, слово его пьес остается – по своим нераскрытым смыслам, внутренней организации и внутреннему тяготению к другим высказываниям, в результате чего и возникает текст – прототипически все-таки больше **словом прозы**.

По сохранившейся правке, которую Чехов вносил в свои тексты – например, в рукопись *Трех сестер* – видно, как он менял текст. Правка, предпринятая для улучшения сценического звучания слова, на самом деле шла в сторону органической манеры высказываний, свойственной Чехову-прозаику. Правя текст, он как бы сознательно подчинялся условиям сцены, но этому подчинению сопротивлялся слух прозаика. Правка шла по линии придания монологам и репликам большей ритмической, интонационной организованности. Но разговор – и диалог, и монолог как потенциальный диалог – всегда избыточен и недостаточен одновременно, всегда неокончателен, принципиально немузыкален, слово в нем дополняемо и уточняемо невербальными средствами – экспрессией голоса, семантикой мимики, жеста. Ритмическая же и интонационная организация прозаического слова означают известную его завершенность и самоценность – в прозе слово как бы уже втягивает в себя и внешний жест, и мимику как знак эмоции, и даже голос повествователя. Правка Чехова как раз и свидетельствует о внутренней – возможно, до конца им самим не осознаваемой – потребности придать тексту привычную для его прозаического слова завершенность и смысловую многозначность, т.е. о привычке прозаика к **такому** языку.

В основе самой возможности восприятия всегда, как известно, лежит возможность узнавания какой-то части кодов получаемой информации. Причем часть эта должна быть не меньше, как считают психологи, двух третей от общей информации. Зрители и читатели дополняют предлагаемый им текст аллюзиями, в частности, на злободневность, и собственными ассоциациями – т.е. тем самым *узнаваемым*, что и связывает чужие высказывания с привычным *своим* опытом и выражающим его *своим* словом.

Но аллюзии возникают не только на частотные коллизии, формы поведения, языковые сигналы, все это выражающие, но и на привычный для времени – тоже в известном смысле частотный – инструментарий поэтики, на аналитический и психологический инструментарий восприятия – т.е. набор понятий, представлений и форм, в которые он облечен. А он всегда задан временем и им же ограничен... Он обнаруживает себя и в организации текста, и в автоматическом узнавании его знаков. Восприятие высказывания всегда идет на фоне времени читателя и зрителя и во взаимодействии с ним – «в присутствии» арсенала той культурно-исторической апперцепции, которая создает контекст и его смысловую наполненность. Таким образом, аллюзии и ассоциации, на которых держится любая интерпретация, оказываются величиной *переменной*, тогда как сам авторский текст как система высказываний остается величиной *постоянной*. И этот первоначальный и основной смысл высказываний – с изменением идеологического контекста восприятия – удаляется от нас при попытке приближения, как удаляется горизонт. И, удалясь, остается вещью в себе – со своими смыслами, которые, если мы хотим понять именно чеховский текст, нужно пытаться услышать, осмыслив и чувственно прожив *разницу исторического опыта*. В этом заключается понимание как задача филологии. Мы же склонны как раз к обратному – к проекции своего языка на чужой. Эту ловушку, которая самим механизмом восприятия ставится на пути понимания, *должно* четко осознавать, если мы хотим понять истинный смысл текста.

Один из очень важных для зрителя и читателя слоев содержания читаемых и видимых текстов – их современность, и даже злободневность, выраженная языком, рассчитанным на узнавание и принятие ее кодов. Но он исчерпаем временем, в течение которого язык этого времени жив. Т.е. исчерпаемо и конечно для восприятия *что*. Неисчерпаемым остается *как*, порождающее новые *что* – уже помимо воли автора, заключенной в его тексте.

Вопрос – применительно к Чехову – следовательно, в том, как преодолеть это порождающее противоречие, возникающее при восприятии его драматургического слова? Как добраться до истинного чеховского *что*, не прибегая, условно говоря, к «зайцам»? Остается ли это *что* живым для других времен, или мы себя просто гипнотизируем общим местом неисчерпаемости в ожидании того андерсеновского мальчика? И не творим ли мы миф о драматурге Чехове?

Не получается ли так, что ставя Чехова – и тогда, когда слой злободневности и самой возможности ее восприятия зрителями-современниками или зрителями-носителями чеховского языка был еще актуален или хотя бы внятен, и позже, когда последующая реальность, в том числе, художественная, изменила потребности человека в самом художественном языке – режиссер из многослойного содержания пьесы выбирал и выбирает – иногда сознательно, а чаще интуитивно – историю, про то, что внятно ему и его языку. Но это все-таки – ***одна из*** историй, причем не обязательно рассказанная текстом Чехова, а часто просто подсказанная им, и только спроецированная режиссером на матрицу чеховской пьесы. ***Одна из*** интерпретаций. Другие же смыслы, заложенные в *систему* образующих текст «высказываний», тем более смыслы, в другом времени уже невнятные, остаются нераскрытыми. Как тогда, когда пьесы ставились в первый раз, так и сейчас, когда они заиграны до автоматизма звучания самого текста.

А может быть, пьеса, в которую на самом деле втиснуто содержание гипотетического романа, невероятно ужимает, уплотняет это содержание, с одной стороны создавая немыслимое для сценической передачи и восприятия внутреннее напряжение именно слова, на проживание которого просто не хватает реального физического времени, а с другой, порождая неизбежные разрывы внутри пьесы, порождая неопределенность, которой оказывается больше, чем пьеса как жанр, имеющий свои законы, может выдержать. Тексты чеховских пьес, в сущности, похожи на пунктир с увеличивающимися от пьесы к пьесе расстояниями между обозначенными словами микроузлами смыслов. И время точно так же увеличивает эти расстояния до полной потери между этими узлами связи. И создается такой сложности контекст невысказанного, на понимание которого не хватает ни времени, ни возможностей самого механизма зрительского восприятия.

Чехова-драматурга прижизненные критики и зрители упрекали в недостаточной мотивировке поступков его героев. На самом деле в пьесах он сконцентрировал мотивацию фактуры характера до перенасыщенного раствора – микропроявлениями внутреннего конфликта человека *с самим собой.* Но при этом – не высвобождая эту мотивацию до однозначности либо внешнего ее проявления, как должно было бы быть в «правильной» пьесе его времени, либо до ее интерпретации, совершаемой на глазах у зрителя самими персонажами, как стало возможно позже.

В чеховских пьесах, которые внешне имитируют жизнь («люди обедают, только обедают…»), как и в реальной жизни, в «высказывания», не очень связанные друг с другом, действительно спрятаны и внутренние состояния, и несовершенные выборы, и свершенные поступки, и вечно повторяющаяся их типология – по типу типологии симптомов болезни, которую держит в голове хороший клиницист, в них спрятаны закономерности, случайности и вся та неопределенность, которая и есть живая, текущая жизнь.

Вот тут бы и должно заговорить пространство между словами, входящее в текст как *значимая* его часть, как структурообразующее начало. Т.е. на слово сказанное, но еще больше на *говорящее своим молчанием* пространство вокруг него, где должны были быть какие-то несказанные слова, ложится нагрузка, которая требует только времени для осознания ее смыслов, не только особого психологического напряжения от зрителя, но и готовности его собственного языка для вхождения в ее смыслы. Как сначала и готовности языка режиссера. Достижимо ли это?

Во всех больших пьесах Чехова, начиная с *Безотцовщины*, отсутствует то, что называют единым драматургическим действием, которое обычно цементирует пьесу. И одновременно, как в романе, в каждой пьесе намечается несколько равноправных сюжетных линий со своим *внутренним* действием. Интересно было бы с этой точки зрения проанализировать все большие пьесы – выведя на поверхность механизм самой *техники такого* письма, поместив при этом его в живой контекст сопутствующих текстов других авторов его времени. Хотя общая тенденция, как мне представляется, тут достаточно отчетлива – доля неопределенности, доля пропущенных слов – смысловых пауз – в них увеличивается от пьесы к пьесе. Вопрос в том, может ли пьеса как жанр с ее типом условности и механизмом восприятия выдержать такую нагрузку несказанного?

Ведь в пьесу каждый раз оказывается втиснут скрученный буквально в спираль своеобразный конспект романа, не написанного, но угадываемого сквозь драматургическую форму. Несколько самостоятельных историй, каждую из которых можно развернуть, прописать, *наполнив пропущенным повествованием,* именно сюда сместить акцент и т.д. У каждого персонажа в любой из пьес есть своя отдельная судьба, предыстория истории, и текст пьесы полон ее сигналов. Их необходимо услышать, прожить, связать с контекстом – тем, который создают не только слова пьесы, но и тем, который за ее пределами. У каждого персонажа есть свой сюжет, отдельный и одновременно завязанный своей формой с сюжетами других героев, а содержание, которое эти *романные* линии составляют, не строится на едином речевом потоке, как должно было бы быть в «нормальной» пьесе.

Чеховские ремарки, являющиеся органической частью текста, могут рассматриваться как самостоятельный слой высказываний, в котором намечен дискурс повествования, дальше как бы уходящий в общий рисунок все время угадываемой интонации, или тональности звучащего слова. Но самому действию пьес подспудно не хватает этого голоса, и никакой режиссер никакими мизансценами, никакими метафорами и трюками заменить его отсутствия не может.

Текст пьес раскладывается на отдельные микросюжеты. Их пересечения или – чаще – параллельность образуется именно системой реплик-высказываний, а связи их друг с другом обнаруживают прозаические – по внутренней, художественной логике – приемы сцепления. Текст любой чеховской пьесы (и – чем дальше, тем больше) требует, по сути, того, чего требует проза – не ограниченного временем спектакля *погружения в повествование*, какое достигается «медленным чтением». И только тогда в этих микросюжетах, образованных системой высказываний, завершенных и одновременно открытых в другие, когда каждое из высказываний нагружено своими ассоциациями и погружено в свой контекст, можно обнаружить смыслы, которые даже идеальный зритель просто не успевает услышать.

Можно найти решение пространственных задач, которое перекроет линейность драматургического времени. Но как преодолеть полисемантизм повествовательного слова, который присутствует и остро ощущается в тексте пьесы и требует «активно-ответного понимания»?

Слово в прозе не только изображает окружающий мир, вызывая в воображении те или иные осязаемые представления, но и само становится объектом изображения. Эти функции слово выполняет и в чеховских пьесах. Важно не только то, ***о чем*** говорят герои, а и то, **как** они говорят ***об этом.*** И о чем они предпочитают не говорить. И ***как*** это происходит? Чехов-прозаик, единицей измерения текста для которого была уже не фабула, а именно «высказывание» в контексте, само становящееся микросюжетом, истончил высказывание в драматургической своей практике до прозрачности и одновременно перегрузил его. И сильнее всего неизбежная, неотменяемая театральная условность противится такой же неизбежной, неотменяемой условности прозы и перекрывается ею именно в монологах. Чеховский монолог поэтому всегда оказывается камнем преткновения для актеров и зрителей. Это то, над чем обычно иронизируют отрицатели чеховских пьес, что чаще всего пародируется, растаскивается в качестве острот. И к чему сводится для очень многих зрителей Чехов («небо в алмазах», «люди, львы, орлы…», «в человеке все должно быть прекрасно…» и пр.).

По природе своей слово чеховских пьес амбивалентно – оно и драматическое и прозаическое одновременно, и найти оптимальное решение – интонационное, темповое – чтобы в другом времени оно не звучало анахронизмом или просто фальшиво – т.е., во-первых, заставить заговорить то, что потеряло контекст и опору на опыт времени, но тянет шлейф штампов, во-вторых, перевести внутреннюю речь или речь, предназначенную для одного, в речь для многих – осуществима ли вообще эта задача средствами театра?

Невербальные средства, которыми режиссеры и актеры в чеховских пьесах пытаются передать переживание, часто оказываются важной краской и характеристикой и в прозе – собственно, здесь лежат главные открытия его поэтики (но в прозе они *изображены* речевым эквивалентом – авторским их описанием). Предполагается, что привнесенные трактовкой режиссера или актера, они в пьесах должны быть *домыслены* до ответного слова-понимания зрителем. Но за время, что идет спектакль, зритель физически не успевает воспринять текст с его романной нагрузкой смыслами. И он просто не готов к пониманию языка такой сложности.

Видение Чеховым возможностей *показа* действия, точнее – показа **отсутствия** внешнего действия, кроме течения жизни самой по себе, и смещения его во внутреннюю жизнь – это видение, для которого уже тогда, в чеховское время, требовалась какая-то иная техника, чем привычная сценическая – заменяющая так недостающего здесь повествователя. Что-то вроде третьего глаза, находящегося за пределами ситуации и видящего то, что изнури ее – где оказываются персонажи – увидеть нельзя.

В сущности, когда братья Люмьеры заставили двигаться фотографию, понятия еще не имея ни о монтаже, ни о роли и возможностях планов, ни о других технологиях кинематографа, уже существовало слово Чехова-драматурга. Прозаическое по своей фактуре и насыщенности, открытое для невербальных нагрузок, оно требовало для адекватного раскрытия такой техники воспроизведения, такого ответного восприятия, которого еще практически не было. Его и предстояло в перспективе создать языком кино. И к нему – опережающе – уже вели пьесы Чехова.

Самый же вопрос – можно ли сыграть Чехова, чтобы его текст был воспринят так, как нагрузил его поэтикой прозы автор – для меня – остается вопросом. Возможно ли раскрутить смысловую спираль, в которую скручено романное содержание пьесы? Готов ли наш меняющийся психологический язык к этой нагрузке? И как быть с законами восприятия? И не остается ли при всех, даже гениальных режиссерских ухищрениях, само чеховское слово как осмысленное переживание – как «прочувствованная мысль» – не услышанным.

Я не хотела никого эпатировать словом *непьесы,* которое вынесла в заглавие темы, правда, закамуфлировав его провокационность словом *гениальные...* Но чеховские пьесы – непьесы хотя бы потому, что они *больше* пьес. В этом смысле они и уникальны – как источник импульсов, в котором сосредоточены неведомые еще нам выборы будущей драматургии и театра.

Nina Iščuk-Fadeeva

Заглавие как точка зрения

Заглавие как свернутый текст – проблема не только обозначенная, но и достаточно изученная и изучаемая. Для драматического текста заглавие и весь заголовочный комплекс имеет особое значение. Традиционно сложившаяся поэтика драматургических заглавий соотносит имя текста с его жанром. Так, вынесенное в заглавие имя героя в классической драматургии выдвигало его исключительно в трагедийную ситуацию. Обозначение хора, характерное для заглавия комедии, постепенно трансформировалось в ситуацию, некогда им комментируемую и оцениваемую. Логика классической жанровой системы в подтексте сохраняла возможность игровой стратегии с именем текста и его жанром в период деконструкции драматического единства заглавного героя, сюжета и жанра. Начало этому значимому изменению сложившейся системы положила новая драма и особенно театр Чехова.

Вторая теоретическая проблема связана с точкой зрения, структурирование которой зависит от родовой организации текста. В эпике текст строится таким образом, что читатель воспринимает мир глазами определенного героя, зачастую заглавного, или героев, меняющих точку зрения. Таким образом, картина мира во многом зависит от точки зрения повествователя/рассказчика. Сложность драматического текста обусловлена в том числе и формальным отсутствием именно определенной точки зрения – автора или своего ставленника, т.с. внутреннего реципиента. Организация драматического текста строится на принципиально иных основаниях: нет рассказчика, следовательно, нет речевого субъекта, описывающего мир и собственное отношение к нему. В драме скрыт как автор, так и носитель определенной точки зрения, которая могла бы соотносится с авторским мировидением – именно с этим генетическим ограничением и связаны поиски различных косвенных форм выражения авторского мироощущения.

Чехов был одним из первых, кто превратил обозначение жанра из рецептивной категории в категорию авторской точки зрения, о чем нам уже приходилось писать: и *Чайка*, и *Вишневый сад*, например, наполнены драматическими ситуациями, воспринимаемыми персонажами как драма или даже трагедия, в связи с чем возникает метадраматический конфликт между внутренними микрожанрами различных персонажей и авторским обозначением жанра, свидетельствующим о его собственной интерпретации созданного им драматического мира.

Кроме этого конфликтно-жанрового метауровня, Чехов находит оригинальное решение, придающее пьесе цельность, персонифицированный центр композиции. Так, собственно дядей Ваней Войницкий является только для Сони, следовательно, все, что происходит с заглавным героем, показано именно глазами его племянницы, которая и становится, таким образом, носителем определенного ракурса, т.е. персонифицированной точкой зрения. Через ее восприятие даны взгляды Астрова, и именно в ее трактовке впервые излагается концепция географического детерминизма, т.е. картина жизни человека в ее непосредственной связи с окружающим миром, его ландшафтом и климатом. Бунт Войницкого против Серебрякова, спровоцированный приездом профессора с женой, красота которой осветила и одиночество дяди Вани, и пустоту его жизни, воспринят Серебряковым как нелепая выходка сумасшедшего, и даже для Астрова несостоявшийся Шопенгауэр – «шут гороховый», и только Соня, сама пережившая неразделенную любовь, сочувствует дяде и понимает его.

Эта разность восприятия, выраженная вербально, главным образом и определяет систему персонажей: она выстроена таким образом, что разные персонажи помещены драматургом в типологически близкую ситуацию, которую без преувеличения можно назвать чисто чеховской, ибо мысль о незнании человеком своего призвания как инварианта судьбы – одна из постоянных и больных в размышлениях писателя. Путь Серебрякова от бедного бурсака до профессора по видимости не менее блистательная карьера, чем, например, путь от дьячка до архиерея (*Архиерей*, 1902). Но одна ситуация дана с разных точек зрения: в рассказе горькое осознание, что жизнь прожита зря, переживает сам герой. В пьесе ограниченность Серебрякова воспринимается реципиентом именно через конфликтность точек зрения: сам герой страдает только от того, что лишился привычной аудитории – в прямом и переносном смысле. Разоблачение мнимости личности исходит от Войницкого, т.е. того, кто свое призвание видел в служении кумиру, оказавшемуся ложным. Таким образом, Войницкий причину своей неудавшейся жизни видит не в себе, а в судьбе, которая персонифицирована в Серебрякове. Но сама эта ситуация носит отчетливо выраженный субъективный характер: не Серебряков его обманывал, а дядя Ваня «обманут»: «Я гордился им и его наукой, я жил, я дышал им! Все, что он писал и изрекал, *казалось мне гениальным...*» (13, 80; курсив мой – Н. И.-Ф.). Это «казалось» снимает вину с незадачливого профессора, который имел успех не только, как выяснилось, у поклонниц, но и у поклонников, – объективно он виноват не в прошлом Войницкого, которое обесценено, а в своих планах на будущее, т.е. в эгоцентризме, доходящем до полного безразличия даже к судьбе дочери. 3-е действие выстроено драматургически очень точно: крушение жизни осознается именно дядей Ваней, хотя проект Серебрякова делает бездомными всех. И дядя Ваня, и племянница в одно и то же время переживают крах надежд на взаимную любовь. Находясь в аналогичной ситуации, герои реагируют по-разному: Соня принимает «приговор», «печально опустив голову», а дядя Ваня пытается обличить злую Судьбу, иронично принявшую гротескный облик «старого сухаря, ученой воблы» (13, 67) и Дон Жуана в одном лице. Это психологически мотивировано: Серебряков обладает женщиной, которую любит Войницкий, а теперь собирается завладеть и его домом, т.е. лишить дядю Ваню всего для него ценного. В этой ситуации двойного крушения, когда Войницкий ощущает себя на опасной грани между разумом и безумием, Соня определяет свои позиции и, призывая к милосердию, обращает свои призывы к «немилосердному» отцу: «Надо быть милосердным, папа! Я и дядя Ваня так несчастны! […]» (13, 103). По сути, оба героя, объединенные самой Соней в некое «несчастное» единство, говорят об одном и том же, но по-разному. Именно она проясняет вину Серебрякова, которая видится ей в том, что он не способен испытывать ни благодарности, ни даже милосердия к тому, кто посвятил ему свои «дни и ночи».

В аналогичной ситуации оказывается и Астров: медицина не его призвание, и осознание неудовлетворенности в тексте эксплицировано, но бунта нет – Михаил Львович продолжает лечить, входя в жизнь, которая «груба, грязна, пошла», и оставляя для редких минут отдыха мир, который он создает своими руками, следуя своему истинному призванию. Но «искусство жить» на границе двух миров дает ему силу не потерять себя. Оба героя кажутся психологически близкими типами, но именно ситуация прозрения обнаруживает их принципиальную разницу: Астров осознает, что грубая жизнь, повлияв на него, сделала и его другим, но и спасение от опошления он находит в себе самом.

Любопытно, что эти некогда «светлые личности», утратившие свет в себе и в жизни, в завязке пьесы вновь как бы находят его, видя его в Елене Андреевне. Еще более любопытно, что чувство, ими испытываемое, утраченного света не дает: и Войницкого, и Астрова волнует красота женщины, но не ее личностные качества. Страдая от того, что Серебрякова его не понимает, Войницкий говорит достаточно неожиданные для влюбленного мужчины слова: «Ее риторика, ленивая мораль, ленивые мысли о погибели мира – все это мне глубоко ненавистно» (13, 80). Для Астрова Елена Андреевна несет с собой грех праздности, а в пределе – полное разрушение. Так, по его мнению, Серебрякова воплощает ту красоту, которая погубит их маленький частный мир. Оба героя едины в своем мнении о праздности героини, но под ленью Астров понимает совершенно конкретное проявление: они, Елена Андреевна и ее муж, сами ничего не делают и других «заразили всех [...] праздностью» (13, 110). Слова Войницкого физическую лень переводят в метафорический план: «ленивая мораль» в контексте их отношений может быть понята просто как нежелание изменить мужу, но «ленивые мысли» о человеке, как бумеранг, возвращаются к ней же: говоря о гибели мира, она сама грозит ему разрушением, по мнению доктора. Таким образом, субъектно-объектный статус героини оказывается двойственным.

Если пара Астров–Войницкий выстроена на принципах близости–разницы, то женские персонажи – Соня и Серебрякова – изначально даны как разные психологические типы. Прежде всего, очевиден визуальный ряд – красивая и некрасивая; более глубокий уровень уточняет оппозицию физической красоты и нравственной ущербности (Серебрякова) и внешней некрасивости, скрывающей внутренние свет и мудрость, что и выражено в имени героини. Их оппозиционность вербализована в финале 2-го действия: Елена Андреевна «очень несчастна», а Соня – «так счастлива...!» (13, 89). В финале эмоциональная антиномичность снимается, и обе героини оказываются одинаково несчастливыми.

Ситуативная оппозиционность связана с их частной жизнью: Серебрякова вышла замуж по любви – Соне не суждено, видимо, испытать семейного счастья, но при этом обе увлечены одним и тем же героем – «лешим». Их отношения имеют свою драматургию: изначальное неприятие друг друга, затем доверительные отношения, наконец, кризис любви и разлука. Но сама ситуация выглядит странной: Астров уже ответил Соне, что он никого не любит и не полюбит, более того, он практически признается Соне в том, что увлечен ее мачехой. Тогда что же это: искушение красавицы или искушение красавицей? Возникает драматическое переосмысление комедийной ситуации «сватья, которая становится невестой». На ином уровне получается, что Соня, весьма немудро, искушает судьбу, результатом чего становится катастрофа: уезжают Серебряковы, а потом и Астров, вместе с которым исчезают и последние надежды Сони.

В этих «сценах деревенской жизни» все герои – в той или иной мере – несчастливы, за исключением, пожалуй, Марины и Телегина. В пределах выведенного на сцене мира, т.е., нет стратегии победы – есть только стратегии поражения, персонифицировавшиеся в двух образах, – дяди Вани, с его бунтом против судьбы, и его племянницы, которая видит во всем произошедшем власть некоего безличного начала: «Я, быть может, несчастна не меньше твоего [...]. Терпи и ты» (13, 109). Разность их жизненных позиций отчетливо проявляется в момент, когда оба в полной мере осознают, что их чувство безответно. Соня понимает своего дядю, но не принимает его позицию. Агрессия всегда разрушительна – в том, что в этом доме «нехорошо», виноват и дядя Ваня тоже. С точки зрения Елены Андреевны, равно как и Сони, дело Войницкого – привести всех враждующих к миру, а не усугублять семейный раздор. Но миротворицей выступает его племянница, с самого начала исповедуя то, к чему приходит в финале *Чайки* Нина Заречная: мир спасет не красота, а вера. Именно Соне удается привнести покой и устроить мир в доме, где так «неблагополучно».

И в финальной сцене столь необходимую поддержку и понимание заглавный герой находит только в своей племяннице – она дает надежду на то, что «все [...] страдания потонут в милосердии, которое наполнит собою весь мир [...]» (13, 116). Таким образом, «сцены деревенской жизни», в которых герои переживают глубокое разочарование в жизни, в идеалах и кумирах, в любви, в будущем, даны глазами верующего человека, не признающего бунта против жизни, которую надо просто достойно прожить, чтобы не страшно было умереть (в этом смысле высказывания Сони даны в очевидную параллель к мыслям Дорна о страхе смерти, который может испытывать только верующий человек). Именно в этой пьесе грех определяется не как над- или внеличный, а как совершенно конкретный и личностно выраженный. В этом контексте носителями греха оказываются два персонажа – Войницкий, с его неприятием жизни и, как следствие этого, бунтом против нее, проявляющимся прежде всего в покушении на убийство и самоубийство, и Елена Андреевна, с явно выраженной мыслью о губительности «нечистой» красоты и разрушительной силе праздности – недаром она так или иначе причастна к личным катастрофам и дяди Вани, и его племянницы.

Таким образом, в заглавие вынесен персонаж, который становится сюжетным и смысловым центром, но носителем точки зрения является тот, чьими глазами мы смотрим на заглавного героя, – Соня. Она – «внутренний реципиент», направляющий зрительское восприятие, и именно эта рецептивная двойственность позволяет уточнить смысловые акценты.

Три сестры по своей поэтике тесно связаны со «сценами…» – и по принципу именования драмы, и по мотиву Дома, который выступает не только местом действия, но и образом, совмещающим в себе вещный и символический планы. Характерно, что мотивная связь в позднем театре Чехова «работает» по циклическому принципу, развивая доминантный в предыдущем произведении образ: Войницкому и Соне удалось сохранить Дом – Прозоровы его потеряют.

Подобно построению *Дяди Вани*, в *Трех сестрах* заглавный образ – это смысловой центр, на который направлен взгляд совершенно определенного персонажа. В данном случае, в отличие от однозначно толкуемого дяди, имеющего только одну племянницу, доминантная точка зрения более завуалирована, но тем не менее вербально выражена: три сестры являются таковыми, т.е. нераздельной группой, афористически обозначенной И. Анненским как «три трети трех»[1], и для Чебутыкина, и для Андрея, что отличает этих героев от, например, Тузенбаха или Соленого, выделяющего Ирину, или Наташи, которая, войдя в дом, начинает разделять сестер по их функциональной значимости для себя самой. Но только Вершинин с самого начала проговаривает, обозначая и как бы узаконивая их единство во времени: «Как я рад, как я рад! Но ведь вас три сестры. Я помню – три девочки […]» (13, 126). Именно благодаря ему жизнь сестер дана сразу в двух планах: как она воспринимается ими и как она выглядит со стороны, благодаря чему возникают разные картины мира. Таким образом, с самого начала возникает столкновение не персонажей, но их точек зрения: сестры мечтают о Москве, а Вершинину вспоминается только «угрюмый мост» (13, 128) и одиночество; для сестер в этом городе «холодно» – Вершинину нравится «такой здоровый, хороший, славянский климат» (13, 128). Три сестры имеют то, что пока не ценят, – дом, семью, где все бережно относятся друг к другу. И хотя в этом городе жизнь «груба, грязна», но они будут защищены своим единством до тех пор, пока эта пошлая жизнь не войдет в их дом в лице Наташи и не заберет сначала Андрея, а потом Дом, разъединив их всех и лишив столь редкого в чеховском драматическом мире света и покоя. Вершинину же, Дома никогда не имеющему, все виденное кажется мечтой, доступной только в следующей жизни, какую хочется прожить уже «набело».

Вершинин – образ особенный, и не только потому, что, дав Маше трудную любовь, придал ее жизни столь искомый ею смысл. Он тот, кто пытается осмыслить и все происходящее в настоящем, и все, что будет «через 200–300 лет». Так, именно ему принад-

[1] И. Анненский: Драма настроения. Три сестры. В: И. Анненский: Избранные произведения. Ленинград 1988, с. 479.

лежит весьма точная характеристика русского интеллигента, верная в своей дефиниции едва ли не на продолжении всего последующего века: «Русскому человеку в высшей степени свойственен возвышенный образ мыслей, но скажите, почему в жизни он хватает так невысоко?» (13, 143). Этот риторический вопрос может быть направлен на Андрея, на барона, на самого Вершинина, на большинство чеховских драматических персонажей, придавая таким образом «влюбленному майору», повышенному в звании до полковника, статус идеолога русской жизни и знатока русского характера.

Он же является и первым интерпретатором Москвы трех сестер: вершининское уравнение прозоровской мечты и птиц, виденных министром из окна тюрьмы, чрезвычайно важно. Во-первых, четко сформулированной идеей точки зрения как таковой, вводящей представление об относительности картины мира: небо из окна тюрьмы совсем иное, чем вне ее стен. Во-вторых, помимо пространственной точки зрения, есть и временная, определяющая, например, концепцию счастья того же Вершинина: «[…] счастья нет, не должно быть и не будет для нас…» (13, 146). В отличие от счастья, которое Вершининым мыслится в неопределенном будущем, для сестер оно – в прошлом, в то время, когда они были в Москве. И тот факт, что счастье – состояние, ожидаемое в настоящем как возможное, т.е. как реальное, но, как выясняется, существующее только в прошлом, а точнее, в воспоминаниях, преобразует реальное в ирреальное, но чрезвычайно важное для личности в настоящем. Собственно, иллюзорность бытия демонстрирует весь сюжет *Трех сестер*, заданный постулатом Вершинина: ощущение несчастности, которую сестры испытывают в 1-м действии, остро осознавая себя вне Москвы, уже в третьем оборачивается почти счастьем, во всяком случае, то время видится им более радостным и более значимым и осмысленным: «Куда? Куда все ушло?» (13, 166). Условность Москвы окончательно проясняется в момент, когда некрасивый, но порядочный барон Тузенбах оказывается заменителем «порядочной» и красивой Москвы, и его гибель означает гибель мечты, вместо которой остается долг – жить и работать.

Наконец, именно Вершинин первым находит смысл нравственных страданий прекрасных и не нужных этой жизни сестер: они, тонкие, умные, образованные, важны как своего рода идеальная модель, как, перефразируя Гоголя, тот человек, каким он явится через 200–300 лет, т.е. тогда, когда знание трех языков не будет «ненужной роскошью» (13, 131). Мысли Вершинина будут в финале восприняты тремя сестрами с полным пониманием: они осознают, что жизнь дана не для счастья, а для жизни как таковой (Маша), что жить надо для других (Ирина), что во времена, когда «страдания […] перейдут в радость для тех, кто будет жить после нас, […] и помянут добрым словом и благословят тех, кто живет теперь» (Ольга; 13, 187/88). Так проясняется внутренняя драматургия – путь от «драмы настроений» к драме идей, когда заглавные герои через конфликтность точек зрения приходит к единому взгляду, в основе которого вера не в христианском понимании, а в нравственном – вера в прогресс, который и есть подлинный смысл истории.

Особым образом выстроены первая и последняя комедии: чайка, как и вишневый сад, становятся теми образами, которые создают фокус восприятия. Автор как бы не сам выстраивает иерархию героев, а выдвигает образ, который и определяет принцип построения системы персонажей: они группируются в зависимости от близости/дистанцированности от заглавного персонажа или предметно-символического образа. Так, в *Чайке* на первый план выдвигаются герои, которые так или иначе осознают себя по отношению к чайке, – это Нина и Константин, по-разному отождествляющие себя с этим образом и с разной же степенью символичности. Константин уподобляет себя мертвой чайке: убив сначала птицу, мифологически соотносящуюся с душой человека, затем убивает и себя – физически. Нина проходит путь от отрицания символа через страдание к его принятию, вплоть до отождествления себя с чайкой, которая ей теперь видится страдающей, болезненной, но еще живой душой. Тригорин в данном контексте самоопределяется в логике отрицания: он отрекается от Нины, ассоциировавшейся в писательском воображении с белой птицей, и от некогда возникшего литературного сюжета, ставшего впоследствии для него просто любовным приключением. Аркадина осуждена уже тем, что она не только ситуативно, но и личностно вне символического подтекста: на речевом уровне она избегает говорить и думать о смерти, а значит, и о жизни, о ее смысле, о судьбе.

Комедия *Вишневый сад* тоже очерчивает круг персонажей, которые и самоопределяются, и проявляют свою нравственную суть только, условно говоря, с точки зрения сада, т.е. отношения к нему, – это прежде всего потерявшая сад-молодость и сад-Россию: Раневская, разлюбившая сад Аня, обещающий насадить новый сад Трофимов, причем сразу хочется сказать легендарную фразу Станиславского «Не верю!», учитывая, что он не просто «облезлый барин», но и еще одно «22 несчастья»; наконец, Лопахин – первый в ряду тех, кто готов по хорошей цене продать то, что осталось от вырубленного им сада-России: природное, т.е. вечное, уничтожается смертным. Образ сада проясняется не только в репликах персонажей, но и в контекстуальной оппозиции, проявляющейся в двух монологах – Любови Андреевны, обращенный к саду, и Гаева, держащего речь перед «многоуважаемым шкафом». При всей метонимичности образа шкафа, означающего знание и просвещение, он противостоит как начало вещное – образу, сочетающему и природное, и рукотворное, что и определяет значимость и концептуальность заглавного образа, равно как и особую природу жанра. Если *Чайка* – это символ души, больной, страдающей, умирающей или отсутствующей, то сад – это символ духовности и символ России, что в определенном контексте становится единым понятием – духовность России. Автор актуализирует неперсонифицированный, но одухотворенный символ, и герой оценивается с точки зрения способности/неспособности воспринимать второй – символический – план, который определяет тем не менее реальные «тексты жизни» всех героев.

Оба символических образа имеют свою собственную драматургию, в жанровом отношении соотносящуюся с трагедией: чайка, живая в засюжетном времени-пространстве, на сцене уже убитая, но явленная в финале, с одной стороны, как вещь, а с другой – как актриса Нина Заречная. Этот цикл жизнь–смерть–жизнь структурно воспроизводит дионисийский обряд, что придает особую значимость и образу чайки, и образу «мировой души»: по сути, условное заглавие треплевской пьесы соотносится с заглавием пьесы самого Чехова – это комедия о душе, что само по себе оксюморонно.

Более трагична судьба сада: в прошлом он цветущий, богатый, прекрасный, в настоящем – по-прежнему большой и прекрасный и в этом своем качестве имеющий для Раневской и Гаева ценность, но уже не урожайный, а потому не имеющий коммерческой цены, вследствие чего он обречен Лопахиным на уничтожение. Посмертной жизни – в пределах созданного Чеховым драматического мира – ему не дано. Так получается, что душа вечна (*Чайка*), а Россия – конечна, на фабульном уровне, но на сюжетном их образ и судьба зависят от восприятия – как персонажами, так и читателями-зрителями.

Множественность точек зрения имеет своим следствием преодоление того феномена, который Бахтин назвал монологичностью драмы:

> Концепция драматического действия, разрешающего все диалогические противостояния, – чисто монологическая. Подлинная многопланность разрушила бы драму, ибо драматическое действие, опирающееся на единство мира, не могло бы уже связать и разрешить ее.[2]

---

[2] М.М. Бахтин: Проблемы творчества Достоевского. В: М.М. Бахтин: Собрание сочинений. Т. 2. Москва 2000, с. 24.

Чеховская драматургия есть опровержение бахтинского положения, безусловно, справедливого по отношению к классической драме. *Чайка* – первый опыт с абсолютно новаторской структурой, обусловленной «диалогичностью» авторского сознания, и потому параметры – от вещи до символа – заданы очень жестко, разделяя персонажей вновь, и уже не ситуативно, т.е. фабульно, а личностно, и на уровне сюжета оппозиция выглядит инверсированно-двойственной: неудачная актриса Заречная, со страдающей, но очень живой душой, и благополучный преуспевающий писатель, ограниченный своей точкой зрения на мир как на то, что видимо. Способность воспринимать и интерпретировать символ – уже знак духовности, и ограниченность тригоринской точки зрения на мир есть знак его личностной несостоятельности.

Особенно глубоко новации Чехова проявились в последней комедии. Если в финале первой комедии чайка явлена трояко – как вещь, как персонаж и как символ, то в финале последней комедии заглавный образ – сад – уничтожается в отсутствии всех героев, за исключением Фирса, который, в отличие от сада, умирает *естественной* смертью. Мрачный финал, особенно если учесть звуковой ряд, который по закону герменевтического круга возвращает нас к началу – к заголовочному комплексу. Обозначение жанра при таком соотношении завязки–развязки может восприниматься только в логике драматической иронии: чем дальше драматический текст от классических канонов жанра, тем более разителен метауровневый диалог между традицией и авторской «речевой волей», что само по себе активизирует рецепцию на разных уровнях. Отсутствие героев в финале *Вишневого сада* оказывается концептуально важным, ибо означает перемещение точки зрения, т.е. внутреннего реципиента, со сцены в зрительный зал. Более того, возникает эффект взаимообратимости точек зрения – сада и персонажа: условно говоря, не только персонажи смотрят на сад, но и сад «смотрит» на персонажей, выявляя в них наличие или отсутствие иных планов, кроме видимого. Более того, только диалогизм – в широком, бахтинском понимании – способен объяснить умонепостигаемое в чеховском театре, объективно выражающееся в многочисленных театральных неудачах. В данном случае диалогизм проявляется, во-первых, в несовпадении героя, который является центром композиции, и героем – носителем точки зрения. Эта принципиально иначе выстроенная система персонажей обуславливает множественность точек зрения при одной доминантной, формально закрепленной в тексте.

Во-вторых, диалогизм проявляется в том числе и в двойственности жанра заявленного, соотносимого с традиционными дефинициями, и реализованного в тексте. Любопытно, что по некоторым формальным показателям *Чайка* может быть определена как комедия. Так, комедия предполагает достижение поставленной цели, и персонажи следуют этой логике: Нина становится актрисой, испытав и любовь Тригорина. Что касается обязательного брака, некогда сакрального, то здесь как бы разворачивается известное положение Б. Шоу о том, что комедия слишком спешит опустить занавес, чтобы зрители не увидели начинающуюся драму. Таким образом, счастливый комедийный финал ушел в антракт, а когда начинается 4-е действие, мы видим посткомедийную драму.

Что касается смерти Треплева, то она – в логике драматической иронии – вписывается в систему комедийного мышления: он обещал убить себя – он сдержал слово, т.е., строго говоря, добился поставленной цели, обнаружив волю к смерти, и в архаическом значении его самоубийство – это брак со Смертью. Вся двойственность чеховского обозначения жанра воплощена в заглавном образе: чайка – это убитая птица, но живая актриса, это чучело, т.е. вещь, но и символ, в орбиту которого входит и система предсказаний/предчувствий, что и создает уникальный в европейской драматургии и редкий в русской жанр *комедии рока*.

Таким образом, именно в первой и последней комедиях, названных как бы по имени экс-хора и вводящих изначально символический подтекст, возникает не точка зрения одного персонажа на другой/ие, но точка зрения на мир, при этом сама природа заглавия лишает этот мир одномерности, столь характерной для классической комедии. Думается, все новации драматической структуры в чеховском театре есть следствие кардинальной мены традиционной монологичности драмы на подлинный – разноуровневый – диалогизм.

Литература

Анненский, И.: Драма настроения. Три сестры. В: И. Анненский: Избранные произведения. Ленинград 1988.

Бахтин, М.М.: Проблемы творчества Достоевского. В: М.М. Бахтин: Собрание сочинений. Т. 2. Москва 2000.

Svetlana Evdokimova

Unmelodramatizing Drama: Čechov's Experiment

1.

It comes as no surprise that scholars frequently view Čechov's experimentation as a playwright in the context of his struggle with contemporary theatrical conventions. Equally important in understanding Čechov's theatrical innovations and his concept of the relationship between stage and life is the Russian cultural tendency to overemphasize dramatic aspects of life and indulge in histrionics. Čechov's revolution in theater, I contend, was a double-edged sword: to use theater to expose the histrionics of Russian culture and to attack the theatricality of contemporary theater, which, according to Čechov, was distorting real life. How to liberate both life and the stage from histrionics? The task seemed paradoxical: Čechov used dramatic form to "un-dramatize" Russian culture and to "de-dramatize" Russian theater.

I suggest that Čechov's dissatisfaction with contemporary theater was primarily dissatisfaction with Russian melodramatic imagination and melodrama's "aesthetics of astonishment" (to use Peter Brook's term). Čechov was fully aware of the degree to which the aesthetics of excess were ingrained in Russian cultural history and he openly objected to this "melodramatization" of thought and experience, typical both of Russian radical intelligentsia and of lowbrow culture. In his letter to Leont'ev (Ščeglov) of November 7, 1888, he complains about the state of contemporary theater:

> Хорошее преувеличено до небес, а гнусное маскируется. […] Современный театр – это сыпь, дурная болезнь городов. Надо гнать эту болезнь метлой, но любить ее – это нездорово. Вы станете спорить со мной и говорить старую фразу: театр школа, он воспитывает и проч. … А я Вам на это скажу то, что вижу: теперешний театр не выше толпы, а, наоборот, жизнь толпы выше и умнее театра […]. (P. 3, 60)

> Everything good is being exaggerated to the skies, while everything base is being masked. […] Contemporary theater is an eruption, a bad disease of the cities. One has to chase this disease away, but to like it is unhealthy. You will start arguing with me and repeat an old phrase: theater is a school, it educates, etc. … I will respond to this with what I see: contemporary theater is not above the crowd, but, on the contrary the life of the crowd is more intelligent and above theater.

In his criticism of Karpov's *The Crocodile Tears* (Krokodilovy slezy) and this type of popular plays he also underscores melodramatic conventions:

> Вся пьеса, помимо ее дубоватой наивности, сплошное вранье и клевета на жизнь. […] одна из героинь восклицает: "Итак: порок наказан, добродетель торжествует!", чем и кончается пьеса. […] Если я когда-нибудь скажу или напишу Вам что-нибудь подобное, то возненавидьте меня и не знайтесь со мной. (P. 3, 67)

> The whole play, in addition to its crude naiveté, is a lie and calumny against life. […] one of the heroines exclaims: "And thus the vice is punished and the virtue is triumphant!" and with these words the play ends. […] If I ever say or write anything similar, you have the right to hate me and have nothing to do with me. (P. 3, 67)

Equally critical are Čechov's comments about the excessive scenery in popular entertainment and his opinions of the actresses who wring their hands or shed torrents of tears on stage. In particular, Čechov singles out those aspects of contemporary theater that are traditionally associated with melodrama or a well-made play (unrealistic plot, exaggerated emotions, dualistic morality underlying the structure of the play, a clear-cut division of characters into villains and their victims, and stylized manner of acting).[1]

The histrionic style of acting exercised in contemporary theater was also associated with melodrama as a genre, since melodrama relied heavily on non-verbal modes of expression and a stylized manner of acting that appealed to the bourgeois public's need for self-expression. The "bad illness of the cities" manifests itself as the prevalence of popular genres of urban theatrical entertainment and especially melodrama with its formulaic structure, spectacular effects, and conventional morality. Čechov not only ridicules melodramatic characters and melodramatic behavior as a "calumny against life", and, therefore, a betrayal of realism in art, but also as a dangerous moral fallacy.

The Manichean duality, which was the central metaphysical system underlying melodramatic narrative structure and the conception of the world in terms of extremes, were quite alien to Čechov's artistic imagination. Brooks argues:

> The world according to melodrama is built on an irreducible manichaeism, the conflict of good and evil as opposites not subject to compromise. Melodramatic dilemmas and choices are constructed on the either/or in its extreme form as the all-or-nothing. Polarization is both horizontal and vertical: characters represent extremes, and they undergo extremes, passing from heights to depths, or the reverse, almost instantaneously.[2]

While melodramatic art tends to reveal, Čechov develops a mode of expression that conceals the emotions, avoids all the excesses of self-expression, and focuses on that which is hidden. In this paper, I consider how his anti-melodramatic imagination influenced his theatrical experimentations, including characterization, plot, use of sound, settings, speech, and various theatrical effects. I suggest further that it is as the result of his persistent struggle with melodramatic conventions that Čechov created his new theater. Similar to the Western European innovators of the stage, such as Ibsen and Maeterlinck with his revolutionary theory of "le Tragique quotidien", Čechov's path to theater was also *via negativa*, that is, through the rejection of contemporary theater and its "theatricality". Similar to Maeterlinck, who insisted that "there is a tragic of the everyday which is more real, more profound, and more reflective of our true being than the tragedy of great adventures"[3], Čechov wanted to focus not on the exceptional moments of life, which generate awe, sorrow, or intense emotional response, but on the condition of life itself. The ways Čechov achieves these goals and tries to show this essential tragedy of everyday life, however, are significantly different from the symbolist theater of Maeterlinck. Čechov's response to melodrama and a well-made play was not a "static theater" or replacement of action with inaction and dialogue with silence (although he adapted these strategies to his own plays in a limited way), but destabilization of traditional dramatic structure and hierarchy. Čechov's plays do not lack action, as was frequently believed, but reprioritize action, that is, reconsider what is important and what is less important in human life and how these important things reveal themselves. In his radical reconsideration of dramatic structure he follows the example of Tolstoj, who waged a similar war against the structure of the novel.

In the process of un-melodramatizing Russian drama Čechov destroyed traditional theatrical conventions on the same grounds Tolstoj strove to destroy traditional historiography. Similar to Tolstoj who believed that in history "unheroic" heroes, such as Captain Tušin and

---

[1] For a classical discussion of melodrama's generic characteristics, see S. Baluchatyj: Toward the Poetics of Melodrama. In: Poėtika. Sbornik statej. Leningrad 1927, pp. 63-86.

[2] Peter Brooks: The Melodramatic Imagination. Balzac, Henry James, Melodrama, and the Mode of Excess. New Haven, London 1976, p. 36.

[3] Quoted in Patrick McGuinness: Maurice Maeterlinck and the Making of Modern Theater. Oxford 2000, p. 217.

numerous nameless Russian soldiers, are more important than Napoleon or Alexander and that the truly important historical events are those that no one notices because they constitute the core of life and are un-dramatic, Čechov sought drama not in theatrical and dramatic effects, but in "the tears that are hidden from the world" (*nevidimye miru slezy*). Čechov insisted that the life of the people was more important and more "intelligent" than what was seen on contemporary stage. Criticizing Sergeenko (letter to Suvorin, 2 January, 1894), he wrote:

> Эти упрямые мужики всегда хватаются за великое, потому что не умеют творить малого [...]. [...] Про Сократа легче писать, чем про барышню или кухарку. (P. 5, 258)
>
> Those stubborn peasants always try to pick up great subjects, because they are incapable of dealing with small things [...]. [...] It is easier to write about Socratis than about a young girl or a cook.

For Tolstoj, history consisted of tiny barely perceptible acts of ordinary human beings rather than of what was traditionally perceived as "events"; to create his "counter-history" he wrote *War and Peace*, in which Napoleon and all "historical" characters were marginalized and the seemingly amorphous life of ordinary individuals with their daily occupations and concerns was moved to the foreground. Likewise for Čechov, drama consisted not of suicides, murders, and betrayals, but of ordinary daily activities. "Никто не хочет любить в нас обыкновенных людей" (No one wants to love in us ordinary human beings) he complained to Suvorin (P. 3, 78). Life, as it is depicted on stage, Čechov argued, should consist of ordinary, undramatic, barely perceptible actions and events. Although Čechov engaged with contemporaneous social issues, as Tolstoj did with historical ones, he refused to plot them in melodramatic terms, as was typical of the Russian intelligentsia and so called the men of ideas. It is not extreme situations that are important, Čechov insists, but everyday life that lacks teleology and is essentially unorganized:

> After all, in real life, people don't spend every moment in shooting one another, hanging themselves, or making declarations of love. They do not spend all their time saying clever things. They are more occupied with eating, drinking, flirting, and saying stupidities, and these are the things which ought to be shown on the stage... People eat their dinner, just eat their dinner, and all the time their happiness is taking form, or their lives are being destroyed.[4]

Many of Čechov's theatrical innovations stemmed from this un-dramatic or rather "unmelodramatic" concept of reality. Čechov's dramaturgy, I suggest, is based on what the formalists identify as a minus-device – in this case the reversal of the aesthetics of melodrama. Their emphasis on the un-dramatic aspects of life, leads both Tolstoj and Čechov to many of the formal peculiarities that characterize their genres of choice, the novel and the play respectively (such as absence of a traditional plot, lack of a traditional ending, a new approach to characterization and the concept of heroism, etc.).

2.

Let us now consider how Čechov's anti-melodramatic imagination influenced his theatrical experimentations and what kind of ideological implications this new type of "mundane", "undramatic" theater engendered.

Significantly, when Čechov offers a piece of advice to young aspiring writers, he always chastises them for melodramatic excesses in style and recommends restraint. Consider, for example, his advice to Gor'kij to have more restraint:

---

[4] V. Feyder: A. Čechov. Literaturnyj byt i tvorčestvo po memuarnym materialam. Leningrad 1928, p. 160.

> Начну с того, что у Вас, по моему мнению, нет сдержанности. Вы как зритель в театре, который выражает свои восторги так несдержанно, что мешает слушать себе и другим. [...] Это не размах, не широта кисти, а именно несдержанность. (P. 7, 352)
>
> First of all, in my opinion, you lack restraint. You are like a spectator in a theater who is so unrestrained in the way he expresses his enthusiasm that he prevents himself and others from listening. [...] This is not breadth, not a bold stroke of the brush, but simply a lack of restraint.

Likewise while objecting to the excessive expressiveness in acting, Čechov insists on grace and restraint (January 2, 1900, to O. Knipper):

> [...] громадное большинство людей нервно, большинство страдает, меньшинство чувствует острую боль, но где – на улицах и в домах – Вы видите мечущихся, скачущих, хватающих себя за голову? Страдания выражать надо так, как они выражаются в жизни, т.е. не ногами и не руками, а тоном, взглядом; не жестикуляцией, а грацией. [...] Вы скажете: условия сцены. Никакие условия не допускают лжи. (P. 9, 7)
>
> [...] the majority of people suffer, the minority experiences sharp pain, but where on the streets or at home do you see people rushing about, galloping, and snatching at one's head? One has to express sufferings the way they are expressed in life, that is, not with the help of ones' legs and arms, but with the tone of voice and the expression of eyes, not with gesticulation, but with grace. [...] You will say that such are the stage conventions. No stage conventions should be an excuse for a lie.[5]

In his mature plays, Čechov introduces some elements of melodrama and uses some of its classical topoi (the enclosed garden, the space of innocence, the theme of the interrupted banquet, the devastated family nest) only to subvert melodrama.[6] We easily recognize his fabulas as hidden melodramas, such as, for example, the theme of dispossession in *The Three Sisters* or the abuse of virtue in *Uncle Vanja*, or "tons of love" in *The Seagull*. But these melodramatic fabulas function as an inoculation *against* the malaise of melodrama and reveal the prose of life as the main propelling movement of the plays. Even in *Ivanov*, which clearly relies on melodramatic coincidences and explosive scenes, Čechov embarks on destruction of melodrama and melodramatic concept of human being.

While Čechov's Ivanov was taken out eagerly as an heir of Russian "superfluous man", Čechov insisted that the protagonist of the play represented essentially a new type. Indeed, what is new in Ivanov is not his inertia, his disillusionment, and his "superfluousness", but the fact that he is defeated because he sees everything in extremes and is unable to accept the mundane and the everyday. He oscillates between lofty aspirations and despair. The diagnosis that Čechov gives to Ivanov's malaise in one of his letters to A. Suvorin (December 30, 1888) points specifically to Russian predilection for melodramatic excesses as a key to this malaise:

---

[5] See also Čechov's sketch *Fashionable Effects* (Modnyj ėffekt).

[6] Ivan Kuznecov in his essay *Melodramatičeskie cliche v dramaturgii Čechova i Zudermana* lists some of the melodramatic clichés that Čechov uses in his plays, such as the topos of the family nest, characters' analysis and self-analysis of their emotions, the principle of contrast, among other characteristics of melodrama as outlined in S.D. Baluchatyj: Poėtika melodramy. In: Voprosy poėtiki. Leningrad 1990, pp. 30-79. Although Kuznecov does not analyze in detail the function of specific melodramatic devices in Čechov, he correctly observes that the melodramatic clichés are used in Čechov's plays as a distancing device, as a way to dissociate the author's point of view from the plays' characters. Cf. Ivan Kuznecov: Melodramatičeskie cliche v dramaturgii Čechova i Zudermana. In: Čechov i Germanija. Ed. V.B. Kataev, R.-D. Kluge. Moskva 1996, p. 70. About the remnants of melodrama in Čechov's plays, see also Margarita Odesskaya: Čechov's *Tatiana Repina*. From Melodrama to Mystery Play. In: Modern Drama 42 (Winter 1999), pp. 475-490. Odesskaja notes that "Čechov exploited several clichés of melodrama, but that, having placed them in a different semiotic context or system, he fractured the stereotypes. As is well known, Čechov actively engaged his literary predecessors in dialogue, employing their popular subjects, heroes, and devices as material for parody" (479). I am interested, however, not so much in Čechov's parody of melodrama and melodramatic clichés, but on his anti-melodramatic aesthetics.

> […] русская возбудимость имеет одно специфическое свойство: ее быстро сменяет утомляемость. Человек сгоряча, едва спрыгнув со школьной скамьи, берет ношу не по силам […] говорит речи, пишет министру, воюет со злом, рукоплещет добру, любит не просто и не как-нибудь, а непременно или синих чулков, или психопаток, или жидовок, или даже проституток, которых спасает, и проч. и проч… Но едва дожил он до 30–35 лет, как начинает уж чувствовать утомелние и скуку. […] Разочарованность, апатия, нервная рыхлость и утомляемость являются непременным следствием чрезмерной возбудимости, а такая возбудимость присуща нашей молодежи в крайней степени. (P. 3, 109/10)

> […] Russian excitability has one specific quality: it is quickly replaced by exhaustion. A man, just off the school bench, rashly takes on a burden beyond his powers […] makes speeches, writes to the minister, struggles with evil, applauds the good, does not fall in love simply but inevitably with either bluestockings or psychopaths or Jewesses or even prostitutes whom he saves, etc. But hardly has he turned 30 or 35, he begins to feel weariness and boredom. […] Disillusion, apathy, nervous instability and exhaustion are the inevitable consequences of excessive excitability, and this excitability is characteristic of our young people to an extreme degree.

The problem of Russian cultural identity as Čechov sees it is its oscillation between extremes. It is no coincidence that he refers to Russian "excitability" as the key to Russia's cultural malaise. Ivanov may rebel against the melodramatic plot imposed on him but ultimately cannot escape it. His suicide is the final form of entrapment in melodrama's excess.

Čechov's mistrust of ideological extremes also translated into his deep mistrust of artistic principles governing the contemporary stage. His aversion to any type of polarization and to contemporary theater's turning everything into ideological warfare made him reconsider the nature of dramatic character and action and the very core of conventional theater – the clash of characters, or conflict:

> Современные драматурги начиняют свои пьесы исключительно ангелами, подлецами и шутами – пойди-ка найди сии элементы в России! Найти-то найдешь, да не в таких крайних видах, какие нужны драматургам. […] Я хотел соргинальничать: не вывел ни одного злодея, ни одного ангела (хотя не сумел воздержаться от шутов), никого не обвинил, никого не оправдал… (Letter to Al.P. Čechov; October 24, 1887; P. 2, 137/38)

> Contemporary playwrights stuff their plays only with the angels, villains or buffoons – try to find these types in Russia! Well, you may find them but not in such extreme forms as these playwrights require. [...] I wanted to be original: I did not depict any single villain, or angel (although I could not refrain from buffoons), I did not condemn or justify anyone…

Likewise, commenting on one of the characters in Gor'kij's play, he gives Gor'kij the following advice: "But please, do not oppose him to Petr and Tat'jana – let him be by himself, and them by themselves, they are all fine people independently from each other" (Только не противополагаете его Петру и Татьяне, пусть он сам по себе, а они сами по себе, все чудесные, превосходные люди, независимо друг от друга; P. 10, 96).

While the characters of melodrama openly pronounce their moral judgments of the world, Čechov ridicules characters who thrive on explicit self-expression and melodramatic rhetoric (Vojnickij, Sonja, Petja Trofimov among many others). The typical example is Doctor L'vov from *Ivanov*, the so called "honest and straightforward man" (честный и прямой человек) who stands on stage and utters the unspeakable: "Nikolaj Alekseevič, I have listened to you and now I have to speak frankly, in plain terms. […] I cannot tell you, words fail me, but... but I profoundly dislike you!.." (Николай Алексеевич, я выслушал вас и… и, простите, буду говорить прямо, без обиняков. […] Не могу я вам высказать, нет у меня дара слова, но… но вы мне глубоко несимпатичны!..; 12, 17). His melodramatic rhetoric is not only comical but is also presented by Čechov as a moral fallacy, as L'vov tries to impose his melodramatic vision of the world (he casts Sarah as a saint and Ivanov as a villain) on everyone around him. His melodramatic rhetoric implicitly insists that the world is polarized; it excludes any middle ground. Significantly, L'vov cannot understand, he can only overstate. This kind of pure self-expression is always ridiculed by Čechov. The man, Čechov insists, cannot be understood in terms of set traits that lead him inevitably, deterministically to some kind of action. That is why Ivanov, who is caught in the web of melodrama, rebels against the tyranny of melodramatic vision:

> Нет, доктор, в каждом из нас слишком много колес, винтов и клапанов, чтобы мы могли судить друг о друге по первому впечатлению или по двум-трем внешним признакам. Я не понимаю вас, вы меня не понимаете, и сами мы себя не понимаем. (12, 54-56)
>
> No, Doctor. We all have too many cogs, wheels, and valves to judge each other by first impression or by outward appearance. I do not understand you, you do not understand me, and we do not understand ourselves.

The tragedy for Ivanov is that, being viewed as he is in melodramatic terms by everyone around him, he cannot escape the melodrama that is being imposed on him.[7] He fully realizes that Sasha's love is the result of this melodramatic distorted view of reality and tries to escape this trap:

> Откажись же! Пойми: в тебе не говорит любовь, а упрямство честной натуры. Ты задалась целью во что бы то ни стало воскресить во мне человека, спасти, тебе льстило, что ты совершаешь подвиг… (12, 72)
>
> So give me up! Just understand: you are prompted not by love, but by the stubbornness of your honest nature. You set yourself the goal of resurrecting the man in me, of saving me, come what may, and it flattered you that you are accomplishing a feat…

While struggling with melodramatic expectations and melodramatic world view that he finds oppressive, he commits the most melodramatic act – suicide – in the most melodramatic fashion – during his wedding in front of his bride. Thus, both the melodrama of life (histrionic behavior, acting, false theatrical aspirations, and view of the world in terms of either/or) and melodramatic conventions (sudden discoveries, consumptive wife, suicide) explode in front of the audience as an inadequate answer to life's main challenge – the ordinariness of the daily life. Significantly, this truth is not expressed by any of the protagonists, but by the character who could hardly qualify as the main "hero" of the play, Lebedev: "Look at things simply, the way other people do. Everything is simple in this world. Ceilings are white, boots are black, sugar is sweet" (Гляди на вещи просто, как все глядят! На этом свете все просто. Потолок белый, сапоги черные, сахар сладкий; 12, 73).

Čechov's mature plays strive to depict this simple ordinary life, the middle ground, which is the hardest to reproduce on stage. In a letter to Suvorin he writes: "He who invents new endings for a play, will start a new era. These nasty endings are so hard to manage! The hero either marries or shoots himself, there is no other way out" (Кто изобретет новые концы для пьес, тот откроет новую эру; P. 5, 72). Čechov decides this dilemma by rejecting melodramatic conflicts and the traditional finale. Life goes on, there is no ending in a traditional sense – such are the denouements of *Uncle Vanja*, *Three Sisters* and *The Cherry Orchard*. Even in *The Seagull* there is no sense that Treplev's suicide will bring a significant change in the lives of the characters.

While melodrama resolves conflicts by reaffirming the existing order and therefore can be interpreted as having conservative implications, Čechov's plays are inconclusive and open to

[7] Cf. Boris Zingerman's observation: "They push Ivanov into an old worn out net of human relations – into the parameters of an old theatrical system." (Boris Zingerman: Teatr Čechova i ego mirovoe značenie. Moskva 2001, p. 227).

the future.[8] They never end with the restoration of the lost order. If melodrama urges toward harmony in the construction of its final moments, Čechov's denouements lack reconciliation. But unlike tragedy, in which the hero moves from ignorance to knowledge at the moment of his downfall, Čechov's heroes do not have a final downfall and gain only limited knowledge. The existing order of things almost invariably proves inadequate (*Uncle Vanja*, *The Three Sisters*, *The Cherry Orchard*), and the audience is given the sense that there is no way back to the old ways. At the same time, Čechov is skeptical about the possibility of radical change and of the tragic vision that is associated with it (Sonja and Vanja will continue to labor although their lives are never going to remain the same; the three sisters may explore various options but most likely will not go to Moscow; the cherry orchard will be destroyed, but Ranevskaja will return to Paris). Čechov's plays, therefore, are neither conservative nor radical in their ideological implications, but rather ironic and liberal. Čechov complained of Stanislavskij, who made people cry at his plays:

> I merely wanted to say to people honestly: "Look at yourself, look at how bad and boring your lives are!".. The important thing is that peoples understand this, and when they understand it, they will, without fail, create for themselves another better life... What is there to cry about?[9]

While relying heavily on unbelievable plots, coincidences and inflated emotions, melodrama strove to locate and convey some hidden ontology. Melodramatic representation therefore operated with signs that transferred significance into another context. Discussing the melodramatic mode in Balzac, Brooks argues that the

> site of his drama, the ontology of his true subject, is not easily established [...]. We might say that the center of interest and the scene of the underlying drama reside within what we could call the "moral occult", the domain of operative spiritual values which is both indicated within and masked by the surface of reality.[10]

Čechov's vision, by contrast, recoils from hidden ontology and from metaphoric perception of reality in general. Instead Čechov's use of signs and symbols is highly ironic. *The Seagull* is an interesting example of the reversal of melodramatic symbolization. On the one hand, the play's key metaphors seem to suggest melodramatic formula. The dominant images of the lake and of the seagull have formulaic associations of innocence, purity, and freedom. The spectator's contemplation of innocence (Nina) should become the main "motor" of the action for the production and stimulation of the spectators' emotions. But the seduction by Trigorin, which takes place off stage, does not lead to the spectator's agitation. There is nothing that would enable enjoyment of conventional morality. Čechov therefore not simply reverses the traditional symbolic meaning of the lake and the seagull, but he uses signs and symbols to parody signs and symbols, and their semiotic urgency. The seagull is only a seagull, the lake is but a lake (as "ceilings are white" and "sugar is sweet"). It is the characters of the play who read into these images and assign a higher spiritual meaning to the trivial details of life.[11] The metaphoric meaning exists only to the extent that the characters of the play, and possibly the audience, tend to interpret the world metaphorically. Thus, though Čechov's images are open to metaphoric reading, they also resist it. Some of his key symbolic images resist the semiotic tyranny associated with melodramatic and metaphoric vision of the world and attempt to lib-

---

[8] Melodrama may be at the same time interpreted as democratic in its attempt to make its representation clear and accessible to everyone. See Brooks, p. 15.

[9] Aleksandr Serebrov (A.N. Tichonov): Vremja i ljudi. O Čechove. In: Čechov i teatr. Pis'ma, fel'etony, sovremenniki o Čechove-dramaturge. Moskva 1961, p. 371.

[10] Brooks, p. 5.

[11] Cf. an excellent essay by Carol Strongin: Irony and Theatricality in Čechov's "The Seagull". In: Comparative Drama XV (Winter 1981/82) 4, pp. 366-380.

erate themselves from symbolic significance. "I am a seagull... No not right" – these final words of Nina are the indication that she ultimately manages to escape the world of melodrama and liberates herself from "tags" and "labels". The seagull is a seagull, the actress is an actress. While Nina's rejection of symbols and metaphors proves liberating and helps her to persevere (she leaves behind her melodramatic personal life and melodramatic style of acting), Treplev remains caught in the complex web of signification : "[…] I still keep on drifting in a chaos of dreams and images, not knowing why and for whose sake it has to be" ([…] я все еще ношусь в хаосе грез и образов, не зная, для чего и кому это полезно; 13, 59). Treplev's suicide further shows that, similar to Ivanov, he cannot escape the melodramatic plot. The play as a whole, however, represents Čechov's struggle with the pervasiveness of symbolic vision. The seagull as a non-verbal sign is ultimately not the symbol of something else (purity, youth, innocence, lost opportunity), but merely a dead bird. Trigorin's refusal to interpret the image of the stuffed sea gull ("I don't remember!") points to the dead end of overinterpretation.[12] Likewise, the black dress of Maša, the symbol of mourning, as well as her highly melodramatic rhetoric – "I am in morning for my life" – have anti-symbolic meaning. She seeks drama and relies on melodrama's clichéd symbolism. But her drama is that she is in search of drama. Čechov uses symbols and images that may have symbolic meaning, but does it in such a way as to liberate them from the semiotic and metaphoric tyranny characteristic of melodrama. Symbolic images function only as a way to establish connections between various characters and the play's motifs, but they are not loaded with specific symbolic or metaphoric meaning.

Similar to his subversion of the "moral occult" and melodramatic system of symbols, Čechov also reverses the conventional melodramatic use of music and sound. In melodrama, music is used to emphasize dramatic moments, to mark entrances and exits, to delineate the emotional states of the personages, and to put the audience into a particular emotional mood. Music is used toward the dramatization of life.

In Čechov's plays, sound and music are not employed to dramatize events or emphasize the characters' emotional disposition; they are not used as secondary acoustic effects, but have a function independent of characterization. Thus, the sounds of the military march in the end of *The Three Sisters* do not reflect the emotional condition of the heroines and do not even mark a particularly dramatic moment in the play, they rather contrast with the emotional state of the sisters. In *The Seagull*, the sound of Treplev's gunshot is presented to the audience as a bursting bottle of ether, which clearly deflates the sense of tragedy. Various sounds that Čechov uses in his plays are anti-melodramatic in their function, since they do not intensify or create mood in accordance with the devices drawn from the musicological doctrine of the eighteenth century. These sounds introduce not emotional, but rather ironic element. Such is Dorn's singing snatches of opera and sentimental songs in *The Seagull*. Frequently, it is the characters of the play (as in *The Seagull* or *The Cherry Orchard*) who assign symbolic value to various sounds and try to interpret them. The audience, however, is expected to keep an ironic distance from the characters' search for symbolic meaning. To be sure, the sound of a breaking string easily yields to symbolic interpretation, but just as well it may be an incidental sound of a bucket that, in Lopakhin's words, "must have broken loose". Once again, Čechov's middle ground position oscillates between the two poles of reading: the sound could have symbolic meaning but it is just as likely to have none. Čechov plays with the audience's prowess at identifying symbols, he engages the audience in the game of deciphering symbols and establishing symbolic connections only to show the futility of this project.

---

[12] "Šamraev. Once Konstantin Gavrilovich shoot down a seagull, and you requested that I order to make a stuffed bird of it. Trigorin. I don't remember. *(In contemplation.)* I don't remember!" (Шамраев. Как-то Константин Гаврилович застрелил чайку, и вы поручили мне заказать из нее чучело. Тригорин. Не помню. *(Раздумывая.)* Не помню!; 13, 54/55).

Čechov's aesthetics of the everyday and of the un-dramatic are an ambitious project not only because they go against the grain of the popular and the accessible, but also because they embody a mode of perception that transcends traditional genre division. They are neither comic, nor tragic, nor melodramatic and they parody Russian proclivity for self-dramatization and for the "accursed questions" of existence. Shortly before his death, Čechov complained about stage directors' misinterpretations of his plays:

> I am describing life... It is a dull, average life... But it is not tedious whimpering... They either turn me into a cry-baby, or simply a boring writer. I have written several volumes of humorous stories... And criticism makes of me a some kind of weeper. They invent something about me out of their heads, anything they like, something I never thought of or dreamed about... This is beginning to make me angry.[13]

Ultimately, his anti-melodramatic imagination was rooted in his desire to dissociate himself from commercial culture, on the one hand, and on the other hand, it stemmed from his attempt to negotiate the extremes of Russian cultural self-expression, which thrived on overstatement. In the process of these negotiations, he created a paradox and oxymoron – his unique "undramatic" drama that continues to engage his audiences.

Literature

Baluchatyj, S.: Toward the Poetics of Melodrama. In: Poėtika. Sbornik statej. Leningrad 1927, pp. 63-86.
Baluchatyj, S.D.: Poėtika melodramy. In: Voprosy poėtiki. Leningrad 1990, pp. 30-79.
Brooks, Peter: The Melodramatic Imagination. Balzac, Henry James, Melodrama, and the Mode of Excess. New Haven, London 1976.
Feyder, V.: A. Čechov. Literaturnyj byt i tvorčestvo po memuarnym materialam. Leningrad 1928.
Karpov, Evchitit: Dve poslednie vstreči s A.P. Čechovym. In: Čechov i teatr. Pis'ma, fel'etony, sovremenniki o Čechove-dramaturge. Moskva 1961.
Kuznecov, Ivan: Melodramatičeskie cliche v dramaturgii Čechova i Zudermana. In: Čechov i Germanija. Ed. V.B. Kataev, R.-D. Kluge. Moskva 1996, pp. 61-70.
McGuinness, Patrick: Maurice Maeterlinck and the Making of Modern Theater. Oxford 2000.
Odesskaya, Margarita: Čechov's *Tatiana Repina*. From Melodrama to Mystery Play. In: Modern Drama 42 (Winter 1999), pp. 475-490.
Serebrov, Aleksandr (A.N. Tichonov): Vremja i ljudi. O Čechove. In: Čechov i teatr. Pis'ma, fel'etony, sovremenniki o Čechove-dramaturge. Moskva 1961.
Strongin, Carol: Irony and Theatricality in Čechov's "The Seagull". In: Comparative Drama XV (Winter 1981/82) 4, pp. 366-380.
Zingerman, Boris: Teatr Čechova i ego mirovoe značenie. Moskva 2001.

[13] Evchitit Karpov: Dve poslednie vstreči s A.P. Čechovym. In: Čechov i teatr, p. 373.

Wolfgang Stephan Kissel

Scheitern als Signum der Moderne:
Anton Čechovs Monolog *Über die Schädlichkeit des Tabaks* und das russische Theater des Absurden

1.

Der *Szenische Monolog in einem Akt* (Scena-monolog v odnom dejstvii) mit dem Titel *Über die Schädlichkeit des Tabaks* (O vrede tabaka) gehört zu den dramatischen Miniaturen Anton Čechovs, die mehrfach philologische und literaturwissenschaftliche Aufmerksamkeit auf sich gezogen haben.[1] Aus triftigen Gründen hat die Forschung begonnen, die Farcen und Vaudevilles, Einakter und Monologe einer Neubewertung zu unterziehen.[2] Nicht nur erprobte Čechov bei der Arbeit mit kleinen Formen den ökonomischen Einsatz seiner dramatischen Mittel und erwarb ein souveränes Urteil über Bühnenwirksamkeit und Spielbarkeit seiner Texte, vielmehr fügte er Elemente der Farce in alle großen Dramen ein, besonders im *Kirschgarten* griff er so konsequent auf sie zurück, dass sich dieses Stück geradezu als Mosaik aus Miniaturen lesen lässt.[3] Zu den neuartigen Verfahren seiner großen Dramen gelangte er nicht zuletzt durch eine stetige Überarbeitung und Verfeinerung der Gattungen seiner theatralischen Anfangszeit, Farce und Vaudeville.[4]

Der Monolog *Über die Schädlichkeit des Tabaks* ist in dieser Hinsicht besonders aufschlussreich, da er von der ersten Fassung aus dem Jahre 1886 bis zur letzten aus dem Jahre 1902 wesentliche Veränderungen erfuhr und die insgesamt sechs Varianten, die von der Forschung beschrieben worden sind, Zäsuren einer dramenpoetologischen Evolution markieren.[5] Im Februar 1886 verfasste Čechov eine „scena-monolog“ für den Schauspieler Gradov-Sokolov, auf dessen besondere Vorlieben und Fähigkeiten das Material abgestimmt war.[6] Obgleich das Ergebnis die Anforderungen des Autors an ein eigenständiges dramatisches Werk nicht befriedigte, konnte er sich andererseits nicht dazu entschließen, den Text einfach zu verwerfen: So brachte er ihn zunächst als Erzählung bei der *Peterburgskaja gazeta* unter, wenig später nahm er diese Variante auch in seinen Band *Bunte Erzählungen* (Pestrye rasskazy) auf. Das journalistische Durchgangsstadium und der Gattungswechsel zur Prosa deuten darauf hin, dass die kleinen dramatischen und narrativen Formen für Čechov nahe beieinander lagen und daher für die Erprobung von Kombinationen, Mischungen oder Grenzüberschreitungen besonders geeignet erschienen.

---

[1] Zu nennen sind aus neuerer Zeit vor allem Brigitte Schultze: A.P. Čechovs Monolog „O vrede tabaka“. Vom Drama des 19. zum Drama des 20. Jahrhunderts. In: Slavistische Studien zum VIII. Internationalen Slavistenkongress in Zagreb 1978. Hg. J. Holthusen, W. Kasack, R. Olesch. Köln, Wien 1978, S. 495-507, sowie dies.: Studien zum russischen literarischen Einakter von den Anfängen bis A.P. Čechov. Wiesbaden 1984, S. 295-298; Vera Gottlieb: Chekhov and the Vaudeville. A Study of Chekhov's One-Act Plays. Cambridge 1982.

[2] Vgl. in neuerer Zeit vor allem Vera Gottlieb: Chekhovs's One-Act Plays and the Full-Length Plays. In: The Cambridge Companion to Chekhov. Hg. Vera Gottlieb, Paul Allein. Cambridge 2000, S. 57-70.

[3] Vgl. dazu die Beobachtungen des französischen Theaterkritikers Georges Banu (Notre Théâtre. La Cerisaie, cahier de spectateur, Actes Sud 1999) und des deutschen Theaterregisseurs Peter Stein (Mon Tchekhov, Actes Sud – Papiers 2002).

[4] Zu diesen bescheidenen Anfängen vgl. etwa Beverly Hahn: Chekhov. A Study of the Major Stories and Plays. Cambridge 1977, S. 39-52.

[5] Die bisher wohl gründlichste textkritische Studie stammt von Dietrich Gerhardt: O vrede tabaka (1886) – Vorübungen zu einer Wertung. In: Anton P. Čechov. Werk und Wirkung. Hg. Rolf-Dieter Kluge. Teil I. Wiesbaden 1990, S. 17-58, dort auch eine ausführliche Bibliographie. Gerhardt weigert sich allerdings zu akzeptieren, dass er es mit einem völlig neuen ästhetischen Gebilde zu tun hat, in dem von Anfang an Komik mit Tragik vermischt erscheint.

[6] Vgl. die textkritischen Anmerkungen in: 13, 467ff.

Die erste Fassung gibt bereits die grundlegende Konstellation zu erkennen: Der Protagonist ist ein mit zahlreicher weiblicher Nachkommenschaft gesegneter Pantoffelheld, der bei einem pseudowissenschaftlichen Vortrag über die Schädlichkeit des Tabaks allerlei pittoreske Details über die Musikschule seiner Frau, die Gefahren wissenschaftlicher Popularisierung und die Eigenschaften des Nikotins zum Besten gibt. Je länger er spricht, desto mehr scheint er Hohn und Spott auf sich zu ziehen: So muss er seinen Vortrag wegen eines Asthmaanfalls unterbrechen, den er selbst auf übermäßigen Pfannkuchengenuss zurückführt.[7] Nicht nur fügt sich der Vortragende widerspruchslos in die ihm zugewiesene Rolle eines zerstreuten Pseudogelehrten und Pantoffelhelden, er gerät beim Gedanken an Frau und Töchter vor Entzücken völlig außer sich.

Mit diesem wirren, geschwätzigen „Mann seiner Frau" nahm der junge Čechonte die Halbbildung aufs Korn, die im Russland des ausgehenden 19. Jahrhunderts, einem Land der Autodidakten und Analphabeten weit verbreitet war. Dabei setzte er eine relativ starre Perspektive ein: Das Innenleben der eindimensional komischen Figur, die vorgeführt und der Lächerlichkeit preisgegeben wird, war im Wesentlichen verschlossen, ja es kam erst gar nicht der Gedanke auf, dieses Innenleben könnte von Belang sein. Offensichtlich zweifelte Čechov schon bei der Redaktion der ersten Variante daran, mit Komik und Groteske das Potenzial der Konstellation ausgeschöpft zu haben, denn mit den späteren Varianten gab er dem Monolog eine Wendung ins Ernste, ja Tragische und vertiefte ihn schließlich in der letzten Fassung vom September 1902 zu einer Charakterstudie, die Themen, Motive und Verfahren der großen Dramen in äußerster Verdichtung enthielt.

Man hat diesen Monolog bisher vor allem im Zusammenhang mit den anderen Einaktern wie *Der Bär* oder *Der Heiratsantrag* betrachtet, doch die anderthalb Jahre nach der Uraufführung der *Drei Schwestern* (31. Januar 1901) und wenige Wochen vor dem Beginn der Arbeit am *Kirschgarten* entstandene Endversion steht nicht nur chronologisch zwischen den beiden Dramen der Spät- und Reifezeit, sondern gibt auch strukturell und dramenpoetologisch eine Nähe zu beiden Dramen zu erkennen. Daher sollen nun anhand der letzten Fassung des Monologs einige der literarischen Verfahren erläutert werden, mit deren Hilfe Čechov aus Tragödie und Komödie eine höhere Einheit schafft. Dabei wird nicht der Weg des Variantenvergleichs beschritten, sondern die letzte Fassung als eigenständiges ästhetisches Gebilde des russischen absurden Theaters behandelt, und der Monolog als eine Ausprägung bzw. ein Entwicklungsstadium dieser überaus wirkungsmächtigen, gleichwohl bis heute tendenziell unterschätzten Strömung dargestellt.[8]

2.

Ein gewisser Ivan Ivanovič Njuchin betritt die Bühne eines Klubs irgendwo in der russischen Provinz und kündigt im Auftrag seiner Frau einen populärwissenschaftlichen Vortrag über die Schädlichkeit des Tabaks an. Während ihn Vorname und Patronymikon als russischen Jedermann ausweisen, ist der Familienname Njuchin, den man mit „Schnupfer" wiedergeben könnte, unverkennbar ein sprechender Name in der Tradition Gogol's. Zudem wird Njuchin in den Bühnenanweisungen explizit als „Mann seiner Frau" gekennzeichnet. Beide Merkmale scheinen ihn von Anbeginn zur grotesken Figur im Stil des Vaudevilles oder der Farce zu stempeln.

---

[7] Schultze (vgl. Anm. 1) hat die Varianten miteinander verglichen und nachgewiesen, wie der Autor durch Kürzungen und Erweiterungen das Schwergewicht des Monologs verschob und insbesondere der Parodierung des wissenschaftlichen Vortrags in den späteren Fassungen (bei ihr B und C) immer geringeres Gewicht zugestand.

[8] Zum Begriff „Theater des Absurden" vgl. Martin Esslin: Das Theater des Absurden. Von Beckett bis Pinter. Reinbek bei Hamburg 1996 (Original: The Theatre of the Absurd, 1961).

Doch wird der enge Rahmen eines Vaudevilles im Stil des späten 19. Jahrhunderts bald durchbrochen, und es beginnt ein subtiles Spiel mit der Theatralität der Vortragssituation. Schon nach wenigen Worten wird deutlich, dass sich der Vortragende nicht an die Erwartungen halten will oder kann, die man gemeinhin an einen Vortrag richtet, und sei es nur ein „populärwissenschaftlicher". Indem Njuchin betont, dass ein Vortrag nur ein Vortrag und ihm ohnehin alles gleichgültig sei, irrt er bereits im zweiten Satz vom Thema ab, verletzt die Spielregeln und durchbricht die Distanz, die ein Vortragender gegenüber seinem Publikum einzuhalten hat. Damit verschiebt sich die Vortragssituation erstmals in Richtung einer Selbstdarstellung, genauer einer Selbstentblößung, die einer anderen, noch genauer zu definierenden Kategorie von Theatralität angehört.

Mit den nun folgenden Sätzen desavouiert sich Njuchin endgültig als halbwegs seriöser Vortragender: Vor kurzem habe er einen „riesigen Aufsatz" über die Schädlichkeit einiger Insekten verfasst, diesen jedoch nach nochmaliger Lektüre zerrissen, denn ohne Insektenmittel komme man ja doch nicht aus, überall bei ihnen zu Hause fände man Wanzen, sogar im Klavier. Die Syntax des Vortrages imitiert an dieser Stelle besonders ungelenk die russische Wissenschaftsprosa mit ihren Partizipialkonstruktionen: „Между прочим, на сих днях мною написана была громадная статья под заглавием: ‚О вреде некоторых насекомых'" (13, 191) (Unter anderem wurde dieser Tage von mir ein Riesenaufsatz geschrieben unter dem Titel „Über die Schädlichkeit einiger Insekten"; Urban, 805). Spätestens nach diesen Enthüllungen dürfte klar sein, dass wir es nicht mit einem echten Gelehrten oder Vortragsredner zu tun haben, sondern mit einem Wunderling (*čudak*), einem Kauz, einem Menschen von auffallendem Verhalten oder Gebaren.

Das Abgleiten des pseudowissenschaftlichen Vortragsdiskurses in familiär-persönliches Geplauder öffnet den Monolog für spontane Einfälle des Vortragenden Njuchin. An die Stelle eines logisch konsistenten Vortrags tritt eine Aneinanderreihung von Digressionen, Geständnissen und Enthüllungen, Reminiszenzen und Assoziationen. Zudem ist Njuchins Sprache durchsetzt von Klischees, von Phrasen und Floskeln im Stile von „некоторым образом" (gewissermaßen), „надо вам заметить" (ich muss Ihnen sagen), „так сказать" (sozusagen), „нечто вроде" (etwas in der Art). So scheint der Vortrag mehr und mehr ohne erkennbares Ziel einfach dem Rhythmus eines lauten Denkens zu folgen. Das kausale Band zwischen Sprache und dramatischer Situation ist zwar noch nicht gänzlich zerrissen wie später im Theater des Absurden, aber schon deutlich gelockert.

Den sprachlichen Marotten entsprechen nervöse Ticks, denn Njuchin ist offensichtlich ein labiler Mann am Rande des Nervenzusammenbruches. Seine Verhaltensauffälligkeiten verweisen, wenn auch auf indirekt parodistische Art auf den Symptomkomplex der Neurasthenie, die um die Jahrhundertwende zu einer häufig gestellten Diagnose und zu einem zentralen Thema der europäischen literarischen Dekadenz wurde.[9] Als Njuchin um die medizinische Anwendung des Tabaks zu demonstrieren, das Beispiel einer Fliege anführt, die in einer Tabaksdose krepiert, vermutet er selbst „Nervenzerrüttung" (расстройство нервов; 13, 192) als Ursache für den Tod des Insekts, eine groteske Fehldiagnose, die eher auf seinen eigenen Zustand hindeutet. Kurz darauf beginnt sein rechtes Auge unwillkürlich zu zucken, und er gesteht freimütig ein, ein „nervöser Mensch" zu sein, der Tick habe sich nach der Geburt seiner vierten Tochter Varvara eingestellt. Doch dann ermahnt er sich, verspricht, zum Thema zurückzukehren, und landet prompt in der nächsten Digression: Nun plaudert er von der Musikschule seiner Frau und ist damit fast schon beim eigentlichen Thema, seinem verfehlten Leben, angekommen.

Der Vortragende scheint zu wissen oder zumindest zu ahnen, dass die Tragik seines Lebens objektiv nicht vermittelbar ist oder nur auf geringes Interesse stoßen dürfte, ja auf den unbeteiligten Betrachter als Komik wirkt. Daher nutzt er die Gelegenheit, die ihm der popu-

[9] Vgl. Wolfdietrich Rasch: Die literarische Décadence um 1900. München 1986, S. 38-43.

lärwissenschaftliche Vortrag bietet. Seine sprachlichen Äußerungen dienen nicht dazu, Informationen zu vermitteln oder gar eine Handlung voranzutreiben. Indem er sich um Kopf und Kragen redet, gewährt er den Zuschauern vielmehr Einblick in verborgene seelische Regungen. Aus dieser psychologischen Introspektion ergibt sich zugleich die Vor- bzw. Lebensgeschichte Njuchins, d.h. medizinisch gesprochen: eine Art von Anamnese, die mehr und mehr ins Zentrum der Miniatur rückt.

Wie zahlreiche Helden in der Literatur der Jahrhundertwende wird Njuchin von einem unwiderstehlichen Drang zur Selbstentblößung getrieben, ist er in einen lauten inneren Monolog versunken, der obsessiv um das eigene Elend kreist. Rasch erfahren die Zuschauer, dass er seit dreiunddreißig Jahren in unglücklicher Ehe an eine geizige und herrschsüchtige Frau gekettet ist, mit der er sieben Töchter hat, die alle noch unverheiratet sind. Im scheinbar ungerührten Plauderton berichtet er von den ständigen Demütigungen, die seine Frau ihm zufügt, wenn sie ihn z.B. als „Vogelscheuche" tituliert, ihm das Essen verweigert oder ihm befiehlt, überzählige Pfannkuchen zu verzehren. Der Universitätsabsolvent, der einst von einer Karriere in Moskau oder Petersburg geträumt haben mag, kann sich nicht darüber hinwegtäuschen, dass er in der tiefsten Provinz als Faktotum an der Musikschule seiner Frau eine Endstation erreicht hat. An diesem Pensionat ist er Mädchen für alles, vom Unterricht fast sämtlicher Fächer bis zur Wanzenvertilgung und Mäusejagd reicht das Spektrum seiner Pflichten.

3.

Dass Njuchin seine Existenz als Faktotum in einer Musikschule fristen muss, ist gerade für eine Untersuchung der absurden Elemente des Monologs bzw. seiner Verbindungen zum russischen Theater des Absurden kein belangloses Detail, schlägt sich doch in der ursprünglichen Bedeutung von lateinisch „absurdus" „missklingend" die Wahrnehmung akustischer Phänomene und die Beurteilung von Tonqualitäten nieder. Zu dieser konkreten Missempfindung trat die übertragene Bedeutung „ungereimt" oder „abgeschmackt" erst später hinzu.[10]

Wie zahlreiche nonverbale Elemente, so spielen Musik, musikalische Einlagen und unerklärliche Klänge oder seltsame akustische Phänomene in Čechovs Dramen eine auffallende Rolle. Im 1. Akt der *Möwe* dringen Musik und Gesang vom anderen Seeufer herüber, in allen Dramen werden Lieder gesungen, gesummt oder gepfiffen, musikalische Intermezzi und Tanzeinlagen finden sich in *Onkel Vanja* oder in den *Drei Schwestern*, im *Kirschgarten* feiern die Geschwister, die den Verkauf ihres Gutes nicht abwenden können oder wollen, trotzdem ein ausgelassenes Fest mit Tanz und Musik, das gesamte Stück wird durchzogen von unheilverkündenden Geräuschen: die knarzenden Stiefel Epichodovs, Varjas klappernde Hausschlüssel, der geheimnisvolle, beunruhigend schrille Klang einer gesprungenen Saite.

Diese Präferenz Čechovs lässt sich einerseits auf die Tradition des Vaudeville und der Farce zurückführen, in denen kleine musikalische Intermezzi üblich waren, aber auch unangenehme Geräusche oder Missklänge gerne zur Irritation oder Provokation des Publikums eingesetzt wurden. So versteht es sich ganz aus dem Geist des Vaudevilles, wenn Njuchin bei seinen Zuhörern Lust auf eine Romanze oder Symphonie anstelle eines trockenen wissenschaftlichen Vortrags vermutet und schließlich sogar beginnt, einige Takte einer Arie zu intonieren.

Andererseits schwingen in diesen musikalischen Zitaten immer noch Anklänge an das ästhetische Denken der Romantik mit, die in der Musik eine der Sprache grundsätzlich überlegene Kunst sah, eine Metasprache, in der menschliche Empfindungen und Ahnungen ausgedrückt werden können, die dem rational-diskursiven Zugang verschlossen bleiben müssen. Diese Auffassung vom Auftrag der Musik, den Menschen einen Eindruck von Sphärenklängen, von kosmischer Harmonie zu vermitteln, wird in den Krisen des späten 19. und frühen

[10] Vgl. Rüdiger Görner: Die Kunst des Absurden. Über ein literarisches Phänomen. Darmstadt 1996, S. 1-4.

20. Jahrhunderts problematisch und schließlich unhaltbar. Das wachsende Misstrauen gegenüber dem Wohlklang als bloßem Fortschreiben der Tonalität veranlasst viele Vertreter der musikalischen Avantgarden in der Zeit vor dem Ersten Weltkrieg, die tonale Bindung in verschiedenartigen Experimenten wie z.B. der Dodekaphonie aufzugeben und dabei Dissonanz nicht nur in Kauf zu nehmen, sondern förmlich zu suchen und zu einem Strukturprinzip der „Neuen Musik“ zu machen. Analog zu dieser fundamentalen Verschiebung in der Musikgeschichte lässt sich Čechovs Monolog als Experiment betrachten, das sich von der tonalen Bindung des traditionellen Dramas, d.h. der Bindung an Sujet und Spannungskurve löst und die Kakophonien, die Ungereimtheiten des Lebens und des Sprechens und damit die Inkongruenz von Sprache und Wirklichkeit ins Zentrum rückt.

Beide Subtexte – der des Vaudevilles und der der romantischen Musikkonzeption – werden im Monolog überlagert durch die alles beherrschende Kommerzialisierung: Die Musikschule ist ein kommerzieller Betrieb, die Initiation in die schönen Künste hat ihren Preis, für Tanz, Zeichnen und Gesang wird eine Extragebühr berechnet. Njuchins Frau zählt zu einer neuen Kategorie von Unternehmern, die in der Phase der russischen Gründerjahre zu Tausenden ihr Glück in der Provinz versuchten. Trotz ihrer Klagen über Geldmangel hat sie, schenkt man Njuchin Glauben, vierzig- bis fünfzigtausend Rubel erspart, ein für die damalige Zeit erhebliches Vermögen, das sie angeblich verborgen hält und das Njuchin unerreichbar bleibt: Im Laufe seiner Selbstentblößung kommt er immer wieder auf den Geiz seiner Frau zu sprechen, der die Töchter ans Haus fesselt und von Männern fern hält. So werden in eine topische Konstellation der Farce – armer Pantoffelheld mit geiziger, herrschsüchtiger Frau – ebenso subtil wie konkret soziologische und ökonomische Beobachtungen aus einer Epoche des Wirtschaftsbooms und allgemeinen Gewinnstrebens eingeschrieben.

Auf der Suche nach einer Erklärung für dieses Unglück verfällt Njuchin auf abergläubische Spekulationen und versucht, die nach altem Volksglauben Verderben bringende Zahl „dreizehn“ für sein verfehltes Leben verantwortlich zu machen: Diese Zahl kehre in seinem Umfeld mit auffälliger Häufigkeit wieder, alle Töchter seien an einem dreizehnten geboren, die Musikschule trage die Hausnummer dreizehn und habe dreizehn kleine Fenster: „Вот потому-что, вероятно, и жизнь моя такая неудачная, что живем мы в доме № 13. И дочери мои родились 13-го числа, и в доме у нас 13 окошек...“ (13, 193) (Das ist vermutlich auch der Grund, weshalb mein Leben so verunglückt ist, weil wir im Haus Nr. 13 wohnen; Urban, 807).

Überblickt man den gesamten Monolog, so findet sich auf engem Raum eine Fülle von Zahlenangaben: Neben der Unglückszahl 13 die dreißig Jahre ernsthaften wissenschaftlichen Arbeitens, die komisch übergenaue Angabe des Datums 13. April 1889, die vierzig- bis fünfzigtausend Rubel Vermögen, die dreißig bzw. zwanzig Kopeken für ein Schulprogramm, die sieben Töchter. Diese wiederkehrenden Zahlen nehmen sich wie ein Echo der Statistik aus, die sich bereits in dieser Zeit anschickte, menschliches Leben numerisch zu analysieren und zu komprimieren. In diesen wiederkehrenden Zahlen sind aber auch Zufall und Geld als Mächte präsent, die Njuchins Existenz bestimmen.

Neben der „Dreizehn“ gewinnen vor allem die dreiunddreißig Ehejahre eine bedrohliche oder zumindest ambivalente Qualität. Sie sind nach Njuchins eigenem Bekunden wie im Flug vergangen:

> Я прожил с женой тридцать три года, и, могу сказать, это были лучшие годы моей жизни, не то чтобы лучшие, а так вообще. Протекли они, одним словом, как один счастливый миг, собственно говоря, черт бы их побрал совсем. (13, 193)

> Ich habe dreiunddreißig Jahre mit meiner Frau verlebt, und ich kann sagen, es waren die besten Jahre meines Lebens, nicht eigentlich die besten, sondern im allgemeinen. Mit einem Wort, sie sind verstrichen wie ein einziger glücklicher Augenblick, genaugenommen soll der Teufel sie holen. (Urban, 164)

So wird in diesem Monolog die Magie der Zahlen mit komplexen Zeitmustern, mit Zeitdehnung und Zeitverdichtung, Extension und Kompression, mit subjektiv empfundener und chronometrisch gemessener Zeit verwoben. Die Zahl als Maß der Zeit, die Chronometrie führt zu einem weiteren Thema: das unerbittliche Vergehen der Zeit, an dem Njuchins Hoffnungen zuschanden geworden sind. Erst wenn man die verlorenen Lebensjahre bedenkt, die auf ihm lasten, gewinnt man einen Zugang zu seinem seltsam schwankenden Verhalten, seinem manischen Mitteilungsbedürfnis, seinen Marotten und Manierismen. Auch in dieser Hinsicht erweist sich der Monolog als Werk des Fin de siècle und seiner geschärften Sensibilität für das rätselhafte Wesen der Zeit und die Verwandlung des Menschen durch die Zeit.[11]

4.

Je weiter Njuchin sich im Labyrinth seiner Assoziationen und Einfälle verirrt, desto mehr ist er zugleich bestrebt, möglichst engen Kontakt zum Publikum herzustellen. Zunächst wendet er sich nur dann direkt an die Zuschauer, wenn er seine Abweichungen vom angekündigten Vortrag korrigieren will: „Впрочем *(поглядев на часы)*, ввиду недостатка времени, не станем отклоняться от предмета лекции“ (13, 192) (Im übrigen wollen wir, angesichts der knappen Zeit nicht vom Gegenstand des Vortrags abschweifen; Urban, 162). Dabei schaut er ängstlich zur Uhr und versucht sich angesichts des drohenden Zeitmangels zu disziplinieren und zum Thema zurückzukehren – doch vergeblich, der Wunsch, über sich selbst zu sprechen, erweist sich als stärker. Die Klage über den Geiz seiner Frau leitet er schon mit einer vertrauenerweckenden Floskel „unter uns gesagt“ (между нами говоря) ein.

Im weiteren Verlauf des Monologs erhalten solche Wendungen ins Publikum einen zunehmend appellativen oder persuasiven Charakter. Mehrfach scheint er unmittelbar Zwischenfragen aufzunehmen: „Вы скажете: дочери... Что дочери? Я говорю им, а они только смеются...“ (13, 193) (Sie werden sagen: Ihre Töchter... Meine Töchter? Zu denen sage ich etwas, und sie lachen nur...; Urban, 808). Oder einige Zeilen weiter: „Бежать, бросить всё и бежать без оглядки... куда? Всё равно куда... лишь бы бежать [...]“ (13, 194) (Weglaufen, alles hinwerfen und weglaufen, ohne mich umzusehen... wohin? Egal, wohin... nur weg [...]; Urban, 809). Mit großer Geste weiht er das Publikum schließlich in das Geheimnis ein, wo sich seine immer noch unverheirateten Töchter an den großen Feiertagen aufhalten. Auf diese Weise bezieht er die Zuschauer in die Erzählungen über sein Unglück ein, bis sie an die Stelle des auf der Bühne fehlenden Ansprechpartners treten und eine halb verdeckte Dialogsituation entsteht. So sollte der Interpret des Njuchin dem realen Publikum der jeweiligen Aufführung für Augenblicke das Gefühl vermitteln, das fiktive Publikum des Vortrags in einem russischen Provinzclub zu sein.[12] Während sich das Publikum in der Erstfassung auf eine rein betrachtende, passiv konsumierende Rolle beschränken konnte, stellt die Endfassung Forderungen an eine aktivere Teilnahme.

Njuchins misslingender Versuch, einzelne Zuschauer zum Kauf eines Schulprogramms zu animieren, und auf diese Weise selbst zum Unternehmer zu werden, – eine Miniaturszene, in

[11] Als einer der ersten hat Peter Szondi auf die eigentümliche „Zwischenzeit“ hingewiesen, in der die dramatischen Figuren Čechovs leben. Vgl. Peter Szondi: Theorie des modernen Dramas. Frankfurt/M. 1957, S. 27: „In den Dramen Tschechows leben die Menschen im Zeichen des Verzichts. Verzicht vor allem auf die Gegenwart und die Begegnung kennzeichnet sie: Verzicht auf die Gegenwart ist Leben in der Erinnerung und in der Utopie, Verzicht auf die Begegnung ist Einsamkeit. *Drei Schwestern* – vielleicht das vollendetste der Tschechowschen Dramen – ist die ausschließliche Darstellung einsamer, erinnerungstrunkener, von der Zukunft träumender Menschen. Ihre Gegenwart wird erdrückt von Vergangenheit und Zukunft, ist Zwischenzeit, Zeit des Ausgesetztseins, in der die Rückkehr in die verlorene Heimat das einzige Ziel ist.“

[12] Gerhardts Kritik an der Konstruktion eines zweiten imaginären Zuschauerraums verfehlt die Pointe, dass sich das reale Publikum der jeweiligen theatralischen Darbietung in das fiktive des Vortrags verwandeln kann. Vgl. Gerhardt, S. 32.

der listiges Werben, Insistieren, Nachgeben, Enttäuschung, Wut und Verzweiflung aufeinander folgen – leitet die intensivste Phase des Monologs ein, das Bekenntnis des eigenen Unglücks bzw. Unglücklichseins. Schließlich deckt Njuchin selbst die Leere und Angst hinter seiner Vortragsfassade auf und bekennt, am liebsten laut aufschreien oder davonlaufen zu wollen. Das Stichwort der Flucht löst eine heftige Phantasie vom Anhalten und Auslöschen der Zeit aus:

> Бежать, бросить всё и бежать без оглядки... куда? Всё равно куда... лишь бы бежать от этой дрянной, пошлой, дешевенькой жизни, превратившей меня в старого, жалкого дурака, старого, жалкого идиота, [...] бежать от музыки, от кухни, от жениных денег, от всех этих пустяков и пошлостей... и остановиться где-нибудь далеко-далеко в поле и стоять деревом, столбом, огородным пугалом, под широким небом, и глядеть всю ночь, как над тобой стоит тихий, ясный месяц, и забыть, забыть... О, как бы я хотел ничего не помнить!.. (13, 194)

> Weglaufen, alles hinwerfen und weglaufen, ohne mich umzusehen... wohin? Ega wohin.. nur weg von diesem schäbigen, platten Leben, das aus mir so einen alten, erbärmlichen Dummkopf gemacht hat, einen alten, erbärmlichen Idioten, [...] weg von der Musik, der Küche, dem Geld meiner Frau, von all diesen Lappalie und Gemeinheiten... und irgendwo weit, weit weg davon stehenbleiben, auf dem freien Feld, und dastehen wie ein Baum, ein Pfahl, eine Vogelscheuche, unter dem weiten Himmel, und die ganze Nacht über schauen, wie über dir, der helle stille Mond steht, und vergessen, vergessen... Sich an nichts mehr erinnern – oh, wie sehr ich das möchte!... (Urban, 809)

Für einen Augenblick gelingt es Njuchin, sich wenigstens in Gedanken aus seinem prosaischen Alltag, aus Banalität und Routine herauszureißen und in die Natur zu entfliehen. Der leidgeprüfte, von den Furien der Erinnerung verfolgte Mensch flüchtet sich in eine imaginäre Verwandlung, die zugleich Vergessen des erbärmlichen Alltags wie auch Freiheit und Weite des Horizonts, d.h. Berührung mit der Außenwelt, dem Kosmos verheißt. An dieser Stelle tritt die eigentümliche Musikalität der Dramensprache Čechovs, die von Wiederholungen, Wortreihungen, Leitmotiven geprägt wird, besonders deutlich hervor, auch literarische Allusionen und Subtexte verdichten sich. So wird mit der Mondnacht ein Topos romantischer Dichtung zitiert, die Vision einer Metamorphose in Baum, Pfahl oder Vogelscheuche unter weitem Himmel lässt an Ovid denken und verleiht den Phantastereien eines gescheiterten Provinzintellektuellen eine unerwartete Dignität.[13]

Wenige Sätze nach diesem poetischen Höhepunkt folgt eine Eruption von Wut und Gewalt.[14] Der Gedanke daran, wie gerne er sich den alten Frack vom Leibe reißen würde, veranlasst Njuchin dazu, auf offener Bühne den Aufstand zu proben. Er packt seinen Frack, droht ihm, wirft ihn auf den Boden und trampelt schließlich auf ihm herum. Seit dreiunddreißig Jahren, seit seiner Heirat mit einer tyrannischen Xanthippe steckt Njuchin in dieser „Berufskleidung“, die in Wirklichkeit eine Zwangsjacke ist, in der er Vorträge zu wohltätigen Zwecken halten muss. Der Frack symbolisiert die Alltagsroutine, die ihn gefangen hält, aus dem Gewaltakt gegen den Frack spricht der unerfüllbare Wunsch, ein anderer zu sein, das Verlangen nach Tod, Katharsis und Wiedergeburt, nach einer „vita nova“.

Njuchin droht nun dem eigenen Frack mit den Worten: „вот тебе“ (da hast du!). In der Drohgebärde „вот тебе“, zugleich wütende Rebellion gegen ein ungerechtes Schicksal und verzweifelte Rache eines Enttäuschten und Unglücklichen, mag ein Anklang an die drohenden Worte „ужо тебе“ mitschwingen, die Evgenij in Puškins *Ehernem Reiter* (Mednyj vsad-

---

[13] Vgl. zur lunaren Sphäre, die Vergessen bedeutet kann A.A. Hansen-Löve: Der russische Symbolismus. System und Entfaltung der poetischen Motive. I. Band. Wien 1989, unter dem Abschnitt „Erinnern – Augenblick – Vergessen“, S. 281-333.

[14] Auch in den großen Dramen lauern unter der Oberfläche des träge dahinfließenden Einerlei Angst, Hass und Gewaltbereitschaft und können eruptiv hervorbrechen – oft aus banalem Anlass. *Die Möwe* endet mit einem Selbstmord, die *Drei Schwestern* mit einem tödlichen Duell, *Onkel Vanja* explodiert in versuchtem Totschlag, im *Kirschgarten* wird zuletzt die Axt geschwungen.

nik, 1833) gegen das Standbild Peters des Großen schleudert. In dieser Deutung träte an die Stelle des Denkmals das Kleidungsstück, an die Stelle des verhassten Selbstherrschers die unentrinnbare Eintönigkeit und Sterilität des Provinzlerdaseins. Dabei wird der Ausbruch von unterdrückten Aggressionen, der in allen großen Dramen anzutreffen ist, im Monolog konsequenterweise zur Autoaggression. Doch folgt unmittelbar im Anschluss an diesen Ausbruch ein weiterer Umschwung in diesem an Umschwüngen reichen Stück. Njuchin nimmt in Gedanken bereits von den Hoffnungen und Wünschen seines Lebens Abschied:

> Не нужно мне ничего! Я выше и чище этого, я был когда-то молод, умен, учился в университете, мечтал, считал себя человеком... Теперь не нужно мне ничего! Ничего бы, кроме покоя... кроме покоя! (13, 194)

> Ich brauche nichts! Ich stehe darüber, ich bin reiner als das alles, ich war einmal jung, klug, habe studiert, hatte Träume, habe mich für einen Menschen gehalten... Heute brauche ich nichts! Nichts, nur Ruhe... Ruhe! (Urban, 809)

Aus diesen Worten geht hervor, dass der Vortragende kaum noch in der Gegenwart heimisch ist, sondern ganz in der Vergangenheit lebt. Auf die Erinnerung an die Jugend, die Ideale, die Hoffnungen folgt die Resignation, aber auch die Aussicht auf einen Zustand vollkommener Bedürfnislosigkeit, einen Zustand der Selbstauslöschung. In letzter Konsequenz bedeutet diese Ruhe das Ende aller irdischen Leiden und das Ausruhen von der Zeit. So ist es nicht auszuschließen, dass Njuchin wenige Wochen, Tage oder nur Minuten nach dem Vortrag die Konsequenz aus seinem Scheitern ziehen und Selbstmord begehen wird.

Der Gefühlsausbruch wird allerdings sofort wieder ins Lächerliche gezogen, als er durch das Erscheinen seiner Frau jäh aus seiner Ruhe, seiner Entrückung gerissen wird. Er entdeckt plötzlich, dass sie bereits vor den Blicken der Zuschauer verborgen in den Kulissen wartet. Die Zeit ist abgelaufen, der Vortrag aber nicht gehalten. Die angstvolle Bitte an das Auditorium, dem Vortragenden würdevolles Betragen zu bescheinigen und bei Anfragen zu bestätigen, dass der Vortrag gehalten wurde, die hastige Wiederaufnahme der Vorlesung bezeugen eine vollkommene Niederlage. Njuchin führt den Vortrag, der nicht stattgefunden hat, mit einigen kümmerlichen Phrasen zu Ende und spricht die bahnbrechende Erkenntnis aus, man solle unter keinen Umständen rauchen, da der Tabak ein gefährliches Gift enthalte.

Nur in Abwesenheit seiner Frau hat Njuchin es gewagt, sich seinen Fluchtphantasien hinzugeben, im Augenblick ihres Erscheinens kehrt er umso ergebener in seinen Frack, d.h. in seine alte Haut zurück. Gerade dieser auf den ersten Blick konventionell farcenhafte Schluss führt den Zuschauern auf drastische Weise die Fallhöhe des tragikomischen Helden vor Augen.[15] Die Abwesenheit der Frau unterstreicht eine paradoxe Präsenz: Obwohl sie bis zum Schluss keinen eigenen Auftritt auf der Bühne hat und wir von ihrem Erscheinen nur aus Njuchins Munde erfahren, ist sie als „Verhängnis“ fortwährend in den Gedanken und Worten ihres Mannes anwesend. Diese Dominanz einer unerreichbaren Frau, die beim unterlegenen Mann Furcht und Hass hervorruft, deutet hin auf die „femme fatale“, einen Archetypus des Fin de siècle, der hier freilich dem Duktus des Monologs gemäß parodistisch verfremdet wird.[16]

Nicht nur die Zeit seines Vortrags ist abgelaufen, auch für eine Wende in seinem Leben ist es zu spät. So scheitert Njuchin noch einmal vor aller Augen an der Übermacht der *pošlost'*,

[15] Keinesfalls kann es überzeugen, wenn Gerhardt die „grobe Farce“ des Schlusses als Mangel der letzten Fassung beanstandet und gegen eine ernsthafte Betrachtung und Gewichtung des Stückes ins Feld führt. Vgl. Gerhard, S. 56f.

[16] Zur Bedeutung dieses Frauentypus im Prosawerk Čechovs vgl. Heinz Setzer: Fruchtbare Wege des Niedergangs. Phänomene der Dekadenz in den Erzählungen „Tina“, „Pripadok“ und Bab'e Carstvo“. In: Anton P. Čechov – Philosophische und religiöse Dimensionen im Leben und im Werk. Hg. Vladimir B. Kataev, Rolf-Dieter Kluge, Regine Nohejl. München 1997, S. 175-191.

d.h. der Banalität, die alle Ausbruchsversuche vereitelt, alle Pläne, Visionen, Träume zunichte macht. Denkbar wird angesichts dieses Schlusses allerdings auch, dass Njuchin nach dem Vortrag in den gewohnten Bahnen weiterlebt und sein Schicksal hinnimmt. Der Ausbruch bliebe dann folgenlos, wäre vielleicht gar selbst ein regelmäßig wiederkehrendes Ereignis in einer Reihe solcher Ausbrüche. Nach dieser Deutung stellte der Monolog nur ein Beispiel dar aus einer Serie ähnlicher Szenen, der Gesamtkonzeption läge das Prinzip der Serialität zugrunde, wie es die Avantgarden in Literatur und Musik des 20. Jahrhunderts erproben sollten.

Als letzter Sprechakt bleibt dem Vortragenden noch ein lateinischer Satz: „Dixi et animam levavi". Es handelt sich um einen häufig zitierten Ausspruch zur Bekräftigung schwieriger oder unliebsamer Wahrheiten, der sich in zahlreichen Sammlungen lateinischer Sentenzen findet. Mit diesem Dictum, das in einem russischen Provinzclub nicht unbedingt von allen Zuhörern verstanden wurde, versucht Njuchin zum guten Schluss noch, mit Lateinkenntnissen Eindruck zu schinden. Aber aus dem lateinischen Schlusssatz lässt sich auch eine Bekräftigung der hybriden Gattungszugehörigkeit des Monologs herauslesen: In dem längst trivialisierten Ausspruch ist ein Psalmenzitat enthalten, der 24.(25.) Psalm beginnt in der lateinischen Vulgata folgendermaßen: „1. Ad te Domine levavi animam meam 2. Deus meus in te confido non erubescam 3. Neque inrideant me inimici mei etenim universi qui sustinent te non confundentur."[17] Die ebenfalls gebräuchliche Variante „Dixi et salvavi animam meam" verweist auf Parallelstellen bei *Hesekiel* 3,19 und *Genesis* 19,17 und lässt sich auch als Beichtformel verstehen.[18]

Die Zuschauer haben Njuchin eine Beichte abgenommen, die sich unter dem Deckmantel eines populärwissenschaftlichen Vortrags verbarg. Der profane Vortrag, der im Dienste wohltätiger Zwecke, zumal der Gesundheitsprophylaxe stattfindet, wird „unterlaufen", d.h. konterkariert und subvertiert von einer „confessio", einer Selbstoffenbarung, die sich an Verhaltens- und Sprachregeln der sakralen Sphäre ausrichtet. In einer Welt, die sich im Zeichen (natur)-wissenschaftlicher Aufklärung von spontan gelebter Frömmigkeit entfernt, bleibt immerhin die larvierte oder parodistische Form des religiösen Rituals, um über letzte Dinge zu sprechen.[19] Als Njuchin seine Zuschauer kurz vor Ende der Darbietung anfleht, nichts von seinen Digressionen zu erzählen, macht er sie zu Komplizen seiner Auflehnung, aber auch – und dies bestätigt eben der letzte Satz – zu seinen säkularen „Beichtvätern" (bzw. „-müttern"). Dass der russische Jedermann dabei ein lateinisches Dictum verwendet, gehört zu den charakteristischen Verfahren ironischer Brechung und Distanzierung des späten Čechov.

5.

Die Janusköpfigkeit teilt der Monolog mit den großen Dramen, sie ist Signum einer Modernität, die bis heute von keinem Dramatiker der Weltliteratur eingeholt oder gar überboten werden konnte. In beinahe jedem Satz lassen sich Ambivalenzen aufspüren, bleibt ein Schwanken zwischen Verzweiflung und Aufbegehren. Indem der Monolog zwischen Nahaufnahmen und Ferneinstellungen alterniert, zwischen (pseudo)wissenschaftlichem Vortrag und (Lebens)-

[17] Vgl. den 25. Psalm in Luthers Psalmenübersetzung: „1. Nach dir, Herr, verlangt mich. 2. Mein Gott, ich hoffe auf dich; laß mich nicht zu Schanden werden, daß sich meine Feinde nicht freuen über mich. 3. Denn keiner wird zu Schanden, der dein harret."

[18] Vgl. *Hesekiel* 3,19: „Wo du aber den Gottlosen warnst und er sich nicht bekehrt von seinem gottlosen Wesen und Wege, so wird er um seiner Sünde willen sterben; aber du hast deine Seele errettet." Sowie *Genesis* 19,17: „Und als sie ihn hatten hinausgebracht, sprach er: Errette deine Seele und sieh nicht hinter dich; auch stehe nicht in dieser ganzen Gegend. Auf den Berg rette dich, daß du nicht umkommst."

[19] So sieht der Historiker der Beichte Alois Hahn „gerade die allerjüngste Moderne – etwa seit dem 19. Jahrhundert – durch eine Säkularisierung und gleichzeitig durch den gesteigerten Einsatz von Bekenntnisritualen" charakterisiert. (Alois Hahn: Konstruktion des Selbst, der Welt und der Geschichte. Aufsätze zur Kultursoziologie. Frankfurt/M. 2000, S. 197).

Beichte oszilliert, verschmelzen in ihm Komik und Tragik zu einem untrennbaren Ganzen.[20] Daher ist *Über die Schädlichkeit des Tabaks* in der Endfassung kein unbedeutendes oder gar misslungenes Nebenprodukt, sondern in mancher Hinsicht ein Höhepunkt der dramenpoetologischen Evolution Čechovs. Eine neue Gewichtung des Monologs kann folglich dazu beitragen, Čechovs einzigartige Stellung zwischen (bzw. über) den literarischen Strömungen des russischen Fin de siècle genauer zu bestimmen.

Wenngleich Čechov in seinem Selbstverständnis und seinen Äußerungen über zeitgenössische Literatur unverkennbar Distanz zu den Symbolisten und Dekadenten hielt, bewegte sich seine Dramenkonzeption doch in einem schmalen Grenzbereich zwischen Realismus und Frühsymbolismus: Die banale Intrige der Stücke wurde durch vieldeutige Symbole (Möwe, Reise nach Moskau, Kirschgarten) in einer Weise überhöht, die weit über die Möglichkeiten des Realismus hinausging. Diese Ambivalenz, dieser Schwebezustand öffnete die Dramen für Einbrüche des Absurden in die Welt des Alltags.[21]

Mit dem Monolog präsentierte Čechov in subtiler Weise eine Art von dramenpoetologischem Manifest, zumindest aber eine Antwort auf die Fragen, mit denen er nach der Uraufführung der *Drei Schwestern* bedrängt wurde, oft auch in Form von Briefen, in denen enthusiastische Verehrer sich mit seinen Figuren identifizierten und dem bewunderten Autor beichteten. Schon nach der ersten Lesung der *Drei Schwestern* stritten die Schauspieler in seiner Gegenwart darüber, ob sie soeben eine Komödie oder eine Tragödie gehört hätten, ja ob diese Form überhaupt noch als Drama zu bezeichnen sei, was Čechov knapp und etwas verdrießlich mit den Worten kommentierte: „Ich habe ein Vaudeville geschrieben." Der Monolog wiederholte ein Jahr später sein Bekenntnis zum Vaudeville als einer ihm notwendigen, ja unverzichtbaren Form, die in einer Zwischenzone zwischen Drama und Narration angesiedelt war. Folgerichtig summiert und verdichtet Njuchins Beichte die großen Themen der Dramentetralogie: Jugend, Hoffnung, Arbeit, Familie, Banalität, Langeweile, Leiden, Altern, Erinnern und Vergessen, Glauben und Zweifel, Sterben und Tod – und schließlich das Thema der Sprache selbst, exemplifiziert an der Sprache eines Menschen, der mit seinem Schicksal ringt, d.h. aber auch (und vielleicht sogar vor allem) mit der Sprache, in der er es zur Aussage bringen muss.

Diese Sprache mit ihren charakteristischen Brüchen und Sprüngen, Wiederholungen, Übertreibungen und Alogismen verrät eine Nähe zur russischen Tradition des Absurden, die nicht auf eine Epoche oder Periode eingegrenzt werden kann. Sie wird im 19. Jahrhundert erkennbar ebenso in Aleksandr Puškins *Kleinen Tragödien* wie in Aleksandr Griboedovs *Verstand schafft Leiden* (Gore ot uma) oder in Nikolaj Gogol's *Der Revizor* und Ivan Turgenevs dramatischen Versuchen, bei Michail Saltykov-Ščedrin oder Aleksandr Suchovo-Kobylin, im 20. Jahrhundert zählen dazu Namen wie Velimir Chlebnikov, Daniil Charms, Aleksandr Vvedenskij, Vladimir Kazakov oder Dmitrij Prigov.[22]

Am Beispiel des Monologs *Über die Schädlichkeit des Tabaks* lässt sich zeigen, dass die Gratwanderung zwischen Realismus und Frühsymbolismus und die Öffnung hin zum (Theater des) Absurden ohne den Kontext des russischen Fin de siècle nur unzureichend verstanden werden können. Das kleine „Nervendrama" bietet ein vollendetes Beispiel für jenes „Theater

[20] Vgl. dazu auch Walter Koschmal: Das Drama der russischen Moderne. In: Die literarische Moderne in Europa. Hg. H.-J. Piechotta, R.R. Wuthenow, S. Rothemann. Opladen 1994, S. 363-366: „Von der Koexistenz zur Ambivalenz von Farce und Tragödie in A.P. Čechovs Komödien".

[21] In diesem Licht ist auch die These, Čechovs Theater verweise auf das absurde Theater des 20. Jahrhunderts – so etwa Schultze (Studien zum russischen literarischen Einakter von den Anfängen bis A.P. Čechov, S. 298) – voraus, zu modifizieren.

[22] Eine deutschsprachige Einführung in dieses russische Theater des Absurden bietet: Fehler des Todes. Russische Absurde aus zwei Jahrhunderten. Hg. Peter Urban. Frankfurt/M. 1990.

der Dekadenz", das Čechov in einem Brief an Suvorin schon 1895 gefordert hatte.[23] Mit großer Wahrscheinlichkeit verstand Čechov „Dekadenz" nicht nur als Ära von Verfall und Niedergang, sondern erkannte in der Phänomenologie und Typologie der Dekadenten ein reiches Potenzial.[24]

In diesem Sinne geht Njuchins „Nervenzerrüttung" mit einer Verfeinerung seines Wahrnehmungs- und Empfindungsvermögens einher: Er reflektiert über die Ursachen seines Zustandes, er sucht nach den Gründen, er spürt die Gegenwart einer höheren Sphäre und strebt zu dieser hin. Selbst in den Floskeln und Hülsen seiner hilflosen Sprache mag sich ein ungeschickt artikuliertes Bedürfnis nach Relativierung einer jeden Aussage und damit eine Neigung zur Skepsis, eine von Čechov hoch geschätzte Grundhaltung, verbergen. Bei jeder Aufführung muss der Schauspieler das Publikum erneut zur „Abnahme der Beichte" und damit zur Anteilnahme an Njuchins Leben verführen. Gelingt dies, so wird das scheinbar Belanglose zum Gegenstand angespannter Aufmerksamkeit und aus unbeteiligten Beobachtern eines fremden Schicksals werden „Mitspieler" und Leidensgenossen, die allerdings durch die Komik der Sprache und Erscheinung Njuchins, vor allem aber die Absurdität der gesamten Situation vor einer Identifikation bewahrt und auf Distanz gehalten werden. Der Triumph des Gescheiterten (zugleich der Triumph der Kunst Čechovs) besteht im Sprechen über das Scheitern, das die Zuschauer bewegt und bereichert.

So wird das Leiden Njuchins, sein unscheinbares Leben im dramatischen Kunstwerk zum Quell eines „schönen Scheins", seine Beichte gewährt sinnlichen Genuss und ethische Belehrung. Die Selbstentblößung bedeutet gerade nicht Bloßstellung, sondern belässt dem Menschen seine Würde, ja bringt diese Würde auf unnachahmliche Weise zum Vorschein. Daher können die Zuschauer beim „majestätischen" (!) Abgang des Protagonisten nicht mit letzter Sicherheit entscheiden, ob sie einen vollkommen verzweifelten und gebrochenen Menschen oder einen selbstironischen Sieger vor sich haben, der ihnen an seinem Beispiel ihre eigene Nichtigkeit, ihre „vanitas" vor Augen geführt hat und der sich dieses Triumphes bewusst ist.[25] Zwischen ungelenker Komik und gravitätischer Ernsthaftigkeit, wütendem Aufbegehren und ängstlicher Unterwerfung spielt sich in unerwarteten Wendungen und feinen Zwischentönen das Drama des verfehlten Lebens, des unausweichlichen menschlichen Scheiterns ab.

Literatur

Bauer, Roger: Décadence und Dekadenz. In: Euphorion. Zeitschrift für Literaturgeschichte 96 (2002) 2, S. 117-125.

Deppermann, Maria: Dramaturgie der Stille – Čechov und Maeterlick. In: Anton P. Čechov – Philosophische und religiöse Dimensionen im Leben und im Werk. Hg. Vladimir B. Kataev, Rolf-Dieter Kluge, Regine Nohejl. München 1997, S. 151-174.

Esslin, Martin: Das Theater des Absurden. Von Beckett bis Pinter. Reinbek bei Hamburg 1996.

Fehler des Todes. Russische Absurde aus zwei Jahrhunderten. Hg. Peter Urban. Frankfurt/M. 1990.

Gerhardt, Dietrich: O vrede tabaka (1886) –Vorübungen zu einer Wertung. In: Anton P. Čechov. Werk und Wirkung. Hg. Rolf-Dieter Kluge. Teil I. Wiesbaden 1990, S. 17-58.

Görner, Rüdiger: Die Kunst des Absurden. Über ein literarisches Phänomen. Darmstadt 1996.

Gottlieb, Vera: Chekhov and the Vaudeville. A Study of Chekhov's One-Act Plays. Cambridge 1982.

Gottlieb, Vera: Chekhovs's One-Act Plays and the Full-Length Plays. In: The Cambridge Companion to Chekhov. Hg. Vera Gottlieb, Paul Allein. Cambridge 2000, S. 57-70.

---

[23] Vgl. Setzer, S. 190, sowie zum Kontext der Dekadenz Maria Deppermann: Dramaturgie der Stille – Čechov und Maeterlick. In: Anton P. Čechov – Philosophische und religiöse Dimensionen im Leben und im Werk, S. 151-174.

[24] Zur Ambivalenz des Dekadenzbegriffs vgl. Roger Bauer: Décadence und Dekadenz. In: Euphorion. Zeitschrift für Literaturgeschichte 96 (2002) 2, S. 117-125.

[25] Die letzte Szenenanweisung lautet im Original „*Кланяется и величественно уходит*" (13, 194) (*Verbeugt sich und geht würdevoll hinaus*; Urban, 810).

Hahn, Alois: Konstruktion des Selbst, der Welt und der Geschichte. Aufsätze zur Kultursoziologie. Frankfurt/M. 2000.

Hahn, Beverly: Chekhov. A Study of the Major Stories and Plays. Cambridge 1977.

Hansen-Löve, A.A.: Der russische Symbolismus. System und Entfaltung der poetischen Motive. I. Band. Wien 1989.

Koschmal, Walter: Das Drama der russischen Moderne. In: Die literarische Moderne in Europa. Hg. H.-J. Piechotta, R.R. Wuthenow, S. Rothemann. Opladen 1994, S. 363-366.

Rasch, Wolfdietrich: Die literarische Décadence um 1900. München 1986.

Schultze, Brigitte: A.P. Čechovs Monolog „O vrede tabaka". Vom Drama des 19. zum Drama des 20. Jahrhunderts. In: Slavistische Studien zum VIII. Internationalen Slavistenkongress in Zagreb 1978. Hg. J. Holthusen, W. Kasack, R. Olesch. Köln, Wien 1978, S. 495-507.

Schultze, Brigitte: Studien zum russischen literarischen Einakter von den Anfängen bis A.P. Čechov. Wiesbaden 1984, S. 295-298.

Setzer, Heinz: Fruchtbare Wege des Niedergangs. Phänomene der Dekadenz in den Erzählungen „Tina", „Pripadok" und Bab'e Carstvo". In: Anton P. Čechov – Philosophische und religiöse Dimensionen im Leben und im Werk. Hg. Vladimir B. Kataev, Rolf-Dieter Kluge, Regine Nohejl. München 1997, S. 175-191.

Szondi, Peter: Theorie des modernen Dramas. Frankfurt/M. 1957.

Ruslan Achmetšin

Драматические этюды Чехова: особенности композиции

Описание структуры текста – это наилучший способ понимания не только его целостности, но и некоторой ограниченности семантики художественных явлений, предопределенной тем, что категории рода и жанра историчны и, видимо, существование смысла, который вкладывается в их содержание, является конечным, то есть актуализируемым эпохой. Рано или поздно этот смысл оказывается пустым или незначимым в системе культурно-эстетических значений какого-то исторического этапа. Интерпретация содержания, наиболее популярный и наименее продуктивный в этой области литературоведения способ истолкования текста, вряд ли разрешит затруднение в том, что касается жанровой и родовой специфики произведения, несмотря на то, что идеология также может быть включена в систему жанровых канонов. Кажется, интерпретатор обычно и остается в сфере идей произведения: формальные явления труднее переистолковывать в силу того, что это требует учета всех особенностей структуры; осмысление идейного уровня, естественно, осуществляется путем обобщения и, потому, редукции смысла.[1]

По этой причине осмысление фактов жанрового уровня, происходящее также и интерпретативным путем, – это любопытный, но не вполне убедительный пример рефлексии. Например, «рассказ-сценка» – определение, которое, несмотря на конкретность семантики его компонентов, не дает возможности понять целое. Если жанр – это своего рода художественная модель мироощущения автора, то композиция текста – это способ ее представить, но пример, указанный выше, не самый удачный способ это сделать, так как общее (в данном случае «имя» жанра как предзнаменование целого) разрывается полярными явлениями, которые должны, видимо, сплавить крайности. Синтез, полученный таким образом, не представляется удовлетво-рительным.

Или – другой пример – «драматический писатель», формула не менее яркая и емкая, чем предыдущая… Названа сумма факторов (или позиций), ограниченных полем сочетания, формулирующих проблему, но не позволяющих добиться качественного результата; «сюжет», соединяющий оба полюса, здесь возникает вне пределов формального анализа текста, ему необходима биография, психология, историко-литературный контекст, и это, к большому сожалению, часто делает определения или термины такими несовершенными.

По этой причине необходимо особое внимание обратить на компоненты текста и принципы связи, играющие в структуре ведущую роль, так как они имеют характер основополагающий и, скорее всего, влияют на родовую принадлежность текста. В свете обозначенной проблематики таким компонентом можно считать факт и манеру передачи речи в прозаическом или драматическом произведении (в частности, Чехова).

Внутри драматического и прозаического текста мы получим наиболее разные примеры реализации этих принципов (в изображении и воспроизведении речи, передаче фактов, создании картины мира героя, образов пространства, времени и т.п.). *Драма* организуется в рамках более свободной (в каком-то смысле, может быть, даже более грубой) логики и стремится к независимости каждого из элементов от завершающей текст энергии автора; *прозаический текст* являет собой модель именно авторской картины

---

[1] Это не означает, что вопросы о формальном своеобразии текста решаются просто и однозначно, напротив, в изобилии подробностей вывод дается в результате достаточно продолжительного сбора деталей и часто не выглядит как обобщение.

мира и, возможно, по этой причине предлагает читателю максимально трансформированную (идеологически и формально) фактографию.[2]

Несколько этапов и вариантов изучения форм передачи и изображения речи в различных по родовой принадлежности текстах Чехова убеждают в том, что необходимо найти некий элемент текста и разработать систему разбора, которые позволили бы сделать определения жанра более ясными и, следовательно, общеупотребимыми. В противном случае явление чеховского текста в рамках литературных понятий можно описать лишь с помощью категорий отрицания – «недрама», «некомедия»[3] и т.д.

Анализ композиции текста позволяет приблизиться к проблеме исследования природы художественного произведения, его жанровой специфики.

Сюжетная динамика этюда *На большой дороге* заставляет задать вопросы по поводу логики развития сценического действия, которое представляется достаточно специфическим явлением.[4]

Итак, если *обычно* речь героев создает единый поток, в котором все элементы (реплики или монологи) в целом функционально сопоставимы друг с другом, то в *этюде* такую картину мы можем наблюдать не всегда, а обратное ей состояние, то есть нетрадиционное, которое представлено репликами, связанными между собой недостаточно тесно, репликами, которые стремятся, скорее, к созданию изолированных картин, положений, оказывается стабильным... Кажется, что это обратное состояние возникает чаще, чем могло бы предполагаться законами такого жанра. Одним из таких законов, по моему убеждению, является, в частности, требование (условие) компактности, вытекающее из такого простого обстоятельства, как *объем* текста. Если перевести эту проблему в план рецепции, она будет уточнена как объем смысла, который может быть воспринят зрителем в рамках мизансцены. Или, с другой точки зрения, соотношение и связь различных элементов текста...

На мой взгляд, по событийному ряду (фабуле) сюжет определен быть не может:
– поступки, изображаемые героями, отнесены в прошлое, стали деталями рассказываемых историй. Мы получаем в этой ситуации как бы «сценическую историю» (по аналогии со «сценической поэмой» А.С. Грибоедова);
– поступки и жесты, совершаемые героями, имеют малозначительный вес (передача медальона, появление новых лиц – почтальона, Мерика, Кузьмы, Борцовой).

В результате, опора на фабулу в рамках такой задачи создает очень шаткий фундамент. Попробуем это обосновать.

В основном интрига поддерживается соположением двух линий – Мерика и Борцова (в этом случае, правда, не вполне ясно, какова функция остальных сцен и героев; возможно, фоновая?). Несмотря на то, что все герои проявляют интерес и участие в судьбе разорившегося помещика, только Мерик переживает горе чужого человека, реагирует на него, как на близкое его опыту явление, событие, чувство. Однако развитие этой связи невозможно, и, очевидно, дороги героев не могут переплестись. Потенциал такой

---

[2] Степень трансформации при этом остается явлением неизученным. По наблюдениям А.П. Чудакова, сильнее всего внешний (предметный мир) изменяется в текстах писателей первого ряда; мнение И.Е. Гитович противопоставляет этому другой тезис: видоизменение оказывается в равной степени непредсказуемым и сложным и у заурядных художников.

[3] См. об этом И.Е. Гитович: Пьеса прозаика. Феномен текста. В: Чеховиана. «Три сестры» – 100 лет. Москва 2002, с. 6-18 (см. также с. 3 указ. издания).

[4] Следует пояснить, что, во-первых, данное явление может быть воспринято как адекватное особенностям других прозаических и драматических текстов Чехова и, во-вторых, вопрос о сюжете не кажется в данном случае неожиданным или некорректным: сюжет – это как бы возможность иного подхода к осознанию внутренней логичности текста и спаянности его компонентов – с точки зрения динамического аспекта.

сюжетной вариации остается неизрасходованным, сплетение не происходит. Видимо, закономерность развития действия заключается не в этом: в том смысле, что это не могло произойти по законам психологии, характера (например, убийство неверной жены могло бы привести к радикальному повороту фабулы; это не вызовет сомнений и у зрителя, которому даже ничего больше не покажут после убийства) или не должно произойти по законам сюжетной и жанровой модели (и тогда характер Мерика, не способного совершить ни одно решительное действие – ограбить почту, наказать изменницу, – и лишь крадущего топор, здесь ничего не объясняет).

Или другая деталь – эпизод с репликой Ефимовны о «гордыне бесовской» (11, 189), показывающий, насколько порой оказывается выразительной речь Мерика. Такие вспышки должны, видимо, свидетельствовать о характере героя, о способностях, скрытых от «слуха» постороннего. С определенной долей неуверенности их можно атрибутировать, возвести к Андрею Поликарпову: как нам ничего неизвестно о прошлом героя, такой же пустотой окружены эпизоды и высказывания о «доле горькой» («словом добрым хотел почесть долю горькую» – богатым, интересным прошлым веет от этих слов, произносит их не просто человек образованный[5], но непременно не лишенный таланта и способности сопереживать).

В Мерике-Поликарпове угадывается сильная энергия, способная разрушить, разорвать круг сомнений, страха, предрассудков. Самое интересное, что герой производит это действие в сфере языка (реплики о «чертях» и нечистой силе) и, вполне возможно, обладает влиянием на других. Это подтверждается и его поступками, свидетельствующими о том, что он способен внушать окружающим авторитет, страх, интерес (Федя – Кубань, Тихон – сапоги, реакция посторонних, второстепенных героев и т.д.). Это демонстрирует силу героя и в том смысле, что он как бы отказывается от жестикуляции (или действия, которое можно воспринимать как систему жестов на сцене), оставляя себе, по замыслу автора, право на активность лишь в сфере языка и речи.

Сила Мерика оттенена безволием и подчиненностью обстоятельствам Борцова. В последнем явлении Егор особенно сильно проговаривается, и читатель может дорисовать схему его жизненного пути. Особенная близость положению Борцова очевидна, объясняет причину обращения героя к Борцову, выделяет Мерика среди остальных, многие из которых внешне сочувствуют спившемуся барину и выражают идею бессмысленности борьбы с такой «планидой».

Возможно, автор тем самым стремился воспроизвести трагедийный ход (способ развития действия) в этюде (или мелодраматический, некоторыми положениями внешне напоминающий трагедийный), показывая в финале, что и Егор бессилен перед лицом таких испытаний.

Однако такие мысли могут прийти в голову только в том случае, если мы
– доверяем автору в том, что касается организации внутритекстовой картины мира и
– опираемся в истолковании текста на событийный ряд.

Такой вывод о трагизме драматического положения и развивающегося действия не дает основы целостной трактовке текста, ибо оказывается внешним по отношению к природе текста.

И ответ на наши вопросы, возможно, лежит в исследовании природы речи героев.
Но речь создает схематичные образы! Это имеет отношение:

---

[5] Образованность, правда, может оказаться здесь ни при чем, просто воспроизвел какую-то книжную формулу. Но в этом случае любое высказывание в этюде окажется потенциально случайным, что в рамках небольшого объема объяснить почти невозможно.

– как к категориям пространства-времени:

Образ пространства приобретает служебную функцию, мы благодаря ему понимаем, почему высказывания носят спонтанный характер, не позволяют завязаться речи и почему диалоги становятся эпизодическими. Этот эффект должен сосредоточивать внимание на человеке и не интересовать зрителя непосредственно (может быть, по этой причине Федя вынужден напоминать о том, что «Кабак есть кабак...»; 11, 187).

Время действия так же оказывается не вполне активным началом в системе образов. Истории, рассказываемые героями, совсем необязательно должны организовывать течение сценического действия.

– так и к сфере воспроизведения духовного мира личности.

Так обозначен, например, Федя. Поначалу может сложиться впечатление, что его участие в развитии действия необходимо, так он активен. Но уже к середине зритель о нем, кажется, и не вспоминает, как не вспомнил бы о Савве, не возникни тот между Мериком и Борцовой так неожиданно. Поэтому яркость образа Феди иллюзорна или механистична, и «гармонийка», «концерта», «гранд-атель», вопрос о Москве и другие детали его высказываний должны, видимо, создать на сцене типический образ фабричного (как гласит «афиша»).

Подобная абстрактность деталей (действия и речевых характеристик) заставляет проводить аналогию с очерком, хотя в очерке обычно очень тщательно выписываются реалии предметного, материального мира.

Эта абстрактность требует особого внимания – необходимо разъяснить, что под этим подразумевается.

В данном случае жанр теряет свои природные свойства из-за абстрактности действия, которая является врагом сценичности. Думается, что любая пьеса способна погасить негативный эффект различных проколов, если она энергична, если в ней на сцене действительно кипит жизнь. А здесь мы сталкиваемся словно бы с картинкой то ли нравов, то ли какого-то момента – фотографией.

Это вызывает противоречие, но только на первый взгляд: дело в том, что несколько упомянутых выше историй – Феди-фабричного и старца Саввы, рассказанных эпизодом (и по характеру отбора событий и по функции в сюжете этюда), Мерика, рассказанной выборочно, и Борцова, представленной максимально подробно и с некоторым усложнением (рассказ опосредован точкой зрения Кузьмы) – помешают нам беспрепятственно принять идею очерка. Как известно, именно очерк статичен, тяготеет к «картинности» сюжета.

Думается, что не только некоторая абстрактность заставляет нас так относиться к данному произведению. Есть еще одно качество, которое следует разобрать.

Этюд с точки зрения перспективы диалога (то есть его целей, устремленности к определенному пункту в познании или освещении реальности) не моноцентричен, не однолинеен. В перекрестье оказываются разные явления, события, проблемы, герои.

Подготовка возникновения той или иной реплики, оценки, мотивированность «слова» героя – в *На большой дороге* большая проблема. Представляются несколько натянутыми, демонстративными (или торопливыми) многие речевые «поступки». Скорее всего, это норма для модели такого текста (или нам приходится принять это в качестве нормы, пока мы не уточним свое представление). Неожиданность речевого всплеска при появлении Кузьмы и мотивировка его (всплеска) состоянием «встревоженности», наверное, имеет ту же природу, так как это значит, что, адресуясь к другому лицу, Кузьма преследует цель иную – не адресовать, т.е. перенести, избавиться, а подавить свою встревоженность.

Малый объем текста выдвигает требование компактности функции художественного образа (и не важно, в какой форме каждый автор осознает это). В драматическом этюде это должно выражаться, например, в четкости, определенности обращения к другому субъекту.

Когда реплика не скоординирована, время восприятия и осмысления целого может сильно растягиваться.

Паузы... Их слишком много на единицу текста, на одну мизансцену... (11, 194). Паузы я бы интерпретировал как знак того, что действие слишком сильно перебивается противодействием. Слово не звучит в том смысле, что не порождает развивающийся процесс (он оказывается все время затухающим). Федю перебивают, затем – по порядку – Мерика, Кузьму. При этом Кузьма и Мерик сами себя так же перебивают (особенно важен в сюжетном плане сбой в финале «Не могу я тебе этого слова придумать»; 11, 203). Природа этого явления, которое мы пока видим лишь во внешнем, нам неизвестна.

Возможно, продолжить это исследование следует, обращая внимание на суть и форму «болтовни», в которой проводят время герои. Слово носит необязательный характер. Может быть, оттого, что каждое слово реализует модель самодостаточную, не нуждаясь при этом в словах-соседях. Конфликт не завязывается, сюжет статичен. Слово тяготеет к жанровой физиологичности, к целостности жанрового типа, в этюде Чехова (прибаутка, загадка, поговорка, присловье – это еще как бы очевидные ситуации, но, представляется, очень многие высказывания, которые нельзя свести к одной из упомянутых выше категорий, тяготеют к подобной целостности, достаточно странной, если в этом начать разбираться).

Пример: более или менее устойчивые формулы – «Какой уж тут сон?», «Было бы терпенье муку эту перенесть, а спанья, матушка, хоть и не надо», «Не достоин грешник покой иметь» (11, 183) – оценивают состояние и в равной степени могут как призывать к диалогу, так и замыкать говорящего в пределах его собственного высказывания.

Речевые потоки оказываются в сюжете этюда почти полностью самостоятельными и только зритель получает право рассматривать их как чередование взаимосвязанных реплик (очень похоже на случай бытовой беседы, которая, если вдуматься, порой представляет собой именно соположение разрозненных потоков: когда каждый из участников диалога говорит о своем, приходит с готовым набором высказываний или даже реакций – на чем тогда такое объединение держится? На чем угодно, только не на речи!).

Болтовня не выстраивается в нечто стройное еще и по той причине, что участники этого диалога слишком разнородны по своим ощущениям и предпочтениям.

Возможно, даже странно, что Чехов, перестраивая текст рассказа, так значительно расширил систему персонажей. Видимо, это нарушает компактность действия и текста вообще. Или характер переделки заставляет пересмотреть нормы этой самой компактности.

Возможно, степень внимательности автора к реальности и его потребности изображать мир такова, что он стремится к такой отточенности характеристик, при которой даже одно слово представляло бы героя исчерпывающим образом.

Статическая энергия очерка ничем не преодолевается. Очеркист принимает как закон идею незыблемости мира, рассматривает эту идею как плодотворную и затем так патетически описывает состояние этого мира.

Данное явление нельзя, скорее всего, воспринимать как уникальное в системе чеховской поэтики и в различных текстах обнаруживается подобная закономерность…

Драматический этюд Чехова – вид текста, который соблюдает требование объема лишь внешне, иллюзорно и косвенно решает эту проблему как преграды для передачи информации. Логика изображения стремится сказать *многое* в *малом*. И дело здесь не в известной всем сестре таланта. В данной ситуации мы можем наблюдать иную перспективу: случаи обращения к другим текстам и примеры из них демонстрируют, как происходит трансформация (будет ли это обогащением, которое обыкновенно предполагается в таких случаях?) некоторого жанрового пространства за счет поэтических средств иного рода литературы. Обогащение – это, собственно, оценка каких-либо результатов, а в *На большой дороге* ни одна из тенденций не проявила себя.

Литература

Гитович, И.Е.: Пьеса прозаика. Феномен текста. В: Чеховиана. «Три сестры» – 100 лет. Москва 2002.

Alfred Sproede

„Lustpiel“ bei Čechov?
Elemente des Komischen und Strukturen der Komödie in *Lešij* und *Djadja Vanja*

Die folgenden Notizen verfolgen das schlichte Ziel, einige Aspekte von Čechovs Dramatik im Lichte der Komödientradition zu interpretieren; sie sollen eine gründlichere Untersuchung zu Čechovs Dramatik vorbereiten, die im Kontext einer Serie von Interpretationen zu osteuropäischen Komödien-„Klassikern“ des 19. Jahrhunderts ansteht.[1] Die hier skizzierte Interpretation unternimmt nebenbei einen Versuch, angesichts bestimmter Tendenzen der Deutung von Čechovs Dramen gewissermaßen komplexitätsreduzierend zu wirken. Es geht darum, gegenüber Formen ‚abgründiger‘ Analyse (mit ihrer jeweiligen philosophischen, existenz-analytischen oder literaturwissenschaftlichen Sophistikation) den begrifflichen Rahmen für die Darstellung einer im weiteren Sinne publikumsfähigen bzw. ‚öffentlichen‘ Wirkungsgeschichte abzustecken. Damit ist nicht zuletzt der Erwartungshorizont des *Unterhaltungstheaters* angezielt; gerade im Blick auf diesen Horizont wird im Titel des Beitrags – als Synonym für „Komödie“ – der Begriff „Lustspiel“ gebraucht.

1. Ein strukturanalytischer Ansatz

Ich gehe von der Unterscheidung zwischen einer paradigmatischen und einer syntagmatischen Dimension des Dramas aus, so wie sie Rainer Warning in seiner Pragmasemiotik der Komödie vorgeschlagen hat.[2] Paradigmatisch relevant nennt Warning die komischen Ressourcen eines Charakters bzw. einer Situation. Er spricht von „komischer *inventio*“ und versteht diese als Serie punktueller lächerlicher Handlungen bzw. Fehlhandlungen (*ridicula*). Neben diesen Normabweichungen – v.a. lächerlicher Sprachverwendung und lächerlichen Charakteren – profiliert sich in der Komödie eine in der Regel „harmlose“ Fabel. Diese Fabel lässt sich zunächst als Stütze bzw. Gerüst für die komische Inventio verstehen. Diese (in Warnings Begriff) „syntagmatische Konstruktion“ ist ein altbekanntes Problem der Komödientheorie. Der Philosoph Eduard von Hartmann hat sich in seiner *Ästhetik* besonders eingehend damit befasst; die Untersuchung setzt an den Schwierigkeiten an, welche die „Blitzartigkeit“ bzw. der Pointencharakter der lächerlichen Momente bzw. *ridicula* für den Aufbau komischer Stücke mit sich bringt:

> […] im Verhältniss zu lang ausgesponnenen rührenden oder tragischen Handlungen (sind) die lang ausgesponnenen komischen Handlungen selten, weil es sehr schwer ist, in einer vernünftig scheinen wollenden Vernunftwidrigkeit auf lange Zeit strenge Konsequenz zu bewahren […].

---

[1] Für Hinweise zu den bisher erschienenen Beiträgen (über je eine tschechische, ukrainische und polnische Komödie) s. Alfred Sproede: Ein polnisches „Paradox über den Schauspieler“. Cyprian Norwids „Aktor“ (= Skizzen zur europäischen Komödie des 19. Jahrhunderts, III). In: Zeitschrift für Slawistik 47 (2002) 2, S. 202-232.

[2] Rainer Warning: Elemente einer Pragmasemiotik der Komödie. In: Das Komische. Poetik und Hermeneutik VII. Hg. W. Preisendanz, R. Warning. München 1976, S. 279-333; ders.: Komik und Komödie als Positivierung von Negativität (am Beispiel Molière und Marivaux). In: Positionen der Negativität. Poetik und Hermeneutik VI. Hg. H. Weinrich. München 1975, S. 341-366; ders.: Komödie und Satire am Beispiel von Beaumarchais' „Mariage de Figaro“. In: Deutsche Vierteljahrsschrift für Literaturwissenschaft und Geistesgeschichte 54 (1980) 4, S. 547-563.

Hintergrund dafür ist, „dass das Komische *im Durchschnitt* schmaler, dünner und magerer erscheint als das Rührende und Tragische". Und weiter Eduard von Hartmann:

> [...] die Leichtigkeit des Gestaltens von kurz zusammengedrängten komischen Handlungen [...] ladet gleichsam dazu ein, die rasch vorüberrauschende komische Wirkung durch öftere Wiederholung zu steigern und die ganze Reihe dieser komischen Wirkungen auf den Grund *einer anderweitigen Handlung* aufzuheften oder in dieselbe einzuflechten. Bedingung für die ästhetische Zulässigkeit und Rathsamkeit dieses Verfahrens ist dabei nur, dass die Handlung, in welche die Reihe von komischen Wirkungen verwebt wird, eine solche ist, deren ästhetische Wirkung nicht durch das Einflechten des Komischen beeinträchtigt, sondern wo möglich gehoben wird, und ebenso dass sie die komischen Wirkungen nicht beeinträchtigt sondern unterstützt.[3]

An diese Überlegungen von Hartmanns anknüpfend, versucht Warning die Eigenart der „anderweitigen Handlung" genauer zu fassen und ihre Leistungen im Kommunikationsprozess der Aufführung zu bestimmen. Die anderweitige Handlung bietet, wie er formuliert, „den Rahmen [...], der das Ausspielen von Nichtigem, von komischer Unvernunft ermöglicht". Anders als von Hartmann bestimmt Warning die anderweitige Handlung nicht als bloße *Stützung komischer Wirkungen*, sondern – tiefer ansetzend – als eine „Ermöglichungsstruktur komischen Gegensinns". In dieser Funktion leistet die anderweitige Handlung dreierlei:

Sie muss zunächst den Widerstand aufbieten, an dem sich der komische Charakter abarbeitet. Sie muss sodann dieses episodische Scheitern überführen in ein endgültiges, und sie muss schließlich dieses endgültige Scheitern so gestalten, dass eine Reintegration des Gescheiterten gleichwohl möglich bleibt.

Vor diesem Hintergrund lässt sich nun das Verhältnis der anderweitigen Handlung zu den *ridicula* folgendermaßen bestimmen:

Wo immer die anderweitige Handlung in der Dimension einer reinen Ermöglichungsstruktur komischen Gegensinns gehalten wird, dominiert das Ausspielen des Paradigmas komischer Handlungen bzw. komischer Situationen. Die große syntagmatische Organisation garantiert das gute Ende, sie garantiert den schließlichen Triumph der Vernünftigkeit, aber zuvor hat das komische Subjekt oder hat die komische Situation die Bühne beherrscht, gab die Bühne der Unvernunft Raum, sich auszuspielen.[4]

Die Komödie ist damit von vornherein als eine Form mit reduzierter Sujethaftigkeit bestimmt, wie Warning in Anlehnung an Jurij Lotmans Ereignis- und Sujet-Begriff zeigt. Ein „Ereignis" in einem Text setzt voraus, dass eine Figur im Raum ihres Handelns eine kulturell definierte semantische Grenze überschreitet. Lotman unterscheidet in dieser Optik zwischen zwei Fallbeispielen: Gegenüber einer strafrechtlich relevanten Prügelei ist der Streit zweier Eheleute über moderne Kunst zweifellos ein „Nicht-Ereignis", das allenfalls den Kulturhistoriker beschäftigen dürfte.[5]

Mehr noch als die Komik der Lebenswelt streift das ästhetisierte Lächerliche der Komödie ständig die Sphäre des Nichtigen und Folgenlosen. Aber selbst wo sich die Komödie zu einer Häufung normenwidriger Fehlhandlungen steigert, da nimmt sie der Tollheit und Unvernunft die Virulenz: durch Isolation des Komödienvorgangs in der Privatheit und durch die fiktiven bzw. nicht-öffentlichen Helden, d.h. durch Formen einer „Neutralisierung des Moralischen". Auch wenn die Komödie erst zum Schluss das Gleichgewicht der Vernünftigkeit wiederherstellt, so entbehrt sie, wie Umberto Eco gezeigt hat, durchweg jenes „revolutionären Elements", durch welches Ereignisse – oder das Sujet (vgl. Lotman) als Ergebnis von deren Ver-

[3] Eduard von Hartmann: Philosophie des Schönen. Zweiter (systematischer) Teil der Ästhetik. Berlin 1887, S. 332ff. (Hervorhebung von mir – A.S.); s. auch insgesamt die Kapitel „Das Komische im Verhältnis zum Rührenden..." und Kapitel V./B: „Die [konflikthaltigen] Modifikationen des Schönen".

[4] Vgl. Warning: Elemente einer Pragmasemiotik, S. 291, 299.

[5] Jurij Lotman: Struktura chudožestvennogo teksta. Moskva 1970, S. 280-289 („Problema sjužeta").

kettung – im Rahmen eines vorgegebenen „Weltbildes“ Markiertheit gewinnen. Die Komödie „zeigt sich als Spiel. Sie spielt Gegensinniges, erfindet negative Gegenwelten im Aspekt der Norm, die sie verletzt, positive Gegenwelten im Aspekt des Vergnügens, das sie dem Publikum bereiten“.[6]

Es wird deutlich, dass das von Warning entwickelte Analysemodell schon beiläufig eine viel kommentierte Eigenschaft von Čechovs Dramen streift, nämlich ihren epischen Charakter oder ihre gebremste Dramatik (wie in der klassischen Analyse von Peter Szondi dargestellt).[7] „Neutralisierung des Moralischen“, „Dementi des grenzüberschreitenden oder ‚revolutionären Elements‘“, durch welches Ereignisse als Durchbrechung eines vorgegebenen Weltbildes Markiertheit gewinnen, – in diesen Begriffen lässt sich bereits jetzt eine substanzielle Affinität von Čechovs Dramen zur Komödie fassen. Gerade die Gattung Komödie weist jene Charakteristik auf, die Cathy Popkins anhand von Čechov-Erzählungen einmal als „pragmatics of insignificance“ bezeichnet hat.[8]

Die in dieser Bestimmung aufscheinende Affinität ist aber bis hierher nur eine nackte Strukturverwandtschaft bzw. ein typologischer Anklang. Natürlich hat auch Čechovs Verwendung (oder briefliche Erörterung) des Untertitels „Komödie“, d.h. die manifestierte Wirkungsabsicht, in der hier gewählten Optik keinen vorrangigen Argumentationswert, obwohl sie literaturgeschichtlich fraglos von Interesse ist. Es bleibt vielmehr anhand von Strukturanalysen zu zeigen, wie der Austausch von *ridicula* und „anderweitiger Handlung“ in den Stücken konkret funktioniert, wie er den Zuschauer auf eine bestimmte Rezeption einstimmt bzw. ‚programmiert‘ und welche Gattungstraditionen komischer Dramatik aufgerufen werden. Ich will vor diesem Hintergrund einige Bemerkungen zu zwei Stücken unterbreiten, und zwar zu dem früheren *Lešij* (Der Waldschrat) und zu dem daraus gewonnenen Stück *Djadja Vanja* (Onkel Vanja).[9]

2. „Lešij“ und die Umarbeitung zu „Djadja Vanja“. Die problematische Erneuerung der dramatischen Syntax

Čechov hat *Lešij* – die im Jahre 1889, wie der Autor selbst formuliert, „im Spaziergang aufs Papier geworfene Komödie“[10] – im Herbst 1896, vermutlich vor der Erstaufführung von *Čajka*, in seine „Sceny iz derevenskoj žizni“ („Szene aus dem Landleben“, so der Untertitel von *Djadja Vanja*) umgearbeitet. Die persönlichen Motive und die Umstände dieser Überarbeitung sind dokumentiert und erforscht. Der hier unternommene Versuch zielt darauf, anhand der Unterscheidung von *ridicula* und komischer Syntagmatik begrifflich den Weg nachzuzeichnen, den Čechov vom mäßig erfolgreichen Stück *Lešij* bis zu *Djadja Vanja* zurücklegt.

Der Beginn dieses Wegs sieht nach den von Warning definierten Kategorien folgendermaßen aus: Die Fabel bzw. der *plot* von *Lešij* – Langeweile der Stadtbürger auf dem Lande,

---

[6] Warning: Elemente einer Pragmasemiotik, S. 332; zum (v.a. in Schillers Komödienpoetik thematisierten) Problem der „Neutralisierung des Moralischen“ s. ebd., S. 305f. u. Abschnitt 3.1 (hier auch Nachweis entsprechender Begriffe in den Komödientheorien von Friedrich Schiller, Susanne Langer u.a.). Zur Frage, inwiefern die Komödie des subversiven bzw. „revolutionären Elements“ entbehrt, vgl. Umberto Eco: The Frames of Comic „Freedom“. In: U. Eco, V.V. Ivanov, M. Rector: Carnival! Hg. Th. Sebeok. Berlin, New York, Amsterdam 1984 (= Approaches to Semiotics, 64), S. 1-9.

[7] Peter Szondi: Theorie des modernen Dramas. In: Ders.: Schriften I. Hg. J. Bollack, W. Fietkau. Frankfurt/M. 1978, S. 9-148; zu Čechov siehe Kap. II, 2.

[8] Cathy Popkin: The Pragmatics of Insignificance. Chekhov, Zoshchenko, Gogol. Stanford/Cal. 1993 (= Studies of the Harriman Institute/Columbia University).

[9] Die Namen der Stücke werden im Folgenden mit *L* = *Lešij* und *DV* = *Djadja Vanja* abgekürzt.

[10] „А я гуляючи отмахал комедию“ (Ich habe so nebenbei eine Komödie aus dem Ärmel geschüttelt), schreibt Čechov über *Lešij* an Pleščeev (14. Mai 1889; P. 3, 213); zit. nach G.P. Berdnikov: Čechov-dramaturg. Tradicii i novatorstvo v dramaturgii Čechova. Leningrad, Moskva 1957, S. 74.

diffuse Liebeshändel, Streit um ein Landgut (das Erbe der Vojnickijs) – wird als insgesamt harmlose „anderweitige Handlung“ dargeboten und aufgelöst. Am Schluss hat die Ehe des Professors mit seiner jungen Frau Elena Andreevna ihre Krise überstanden. Zwei Verlobungen stehen an: Fedor Ivanyč verbindet sich mit Julija Stepanovna, Sofie gewinnt die Neigung Chruščovs. Alles Unbehagen und Streiten wird zuletzt durch Entschuldigungen und allgemeine Versöhnung beigelegt. Auffällig an diesem Ausgang sind indes eine glücklich abgewehrte und eine anhaltende Irritation: Die zu Beginn des Stücks angedeutete Übernahme des Gutes der Familie Vojnickij kommt nicht zustande; durch Abwehr dieser kommerziellen Intrige scheint ein fast ungetrübter Lustspiel-Schluss erreicht. Dagegen steht allerdings der Selbstmord Vojnickijs als grundsätzliche Störung der heiteren Bilanz. Diese Irritation wird teilweise aufgefangen: Denn Vojnickij ist eine bloße Nebenfigur, die sich vorab als neidisch und aufbrausend kompromittiert hat. Sehr wahrscheinlich ist außerdem, dass Čechov im Geschick Vojnickijs (wohlgemerkt: nur der Figur in der frühen Charakterzeichnung des *Lešij*!) auf eine abweichende Linie der Komödienpoetik verweist, nämlich auf die „comédies où l’on meurt“, wie Victor Hugo Alfred de Mussets Lustspiele der 1830er Jahre und entsprechende Nachahmungen bezeichnete.

Auch hinsichtlich der komischen *inventio* ist *Lešij* konventionell: Wortwitz im Gewand von Rechtschreib-Korrekturen („ехать пишется через ять“; *L*: 12, 352), durch mechanische Wiederholung gesteigerte Dicta aus Koz’ma Prutkovs Maximen, Romanzen-Klischees – all das ist gleichsam komisches *plain sailing*. Čechov greift für seine Witze (nicht ohne Rücksicht auf die Tradition des Volkstheaters, die der Titel des Stücks aufruft) durchaus auch auf Verfahren der populären Farce zurück, etwa wo er das serielle Alkohol-Trinken und die wiederholten Toasts als rituelles Eigenlob der versammelten Geburtstagsgäste ausbreitet. In dieses Register gehören auch die Schimpfreden burlesker Schurken und Flegel: Kaum eine Person darf im 1. Akt die Szene verlassen, ohne dass hinter seinem Rücken ein „просто скотина“ o.Ä. ertönte (*L*: 12, 132). Gegen zu deutliche Anklänge an das Bauerntheater trifft Čechov allerdings deutlich kompensatorische Vorkehrungen. So wird Chruščov zum stellvertretenden Zensor eines auf eine *haute comédie* eingestimmten Publikums; kurz vor Ende des 1. Akts urteilt er über die von ihm frequentierte Gesellschaft, sie vermittle ihm ein Gefühl „wie beim Essen aus schmutzigem Geschirr“ („как будто я пообедал из нелуженой посуды“; *L*: 12, 143). Chruščov rückt auch im Weiteren, etwa bei seinem Licht-Monolog (Akt II, 9; *L*: 12, 156p), an die Stelle des kaschierten Räsoneurs.

Strukturgeschichtlich, d.h. in der Logik der Gattungsgeschichte komischer Dramatik gesehen (– ich treffe hier mit Bedacht keine Feststellung über Čechovs Biographie und faktische Umarbeitungsmotive –), ist der Übergang zu *Djadja Vanja* als weitere Konsequenz der genannten Vorkehrungen zu sehen. Zentrale Stoßrichtung der Revision von *Lešij* in Richtung auf das neue Stück ist neben der Streichung der Nebenfiguren und beiläufigen Handlungslinien die Abschaffung der Farcen- und Volkstheater-Komik.[11] Čechov schafft vor allem die Volkstheater-Figuren ab (Želtuchin, Orlovskij, Fedor Ivanyč), die zum Auftakt im Stile der Dienstboten-Eröffnung breitmäulig die Zentralfiguren kommentierten. Der erste Impuls über *Lešij* hinaus verweist also auf eine Disziplinierung der *ridicula* ganz im Sinne der Tradition des erbaulich nobilitierten, moralisch legitimen Lachens, wie sie seit Rousseaus *Lettre sur les spectacles* (1758) gesamteuropäisch gewirkt hat.[12]

[11] In Baluchatyjs klassischem Čechov-Buch wird das Verhältnis von *Djadja Vanja* zu *Lešij* einleuchtend beschrieben. Vgl. S.D. Baluchatyj: Problemy dramaturgičeskogo analiza – Čechov. Leningrad 1927. Nachdruck München 1969 (= Slavische Propyläen, 68), S. 107-115 passim, und die Kapitel zu *Lešij* (III) und *Djadja Vanja* (V). Allerdings kommentiert Baluchatyj den Übergang hinsichtlich der Modi und der Sprache des Komischen in z.T. recht gestanzten Passagen, die sich an Standards des stubenreinsten „literaturnyj jazyk“ und an der terminologischen Zeremonie sowjetischer „akademiki“ orientieren (s. z.B. „ėkspressivnost’“ als Bezeichnung für Schimpfwörter o.Ä.).

[12] Beispiele für die (meist im Zeichen eines moralistischen „thoughtful laughter“ stehende) Gängelung des

Der Zügelung des vulgären Redens aus der Dienstbotensphäre entspricht die Exponierung und Vertiefung zentraler komischer Charaktere: In *Djadja Vanja* spitzt Čechov den Professor und Astrov (als Nachfolger Chruščovs aus *Lešij*) zu den Charakteren des eingebildeten Kranken und des Misanthropen zu. Dies sind zwar durchaus komische Figuren; aber sie sind als *moralisch instruktive* Charaktere immer auch Gegenstand legitimen Verlachens. Die Disziplinierung der komischen Charaktere im Sinne der hohen Komödie hat weitere Konsequenzen: Eine davon ist die Streichung der Mühlen-Idylle, in der Elena Andreevna die Trennung von Tisch und Bett mit dem unleidlichen Gatten auslebt; offenbar ist in Čechovs Augen auch diese komische Schablone aus dem französischen Boulevard-Theater – Modell finden sich etwa bei Labiche (1815–1888), Augier (1820–1889) oder Sardou (1831–1908) – für das neue Stück unbrauchbar. Elenas Rolle als müßig-lasziver Verführerin tut dies keinen Abbruch: Der Bezug auf Rusalka-Bilder (*DV*: 13, 91) funktioniert auch ohne den Widerpart eines „lešij". Mit der Problematik der gestrichenen Idyllen-Szenen des 4. Akts von *Lešij* sind wir schon zur syntagmatischen Schicht des Stücks übergegangen. Sie soll uns jetzt beschäftigen.

Die Fabel bzw. Komödien-Handlung von *Djadja Vanja* unterscheidet sich deutlich von der dramatischen Syntax des Vorgänger-Stücks. Der *plot* des *Lešij* präsentierte sich als beiläufige, bloß „lustige Handlung" und (in Eduard von Hartmanns Begriff) als „Kette für den Einschlag des Komischen"[13]; das Stück hatte einen Ausgang, der sich affirmativ zur geltenden Ordnung und zum sozialen Konsens verhielt – Heirat, Wiedererkennung entzweiter Verwandter und getrennter Liebespartner. Während hier also der Weltlauf routiniert, eben als unaufregende „anderweitige Handlung", zu Versöhnung und mehrfachem Ehebund geführt wurde, hält sich in *Djadja Vanja* ein offensichtlich ernster Konflikt durch, nämlich die Auseinandersetzung zwischen dem Professor und Onkel Vanja um das Erbe der Vojnickijs. Nun wird dieser Konflikt zum Teil gelöst, indem Serebrjakov seine finanziellen Ambitionen mäßigt und nach Char'kov statt nach Sankt Petersburg übersiedelt; Vojnickij gewinnt also die erste Runde des Streits. Aber er erlangt nicht nur das Gut zurück, sondern auch die Mühen von dessen Bewirtschaftung – und diese bilden den Schlussakkord im Dialog von Sonja und Vojnickij. Dieser Schluss passt nicht mehr zu einer heiteren „anderweitigen Handlung", so wie sie vordem als Gerüst und Möglichkeitsbedingung komischer Zusammenstöße und *ridicula* fungierte und das „Sich-Zeigen komödiantischen Spiels" unterstützte.

3. „Djadja Vanja" – zwischen „anderweitiger Handlung" und satirischer Anklage

In Warnings Theorie werden *plots* der hier umrissenen, ‚ernst' ausgehenden Art als Grenzfall der Komödiensyntax gedeutet, als „[Umformung der] Komödie [...] in ein bürgerliches Rührstück" mit „bedeutsamer Handlung", in dem es „wenig zu lachen" gibt, weil der Rückweg in das normativ Gegebene nicht mehr offen steht.[14] Die dargestellte Welt erscheint in *Djadja Vanja* nicht nur vorübergehend aus der Normalität in den Gegensinn komischer Handlungen abgeirrt zu sein. Die ‚befremdlichen' und virtuell zum Lachen reizenden Figuren, sind nicht mehr – wie in klassischen Exempla von *A Midsummer Nights Dream* (Shakespeare) bis *A Night at the Opera* (Marx Brothers) – *Narren für eine Nacht*. Die Nacht von Serebrjakovs Jammern, von Sonjas und Astrovs gemeinsamem Naschen am Buffet, die Nacht der versuchten Verführung der jungen Professorengattin durch Vojnickij – alle diese Extravaganzen des 2. Akts sind nur ein Moment des *Widersinns und falschen Lebens* überhaupt, und der Schluss

Lachens und seiner, wie Baudelaire in einem auf patristische Traditionen verweisenden Essay argumentiert, „satanischen" Potenzen erörtert Marvin Carlson: Theories of the Theatre. A Historical and Critical Survey, from the Greeks to the Present. Ithaca, London 1993, S. 130ff., 137, 142-152 passim.

[13] von Hartmann, S. 335.

[14] Warning: Komik und Komödie als Positivierung, S. 356f.

von *Djadja Vanja* macht sie rückwirkend zum Regelfall. Das dichte Nacheinander von Vojnickijs erfolglosem Werben um Elena (Akt II; *DV*: 13, 79/80) und von Astrovs (mindestens für einen Moment) geduldeter Annäherung (Akt III; *DV*: 13, 96/97) ist für diese Kontinuität bezeichnend. Und hinzuzufügen ist: In dieser Kontinuität überwiegt eben das „falsche Leben" – nicht der temporäre Komödien-Unsinn; die gattungstypische „Isolierung des komischen Falls"[15] ist verhindert. Vojnickijs Fußfall vor Elena Andreevna mochte zum Bild des komischen Außenseiters und zu nächtlichem Komödien-*imbroglio* passen; das entsprechende Zusammentreffen von Astrov und Elena dagegen ist in diesem Register nicht mehr aufgehoben. Denn komisch ist hier allenfalls der Gesprächsanstoß: Sonjas Versuch, mit Hilfe der Professorengattin Astrovs Neigungen zu erkunden (*DV*: 13, 88/89, 95/96). Als Astrov den Spieß umdreht und Elena Andreevna ein heimliches Eigeninteresse, ja einen Flirt unterstellt, und als Vojnickij zuletzt beide in einem Moment sentimentaler Schwäche überrascht, vergeht dem Zuschauer das Lachen. Denn nicht zum Lachen reizendes *Spiel* beherrscht hier die Bühne, sondern vielmehr ein Geflecht von auf sozialer Kontrolle aufbauenden Machtverhältnissen.

Die im Stück vorfallenden ‚malheurs', gleichgültig ob erheiternd oder ernst, wurzeln im *beschädigten Leben* der dramatischen Figuren.[16] Das Transitorische des komischen Widersinns, und damit die Chance einer Wiederherstellung der normativen Ordnung, scheint kompromittiert. Hier scheint ein Grenzfall der Komödiengattung vorzuliegen:

> Wo sie [die Komödie – A.S.] in reflektierte Kritik am Geltenden übergeht, hört im Allgemeinen der Spaß und das Lachen auf. [...] Eine Grundambivalenz komischer Gegenwelten scheint darin zu bestehen, daß sie als Gegenwelten Vergnügen bereiten, Vergnügen sich aber nur einstellt, wo alle Kritik eingebunden bleibt in ein fundamentales Einverständnis mit dem Gegebenen.[17]

Dieses Einverständnis verbietet sich in *Djadja Vanja*: Nichts scheint über die Gruppe von Menschen hinauszuweisen, die sich willenlos treiben lassen oder ethisch fragwürdigen Zeitgenossen ausgeliefert sind. Hier liegt die Grenze von der Komödie zur *Satire*.[18] Wo die Komödie nicht über die heitere, „anderweitige" Handlung wieder in das Einverständnis mit der Wirklichkeit hineinfinden kann, da muss sie ihre Entzweiung mit der Welt durch den Bezug auf eine (mindestens implizite) „ideale Norm" plausibel machen. Der Anschein eines unerlösten „bedeutsamen Sujets", die unentschiedene Konkurrenz von Heiterkeit und „Moralistik", sind Gründe dafür, dass die Nachbarschaft von Čechovs Dramatik zum Unterhaltungstheater und zur tendenziell ‚frivolen' Gattung Lustspiel gelegentlich im Zeichen des „Konversationsstücks" oder der „dunklen" bzw. „Problemkomödie" interpretiert wurde.[19]

---

[15] Zu diesem Problem vgl. Warning: Elemente einer Pragmasemiotik, Abschnitt 3.1.

[16] Als Grundmotiv dafür benennen die Interpreten in der Regel Untätigkeit sowie das Auseinanderklaffen von Worten und Taten. Vgl. z.B. Gary Saul Morson: „Uncle Vanya" as Prosaic Metadrama. In: Reading Chekhov's Text. Hg. Robert Louis Jackson. Evanston/Ill. 1993, S. 214-227, 255f.; Svetlana Evdokimova: Work and Words in „Uncle Vanja". In: Anton P. Čechov – Philosophische und religiöse Dimensionen im Leben und Werk. Hg. R.-D. Kluge, V.B. Kataev, R. Nohejl. München 1997, S. 119-126.

[17] Warning: Elemente einer Pragmasemiotik, S. 332.

[18] Zum Verhältnis von Komödie und Satire vgl. Warning: Elemente einer Pragmasemiotik, Abschn. 4.2-4.4, und ders.: Komödie und Satire. Zur begrifflichen Problematik der Satire, und zum Problem der „idealen Norm" s. Jochen-Ulrich Peters: Tendenz und Verfremdung. Studien zum Funktionswandel des russischen satirischen Romans im 19. und 20. Jahrhundert. Bern u.a. 2000 (= Slavica Helvetica, 66), S. 13-30.

[19] Dabei wird – mehr oder weniger explizit – auf die Tradition der *comédie sérieuse* (*haute-comédie, comédie larmoyante*) und ihre Vorgeschichte seit Nivelle de la Chaussée (entsprechende Stücke seit ca. 1740), Diderot (1757/58), Beaumarchais (1767) und Mercier (1773) zurückgegriffen. Ein für die deutsche Wirkungsgeschichte bezeichnendes Beispiel dieses Vorgehens bietet H. Arntzen: Die ernste Komödie. Das deutsche Lustspiel von Lessing bis Kleist. München 1968 (= sammlung dialog, 23). Arntzen geht von einer gattungstheoretischen *petitio principii* aus, die er als „Intention Komödie" einführt – „daran erkennbar, daß sie von menschlichen Konflikten und ihrer möglichen und notwendigen Lösung handelt" (S. 18). Der fundierende Bezug der Gattung auf das Komische wird umgekehrt: „Daher konstituiert Komik die Komödie nicht, sie funktioniert aber in ihr, und zwar um

Dieser Interpretationsansatz enthält indes einige grundsätzliche Schwierigkeiten. Nach einer Definition Hegels „liefert uns die Satire, in je grelleren Farben sie den Widerspruch der wirklichen Welt gegen das, was der tugendhafte Mensch sein sollte, ausmalt, einen sehr trockenen Beweis“ dafür, dass Moralistik die „tiefere Forderung“ verfehlt, die „für das Komische“ zu machen ist.[20] Hegels *Ästhetik* erörtert nun nicht nur die Unvereinbarkeit der Satire mit einem tiefer verstandenen Komischen; hier wird auch grundsätzlich gefragt, ob es Satire in der Moderne, d.h. nach der „Auflösung der klassischen Kunstform“, überhaupt als ästhetisch stimmiges Gebilde geben kann.[21] An der antiken Satire hatte Hegel eine „Verdrießlichkeit“ kritisiert, die sich als „abstrakte Rednerei von Tugend und Weisheit breitmacht“ oder „mit der Indignation einer edleren Seele bitter gegen das Verderben und die Knechtschaft der Zeiten losfährt“. Das Urteil über die Werke seiner Zeit lautet:

> Heutigentags wollen keine Satiren mehr gelingen. [...] Es gehören feste Grundsätze dazu, mit welchen die Gegenwart in Widerspruch steht, eine Weisheit, die abstrakt bleibt, eine Tugend, die in starrer Energie nur an sich selber festhält und sich mit der Wirklichkeit wohl in Kontrast bringen, die echte poetische Auflösung jedoch des Falschen und Widerwärtigen und die echte Versöhnung im Wahren nicht zustande bringen kann.

Mit diesem auf eine Poetik der Moderne vorgreifenden Verdikt ist auch ein Aspekt der Modernität unseres Autors tangiert. Denn in der Tat: Die von Hegel ironisierte „abstrakte Rednerei von Tugend und Weisheit“ ist Čechovs Sache nicht; der charakteristische Anti-Dogmatismus seines Werks, der von Zeitgenossen wie Lev Šestov gar in spektakulären Formulierungen angeprangert wird, lässt verstehen, warum Čechov nicht wirklich zur Satire übertreten kann.[22]

---

so richtiger, je mehr sie der Gesamtintention des Stückes integriert ist“ (S. 11). Warning erörtert im Detail die Problematik solcher Versuche, die „Komödie nicht über das Komische zu definieren“ und „nur eine in einem bedeutsamen Sujet ‚aufgehobene‘ Komik als ästhetisch relevant“ anzuerkennen. (Vgl. Warning: Elemente einer Pragmasemiotik, S. 298f., 313-315, 332f.). Als komplementärer Einwand lässt sich die die Wirkungsgeschichte der Komödienkritik ins Spiel bringen: An Arntzens Darstellung überrascht in der Tat, dass sie die kirchliche und speziell protestantisierende Ächtung der Gattung ganz ausblendet und an keiner Stelle etwa auf Rousseaus *Lettre sur les spectacles* (1758) eingeht. Zu Beispielen moralistischer Komödienkritik s. auch M. Carlson: Theories of the Theatre (Anm. 12). – Warning fasst in seinem eigenen Analysemodell auch die satirische Komödie als Grenzfall der Gattung Lustspiel. Der graduelle Unterschied bemisst sich dabei an zwei Grundfunktionen: (a) der Grenzlinie zwischen „anderweitiger Handlung“ und bedeutsamem Sujet und (b) der Orientierung des Stücks an einer festlich-heiteren, aus der Lebenswelt sich temporär ausgrenzenden *Spielsituation* oder an der engagierten Bloßstellung eines bei aller ästhetischen (z.B. grotesken) Deformation stets auf die Lebenswelt hin transparenten *Missstandes*. (Vgl. Warning: Komödie und Satire, S. 547-550; vgl. auch Peters: Tendenz und Verfremdung, Kap. I.1 u. I.4).

[20] Georg Wilhelm Friedrich Hegel: Ästhetik. 2 Bde. Hg. F. Bassenge. Berlin, Weimar 1976, Bd. 2, S. 552 („Das Prinzip der Tragödie, Komödie und des Dramas“).

[21] Vgl. „Die römische Welt als Boden der Satire“, ebd., Bd. 1, S. 496f.; diesem Kapitel entstammen auch die folgenden Zitate.

[22] Die beste Charakterisierung von Čechovs Anti-Dogmatismus – vor dem Hintergrund sowjetischer Erscheinungen als positive, kritisch-aufklärerische Alternative verstanden – ist noch immer das Schlusskapitel in A.P. Čudakov: Poėtika Čechova. Moskva 1971, Kap. VI, 1-6. Die erstmals 1905 (d.h. kurz nach dem Tod des Dramatikers und in zeitlicher Nachbarschaft zu seinen späten Stücken) erschienene Čechov-Studie von Lev Šestov interpretiert einen in der Sache vergleichbaren Befund ganz konträr; s. den Aufsatz „Tvorčestvo iz ničego (A.P. Čechov)“ in: L. Šestov: Načala i koncy. Sbornik statej. SPb. 1908 (Reprint Ardis, Ann Arbor 1978). Šestov denunziert den Verstorbenen als „певец безнадежности“ (Sänger der Hoffnungslosigkeit; S. 3), der eine „пристрастие к смерти, разложению, гниению“ (Neigung zum Tod, zur Zersetzung, zur Fäulnis; S. 24) kultiviert habe. „Во всем и везде царит самодержавный случай, [...] дерзко бросающий вызов всем мировоззрениям“ (In allem und überall regiert der selbstherrliche Zufall, [...] der kühn alle Weltanschauungen herausfordert; S. 13); mehr noch: „Мриовоззрения и идеи [...] становятся для Чехова предметом [...] беспощадной ненависти“ (Weltanschauungen und Ideen [...] werden für Čechov zum Gegenstand [...] gnadenlosen Hasses; S. 27). Čechovs „творчество из ничего“ (Schöpfung aus dem Nichts) vermittle die Botschaft: „Нужно коло-

Es gibt zu dieser Auffassung eine bezeichnende Gegenstimme. Wie im Falle von Čechovs vermeintlicher „Prinzipienlosigkeit" vertritt Lev Šestov auch in dieser Frage – und zwar in direktem Bezug auf das hier behandelte Werk – eine eigenwillige Position: *Djadja Vanja* sei „das letzte protestierende Stück Čechovs", „последний опыт шумного, публичного протеста, вызывающей ‚декларации прав'". Die kritisch-satirische Gesamtintention des Stücks möchte Šestov durch den Titelhelden belegen: „Дядя Ваня [...] бьет в набат, поднимает неслыханную тревогу по поводу своей загубленной жизни" (Djadja Vanja [...] läutet die Sturmglocke, zettelt einen nie dagewesenen Skandal an wegen seines verpfuschten Lebens).[23]

Es macht nun allerdings einen großen Unterschied, ob einzelne Äußerungen von Onkel Vanja (d.h. von Ivan Petrovič Vojnickij) oder das Stück *Onkel Vanja* insgesamt als Protest aufzufassen sind. Denn gerade auf der fraglichen Grenzlinie – zwischen der „internen Kommunikation" der *dramatis personae* und der „externen Kommunikation" des impliziten Autors mit seinem Publikum[24] – entscheidet sich letztlich, wie es bei Čechov um Satire oder um die gerettete Komik eines Lustspiels steht. Tatsächlich neutralisiert Čechov die Momente von *Djadja Vanja*, die auf die Möglichkeit von Satire verweisen, im Modus des *präsentierten Bühnenspiels*.[25] Meine abschließende These ist, dass er die Abweichungen vom Prinzip der „anderweitigen Handlung" und die Tendenz zur „reflektierten Kritik am Geltenden" (im Sinne von Warning) – d.h. die einer komischen Wirkung des Stücks abträglichen Momente – durch die spezifische Gestaltung der „externen Kommunikation" zwischen implizitem Autor und Publikum wettmacht. Allgemeinste Voraussetzung dafür ist die pragmatische Ambivalenz des Dialogs.

4. Überschreitung der Bühnenrampe und Intertextualität: Komödie als „präsentiertes Spiel"

Eine erste Annäherung an das komödienhafte „präsentierte Spiel" lässt sich über die Passagen finden, in denen die ernste Bedeutung von Äußerungen auf der Bühne jederzeit in die komische Tonlage „umkippen" kann. Beispiel dafür ist etwa Astrovs Verteidigung der Waldbestände: Ein hintergründig komischer Sinn resultiert daraus, dass über die Zukunft der Erde hier ausgerechnet ein Arzt peroriert, der gerade dringend zu einem Unfallopfer gerufen wurde und eigentlich schnell aufbrechen sollte, sich aber ‚zur Stärkung' noch einen Wodka bestellt hat, dessen Besorgung einige Verzögerung verursacht (*DV*: 13, 71ff). Vollends in der Wiederholung (bei der Erläuterung der Bewaldungskarten; *DV*: 13, 94) kann der inspirierte Gestus von Astrovs Einlassungen – auch wenn vom ernsten Thema der Ausbeutung natürlicher Res-

---

титься, без конца колотиться головой о стену. [...] Résigne-toi, mon cœur, dors ton sommeil de brute" (Man muss sich durchschlagen, ununterbrochen mit dem Kopf an die Wand rennen. [...]; S. 67f.). In eine mit Šestovs Essay verwandte Richtung weist Hans Rothes neuere Čechov-Lektüre im Horizont des „Nihilismus" und einer „Auflösung der geordneten Welt"; s. H. Rothe: Anton Tschechov oder Die Entartung der Kunst. Opladen 1990 (= Rheinisch-Westfälische Akademie der Wissenschaften. Geisteswissenschaften/Vorträge, G 306), hier S. 22, 28, 31-33.

[23] Šestov: Tvorčestvo iz ničego, S. 53-55.

[24] In dieser Unterscheidung folge ich der sehr erhellenden Darstellung von Witold Kośny: Bedeutung und Funktion der literarischen Zitate in A.P. Čechovs „Tri sestry". In: Welt der Slaven XVI (1971), S. 126-150; hier S. 128f.

[25] Der Begriff impliziert einen Vorbehalt gegenüber Morsons starker These über den umfassend „metadramatischen" Charakter des Stücks. (Vgl. Morson: „Uncle Vanya" as Prosaic Metadrama, insbes. S. 214-218). Im Blick auf *einzelne Figuren* spricht Morson zu Recht von „citational lives" und von einer „satire of histrionics and intelligential posing"; auch der Ausdruck „toying with the dramatic frame" trifft Čechovs punktuelle, ironische Durchbrechungen der Bühnenfiktion. Überzogen erscheint dagegen seine These „*Uncle Vanya* becomes in its entirety a sort of play-within-the-play". Für eine Auseinandersetzung mit Morson fehlt an dieser Stelle der Platz; für einzelne Anmerkungen zu Čechovs Fiktionsironie s.u. Abschnitt IV.

sourcen die Rede ist – durchaus an eine Tirade aus Gogol's Komödie *Ženit'ba* (Die Heirat) erinnern, nämlich an Podkolesins Preisrede auf die russischen Stukkateure, („Какой это смелый русский народ!" [Was ist das für ein wackeres russisches Volk! / Wie wacker ist das russische Volk] usf.; Akt II, 14). Solche Ambivalenz – der ‚Waldschrat' Astrov klingt an Podkolesins Komik an, ist aber nicht eindeutig komisch wie dieser – geht über die Interpretationsbedürftigkeit lebensweltlicher *Kommunikation überhaupt* hinaus; zudem wird sie in Čechovs Dramen nur selten durch eine vereindeutigende Handlungsführung in Schranken gehalten. Angesichts des szenischen Doppelsinns ist für den Zuschauer nicht jederzeit evident, ob sich vor seinen Augen überhaupt ein „ernster" Vorgang oder eine „anderweitige (Komödien-)Handlung" ereignet. Damit wird die mimetische Qualität des Stücks problematisiert oder zumindest ein Moment illusionsbrechender Verfremdung angebahnt.

An die gängigen Formen der *Zuschauer-Implikation* bzw. des *Spiels mit Rollen-Distanz und Bühnenillusion* anknüpfend, unterbreitet Warnings Komödientheorie eine begrifflich-systematische Beschreibung der „Vermittlungsebene" in der Komödie (als nächster Werkschicht nach den „Inhaltskomponenten" *ridicula* und *anderweitige Handlung*).[26] Im Vorgriff auf eine ausführlichere Untersuchung möchte ich die hier bereitgestellten Instrumente erproben und versuchen, wenigstens ausgewählte Verfahren aus der Schicht der szenischen Vermittlung in *Djadja Vanja* zu erfassen.

Die elementare Konstellation vermittelter Bühnenkomik ist jene, in welcher der Zuschauer Dialoge und szenische Vorgänge – auch wenn sie für die implizierten Bühnenfiguren nachteilige, ja traurige Folgen beinhalten – als *lachender Dritter* aufnimmt. Der Zuschauer kann sich auch als ‚Komplize' einer Bühnenfigur gegen eine andere Figur solidarisieren und diese in der Haltung des „rire d'exclusion" isolieren.[27] Gegenüber solcher Implikation des Zuschauers, bei der die *fiktionale Bühnenhandlung* den Vorrang behauptet (Warning spricht in diesem Fall von „impliziter Fiktionsdurchbrechung"), kann umgekehrt die „externe Kommunikation" in die Vorderhand kommen. Gängigste Verfahren der „expliziten Fiktionsdurchbrechung" sind das Beiseitesprechen der Bühnenfiguren, aber auch die Kommentierung des Bühnengeschehens in Prologen, eingeschobener Chor-Rede oder den Monologen eines Räsoneurs. Astrov, der (in der o.g. Szene) der versammelten Teegesellschaft – selbst auf Wodka wartend – die Leviten liest, ist eine stark gebrochene Umsetzung der Räsoneurs-Rolle. Tatsächlich erhebt sich diese Figur, auch wenn ihre ‚Waldschützer-Tiraden' für manchen Zuschauer ganz unabhängig von der fiktionalen Einbettung aufgenommen werden, nicht über das dramatische Geschehen.

Insgesamt hält sich *Djadja Vanja* (im Sinne der Warningschen Verfahrenstypologie) durchweg im Modus der *impliziten Fiktionsdurchbrechung*. Aber dieses Verfahren genügt, um die Bühnenhandlung, die in frühen russischen Inszenierungen als lebensechter Vorgang naturalistisch ‚hinter Glas gesetzt' wurde, über die Rampe hinweg ins Publikum „auszuspielen". Majakovskij verkennt diese Möglichkeit, wenn er im Prolog zu *Misterija-buff* über das „Schlüsselloch" spottet, durch das Čechovs Publikum eine *tranche de vie* beäugen und das „garstige Benehmen" der Figuren vom Schlage Onkel Vanjas verfolgen darf:

Для других театров представлять не важно:	Die anderen Theater Zeigen so was nicht gern:

[26] Vgl. Warning: Elemente einer Pragmasemiotik, Abschnitt 3 („Die Vermittlungsebene"); zur Definition einzelner in der folgenden Deutung verwendeter Begriffe s. die Punkte „Die dramatische Kommunikation" und „Verfremdung als sich zeigendes Spiel", S. 307-316, auch S. 321f.

[27] Die Unterscheidung von ausgrenzendem „rire d'exclusion" und gruppenbildendem „rire d'accueil" stammt von E. Dupréel: Le problème sociologique du rire. In: Revue philosophique 106 (1928), S. 213-259.

[28] V. Majakovskij: Misterija-buff [...]. Vtoroj variant. In: Vladimir Majakovskij: Polnoe sobranie sočinenij v 13 tt. T. 2 (1917-21). Moskva 1956, S. 248.

для них	Für sie
сцена –	ist die Bühne –
замочная скважина.	ein Schlüsselloch.
Сиди, мол, смирно,	Jetzt sitz' doch still,
прямо или наискосочек	grade oder schräg gegenüber
и смотри чужой жизни кусочек.	und schau dir ein Stück fremden Lebens an.
Смотришь и видишь –	Du schaust und siehst –
гнусят на диване	Da näseln auf dem Diwan
тети Мани	Die Tanten Manjas
да дяди Вани.[28]	Und Onkel Vanjas.

Natürlich expandiert Čechovs Stück nicht leben-bauend oder futuristisch in den Zuschauerraum. Aber es problematisiert die illusionsbildende Solidarität des impliziten Autors mit der dargestellten Rolle; oder anders gesagt: es bezieht das Publikum ein in den vom ihm eröffneten buchstäblichen „Spielraum" zwischen Rolle und Spieler.

Das Stück *Djadja Vanja* ist – im von Peter Szondi definierten Sinne – nicht „absolut"; die *Theorie des modernen Dramas* erklärte Čechovs Durchbrechung des klassischen Dramentypus durch die Dominanz der „Thematik" und einen Übergang ins Lyrische. In der hier versuchten Deutung wird Čechovs Neuerung vielmehr damit in Zusammenhang gebracht, was Szondi als „Anrede an den Zuschauer" und „Eindringen des Zuschauers ins Drama" bezeichnet.[29] Zwei Verfahren dominieren bei Čechovs Durchbrechung der „Absolutheit" bzw. Überschreitung der Bühnenrampe: a) die Implikation des Zuschauers in die „interne Kommunikation" der Bühnenfiguren, und b) die Suspendierung der „internen Kommunikation" zwischen den *dramatis personae* durch intertextuelle Anspielungen.

(ad a) Von Spitznamen wie „Vaflja" (als Momenten der „internen Kommunikation" der *dramatis personae*) ist es nicht weit zu *sprechenden Namen* als Botschaften und Wertungsangeboten, die vor allem den Zuschauer erreichen. Das Prinzip *nomen est omen* liegt im Fall von Ivan Vojnickij als der streitbaren Zentralfigur auf der Hand; es wird ständig reflektiert (besonders schillernd im Dialog mit Elena; *DV*: 13, 79). Entgegengesetztes Extrem ist Telegin, durch dessen (ebenfalls erörtertes) Patronym Il'ja Il'ič (*DV*: 13, 69) die Assoziationen auf Gončarovs Oblomov gelenkt werden.[30] Auch zum Namen von Michail L'vovič Astrov stellen sich Wortspiele ein. In einer Pointe des Professors wird sein Name über den Anklang zu „Astronomie" (astronomija; *DV*: 13, 77) ins Lächerliche gezogen; Astróv selbst vergleicht sich mit einer talentlosen Person aus dem Stück *Bespridannica* von Aleksandr *Ostrovskij* (*DV*: 13, 71). Beide Anspielungen können in der internen Dramenkommunikation semantisch nicht ausgeschöpft werden; sie ähneln eher dem Verfahren des „Beiseitesprechens" als Botschaft an das in der Rolle des „lachenden Dritten" beiwohnende Publikum. Erst gegenüber dem Publikum kann der als „sprechend" ausgewiesene Name seine volle (komische) „Präsentationsfunktion" einlösen; er ist im echten Sinne eine „mehrfach adressierte Äußerung".[31]

(ad b) Eine weitergehende *komische Zuschauer-Implikation* kommt zustande, wo Čechov intertextuelle Bezüge in wörtlichen Einlassungen auftreten lässt (in der o.g. Ostrovskij-Pointe dominierte noch der bloße Name) oder gar Sujet-Schemata anderer Werke aufruft. Ein solches Verfahren kommt ins Spiel, als Serebrjakov die große Beratung der Gutsbesitzer und -bewohner in Akt III mit den Worten des Stadthauptmanns aus der ersten Szene von Gogol's

[29] Peter Szondi: Theorie des modernen Dramas, S. 17 (zur Bestimmung des Dramas) und S. 35 (zu Čechovs Lyrismus).

[30] „[His] name and patronymic is synonymous with laziness itself", formuliert der Interpret Richard Peace (Uncle Vanya. In: Ders.: Chekhov. A Study of the Four Major Plays. New Haven, London 1983, S. 56).

[31] Der aus Abhandlungen von D. Wunderlich (Linguistische Pragmatik. Frankfurt/M. 1972, darin: „Zur Konventionalität von Sprechhandlungen") übernommene Begriff wird von Rainer Warning für die Pragmasemiotik der Komödie fruchtbar gemacht. (Vgl. Warning: Elemente einer Pragmasemiotik, S. 308f.).

Revizor eröffnet: „Я пригласил вас, господа, чтобы объявить вам, что к нам едет ревизор" (Ich habe Sie eingeladen, meine Herren, um Ihnen zu eröffnen, dass eine Revisor zu uns kommen wird; *DV*: 13, 99). Reinhard Lauer hat an dem frühem Stück *Platonov* gezeigt, wie Čechov mit „literarischen Folien" arbeitet: etwa indem er die Zentralfigur des Stücks „als Neufassung vorausgegangener Heldenmodelle dargestellt".[32] So wie Čechovs frühe Dramenfigur den Zuschauer durch die Assoziation mit Griboedovs Čackij, mit Don Juan oder Hamlet herausfordert, so warten auch zentrale Rollen aus *Djadja Vanja* mit intertextuellen Bezügen zu Modellen wie dem *Menschenfeind*, dem *Eingebildeten Kranken* oder anderen literarischen Mustern auf.

Besonderes Gewicht für die intertextuelle Suspendierung der Bühnenillusion hat die Schlussszene des Stücks: Nach den Irrungen, die der Besuch von Serebrjakov und Elena auf dem Lande verursacht hat, kehren Vojnickij und Sonja zu ihrem Werk zurück – als treue Arbeiter im Weinberg des Herrn (Professor). Die unmittelbare Zukunft verspricht nur große Mühen und Prüfungen („испытания, какие пошлет нам судьба" / die Prüfungen, die uns das Schicksal schickt; *DV*: 13, 115); aber dereinst wird Frieden einkehren, und die beiden leidgeprüften Verwalter des Gutes werden zur Ruhe kommen – so verspricht es Sonjas Schlussmonolog. Das wiederholte „мы отдохнем" (wir werden ausruhen; *DV*: 13, 116) als möglicher Ausblick auf göttliche Zuwendung und Gnade mag symbolistische Todessehnsucht aufrufen[33] oder den Zuschauer durch entsprechende Assoziationen irritieren. Aber es lauert hier doch auch wieder das Dementi des existenziellen Pathos und das Kipp-Phänomen des literarischen Zitats:

Горные вершины Спят во тьме ночной; Тихие долины Полны свежей мглой; Не пылит дорога, Не дрожат листы... Подожди немного, *Отдохнешь и ты.*[34]	Bergeshöhen Schlafen in der nächtlichen Finsternis; Stille Täler Voll frischen Nebels; Kein Staub auf dem Weg, Kein Blatt zittert... Warte ein wenig, *Auch du wirst ausruhen.*

Die Versuchung ist groß, angesichts solcher Formen „präsentierten Spiels" den Ausblick auf das hochgradig intertextuelle Komödienwerk Vladimir Nabokovs zu wagen, insbesondere auf die Komödie *Sobytie* (Das Ereignis, 1938).

Aber auch ein Einwand ist zu gewärtigen. Angesichts der zahlreichen Čechov-Lesarten, die sich am „realistischen Drama" orientieren, könnte gefragt werden, ob die Überschreitung der Bühnenrampe – statt Komik und Heiterkeit zu erzeugen – nicht eher bestimmte Reaktionen der Wirklichkeitserkenntnis beim Zuschauer provoziert: Einsicht in den Schematismus lebensweltlicher Wahrnehmung (sprechende Namen als „Etikettierung" von Personen) oder auch kritische Distanz zu literarisch „kolonisierten" Lebensformen. Studien zur ‚Modellierung' von Erkenntnisweisen in Čechovs Erzählungen[35] könnten Anleitung dafür sein, wie in

[32] Reinhard Lauer: Literarische Folien in Čechovs „Platonov". In: Anton P. Čechov. Werk und Wirkung. Teil II. Hg. Rolf-Dieter Kluge. Wiesbaden 1990 (= Opera Slavica, N.F. 18), S. 608-617. Die neuere Arbeit von Klavdia Smola: Formen und Funktionen der Intertextualität im Prosawerk von Anton Čechov. München 2004 (= Slavistische Beiträge, 428) streift dramatische Intertextualität im einleitenden Literaturbericht (s. S. 61-68 passim).

[33] Vgl. etwa Peace, S. 70.

[34] Michail Ju. Lermontov: „Iz Gete". In: Ders.: Sobranie sočinenij v 4 tt. T. 1: Stichotvorenija 1828-41. Moskva, Leningrad 1961, S. 491 (Hervorhebung von mir – A.S.). Im Jahre 1840 entstanden, paraphrasiert der Text das Goethe-Gedicht *Wandrers Nachtlied* (1776); Goethes Schlusszeilen lauten „Warte nur, balde / Ruhest du auch".

[35] Wolf Schmid: Modi des Erkennens in Čechovs narrativer Welt. In: Anton P. Čechov – Philosophische und

der Dramatik Erkenntnisprozesse (von Bühnenfiguren und impliziten Zuschauern) organisiert werden – und wie sie mit den Verfahren des Lustspiels korrelieren. Aber das ist bereits ein Gegenstand für eine andere Untersuchung.

Literatur

Arntzen, H.: Die ernste Komödie. Das deutsche Lustspiel von Lessing bis Kleist. München 1968 (= sammlung dialog, 23).

Baluchatyj, S.D.: Problemy dramaturgičeskogo analiza – Čechov. Leningrad 1927. Nachdruck München 1969 (= Slavische Propyläen, 68), S. 107-115.

Berdnikov, G.P.: Čechov-dramaturg. Tradicii i novatorstvo v dramaturgii Čechova. Leningrad, Moskva 1957.

Carlson, Marvin: Theories of the Theatre. A Historical and Critical Survey, from the Greeks to the Present. Ithaca, London 1993.

Čudakov, A.P. : Poėtika Čechova. Moskva 1971.

Dupréel, E.: Le problème sociologique du rire. In: Revue philosophique 106 (1928), S. 213-259.

Eco, Umberto: The Frames of Comic „Freedom". In: U. Eco, V.V. Ivanov, M. Rector: Carnival! Hg. Th. Sebeok. Berlin, New York, Amsterdam 1984 (= Approaches to Semiotics, 64), S. 1-9.

Evdokimova, Svetlana: Work and Words in „Uncle Vanja". In: Anton P. Čechov – Philosophische und religiöse Dimensionen im Leben und Werk. Hg. R.-D. Kluge, V.B. Kataev, R. Nohejl. München 1997, S. 119-126.

Hartmann, Eduard von: Philosophie des Schönen. Zweiter (systematischer) Teil der Ästhetik. Berlin 1887.

Hegel, Georg Wilhelm Friedrich: Ästhetik. 2 Bde. Hg. F. Bassenge. Berlin, Weimar 1976.

Kośny, Witold: Bedeutung und Funktion der literarischen Zitate in A.P. Čechovs „Tri sestry". In: Welt der Slaven XVI (1971), S. 126-150.

Lauer, Reinhard: Literarische Folien in Čechovs „Platonov". In: Anton P. Čechov. Werk und Wirkung. Teil II. Hg. Rolf-Dieter Kluge. Wiesbaden 1990 (= Opera Slavica, N.F. 18), S. 608-617.

Lermontov, Michail Ju.: Sobranie sočinenij v 4 tt. T. 1: Stichotvorenija 1828-41. Moskva, Leningrad 1961.

Lotman, Jurij: Struktura chudožestvennogo teksta. Moskva 1970.

Majakovskij, V.: Misterija-buff [...]. Vtoroj variant. In: Vladimir Majakovskij: Polnoe sobranie sočinenij v 13 tt. T. 2 (1917-21). Moskva 1956, S. 243-436.

Morson, Gary Saul: „Uncle Vanya" as Prosaic Metadrama. In: Reading Chekhov's Text. Hg. Robert Louis Jackson. Evanston/Ill. 1993, S. 214-227.

Peace, Richard: Chekhov. A Study of the Four Major Plays. New Haven, London 1983.

Peters, Jochen-Ulrich: Tendenz und Verfremdung. Studien zum Funktionswandel des russischen satirischen Romans im 19. und 20. Jahrhundert. Bern u.a. 2000 (= Slavica Helvetica, 66), S. 13-30.

Popkin, Cathy: The Pragmatics of Insignificance. Chekhov, Zoshchenko, Gogol. Stanford/Cal. 1993 (= Studies of the Harriman Institute/Columbia University).

Rothe, H.: Anton Tschechov oder Die Entartung der Kunst. Opladen 1990 (= Rheinisch-Westfälische Akademie der Wissenschaften. Geisteswissenschaften/Vorträge, G 306).

Schmid, Wolf: Modi des Erkennens in Čechovs narrativer Welt. In: Anton P. Čechov – Philosophische und religiöse Dimensionen im Leben und im Werk. Hg. R.-D. Kluge, V.B. Kataev, R. Nohejl. München 1997, S. 529-536.

Šestov, L.: Načala i koncy. Sbornik statej. SPb. 1908 (Reprint Ardis, Ann Arbor 1978).

Smola, Klavdia: Formen und Funktionen der Intertextualität im Prosawerk von Anton Čechov. München 2004 (= Slavistische Beiträge, 428).

Sproede, Alfred: Ein polnisches „Paradox über den Schauspieler". Cyprian Norwids „Aktor" (= Skizzen zur europäischen Komödie des 19. Jahrhunderts, III). In: Zeitschrift für Slawistik 47 (2002) 2, S. 202-232.

Szondi, Peter: Theorie des modernen Dramas. In: Ders.: Schriften I. Hg. J. Bollack, W. Fietkau. Frankfurt/M. 1978, S. 9-148.

Warning, Rainer: Komik und Komödie als Positivierung von Negativität (am Beispiel Molière und Marivaux). In: Positionen der Negativität. Poetik und Hermeneutik VI. Hg. H. Weinrich. München 1975, S. 341-366.

Warning, Rainer: Elemente einer Pragmasemiotik der Komödie. In: Das Komische. Poetik und Hermeneutik VII. Hg. W. Preisendanz, R. Warning. München 1976, S. 279-333.

Warning, Rainer: Komödie und Satire am Beispiel von Beaumarchais' „Mariage de Figaro". In: Deutsche Vierteljahrsschrift für Literaturwissenschaft und Geistesgeschichte 54 (1980) 4, S. 547-563.

Wunderlich, D.: Linguistische Pragmatik. Frankfurt/M. 1972.

---

religiöse Dimensionen im Leben und im Werk, S. 529-536.

Rudolf Neuhäuser

Von der Komödie zum Drama: *Ivanov*

In den Jahren 1887 bis 1889 entwickelte sich Čechov in seiner Prosa zum ernsten Schriftsteller, der von den Humoresken der frühen Jahre zunehmend abrückte. In diesen Jahren entstanden die ersten bedeutenden Erzählungen *Die Steppe* (Step') und *Lichter* (Ogni). Im Herbst 1888 begann er an *Ein Duell* (Duėl') zu schreiben und im November 1889 erschien *Eine langweilige Geschichte* (Skučnaja istorija). Es sind dies Texte, die bereits zu seinem reifen Schaffen gehören. Unmittelbar vor dieser Zeit entstand sein frühes Drama *Ivanov*, an dem er von Ende September bis 5. Oktober 1887 schrieb. Am 19. November 1887 fand die Erstaufführung in Moskau statt, eine Druckfassung erschien Ende Januar 1888 in 110 Exemplaren. Čechov nannte sein Theaterstück rund um den russischen Allerweltstyp Ivanov eine „Komödie". Klamaukhafte Szenen herrschen vor, wenngleich der Held am Ende unerwartet durch eine Herzattacke einen plötzlichen Tod findet. Trotz des Erfolgs, der allerdings auch von Kritik begleitet war, stand es von Anfang an fest, dass die Komödie Mängel zeigte. In einem Brief an seinen Bruder Aleksandr vom November 1887 musste Čechov gestehen, dass das Publikum den plötzlichen Tod des Helden nicht verstanden hatte (P. 2, 152). Der Kritiker P. Kiceev meinte in einer Rezension, dass Ivanov aus „Überempfindlichkeit" der Beleidigung des Arztes gegenüber, an „разрыв сердца" (Herzschlag) gestorben sei (P. 2, 429), – was nicht unbedingt ein passendes Ende für eine Komödie sei! Und selbst in einer an sich positiven Kritik schlussfolgerte ein Rezensent, dass der Autor „не справился со своим героем" (P. 2, 430; mit seinem Helden nicht zurechtgekommen sei). Dies meinte auch Suvorin, der Čechov drängte, für Ivanov zumindest noch einen Monolog zu schreiben, damit das Publikum ihn besser verstünde. Čechovs erstes abendfüllendes Stück zeigt jedoch nichtsdestoweniger oder gerade deshalb eine Besonderheit, die nach eingehenderer Betrachtung verlangt. Selbst unzufrieden mit seiner Komödie und von seinem Förderer Suvorin bedrängt, arbeitete der Autor mit Blick auf die für Ende Januar 1889 angesetzte Erstaufführung in St. Petersburg sein Stück um. Noch im Januar 1889 setzte er diese Arbeit bis unmittelbar vor der Erstaufführung, die am 31. Januar stattfand, fort. Das neu gestaltete Bühnenstück nannte er nunmehr „Drama". Es war ein großartiger Erfolg. Das Drama wurde Anfang März im *Severnyj vestnik* (Der Nördliche Bote) veröffentlicht, im September erschienen von der Zeitschriftenfassung nochmals 100 Exemplare. Das ganze Jahr über lief das Stück an verschiedenen Theatern in Russland und festigte den Ruhm Čechovs als Bühnenautor.

Worin liegt nun die Bedeutung vor allem der zweiten Fassung im Vergleich mit dem ursprünglichen Text? Sehen wir uns zuerst die Komödie an.

Im Mittelpunkt steht der 35-jährige verschuldete Gutsbesitzer Nikolaj Alekseevič (ursprünglich „Ivan Ivanovič"!) Ivanov. Er steht zwischen seiner todkranken Frau jüdischer Herkunft Anna Petrovna – geborene Sarah (Sarra) Abramson, worauf mehrfach im Stück angespielt wird –, und der 20-jährigen Tochter seiner begüterten Nachbarn Lebedev, Saša. Sarah wird von dem jungen Arzt L'vov betreut, der Ivanov des Betrugs, der Lieblosigkeit Sarah gegenüber und des Strebens nach Bereicherung anklagt. So meint er, Ivanov hätte Sarah nur aus Berechnung geheiratet, um eine reiche Mitgift zu kassieren, die allerdings ausblieb, als die Eltern sie wegen der Heirat mit einem orthodoxen Russen – Sarah trat aus diesem Anlass zur Orthodoxie über – verstießen. L'vov ist der Überzeugung, dass Ivanov nunmehr Saša betören möchte, um auf diesem Weg doch noch zu einem Vermögen zu kommen und seine Schulden bei den Lebedevs zu begleichen. Noch zu Lebzeiten Sarahs kommt es zu einer verfänglichen Szene zwischen Ivanov und Saša, welche die zufällig erscheinende Sarah mitbekommt. Nach Sarahs Tod wird die Hochzeit der beiden gefeiert. In einer turbulenten Szene des letzten

Aktes, die bereits nach vollzogener Eheschließung stattfindet, macht der Arzt L'vov Ivanov schwerwiegende Vorwürfe: „[...] сорву с тебя маску... [...] обявляю во всеуслышание, что вы подлец!..“ (11, 291; [...] ich werde dir die Maske herunterreißen... [...] ich erkläre lauthals, dass Sie ein Schuft sind!..). Ivanov stammelt nur: „За что? за что? Скажите мне: за что?“ (11, 292; Wozu? wozu? SagenSie mir: wozu?). In einem plötzlichen Schwächeanfall sinkt er auf das Sofa. Im darauf folgenden Tumult erleidet er einen plötzlichen Tod in den Armen seiner eben angetrauten jungen Frau Saša.

Čechov hat mit den Figuren des passionierten Kartenspielers Kosych, des reichen Fabrikantensohns Dudkin, der Kaufmannswitwe Babakina und dem alten Weib Avdot'ja Nazarovna „с неопределенной профессией“ (11, 218; mit unbestimmtem Beruf), die auch Ehen vermittelt, eine Galerie komischer Figuren geschaffen, zu denen auch der Verwalter von Ivanovs Gut, sein entfernter Verwandter Borkin, gehört. Rund um sie spielen sich klamaukhafte Szenen vaudevillehafter Natur ab, die wohl die Bezeichnung „Komödie“ rechtfertigen sollen. Ivanov wird als überflüssiger Mensch gekennzeichnet, der aus Leidenschaft heiratete und ewige Liebe schwor, aber schon nach fünf Jahren „weder Liebe noch Mitleid“ fühlen kann. Er ist ausgebrannt, von Gewissensbissen geplagt, „[...] устал телом, душой и мозгом... [...] и такие грязные эгоистические мысли лезут мне в голову, о каких я раньше и понятия не имел...“ (11, 248; [...] ich bin körperlich, seelisch und geistig ermüdet... [...] und so schmutzige egoistische Gedanken schleichen sich in meinen Kopf, von denen ich früher nicht einmal eine Vorstellung hatte). Er sagt von sich selbst: „Как я неумен, какой я еще ребенок, в сущности тряпка...“. Trost findet er bei Saša, die ihn anhimmelt und mit ihm nach Amerika fliehen möchte (11, 248). Unmittelbar vor der Hochzeit mit Saša gesteht ihr Ivanov, er wäre von Schuldgefühlen geplagt, zu alt für sie, wendet sich ihr aber dann doch wieder zu: „Напустил на себя психопатию [..]. надо скорее прийти в норму...“ (11, 278; Ich bin ein Psychopath geworden [...] ich muss so schnell wie möglich wieder ins Gleis kommen...) – und die Hochzeit findet statt. Saša ist eine emanzipierte junge Frau. Čechov lässt sie durch ihren Vater so charakterisieren: „Принципы, альтруизм, Шопенгауэр... Все это чепуха [...]“ (11, 279; Prinzipien, Altruismus, Schopenhauer... Das ist alles Unsinn [...]). Schopenhauer erschien übrigens 1888 bereits in 3. Auflage auf Russisch als *Stat'i ėsteticeskie, filosofskie i aforizmy* (Ästhetische und philosophische Schriften und Aphorismen, Char'kov) und erfreute sich bekanntlich einer großen Beliebtheit in Russland.

Der Ivanov der Komödie zeigt deutlich die Spuren seiner Herkunft im „überflüssigen Menschen“ der klassischen russischen Literatur von Puškin bis Turgenev! Am Rande sei vermerkt, dass Čechov schon davor in seinem unveröffentlicht gebliebenen Drama *Platonov* mit der gleichnamigen Hauptfigur eine frühe Variante dieses Charaktertyps dargestellt hatte, allerdings noch stärker im Fahrwasser des „überflüssigen Menschen“.[1] Ivanov erinnert an die Variante dieses Typus, den Turgenev in seinem Aufsatz *Hamlet und Don Quijote* in aktualisierter Form vorgestellt hatte. Nach G. Berdnikov ist Ivanov geradewegs in diesem Sinne ein *„uezdnyj Gamlet“* (Provinzhamlet), in dessen Seele sich allerdings der Idealist Don Quixote verbirgt, der in Ivanovs Jugend noch sichtbar für seine Umgebung war.[2] Unter der Bürde der Probleme des Alltags gerät Ivanov, wie schon Platonov ein gescheiterter Idealist, auf eine schiefe Bahn und versinkt immer tiefer im Sumpf seiner provinziellen Existenz. Zugleich ist er nach Čechov allgegenwärtig in Russland: „„Иван Иванович Иванов‘... Понимаете? Ивановых тысячи... обыкновеннейший человек, совсем не герой“ (11, 412; „Ivan Ivanovič Ivanov“... Verstehen Sie? Ivanovs gibt es Tausende... der allergewöhnlichste Mensch, überhaupt kein Held). So gesehen lässt sich sagen, dass die Komödie *Ivanov* einerseits literarische Wurzeln hat, andererseits des Autors humoristische Neigung nach der Art seiner Humoresken und des populären Genres des Vaudeville widerspiegelt, – „балаган и кабак“ (Schaubude

[1] E. Wolffheim: Anton Čechov. Reinbek bei Hamburg 1982, S. 55.
[2] G.P. Berdnikov: Čechov. Moskva 1974, S. 205.

und Kneipe) nach Čechovs eigener Charakterisierung (11, 415). Darüber hinaus drückt sie des Autors Überzeugung aus, dass der „überflüssige Mensch", einst ein Privileg des jungen Adels, nunmehr ganz Russland charakterisiert. Das zeitgenössische kulturelle und politische Leben spielt dabei allerdings nur eine marginale Rolle, – Ivanov ist ein „непременный член по крестьянским делам присутствия" (11, 218; ständiges Mitglied der Behörde für bäuerli-che Aufenthaltsangelegenheiten). Es hat nur im Charakter des jungen Zemstvo-Arztes L'vov eine größere Präsenz im Stück bekommen. L'vov kommt aus Kreisen der *narodniki*, ist ein progressiver, „linker" Intellektueller, der dem Adel und Bürgertum von vornherein äußerst kritisch gegenübersteht und stets unlautere Motive in diesen Kreisen sieht. Über Ivanov sagt er bereits im 1. Akt: „Проклятый характер... [...] Ненавижу этого Тартюфа, возвышенного мошенника всей душой..." (11, 229; Ein verfluchter Charakter... [...] Ich hasse diesen Tartüff, diesen erhabenen Gauner aus ganzer Seele...).

Wir haben bereits eingangs festgehalten, dass sich der Erzähler Čechov im Laufe des Jahres 1888 mit der Publikation der Erzählungen *Die Steppe* und *Lichter* (März/Juni 1888 im Druck erschienen) zum ernsthaften Autor wandelte, – eine Entwicklung, die, wie ebenfalls schon festgehalten, im Laufe des nächsten Jahres eine Fortsetzung fand. Genau in diese Zeit, etwa Mitte des Jahres 1888, fallen Čechovs wachsende Zweifel an seiner Komödie. Schon Anfang Dezember 1887 hatte Čechov seiner Familie geschrieben, dass ihm sein Stück zuwider geworden wäre, nicht zuletzt, weil das Theater Korš es verunstaltet und das Publikum Ivanov nicht verstanden hätte. So beschloss er, sein Stück für die bevorstehende St. Petersburger Premiere umzuarbeiten. Dies vollzog sich in zwei Etappen, deren erste in die Zeit von Anfang Oktober bis 19. Dezember 1888 fiel. Im Januar 1889 bis unmittelbar vor der Aufführung erfolgte dann eine weitere Umarbeitung. Die Umarbeitungen betrafen vor allem den 2. und 4. Akt. Besonders Letzterer wurde weitgehend neu gefasst, zugleich von 20 Seiten und 2 Bildern auf 14 Seiten und 9 Szenen verkürzt. Die Hochzeit von Ivanov und Saša, die ursprünglich zwischen dem ersten und zweiten Bild des letzten Aktes stattfand, wurde überhaupt gestrichen. Hatte die Komödie noch mit dem unerwarteten, plötzlichen Tod des Helden durch eine Herzattacke geendet, so endete das Drama nunmehr unmittelbar vor der Hochzeit mit dem Selbstmord Ivanovs. Čechov verdeutlichte die Gegenwartsbezüge bei den beiden zentralen Figuren Saša und Ivanov. Vor allem Ivanov wurde neu konzipiert und seine Motivation neu gefasst. Am 20. Dezember 1888 schrieb Čechov: „Весь IV-ый акт переделал коренным образом, безжалостно" (P. 3, 108; Den ganzen IV. Akt habe ich wesentlich umgearbeitet, gnadenlos). Der Fabrikantensohn Dudkin wurde gestrichen, die klamaukhaften Szenen stark gekürzt, die zahlreichen antisemitischen Bemerkungen einzelner Figuren der Komödie wurden auf wenige reduziert. In allen diesen Veränderungen manifestiert sich Čechovs Bemühen, den ernsthaften Charakter des Stückes zu betonen und seine beiden Hauptpersonen zum kulturellen und intellektuellen Umfeld seiner Zeit in einen engeren Bezug zu setzen. Wir können so eine Entwicklung wahrnehmen, die sich zur selben Zeit auch in seinem erzählerischen Werk vollzog!

Čechov akzentuierte den Konflikt zwischen seinem Helden und der Gesellschaft seiner Zeit im Drama. Saša bringt dies auf den Punkt: „Все вы не то, не то, не то!.. На вас глядя, мухи мрут и лампы начинаются коптеть. Не то, не то!.." (12, 30; Ihr seid alle nicht das, nicht das, nicht das!.. Wenn sie euch anschauen, sterben die Fliegen und die Lampen fangen an zu rußen. Nicht das, nicht das!..). Dies verbindet sich mit Kritik an der Jugend der Zeit, von der Lebedev sagt, sie wäre „кислая, переваренная..." (12, 27; sauer, ausgelaugt...), was von ihm aber sogleich ins Humoristische gewendet wird. Das Thema Langeweile wird dabei angesprochen (= *skuka*, *skučiš'*, z.B. „Со скуки да с голоду волком завоешь и людей грызть начнешь..."; 12, 39; Vor Langeweile und Hunger wirst du wie ein Wolf heulen und die Leute zu beißen beginnen...). Ivanov selbst fasst dies im 2. Akt gegenüber Saša so zusammen: „Как погляжу я на людей, которые вас окружают, мне становится страшно" (12,

38; Wenn ich die Menschen anschaue, die Sie umgeben, dann wird mir schrecklich zumute). Graf Šabel'skij, der Onkel Ivanovs, nennt alle Menschen niedrig (*podly*), was im Drama im Gegensatz zur Komödie noch mit einem Zusatz verstärkt wird: „Все подленькие, маленькие, ничтожные, бездарные, сам я гадок себе, не верю ни одному своему слову..." (12, 67/68; Alle sind banal, klein, nichtswürdig, unbegabt, selbst bin ich mir eklig, ich glaube keinem einzigen meiner Worte...). Die Gegenüberstellung Ivanovs mit der Masse/Gesellschaft wird vor allem in der 11. Szene des Dramas auch optisch deutlich gemacht, als Ivanov „in einem geborgten, abgetragenen Frack, ohne Handschuhe" erscheint und so den Spott der Gesellschaft auf sich zieht, was zum Kommentar des Grafen „Отвратительные людишки!" (12, 75; Abstoßendes Menschenpack!) führt. Im umgearbeiteten 2. Akt wird auch der Charakter des Arztes als eines „Dobroljubov redivivus" verdeutlicht. Saša: „Ходячая честность. Воды не попросит, папиросы не закурит без того, чтобы показать своей необыкновенной честности. Ходит или говорит, а у самого на лбу написано: я честный человек!" (12, 33; Die wandelnde Ehrenhaftigkeit. Er bittet nicht um Wasser, zündet sich keine Zigarette an, ohne seine ungewöhnliche Ehrenhaftigkeit zu demonstrieren. Er geht oder spricht, und es steht ihm auf die Stirn geschrieben: ich bin ein ehrenwerter Mensch; vgl. auch auf S. 39 den ähnlichen Kommentar Anna Petrovnas!). Dies wird im Drama durch eine Tirade Šabel'skijs noch verstärkt (12, 33). Im Namen seiner Prinzipien und Ideale ist L'vov auch zur tödlichen Beleidigung fähig, die zu Ivanovs Selbstmord führt! Ebenfalls im 2. Akt wird Sašas Leidenschaft für Ivanov neu motiviert und damit im Kontext der Epoche verankert. Čechov deutet an, dass es nicht Liebe ist, was sie bewegt, sondern – ähnlich wie bei vielen emanzipierten jungen Frauen der Zeit – der Wunsch, sich einer ethisch, moralisch motivierten Aufgabe zu stellen. Saša erkennt in einem Gespräch mit ihrem Vater zu Beginn des 4. Aktes, dass sie Ivanov nicht so sehr liebt wie nötig, dass sie in seiner Gegenwart sogar von Langeweile überfallen wird. Als der Vater zur Trennung rät, besinnt sie sich: „Он хороший, несчастный, непонятый человек; я буду его любить, пойму, поставлю его на ноги. Я исполню свою задачу. Решено!" (12, 67; Er ist ein guter, unglücklicher, unverstandener Mensch; ich werde ihn lieben, verstehen, wieder auf die Beine stellen. Ich werde meine Pflicht erfüllen. Es ist entschieden!). Nicht Liebe, sondern die selbst gesetzte Aufgabe, einen gestrauchelten, von der Gesellschaft verleumdeten Menschen wieder aufzurichten, motiviert sie! Ivanov wird von ihr im Drama als guter und ehrlicher Mensch, allerdings mit einem „schwachen Charakter" bezeichnet, der seinen Mitmenschen allzu leicht Glauben schenkt. „Все, что у него было, растащили, расхитили" (12, 29; Alles, was er hatte, haben sie weggeschleppt, ihm abgeluchst), was eben ihr Mitleid erweckte. Dies wird am Beginn des 4. Aktes im Drama von Ivanov auch klar erkannt: „Поиграл я Гамлета, а ты возвышенную девицу – и будет с нас" (12, 70; Ich habe den Hamlet gespielt, und du die erhabene Jugfrau – das war's dann mit uns). In seinem großen, von Čechov neu verfassten dreiteiligen Monolog, definiert Ivanov seinen Zustand so: „Энергия жизни утрачена навсегда, [...] и всякий, слушая меня, заражается отвращением к жизни... я погиб безвозвратно!" (12, 70/71; Die Lebensenergie ist für immer verloren, [...] und jeder, der mir zuhört, steckt sich an diesem Lebensekel an... ich bin unwiderruflich verloren). Von sich als „nicht dummer, gebildeter und gesunder Mensch" sagt er, wenn ein solcher einmal auf die schiefe Ebene gerät, dann gibt es keine Rettung mehr! Und er ruft ihr zu: „Откажись же! Пойми: в тебе говорит не любовь, а упрямство честной натуры. Ты задалась целью во что бы то ни стало воскресить во мне человека, спасти, тебе льстило, что ты совершаешь подвиг..." (12, 72; Lass' doch ab! Begreif doch: in dir spricht nicht die Liebe, sondern der Starrsinn einer ehrlichen Natur. Du hast dir zum Ziel gesetzt, in mir, koste es was es wolle, den Menschen wieder zum Leben zu erwecken, zu retten, es schmeichelte dir, dass du eine große Tat vollbringst...). Saša lässt aber nicht von ihm ab, selbst als Ivanov ihrem Vater seinen Rückzug von der Hochzeit mitteilt: „я тебя не отпущу" (12, 73; [...] ich lasse nicht von dir ab). Dies ereignet sich unmittelbar vor der Trauung. Die

Auseinandersetzung wird abrupt durch L'vov beendet, als er Ivanov vor allen Anwesenden der Niederträchtigkeit bezichtigt. Saša verurteilt L'vov in einem kurzen Monolog, der übrigens von Čechov erst auf Drängen Suvorins eingefügt wurde, in dem sie nochmals Ivanov als ehrlichen Menschen bezeichnet und L'vov der Unmoral bezichtigt. Sie fordert die Anwesenden auf, sich endlich auf den Weg in die Kirche zu machen. Da greift Ivanov mit den Worten ein: „Постой, я сейчас все кончу" (12, 76; Warte, ich werde gleich alles beenden). Er zieht eine Pistole und erschießt sich. Vor dieser letzten Szene des Dramas steht noch ein Monolog Ivanovs, in dem er vor dem Vater Sašas seinen Weg von der Jugend bis zur Gegenwart resümiert, ein Monolog, auf den noch einzugehen ist.

Wir sehen deutlich, dass Čechov für das Drama die Hauptpersonen neu konzipiert und ihre Konturen schärfer umrissen hat. Saša ist nun, wie er selbst schreibt, „девица новейшей формации. [...] Это женщина, которая любит мужчин в период их падения. [...] у нее такая благодарная, святая задача! Она воскресит упавшего, поставит его на ноги, дает ему счастье... Любит она не Иванова, а эту задачу" (Brief an A.S. Suvorin vom 30.10.1888; P. 3, 113/14; ein Mädchen der neuesten Art. [...] Das ist eine Frau, die Männer in der Zeit ihres Verfalls liebt. [...] da hat sich so eine dankbare, heilige Aufgabe! Sie erweckt den Gefallenen wieder zum Leben, stellt ihn wieder auf die Beine, schenkt ihm Glück... Sie liebt nicht Ivanov, sondern diese Aufgabe). Dies war in der Komödie noch keineswegs klar. Auch der Arzt L'vov ist sehr viel schärfer umrissen und wird als zweiter Dobroljubov gekennzeichnet. Die weitestgehende Überarbeitung betrifft allerdings Ivanov selbst. Čechov hat die charakterlichen Veränderungen, denen Ivanov unterliegt, im Drama sehr viel schärfer akzentuiert, als in der Komödie. Der jugendliche Ivanov wird rückblickend als enthusiastischer, tatkräftiger, gesellschaftlich tätiger Mensch gezeichnet. Ivanov selbst meint von sich, dass er noch vor kurzem „был здоров и силен, был бодр, неутомим, горяч, работал этими самыми руками [...]. Я веровал, в будущее глядел [...]" (12, 52/53; ich war gesund und stark, war lebenslustig, unermüdlich, heißblütig, arbeitete mit diesen Händen [...]. Ich glaubte, ich blickte in die Zukunft). Seine Frau Sarah bestätigt dies (12, 30/31). Ivanov führt dies in seinem letzten Monolog weiter aus: „Был я молодым, горячим, искренним, неглупым; любил, ненавидел и верил не так, как все, работал и надеялся за десятерых [...], бился лбом о стены; не соразмерив своих сил, не рассуждая, не зная жизни, я взвалил на себя носу, от которой захрустела спина [...], возбуждался, работал; не знал меры" (12, 74; Ich war jung, heißblütig, aufrichtig, nicht dumm; ich liebte, hasste und glaubte nicht so wie alle, arbeitete und hoffte für zehn [...], wollte mit dem Kopf durch die Wand; ohne mit meinen Kräften zu haushalten, ohne zu überlegen, ohne das Leben zu kennen, lud ich mir eine Last auf, von der mir das Rückgrat zu knirschen begann [...], ich engagierte mich übermäßig, arbeitete; ich kannte kein Maß). Der Gegensatz, wie ihn Turgenev einst definiert hatte, wurde im Drama in Bezug auf Ivanov noch vertieft: In seiner Jugend sieht sich der Ivanov des Dramas nun als ein Don Quijote, der aus Idealismus mit „Windmühlen", Chimären kämpfte, „сражался с мельницами" (12, 74). Mit 30 Jahren fühlt er sich jedoch bereits alt: „С тяжелой головой, с ленивой душой, утомленный, надорванный, надломленный, без веры, без любви, без цели, как тень, слоняюсь я среди людей и не знаю: кто я, зачем живу, чего хочу?" (12, 74; Mit schwerem Kopf, mit träger Seele, müde, angeschlagen, gebrochen, ohne Glauben, ohne Liebe, ohne Ziel lungere ich wie ein Schatten unter den Menschen herum und weiß nicht: wer bin ich, wozu lebe ich, was will ich?). Nun vergleicht er sich mit Hamlet und den „überflüssigen Menschen" Russlands (12, 37). Er leidet an Schuldgefühlen sowohl Sarah wie auch Saša und seinen Bekannten gegenüber, verachtet sich selbst ebenso wie die ihn umgebende Gesellschaft, ist aber unfähig, aus diesem Teufelskreis auszubrechen.

Čechov hatte in der Zeit der Umarbeitung seines Stückes ein äußerst negatives Bild von der russischen Gesellschaft, das er auch in einem Brief an Suvorin mit schonungsloser Deutlichkeit niederlegte. Die russische Intelligenz nennt er „вялая, апатичная, лениво философствующая, холодная" (welk, apathisch, träge, klugrednerisch, kalt) und fährt fort: „Где вырождение и апатия, там половое извращение, холодный разврат, выкидыши, ранняя старость, брюзжащая молодость, там падение искусств, равнодушие к науке, там несправедливость во всей своей форме" (P. 3, 309; Brief vom 27.10.1889; Wo Dekadenz und Apathie herrschen, da gibt es Unzucht, kaltes Laster, Abtreibungen, vorzeitiges Altern, eine murrende Jugend, da kommt es zum Verfall der Künste, zur Gleichgültigkeit gegenüber der Wissenschaft, da gibt es Ungerechtigkeit in jeder denkbaren Form). Schon ein Jahr zuvor, noch einen Monat vor der St. Petersburger Aufführung, hatte er einen ausführlichen Brief an Suvorin gerichtet, in dem er im Detail auf Ivanov eingeht und seine Neufassung dieses Charakters erläutert. Er wiederholt fast wörtlich die Selbstcharakteristik Ivanovs aus dem letzten Monolog, betont, dass Ivanov eine Universitätserziehung genossen habe, ehrlich und geradlinig sei. „Прошлое у него прекрасное, как у большинства русских интеллигентных людей. [...] Настоящее всегда хуже прошлого" (P. 3, 109; Er hat eine tadellose Vergangenheit, wie die Mehrheit der russischen Intellektuellen. [...] Die Gegenwart ist immer schlechter als die Vergangenheit). Er sieht in ihm so den typischen Vertreter des gebildeten russischen Landadels seiner Zeit. Für diese, seiner Ansicht nach prägende Eigenschaft jedes Russen macht er eine spezifische Eigenheit verantwortlich, die er als „русская возбудимость" bezeichnet, eine Art Erregungszustand, in dem der Mensch alle möglichen Probleme anpackt, auch solche, die weit über seine Kräfte gehen, nur um sehr bald ermüdet und erschöpft aufzugeben: „Но едва дожил он до 30–35 лет, как начинает уж чувствовать утомление и скуку" (P. 3, 110; Aber kaum ist er 30–35 Jahre alt, da fängt er an, Erschöpfung und Langeweile zu empfinden). Zu diesen „преждевременно утомленные люди" (vorzeitig gealterten Menschen) gehöre auch Ivanov, wäre also damit ein Repräsentant des gebildeten Russen der Zeit. Solche Menschen wie Ivanov lösen keine Probleme, meint Čechov, sie stürzen unter ihrer Last! Es gäbe zahlreiche Arten von „Erregungen" (= *vozbuždenija*), auch der Sozialismus wäre eine solche, meint Čechov, in die sich der Russe stürze, nur um bald darauf in eine tiefe Erschöpfung zu verfallen (= *utomljaemost'*), die mit jedem Mal in einen ausgeprägteren Zustand der Apathie münde. Der über sechs Druckseiten lange Brief muss als das wichtigste Dokument angesehen werden, in dem der Autor sein Verständnis des neu gestalteten Ivanov mit seinem Verständnis des zeitgenössischen Menschen verbindet. Darin mag auch die Ursache liegen, dass die St. Petersburger Aufführung einen „kolossalen, phänomenalen Erfolg" hatte (so der Autor selbst, vgl. P. 3, 156). Das Publikum verstand Ivanov und teilte wohl auch des Autors Sicht seiner Hauptfiguren.

Damit ist auch die Bedeutung des Dramas klar geworden. Čechov hat in der Zeit von der Erstfassung als Komödie bis zur Neukonzeption und Umarbeitung als Drama einen weiten Weg zurückgelegt. Er hatte sich von den Schablonen alter literarischer Modelle gelöst, sich von den Elementen des Vaudeville in der Komödie, denen er zwar weiterhin Tribut zollte, distanziert und sein erstes nicht nur abendfüllendes, sondern auch mit zeitgenössischer Problematik angereichertes Theaterstück verfasst. Es fehlt allerdings noch der Hinweis darauf, dass Čechovs Verständnis des Intellektuellen oder generell des gebildeten Zeitgenossen einen Hintergrund hat, der mit der Dichtung der 1880er Jahre, die wir auf dem Weg von der Neuromantik zur Dekadenz sehen, zusammenhängt. Die Epoche der späten 1880er Jahre und das darauf folgende Jahrzehnt sind in die Literaturgeschichte als Dekadenz bzw. *Fin de siècle* eingegangen. Dazu besteht zu Čechovs Drama eine Verbindung. Auch darauf sei kurz eingegangen.

Im Januar 1888 schrieb Čechov an Grigorovič, dass sich unter den Dichtern Fofanov hervorgetan hätte (P. 2, 17). Nadson hatte er schon ein Jahr davor als einen größeren Dichter als alle zeitgenössischen Dichter zusammengenommen bezeichnet (P. 2, 21). Auch gegenüber Merežkovskij äußerte er sich positiv. Das Lebensgefühl, das in der Lyrik der späten 1880er Jahre bei diesen Autoren im Vordergrund stand, nahm die dekadente Dichtung der 1890er

Jahre vorweg und zeigt einen mehr oder weniger deutlichen Bezug auch zu dem Lebensgefühl, das Ivanov verkörpert. Von jedem seien einige typische Zeilen hier angeführt, die dies verdeutlichen:

1. Fofanov:

Но жизнь моя темна и дума безотрадна,
Как облетелый сад и пуста моя душа,
И ходит ветер в нем стремительно и жадно
И гнет вершины лип, порывисто дыша.
(Aus: Prekrasna ėta noč'... / Schön ist diese Nacht..., 1887)[3]

Aber mein Leben ist finster und mein Denken freudlos,
Wie ein entlaubter Garten ist leer auch meine Seele,
Und der Wind weht in ihm zielstrebig und gierig
Und beugt, abgerissen atmend, die Wipfel der Linden.

2. Nadson:

Мне кажется, что я схожу с ума.
Да, я схожу с ума и не стыжусь признанья.
Томит меня, томит, как цепи, как тьюрма,
Бессмысленная жизнь без цели и призванья.
....
....Я бегу
В толпу, где голоса, и звуки, и движенье;
Чего-то все ищу и жду...
(1885)[4]

Ich glaube, dass ich den Verstand verliere
Ja, ich verliere den Verstand und schäme mich nicht, es zu bekennen.
Es quält mich, quält wie eine Kette, wie ein Kerker,
Das sinnlose Leben ohne Ziel und Berufung.
....
....Ich stürze mich
In die Masse, wo Stimmen und Klänge und Bewegung sind;
Ich suche etwas und warte...

3. Merežkovskij:

Покоя, забвенья... Уснуть, позабыть
Тоску и желанья.
Уснуть и не видеть, не думать, не жить,
Уйти от сознанья!
Но тихо ползут бесконечной чредой
Пустые мгновенья,
И маятник мерно стучит надо мной
Ни сна, ни забвенья!..
(1887)[5]

Ruhe, Vergessen... Einschlafen, vergessen
Die Sehnsucht und Begierde.
Einschlafen und nicht sehen, nicht denken, nicht leben,
Das Bewusstsein verlassen!
Aber still kriechen in endloser Reihe
Leere Augenblicke dahin,
Und das Uhrpendel schlägt regelmäßig über mir
Kein Schlaf, kein Vergessen!..

---

[3] K.M. Fofanov: Stichotvorenija i poėmy. Moskva, Leningrad 1962, S. 74.
[4] S.Ja. Nadson: Polnoe sobranie stichotvorenij. Berlin o.J., S. 322.

Die existenzielle Langeweile und Müdigkeit, die in diesen Zeilen dominiert, fand einen beredten Ausdruck in der Lyrik des nächsten Jahrzehnts. In der Folge erschienen auch kritische Stellungnahmen zu diesem Phänomen. Bereits 1888 kennzeichnete Nietzsche die Dekadenz als ein Leben, das „nicht mehr im Ganzen wohnt" und sprach von der „Anarchie der Atome, Disgregation des Willens, [...]. Überall Lähmung, Mühsal, Erstarrung oder Feindschaft und Chaos". Hermann Bahr sprach vom „unrettbaren Ich". „Es ist nur ein Name. Es ist nur eine Illusion."[6] Das Ich löst sich auf in Empfindungen und Eindrücken. Maria Herzfeld schrieb 1892 über das *Fin de siècle*, es wäre eine „Welt absterbender Ideale", charakterisiert durch „apathische Mutlosigkeit und Weltverzweiflung", das „Gefühl des Fertigseins, des Zu-Endegehens – Fin-de-siècle-Stimmung".[7] Valerij Brjusov formulierte 1904 ganz ähnlich: „Все наше сознание обманывает нас, перенося свои свойства, условия своей деятельности, на внешние предметы. Мы живем среди вечной, исконной лжи." (Unser ganzes Bewusssein täuscht uns, indem es seine Eigenschaften, die Bedingungen seiner Aktivität auf die äußeren Gegenstände überträgt).[8] In einem Aufsatz vom nächsten Jahr findet sich die charakteristische Formulierung, „вся наша жизнь не что иное, как ряд наших душевных переживаний" (unser ganzes Leben ist nichts Anderes als die Reihe unserer seelischen Erlebnisse).[9] Dahinter steht wiederum der Gedanke von der Auflösung des Ich. Brjusov wiederholt im Grunde Ansichten Ernst Machs aus seiner *Analyse der Empfindungen* (1886!), auf die sich auch H. Bahr stützte. Ein Vierteljahrhundert später schrieb Geršenzon rückblickend in seinem Brief an V. Ivanov über die Dekadenz: „Wir wollen, gleich Nietzsche, wachsam auf uns acht geben, ob wir nicht die Gifte des Verfalls, der Ansteckung der ‚Dekadenz' in uns haben." Er definierte sie als eine „erstorbene Erinnerung, […] ein Wissen davon, dass die Prophezeiungen verstummten". Er sah in ihr „Geister der Müdigkeit und Trägheit", „Gift im Blut" und „Entkräftung der Knochen".[10] Begriffe wie „Psychopath" und „Neurastheniker" finden sich häufig in Texten der Zeit als Charakterisierung des Menschen der Dekadenz. Auch Čechov verwendete sie in seinen Briefen der späten 1880er Jahre. Ivanov selbst spricht von sich als „Psychopath" (4. Akt, 10. Szene) und fragt sich: „Что стало с моими нервами?" (12, 53; Was ist mit meinen Nerven passiert?).

Aus dieser kurz gefassten Darstellung der Dekadenz als eines gemeineuropäischen Phänomens des *Fin de siècle* geht hervor, dass es legitim ist, Čechovs *Ivanov* hier einzuordnen als eine hellsichtige Vorwegnahme des Menschen des *Fin de siècle* in der russischen Literatur. Dies unterstreicht die Bedeutung des Dramas und lässt die Tragweite der Umarbeitung des Stückes von einer klamaukhaften, vaudevillehaften Komödie zu einem ernsten Theaterstück erkennen, welches das Lebensgefühl und die Problematik einer gerade eben anbrechenden Zeit wiedergibt!

Literatur

Berdnikov, G.P.: Čechov. Moskva 1974.
Brjusov, V.: Sobranie sočinenij v 7 tt. Moskva 1973-75.
Dolgopolov, L.K.; Nikolaeva, L.A.: Poėty 1880–1890-ch godov. Moskva, Leningrad 1964 (= Biblioteka poėta, Malaja serija).
Fofanov, K.M.: Stichotvorenija i poėmy. Moskva, Leningrad 1962.

---

[5] Zit. nach: L.K. Dolgopolov, L.A. Nikolaeva: Poėty 1880–1890-ch godov. Moskva, Leningrad 1964 (= Biblioteka poėta, Malaja serija), S. 155.
[6] Die Wiener Moderne. Hg. G. Wunberg. Stuttgart 1981 (= Universalbibliothek, Nr. 7742/9), S. 147.
[7] Ebda., S. 260f.
[8] V. Brjusov: Sobranie sočinenij v 7 tt. Moskva 1973-75. T. VI, 1975, S. 92.
[9] Ebda., S. 111.
[10] W. Gerschenson, W. Iwanow: Briefwechsel zwischen zwei Zimmerwinkeln. Stuttgart 1948, S. 25f.

Gerschenson, W.; Iwanow, W.: Briefwechsel zwischen zwei Zimmerwinkeln. Stuttgart 1948.
Nadson, S.Ja.: Polnoe sobranie stichotvorenij. Berlin o.J.
Neuhäuser, R.: Čechov und das kierkegaardsche Paradigma. In: Anton P. Čechov – Philosophische und religiöse Dimensionen im Leben und Werk. Hg. V.B. Kataev, R.-D. Kluge, R. Nohejl. München 1997, S. 45-58.
Die Wiener Moderne. Hg. G. Wunberg. Stuttgart 1981 (= Universalbibliothek, Nr. 7742/9).
Wolffheim, E.: Anton Čechov. Reinbek bei Hamburg 1982.

Natalija Grjakalova

Цицикар, или Война языков: К поэтике трагикомического в поздней драматургии А.П. Чехова

Говоря об эстетической концепции А.П. Чехова, часто цитируют его письмо 1887 г. к М.В. Киселевой, в котором писатель определяет свой взгляд на «художественную литературу», подразумевая различие между «художеством» (правдивым изображением) и «искусством» (умелым изображением, мастерством), которое еще сохранялось в языковом узусе эпохи. «Художественную литературу потому и называют художественной, что рисует жизнь такою, какова она есть на самом деле. Ее назначение – правда безусловная и честная» (П. 2, 11).

Эту дефиницию обычно рассматривают как свидетельство приверженности писателя миметическому реализму/натурализму, делая при этом акцент на синтагме «жизнь [...], какова она есть на самом деле». В то же время очевидно, что Чехов ведет речь о специфической форме творческой деятельности по освоению действительности (литература *рисует жизнь*) с полным сознанием *условности* создаваемого писателем мира. И подобных замечаний, тематизирующих формальные аспекты собственного творчества, у Чехова достаточно. Позволю себе привести еще несколько авторских признаний, важных для дальнейшего изложения. Во-первых, из письма к А.С. Суворину от 1 апреля 1890 г.: «Конечно, было бы приятно сочетать художество с проповедью, но для меня лично это чрезвычайно трудно и почти невозможно по условиям техники» (П. 4, 54). Во-вторых, зафиксированные В.Э. Мейерхольдом эпизоды постановочной истории *Чайки* и протест Чехова – мягкий, ироничный, но, как всегда, настойчивый, против «театра иллюзии»:

> Один из актеров рассказывает о том, что в «Чайке» за сценой будут квакать лягушки, трещать стрекозы, лаять собаки.
> – Зачем это? – недовольным голосом спрашивает Антон Павлович.
> – Реально, – отвечает актер.
> – Реально, – повторяет А.П., усмехнувшись, и после маленькой паузы говорит: – Сцена – искусство. У Крамского есть одна жанровая картина, на которой великолепно изображены лица. Что если на одном из лиц вырезать нарисованный нос и вставить живой? Нос реальный, а картина-то испорчена. (13, 386)

Писатель представить себе не мог, что в течение того столетия, в которое он успел перешагнуть и ненадолго задержаться, «Джоконда», символ «высокой» европейской культуры, станет предметом художественных манипуляций pop-art'a: ей пририсуют усы, а позже, приклеив настоящие, выставят в музее в качестве «объекта». Из жизни уходило возвышенное… И Чехов, оказавшись современником начальных процессов модернизации общества и функционирования «массовой» культуры, откликнулся на новые, еще не пойманные художественным мейнстримом эпохи черты, своим *письмом о реальности*.

Смерть «метафизического человека», зафиксированная Э. Золя в 1880 г. на волне «экспериментального метода» (натурализма), была частным проявлением девальвации «возвышенного» и деканонизации сложившихся представлений о «высоком» и «низком». На сцену выходит повседневность («жизнь, как она есть на самом деле») и ее главный репрезентант – «серенький человек» в своей будничной и интимной жизни. «Жизнь бесславных людей», бывшая до того прерогативой «низкого» комического жанра (согласно миметической концепции Аристотеля, комедия «есть подражание худшим, хотя и не во всей их подлости»), предстает теперь как *трагедия повседневности* в новом жанре – *психологической драме.* Диффузная sui generis, она открыта навстречу жизни как процессу, и потому начинает свободно работать не только с «вещью», но прежде всего с «психологией», развиваясь от «театра иллюзии» к «театру настроения». Через два года после смерти Чехова, Вячеслав Иванов, теоретик символизма и апологет мистериального театра, обратит внимание на специфику жанра драмы, в том числе и чеховской, сделав существенное наблюдение уже с позиции «патетического принципа» современности: реалистический театр, «который хочет быть заведомо terre-à-terre» и поэтому изгоняет «героя»,

> делает как бы центральным лицом драмы самоё «Жизнь», как текучее становление и неразрешающийся процесс. Те, кто идут созерцать эти кинематографы повседневности, заранее знают, что перед их глазами не завяжется впервые новый узел живых сил и они не увидят никакой «развязки», потому что сама «жизнь» – единственный узел той всеобщей драмы, отрывок которой будет разыгран на сцене, и развязка еще не дана действительностью. Они удовольствуются, если драматург выдвинет частную проблему этой жизни, поставит вопрос, подлежащий обсуждению на митинге общественного мнения. Но динамическое начало драмы здесь утверждается вполне. Цель зрелища не столько эстетическая, сколько психологическая: потребность сгустить всеми переживаемое внутреннее событие – «жизнь»; ужаснуться, разглядев и узнав собственный двойник; бросить факел в черную пропасть, зияющую под ногами у всех, чтобы осветить беглым лучом ее бездонную неизмеримость.[1]

Деиерархизация жанрового драматургического пространства и дегероизация персонажа – тенденция, общая для европейского театра последней четверти XIX века, в котором на фоне развития натуралистической драмы ибсеновского типа и благодаря ей укрепляются антишекспировские тенденции, что было концептуализировано Б. Шоу в стать *Квинтэссенция ибсенизма*. Процесс дискредитации «возвышенного» и его абсолютного сценического репрезентанта – трагедии – способствует «проницаемости» сложившейся жанровой системы. Интерференция комического и трагического выступает как свидетельство осознания парадоксальности и алогизма жизненных ситуаций, включая те, которые З. Фрейд назовет «психопатологией обыденной жизни».

Смещение границ и изменение топографии высокого/низкого, комического/ трагического и зафиксировал Чехов в жанровых колебаниях и нестандартных жанровых дефинициях своих драматических произведений. *Леший*, *Чайка*, *Вишневый сад* были названы автором «комедиями». Драма *Три сестры* определялась им же как «крымская чепуха», «путаница», «водевиль», а труппа, репетируя спектакль, плакала, переживая несостоявшуюся жизнь всех без исключения персонажей. Аналогичная ситуация – на репетициях *Вишневого сада*, правда, там уже стояла при дверях смерть автора. Почти во всех «комедиях» Чехова происходит убийство (дуэль), самоубийство (его попытка) или, иначе, – крах протагониста сюжета, то есть проигрывается определенное сюжетное положение – «гибель героя». Однако представлено оно уже как locus communis культуры – клишированный литературный прием, с одной стороны, поведенческий штамп – с другой. Таким образом, то, что культура осмысляла как «высокое» (переживания и поступки романтического героя, пафос героя-идеолога), выродившись в штамп (Соленый в первом случае, Вершинин, Тузенбах – во втором), превратившись в «пустое означаемое», подвергается в фикциональном пространстве снижению и уничтожению.

Релятивизация высокого/низкого в драме *Три сестры* выносится на уровень дискуссии и актуализируется как исключительно современная проблема. «[…] быть может,

---

[1] Вяч. Иванов: Родное и вселенское. Москва 1998, с. 44 (статья «Предчувствия и предвестия. Новая органическая эпоха и театр будущего», 1906).

нашу жизнь назовут высокой и вспомнят о ней с уважением. Теперь нет пыток, нет казней, нашествий, но вместе с тем сколько страданий!» – восклицает барон Тузенбах. Его реплика – ответ на монолог Вершинина, в котором антиномия «высокого/низкого» представлена в своей относительности: «[…] мы теперь совсем не можем знать, что, собственно, будет считаться высоким, важным и что жалким, смешным» (13, 128/29). Вершинин – персонаж, фамилия которого маркирует проблематизацию «возвышенного» в драме. И не столько в пародийно-утопическом[2], сколько в *метатекстуальном* плане: именно он ведет авторскую линию рефлексивных размышлений на данную тему, не исключая и рецепцию национального характера: «Русскому человеку в высшей степени свойствен возвышенный образ мыслей, но скажите, почему в жизни он хватает так невысоко? Почему?» (13, 143). Ответ на этот вопрос может быть дан в характерной для чеховских персонажей манере каламбура или тавтологии: «такова жизнь».

На другом полюсе данного метатекста – Василий Васильевич Соленый, откровенно водевильный и фарсовый персонаж. В то же время он своего рода персонаж-маркер – многоступенчатая травестия «квазиромантического» комплекса, пропущенного через фильтры массового сознания и выродившегося в кич («Соленый воображает, что он Лермонтов, и даже стихи пишет. Вот шутки шутками, а уж у него третья дуэль», грим «под Лермонтова», «характер, как у Лермонтова», «… как говорят», но при этом «никогда не был на Кавказе»). Если учесть, что фамилия Вершинин входит в метапоэтический ономастикон и тем самым задает соответствующую интерпретационную парадигму тематизации и снижения «высокого», то фамилия Соленый может быть прочитана аналогичным образом. В таком случае этот персонаж выступает как прием в «игре на понижение», являясь олицетворение низкого жанра par excellence – обсценного анекдота (ср. идиому «соленый анекдот» и лексему «соленый» в составе обсценных идиоматических оборотов). Более того, это квинтэссенция алогизма – жизненного и, если угодно, фикционального. На уровне мимесиса бессмысленность его поступка (вызов на дуэль Тузенбаха) бросается в глаза: Ирина равнодушна к нему, и его победа ничем не вознаграждается, впрочем, он и не стремится реализовать свои матримониальные претензии. Его «победа» фиктивна, она существенна только в горизонте моделируемого им поведения. Почему же автор заставляет персонажа совершить этот нелепый поступок? Ведь не только для того, чтобы обнаружить алогичную логику жизни. Весьма вероятно, что, исключив из действия «героя-любовника», автор тем самым мог избежать «счастливого» водевильного исхода и вернуть персонажей к первоначальному status quo. Сестры никуда не едут, а возвращаются на круги свои: Ольга – к ученикам, Маша – к нелюбимому мужу, Ирина – к свои иллюзиям, Вершинин – к женепсихопатке, Андрей – к постылым обязанностям отца семейства… И только Соленый, этот провинциальный демонист, травестийный «deus ex machina», уходит из города – и не со всеми, а отдельно – «он пойдет на барже» (13, 173). «Свадьба» – финальный топос комедии или водевиля. Отказ от него – это не только уход от традиционной «развязки» (вспомним Вяч. Иванова: «[…] развязка еще не дана действительностью»), но и непризнание матримониального варианта как возможности разрешения личных психологических проблем. Естественным образом приходит соображение об исчерпанности дискурса подобного рода, относящегося к сфере «высокого», как в жизни, так и на сцене. Но катастрофа ли это? Жизнь, как она есть, продолжается…

> Музыка играет все тише и тише; Кулыгин, веселый, улыбающийся, несет шляпу и тальму. Андрей везет другую колясочку, в которой сидит Бобик.

---

[2] На эту функцию персонажа было обращено внимание исследователей, см. Ю.В. Даманский: Влюбленный утопист. Семантика образа Вершинина в «Трех сестрах». В: Ю.В. Даманский: Статьи о Чехове. Тверь 2001, с. 60-76.

Чебутыкин *(тихо напевает)*. Тара... ра... бумбия... сижу на тумбе я... *(Читает газету.)* Все равно! Все равно!
Ольга. Если бы знать, если бы знать!
Занавес. (13, 188)

Запущенный Чеховым механизм дискредитации возвышенного и героического, а также санкционированного социумом «высокого» срабатывает в точках, маркированных топосами, взятыми соответственно из трагедии («гибель героя») и водевиля («женитьба»). Они приобретают статус трагикомического, будучи помещенными в пространство повседневности. Подобные топосы и «фигуры» не лишены художественной функции в драматургическом пространстве. Внешне они «держат» сюжет, интригу, являясь средоточием динамического события, хотя само оно и вынесено «за сцену» (напр., весь ритуал дуэли и ее развязка). В экзистенциальном смысле это *событие*, выход героя за пределы себя-прежнего и той среды, где самореализация возможна лишь потенциально и потому либо утопична, либо разрушительна. Ситуации алогичные и вследствие этого внешне комичные превращаются в трагикомические, являясь адекватным отражением *трагедии повседневности*. В подобной перспективе жанровая дефиниция – обозначенная или подразумеваемая (комедия, фарс, водевиль) – приобретает концептуальную остроту: сам факт жанровой трансгрессии выводится на уровень метатемы, не говоря уже о нарушении ожиданий имплицитного читателя. «Комедия» позволяет свободно обращаться с материалом как самой жизни, так и с художественной условностью – «играть», «ломать комедию», уйти от аксиологической позиции, отказаться от морализаторства и авторского суда над персонажами.

Так, подвергнув ревизии драматургические и сценические условности и каноны, Чехов превращает драму в трагикомедию. И Соленый есть тот персонаж, который привносит в пьесу эффект «cum grano salis». Если он и не марионетка в узко-театральном смысле слова, то вне всякого сомнения – идеологическая марионетка. Не только потому, что он – фикция, жертва роли, навязанной ему культурой. Но и потому, что он – орудие в руках автора, с помощью которого он развенчивает одну из моделей авторепрезентации, а заодно и весь «литературный романтизм», доводя ситуацию до травестии. Более того, благодаря этому концептуальному персонажу наглядно видно, как фикция подчиняет себе жизнь и происходит трансформация комического в трагикомическое и трагическое. На эту *условность*, окрашивающую поздние произведения Чехова, обратил внимание Андрей Белый, писатель, чуткий к гротескному компоненту творчества: «Опираясь на тысячи деталей, он невольно производит выбор деталей и стилизует образ. [...] незаметно он вводит нас в сферу условного.»[3]

А. Бергсон, очерчивая топографию комического в работе *Смех* (1900), основную его фигурацию обнаруживал в эффекте выявления *«механического в живом»* (чертик на пружине, картонный плясун, снежный ком), в обнаружении «иллюзии жизни».

> Комическое – это та сторона личности, которой она походит на вещь, те человеческие поступки, которые своей совершенно специфической косностью походят на настоящий механизм, на нечто автоматическое – словом, на движение безжизненное.[4]

В художественном тексте, особенно в драматургическом, которому автор оказывает предпочтение, комическое находит выражение в повторе, серийности, редупликации (повторение, инверсия и интерференция серий, по Бергсону), приеме qui pro quo.

Эту топику и смещает Чехов, угадывая в ней – «прозревая», как сказали бы символисты 1900-х гг., увидевшие в его творчестве «подножие русского символизма», – вну-

---

[3] Андрей Белый: Арабески. Москва 1911, с. 399.
[4] А. Бергсон: Смех. Москва 1992, с. 59.

треннюю амбивалентность комического и трагического, то есть *трагикомический гротеск*. Чехов переходит границы «территории смеха», сложившееся к концу века, и складка, образующаяся при наложении традиционно комического («низкого») на открываемые им тревожащие глубины и перспективы современной жизни, понимаемой как трагизм самого человеческого существования, дает начало новому рельефу. Назвав персонажей чеховских пьес «фонографами глубины», Андрей Белый тем самым зафиксировал смещение границ рецепции «комического», которое открывается новому веку как «страшное»: «Действительность двоится: это и то, и не то; этот – маска, а люди – манекены, фонографы глубины – страшно, страшно…».[5] Жизнь, все более и более оказывающая во власти процессов, не контролируемых человеком, уподобляется механизму, и сама механистичность раскрывает свою трагическую сущность и выносится за пределы комического.

> Жизненный механизм направляет русло переживаний не туда, куда мы стремимся, отдает нас во власть машин. Наша зависимость начинается с общих нам неведомых причин и кончается конками, телефонами, лифтами, расписанием поездов. Между нами все больше и больше образуется замкнутый, механический цикл, из которого все трудней вырваться. […] Образуется машина бесцельного убийства душ.[6]

Размышления писателя-символиста по поводу фетишизации техники и утраты человеком понимания смысла существования, были спровоцированы чеховскими «пьесами с настроением» (*Три сестры* и *Вишневый сад*). Видно, как новая эпоха меняет вектор восприятия комического/трагического. Фарс превращается в трагикомический гротеск, открывая путь абсурдистской драме. Рефлексия по поводу смещения границ высокого/низкого, комического/трагического в культуре получит дальнейшее развитие. «Там, где что-либо механическое накладывается на живое, это комично. Но если механического все больше и больше, а живого все меньше и меньше, это душит, это трагично, ибо кажется, что мир не поддается нашему осознанию», – заметит теоретик и практик театра абсурда Эжен Ионеско.[7] Чехов, стоявший у истоков осмысления процессов отчуждения человека в эпоху модерна, предлагал свою драматургическую репрезентацию данного феномена.

Рассмотрим теперь, как коррелирует проблематика экзистенциального отчуждения с дискурсивными практиками, как она вторгается в драматургическое пространство и каким метатекстуальным потенциалом располагают задействованные драматургом ресурсы языка. На уровне сценического дискурса трагикомическое у Чехова маркировано шутками, каламбурами, анекдотами, расхожими цитатами, языковыми клише, создающими зону алогизма, минус-коммуникации, смыслового зияния или, напротив, надстраивания некоего метафизического, паралогического смысла. Этот идиоматический арсенал можно рассматривать и как «эффект реальности» (Р. Барт), и как свидетельство алогичности и абсурдности разыгрываемой жизненной драмы, доведенной до степени осознания экзистенциального ужаса бытия. Экзистенциальное сознание драматизирует сам феномен языка, и потому в чеховском универсуме эта проблематика выходит на первый план, разрешаясь в парадоксальных формах. Знание нескольких иностранных языков не открывает перед сестрами Прозоровыми пространства взаимообщения (ср. характерную деталь – ширму). Газета, трансмиттер между «высоким» и «низким», – постоянный атрибут Чебутыкина, транслирующего информацию, что аналогично приему qui pro quo. О Соленом, персонаже-штампе, речь которого строится из клише массовой культуры, уже говорилось. «Умный человек» Кулыгин владеет мертвым языком: его

---

[5] Белый, с. 404/05.
[6] Там же, с. 401/02.
[7] Цит. по: П. Пави: Словарь театра. Москва 1991, с. 384.

вполне достаточно для самореализации, которая не нарушает границ «доксы». Ментальный горизонт, ограниченный гимназией, латинским языком, правильной речью, сложившимся modus vivendi, не позволяет и его эротическому дискурсу выйти за пределы грамматических упражнений: «Маша меня любит. Моя жена меня любит.»

Другой регистр речевого поведения задан именно Машей: навязчиво-фантазматический повтор хрестоматийной пушкинской цитаты «У лукоморья дуб зеленый, златая цепь на дубе том…» и авторефлексивной репликой «Я с ума схожу» постепенно превращается в картину бреда с характерными нарушениями грамматической упорядоченности речи, инверсиями, бормотанием, интонационными перебивами и паузами:

> У лукоморья дуб зеленый, златая цепь на дубе том… Кот зеленый… дуб зеленый… Я путаю… *(Пьет воду.)* Неудачная жизнь… Ничего мне теперь не нужно… Я сейчас успокоюсь… Все равно… Что значит у лукоморья? Почему это слово у меня в голове? Путаются мысли. (13, 185)

А действительно, что значит «лукоморье»? – Это сказочный сакральный топос, не существующий в реальности – *утопия*. Как Москва, как счастье, как мечта…

Перед нами дискурсивная ситуация, описанная Р. Бартом как «война языков». Когда «механизм нарративности разлажен», ценность обретает язык, ускользающий от господствующего дискурса, от доксы. Реплики персонажей, на стороне которых «лирическая правда», грамматически дезорганизованы, нарушают границы нормы и осмысляются самими персонажами как «неправильные»: «Не то, не то я говорю…» (реплика Сони в *Дяде Ване*). Включаются паралингвистические средства: паузы, навязчивые повторы, оговорки, в которых проявляет себя стихия бессознательного и создается эффект суггестивности. Трагикомический эффект газетной (квази)цитаты-реплики Чебутыкина «Цицикар: здесь свирепствует оспа!» создается не только ее неуместностью в контексте общего разговора (алогизм ситуации), но и актуализацией ономатопоэтических ресурсов языка («гул языка», по Барту). Ситуации проблематизации говорения ставят под сомнение однозначность решений в рамках «здравого смысла» и указывают на иные возможности – на непрямые, скрытые, «невыразимые» смыслы. Можно привести в этой связи наблюдение Андрея Белого о потенциальных смысловых возможностях открытого писателем приема:

> [...] мы жадно слушаем повседневную речь, и начинает казаться, что она смутно двоится, что и Чехов, и герои его чего-то не досказывают, что-то *знают*, но не умеют ни сказать, ни привести к сознанию свое знание.[8]

Таким образом, принцип смыслового смещения осуществляется благодаря напряжению между миметической поэтикой и поэтикой условного художественного приема: введения концептуального персонажа-«маски» (Соленый, Кулыгин), навязчивой детали, метатекстуальных знаков. К таковым могут быть отнесены анекдоты в функции своеобразных вставных новелл: чепуха/реникса (Кулыгин); фикциональный спор Чебутыкина и Соленого о чехартме и черемше; реплика Ирины, моделирующая точку зрения на происходящее: «Но оказалось, все вздор, все вздор.» (Ср. аналогичный прием в *Чайке*: анекдот второстепенного персонажа Шамраева строится на обсценной оговорке «Мы попали в запендю» [западню], что может рассматриваться как травестийный вариант гамлетовской «мышеловки», если иметь в виду важность гамлетовского кода для интерпретации пьесы – «комедии», согласно жанровой дефиниции.)

Мы уже упомянули выше о введенном Р. Бартом понятии «война языков», которое релевантно по отношению к ситуациям, моделируемым Чеховым. Барт выделяет два

---

[8] Белый, с. 398.

типа языков в соответствии с их отношением к Власти: *энкратические языки* или виды дискурса, которые получают свои характерные черты под сенью Власти, и *акратические,* которые вырабатываются, вооружаются вне Власти и/или против нее.

> Энкратический язык нечеток, расплывчат, выглядит как природный и потому трудноуловим, это язык массовой культуры (большой прессы, масс-медиа), а также язык быта, расхожих мнений (доксы); сила энкратического языка обусловлена его противоречивостью – он весь одновременно и подспудный (его нелегко распознать) и торжествующий (от него некуда деться), можно сказать, что он липкий и всепроникающий.

Напротив,

> акратический язык резко обособлен, отделен от доксы (т.е. парадоксален); присущая ему энергия разрыва порождена его систематичностью, он зиждется на мысли, а не на идеологии.[9]

> Только в письме может быть открыто признан фиктивный характер самых серьезных, даже самых агрессивных видов речи, только в письме они могут рассматриваться с должной театральной дистанции. […] С другой стороны, только в письме допускается смешение разных видов речи, образуется так называемая гетерологичность знания, языку сообщается карнавальное измерение. Наконец, только письмо может развертываться без исходной точки, только оно может расстроить всякую риторическую правильность, всякие законы жанра, всякую самоуверенную системность. Письмо атопично, не отменяя войну языков, но смещая ее, оно предвосхищает такую практику чтения и письма, когда предметом обращения в них станет не господство, а желание.[10]

В такой семиотической перспективе феномен взаимоналожения комического и трагического (трагизм повседневного существования), высокого и низкого выступает как доминирующая черта художественной антропологии Чехова и его *письма о реальности.*

Литература

Белый, Андрей: Арабески. Москва 1911.
А. Бергсон, А.: Смех. Москва 1992.
Даманский, Ю.В.: Влюбленный утопист. Семантика образа Вершинина в «Трех сестрах». В: Ю.В. Даманский: Статьи о Чехове. Тверь 2001, с. 60-76.
Иванов, Вяч.: Родное и вселенское. Москва 1998.
Пави, П.: Словарь театра. Москва 1991.

[9] Р. Барт: Избранные работы. Семиотика. Поэтика. Москва 1989, с. 537.
[10] Там же, с. 539/40.

Alevtina Kuzičeva

Драматические сюжеты в письмах Чехова

Чехов не раз говорил, что не умеет писать писем. Но шутил, что после его смерти письма будут опубликованы, что их можно будет выгодно продать и оставить для потомства как бесценный автограф «великого писателя». Чужие письма Чехов хранил бережно и грозился завещать внукам: «Пусть сукины сыны читают и ведают дела давно минувшие» (П. 3, 213).

Публикация писем Чехова в первых посмертных сборниках вызвала большой интерес, а появление каждого тома собрания чеховских писем в 1910-е гг. становилось заметным литературным событием. Современники открывали в них Чехова-человека, взаимосвязь между чеховской прозой и его письмами. Впоследствии исследователи оценили эпистолярное наследие как важнейший источник. В том числе для изучения драматургии писателя.

Однако проблема «Письма и талант драматурга», серьезно и интересно поставленная одним из современных отечественных ученых[1], изучена все-таки мало. Особенно в связи с психологией творчества и личности Чехова. Задача данного доклада – выявить отдельные аспекты такого подхода и предложить некоторые наблюдения.

Давно замечены и перечислены фразы из писем Чехова, ставшие репликами героев его пьес. Их предостаточно. Одни буквальны. Например, «Всякому безобразию есть свое приличие» (П. 2, 203), «Вот тут и вертись!» (П. 5, 21), «Мило, талантливо» (П. 5, 133).

Другие косвенны. Например, «На этом свете не тесно, для всех найдется место» (П. 3, 158), «Ах, как не хочется уезжать отсюда!.. Москва с её холодом, плохими пьесами, буфетами и русскими мыслями пугает мое воображение…» (П. 2, 312), «В моей печке воет жалобно ветер. Что-то он подлец говорит, но что – не пойму никак» (П. 3, 21) или «С каким удовольствием я поехал бы теперь куда-нибудь в Биарриц, где играет музыка и много женщин» (П. 3, 202). В этих строчках из писем Чехова узнаваемы будущие реплики героев *Чайки*, *Трех сестер*, *Вишневого сада*. Исследователи давно используют эти совпадения, размышляя о рождении и формировании замысла чеховского произведения, о той или иной доле автобиографического в персонаже пьесы. Но, кажется, до сих пор не обращали внимания на то, как фраза из письма, ставшая репликой, если ее вернуть к первоисточнику, проявляет глубинные процессы и важнейшие моменты в психологии Чехова.

Осенью 1889 г. Чехов, отвечая Суворину на предложение «заняться» героем рассказа *Именины*, признавался, что охотно бы это сделал, даже «описал бы дождь» (П. 3, 46). Затем последовал целый монолог, очень откровенный и существенный: о внешних и внутренних причинах, мешающих ему писать *то* и *как* ему хочется. Он сам назвал это письмо «воплем». В нем угадывается многое из будущих монологов Тригорина и Треплева, судьбы которых косвенно объясняют нечто очень важное в судьбе самого Чехова.

В связи с превращением множества строк из писем в реплики героев пьес, в детали сценического действия возникают небезынтересные вопросы. Почему, допустим, *Чайка* присутствует в письмах задолго до ее написания, полнее, отчетливее, эмоциональнее, чем другие пьесы, которые более связаны с записными книжками. Это обстоятельство, наверно, немаловажно для понимания его судьбы и творчества.

[1] См. Э. Полоцкая: О поэтике Чехова. Москва 2000, с. 63-98.

Некоторые герои, ситуации, предметы из будущих пьес словно мерцают в письмах Чехова. Например, фраза – «чтобы имение нравилось, надо в нем родиться или связать с ним приятное воспоминание» (П. 5, 66) предвосхищает *Вишневый сад*. Так же как и шутливое обещание в 1893 г. А.С. Киселеву, одному из прототипов образа Гаева, ищущего места управляющего дворянским банком в связи с продажей имения (П. 5, 445), что у него будет секретарь, нюхающий «отвратительный» табак (П. 5, 160) отсылает к реплике насчет «отвратительных сигар» Яши. Персонаж именно с такой привычкой был, видимо, неизбежен около Гаева и Раневской, с их отношением к неприятным запахам, вроде запаха мыла от скатертей в ресторане.

Видимо, человеческий тип предполагал в творческом сознании Чехова и антураж, окружение, детали. Поэтому так интересна типология, содержащаяся в письмах Чехова. В 1891 г. он объяснял Е.М. Шавровой тип гинеколога, а по сути будто набрасывал портрет Дорна из *Чайки*: «Все гинекологи идеалисты. […] он большой либерал, немного мистик […]. [...] хорошим гинекологом не может быть глупый человек или посредственность» (П. 4, 273).

В свою очередь определенный тип, которому драма дает минимум времени для максимального самовыражения, при совпадении его черт с реалиями из жизни самого Чехова, приоткрывает нечто в личности писателя. Например, неслучайная шутка Чехова в письме к М.В. Киселевой в 1891 г. о выигрыше по билету – «Если выиграю сто тысяч, то пожертвую в Никулинскую церковь тысячу, о. Федору на утешение и прихожанам на пользу, а Вам дам взаймы десять тысяч. Вот доброта! Редкое сердце!» (П. 4, 312), обернулась в последней пьесе не только простодушными расчетами Симеонова-Пищика («Двести тысяч выиграет Дашенька… у нее билет есть»; 13, 209), но иронической улыбкой Чехова над собственными вечными мыслями и расчетами о деньгах, процентах, закладных...

Шутка молодого Чехова в письме от 1886 г. к той же Киселевой, тогда владелице красивого, уютного имения, правда уже заложенного и обреченного на продажу, что если он умрет раньше ее, то просит выдать своим наследникам обещанный ею в подарок шкаф, мелькнула пророческой тенью *Вишневого сада*, а шутливая фраза из того же письма в ответ на вопрос Киселевой, не женился ли Чехов – «Нет, чем и горжусь. Я выше женитьбы!» (П. 1, 262) – своеобразным предвосхищением Пети Трофимова с его репликой «я так далек от пошлости. Мы выше любви!» (13, 233). Но впоследствии уже сама пьеса и отношение некоторых ее героев, в том числе и Трофимова, к Раневской стали далеким отзвуком взаимоотношений между Киселевой и Чеховым, когда они вместе удили часами рыбу, шутили, вели разговоры о любви, о жизни.

Вообще эхо реальных отношений, наблюдений, событий в пьесах Чехова неисчерпаемо и еще ждет исследователя. Например, в 1886 г. он упомянул бытовую подробность уклада дома Сувориных: «Ночь. Слышен стук бильярдных шаров: это играют Гей и мой Василий» (П. 2, 214). Надо знать секретаря редакции *Нового времени* Гея и его роль в газете, а также важного лакея Василия, приставленного к Чехову, чтобы понять всю иронию этой сцены, которая явно отозвалась во внесценическом эпизоде *Вишневого сада*: Епиходов играет на бильярде, ломает кий, расхаживает по гостиной как гость.

В 1888 г., в Рождество, Чехов объясняет свое плохое настроение тем, что «в первый день праздника вечером возился с больным», который у него на глазах умер (П. 3, 104). Потом этот печальный факт, уже преобразованный, всплывет в пьесе *Дядя Ваня*.

Пласт реалий, косвенного или скрытого присутствия современников, чья тень угадывается в пьесах Чехова, огромен и до сих пор в своей значительной части остается неразгаданным, нерасшифрованным. Например, наблюдения Чехова на заседании Общества драматических писателей и оперных композиторов в апреле 1889 г. (П. 7, 248-

250) над А.А. Майковым, тайным советником, стариком, цеплявшимся за должность председателя Общества, проливают свет на образ Серебрякова из *Дяди Вани*, тоже тайного советника, старого человека, тяжело переживающего свою отставку.

Все это таинственным образом переплавлялось в творческом сознании Чехова, чтобы потом всплыть в образе и судьбе вымышленного героя. Наблюдения Чехова над окружающими были не только курьезными, добродушно-насмешливыми, серьезными, но что характерно, видимо, для такого типа творческой личности – пророческими. Он воображал судьбу, событие, и они происходили.

Хрестоматиен пример с кончиной маленькой дочки Лики Мизиновой, умершей вскоре после премьеры *Чайки*, где Нина Заречная, в которой угадываются черты Лики, теряла дочь.

Любопытен «диагноз», поставленный Чеховым приятелю В.В. Билибину накануне свадьбы: «Виктор Викторович худеет оттого, что скучает по мне и не имеет успеха у женщин. Ему нужно застрелиться» (П. 1, 245). Брак оказался неудачным, жена ревновала мужа, почему-то особенно к Чехову, которого порой не пускала в дом. Билибин, судя по его переписке с современниками, действительно скучал по Чехову, но скрывал это от него самого.

И.Л. Леонтьеву-Щеглову Чехов однажды пожелал: «Вам бы нужно жить в светленьком домике, с хорошенькой голубоглазой актрисой, которая весь день пела бы Вам тарарабумбию» (П. 6, 265). Приятель не послушался совета Чехова, с каждым годом все более мрачнел, тосковал по прошлому, тяжело и одиноко умирал.

В предсказаниях и пожеланиях есть любопытный момент. В некоторых «сюжетах» Чехов словно достраивал свои отношения с данным человеком. Может быть, тем самым он скрыто объяснял, почему их пути расходились. Например, странно на первый взгляд читается его предсказание судьбы Лики Мизиновой, вышедшей замуж за режиссера Санина, что она его не полюбит, будет изменять мужу, родит «широкого младенца» (П. 10, 210). Не свою ли несостоявшуюся судьбу с Ликой он воплотил в этом несбывшемся предсказании?

Чехов угадывал порой грядущие события своей и чужой жизни, может быть, потому, что исходил из глубинного. Условно говоря, он раскалывал ядро человеческой натуры. Таково, например, предсказание, как пройдет в 1888 г. премьера *Иванова* в Александринском театре. Подобное – «таинственные физиономии» приятелей в антракте, «краснота на скулах» критиков, духота и бегство автора после премьеры (П. 3, 127) – случится в день первой постановки *Чайки* в том же театре. Однажды в 1889 г. Чехов пошутил, что с удовольствием бы поселился в имении в Крыму, «с какой-нибудь актрисочкой» (П. 3, 279). Судьба словно исполнила его пожелание.

Он предсказал, что проживет в Мелихове пять лет, что между написанием пьесы *Леший* и *Чайкой* пройдет пять лет и т.д. Тут, наверно, дело не только в «чутье» (П. 1, 204) и не в одном лишь «пророческом чувстве», которое, по словам Чехова, не обманывало его ни в жизни, ни в медицинской практике» (П. 3, 45), но в особом ощущении времени и людей, которое свойственно творческому сознанию. Разница между талантливым и гениальным драматургом, видимо, и в том, что один точно ощущает время и характеры на сцене, другой знает временные рамки и персонажей «пьесы» своей жизни.

Интересны у Чехова приемы преобразования реального факта, события, отношений с кем-либо в сюжет художественного произведения. Давно замечена связь между письмом Чехова к Билибину от 1 января 1886 г., предположительно, о Дуне Эфрос, и сюжетом *Иванова*. Или описание усадьбы Киселевых, Линтваревых и Смагиных – с сюжетами *Дяди Вани* и *Вишневого сада*.

Но, кажется, обойден вниманием проект Чехова купить землю, поделить на участки, на которых можно выстроить недорогие домики (П. 3, 27). Он «отдаст» это план Лопахину. Он будто проигрывает в своем сознании тот или иной «сюжет» до конца и решает его судьбу. В его осуществленных и неосуществленных творческих замыслах можно предположить многое, чего Чехов сознательно избежал в своей жизни. Это взаимное «присутствие» друг в друге жизни и творчества интереснее, полнее и тоньше всех других источников открывают письма Чехова.

Иногда реальный факт превращался в сюжет уже в письме. Историю неудачной женитьбы младшего брата на Кларе Мамуне в 1893 г. Чехов назвал «прямо страницей из романа», но изложил ее как готовый водевиль:

> Брат Миша влюбился в маленькую графиню, завел с ней жениховские амуры и перед Пасхой официально был признан женихом. Любовь лютая, мечты широкие… На Пасху графиня пишет, что она уезжает в Кострому к тетке. До последних дней писем от нее не было. Томящийся Миша, прослышав, что она в Москве, едет к ней и – о чудеса! – видит, что на окнах и воротах виснет народ. Что такое? Оказывается, что в доме свадьба, графиня выходит за какого-то золотопромышленника. Каково? Миша возвращается в отчаянии, тычет мне под нос нежные, полные любви письма графини, прося, чтобы я разрешил сию психологическую задачу. Сам черт её решит! Баба не успеет износить башмаков, как пять раз солжёт. Впрочем, это, кажется, еще Шекспир сказал. (П. 5, 205)

Реальная история была совсем иная. Все обстояло наоборот. Это *Миша* отказался от невесты. Но законы жанра диктовали свое: не обманутая девушка лила слезы отчаяния, а злополучный жених явился на чужую свадьбу. Правда, полувымысел или полная фантазия Чехова – его рассказ о том, как они с приятелем, разыграли М.П. Чехову за ее мелкое честолюбие, когда в 1889 г. возвращались из Сум:

> Маша всю дорогу делала вид, что незнакома со мной и с Семашко, так как с нами в одном вагоне ехал профессор Стороженко, её бывший лектор и экзаменатор. Чтобы наказать такую мелочность, я громко рассказывал о том, как я служил поваром у графини Келлер и какие у меня были добрые господа; прежде чем выпить, я всякий раз кланялся матери и желал ей поскорее найти в Москве хорошее место. Семашко изображал камердинера. (П. 3, 242)

Чехов бывал в доме графини Келлер, лечил ее прислугу, в том числе и повара, так что мог реально изобразить этого человека. Но не это важно, а сам сюжет.

Сюжетно он описывает свои визиты, разговоры. Письма изобилуют готовыми сценами. Например, рассказ о посещении актрисы Малого театра Никулиной в связи с постановкой пьесы Суворина *Татьяна Репина* в этом театре. Это страница из «театрального романа», но не Булгакова, а Чехова. Изложен разговор актрисы и ее мужа, который вошел в гостиную. Чехов сразу определил его как персонаж и даже предложил грим: «тип рантье ремонтера с бакенами и сединой».

> – Душа, где наш табак? – спрашивает он у супруги.
> – Не знаю душа. А я к Машеньке сейчас послала насчет Репиной…
> – Это не её роль. Скверно сыграет.
> – А Суворин не хочет, чтобы я играла.
> – Конечно, тебе нельзя Репину играть! Ты, душа, хороша только в комических ролях, а в драме я не люблю на тебя смотреть.
> – Что ты говоришь!? Ты, душа, никогда не бываешь на драмах!
> – Не бываю… Зачем? За свои деньги и себя же мучит! Драм много и в жизни. (П. 3, 89)

Опять-таки, что здесь реально, что придумано? В таком же стиле и жанре передан первый визит Чехова к Суворину в 1886 г.:

> Он очень любезно меня принял и даже подал руку.
> – Старайтесь, молодой человек! – сказал он.

– Я вами доволен, но только почаще в церковь ходите и не пейте водки… (П. 1, 239),

разговор с детской писательницей Сысоевой (П. 3, 84/85). Часто он прямо писал диалоги, которым в шутку приказывал старшему брату Александру следовать в переговорах с издателями, секретарями редакций и т. п.

Эти сценки по-своему выявляют характер и настроения самого Чехова. Он часто в них видит себя, словно со стороны, будто в роли на сцене. Так первые встречи молодого Чехова с влиятельными лицами *сыграны* им в письмах, как пародия на произведения о «маленьком человеке» и «значительном лице». Таковы, например, сценки с Сувориным (П. 1, 239), с Гольцевым (П. 2, 222/23). Они открывают интереснейшие психологические моменты в личности Чехова.

Внутренние сюжеты своего душевного мира Чехов изживал во внешних сюжетах, ироничных, водевильных. И когда в них ощущается перекличка с репликами героев будущих пьес, то неизбежно соотнесение судьбы Чехова и судьбы героя. Не прямолинейное, тем более грубое, но тонкое, в контексте самой психологической ситуации.

Такие скрытые ресурсы есть и в отдельных фразах из писем. Например, в 1891 г. Чехов с явной иронией по отношению к себе, к своему недавнему безденежному прошлому и настоящему, связанному с большим долгом Суворину, писал Смагину, что может выслать деньги на покупку хутора «хоть сейчас, потому что нраву моему не препятствуй, могу всё купить и выкупить» (П. 4, 305). Он и Лопахину дал ремарку «с иронией», когда тот кричит: «Музыка, играй отчетливо! Пускай всё, как я желаю! [...] За все могу заплатить!» (13, 241). И это уточнение очень важно в понимании и Лопахина, и создателя *Вишневого сада*.

Только-только намеченные водевильные сюжеты в письмах Чехова в связи с какими-то реальными фактами и событиями приоткрывают одновременно и его личность и психологическую интонацию его драматургии. Сквозной сюжет в таких случаях – это *бегство*. Сбегают издатели (П. 2, 24), неверные жены (П. 3, 130), даже старший брат Александр якобы удирает с его гонораром на Аландские острова (П. 6, 366). И, конечно, всем известен по рассказу О.Л. Книппер последний сюжет, выдуманный Чеховым за несколько часов до смерти – бегство повара из богатого отеля и негодование избалованных постояльцев.

О себе самом Чехов часто пишет как о комическом персонаже, готовом бежать. То от родни, заполонившей квартиру и не дающей работать (П. 1, 81/82). То с премьеры *Иванова* в 1887 г. в театре Корша, когда автор, запертый в маленькой ложе, «похожей на арестантскую камеру», страдал от того, как безбожно актеры перевирали роли и готов был провалиться сквозь землю, но не успел. Грянули овации: «Вызывают актеров и меня. […] слышится откровенное шиканье, заглушаемое аплодисментами, и топанье ног» (П. 2, 152).

То от пожара в мелиховском доме, описанного младшему брату в трагикомических красках:

> Звон в колокол. Дым. Толкотня. Воют собаки. Мужики тащат во двор пожарную машину. Шумят в коридоре. Шумят на чердаке. Шипит кишка. Стучит топором князь. Баба с иконой. […] В результате: сломанная печь, сломанная стена (против ватера), содранные обои в комнате матери около печи, сломанная дверь, загаженные полы, вонь сажей […]. А еще, кроме всего, новый повод известному тебе лицу нести чепуху и орать. (П. 6, 243)

Это и другие подобные сценки дают основания предположить особый склад творческого видения Чехова. В первоначальный момент оно, не исключено, было сюжетно, сценично. Он видит в человеке тип, действующее лицо театра жизни, а в происходящем жанры этого театра. У братьев и сестры Чехова были в большей или меньшей степени развиты живописные способности. Они рисовали, писали маслом, акварелью. Все, кроме А.П. Чехова.

Он «рисовал» словом. Вот, портрет типичной таганрогской барышни:

> Барышни здесь, правда, недурны, но к ним нужно привыкнуть. Они резки в движениях, легкомысленны в отношениях к мужчинам, бегают от родителей с актерами, громко хохочут, влюбчивы, собак зовут свистом, пьют вино и проч. (П. 2, 68)

Чехов, как можно заметить, искал во внешности, в поведении, в интонациях общее, свойственное данному типу личности. Видимо, так легче было запомнить лицо, ситуацию, слово. Одну из знакомых он описал в письме следующим образом: «Это солидная grande-dame со следами когда-то бывшей красоты, восторженная и благородная – тип отставной полковницы, живущей на пенсию» (П. 3, 84).

О другой даме, увиденной случайно, мельком: «старая дева с крысьим лицом и в шали» (П. 3, 88). О девицах на свадьбе, похожих друг на друга:

> Одна из них […] то и дело била меня веером по руке и говорила: «У, негодный!», причем не переставала сохранять испуганное выражение лица. Я научил её говорить кавалерам: «Как вы наивны!» (П. 2, 73)

О театральном чиновнике заметил, что это человек, который ничего не делает, никому не нужен, но старается сохранить деловой вид (П. 6, 359).

В 1900 г. он писал Книппер по поводу ее фотографии:

> [...] тут Вы немножко похожи на евреечку, очень музыкальную особу, которая ходит в консерваторию и в то же время изучает на всякий случай зубоврачебное искусство и имеет жениха в Могилеве; и жених такой, как Манасевич. (П. 9, 51)

Молниеносные уподобления и «свернутые» свитки судеб не единичны в письмах, не случайны. Они характерны. Столь же многочисленны в письмах Чехова мизансцены. Он несколькими словами рисует позу, жест, словно видит данного человека на сцене, в той или иной роли, в том или ином сюжете. Таково описание поездки в Севастополь в 1898 г.:

> Я ездил в Георгиевский монастырь и смотрел вниз с горы на море; а на горе кладбище с белыми крестами. Было фантастично. И около келий глухо рыдала какая-то женщина, пришедшая на свидание, и говорила монаху умоляющим голосом: «Если ты меня любишь, то уйди». (П. 7, 276)

Упоминая однажды об актрисе Озеровой, Чехов дает маленькую зарисовку:

> Придет, сядет с ногами на диван и глядит в сторону; потом, уходя домой, надевает свою кофточку и свои поношенные калоши с неловкостью девочки, которая стыдится своей бедности. Это маленькая королева в изгнании. (П. 6, 289/90)

И здесь уподобление, но более психологическое, нежели характерологическое.

Любопытно, что часто сравнения и типология связаны с театральным миром. В 1890 г. Чехов, в шутку укоряя Е.А. Плещееву за то, что она обещала и не пришла в гости, обрисовал обстановку: «А я разорился, купил 2 бутылки вина, закусок, позвал барышень, музыкантов… Каково положение? Поют, пляшут, музыка играет, штандарт скачет, а бенефициантки нет» (П. 4, 40). В 1902 г. он желал Книппер, похудевшей за время болезни, стать «пухлой, как антрепренерша» (П. 10, 253).

Чехов часто переводил зрительное наблюдение в водевильную сценку, в пародию на мелодраму или псевдоромантический тип, что угадывается, например, в шутливом рассказе о коте:

> Кот Федор Тимофеич изредка приходит домой пожрать, всё же остальное время гуляет по крышам и мечтательно поглядывает на небо. Очевидно пришел к сознанию, что жизнь бессодержательна. (П. 2, 120)

Однажды Чехов увидел буксирный пароход и уподобил его изящному интеллигенту, который «хочет бежать, а его за фалды держат жена-кувалда, теща, свояченица и бабушка жены» (П. 4, 66). Он уточнял и объяснял жизненные ситуации расхожими драматическими сюжетами. Его описания итальянских городов порой напоминают декорации к историческим драмам, а фраза построена иногда, как сюжет комедии. Например, он пишет в 1893 г. Мизиновой: «Приезжайте, милая блондиночка, поговорим, поссоримся, помиримся» (П. 5, 224).

Советуя Леонтьеву-Щеглову громоздить в пьесах эпизоды по нарастающей (П. 2, 155), он именно так описывал многие события своей жизни и многие замыслы. В 1888 г. изложил в письме сюжет водевиля для Савиной и пошутил:

> Когда я испишусь, то стану писать водевили и жить ими. Мне кажется, что я мог бы писать их по сотне в год. Из меня водевильные сюжеты прут, как нефть из бакинских недр. Зачем я не могу отдать свой нефтяной участок Щеглову? (П. 3, 100)

И это правда, потому что, например, письма из-за границы зимой 1897–1898 гг. это фонтан водевильных сюжетов, в которых, правда, переплетались комическое и трагическое, смешное и серьезное, все выстроено на контрастах:

1) как ему рвали зубы (П. 7, 175/76);
2) как Потапенко и Сумбатов-Южин надеялись выиграть в казино миллион и проигрались в пух и прах;
3) как Браз писал его портрет (П. 7, 190-193);
4) как Чехов возился с посылкой Аничкова и т. д.

Его сценическое и драматургическое мышление выдают: постоянная готовность переделать чужую пьесу по-своему, переделка собственных рассказов в драматические произведения, использование детали, образа, реплики сначала в ранней прозе, а затем в драме (особенно в *Чайке* и *Вишневом саде*), обилие в письмах пародий на драматургические штампы, режессирование житейской ситуации по законам драматургических жанров, предсказание реакции зрителей на тот или иной поворот сюжета (не зря говорил: «Пьес не на сцене я вообще не понимаю»; П. 11, 266), советы драматургам, как писать пьесы, вплоть до шутки в письме к Билибину – купить попугая и научить его кричать каждую минуту: «Пишите водевили» (П. 6, 45).

Однако интереснее этих и других внешних примет особого творческого сознания Чехова – глубочайшее внутреннее его свойство, которое условно можно назвать литературосценичностью самого мироощущения Чехова, воплощенного по-преимуществу в героях и коллизиях, в особенностях его пьес. Может быть, именно оно определило в конечном счете такое мощное, общепризнанное, до сих пор не иссякшее воздействие Чехова на мировой театр XX века, на великих драматургов ушедшего столетия.

Не имея, подобно всем гениям, «школы», обнаруживаясь зримыми «чеховскими мотивами», прежде всего в драматургии отечественных и зарубежных авторов (темы, образы, расхожие реплики, ставшие метафорами общечеловеческого бытия или бытовыми клише), Чехов незримо присутствует на глубинном уровне творческого самоосознания художников XX века, которые признавались в том числе, какое влияние оказало на них чтение писем Чехова.

Человеческая природа, суть таланта, обстоятельства жизни Чехова, вероятно, отвечали тому «настроению эпохи», которая ожидала художника, способного повернуть героя лицом к жизни, явить человека, конфликтующего с собой и с жизнью, желающего, но не всегда способного стать «отдельным человеком», внутренне свободным в условиях трагизма общей и повседневной жизни, ее неизбежных противоречий. «Противоречие в драматургии Чехова», – писал один из самых тонких и глубоких исследователей его драмы, –

> это не то, что может быть преодолено, а то неизбежное, с чем приходится жить, что надо нести, как крест. Собственно, эта специфическая диалектика чеховского мышления и сделала его драматургом, то есть художником, способным замечать жизненные противоречия и оценивать их объективно, умеющим противоположно видеть один и тот же предмет с точки зрения различных заинтересованных в нем лиц, – но драматургом особого склада, который не избегает, но и не нагнетает противоречий, не примиряет, но и не разрешает их (тоже своего рода эпический театр).[2]

Этому же замечательному ученому принадлежит суждение о чеховских водевилях, что «двойственность, противоположность чеховского взгляда на жизнь», как свойство дарования, проявляется в его ранних водевилях «может быть, еще очевиднее, чем в больших пьесах», что они дают «ключ к чеховской диалектике, а через нее – ко всей его драматургии». Как расценить с этой точки зрения постоянное признание Чехова в последние годы жизни, что он хочет написать водевиль, смешную пьесу, «где бы чёрт ходил коромыслом» (П. 10, 143).

Он говорил, что водевиль скоро войдет в моду (П. 11, 99), что в его голове «масса сюжетов» (П. 11, 130). Почему именно водевиль? Конечно, дело не в спросе на этот жанр, а в складе творческого сознания, в самой личности Чехова, в обстоятельствах его тогдашней жизни. Он сам настаивал когда-то на том, что именно водевиль позволяет сохранить творческую *гибкость* (П. 8, 55).

Он сам обозначил причины, побуждавшие его писать водевиль и мешавшие этому: обстановка в Ялте, где все напоминало о смерти; водевильные сюжеты его семейной жизни, когда мелочи, вроде туалетной бумаги, которую ему никак не могли прислать из Москвы, становились главной заботой; и, конечно, болезнь (П. 11, 130), которую он тоже обыгрывал как трагикомический сюжет, шутя, что «от одышки единственное лекарство – это не двигаться», а от болезни желудка – «не есть ничего – и баста» (П. 12, 133).

Водевиль не получался. Сюжеты превращались в несбыточную мечту отправиться на Байкал, еще раз проплыть на пароходе по Волге или Каме, поехать в Норвегию, в Африку. Сбежать, сбежать, сбежать куда-нибудь из ялтинского дома, из Москвы, от болезни, от родных и знакомых… Двигаться, видеть новые места, лица, написать новую пьесу… Но как автор пьес, герои которых и в водевилях, и в комедиях, и в «сценах из деревенской жизни» попадали в капкан семейной жизни, оставались в старом доме и все возвращалось к прежнему, он знал, что выход у всех один. Тот, который его ждал летом 1904 г. в Баденвейлере.

Последние сюжеты кроются в прощальном поклоне Чехова в письмах накануне отъезда и уже из Баденвейлера:

> Всего Вам хорошего, главное – будьте веселы, смотрите на жизнь не так замысловато; вероятно, на самом деле она гораздо проще. Да и заслуживает ли она, жизнь, которой мы не

[2] Б. Зингерман: Очерки истории драмы 20 века. Москва 2003, с. 75.

знаем, всех мучительных размышлений, на которых изнашиваются наши российские умы, – это еще вопрос. (П. 12, 34/35)

Литература

Зингерман, Б.: Очерки истории драмы 20 века. Москва 2003.
Полоцкая, Э.: О поэтике Чехова. Москва 2000.

III. REZEPTION UND AUFFÜHRUNGSPRAXIS

III.1. Intertextuelle Bezüge und Bearbeitungen

Friederike Carl

33 obmoroka (33 Ohmachten) – Mejerchol'ds Inszenierung von Čechovs Einaktern *Medved'*, *Predloženie* und *Jubilej*

„Нужные новые формы. Новые формы нужны, а если их нет, то лучше ничего не нужно“ (13, 8) (Wir brauchen neue Formen. Neue Formen brauchen wir, und wenn es die nicht gibt, dann brauchen wir besser gar nichts; Urban, 583). Mit diesen Worten beschreibt der junge Autor Treplev in Čechovs *Čajka* die Situation des Theaters seiner Zeit. Angesichts dieser programmatischen Aussage scheint es mehr als Zufall zu sein, wenn ausgerechnet V.Ė. Mejerchol'd 1898 in der Inszenierung der *Čajka* von Stanislavskij die Figur des Treplev verkörpert. Denn dessen Äußerungen wird Mejerchol'd in den folgenden Jahren als Theatertheoretiker und Regisseur in die Tat umsetzen.

Čechovs Stücke geben Mejerchol'd wesentliche Anregungen für die Entwicklung neuer Theatertheorien, die im Vergleich zu Čechovs Vorstellungen jedoch sehr viel radikaler sind. So fordert Mejerchol'd eine absolute Vereinfachung der Formen, eine Abwendung vom Illusionstheater und eine Konzentration auf den symbolischen Gehalt des jeweiligen Dramentextes. Dieses Theater nennt er „uslovnyj teatr“ (bedingtes Theater).[1]

In den Jahren von Mejerchol'ds Theateroktoberphase, in der er sich hauptsächlich mit Autoren auseinandersetzt, die Anhänger der Oktoberrevolution sind, verliert Čechov für Mejerchol'd – auch im Zuge der Abgrenzung von Stanislavskij – vorübergehend an Bedeutung. Erst in den 30er Jahren wendet er sich wieder dem Werk des lange vernachlässigten Autors zu. Aus Anlass des 75. Geburtstags von Čechov im Januar 1935 inszeniert er die drei Einakter *Medved'*, *Predloženie* und *Jubilej* unter dem Titel *33 obmoroka.*[2]

Bei dieser letzten Auseinandersetzung mit Čechov, die gleichzeitig auch Mejerchold's letzte neue Produktion darstellt, zeigt sich ein tiefes Verständnis des Regisseurs für Čechovs Dramatik, doch wird dies von den meisten Zeitgenossen nicht zur Kenntnis genommen, und bis heute ist die Inszenierung von der Forschung kaum beachtet worden. Diese Indifferenz mag zum einen an der kulturpolitischen Situation von 1935 liegen – da die Inszenierung schon bald als formalistisch bezeichnet und verboten wird, kann sie kaum rezipiert werden. In den dreißiger Jahren ist die kulturelle Gleichschaltung unter Stalin bereits weit fortgeschritten. Knapp drei Jahre vor der Inszenierung, 1932, wird der Sowjetische Schriftstellerverband gegründet und die Überführung aller Künstlergruppen in einheitliche Fachverbände eingeleitet; 1934 findet der Gründungskongress des sowjetischen Schriftstellerverbandes statt, bei dem die ästhetische Doktrin für den sozialistischen Realismus festgelegt wird; seit 1935 wird eine Kampagne gegen Formalismus und Naturalismus geführt, womit alles bezeichnet wird, was sich nicht in den sozialistischen Realismus eingliedern lässt.[3] In diesen Jahren verstärkt sich auch Mejerchol'ds Rechtfertigungszwang. 1936 hält er seine berüchtigte Rede *Mejerchol'd gegen die Mejerchol'derei*, in welcher er Zugeständnisse machen und sich z.T. auch von sei-

---

[1] V.Ė. Mejerchol'd: Stat'i, pis'ma, reči, besedy. T. 1. Moskva 1968, S. 109.

[2] Die Premiere von *33 obmoroka* fand am 25.3.1935 im „Gosudarstvennyj teatr imeni Vs. Mejerchol'da“ in Moskau statt.

[3] Vgl. dazu M. Hildermeier: Geschichte der Sowjetunion 1917–1991. München 1998, S. 563-574.

nem Theater distanzieren muss.[4] Die Gründe für die geringe Beachtung der Aufführung von Čechovs Einaktern sind zum anderen aber auch in der Tatsache zu suchen, dass die Produktion weitgehend abgeschirmt von der Öffentlichkeit entsteht; die Proben finden teilweise in Mejerchol'ds Privatwohnung statt und bleiben daher Außenstehenden verschlossen.[5]

Über die Inszenierung war bis vor kurzem nur wenig Material zugänglich. Es lagen lediglich drei Rezensionen vor[6], zudem zwei kurze Stellungnahmen Mejerchol'ds[7] und einzelne Probenaufzeichnungen[8]. 2002 erschienen indes die Aufzeichnungen Ekaterina Gorbunovas, die als Schülerin von Mejerchol'd die gesamten Proben von *33 obmoroka* protokolliert hatte.[9] Diese Monographie, die eine akribische Dokumentation der Proben enthält, interessante Einblicke in Mejerchol'ds Arbeitsweise vermittelt und den Umgang des Regisseurs mit Čechovs Texten darlegt, bildet eine wichtige Grundlage für die folgende Untersuchung.[10]

Auf bühnentechnischer Ebene führt Mejerchol'd in seiner Inszenierung naturalistische und stilisierte Elemente zu einer Synthese zusammen, indem er etwa realistische Kostüme[11] und Requisiten mit einer konstruktivistischen Bühnenausstattung kombiniert. So wird beispielsweise in *Medved'* ein stark abstrahiertes Bühnenbild, das aus einer leicht gebogenen, schlichten Treppe, einer kleinen Leiter, stilisierten übergroßen Türrahmen und einer schlichten, leicht gebogenen Wand besteht, mit naturalistischen Bühnengegenständen wie einem Biedermeierflügel, einem überdimensional großen Bild mit prunkvollem Goldrahmen sowie einem – ebenfalls übergroßen – Spiegel zusammengeführt. Diese Technik verdeutlicht bereits wesentliche Merkmale von Mejerchol'ds spätem Theaterkonzept. Einerseits greift er auf bestehende Traditionen zurück, die er häufig – wie die Beispiele des Spiegels und des Bildes in *Medved'* zeigen – verzerrt; andererseits stilisiert er bestimmte Bühnengegenstände und Figuren, um den symbolhaften, allgemeingültigen Charakter der Inszenierung hervorzuheben. Der riesige Spiegel in *Medved'* beispielsweise verweist auf die grenzenlose Eitelkeit der Figuren. Auch das Porträt des verstorbenen Gatten Popovas, das im Übrigen an propagandistische Stalinporträts erinnert, spielt auf die Selbstbezogenheit der einzelnen Figuren an.

Mejerchol'ds Ziel besteht vor allem darin, die verborgenen Möglichkeiten der Einakter herauszuarbeiten.[12] Dabei setzt er sich nicht nur intensiv mit den Theatertexten *Medved'*, *Predloženie* und *Jubilej* sowie ihrem Entstehungskontext auseinander, sondern auch mit deren Inszenierungstradition. Seiner Meinung nach liegt der Fehler aller früheren Regisseure darin, die Stücke ausschließlich als leichte Vaudevilles interpretiert zu haben.[13] Mejerchol'd geht es

---

[4] Vgl. V.Ė. Mejerchol'd: Stat'i, pis'ma, reči, besedy. T. 2. Moskva 1968, S. 330-347.

[5] Begründet wird dies häufig mit dem Argument, dass Mejerchol'd zu dieser Zeit an mehreren Produktionen beteiligt war und außerdem kein Probenraum im staatlichen Mejerchol'd-Theater zur Verfügung stand; es ist aber auch möglich, dass Mejerchol'd sich darüber im Klaren war, wie schwierig es sein würde, die Inszenierung ohne Abstriche durch die Zensur zu bringen, und dass er es daher vorzog, unter Ausschluss der Öffentlichkeit zu proben. Dass Mejerchol'd privat probte, zeigt nicht zuletzt, welch hohen Stellenwert die Produktion für ihn hatte.

[6] I. Al'tman: *33 obmoroka.* Čechovskij spektakl' v teatre imeni Vs. Mejerchol'da. In: Mejerchol'd v russkoj teatral'noj kritike 1920–1933. Moskva 2000, S. 452-455 (ursprgl. ersch. in: Izvestija, 1935, 29 marta); Ju. Juzovskij: Tridcat' tri obmoroka. In: Ebda., S. 455-470 (ursprgl. ersch. in: Literaturnyj kritik, 1935, Nr. 5); G. Belickij: Tragikomedija obmoroka. In: Ebda., S. 470-474 (ursprgl. ersch. in: Literaturnyj Leningrad, 1935, 8 sentjabrja).

[7] Vgl. Mejerchol'd: Stat'i, pis'ma, reči, besedy. T. 2, S. 310-321.

[8] Vgl.: Mejerchol'd repetiruet. Hg. M.M. Sitkoveckaja. T. 2. Moskva 1993, S. 146-210.

[9] Vgl. Ekaterina Gorbunova: Mejerchol'd repetiruet „Tridcat' tri obmoroka". Moskva 2002.

[10] Leider ist es mir bisher nicht gelungen, ein Souffleur-Exemplar Mejerchol'ds von Čechovs Einaktern ausfindig zu machen. In Moskau gab man mir die Information, dass möglicherweise in St. Petersburg ein Exemplar aufbewahrt wird, da sich Mejerchol'd zu Beginn der Proben von *33 obmoroka* immer wieder dort aufhielt, um seiner Inszenierung von *Pikovaja dama* (Pique Dame) beizuwohnen.

[11] So sind in der Inszenierung die meisten Figuren nach der Mode des ausgehenden 19. Jahrhunderts gekleidet. Smirnov trägt beispielsweise eine Husarenuniform und Popova eine für diese Zeit typische schwarze Trauerkleidung.

[12] Vgl. dazu Mejerchol'd: Stat'i, pis'ma, reči, besedy. T. 2, S. 312.

[13] Ebda., S. 313.

indessen nicht nur darum, die Texte der Einakter von der Last ihrer Inszenierungstradition zu befreien, sondern er erhebt überdies den Anspruch, die sowjetischen Komödienschreiber dazu anzuregen, „на новом материале, на новых принципах комедии и водевили, по художественному мастерству равные водевилям и комедиям Чехова“[14] (mit neuem Material, mit neuen Prinzipien Komödien und Vaudevilles zu schreiben, die vom künstlerischen Niveau den Komödien und Vaudevilles Čechovs ebenbürtig sind) zu schaffen. Mejerchol'd will also mit seiner Inszenierung den zeitgenössischen Autoren eine Art Vorbild geben; vor allem aber schafft er mit *33 obmoroka* eine völlig neue Form der Vaudeville-Komödie im Zeitalter des stalinistischen Terrors.

In seiner Inszenierung konzentriert sich Mejerchol'd daher immer wieder auf die tragische Ebene der Einakter. In seiner Interpretation rückt er das seelische Leiden der Figuren, das auch die großen Stücke Čechovs wie ein roter Faden durchzieht, in den Vordergrund, ohne dabei jedoch die Komik aus dem Auge zu verlieren. Mit diesem gleichsam synthetischen Ansatz, der komische und tragische Elemente verbindet, nähert sich Mejerchol'd Čechovs Theaterauffassung an, der ein „Lachen unter Tränen“ fordert und seine Dramen trotz ihres tragischen Gehalts häufig Komödien nennt. Dieser komisch-tragische Charakter der Inszenierung wird vor allem im Ohnmachts-Motiv deutlich, das Mejerchol'd zum Leitfaden seiner Inszenierung erhebt und mit dessen Hilfe er die verschiedenen Einakter miteinander verknüpft.[15] Zum Leitmotiv der Ohnmachten erklärt er:

> Обморок взят [...] не всегда как бессознательное состояние действующего в пьесе лица. Чеховым, врачом по образованию, внимательным наблюдателем и тонким аналитиком человеческого поведения, на тему обморока дано в этих водевилях множество вариаций. В „Юбилее“ – четырнадцать обмороков, в „Медведе“ и „Предложении“ – девятнадцать; таким образом, „33 обморока“ – не гипербола.[16]

> Die Ohnmacht [...] wird nicht immer als bewusstloser Zustand der im Stück agierenden Person angesehen. Čechov, der der Ausbildung nach Arzt war, ein aufmerksamer Beobachter und scharfsinniger Analytiker menschlichen Verhaltens, entwirft in diesen Vaudevilles eine Menge an Variationen. In „Das Jubiläum“ – vierzehn Ohnmachten, im „Bär“ und im „Heiratsantrag“ – neunzehn; so gesehen stellt „33 Ohnmachten“ keine Übertreibung dar.

Diese Beobachtung liefert nun auch die Erklärung des Titels der Inszenierung, *33 obmoroka*, der zunächst keinen Bezug zu den drei Einaktern zu haben scheint. Vor allem jedoch enthält der Titel *33 obmoroka* eine direkte Anspielung auf die politische Lage dieser Zeit. Die Intellektuellen standen in den dreißiger Jahren den stalinistischen Repressionen im wahrsten Sinne des Wortes ohnmächtig gegenüber.

Mit den ständigen Ohnmachtsanfällen der Figuren betont Mejerchol'd auf theaterästhetischer Ebene den Vaudevillecharakter der Stücke. Ohnmachten stellen in der Komödientradition seit jeher einen typischen Theaterspaß und eine Slapstickeinlage dar; gleichzeitig aber verweist Mejerchol'd mit den Ohnmachten auch auf den sozialhistorischen und psychopathologischen Hintergrund des Handlungsgeschehens, indem er auf das nervenschwache Zeitalter des ausgehenden 19. Jahrhunderts und auf den medizinischen Diskurs über Nervenkrankheiten anspielt. Zudem weist er darauf hin, dass psychische Krankheiten hinsichtlich ihrer Symptome häufig zeitbedingt sind und auf kollektive Ursachen zurückgeführt werden können, sie also weniger individuell sind, als man gemeinhin annimmt. Zwar geht aus Mejerchol'ds Schriften nicht hervor, dass er sich direkt mit der Psychoanalyse auseinandergesetzt hat, doch

---

[14] Ebda., S. 311.

[15] Dass sich Mejerchol'd hier an Wagners Leitmotivtechnik orientiert, geht aus seinen Schriften hervor, in denen er sich ausführlich mit dem Komponisten befasst hat. Vgl. dazu Mejerchol'd: Stat'i, pis'ma, reči, besedy. T. 2, S. 66.

[16] Ebda., S. 110.

ist bekannt, dass die Methoden Freuds in Russland um die Jahrhundertwende und bis in die 30er Jahre von den Intellektuellen stark rezipiert wurden.[17]

Teilweise löst sich Mejerchol'd von Čechovs Texten und korrigiert den seiner Meinung nach nicht ganz durchgearbeiteten Text. Für Mejerchol'd als Vertreter des modernen Regietheaters stellen Eingriffe in den Text und überhaupt der freie Umgang mit dem Werk eines Autors im Rahmen seiner ästhetischen Prinzipien nicht unbedingt ein Problem dar. Jede Inszenierung ist für Mejerchol'd eine totale Aktualisierung des jeweiligen Stücks, welche auch das Textsubstrat umfasst – wobei Aktualisierung hier nicht als einfache Anpassung an eine bestimmte Gegenwartsproblematik, sondern eher als eine Aktivierung des gesamten Potenzials eines Textes und der in ihm enthaltenen Spannungen zu verstehen ist.

Direkte „Korrekturen" am Text – mit dem Argument, „Čechov voll auszuschöpfen" – nimmt Mejerchol'd vor allem in *Jubilej* vor. Im Folgenden werde ich vor allem auf die Inszenierung dieses Einakters eingehen, da die Analyse der Eingriffe und Abwandlungen es erlaubt, die Intentionen des Regisseurs besonders genau zu rekonstruieren.

Mejerchol'd verändert die Eingangsszene des Stücks mit der Begründung, Čechov habe hier „einen Fehler"[18] begangen, da er vom Wesentlichen des Stücks ablenke und somit den schnellen Vaudevillecharakter des Stücks bremse. Der Einakter beginnt nicht mehr mit den Worten des Bankangestellten Chirin, der die Rede für das Jubiläum schreiben soll, sondern mit den Sätzen des Bankdirektors:

> Если мною, пока я имею честь быть председателем правления этого банка, сделано что-нибудь полезное, то этим я обязан прежде всего своим сослуживцам. [...] Не будь я Шипучин![19]

> Wenn durch mich, solange ich die Ehre habe, Vorsitzender der Leitung dieser Bank zu sein, irgendetwas Nützliches vollbracht wurde, so bin ich hierfür vor allem meinen Mitarbeitern zu Dank verpflichtet. [...] Ich wäre nicht Šipučin!

Mejerchol'd zufolge verdeutlichen diese Sätze sofort, was für ein Mensch Šipučin ist. Von Anfang an will der Regisseur den Zuschauer gleich auf das aufmerksam machen, was für ihn der Kern des Stücks ist, nämlich auf den korrupten, aber auch hohlen und leeren Charakter des Direktors, den Mejerchol'd mit Gogol's Chlestakov vergleicht – ein einleuchtender Vergleich, denn für Čechov war Gogol' bekanntlich eines seiner wichtigsten Vorbilder. Die Hohlheit des Direktors wird darüber hinaus auch am Ende der Inszenierung betont, als ein ausgestopfter Bär eingeführt wird, vor dem Šipučin anstelle der Delegation seine Rede hält. Den auf die Eigenliebe des Bankdirektors verweisenden, floskelhaften Satz „Не будь я Шипучин!" erhebt Mejerchol'd zum Leitspruch dieser Figur. Zudem deutet auch das Kostüm, mit welchem der Regisseur Šipučin ausstattete – ein Detail, das bei Čechov grundlegende Bedeutung besitzt –, auf die Selbstverliebtheit der Figur hin. Šipučin trägt Zylinder und Anzug und sieht aus wie ein Dandy. Mit seinen Veränderungen intensiviert Mejerchol'd die Typenhaftigkeit von Čechovs Figuren; er reduziert sie im Sinne seines „bedingten Theaters" auf ihre wesentlichen Eigenschaften. Oberflächlichkeit und Taktlosigkeit kennzeichnen in Mejerchol'ds Inszenierung auch den Charakter der Frau des Bankdirektors Tat'jana Alekseevna Šipučina. Sie betrachtet sich ständig im Spiegel und macht den Männern auf der Bühne und im Zuschauerraum schöne Augen.[20] Um die Taktlosigkeit Šipučinas noch stärker in den Vorder-

---

[17] Einen umfangreichen Einblick in die Rezeption der Psychoanalyse in Russland gibt die Monographie von A. Ėtkind: Ėros nevozmožnogo. Istorija psichoanaliza v Rossii. SPb. 1993.

[18] Mejerchol'd: Stat'i, pis'ma, reči, besedy. T. 2, S. 312.

[19] Ebda.

[20] Hier erfüllt Mejerchol'd eine wesentliche Forderung seines „uslovnyj teatr": Durch die direkte Kommunikation Šipučinas mit den Zuschauern wird die für das naturalistische Illusionstheater typische Trennung von Zuschauerraum und Bühnenraum aufgehoben.

grund zu stellen, lässt Mejerchol'd sie nicht alleine – wie dies bei Čechov vorgesehen ist – im Büro ihres Mannes auftauchen, sondern mit einem von Mejerchol'd hinzugefügten Offizier[21], der sie ständig beobachtet, verfolgt und ihr unmittelbar vor ihrem Ehemann Avancen macht. Der ständig beobachtende, verfolgende und stumme Verehrer, der nicht einmal vor der Anwesenheit Šipučins zurückschreckt, verleiht dem Stück eine unterschwellig bedrohliche Atmosphäre. Die Figur bringt ein Element der Unruhe und auch der Demütigung des Ehemanns mit ins Spiel, das bei Čechov allenfalls in Ansätzen angelegt war. Bei Mejerchol'd taucht dieses Motiv des unheimlichen Spions oder Voyeurs häufiger auf. In *Predloženie* beispielsweise wird eine Magd eingeführt, die nicht spricht, aber das Geschehen auf der Bühne ohne Unterlass beobachtet, und auch in Mejerchol'ds berühmter *Revizor*-Inszenierung existiert eine Figur, der „Offizier auf der Durchreise", die an den Voyeur in *Jubilej* erinnert. Mejerchol'd aktiviert das Spannungspotenzial des Textes, indem er die Figuren aktualisiert. Die Figur des stummen Verehrers erinnert ihrem Verhalten nach an einen Geheimpolizisten; auf indirekte Weise wird so ein Bezug zur bedrohlichen Realität der frühen dreißiger Jahre geschaffen.

Die Taktlosigkeit der Ehefrau und des Offiziers provoziert Šipučin und führt dazu, dass er immer häufiger die Fassung verliert und in Ohnmacht fällt. Auch Chirin, der Bankangestellte, der den Vortrag des Bankdirektors schreibt, wird durch das Kokettieren von Šipučina und die Hartnäckigkeit der plötzlich auftauchenden Bittstellerin Merčutkina völlig aus der Fassung gebracht. Er verjagt schließlich beide Frauen, obwohl er im Auftrag Šipučins eigentlich nur Merčutkina vertreiben sollte. Er tut dies mit einer Pistole, die er in Mejerchol'ds Inszenierung ständig neu lädt. Die Tatsache, dass die Waffe geladen ist und somit ein Mord auf der Bühne als Möglichkeit immer gegenwärtig ist, verstärkt den bedrohlichen Unterton der Inszenierung zusätzlich. In einer zeitgenössischen Kritik von Juzovskij heißt es:

> Он вытаскивает револьвер, которого у Чехова не было, и прямо-таки с блаженной улыбкой заряжает его пулей за пулей, он делает это медленно, он наслаждается этим. Он гоняется за присутствующими с револьвером, и глаза его блестят от счастья. Он как будто давно ждал этой возможности.[22]
>
> Er zieht einen Revolver heraus, der bei Čechov nicht vorkommt, und lädt ihn tatsächlich mit seligem Lächeln Kugel um Kugel, er tut das langsam, er genießt es. Er jagt den Anwesenden mit dem Revolver hinterher, und seine Augen strahlen vor Glück. Es ist, als habe er lange auf diese Gelegenheit gewartet.

Die Tatsache, dass Juzovskij das Motiv der geladenen Pistole so genau wahrgenommen hat, könnte darauf hindeuten, dass sich die Intellektuellen über die Bedrohung von Stalins Mordmaschinerie und die immer offener zu Tage tretende Willkür des Regimes im Klaren waren; die Inszenierung war – wie bereits erwähnt – Mejerchol'ds letzte, bevor sein Theater geschlossen wurde. Wie das Zitat verdeutlicht, scheint der Bankangestellte Chirin in Mejerchol'ds Interpretation ein Sadist zu sein, der die Macht, die ihm die Pistole verleiht, genießt.[23] Diese Szene lässt sich nicht zuletzt als direkte Anspielung auf den „Parteitag der Sieger" im Januar 1934 deuten. Damals erhielt Stalin ein Gewehr als Geschenk, das er erfreut entgegen-

[21] Aus dem Programm der Inszenierung geht hervor, dass neben dem Offizier noch weitere Figuren von Mejerchol'd hinzugefügt wurden: ein Hilfsbuchhalter, ein Laufbursche, ein Türsteher sowie weitere Bankangestellte. Vgl.: Mejerchol'd repetiruet. T. 2, S. 156.

[22] Mejerchol'd v russkoj teatral'noj kritike, S. 458.

[23] Wahrscheinlich war es genau dieser Menschentyp, der Mejerchol'ds Freunde und später ihn selbst festgenommen hat.

nahm und während der Sitzung lächelnd auf das Publikum richtete. Ein großer Teil der Anwesenden wurde später liquidiert.[24]

Der bei Čechov schon angelegte bösartige, geradezu paranoide Charakter des Schreibers wird von Mejerchol'd nicht nur in der Pistolenszene hervorgehoben; während der gesamten Inszenierung schaut er misstrauisch um sich und murmelte wie ein Geisteskranker vor sich hin. Mejerchol'd aktualisiert Čechovs Text, indem er die Figur des Chirin zuspitzt und auf die bedrohliche politische Situation bezieht. Diese Interpretation der Figur führte unter anderem dazu, dass Mejerchol'd von Juzovskij der Vorwurf gemacht wurde, er habe Čechov zu „hyperbolisch" interpretiert. Gegen den Vorwurf der Hyperbolik verteidigt sich Mejerchol'd folgendermaßen:

> Возьму из *Юбилея* сценку, которая вам покажет, что я в своем гиперболизме не перехлестываю <через> Чехова, а наоборот. Это знаменитая сцена, когда Шипучин стонет: „Нет, я не вынесу! Не вынесу! Погоните ее! [...]". У Чехова же – Хирин гонится за Мерчуткиной, продолжает топотать ногами, засучивает рукава и видите как?! – „Дайте мне ее! Преступление могу совершить!" это все у нас равняется вот чему. Как только Шипучин сказал: „Я не вынесу" [...] „Погоните ее, я умоляю", Хирин берет револьвер, втыкает туда пять зарядов, закрывает револьвер, затем идет и видит, что на сцене Мерчуткиной нет, тогда он нацеливается на Татьяну Алексеевну и затем быстро осуществляется то, что есть у Чехова: она взвизгивает, бежит от него и направляется к шкафу, и ей некуда больше уйти [...] и потом уже Хирин лишается того безумия, то исступленности, какие имеются у Чехова. Значит, я тут не дотягиваю до чеховского гиперболизма, оставляю Хирина в состоянии нервном, но не в таком исступлении, когда вот-вот должна быть вызвана карета скорой помощи, и заставляю его довольно благодушно искать Мерчуткину, даже с улыбкой на лице, и, увидев ее, гнать по сцене.[25]

> Ich greife eine Szene aus *Das Jubiläum* heraus, die Ihnen zeigen wird, dass ich mit meinem Hyperbolismus Čechov nicht überbiete, sondern umgekehrt. Es ist die berühmte Szene, als Šipučin stöhnt: „Nein, ich ertrage das nicht mehr! Ich ertrage das nicht! Jagen Sie sie weg! [...]". Bei Čechov jagt Chirin hinter der Merčutkina her, fährt fort mit den Füßen zu stampfen, krempelt die Ärmel hoch und verstehen Sie, was ich meine?! – „Her mit ihr! Ich bin imstande, ein Verbrechen zu begehen!" all das sieht bei uns folgendermaßen aus. Sobald Chirin gesagt hat: „Ich halte das nicht mehr aus" [...] „Jagen Sie sie weg, ich flehe Sie an", nimmt Chirin den Revolver, lädt fünf Kugeln, dann geht er und sieht, dass die Merčutkina nicht auf der Bühne ist, dann zielt er auf Tat'jana Alekseevna und danach geschieht rasch das, was bei Čechov steht: sie kreischt auf, läuft von ihm weg und begibt sich zum Schrank, und sie kann nirgendwohin mehr weglaufen [...] und dann fällt jener Wahnsinn, jene Verrücktheit, die er bei Čechov hat, von Chirin ab. Das heißt, ich gehe hier nicht bis zur Čechovschen Übertreibung, ich lasse Chirin in einem nervlich angespannten Zustand, aber nicht in einem solchen Wahnzustand, dass man die Erste Hilfe rufen müsste, und ich lasse ihn in ziemlich guter Stimmung die Merčutkina suchen, sogar mit einem Lächeln im Gesicht, und sie, als er sie erblickt hat, über die Bühne jagen.

Die „Abschwächung" von Čechovs Text verstärkt in Wahrheit jedoch das Bedrohliche der Figur. Mejerchol'd lässt Chirin langsam, „gemächlich, sogar lächelnd" die Merčutkina jagen. Die Übertreibung oder die Steigerung würde als typisch komisches Motiv den Vaudeville-Charakter des Stücks eher intensivieren, damit jedoch „spannungsentlastend" wirken. Dagegen hebt Mejerchol'd mit Hilfe der Dämpfung hervor, wie unangenehm Chirin in seiner Inszenierung ist, und steigert so die bedrohliche Atmosphäre.

Wie diese Beispiele demonstrieren, legt Mejerchol'd in *33 obmoroka* in subtiler Weise die vielschichtige Struktur der Einakter frei und verweist damit auf die dramatische Komplexität von Čechovs großen Stücken, wo das Komische ebenfalls nicht nur von tragischen, sondern

---

[24] Diesen Hinweis verdanke ich der Diskussion, die im Anschluss an diesen Vortrag in Badenweiler stattfand. Eine filmische Dokumentation dieser Szene findet sich in der am 24.2.2003 im ZDF ausgestrahlten Sendung „Stalin – Der Tyrann", auf die mich freundlicherweise Robert Fajen hinwies.

[25] Mejerchol'd: Stat'i, pis'ma, reči, besedy. T. 2, S. 316.

auch von unheimlichen Elementen durchsetzt ist. In Mejerchol'ds Inszenierung der drei Einakter sind die Figuren durch die latente Bedrohung, die sie ständig umgibt, unfähig zur Kommunikation. Aus eben diesem Grund verlieren sie die Nerven und fallen in Ohnmacht. Die Isolation der Figuren von ihrer Außenwelt findet im Finale von *Jubilej* ihren Höhepunkt. Das Stück endet mit einer kollektiven Ohnmachtszene. Auf das Ohmachts-Motiv legt Mejerchol'd bei der Umsetzung auf der Bühne besonders großen Wert. Jede Ohnmacht stellt eine kleine pantomimische Einzelszene dar; zudem ist jede Figur mit einer besonderen Bewegung ausgestattet, die sie von den anderen Figuren unterscheidet. Differenziert werden die Ohnmachten der Männer und der Frauen überdies durch die Musik, die die Figuren begleitet. Blasmusik kommentiert die Ohnmachten der Männer, Streichmusik die der Frauen. Das Leitmotiv der Ohnmachten, das gleichsam eine Auszeit darstellt und so eine reflexive Ebene eröffnet, ist jedoch mehr als ein bloßer Hinweis auf den Kunstcharakter der Inszenierung. Der Zuschauer soll über die Bedingungen des Komischen im Zeitalter der stalinistischen Diktatur reflektieren. Denn das Lachen kann nicht mehr unbeschwert und harmlos sein, wenn auf der Bühne mit einer Pistole gespielt wird. Damit gewinnt auch das Thema Ohnmacht gesellschaftskritische Konturen. Die kollektive Ohnmacht ist Sinnbild für das allgemeine Ohnmachtsgefühl der Intellektuellen angesichts des repressiven Klimas und der kulturellen Intoleranz unter Stalin; sie ist, anders gesagt, eine Schlüsselmetapher für den politischen Subtext der Inszenierung.

Literatur

Al'tman, I.: *33 obmoroka.* Čechovskij spektakl' v teatre imeni Vs. Mejerchol'da. In: Mejerchol'd v russkoj teatral'noj kritike 1920–1933. Moskva 2000, S. 452-455.

Belickij, G.: Tragikomedija obmoroka. In: Mejerchol'd v russkoj teatral'noj kritike 1920–1933. Moskva 2000, S. 470-474.

Ėtkind, A.: Ėros nevozmožnogo. Istorija psichoanaliza v Rossii. SPb. 1993.

Gorbunova, Ekaterina: Mejerchol'd repetiruet „Tridcat' tri obmoroka". Moskva 2002.

Hildermeier, M.: Geschichte der Sowjetunion 1917–1991. München 1998.

Juzovskij, Ju.: Tridcat' tri obmoroka. In: Mejerchol'd v russkoj teatral'noj kritike 1920–1933. Moskva 2000, S. 455-470.

Mejerchol'd, V.Ė.: Stat'i, pis'ma, reči, besedy. T. 1-2. Moskva 1968.

Mejerchol'd repetiruet. Hg. M.M. Sitkoveckaja. T. 2. Moskva 1993.

Larisa Davtjan

На чем сыграть «звук лопнуйшей струны»?

О знаменитом «звуке лопнувшей струны» один из величайших режиссеров XX века Джорджо Стрелер сказал, что это – «задача, над которой попусту бились режиссеры всего мира».[1] Поэтому в своем *Вишневом саде* (поставленном в 1975 г. в Миланском «Пикколо театро» и остающемся, по мнению многих знатоков театра, непревзойденной интерпретацией этой пьесы) не стал «воспроизводить этот звук с помощью звука»[2], а оповестил о нем зрителей «беззвучно», оставив его наедине с персонажами, чья реакция и передавала момент некоего мистического явления, которое Стрелер определил как «вздрог истории»[3].

Находку Стрелера повторять, конечно же, нет смысла, так что режиссерам вновь и вновь приходится экспериментировать с этим звуком. Правда, зачастую, словно имея в виду стрелеровские увещевания, то есть не желая «попусту биться», они заявляют его формально. И все же есть повод остановиться на тех режиссерских поисках, которые «прозвучали» в недавних московских премьерах. К тому же в них обнаруживается тенденция – извлекать из этого звука, по определению театрального критика Наталии Каминской, «концерт оркестра лопнувших струн».[4]

Пожалуй, наибольшую гиперболу этому звуку уготовил режиссер Эймунтас Някрошюс (Международный фонд К.С. Станиславского и театр «Мено Фортас»), сочинив для него целую партитуру утрированно навязчивых пассажей, настойчиво внедряющуюся очередным раздражительным эффектом в истерию шестичасового спектакля. Метафора «оркестра» с ее множественностью смыслов личностных взаимоотношений обрела не только звуковую, но значительную визуально-пластическую разработку в третьем акте *Вишневого сада* у Адольфа Шапиро (МХТ им. А.П. Чехова). Впрочем, «звук лопнувшей струны» не утрачивает и солирования. Отчетливо это можно услышать в постановке Алексея Бородина (Российский академический молодежный театр – РАМТ). В его спектакле Раневскую с самого первого ее появления сопровождает звучание скрипки – ее струна, похоже, и станет лопнувшей.

Пожалуй, не менее интересен тот факт, что этот пресловутый «звук» невольно распространился за пределы *Вишневого сада*, звуча эхом не только в опытах современной драматургии, но и в сегодняшних сценических прочтениях классики, предшествующей последней чеховской пьесе. Когда в своей работе о *Вишневом саде* Игорь Сухих рассматривает литературную генеалогию чеховского «звука», он находит ближайшее родство у Толстого:

> Кажется, впервые эта струна появилась у Гоголя в *Записках сумасшедшего*: «... Сизый туман стелется под ногами, струна звенит в тумане; с одной стороны море, с другой Италия; вон и русские избы виднеют. Дом ли то мой синеет вдали?» Параллели чеховскому образу находят в разных местах: у Гейне, Дельвига, Тургенева, Куприна, в русских переводах *Гамлета*. Ближе всего к Чехову оказывается все-таки Толстой. В эпилоге *Войны и мира* речь идет о сломе эпох, конце одного и начале другого исторического витка. Пьер Безухов рассуждает: «Что молодо, честно, то губят! Все видят, что это не может так идти. Все слишком

---

[1] Дж. Стрелер: Театр для людей. Москва 1984, с. 219.
[2] Там же, с. 220.
[3] Там же, с. 219.
[4] Н. Каминская: Оркестр лопнувших струн. В: Культура, 2004, № 24 <http://www.kultura□portal.ru/tree_new/cultpaper/article.jsp?number=523&crubric_id=100422&rubric_id=206&pub_id=560274>.

> натянуто и непременно лопнет...» И чуть дальше: «Когда вы стоите и ждете, что вот-вот лопнет эта натянутая струна, когда все ждут неминуемого переворота – надо как можно теснее и больше народа взяться рука с рукой, чтобы противостоять общей катастрофе.» Вот она и лопнула, эта натянутая струна, хотя в финале чеховской пьесы этого еще никто, кроме автора, не расслышал. Общая катастрофа воспринимается героями как личная неудача (или удача).[5]

В свою очередь, театральное прочтение Толстого позволило увидеть в одной из его любимых героинь своеобразную «предшественницу» «лопнувшей струны». Речь идет о спектакле режиссера Андрея Житинкина *Анна Каренина*. Кульминационной в спектакле становится сцена Анны с ее братом Стивой, когда она в нервном возбуждении взбирается на стол, извергая отчаянное признание:

> Я погибла, погибла! Хуже чем погибла. Я еще не погибла, я не могу сказать, что все кончено, напротив, я чувствую, что не кончено. Я – как натянутая струна, которая должна лопнуть. Но еще не кончено... и кончится страшно.

Символ «лопнувшей струны» будто стал тем образным камертоном, который определил стилистику этого спектакля, решенного в модернистской эстетике, свойственной эпохе Раневской. Да и масса сценически привнесенных знаков работала на родство этих двух героинь. К примеру, парижских «крокодилов» Раневской можно разглядеть в крокодильем хвосте, которым наделен Каренин в болезненном сознании Анны; подаренная Анной сыну игрушечная железная дорога – не только намекает на ее трагическую гибель, но и «цитирует» известный мотив стрелеровского *Вишневого сада*, героиня которого, не забудем, тоже пыталась свести счеты с жизнью.

Надломленность душевных струн еще одного женского образа – Татьяны из *Мещан* Горького, современницы Раневской, лишь на пару лет опередившей ее появление, – проецируется на общее развитие всей пьесы в постановке режиссера Кирилла Серебренникова. Финальная горьковская ремарка – «Татьяна, медленно сгибаясь, облокачивается на клавиши. В комнате раздается нестройный громкий звук многих струн и – замирает» – дает идею Серебренникову сугубо персональную символику, относящуюся к Татьяне («‹нестройный› звук струн сыграл роль символа именно *ее* разбитой жизни»[6], – замечает Эмма Полоцкая в связи с одинокой фигурой Татьяны, которая завершает действие пьесы), преобразовать в определяющий сценический прием своего спектакля, пронизывая его звуковой палитрой «многих струн». Задача живого озвучания возложена на музыкальный коллектив ПАН-квартет Владимира Панкова. Уникальность этого сопровождения в том, что оно не имеет закрепленной партитуры, а основывается на чистой импровизации, всякий раз подстраиваясь под тон сиюминутной сценической атмосферы. Музыканты владеют завидным арсеналом инструментов: от традиционных клавишных, струнных, духовых, ударных до экзоти-ческих образцов этнической коллекции. Во многом благодаря тонкостям звуковой среды этого спектакля удается почувствовать вибрации общих струн, натянутых между *Мещанами* и *Вишневым садом*, взаимообмен их токов.

Кстати, руководителю ПАН-квартета Владимиру Панкову принадлежит идея изобразить «звук лопнувшей струны» совмещением звучания владимирского пастушьего рожка с африканским деревянным духовым инструментом диджериду. В таком синтезированном виде возникает модификация этого звука в спектакле Ольги Субботиной по современной пьесе *Ощущение бороды* Ксении Драгунской, чья героиня – молодой литературовед – с легкостью готова себя поместить в систему координат чеховских образов.

---

[5] И. Сухих: Струна звенит в тумане. В: Звезда, 1998, № 6, с. 238.
[6] Э. Полоцкая: «Вишневый сад». Жизнь во времени. Москва 2003, с. 85.

То, что «звук лопнувшей струны» оказался исполнен двумя духовыми инструментами, может показаться скромной фантазией на фоне той феерии, которую устроил нашествием нескольких десятков саксофонов Вячеслав Полунин на открытии VI Московского Международного театрального фестиваля им. А.П. Чехова (июнь 2005 г.). Подчиняя свое шоу господству поэтических символов чеховского театра, пространством для представления Полунин избрал Сад «Аквариум». Островок пленэра, олицетворяющий проникновение двух стихий – воды и сада – постановщик окутал невесомой белизной гусиных перьев (впрочем, масса которых составляла 240 кг), населил потусторонними безмолвными существами, хаотично снующими белыми тенями по всем уголкам сада, в то время как постепенно происходил «захват» основной сценической площадки главным героем перформанса – французским оркестром саксофонистов «Урбан сакс» под руководством Жильбера Артмана. Полунин эту затею объяснил тем, что саксофон он воспринимает как звук преисподней, – и именно подобный посыл ему слышится в чеховском «звуке лопнувшей струны». И все же знаменитый лицедей наверняка слукавил, не изменив своей клоунской сути. Саксофон-то ведь был не единственный, а целая их армия. Но, как известно, когда чего-нибудь слишком много – это уже смешно. И публика, как всегда на представлениях Полунина, впадала в детство, заражаясь живительной бациллой дурачества.

Вопрос «на чем сыграть ‹звук лопнувшей струны›?» для постановщиков один из самых увлекательных, потому что всегда остается открытым. В ожидании новых театральных впечатлений автору статьи хотелось бы продлить свои размышления над ним, предлагая прислушаться в своем воображении к фрагменту одного кинозамысла. В невоплощенном сценарии Сергея Параджанова *Исповедь* есть новелла по его воспоминаниям из детства о похоронах девочки-соседки. Это единственная сцена, которую режиссер успел снять, приступив к работе над своим самым исповедальным фильмом. Эти съемки стали последними в жизни Параджанова, а новелла *Похороны Веры* так и осталась неозвучена. Но в поэтике ее сценарного варианта явно уловимы вишневосадские мотивы, среди которых эмоциональный «вздрог» «звука лопнувшей струны» издают сваливающиеся оцинкованные тазы. К слову, припомним одно из объяснений этого звука чеховскими героями: «Где-нибудь далеко в шахтах сорвалась бадья. Но где-нибудь очень далеко» (13, 224). Тбилиси – город детства Параджанова от них, конечно, далек, но в нем есть собственный сюжет с белым цветом вишни:

> Тбилиси – некогда Тифлис – отличается и отличался от всех других городов предрассудками.
> Если курица кричит петухом – это к смерти.
> Если зимой белым цветом зацветет вишня – это к смерти.
> Тетя Аничка, женщина с зобом, в платье из черного сатина, догоняла черную наседку, прокричавшую петухом.
> На белом снегу осталось красное пятно, над которым колыхался и взлетал черный пух.
> Потом тетя Аничка схватила топор.
> На балконах стояли соседи и требовали срубить вишню. Вишня зацвела зимой белым цветом.
> Муж тети Анички, дядя Васо, прокуренный портной, пытался выхватить у нее топор. *Валились, издавая странные звуки, оцинкованные тазы*. Аничка проклинала, плакала, захлебывалась в слезах, вырывалась из рук портного Васо.
> Из-за прокопченных занавесок выглядывала Вера, младшая дочь портного.
> Вера – ее то и дело увозили в Абастуман (горный курорт Грузии, где лечат от туберкулеза). В школу она ходила редко. Вера была высокая, красивая, выше всех в классе, с синими глубокими тенями под глазами. Вера, в лаковых плоских туфлях, с ранцем за спиной, появлялась на улице, и ее долго провожал тревожный взгляд Анички, матери Веры. Дети в школе упорно распространяли небылицу, будто бы Вера съела собаку. (Существовало поверье, что собачье мясо излечивает туберкулез.) В классе Вера сидела на одинарной парте. Черный большой репсовый бант подчеркивал ее бледность и красоту.

Сейчас Вера выглядывала из окна. Прокопченные кружевные занавески колыхались.
Аничка рубила ствол вишни, проклинала ее, плакала.
Крона вишни рухнула, завалив деревянный забор.
Тесно стоящим дворам срубленная вишня добавила пространства. Стало легче дышать. Все сразу оголилось и стало неподвижным. Черную зарезанную курицу никто не трогал. Ее обнюхивали собаки, кто-то бросал в них поленья, и собаки с визгом убегали от черной курицы, прокричавшей петухом.
Все чего-то ждали. В Тбилиси, городе предрассудков, предрассудки подкрепляются фактами...
Умерла Вера![7]

Собственно, параджановская *Исповедь* дает повод к отдельному разговору о ее параллелях с *Вишневым садом*. В рамках же нашей темы приведем еще два видеоряда из финала сценария. До написания эпилога таков был самый последний эпизод со шкафом, который по тросу фуникулера отправляют предки – бабушки и прабабушки:

Они как одна подходят к шкафу, который висит на металлическом тросе. Они, боящиеся грозы, электричества, газа, пультов ракет и бульдозеров, смеются над пультом и бьют его кулаками... *И пульт гудит! И натягивается трос!* И плывет в гору шкаф с незакрытой дверью. И наши предки – хохочут над городом... [...] И в абсолютной тишине на верхнюю станцию фуникулера проходит и останавливается с открытой дверью пустой шкаф.[8]

И еще один из финальных кинообразов тоже словно порожден эмоционально-смысловым полем «звука лопнувшей струны». Причем та метаморфоза, которую он претерпевает, – от арф до чрева роялей – становится существенной визуальной метафорой. Метафорой ускользающей истины, мерцающей контрастными красками:

Задыхаюсь и злюсь, что не найдены тот смысл и образ красоты, которые ищет человек. И в ответ на желчь и проклятия рассеивается пыль и возникают... арфы на кладбище!
Арфы золоченые, со струнами – от красной меди до седины волос.
Арфы, они прислонились к стенам отсыревшей, закрытой на висячий замок церквушки...
Арфы. Золоченые. Арфы на кладбище...
То, именно то, что я искал!!!
И я могу умереть!
Без сожаления!..
И я умираю!
Как – умираю?! Это не важно...
Станет страшно только тогда, когда осядет желтая пыль от бульдозеров и я превращусь в желтый земляной барельеф.
И я, умирая, улыбаюсь.
Я счастлив, что обманул себя!
Ведь это не арфы... Это чрево!.. Чрево старомодных венских роялей, которые задешево покупает скульптор, чтобы перелить их в слитки бронзы, из которых он потом отольет скульптуру, сделает точный профиль любого, даже если фотография будет анфас.
А что, если он снимет с меня маску, когда я уже превращусь в желтый барельеф?.. И снова для потехи обнажит мое лицо?..
Нет... не обнажит! Мне нечем ему заплатить!
Я могу только домыслить истину.[9]

Не претендуя на истину, а лишь домысливая ее, художник способен творить истинную художественность, на пути к которой один из его попутчиков – самообман. И в связи с этим вновь вспоминаются убежденные суждения Стрелера:

---

[7] С. Параджанов: Исповедь: Киносценарии. Письма. СПб. 2001, с. 130/31 (курсив мой – Л.Д.).
[8] Там же, с. 158/59 (курсив мой – Л.Д.).
[9] Там же, с. 157/58 (курсив мой – Л.Д.).

> И покуда меня не разубедят, я буду думать, что знаменитый звук лопнувшей струны – это так, самообман литератора, попытка набором слов выразить звучание, придать ему видимость объективно существующего сценического явления. И эта видимость, несомненно, есть.[10]

Что ж, если этот чеховский звук – «самообман литератора», он лишь подтверждает вывод Мопассана, прозвучавший в предисловии к его роману *Пьер и Жан* (1884): «Великие художники – это те, кто сумел внушить человечеству свою собственную иллюзию.»

Литература

Каминская, Н.: Оркестр лопнувших струн. В: Культура, 2004, № 24 <http://www.kultura□portal.ru/tree_new/cultpaper/article.jsp?number=523&crubric_id=100422&rubric_id=206&pub_id=560274>.
Параджанов, С.: Исповедь: Киносценарии. Письма. СПб. 2001.
Полоцкая, Э.: «Вишневый сад». Жизнь во времени. Москва 2003.
Стрелер, Дж.: Театр для людей. Москва 1984.
Сухих, И.: Струна звенит в тумане. В: Звезда, 1998, № 6, с. 230-238.

[10] Стрелер, с. 219.

Christine Engel

Transformation als Aktualisierung:
Zwei Filmadaptionen von *Djadja Vanja*

Literatur im Film

Der bekannte französische Filmkritiker André Bazin verfasste 1948 eine engagierte Stellungnahme zugunsten der Verwendung von literarischen Texten im Film.[1] In seinem Beitrag weist der Vordenker der „Nouvelle Vague" auf die zahlreichen produktiven intermedialen Verflechtungen zwischen Erzählliteratur, Drama und Film hin. Es sei wenig zielführend, dass die Adaption (sein Terminus), der ja unter der Bezeichnung „Literaturverfilmung" lange Zeit das Hautgout des ‚Bebilderns' anhaftete, ständig unter dem Aspekt gesehen werde, dass sie niemals der Komplexität des Originaltextes gerecht werden könne. Literarischer Text und Film sollten vielmehr als zwei gleichberechtigte Ausdruckssysteme gesehen werden, die ihre jeweiligen Mittel (gut oder schlecht) nutzen – eine Ansicht, die sich inzwischen (nach fast 60 Jahren) weitgehend durchgesetzt hat.[2]

Bei einer Bewertung von Gelingen oder Nichtgelingen muss daher primär vom Endprodukt Film und nicht vom Text ausgegangen werden. Um dieses Umdenken auch terminologisch zu fassen, ist es sinnvoll – zumindest in wissenschaftlichen Arbeiten – den Terminus „Literaturverfilmung" zu vermeiden und ihn durch „Transformation", „Transposition" oder „Adaption" zu ersetzen. In meinen weiteren Ausführungen verwende ich „Transformation", wenn der Prozess der Übertragung und die Semiose des Films im Vordergrund stehen. „Adaption" bzw. „Filmadaption" betreffen dagegen das Produkt dieses Prozesses, also den Film. Unter „Transposition" verstehe ich die Übertragung in eine andere Zeit oder in einen anderen Raum, also auch eine Übertragung in die Gegenwart (Aktualisierung). Aus Überlegungen der perspektivischen Umkehrung wird dementsprechend für das literarische Werk der Terminus „Prätext" (und nicht „Ausgangstext") verwendet; dies vor allem auch deshalb, weil Filmadaptionen ihre Bezüge ja nicht notwendigerweise nur zu einem einzigen literarischen Werk herstellen, sondern manchmal ein ganzes Gefüge an Referenztexten heranziehen.

Anders als bei Erzähltexten wird bei Dramentexten zwar von vornherein ihre Realisierung durch eine Aufführung (auf einer Bühne) mitgedacht, das prinzipielle Problem ist aber vergleichbar, denn auch in diesem Fall muss ein Transformationsprozess stattfinden. Geht man bei der Analyse dieser Leistung von einem semiotisch-strukturalistischen Ansatz mit der Unterscheidung einer Oberflächen- und einer Tiefenstruktur aus, so lässt sich die Transformation von einem Erzähltext oder einem Drama in einen Film als ein Prozess beschreiben, der auf der Übertragung von Konzepten beruht, die aus dem literarischen Text abstrahiert werden. Dadurch können Strukturen und Formen ermittelt werden, die sich unabhängig von den verwendeten Zeichensystemen zueinander in Relation setzen lassen, wobei die Größen Zeit, Raum, Figur und Geschehen eine zentrale Rolle spielen.[3] Dabei ist auch in Betracht zu ziehen, dass sich nicht alle Filmadaptionen auf Konzepte des Prätextes beschränken, sondern darauf

[1] Vgl. André Bazin: Für ein ‚unreines' Kino – Plädoyer für die Adaption [1948]. In: André Bazin: Was ist Kino? Bausteine zur Theorie des Films. Köln 1975, S. 45-67.

[2] Ähnliche Diskussionen über das Verhältnis von Texten und den Stellenwert von Original und Übersetzung werden in der Translations- und in der Kulturwissenschaft geführt, wo auch (wie schon bei Bazin) die sich wandelnden zeitspezifischen Vorstellungen in Zusammenhang mit dem Begriff „Original" thematisiert und problematisiert werden.

[3] Vgl. Irmela Schneider: Der verwandelte Text. Wege zu einer Theorie der Literaturverfilmung. Tübingen 1981 (= Medien in Forschung und Unterricht, Serie A, Bd. 4), S. 122f.

eigene, weiterführende Vorstellungen aufbauen. Michaela Mundt, die aufbauend auf Irmela Schneider weitere Vorarbeiten zu einer Theoriebildung setzt, berücksichtigt das in ihrer Studie und formuliert drei Varianten des Umgangs mit dem literarischen Prätext[4]: 1) eine analoge Wiedergabe, die primär darauf ausgerichtet ist, die bereits bestehende literarische Botschaft als Filmtext neu zu formulieren; 2) eine konzeptuelle Interpretation, die im Vergleich zur ersten Variante mehr Wert auf eine Auswahl und Zuspitzung von Schlüsselkonzepten des literarischen Textes legt; 3) eine eigenständige Transformation, die den literarischen Prätext nur als einen unter mehreren Bezugspunkten betrachtet, aus denen aber ein eigenes Anliegen formuliert wird. Dass diese drei Varianten sich nicht scharf voneinander abgrenzen lassen, sondern dass fließende Übergänge bestehen und manche Filme von mehr als einer Variante Gebrauch machen, versteht sich von selbst.

Eine der spannendsten Spielarten von Transformation ist dabei der Versuch, den literarischen Text in die eigene Zeit des Regisseurs zu übertragen bzw. damit in Verbindung zu setzen. Eine solche diskulturale Interpretation, die sowohl den Kontext der Entstehungszeit des literarischen Textes als auch den der Entstehung des Films berücksichtigt, erzeugt auf jeden Fall ein zusätzliches produktives Spannungsverhältnis zwischen Prätext und Film. Im Prinzip ist dieses Spannungsverhältnis zwischen konkultural und diskultural jeder Filmadaption inhärent.[5] Der Umgang damit – und vor allem der Reflexionsgrad bzw. der Grad der Offenlegung dieses Umgangs – kann jedoch sehr verschiedene Formen annehmen.[6]

Bei den Adaptionen von *Djadja Vanja* bedienen sich mehrere Regisseure des Verfahrens der Transposition in einen aktuellen Kontext. Zwei englischsprachige Adaptionen von durchaus namhaften Filmgrößen sind dabei ein Beispiel für sehr weitgehende Veränderungen, da die Filme den russischen Kontext völlig ausblenden, indem sie sowohl das geographische Setting als auch die Namen der Figuren verändern. Anthony Hopkins[7] verlagert in seinem Regiedebut *August* (GB, 1996) den Schauplatz und den Konflikt von *Djadja Vanja* nach Südwales im ausgehenden 19. Jahrhundert. Die geordnete viktorianische Ruhe des Landlebens wird durch den Besuch des Professors aus der Hauptstadt London durcheinander gebracht, von wo dieser mit seiner jungen Frau, einer Amerikanerin, anreist. Die Verfilmung *Country Life* (Australien, 1994) von Michael Blakemore ist in South Wales in Australien nach dem Ersten Weltkrieg situiert. Diese Transformation akzentuiert den Konflikt zwischen Stadt und Land, den der Regisseur zu einer Spannung zwischen dem British Empire – mit Zuschreibungen wie Snobismus und Rassismus – und einem seiner entlegenen Winkel des Reiches zuspitzt. Auch in dieser Adaption kommt das Ehepaar aus London. Sowohl bei Blakemore als auch bei Hopkins verlagert sich der Fokus des Čechovschen Dramas von einem komplizierten Interaktionsverhältnis der Figuren zu einem klar konditionierten gesellschaftlichen Konflikt. Durch die zeitliche und räumliche Überdeterminierung und durch die Betonung postkolonialer Konflikte laufen diese Verfilmungen nicht nur Gefahr, mit einem ‚Ablaufdatum' versehen zu sein, sondern auch den Čechovschen Text allzu sehr auf ein einziges Konzept einzuengen und vor allem der Ambivalenz und Mehrdeutigkeit des Čechovschen Textes nicht gerecht zu werden.

---

[4] Vgl. Michaela Mundt: Transformationsanalyse. Methodologische Probleme der Literaturverfilmung. Tübingen 1994, S. 37-40.

[5] So wie ja auch die Lektüre eines literarischen Textes von konkulturalen und diskulturalen Aspekten beeinflusst wird.

[6] Damit wird im Prinzip ein ähnliches Problem berührt wie das des Umgangs mit der Theaterillusion, der ja auch zwischen Verschleierung und Bewusstmachen zahlreiche Abstufungen aufweist und epochenspezifisch sehr unterschiedlich gehandhabt wird.

[7] Hopkins reüssiert vor allem als Schauspieler und hatte in so bekannten Filmen wie *The Silence of the Lambs* die Hauptrolle.

Wesentlich subtiler (und spannender) sind im Vergleich dazu die Transpositionen von Raum und Zeit bei Andrej Michalkov-Končalovskij *Djadja Vanja* (SU, 1970) und bei Louis Malle *Vanya on 42nd Street* (USA/GB, 1994) gelöst.

„Djadja Vanja" von Andrej Michalkov-Končalovskij (1970)

Der russische Regisseur Andrej Michalkov-Končalovskij (*1937) war einer der engagierten Akteure der Tauwetterzeit und versuchte in den sechziger Jahren erfolgreich, das starre ästhetische und ideologische Konzept des sozialistischen Realismus aufzubrechen. In seinem Film *Djadja Vanja*[8] (1970) baut er ein Spannungsverhältnis zwischen der Situation der Intelligencija im ausgehenden 19. Jahrhundert und in der Breževzeit auf.[9] In der Oberflächenstruktur belässt er das Ambiente des Čechovschen Landhauses, die Kostüme und die Requisiten im Stil der 1890er Jahre; die Bezugsebene zur Gegenwart verlagert er dagegen in den Subtext[10]. Die Adaption expliziert sozusagen die eigene Position des Regisseurs als Künstler in einer entscheidend veränderten gesellschaftlichen Situation: den Absturz aus einer Aufbruchsstimmung mit Reflexions- und Gestaltungsmöglichkeiten in eine von außen herangetragene Handlungsunfähigkeit. Als DarstellerInnen figurieren im Film namhafte SchauspielerInnen der damaligen Zeit, allen voran Innokentij Smoktunovskij (Vojnickij), der die gesellschaftspolitische Kritik des Regisseurs teilte, sowie Sergej Bondarčuk (Astrov), der eine ähnliche Einstellung hatte, wenn auch nur vorübergehend.

Den Subtext arbeitet Michalkov-Končalovskij anhand von Parallelisierungen der 1890er und der ausgehenden 1960er Jahre heraus. Sein Hauptthema ist dabei die Frage, wie die Tauwetter-Intelligencija auf die veränderten Verhältnisse reagiert. Sowohl Vojnickij als auch Astrov werden als starke, intellektuell begabte Persönlichkeiten gezeichnet, die durch die veränderten Bedingungen an die Grenze ihrer Möglichkeiten getrieben werden. Ihre Reaktionen darauf sind allerdings unterschiedlich: Vojnickij verfällt in lethargische Handlungsunfähigkeit und zynische Ironie. Astrov hingegen lässt sich trotz der fast ausweglosen Situation nicht davon abbringen, an weiterführenden Plänen zu arbeiten. Dabei ist Astrov deutlich als Identifikationsfigur des Regisseurs gezeichnet, während die Haltung Vojnickijs einen Vorwurf an die Intelligencija und ihre Resignation impliziert. Ein zentrales konzeptuelles Moment der Adaption ist daher der Gedanke, dass der erschreckende Stillstand im intellektuellen und künstlerischen Leben vor allem dann eintritt, wenn man tatenlos zuschaut und das Feld so unfähigen, ‚aufgeblasenen' und anmaßenden Personen wie einem Professor Serebrjakov überlässt.

Den Vorwurf einer inerten Haltung gegenüber den Problemen der Zeit beschränkt Michalkov-Končalovskij jedoch nicht nur auf die Intelligencija, sondern sieht darin ein grassierendes Phänomen seiner Zeit. Dementsprechend sind Marina (Ekaterina Mazurova) und Telegin (Vladimir Butenko) als Figuren konkretisiert, die mit ihrem ‚kleinen' Glück zufrieden sind,

---

[8] *Djadja Vanja*: Mosfil'm 1970; 100'; Buch und Regie: Andrej Michalkov-Končalovskij; Kamera: Georgij Rerberg, Evgenij Guslinskij; Musik: Al'fred Šnitke; Darsteller und Darstellerinnen: Innokentij Smoktunovskij (Vojnickij), Sergej Bondarčuk (Astrov), Irina Kupčenko (Sonja), Irina Mirošničenko (Elena), Vladimir Zel'din (Serebrjakov), Irina Anisimova-Vul'f (M.V. Vojnickaja), Vladimir Butenko (Telegin), Ekaterina Mazurova (Marina).

[9] Vgl. Christine Engel: „Djadja Vanja" in der Verfilmung von Andrej Michalkov-Končalovskij. In: Kultur, Interpretation, Translation. Hg. Heidemarie Salevsky. Frankfurt/M. u.a. 2005, S. 233-250. Die folgenden Ausführungen zu diesem Film sind eine gekürzte Fassung dieses Beitrags.

[10] „Subtext" wird hier im Sinne einer nicht manifesten, einer verborgenen Textebene verwendet, die sich aufgrund eines gemeinsamen Themas oder eines semantischen Komplexes aus dem Text – sei es literarischer oder Filmtext – erschließen lässt. Anders als poststrukturalistische Theorieansätze, die „Subtext" als latenten Sinn verstehen, der sich dem Autor entzieht, wird der Begriff hier durchaus in Zusammenhang mit der Autorenintention gesehen.

und das vor allem deshalb, weil sie im herrschenden System für sich selber einen ruhigen Platz gefunden haben und gut versorgt sind. Das Leben der beiden erschöpft sich in erstarrten Gesten von alltäglichen, blutleeren Ritualen, die den Erhalt des Status quo sichern: Das Stricken am Strumpf, das gemeinsame Abwickeln der Wolle und die ewig gleiche volkstümliche Melodie, die Telegin auf der Gitarre anstimmt, sind dafür Beispiele.

Diesen beiden Figuren wird das so genannte einfache Volk kontrastierend gegenübergestellt. Im Film wird das vor allem anhand des Vorspanns realisiert, wo zu den disharmonischen Klängen der Filmmusik von Al'fred Šnitke Fotografien aus den 1890er Jahren eingeblendet werden. Bilder von Zwangsarbeitern, die unter schwersten Bedingungen ihren Lebensunterhalt verdienen, sowie von verarmten Bauern werden in schnellem Wechsel zu Bildern gegengeschnitten, die Spekulanten und den prunkvollen zaristischen Hofstaat mit seinen ausschweifenden Vergnügungen zeigen. Diese Kontrastmontagen werden noch durch Bilder der höfischen Jagd ergänzt. Die triumphale waidmännische Geste über dem erlegten Wild wird im Duktus Sergej Ėjzenštejns in einen metonymischen Sinnzusammenhang mit Bildern von ‚erlegten' hungernden Kindern und Kranken gebracht. Ergänzt wird der Vorspann noch durch Fotografien eines harmonischen ‚gutbürgerlichen' Familienlebens auf dem Lande – Fotografien, die den Versuch indizieren, sich aus den Zeitläuften herauszuhalten.

Der doppelte Blick, nämlich auf die Zeit Čechovs und die Gegenwart des Regisseurs, zeigt sich auch in der Stilisierung der weiblichen Figuren. Elena (Irina Mirošničenko) ist in der Adaption keine tragisch Gescheiterte, die ihre künstlerischen Ambitionen geopfert hat, sondern eine Frau, die den Emporkömmling Serebrjakov geheiratet hat, um sich eine gesellschaftlich und finanziell gesicherte Existenz zu schaffen, und die nun unter der selbst verschuldeten Langeweile und dem mangelnden Anspruch an sich selbst leiden muss. Sonja (Irina Kupčenko) wiederum wird als eine Figur zugespitzt, die keine eigenen Konzeptionen und Positionen entwickelt, und deshalb auch kein adäquates Lebensmodell für sich findet. Ihr Bedürfnis, sich an den Plänen Astrovs zu beteiligen, scheitert, weil dieser in ihr keine Partnerin mit gestalterischer Willenskraft, sondern nur ein Mädchen mit diffusen Sehnsüchten sieht. Aber auch ihre Bemühungen, sich selbst mithilfe von Vojnickijs Lebensplan zu verwirklichen, sind zum Scheitern verurteilt, da dieser versucht, sich unter den gegebenen Bedingungen in einem ‚Rückzugsgefecht' auf die Bewältigung des Alltags zu konzentrieren. Sonja wird klar, dass diese Einstellung zur ‚Mumifizierung' führt, und muss zusehen, wie sich Vojnickij vor ihren Augen in einen lebenden Leichnam verwandelt.

Wie wichtig dem Regisseur diese Aussage ist, wird dadurch deutlich, dass der lebende Tote auch eine formale Klammer zwischen Vojnickijs erstem Auftreten und dem Schluss des Films bildet: Die erste Aufnahme zeigt Vojnickij in einem todesähnlichem Schlaf, und die Schlussszene lässt sein Gesicht wie einen Totenkopf erscheinen, den Sonja voll Entsetzen betrachtet. In einer ähnlichen Totenstarre wird auch Marija Vasil'evna Vojnickaja in der Eingangssequenz gezeichnet: Regungslos im Lehnstuhl sitzend ist Vojnickaja eine interikonische Anspielung auf die mumifizierte Leiche der Mutter im Film *Psycho* (1960) von Alfred Hitchcock.

Bei der filmischen Umsetzung seines Subtextes bedient sich Michalkov-Končalovskij recht subtiler Methoden, von denen Wiederholungsstrukturen, der Wechsel von Farbe und Schwarzweiß sowie die Kürzungen auf der Textebene besonders hervorzuheben sind. Wiederholungsstrukturen finden sich sowohl auf der visuellen Ebene als auch auf der akustischen. Die visuelle Ebene, vor allem was die Umsetzung des Raumkonzeptes betrifft, ist geprägt von Kreisbewegungen, Wiederholungen und Leitmotiven, die in ihrer Semantik eine gewisse Ausweglosigkeit der Situation transportieren. Der Innenraum des Hauses wird mit Leere und Verfall assoziiert, was gleich zu Beginn des Films in einer langen Kamerafahrt durch die menschenleeren Räume des Hauses vermittelt wird. Die Türen führen nicht in neue, andere Räume, sondern bringen auch die später ins Bild kommenden Figuren immer wieder zurück in denselben Raum, aus dem es kein Entrinnen gibt. Zudem beschränkt sich die Raumkonzeption auf das Innere des Hauses – mit den Assoziationen von Enge und Eingesperrtsein – und lässt den Gartenraum, der bei Čechov eine signifikante Rolle spielt, nur erahnen. Auch die Tee-Szene im 1. Akt, die bei Čechov im Park unter einer alten Pappel stattfindet, wird im Film auf die überdachte Veranda, also in das Ambiente des Hauses verlegt.

Auf der akustischen Ebene wird die Wiederholungsstruktur durch wiederkehrende Klänge und Geräusche umgesetzt. Eine klangliche Leitmotivik findet sich zwar auch bei Čechov durch das Schlagen der Uhr und das ferne Warnsignal des Zuges, das im Drama das unausweichliche Näherrücken der Moderne als Veränderung des Zeitgeistes andeutet. In der Adaption treten aber solche klanglichen Wiederholungen noch gehäufter auf, wie z.B. das Tropfen des Wassers, das durch das undichte Dach dringt, das Knarren der Türen oder das Klimpern der Gitarre. Im Film indizieren diese Signale aber – im Unterschied zum Drama – den Rückfall in eine Kreisbewegung, was auf der visuellen Ebene durch das leitmotivische Einblenden des Barometers und der Standuhr noch zusätzlich unterstützt wird. Eine besonders gewichtige Stellung nimmt das Leitmotiv des toten gedruckten Wortes, vor allem das der Tagespresse, ein: Lose Zeitungsseiten liegen verstreut am Boden herum oder werden vom Luftzug verweht und bedecken auch das schlafende Gesicht Vojnickijs.

In der Komposition verwendet Michalkov-Končalovskij sowohl Schwarzweiß als auch Farbe. Die vier Schwarzweiß-Passagen (mit einer Länge von je zehn Minuten) erfüllen im Film eine kompositionelle Funktion, denn sie bilden einen Rahmen sowohl um das Filmganze als auch um die einzelnen Akte. Darüber hinaus indiziert Schwarzweiß aber auch das kaum mehr Erinnerte, also Bezüge, die erst wieder ins Bewusstsein gehoben werden müssen. Um den Gestus des Authentischen zu unterstreichen, kommt es drittens vor allem in den Szenen zur Anwendung, wo Astrov über seine Anliegen spricht, sei es über die Kranken oder über den Wald. Und viertens ist Schwarzweiß mit dem ‚Prinzip Hoffnung' gekoppelt: Der 4. Akt, die Abreise des Professors, ist zur Gänze in Schwarzweiß gehalten. Für Čechov war der Zeithorizont der Stagnation ja nicht absehbar, für Michalkov-Končalovskij dagegen ist es aus der Retrospektive klar, dass die lähmende Situation der 1890er Jahre zu einem Ende kam – und dasselbe impliziert er für seine eigene Gegenwart.

Die Farbe wiederum dient im Film einerseits als ein Signal für die veränderten neuen Zeiten. Andererseits vermeidet Michalkov-Končalovskij jedoch eine platte Kontrasttechnik, indem er eine Farbgebung einsetzt, die eigentlich nicht der ‚neuen Zeit' entspricht. Er verwendet nicht die damals üblichen grellen Cinemascope-Farben, sondern helle, durchscheinende Pastelltöne in allen Schattierungen zwischen Schwarzweiß und Farbe, die an ein Palimpsest erinnern, hinter dem das Andere, das immer noch Mögliche und Wünschenswerte durchscheint.

Auf der sprachlichen Ebene hält sich Michalkov-Končalovskij, der auch für das Drehbuch verantwortlich zeichnet, genau an den Text des Dramas und zwar insofern, als er nichts hinzufügt und auch keine Umstellungen vornimmt. Allerdings sind im Text umfangreiche Kürzungen vorgenommen, die einen so gravierenden Eingriff darstellen, dass die gesamte Aussagestruktur des Dramas zugunsten des filmischen Subtextes verändert wird: Gleich in der Eingangsszene fehlt Astrovs allgemeine Einschätzung des Lebens als langweilig, dumm und schmutzig. In Übereinstimmung mit der weiter vorne erwähnten Figurenzeichnung von Astrov entfällt nun nicht nur der Rückblick auf die langen Jahre der gemeinsamen Bekanntschaft mit Marina, sondern auch ihr Hinweis auf seinen Alterungsprozess sowie die Replik, die auf seine Trunksucht Bezug nimmt. Keine Erwähnung findet weiters, dass Astrov mit der Zeit zu einem Sonderling wurde – innerlich abgestumpft und ohne Willenskraft.

Auch bei Vojnickij sind sowohl der Hinweis auf seine 47 Lebensjahre als auch die Anspielungen auf das beginnende Alter gestrichen. Solche Angaben würden den Transfer zur Generation von Michalkov-Končalovskij in falsche Bahnen lenken, denn diese Generation ist ja erst Mitte dreißig und ihre Schwierigkeiten sollen keinesfalls mit einer persönlichen Midlife-Crisis in Zusammenhang gebracht werden. Signifikant ist auch, dass der Gegensatz von Arbeit und Nichtstun – ein wichtiges Thema für Čechov – weggelassen wird, da dieses Thema in den Diskursen der 1960er Jahre praktisch keine Rolle spielte.

Serebrjakov (Vladimir Zel'din) wird im Film als ein Charakter ohne Marotten stilisiert, der genau weiß, wie man andere für seine eigenen Zwecke einspannt. Da auch nicht gesagt wird, dass der Professor ewig auf dem Landgut bleiben möchte, steht die Möglichkeit seiner Abreise von vornherein im Raum. Unterstrichen wird aber, dass der Professor zeitlebens einen fremden Platz eingenommen, sich selbst überschätzt hat und von seinem Beruf nichts versteht. Vojnickijs Vorwurf, dass der Professor seit 25 Jahren fremde Gedanken über Realismus und Naturalismus wiederkäut, die den Intelligenten schon längst klar und für alle anderen von wenig Interesse sind, wird – im Code des Subtextes gelesen – zu einem ironischen Seitenhieb auf die endlosen Debatten um den sozialistischen Realismus, wie sie in der offiziellen sowjetischen Literaturkritik geführt wurden.

Der Regisseur, der gegen die allgemeine Resignation seiner Tauwetterkollegen in einer schier ausweglosen Lage antritt, findet für diese Haltung auf der visuellen Ebene des Films einen sehr anschaulichen Ausdruck, indem er ein zentrales Leitmotiv des Dramas abwandelt: Nach den Regieangaben von Čechov hängt im Zimmer von Vojnickij die Landkarte von Afrika als mentaler Flucht- und Projektionsraum, und daneben steht als Gegenpol ein Vogelkäfig mit einem gefangenen Star, der seinem Gefängnis nicht entkommen kann. Im Film wird zwar die Landkarte des Öfteren leitmotivisch in das Bild gerückt, der Käfig aber, als Symbol des Eingesperrtseins, wird nicht realisiert. Mit diesem abgewandelten Leitmotiv wird zugleich dem Raumkonzept des Films, das ja gerade das Gefangensein im eigenen (Denk)Gebäude unterstreicht, ein signifikanter Kontrapunkt entgegengesetzt.

„Vanya on 42nd Street" von Louis Malle (1994)

Fast ein Vierteljahrhundert später nimmt sich der bekannte französische Regisseur Louis Malle (so wie Bazin einer der Gründungsväter der „Nouvelle Vague") des Čechovschen Dramas an und dreht den Film *Vanya on 42nd Street*[11]. Im Gegensatz zu Michalkov-Končalovskij ist in dieser Adaption der Gegenwartsbezug völlig offen gelegt, denn mithilfe einer Rahmenkonstruktion situiert der Regisseur das Geschehen im New York der 1990er Jahre. Der Rahmen zeigt die SchaupielerInnen auf dem Weg zum Theater, wo sie dann in ihrer Straßenkleidung *Djadja Vanja* spielen. Der Film ist eine quasi-dokumentarische Aufzeichnung einer Theaterprobe unter der Regie von Andre Gregory. Trotz des Settings in New York wird jedoch der russische Kontext nicht eliminiert (wie das bei den beiden eingangs erwähnten englischen Adaptionen der Fall ist), sondern bleibt ständig als eine zweite Bezugsebene präsent. Dieses Oszillieren zwischen mehreren Bezugsebenen, das durch fließende, fast unmerkliche Übergänge realisiert wird, ist das dominante Verfahren in der Adaption:

---

[11] *Vanya on 42nd Street*: Sony Pictures Classics, USA/UK, 1994; 119'; Regie: Louis Malle und Andre Gregory; Buch: David Mamet und Andre Gregory; Kamera: Declan Quinn; Musik: Joshua Redman; Darsteller und Darstellerinnen: Wallace Shawn (Vojnickij), Larry Pine (Astrov), Brooke Smith (Sonja), Julianne Moore (Elena), George Gaynes (Serebrjakov), Lynn Cohen (M.V. Vojnickaja), Jerry Mayer (Telegin/Waffles), Phoebe Brand (Marina), Andre Gregory (er selbst).

> The film creates meaning by way of seamless transitions between the elements of its structure – New York and Russia – and between the elements of its style – cinema and theatrical performance. […] New York constitutes the *external text*, Russia is the internal text or the *intext*. The *intext* is Gregory's production of Chekhov's play within the *external text* –Malle's film. New York also constitutes the *compositional frame* of the film. There is, however, no strict border between the two. The film signifies by way of constant intertwining. This causes both to be at once framing and framed parts of the text.[12]

Die Entstehungsgeschichte dieser Adaption, die das letzte Werk von Louis Malle (1938–1995) ist, doubliert bis zu einem gewissen Grad die Rahmenkonstruktion: Andre Gregory (*1934), den man neben Malle mit Fug und Recht als gleichberechtigten Regisseur der Produktion nennen muss[13], hatte in den späten 1980er Jahren eine Gruppe von befreundeten Schauspielern versammelt und probte über vier Jahre lang das Stück von Čechov. Das Ziel war dabei nicht das Hinarbeiten auf eine bestimmte Aufführung, sondern das präzise Ausloten des Textes.[14] Als Textgrundlage diente dafür eine Neubearbeitung von David Mamet, der (gemeinsam mit Gregory) das Stück in modernes Englisch übertrug, ohne dabei dem Čechovschen Text Gewalt anzutun.[15] Louis Malle – als langjähriger Freund und Filmpartner von Gregory – filmte dieses Stück mit dem Kameramann Declan Quinn innerhalb von zwei Wochen.

Der Ort der Aufführung und der Verfilmung ist das heruntergekommene New Amsterdam Theatre in der 42nd Street. Dieser Spielort ist für den Film in mehrfacher Weise signifikant. Das New Amsterdam Theatre legt durch seinen Jugendstilbau und seine Gründung 1903 einen Bezug zur Zeit Čechovs nahe. Da das Stück darüber hinaus nicht auf der Bühne aufgeführt wird[16], sondern ohne Kulissen an verschiedenen Örtlichkeiten des Theaters, wird das alte verfallende Theater selbst mit dem Landhaus bei Čechov parallelisiert – Amerika und Russland treffen sich sozusagen an diesem Ort. Weitere signifikante Überschneidungen lassen sich bei den Kostümen beobachten: Die Schauspieler spielen zwar in Straßenkleidung, ihr Outfit ist aber kein zufälliges, wie es auf den ersten Blick scheinen mag, sondern korrespondiert sehr subtil mit dem Stück: Sonja trägt ein Kattunkleid mit Tupfen, das eine leichte provinzielle Stilisierung erkennen lässt. Die Kleidung der Serebrjakovs mit schwarzen Hosen, weißer Bluse bzw. Hemd und einem dunklen Pullover mit V-Ausschnitt entspricht dagegen dem Habitus der New Yorker Intelligenz der neunziger Jahre. Ähnliches trifft auf die Requisiten zu, die sowohl New York als auch das Russland der Jahrhundertwende evozieren: Vanja trinkt seinen Tee zwar aus einem Pappbecher mit der Aufschrift „I Love N.Y.", aber Sonja serviert den Wodka in einer Karaffe und in geschliffenen Gläsern.

Das New Amsterdam Theatre steht zudem mit dem für den Film wichtigen Konzept des Verhältnisses von Hoch- und Trivialkultur in Verbindung. Das Theater hatte in seinen besseren Zeiten nicht nur Shakespeare-Stücke in seinem Repertoire, sondern beherbergte in den

---

[12] Marina Madorskaia: Overcoming the Resistance of Chekhov's Drama. Louis Malle's *Vanya on 42nd Street*. In: Toronto Slavic Quarterly. Academic Electronic Journal in Slavic Studies. University of Toronto: <http://www.utoronto.ca/tsq/10/madorskaya10.shtml> [download 25.6.2005; Kursiv im Original].

[13] So wie die anderen Mitwirkenden ist auch Gregory in mehreren Bereichen tätig und reüssiert nicht nur als Theaterregisseur, sondern auch als Filmregisseur, Produzent, Schauspieler und Drehbuchautor (für seine eigenen Filme).

[14] Die Darsteller sind dem Zuschauer allesamt vor allem durch Filmrollen bekannt. So spielte z.B. Brooke Smith die weibliche Hauptrolle in *The Silence of the Lambs* und Julianne Moore in *Psycho*. Larry Pine spielte in *Dead Man Walking* und *The Royal Tennebaums*. Die gute Zusammenarbeit zwischen Malle und Gregory fand bereits in *My Dinner With Andre* einen künstlerischen Niederschlag, ein Film, an dem auch Wallace Shawn mitwirkte.

[15] Vgl. dazu auch die kritischen Anmerkungen von Douglas Stenberg, der sich jedoch m.E. allzu stark in sprachlichen Details verliert und das Konzept der Verfilmung völlig aus dem Auge verliert. Douglas Stenberg: Chekhov's Uncle Vanya Translated on 42nd Street. In: Literature Film Quarterly, 2002: <http://www.findarticles.com/p/articles/mi_qa3768/is_200201/ai_n9038696#continue> [download 25.6.2005].

[16] Die Bühne sei nicht betretbar, da, wie wir erfahren, die Ratten den Schnürboden zerfressen haben.

1910er und 1920er Jahren auch die Revue-Produktionen und Varietés der bekannten Ziegfeld Follies. Diese Mischung von hoch und trivial betrifft aber auch die Straße, in der das Theater steht, wo neben Off-Broadway-Theatern bis in die späten 1990er Jahre ja auch das Rotlichtmilieu angesiedelt war, mit Peep-Shows und Erotikgeschäften. Der Film gibt dieses Spannungsgefüge in der Eingangssequenz wieder, indem neben einem Plakat für *Uncle Vanya* eine Werbung für Hotdogs zu stehen kommt, gefolgt von einer Aufnahme des Triple Treat Theatre, einem bombastischen Gebäude, in dem Porno-Shows geboten wurden.

Die Eingangssequenz bringt zuerst zufällige Passanten ins Bild, eine anonyme Menge, von der sich nach und nach einige der involvierten Schauspieler abheben. Ihr liebevoller Umgang miteinander, ihr Plauderton sowie das visuelle Hervorheben aus der Menge akzentuiert ein weiteres Konzept des Films. Čechov, Malle, Gregory und Mamet vertreten alle gemeinsam die Ansicht, dass eine intensiv und mit Hingabe betriebene Kunst in einer freundschaftlichen Atmosphäre das einzig Wahre ist, das das Leben als Künstler (oder Schriftsteller) lebenswert macht. Sie sind überzeugt, dass nur eine so verstandene künstlerische Tätigkeit in die Lage versetzt, Leben durch Kunst darzustellen und dass sowohl Leben als auch Kunst durch diese Verbindung an Intensität und Sinnverankerung gewinnen. Dadurch wird deutlich, dass das metonymische Nebeneinander von niedriger und hoher Kultur in der Rahmenhandlung mitnichten eine Gleichwertigkeit der beiden bedeutet. Die Schauspielleistung der Darsteller weist eine hart erarbeitete Authentizität von natürlicher Gestik und Mimik auf, die durchgehend den Duktus einer Kommunikationssituation innerhalb einer Familie aufrechterhält. Dieser hohe Grad an Intimität ohne jegliches Pathos wird vor allem durch die ausgezeichnete Textbeherrschung hergestellt. Die Darsteller sind zugleich der Garant dafür, dass die Gratwanderung zwischen Tragödie und Komödie gelingt – der ja auch im Prätext eine entscheidende Rolle spielt –, denn sowohl Wallace Shawn (Vanja) als auch George Gaynes (Serebrjakov) sind ja dem Zuschauer vor allem durch komödiantische Rollen bekannt.

Die gegenseitige Durchdringung von Kunst und Leben wird im Film aber auch durch den nahtlosen Übergang vom Rahmen in das Stück semantisiert: Der Plauderton wird fortgesetzt, und kaum merklich für den Zuseher hat das Stück bereits begonnen. Dabei sind die ersten Zeilen des Dramas ein Echo auf das Gespräch, das Larry Pine (Astrov) gerade mit Phoebe Brand (Marina) geführt hat: So wie später Astrov erzählt er, wie müde und ausgelaugt er von seiner Arbeit sei, da er noch in zwei weiteren Produktionen tätig sei und ständig proben müsse. Mit dieser Replik wird das Ideal der erfüllenden Arbeit durch künstlerischen Anspruch in Kontrast gesetzt zu ihrem Pendant, der sinnentleerten Arbeit, die nur zur Erschöpfung führt. Unter diesem Aspekt betrachtet, bekommen auch die anderen Rollen im Stück eine weitere Bezugsebene, denn sie lassen sich durchaus der heutigen Situation von Schauspielern zuordnen – mit Serebrjakov als hohlem Poseur, dem unverdienter Erfolg beschieden ist, während andere, Talentiertere, nicht aus der Anonymität herauskommen, sei es Sonja als kleines Filmsternchen, das nie bemerkt wird, oder Vanja als Arbeitstier, dem nie der entsprechende Dank entgegengebracht wird.[17]

Dass erfüllende Kunst sich weder nach Einschaltquoten noch nach ‚vollen Häusern' und Kinos bemessen lässt, wird dadurch indiziert, dass bei der (gefilmten) Theatervorstellung nur Gregory mit einigen handverlesenen Freunden anwesend sind, aber kein (zahlendes) Publikum – ein Plädoyer für eine Kunst von Kennern für (befreundete) Kenner. Der damit in Zusammenhang stehende finanzielle Aspekt ist wiederum auf mehreren Ebenen beobachtbar: Erstens spielt Geld im Dramentext selbst eine entscheidende Rolle, da ja Serebrjakov das Landgut ohne Rücksicht auf Sonja und Vanja verkaufen will; Sonja und Vanja sind darüber hinaus des Öfteren mit ihrer (fruchtlosen) Buchhaltung beschäftigt. Zweitens ist der Film eine

[17] Scott Renshaw: Vanya on 42nd Street. A Film Review. 1994: <http://reviews.imdb.com/Reviews/31/3139> [download 25.6.2005].

Low-Budget-Produktion – und das nicht nur, um Geld zu sparen, sondern auch deshalb, um der gemeinsam geteilten Überzeugung des Ensembles Ausdruck zu verleihen, dass Geld nicht das Entscheidende ist. Und drittens wird diese Haltung durch die Verwendung einer (billigen) Handkamera in die Filmsprache übertragen.

Die Handkamera entwickelt aber noch auf einer weiteren Bedeutungsebene ihre Semantik, denn sie betont das Provisorische, das Vorläufige, das sich Entwickelnde: Wichtig ist nicht eine perfektionierte Oberfläche, wie das in den durchgestylten Broadway-Shows üblich ist, sondern der schöpferische Prozess, der zu einer (befriedigenden) Perfektion anderer Art führt. Nicht umsonst ist die Aufführung in die Fiktion eingebettet, eben keine Aufführung zu sein, sondern eine Art Probe, in der das Stück einmal durchgespielt wird. Die sparsame Ausstattung, die nur aus Stühlen, Tisch und Bänken besteht, unterstreicht diesen minimalistischen Duktus.

Die Kameraführung spielt in diesem Film generell eine zentrale Rolle, denn Malle setzt sie dazu ein, um das Verhältnis von Theater und Film in die Filmsprache umzusetzen. Das Verhältnis zwischen Theater und Film ist ein Problem, das seit der Anfangszeit des Films virulent ist, und das auch Bazin in seinem eingangs erwähnten Beitrag anspricht:

> Für den Regisseur ist es immer eine Versuchung gewesen, das Theater abzufotografieren, denn das Theater ist bereits Schauspiel; […] Das Theater hingegen ist ein falscher Freund; seine trügerischen Ähnlichkeiten mit dem Film führten diesen in eine Sackgasse […].[18]

Malle löst diese Aufgabe, indem er während der Aufführung – wiederum fast unmerklich – die Handkamera durch eine Kamera, die an einem Deckenkran mit einem Gummiseil befestigt ist, ersetzt.[19] Diese Vorrichtung vermittelt zwar einerseits eine gewisse Stabilität im Vergleich zur Handkamera, vermeidet aber durch ihre Beweglichkeit und ihre Positionierung andererseits den Eindruck, dass eine Theateraufführung abgefilmt wird – die Kamera ist sozusagen mitten im Geschehen. Analog zum Kamerawechsel werden im Verlauf des Films auch typisch filmische Konventionen intensiviert: Am Anfang werden in der Bildkomposition kaum Closeups oder Schnitt–Gegenschnitt eingesetzt; meistens sind mehrere Schauspieler gleichzeitig (in Halbtotale) im Bild, was durch die diagonale Anordnung einen lebendigen Eindruck der Kommunikationssituation vermittelt. Später nehmen aber die Nahaufnahmen zu und die Beleuchtung kommt nurmehr aus einer Quelle, wodurch der umgebende Bühnenraum ausgeblendet wird, und die Nebengeräusche, die am Anfang noch von der Straße in das Theater hereindringen, sind nicht mehr zu hören. Am deutlichsten wird die Akzentuierung der filmischen Verfahren beim Monolog von Elena: dieser wird ohne Lippenbewegung als innerer Monolog mit Voice-over gefilmt, was im Theater völlig unmöglich wäre. Durch die Intensivierung der filmischen Verfahren bekommt der Film zunehmend eine abstraktere Note, ohne jedoch je die beiden Bereiche von Theater und Film ineinander aufgehen zu lassen.[20]

---

[18] Bazin, S. 46.

[19] Vgl. Madorskaia (Anm. 12).

[20] Dass diese Verfahren nicht von allen Kritikern und Kommentatoren als semantisch motivierte erkannt werden, zeigt z.B. die negative Kritik von Mark R. Leeper: Vanya on 42nd Street. A Film Review. 1994: <http://reviews.imdb.com/Reviews/31/3133> [download 25.6.2005]. Andere Kritiken wiederum reagieren im Prinzip positiv, bleiben in ihrer Darstellung aber doch sehr an der Oberfläche, wie z.B. James Berardinelli: Vanya on 42nd Street. A Film Review. 1994: <http://movie-reviews.colossus.net/movies/v/vanya.html> [download 25.6.2005]; Janet Maslin: Vanya on 42d Street. Spare Chekhov Begins Sneakily. 1994: <htttp://movies2.nytimes.com/mem/movies/review.html?title1=&title2=VANYA%20ON%2042D%20STREET %20%28MOVIE%29&reviewer=Janet%20Maslin&pdate=19941019&v_id=133847&oref=login>; James Travers: Vanya on 42nd Street. 2003: <http://frenchfilms.topcities.com/index3.html#http://frenchfilms.topcities.com/nf_Vanya_on_42nd_Street_rev.html> [download 25.6.2005].

Resümee

Sowohl Michalkov-Končalovskij als auch Malle und Gregory adaptieren das Čechovsche Drama mit einem deutlichen Bezug zu ihrer jeweiligen Zeit und beide bleiben dabei nah am Dramentext. Neben formalen Lösungen unterscheiden sich die beiden Adaptionen vor allem in ihrer Aussageintention: Michalkov-Končalovskijs Interpretation transportiert im Subtext eine starke gesellschaftspolitische Akzentuierung. In Fragen der Ästhetik bedient sich der Regisseur zwar des herrschenden Stils der Breževzeit und der gängigen Konventionen für Filmadaptionen, konterkariert aber beides sehr geschickt. Damit will er zwei disparate Publikumssegmente ansprechen: er möchte Erfolg beim breiten Publikum erringen und zugleich mit der Intelligencija in einen Meinungsaustausch treten. Verständlicherweise ist der Film von Michalkov-Končalovskij in seinem Bedeutungsaufbau eng mit traditionellen russischen Diskursgeflechten verbunden, wie z.B. solchen, die die Rolle der Intelligencija und ihr Verhältnis zum Volk reflektieren. Malle und Gregory sehen ihre Aufgabe dagegen anders: sie setzen dem (entfremdenden) Film-, Theater- und Showbetrieb sowie dem Mainstream-Kino à la Hollywood ein ästhetisches Konzept entgegen, das den Beteiligten Identifikation und Sinngebung ermöglicht, wobei unter Beteiligten auch das Publikum mitgedacht ist – allerdings ein Publikum, das nicht unter quantitativem, sondern unter einem qualitativen Aspekt gesehen wird.

Literatur

Bazin, André: Für ein ‚unreines' Kino – Plädoyer für die Adaption [1948]. In: André Bazin: Was ist Kino? Bausteine zur Theorie des Films. Köln 1975, S. 45-67.

Berardinelli, James: Vanya on 42nd Street. A Film Review. 1994: <http://movie-reviews.colossus.net/movies/v/vanya.html>.

Engel, Christine: „Djadja Vanja" in der Verfilmung von Andrej Michalkov-Končalovskij. In: Kultur, Interpretation, Translation. Hg. Heidemarie Salevsky. Frankfurt/M. u.a. 2005, S. 233-250.

Leeper, Mark R.: Vanya on 42nd Street. A Film Review. 1994: <http://reviews.imdb.com/Reviews/31/3133>.

Madorskaia, Marina: Overcoming the Resistance of Chekhov's Drama. Louis Malle's *Vanya on 42nd Street*. In: Toronto Slavic Quarterly. Academic Electronic Journal in Slavic Studies. University of Toronto: <http://www.utoronto.ca/tsq/10/madorskaya10.shtml>.

Maslin, Janet: Vanya on 42d Street. Spare Chekhov Begins Sneakily. 1994: <htttp://movies2.nytimes.com/mem/movies/review.html?title1=&title2=VANYA%20ON%2042D%20STREET%20%28MOVIE%29&reviewer=Janet%20Maslin&pdate=19941019&v_id=133847&oref=login>.

Mundt, Michaela: Transformationsanalyse. Methodologische Probleme der Literaturverfilmung. Tübingen 1994.

Renshaw, Scott: Vanya on 42nd Street. A Film Review. 1994: <http://reviews.imdb.com/Reviews/31/3139>.

Schneider, Irmela: Der verwandelte Text. Wege zu einer Theorie der Literaturverfilmung. Tübingen 1981.

Stenberg, Douglas: Chekhov's Uncle Vanya Translated on 42nd Street. In: Literature Film Quarterly, 2002: <http://www.findarticles.com/p/articles/mi_qa3768/is_200201/ai_n9038696#continue>.

Travers, James: Vanya on 42nd Street. 2003: <http://frenchfilms.topcities.com/index3.html#http://frenchfilms.topcities.com/nf_Vanya_on_42nd_Street_rev.html>.

Dagmar Burkhart

Die Wirkungsgeschichte Čechovscher Dramen als Paradigma der Intertextualität.

Am Beispiel von Aleksandr Vampilovs *Prošlym letom v Čulimske* (Letzten Sommer in Čulimsk)

In einer am 15. Juli 2004 veröffentlichten Umfrage der *Süddeutschen Zeitung* äußerten sich zehn Regisseure auf die Frage, „was sie an Tschechow lieben und was ihnen seine Stücke heute taugen". Peter Stein, Jahrgang 1937, der 1989 an der Berliner Schaubühne den *Kirschgarten* und 2003 in Edinburgh die *Möwe* inszenierte, sagte:

> Tschechow ist der Autor, der für das 20. Jahrhundert die Geschichte des europäischen Theaters weitergeschrieben hat. Er hat die Basis des europäischen Theaters bei den griechischen Tragikern in die Gegenwart verlängert und über die Ausweglosigkeit und Unerträglichkeit der menschlichen Existenz geschrieben: Dass wir zum Tode geboren sind und das Leben keinen Sinn hat [...]. Leben ist eben Leben, wie eine Mohrrübe eine Mohrrübe ist. Andererseits aber ist ein Leben ohne Sinn nicht zu ertragen. Diesen paradoxalen Kontrast auszuhalten, ist das Entscheidende, und um den Kontrast darzustellen, verzichtet Tschechow darauf, den Konflikt in den Mythos zu übertragen, sondern zeigt an kontemporären Figuren die Banalität des Lebens in seiner eigenen Zeit. Und dabei scheint trotzdem etwas auf, das der menschlichen Existenz als solcher auf den Grund geht.

Čechovs Kunst der Darstellung paradoxaler Kontraste als immer aufs Neue revitalisierbare erfahren zu haben, davon zeugt auch das Œuvre von Aleksandr Vampilov (Jahrgang 1937), dem mit kaum 35 Jahren im Bajkalsee ertrunkenen Autor – Sohn einer Russin und eines russifizierten Burjaten, der 1938 bei den Stalinschen „Säuberungen" umkam. Seine neben Skizzen und Erzählungen entstandenen drei Einakter und vier abendfüllenden Stücke thematisieren ein in der zweiten Hälfte der 1960er Jahre nach dem Abklingen des „Tauwetters" und dem Einsetzen der Stagnation unter Brežnev einhergehendes Zeitgefühl, nämlich Gleichgültigkeit, Handlungsunfähigkeit, Egoismus und einen aus Ekel gegenüber den Zeitumständen entsprungenen Zynismus. Indem er diese Züge als sozial-psychologische Krankheit seiner Generation diagnostiziert, stilisiert Vampilov Figuren, die sich in sowjetisch-modifizierter Weise als „überflüssige Menschen" in der Tradition Puškins, Lermontovs, Gončarovs und Čechovs erweisen. Seine – wie Christine Engel[1] gesagt hat – „stilprägende" Wirkung auf die Dramatiker der sogenannten „novaja volna" – Ljudmila Petruševskaja, Vladimir Arro, Viktor Slavkin und Aleksandr Galin, die alle eine schwindende Bereitschaft zu aktiver Teilnahme am gesellschaftlichen Leben in der so genannten Stagnationszeit thematisieren, zeugt davon.

In dem 1971 fertig gestellten letzten Stück Vampilovs, einem Zweiakter mit dem dokumentarisch klingenden Titel *Prošlym letom v Čulimske*[2], das bei aller Kürze und Aus-

---

[1] Christine Engel: Vom Tauwetter zur postsozialistischen Ära (1953–2000). In: Russische Literaturgeschichte. Hg. Klaus Städtke. Stuttgart, Weimar 2002, S. 385.

[2] Aleksandr Vampilov: Proščanie v ijune. P'esy. Moskva 1984. Darin: Prošlym letom v Čulimske, S. 257-319. – Der aus dem Russischen von Gerhard Neubauer übersetzte Dramentext wurde 1992 in Berlin von der Schaubühne am Lehniner Platz herausgegeben, wo das Stück in der Spielzeit 1992/93 lief. In dem *Letzten Sommer in Tschulimsk* betitelten Band ist das Stück auf den Seiten 43-112 abgedruckt. Vorangestellt sind sechs Erzählungen von Vampilov (S. 6-24) sowie zwei Aufsätze: *Die Tragödie des „überflüssigen Menschen"* von Lola Debüser (S. 26-38) und *Alexander Wampilow* von Maja Turowskaja (S. 39-42, übers. v. Rosemarie Tietze). Die Seitenzahlen der Zitate beziehen sich auf diese Ausgaben.

sparungstechnik durch besondere Vielschichtigkeit charakterisiert wird, lässt sich markierte Intertextualität in zweifacher Hinsicht feststellen:

Einerseits kennzeichnet den Dramentext eine *topologische Intertextualität*, die das Stück in einen weit gespannten Bezugsrahmen russischer Textmuster und -strukturen (*topoi*) stellt, und andererseits eine *referenzielle Intertextualität*, insoweit Relationen zu einem oder mehreren Referenztexten aufscheinen.

Die *topologische* Intertextualität bezieht sich auf Textstrukturen, die *unterhalb* der Gattungsebene[3], aber *oberhalb* der Motivebene angesiedelt sind. Es handelt sich m.E. um vier grundlegende Topoi, die in Vampilovs Drama modelliert werden: erstens die unglückliche Liebesgeschichte in Chiasmus-Formation (Text-Prototyp: Puškins *Evgenij Onegin*, 1833), zweitens die Heiratskomödie (Prototyp Gogol's *Ženit'ba* / Die Heirat, 1842), drittens der von Puškin und seinen Nachfolgern bearbeitete Motivkomplex des „lišnij čelovek" und viertens die semantische Struktur so genannter Aufbruchtexte (Prototypen: Turgenevs *Nakanune* / Am Vorabend, Černyševskijs *Čto delat'?* / Was tun?, 1863; und Gončarovs *Obryv* / Die Schlucht, 1869).

Das ursprünglich *Valentina* bzw. *Valentina i Vladimir* betitelte Čulimsk-Stück, das etwa zeitgleich mit der Entstehungszeit des Dramas spielt, semantisiert am Beispiel von 24 Stunden in der sibirischen Provinz zunächst ganz aktuelle, für jene Jahre typische Alltagsprobleme: Schlamperei, Gleichgültigkeit, Alkoholismus, Kärglichkeit der Versorgung, die erbärmliche Lage der Minoritäten, Landflucht. Die 18-jährige Valentina ist das einzige Mädchen heiratsfähigen Alters, das in dem „rajcentr" Čulimsk, mitten in der mückenverseuchten burjatischen Taiga, geblieben ist, wo sie der Chorošich, Verwalterin der in einem alten Kaufmannshaus untergebrachten Teestube, zur Hand geht. Ihre Schwestern leben in Irkutsk und Krasnojarsk, zwar nicht gerade glücklich, aber in ihren Heimatort wollen sie nicht zurückkehren, obwohl ihr Vater, Pomigalov, dort ein großes Haus besitzt, eine einträgliche „individuelle Nebenwirtschaft" betreibt und beim Forstbetrieb gut verdient. Paška, der 24-jährige außereheliche Sohn der Teestubenverwalterin, zur Zeit zu Besuch bei seiner Mutter und in ewigem Streit mit seinem invalid aus dem Krieg zurückgekehrten Stiefvater Dergačev, fühlt sich als „Herr des Lebens". Seine dem Zeitgeist entsprechend aggressive Tüchtigkeit braucht man überall – auf Baustellen wie in der Armee. Im Kampf um Valentina, die er vergewaltigt, um sie zu besitzen, wird er beinahe zum Mörder seines melancholischen Doppelgängers Vladimir Šamanov. Dieser, ein ehemaliger Untersuchungsrichter, der in der Stadt mit seinem gesellschaftsethischen Engagement gescheitert ist und resigniert hat, lebt in der Wohnung über der Teestube mit der Apothekerin Kaškina in einer unverbindlichen Beziehung und versinkt auf seinem anspruchslosen Milizposten in Lethargie. Nachdem Valentina, die er die ganze Zeit mit Desinteresse bedacht hat, ihm ihre Liebe erklärt, verliebt er sich in sie und gerät damit nicht nur mit dem jungen Paška, sondern auch mit Mečetkin, dem ebenfalls Valentina umwerbenden 40-jährigen Buchhalter, in Konkurrenz. Bleibt noch als letzter im Dramenpersonal der 74-jährige verwitwete und von seiner einzigen Tochter im Stich gelassene Eremeev aus dem Volk der Ewenken, der nach vierzigjähriger Tätigkeit als Scout bei geologischen Expeditionen die Realisierung seiner Rentenansprüche versucht, dem aber niemand hilft, weil er keine Arbeitspapiere vorzuweisen hat. Er wird allein und krank in die Taiga zurückkehren.

Intertextualität ist nicht nur bei Vampilov, sondern bereits bei Čechov als einem Autor an der Schwelle zur Moderne ein prominentes Phänomen. So spielt bei beiden Autoren eine umfassende Bezüglichkeit, und nicht Kontingenz, die entscheidende Rolle. Die für Vampilov als markantes Charakteristikum angeführte topologisch-strukturelle Intertextualität gilt aus diesem Grund bereits für Čechov, dessen Texte als ein einziger Resonanzraum intertextueller Beziehungen und Wiederholungen zu sehen sind. In Vampilovs Stück, in dem sich nicht nur die

---

[3] Intertextualität auf der Gattungsebene wäre Systemreferenz oder – in der Terminologie von Susanne Holthuis – „typologische Intertextualität". Vgl. Susanne Holthuis: Intertextualität. Tübingen 1993, S. 48-53.

Literatur des 19. Jahrhunderts, sondern nun auch die Stücke Čechovs spiegeln, findet sich das Strukturmuster bzw. der Topos einer *chiasmusförmigen Liebesgeschichte* à la Onegin–Tat'jana bei Šamanov und Valentina: Valentina liebt in ihrer scheuen, unschuldigen Weise den zynischen Šamanov, den „Helden unserer Zeit“, in dem sie zu Recht den einstigen Romantiker und Idealisten vermutet. Seinetwegen bleibt sie, die als Einzige an die moralische Verbesserung des Menschen glaubt, in Čulimsk, in seiner Nähe. Alle außer dem „blinden“ Šamanov wissen von ihrer Zuneigung. Als Valentina durch ihre Liebeserklärung Šamanov erweckt hat – in Anspielung auf Dobroljubovs Worte über Katerina aus Ostrovskijs *Groza* (Das Gewitter, 1860) nennt er sie wenig später einen „Lichtstrahl aus den Wolken“ (79) – und als er gerade anfängt, ihre Liebe zu erwidern, verliert er sie durch das Eingreifen seines gewaltbereiten Doppelgängers Paška; zumindest verliert er sie als die naive Träumerin, die sie war und die sie nie mehr sein wird.

Das Textmuster der *Heiratskomödie* ist bei Vampilov, der in seinen Tagebüchern schrieb, er habe sich daran gewöhnt, Trauriges für Komisches auszugeben, auf mehrere Paare verteilt: Mečetkin und Valentina, die sich in dem Paar Šamanov und Kaškina spiegeln und in je unterschiedlicher Weise auf Gogol's Komödie *Ženit'ba* anspielen: Der träge Hofrat Podkolesin dort, quasi eine Vorwegnahme von *Oblomov,* findet in dem müden und die heiratswillige Apothekerin Kaškina hinhaltenden Šamanov eine ironische Parallele. Andererseits spielt die Kaškina, eine Allusion auf die Heiratsvermittlerin Fekla in *Ženit'ba,* eben diese Rolle im Fall von Mečetkin und Valentina: Nachdem der vertrottelte Buchhalter – Typ des Pechvogels, wie er in harmloser Version durch Epichodov im *Kirschgarten* verkörpert wird – zuerst ihr selbst einen Antrag gemacht hat, den sie spöttisch zurückweist, empfiehlt sie ihm, sich an Valentina als mögliche Braut bzw. förmlich an deren Vater zu wenden. Der hinterhältige Mečetkin, der Stalinzeit der vierziger Jahre verhaftet, in der er als Denunziant gefährlich sein konnte[4], den heute aber keiner mehr ernst nimmt, ist der Einzige, der an Pomigalovs Einfluss auf Valentina glaubt. Doch Pomigalov selbst, der in manchem an die Haustyrannen Ostrovskijs erinnert, weiß sehr wohl, dass seine Tochter sich von niemandem etwas aufzwingen lässt. Als der Heiratskandidat am Abend als flotter Kavalier in dunklem Jackett und weißem Hemd – eine Karikatur des heiratswilligen, im Frack bei seinem Nachbarn auftauchenden Gutsbesitzers Lomov in Čechovs Posse *Predloženie* –, zum Rendezvous mit Valentina antritt, ist diese verschwunden – von Paška zum Tanz in den Nachbarort entführt. Das dritte Paar in dem Heiratskomödienkarussell, das Vampilov veranstaltet, bilden Dergačev und seine Frau Chorošich: Als ewig streitendes Gespann – aber, wie die Kaškina dem lustlosen Šamanov bedeutungsvoll versichert, „aus Liebe streitend“ – bilden Dergačev und die Chorošich eine tragikomische Parallele zu dem heftig streitenden potenziellen Brautpaar Natal'ja und Lomov in Čechovs *Predloženie* sowie letztlich alle zusammen zu dem in *Višnevyj sad* in puncto Ehe erfolglosen Paar Varja–Lopachin samt ihren ironisierten Spiegelungen in der Dienerschaft.

Der Motivkomplex des „lišnij čelovek“ entfaltet sich in *Prošlym letom v Čulimske* in einer signifikant auf mehrere Figuren erweiterten Form: „Überflüssig“ wurde Šamanov – wie Lermontovs Pečorin – „durch die Zeit, die ihren kritischen Geist und ihren Veränderungswillen abwies“, hat Lola Debüser betont.[5] Indem Vampilov die „Folgen von Verbitterung und Verwüstung“ in Šamanovs Psyche zeigt, die dieser an seine Umgebung weitergibt, gemahnt er an all die heutigen Pečorins mit ihrem verfehlten Leben, „um Gemeinsamkeiten und Unterschiede seines ‚überflüssigen Menschen‘ sichtbar zu machen“.[6] Welche Generation hat nun Vampilov in dem Šamanov-Typ porträtiert? Šamanov, heißt es in dem Stück, ist 32 Jahre alt. Wenn das Drama 1969 spielt, wurde Šamanov (wie der konkrete Autor) 1937 geboren und hat in der zweiten Hälfte der fünfziger Jahre Jura studiert, einer Zeit der Illusionen und einer

[4] Vgl. Debüser, S. 37.
[5] Ebda., S. 30.
[6] Ebda., S. 31.

neuen Sicht auf die stalinistische Vergangenheit, auch einer Zeit der Rehabilitationen (Dergačev z.B. kehrt 1956 aus dem Lager im Norden zurück). Šamanov ist oder war also ein typischer „Sechziger" mit all den Hoffnungen auf eine Bewältigung des stalinschen Terrorregimes. Verheiratet mit der Tochter eines hohen Funktionärs, widersetzte er sich der städtischen Nomenklatura, als er einen Funktionärssohn, der einen Menschen totgefahren hatte, der gerechten Strafe zuführen wollte. Die Anklage wurde vereitelt, indem man den Prozess verschob und einen anderen mit der Untersuchung beauftragte. Šamanov verlor den Glauben an den Sinn jeglichen Engagements, „Unmögliches erzwingen wollen, ist Wahnsinn" (Добиваться невозможного – в самом деле сумасшествие; 279), resümiert er seine Lage; er ist ausgebrannt, ein Eskapist, der die Schwierigkeiten der Menschen in seiner Umgebung geflissentlich ignoriert und sein Leben in der Provinz mit Warten ausfüllt: Warten auf das Dienstauto, auf die Rente, auf das Ende. Innerlich gebrochen, sucht er sogar den Tod: Als der gewalttätige Paška (in einer das Onegin-Lenskij-Duell parodierenden Szene) mit Šamanovs Dienstpistole spielt und die Waffe auf ihn richtet, schreit er hysterisch „Schieß doch! Schieß!". Šamanovs Schicksal und das seiner Generation spiegelt und bricht sich in dem des Tischlers Dergačev, dem Mann der Chorošich. Vampilov zeigt in Andeutungen, wie Dergačevs Zeit ihn auf eine besonders brutale Art, nämlich in deutscher Kriegsgefangenschaft und im anschließenden stalinschen Straflager, „überflüssig" werden lässt. Die Verbitterung über dieses ungerechte Schicksal zerstört seine Persönlichkeit und zeitigt weiteres Unheil, weil Dergačev diesen Groll – meist unter Alkohol – im Verhalten gegenüber seiner alles andere als unterwürfigen Frau und gegenüber Paška, der schließlich nichts für seine Existenz kann, entlädt. Andererseits ist Paškas Aggressivität „Ausdruck des Zeitgeistes, wird aber auch motiviert als Reaktion eines ‚Erniedrigten und Beleidigten', der in der Familie als ‚überflüssig' und störend behandelt wird und Geltung erzwingen will".[7]

Der Topos des *Aufbruchtextes* schließlich, der bei Chvoščinskaja, Černyševskij, Gončarov, Turgenev und – in ironisierter Form – bei Čechov (z.B. im *Kirschgarten* und in der *Braut*) im Sinne sozial-utopischer Ideen akzentuiert war, erscheint bei Vampilov semantisch entscheidend abgewandelt: Nun, da der „neue Mensch" zu Zeiten des real existierenden Sozialismus geschaffen wurde, so zumindest lautete das Hauptaxiom der Sowjetmacht, kann es nur darum gehen, das Axiom an den tatsächlichen Verhältnissen zu messen und zu widerlegen. In der Krisenstimmung Ende der sechziger Jahre (Niederschlagung des „Prager Frühlings", Absetzung Tvardovskijs als Chefredakteur von *Novyj mir*, Ausschluss Solženicyns aus dem Schriftstellerverband etc.), als alle Erneuerungsgedanken des Sozialismus aufgegeben schienen, thematisiert Vampilov folgerichtig das entfremdete Dasein, am deutlichsten 1967 in seinem düsteren Stück *Utinaja ochota* (Entenjagd). In seinem Čulimsk-Stück indes deutet er eine leise Hoffnung auf das „innere Erwachen" der enttäuschten Sechziger an. Der „šestidesjatnik" Šamanov ist nach dem Liebesgeständnis Valentinas, durch ihre Anerkennung seiner Existenz, an der er schon zweifelte, an eine Schwelle gelangt und erlebt ein „prozrenie", das Wunder des Lebens. Er versucht seine Entfremdung und dann sein Erwachen aus dem automatisierten zu neuem Leben – ganz im Sinne von Šklovskijs „ostranenie"-Theorem – in Worte zu fassen:

> [...] kann man denn das Leben nennen? Ich habe geschlafen, im Stehen geschlafen, vor mich hin gedämmert. [...] Neulich bin ich früh aufgewacht und sah meine Hände. Sie lagen auf meiner Brust – meine eigenen Hände, und plötzlich [...] kamen sie mir wie fremde vor. [...] Zuerst die Hände und dann mein ganzes Ich: Mein ganzer Körper und sogar meine Gedanken kamen mir fremd vor, als ob sie einem anderen gehörten! Jetzt erschrecke ich, wenn ich wieder daran denke, aber [...] damals war es mir völlig gleichgültig. [...] Und heute... *Erhebt sich.* Heute ist ein wunderbarer Tag! [...] es kommt mir so vor, als ob ich tatsächlich ein neues Leben beginne. [...] Ich habe die Welt um mich wiedergefunden [...]. Ich finde alles wieder: den Abend, die Straße, den Wald [...],

[7] Ebda., S. 28.

das Gras, die Bäume, die Düfte – es kommt mir so vor, als hätte ich all das seit meiner Kindheit nicht mehr gespürt... (104/05)

[...] разве можно назвать это жизнью? Я спал, я спал на ходу, я дрыхнул. [...] Утром я проснулся и увидел свои руки. Они лежали у меня на груди – мои собственные руки, – и вдруг [...] они показались мне чужими. [...] Сначала руки, а потом весь я: все тело и даже мысли показались мне не моими. Все будто бы принадлежало другому человеку! Сейчас я думаю об этом с ужасом, а [...] тогда мне было все равно. [...] И вот сегодня... *(Поднялся.)* Удивительный сегодня день! [...] мне кажется, что я и в самом деле начинаю новую жизнь. [...] Этот мир я обретаю заново [...]. Все ко мне возвращается – вечер, улица, лес [...] трава, деревья, запахи – мне кажется, я не слышал их с самого детства... (313)

Der durch Valentinas Erklärung ausgelöste heilsame Schock rüttelt den müde gewordenen Sowjetmenschen aus seinem Marasmus auf und veranlasst ihn zu erneutem gesellschaftlichem Engagement. Er wird bei dem wieder aufgerollten Prozess in der Stadt aussagen.

Neben der topologischen ist *Einzeltextreferenz* zu konstatieren, nämlich v.a. *Intertextualität* zwischen *Višnevyj sad* und *Prošlym letom v Čulimske.* Sie zeigt sich in unterschiedlicher Reichweite: So besteht sowohl Similarität bei der Plot-Struktur (Modell: Ankunft – Konflikt – kleine Lösung – Abreise – offener Schluss), wie auch in der Pausentechnik (z.B. das häufige „не сразу" vor den Repliken von Valentina und dem Untersuchungsrichter) und bei der Rhythmisierung der Dramentitel. Andererseits offenbart sich die Einzeltextreferenz vor allem im *semantischen* Bereich: Grundlage von Kultur ist, dass der Mensch zu sich nur über den anderen findet und zur Dauer nur über ein Gedächtnis kommt, welches dauerhafter zeichenhafter Eindrücke bedarf. Dieses Faktum ist in den beiden Stücken – jeweils unterschiedlich – an einem bedeutungvollen Detail entfaltet, dem Chronotopos *Garten.* Der Handlungsort des Čulimsk-Stückes, der niedergetrampelte Vorgarten (*palisadnik*), dessen kunstvoll geschnitzter Zaun immer wieder von den auf bequeme Abkürzung bedachten Teestubenbesuchern umgerissen wird, stellt einen symbolgeladenen Rest des blühenden, aber weitgehend unfruchtbaren alten Kirschgartens dar, um dessen Schicksal es im gleichnamigen Stück von Čechov geht. Die alten Besitzer lieben und beweinen zwar den Garten, sind aber unfähig und letztlich unwillig, ihn zu retten. Dagegen sagt sich die 17-jährige Anja von dem geliebten alten Garten los, weil er ein Symbol der für sie nun ungültigen Werteordnung darstellt. Am Ende des 3. Akts versucht sie, ihre Mutter über den Verlust des Kirschgartens hinweg zu trösten, wenn sie sagt: „Wir pflanzen einen neuen Garten, der viel schöner ist als der hier, du wirst sehen, verstehen [...]" (Мы насадим новый сад, роскошнее этого, ты увидишь его, поймешь [...]; 13, 241). Am Schluss geht Anja mit Freuden fort in der Hoffnung auf ein neues Leben, wie es ihr Trofimov gepredigt hat, und mit dem Wunsch nach eigener Tätigkeit, wie sie von Lopachin vorgelebt wird.

Rund siebzig Jahre später spielt Vampilovs Zweiakter im sozialisierten Vorgarten eines vor der Revolution erbauten Kaufmannshauses. Nun sind das mit reichem Schnitzwerk versehene Holzhaus und der Garten Gemeineigentum; sie zeugen jedoch nicht von einem neuen Leben, wie Anja es sich erträumte, sondern sie wurden Opfer der allgemeinen Gleichgültigkeit und Achtlosigkeit, sie sind verkommen, baufällig, am Rande der Zerstörung: Ausdruck der Perversion des Sozialismus. Keiner fühlt sich zuständig – mit Ausnahme von Valentina. An ihrem Verhalten gegenüber Valentina und dem Vorgarten werden alle Figuren des Stücks gemessen. „Du mit deinem Garten! Hast du das nicht bald satt? [...] Also wirklich, Valentina, ist es dein Garten? Und überhaupt: Es ist doch völlig zwecklos. Die Leute laufen nun mal durch und werden's weiter tun" (55) (Опять ты с палисадником? Не надоело тебе?.. [...] И действительно, Валентина. Твой он, что ли, палисадник этот?.. А главное – даром ведь упрямишься: ходит народ поперек и будет ходить; 267), sagt die Chorošich zu Valentina. Šamanov dagegen zählt zu den wenigen, die den „kleinen Umweg von etwa zehn Schritten" in Kauf nehmen, um den Vorgarten mit seinen Johannisbeersträuchern und den verstreut im Gras wachsenden „blassrosa Blumen" zu schonen. Unbewusst, wie er behauptet. Für Valentina – und für den Autor des Stücks – verkörpert der fast niedergetretene alte Garten, dessen Zaun sie geduldig immer wieder aufrichtet – im Gegensatz zu Anja – Kultur, Schönheit, die positiven Werte der Vergangenheit, die es zu retten gilt, weil eine Zukunft ohne sie nicht vorstellbar ist. Valentina lebt zwar inmitten des kümmerlichen Alltags in der Taiga, aber sie will verändern, verschönern, tätig sein, und sei es eine Sisyphos-Plackerei. Dass sie dabei gleichzeitig komisch ist – jede mechanische Repetition, hat Bergson in seiner Theorie des Lachens betont, führt zu komischer Wirkung –, das bekümmert Valentina nicht. Ihr Ernst und ihr existenzielles Vertrauen schützen sie. In einer früheren Fassung des Stücks sollte Valentina – wie Ostrovskijs Katerina – Selbstmord begehen; für so unüberwindbar hielt Vampilov die Kluft zwischen Wirklichkeit und Ideal. Aber ein solcher Schluss wäre seiner Überzeugung, dass eine Flucht aus dem trostlosen Alltag eher ein Verbrechen als einen Ausweg darstellt, und seiner Hoffnung auf eine Bewältigung der Krise durch moralisches Engagement nicht gerecht geworden. Valentina verliert zwar ihre jungmädchenhaften Illusionen, wird aber nicht gebrochen. Sie selbst reißt den Zaun des Vorgartens nieder, als Šamanov ihr seine Weltanschauung der Vergeblichkeit, die Lebensphilosophie eines „Überflüssigen“, dargelegt hat: Man könne nichts verändern, und wozu überhaupt. Paška nutzt ihre vorübergehende innere Schwäche aus und zerstört ihre Träumerei mit seiner Gewalttätigkeit. Dennoch findet Valentina in sich die Kraft, der Realität von Čulimsk standzuhalten. Als sie sich angesichts ihrer neu erworbenen Lebenserfahrung, und nicht Šamanovs wegen, entschließt, zu bleiben und sich wieder um den Vorgarten zu kümmern, empfinden auch die anderen Figuren, die bisher achtlos den Garten durch einen Trampelpfad zerstört haben, die symbolische Bedeutung von Valentinas Engagement. In der stummen Schluss-Szene des Stücks – Paška hat seinen Koffer und Eremeev seinen Schultersack gepackt – stehen alle Figuren schweigend da und sehen Valentina bei ihrer Reparaturarbeit zu, nur der alte Ewenke Eremeev hilft ihr schließlich.

Wie Bodo Zelinsky in seiner Analyse des *Kirschgartens* zu Recht bemerkt, sind hier „das Private, das Öffentliche und das Allgemeine, miteinander verwoben, und zwar so sehr, dass der eine Bereich immer zugleich im anderen erscheint“. Aufgabe der Interpretation sei es daher, „das Allgemeine, wie stets bei Tschechow die existentielle Problematik, und das Private wie das Öffentliche, in diesem Fall die familiäre Situation und den zeitgeschichtlichen Kontext, sowohl im einzelnen als auch im wechselseitigen Zusammenhang zu erläutern“.[8]

Auch das Stück von Vampilov liefert ein für seine Zeit gültiges Spiegelbild des gesellschaftlichen und moralischen Niedergangs, der nicht zuletzt durch den Zerfall familiärer und überhaupt menschlicher Bindungen charakterisiert wird. Beispiele liefern die Töchter Pomigalovs, die den Kontakt zu ihrem Vater und ihrer Schwester abgebrochen haben, die Tochter des Ewenken, die sich nicht um ihren kranken Vater kümmert und vor dem auch alle anderen *dramatis personae* versagen: Šamanov, der seine Frau in der Stadt verlassen hat und bindungsunfähig dahinlebt, Kaškina, die Valentina mit ihrer Eifersucht und Intriganz verfolgt, oder die Chorošich, die, unter dem Vergangenheitstrauma Dergačevs und der Brutalität ihres Sohnes Paška leidend, eskapistische Träume hegt.

Čechovs Figuren leben mehrheitlich im Verzicht auf Gegenwart und glückliche Begegnung. Doch im *Kirschgarten* gibt es Figuren wie Lopachin und Anja, die sich die Gegenwart bereits angeeignet haben oder auf dem besten Weg sind, in ihr anzukommen. Demgegenüber spielt das Čulimsk-Stück in einer Gegenwart, die durch ihre traurige Realität allen Figuren schmerzlich bewusst ist, weil sie die Züge einer positiven konkreten Utopie verloren hat. Allein Valentina und der „wiedererweckte“ Šamanov stellen eventuelle Hoffnungsträger dar.

Vergleicht man die von beiden Autoren gestaltete existenzielle Problematik, so zeigt sich eine tief gehende Similarität: Übergeordnetes Thema ist in beiden Stücken die generelle Unbehaustheit des Menschen, im *Kirschgarten* hypostasiert vor allem durch die Gouvernante

---

[8] Bodo Zelinsky: Der Kirschgarten. In: Das russische Drama. Hg. Bodo Zelinsky. Düsseldorf 1986, S. 188.

und Akrobatin Šarlotta. Der Mensch als „transitorisches Wesen", wie Zelinsky es formuliert hat.[9] Bei Vampilov spielt die Rolle des Unbehausten der einsame, auch an die Figur des alten Dieners Firs im *Kirschgarten* erinnernde Ewenke Eremeev. Nicht nur am Verhalten der Figuren gegenüber Valentina und „ihrem" Garten, sondern auch an ihrer Einstellung zum Schicksal des verlorenen Ewenken misst der – durch seine halb burjatische Herkunft besonders sensibilisierte – Autor seine Figuren und schafft indirekte Möglichkeiten, essenzielle soziale und historische Aussagen zu machen. Jede der handelnden Figuren brauchte den alten, gütigen Ewenken als Vertreter einer dem Untergang geweihten *Gegenwelt* auf ihre Weise, und das Versagen ihm gegenüber klagt sie alle in unterschiedlichem Maße an, besonders Šamanov, der vor allem berufen wäre, ihm zu helfen.

„Mein Stück", hat Čechov 1903 an Ol'ga Knipper über den *Kirschgarten* geschrieben, „mein Stück, so langweilig es auch sein mag, hat etwas Neues. Im ganzen Stück fällt kein einziger Schuß, nebenbei bemerkt"[10] (Мне кажется, что в моей пьесе, как она ни скучна, есть что-то новое. Во всей пьесе ни одного выстрела, кстати сказать; P. 11, 256/57). Auch in Vampilovs Stück – Parodie einer Parodie – fällt kein Schuss. Paška zielt zwar in dem um Valentina entzündeten Rivalitätsstreit auf Šamanov und drückt ab, aber die Pistole versagt. Das 20. Jahrhundert in der Kunst parodiere nur das 19. Jahrhundert, hat Vampilov in seinen Tagebüchern geschrieben. Bekanntlich wird im Kontext der literarischen Moderne und Postmoderne die Parodie als eine Darstellungstechnik, die weniger die Außenwelt reflektiert, sondern sich primär auf andere literarische Texte bezieht, immer signifikanter. Vampilovs Dramentext, in dem nicht nur eine Fülle von Prätexten alludiert, sondern auch parodiert wird – aus dem herrschaftlichen Kirschgarten wird ein von der Mehrheit missachteter sozialisierter Vorgarten; die pathetische politische Aufbruchstimmung Trofimovs mutiert zu der leicht komischen Liebesaufbruchsstimmung Šamanovs; Paška, der sich wie Lopachin als der neue „Herr des Lebens" fühlt, aber weder dessen Fleiß und Ideen besitzt, sondern seine Tüchtigkeit in den Dienst eines primitiven Egoismus stellt etc. –, Vampilovs Dramentext ist also dank seiner parodistischen Schreibweise sowohl *metatextuell* als auch *metafiktional*. Er bringt insofern dem Rezipienten die Textualität und Fiktionalität des eigenen wie der fremden Texte selbstreferenziell zu Bewusstsein.

Obwohl Vampilovs zu seinen Lebzeiten immer wieder an der Aufführung gehinderte Stücke inzwischen Bestandteil der Theaterrepertoires in den Ländern der GUS wie im Ausland sind, „geht die Diskussion, die Polemik um diese Stücke weiter", schreibt Maja Turovskaja. Kaum jemand „hat mit derart seismographischer Exaktheit die unterirdischen Erdstöße registriert, die die sowjetische Gesellschaft vor ihrem Ende von innen her erschütterten. Unsere heutige Situation in postsowjetischer und Postperestrojka-Zeit beweist, wie scharfsichtig der junge Autor war".[11] In seinem Kunst- und Werteverständnis zeigte sich Vampilov weniger den Dramatikern seiner Generation sinnesverwandt, sondern eher kritischen Dorfprosa-Autoren wie Rasputin, Šukšin, Abramov, Belov und vor allem dem – genau wie er selbst – Čechov weiterschreibenden Trifonov mit seinen *Moskauer Novellen*. Vampilov in den Diskurs einer Moralästhetik einzuordnen, wäre jedoch verfehlt. Er hat mit seinem schmalen, aber stilprägenden Œuvre einen eigenen Kosmos geschaffen, der nicht zuletzt die Wirkmächtigkeit Čechovscher moderner Dramenkunst unter Beweis stellt.

---

[9] Ebda., S. 199.

[10] Anton Čechov: Über Theater. Übers. v. Peter Urban. Frankfurt/M. 2004, S. 272.

[11] Turowskaja, S. 42.

Literatur

Čechov, Anton: Über Theater. Übers. v. Peter Urban. Frankfurt/M. 2004.
Debüser, Lola: Die Tragödie des „überflüssigen Menschen". In: Alexander Wampilow: Letzten Sommer in Tschulimsk. Berlin 1992, S. 26-38.
Engel, Christine: Vom Tauwetter zur postsozialistischen Ära (1953–2000). In: Russische Literaturgeschichte. Hg. Klaus Städtke. Stuttgart, Weimar 2002.
Holthuis, Susanne: Intertextualität. Tübingen 1993.
Turowskaja, Maja: Alexander Wampilow. In: Alexander Wampilow: Letzten Sommer in Tschulimsk. Berlin 1992, S. 39-42.
Vampilov, Aleksandr: Prošlym letom v Čulimske. In: Aleksandr Vampilov: Proščanie v ijune. P'esy. Moskva 1984, S. 257-319.
Wampilow, Alexander: Letzten Sommer in Tschulimsk. Übers. v. Gerhard Neubauer. Berlin 1992, S. 43-112.
Zelinsky, Bodo: Der Kirschgarten. In: Das russische Drama. Hg. Bodo Zelinsky. Düsseldorf 1986, S. 178-199.

Norbert Franz

Who shot K.G.? Akunin ermittelt

Anfang des Jahres 2000 kam ein schmales Büchlein mit dem Titel *Čajka: Komedija i ee prodolženie* (Die Möwe: Die Komödie und ihre Fortsetzung) auf den Markt. Als Autoren wurden A. Čechov und B. Akunin genannt. Der Band enthält den bekannten Dramentext Čechovs, die *Komedija v četyrech dejstvijach* (Komödie in vier Akten), und *Čajka: Komedija v dvuch dejstvijach* (Die Möwe: Komödie in zwei Akten) von dem heute weltweit, damals aber nur bei Krimiliebhabern bekannten B. Akunin. Akunins *Čajka* erschien im gleichen Jahr auch in der April-Nummer von *Novyj mir*, mittlerweile kann man sich den Text auch von Akunins Homepage herunterladen.

Dadurch, dass der seit 1998 unter dem Pseudonym „Akunin" publizierende Grigorij Čchartišvili (*1956) hier das „B." als „Boris" auflöste, relativierte er die bis dahin übliche Assoziation zu dem berühmten Anarchisten Michail Bakunin (1814–1876). Nun zog der Nachname die Aufmerksamkeit auf sich, und kluge Köpfe fanden heraus, dass der studierte Japanologe Čchartišvili anscheinend das japanische Wort 悪人 [a-kŭ-nìn] („Übeltäter", „Bösewicht") zur Grundlage seines Pseudonyms gewählt hat. Bei seinem ersten Krimi, dem 1998 publizierten Roman *Azazel',* hatte der Moskauer Zacharov-Verlag das Cover mit dem werbewirksamen Zusatz geschmückt: *Detektiv dlja razborčivogo čitatelja* (Krimi für den anspruchsvollen Leser). Die damit zur Schau getragene Selbsteinschätzung des Autors lässt es nur konsequent erscheinen, dass das erste Bühnenstück eine Fort- und damit Auseinandersetzung mit einem Text aus dem zentralen Kanon der klassischen Literatur ist. Das Cover der Buchausgabe (Abb. 1) zeigt die bekannte Photographie von der (zweiten, der erfolgreichen) Premiere der *Čajka* im Moskauer Künstlertheater (Abb. 2), auf der sich unter Zuhilfenahme der neuen Möglichkeiten der Bildbearbeitung der ansonsten eher photoscheue Akunin hat einfügen lassen.

Abb .1

Abb. 2

Wie die Auseinandersetzung mit Čechov stattfindet, in welche literarischen und nichtliterarischen Reihen der Text sich stellt und was dies über seine Poetik aussagt, davon handeln die folgenden Beobachtungen.

1. Akunins „Čajka"

Akunins *Möwe* besteht in ihrem 1. Akt zunächst fast ganz aus Dialogen, die dem 4. Akt Čechovs entnommen sind; Veränderungen am Text betreffen die Regieanweisungen. So hantiert Treplev die ganze Zeit mit einem Revolver herum. Der Akt setzt ein, als Treplev allein an seinem Schreibtisch sitzt, dann besucht ihn Nina und verlässt ihn wieder, und auch er geht aus dem Zimmer, das schließlich wie gewohnt von der Abendgesellschaft gefüllt wird. Während es dann aber bei Čechov hieß: „Направо за сценой выстрел; все вздрагивают" (Rechts hinter der Bühne ein Schuss; alle fahren zusammen; 13, 60), ist es bei Akunin „Громкий хлопок; все вздрагивают", also nur ein „lauter Knall"[1]. Die Original-*Čajka* ist an diesem Punkt fast an ihr Ende gekommen, bei Akunin aber geht es nun erst richtig los. Unter heftigen Gefühlsausbrüchen finden Diskussionen über den Tod Treplevs statt. Zuerst gehen alle davon aus, dass Treplev wieder einmal auf sich selbst geschossen hat – dieses Mal mit tödlichem Erfolg – , dann aber untersucht der Arzt Dorn die Leiche genauer und kommt zu dem Schluss: „Константин Гаврилович мертв. Только он не застрелился. Его убили" (Konstantin Gavrilovič ist tot. Nur hat er sich nicht erschossen. Er wurde ermordet; Čechov/Akunin, 110). Todesursache sei ein Schuss aus einem Revolver mit einem relativ langen Lauf, das Projektil sei ins rechte Ohr eingedrungen und durch das linke Auge wieder ausgetreten (ebda.). Einen solchen Tod – trägt Dorn vor – habe Konstantin Gavrilovič Treplev nicht selbst herbeiführen können. Außerdem sei tatsächlich ein Fläschchen mit Äther geplatzt, so dass der letzte Knall wohl nicht der Todesschuss gewesen sei. Natürlich verdächtigen alle zuerst Medvedenko, der aber wehrt sich; alle außer Dorn betonen, wie sehr sie Konstantin (Kostja, Kosten'ka) geliebt hätten. Schließlich lädt der Arzt die versammelte Gesellschaft ein, Platz zu nehmen, um gemeinsam das Rätsel zu lösen. Damit endet der 1. Akt.

Der 2. Akt besteht aus acht Teilen, die nacheinander gespielt werden sollen. Sie tragen die jeweils nummerierte Überschrift „dubl'" (Wiederholung: dubl' 1, dubl' 2, ...). Jede Variante fängt mit den gleichen Regieanweisungen und eröffnenden Worten Dorns an:

> Часы бьют девять раз.
> Дорн *(сверяет по своим)*. Отстают. Сейчас семь минут десятого... Итак дамы и господа, все участники драмы на месте. Один – или одна из нас убийца. Давайте разбираться.
>
> Die Uhr schlägt neunmal.
> Dorn *(vergleicht mit seiner Uhr)*. Sie geht nach. Es ist jetzt sieben nach neun… Nun denn, meine Damen und Herren, alle Teilnehmer des Dramas sind am Ort. Einer – oder eine – von uns ist der Mörder. Fangen wir an, Ordnung in die Dinge zu bringen.

Jedes Mal aber entpuppt sich dann (mindestens) eine andere Person als Mörder. Alle Varianten (bis auf die letzte) enden damit, dass die Figuren erstarren und das Licht verlöscht. Es geht wieder an, wenn die neue Variante mit den neun Schlägen der Uhr eingeleitet wird. Nur nach der letzten Variante wird die ausgestopfte Möwe angestrahlt, ihre Augen leuchten, Möwengeschrei erfüllt den Raum.

Alle zentralen Figuren des Dramas geben zumindest indirekt zu, den Mord begangen zu haben. In der 1. Variante entpuppt sich Nina Zarečnaja als Mörderin, die durch den Schuss auf Treplev Trigorin schützen wollte, den sie durch den eifersüchtigen Treplev gefährdet sah. In der 2. Variante erklärt sich Medvedenko für schuldig: er habe den Mann gehasst, der ihm die Frau weggenommen hat. In der 3. Variante gibt Maša an, sie sei durchgedreht, als sie die

---

[1] A. Čechov, B. Akunin: Čajka. Komedija i ee prodolženie. Moskva: Mosty kul'tury / Ierusalim: Gešarim 2000/5760, S. 104. Im Weiteren zitiert als Čechov/Akunin mit Seitenangabe.
Auch <http://www.akunin.ru/knigi/prochee/chaika/>
und <http://magazines.russ.ru/novyi_mi/2000/4/akunin.html>.

Zarečnaja wieder bei Treplev gesehen habe. Die 4. Variante wartet mit Selbstbeschuldigungen von Polina Andreevna und Šamraev auf: beide trachten danach, das Schuldgeständnis des jeweils anderen zu entwerten, indem sie sich selbst zum Mörder erklären. Beide geben an, Treplev um Mašas willen erschossen zu haben. In Variante 5 gibt Sorin implizit zu, er habe den an einer Psychose leidenden Konstantin erschossen, um ihn vor den Qualen einer psychiatrischen Behandlung zu bewahren. Diese stellt er sich nämlich vor wie in Gogol's *Zapiski sumasšedšego* (Aufzeichnungen eines Wahnsinnigen) beschrieben: mit Schlägen und kaltem Wasser. In Variante 6 entpuppt sich die Arkadina als Mörderin, die ihren Geliebten vor ihrem Sohn schützen möchte. Konstantin habe Trigorin schon einmal den Tod angedroht, als dieser ihm seine homoerotische Zuneigung gestanden hatte. In Variante 7 ist Trigorin der Mörder, der – um eine Kriminalgeschichte formvollendet abschließen zu können – einen Mord ausprobieren muss. In der letzten Variante gibt der Arzt Dorn zu, dass er Treplev erschossen hat: er sei überzeugter Tierschützer und habe die Möwe rächen wollen. So endet der 2. Akt und mit ihm auch die ganze Komödie.

Ob es wirklich ein Mord war, und wenn, wer ihn tatsächlich begangen hat, bleibt letztlich offen. Akunins Kriminalkomödie *Čajka* endet also ohne die genretypische Sicherheit einer letzten (im Sinne von „richtigen") Version. Vermittelte sie diese, wäre Akunins Komödie tatsächlich nur die Umarbeitung einer vorgefundenen Figurenkonstellation in einen Krimi. So aber geht es um mehr: um eine Interpretation Čechovs und um eine Metakomödie zum Genre des Krimis unter den Bedingungen der entfalteten Moderne, der Postmoderne.

1.1. Die Figuren

Akunins Zeichnung der Figuren ist viel eindeutiger als es die Čechovschen Figuren sind. Das betrifft nicht nur die Charakterisierung, auch die soziale Profilierung ist schärfer. Schon im Personenverzeichnis heißt es bei Trigorin, er sei ein „hauptstädtischer Belletrist" (столичный беллетрист), Medvedenko wird als „Dorflehrer" (сельский учитель) aufgeführt. Diese Präzisierungen sind nicht ohne Funktion für die Handlung: Trigorin muss sich in Variante 6 als dekadenter Großstädter profilieren, der zu seinem Zeitvertreib jungen Damen ebenso nachstellt wie jungen Herren, und Medvedenko darf in Variante 8 nicht zu gute Chemie-Kenntnisse haben, weil er sonst tatsächlich in Frage käme, die Ablenkung mit dem zerborstenen Ätherfläschchen inszeniert zu haben. Als Lehrer, der an einer Zemstvo-Schule nur russische Sprache, Arithmetik, Geographie und Geschichte unterrichtet und kein Latein kann, hat er ein soziologisch klareres Profil als der Čechovsche Medvedenko[2], der bevorzugt über sein geringes Einkommen spricht. Stärker als bei Čechov lassen die anderen den Lehrer die soziale Differenz spüren, schon in solchen Kleinigkeiten, dass sie seinen Vatersnamen vergessen. Sorin dagegen ist viel deutlicher als Landedelmann gezeichnet, der es sich leisten kann, sich eine Krankheit einzubilden – dafür fehlt der Aspekt des „L'homme qui a voulu" bei Akunin.

Šamraev, bei Čechov einfach ein Leutnant a.D., der zwar Latein kann, in Sachen Kultur aber nicht auf dem neuesten Stand ist, legt bei Akunin großen Wert darauf, dass er als – wenn auch nicht reicher – Adeliger ein humanistisches Gymnasium besucht hat, wo man die Chemie für eine „Handwerkerdisziplin" hielt.

Čechovs Text lässt den Regisseuren viel Spielraum. Durch eher leise Signale in einzelnen Szenen wird zwar angedeutet, dass z.B. die Arkadina wahrscheinlich schauspielert, wenn sie etwa Trigorin umgarnt; in Akunins Varianten wird dies unübersehbar herausgestellt. Als die Gesellschaft hört, Treplev sei tot, fängt Maša an zu schreien:

> Секунду спустя к ней присоединяется Аркадина – более мелодично. Поняв, что Машу ей не перекричать, грациозно и медленно падает. (Čechov/Akunin, 105)

---

[2] Bei Čechov nennt nur Maša ihn „nicht sehr gescheit" (мой учитель не очень-то умен; 13, 34).

Eine Sekunde später fällt die Arkadina ein, aber melodischer. Als sie merkt, sie dass Maša nicht überschreien kann, fällt sie graziös und langsam hin.

Sie rezitiert auch in allen acht Varianten immer wieder ein und dieselbe Selbstanklage, welch eine schlechte Mutter sie doch gewesen sei, und jedes Mal nehmen die anderen dies als Schauspielerei wahr. Das erste Mal trägt sie ihren Text vor, als die Zarečnaja dabei ist. Danach heißt es in den Regieanweisungen:

Нина *(схватившись за сердце, пронзительно вскрикивает, как раненая птица – она актриса явно не хуже Аркадиной).* (Čechov/Akunin, 119)

Nina *(die sich ans Herz gefasst hat, schreit durchdringend wie ein verwundeter Vogel – sie ist als Schauspielerin offensichtlich nicht schlechter als die Arkadina).*

Als die Arkadina ihre Selbstbeschuldigung das zweite Mal vorgetragen hat, machen die anderen noch – wie es heißt – eine „ehrfurchtsvolle Pause" (Čechov/Akunin, 127); in den späteren Varianten gehen sie direkt wieder zu ihren früheren Gesprächsthemen über. In der 8. Variante schließlich bemerkt Šamraev zu Trigorin: „Знакомый текст, где-то я его уже слышал. Это из какой-то пьесы?" (Ein bekannter Text, irgendwo habe ich ihn schon einmal gehört. Ist er aus irgendeinem Stück?; Čechov/Akunin, 154). Die Wiederholungen und deren Kommentierung, der Wettstreit der beiden Schauspielerinnen um die bessere *perfomance*, all das charakterisiert die Figuren sehr eindeutig, unterstreicht aber gleichzeitig den komödiantischen Charakter des Stückes. Dazu gehören auch die Slapstick-Elemente von der Art, dass z.B. Šamraev und Dorn mit den Köpfen zusammenstoßen, als sie die in Ohnmacht fallende Arkadina auffangen.[3]

Auch dass die Figuren sich vom Geschehen innerlich distanzieren, trägt zum Komödien-Charakter bei. Die Arkadina kommentiert das Verhalten der anderen in ihrer beruflichen Perspektive: Als nach Mašas Schuldgeständnis Šamraev seinen väterlichen Kummer laut beklagt, meint sie, heutzutage gebe man selbst in der Provinz den „Edlen Vater" nicht mehr auf diese Weise (Čechov/Akunin, 134). Trigorin lässt es längst nicht dabei bewenden, nur nach Anregungen für eine kleine Erzählung zu suchen; er wird als Autor in einer Schaffenskrise gezeigt, die er nur durch den Mord überwinden zu können glaubt.

Dass Akunins *Čajka* eine viel komödiantischere Komödie ist als Čechovs Stück, liegt v.a. an den Regieanweisungen. Überspitzt könnte man sagen, Akunin macht aus *Čajka* überhaupt erst eine Komödie, wobei der Zuschauer/Leser den Čechovschen Text kennen muss, und zwar ziemlich gut. Es ist nur schwer vorstellbar, wie ein Zuschauer/Leser mit dem Text Akunins umgehen kann, der den Čechovschen nicht kennt.

Die Sprache der *Möwe* Akunins ist in der Tonlage weitgehend der Čechovschen angeglichen, aber: Akunin präzisiert und konkretisiert. Trigorin z.B. ist stärker als eifersüchtiger und letztlich unsicherer Schriftsteller charakterisiert. Wie im 1. Akt Treplev sein eigenes Schreiben mit dem Trigorins vergleicht – hier folgt Akunin noch ganz dem Text Čechovs –, vergleicht Trigorin in Variante 7 seinen Stil mit dem Treplevs:

Как красиво, как мощно звучала его фраза. Там было и тихое мерцание звезд, и далекие звуки рояля, замирающие в тихом ароматном воздухе. Так и видишь летнюю ночь, вдыхаешь ее аромат, ощущаешь прохладу. А я напишу про какое-нибудь пошлое бутылочное горлышко, блестящее под луной – и всё, воображение иссякает. (Čechov/Akunin, 150/51)

Wie schön, wie kräftig klang sein Satz. Darin lag das stille Flackern der Sterne ebenso wie die feinen Töne eines Konzertflügels, die in der stillen, mit Düften gesättigten Luft verklingen. So sieht

[3] „Шамраев и Дорн подхватывают ее на руки, стукнувшись при этом лбами" (Šamraev und Dorn fangen sie an den Armen auf, wobei sie mit der Stirn aneinander stoßen; Čechov/Akunin, 105).

> eine Sommernacht aus, du atmest ihre Düfte, du fühlst ihre Frische. Und ich schreibe etwas über einen banalen Flaschenhals, der im Mondlicht glänzt – und das ist alles, die Phantasie ist erschöpft.

Ein schönes intertextuelles Zitat, das die Čechovschen Verhältnisse zur Symmetrie hin spiegelt, denn Trigorin zitiert Treplev aus dem 1. Akt Akunins, der den Čechovschen Treplev zitiert, der wiederum Čechov selbst zitiert.

Bei Dorn lässt Akunin die naturwissenschaftliche Bildung[4] und die Abgebrühtheit des lang gedienten Provinzarztes auch in der Sprechweise stärker zum Tragen kommen. So erwähnt der Arzt drei Mal, dass Konstantin Gavrilovič wirklich tot sei, denn sein Hirn sei an die Wand gespritzt, beim letzten Mal fügt er sogar hinzu, langsam rutsche es dort herunter (Čechov/Akunin, 106, 110, 140). Die Stilisierung Dorns zu einem eher illiteraten Intelligenzler ist für die Handlung funktional, denn der Arzt nimmt Treplevs künstlerischen Text ernst, so ernst, dass er ihn für ein Programm hält. Er behauptet:

> Он ненавидел жизнь и все живое. Ему нужно было, чтоб на Земле [*sic!*] не осталось ни львов, ни орлов, ни куропаток, ни рогатых оленей, ни пауков, ни молчаливых рыб – одна только „общая мировая душа“. Чтобы природа сделалась похожа на его безжизненную, удушающую прозу! Я должен был положить конец этой кровавой вакханалии. Невинные жертвы требовали возмездия. *(Показывает на чучела.)* А начиналось всё вот с этой птицы – она пала первой. (Čechov/Akunin, 158)

> Er hasste das Leben und alles Lebendige. Für ihn war es wichtig, dass es auf der Erden keine Löwen mehr geben sollte, keine Adler, keine Rebhühner, keine geweihtragenden Hirsche, keine Spinnen, keine schweigenden Fische – nur allein die „allgemeine Weltseele“. Um die Natur seiner leblosen, erstickenden Prosa anzugleichen! Ich musste diesen blutigen Bacchanalien ein Ende setzen. Die unschuldigen Opfer bedurften der Rache. *(Zeigt auf die ausgestopften Tiere)*. Und angefangen hat all das mit diesem Vogel – er ist als erster gefallen.

Dorn wird durch dieses Zitat einerseits als Literaturbanause und militanter Tierschützer vorgeführt (die Möwe ist im Kampf „gefallen“ – пала), andererseits ist dieses Zitat ein schöner Beleg dafür, dass Akunins *Čajka* nur dann wirklich „funktioniert“, wenn man die Čechovsche kennt. Die zitierte Passage des Akuninschen Textes verweist nämlich auf einen Teil von Čechovs *Čajka*, der nicht in den 1. Akt Akunins Eingang gefunden hat. Die Unsinnigkeit der Anklage ist zwar auch ohne die Kenntnis dieses Hintergrunds offensichtlich, der Reiz für den Leser/Zuschauer liegt aber gerade im Wiedererkennen des Zitats.

1.2. Die Poetik

James Thurber hat 1942 in seiner Kurzgeschichte *The Macbeth Murder Mystery* meines Wissens zum ersten Mal das Verfahren beschrieben, das Akunin hier anwendet. Bei Thurber kauft eine ältere Dame, die eigentlich immer nur Krimis liest, am Buchstand einer Hotelhalle Shakespeares Drama *Macbeth* und liest es nachts. Sie liest es (natürlich) als Krimi, d.h. sie stellt die erstaunlichsten Hypothesen auf, wer denn welche Motive für welche Bluttat gehabt habe.[5] Akunin tut im Prinzip dasselbe: aus einem Theaterstück, das das Thema „Kunst und

---

[4] Gerade gegenüber Šamraev trumpft er auf: „Для того, любезный Илья Афанасьевич, человеку и дана лобная часть коры головного мозга, где, согласно новейшим научным гипотезам, сосредоточена вся мыслительная деятельность“ (Dazu, lieber Il'ja Afanas'evič, ist dem Menschen der Vorderteil der Hirnrinde gegeben, wo – den neuesten wissenschaftlichen Hypothesen gemäß – die ganze Denktätigkeit angesiedelt ist; Čechov/Akunin, 123).

[5] Ulrich Suerbaum hat die Erzählung zum Ausgangspunkt für seine rezeptionszentrierte Gattungsanalyse gemacht. Vgl. Ulrich Suerbaum: Krimi. Eine Analyse der Gattung. Stuttgart 1984.

Leben" auf die Bühne bringt (und einige weitere Themen mit dem zentralen Problem verknüpft), macht er einen Kriminalfall.

In der Čechovschen *Möwe* stellen sich für den Zuschauer eine Menge Fragen, die mit echten Problemen verbunden sind. Da sind die Mutter-Sohn-Problematik, die Konflikte zwischen Schriftsteller und Schauspieler, zwischen Geburtseliten (Adel) und Funktionseliten (z.B. Lehrer, Arzt), und viele andere mehr. In Akunins Komödie werden die Fragen zunächst auf die üblichen kriminalistischen reduziert: Wer war es? Wie geschah es?

Gerade diese eingefahrene Rezeptionsweise wird in Akunins *Čajka* aber nur aufgerufen, um gleich wieder unterlaufen zu werden: Durch die Aufteilung des 2. Aktes in acht Varianten wird nämlich – wie oben schon angedeutet – die genrekonstitutive „richtige Antwort am Ende" verweigert. Anstelle des einen Mörders hat der Zuschauer acht Personen, die sich selbst beschuldigen. Hat man aber acht Mörder, dann liegt entweder – wie in Agatha Christie's *Mord im Orientexpress* – ein Kollektivmord vor (und er muss als solcher aufgeklärt werden), oder man hat eben keinen Mörder – den Fall also nicht geklärt.

Das Verfahren, acht gleichberechtigte Varianten vorzustellen, ist eigentlich seriell, logischerweise müssten die Varianten auch parallel zueinander gespielt werden. Als Elemente eines Aktes auf der Theaterbühne ist das Verfahren in der Performanz jedoch notwendigerweise konsekutiv, und in der Perspektive der *consecutio* ist es auch logisch, dass sich Elemente aus den Varianten aufeinander beziehen. So etwa der schon erwähnte in jeder Variante auftauchende Monolog der Arkadina, in dem sie sich eine schlechte und egoistische Mutter nennt und ihren Sohn bedauert. Wenn Šamraev zum Schluss den Monolog damit kommentiert, er habe das doch schon einmal gehört, dann muss die 8. Variante auch als achte gespielt werden.

Wenn aber die Reihenfolge zwingend ist, dann kommt Dorns Geständnis eine besondere Rolle zu.[6] Betrachtet man die Varianten unter dem Gesichtspunkt der Glaubwürdigkeit, so stellt die Reihe eins bis acht eine absteigende Linie dar – die Motive werden immer absurder. Unter diesem Gesichtspunkt ist Dorns Geständnis zweifellos ein Höhepunkt, nicht aber die Lösung des Falls. Schließlich beginnt jede Variante mit der formelhaften Feststellung der jeweils selben Uhrzeit, was wieder den Eindruck des Seriellen und der Gleichwertigkeit der Varianten stärkt. Es gibt genügend Indikatoren sowohl für eine Serialität als für eine Konsekution. Dieses Sowohl-als-auch schafft eine groteske Grundstruktur, denn ein Verfahren kann nicht gleichzeitig seriell und konsekutiv sein.

Die groteske Grundstruktur nicht schlüssiger Abläufe legt die Poetik des Krimis offen, genauer: den Bedarf an bestimmten Regeln, ohne die ein Krimi nicht funktionieren kann. Zu diesen Regeln gehört die Auflösung, wer denn wirklich der Schuldige ist. Diese Art, die Literaturtheorie – und sei es im Modus des Verletzens – einzubeziehen, hat Akunins Text mit vielen anderen Artefakten, die der Ästhetik der Postmoderne verpflichtet sind, gemeinsam. Die Einbeziehung der Theorie und die intensiven intertextuellen Bezüge wurden nicht von allen Literatur- und Theaterkritikern gewürdigt, die sich mit Akunins Čechov-Interpretation befassten.

1.3. Die Kritik und die Aufführungen

Kurz nach der Veröffentlichung in *Novyj mir* äußerte der Literaturkritiker Pavel Basinskij sein generelles Missfallen an dem Stück. Er dankt „Bakunin-Čchartišvili" dafür, dass er ihn veran-

[6] In den übrigen Varianten hatte stets Dorn die Ermittlungen geführt, auch unter diesem Aspekt ist die achte Variante eine Besonderheit. Wollte man sie aber als die endgültige betrachten, müsste eine Erklärung her, warum die anderen sich alle des Mordes bezichtigen. Für eine psychoanalytische Deutung („sie haben es gewollt und fühlen sich deshalb schuldig") fehlt der Kontext, auch andere bieten sich nicht an.

lasst habe, wieder einmal die Original-*Möwe* zu lesen, und der Vergleich fällt nicht gut aus: die Einfachheit und Menschlichkeit Čechovs sei auf der Strecke geblieben, und

> это своего рода железный закон всякой постмодернистской игры: прежде чем с чужим произведением „работать“, надо убить в нем „душу“, вытравить его сокровенный смысль, разложить на „элементы“ [...].[7]

> das ist auf seine Art das eiserne Gesetz eines jeden postmodernistischen Spiels: bevor man mit einem fremden Stück „arbeiten“ kann, muss man seine „Seele“ töten, den tiefen Sinn herausreißen, es in seine „Elemente“ zerlegen [...].

Viel stärker als der Autor es wohl geplant habe, sei die ins Zentrum gestellte ausgestopfte Möwe zum Symbol des Stückes selbst geworden: eine Parodie auf das Lebendige.

Auch der Kritiker des in Vjatka erscheinenden *Binokl'* heißt das postmoderne Spiel nicht gut, so seien z.B. die „Figuren und die Motive für die Morde auf das Niveau von Witzen und Filmserien primitivisiert“[8], er verweist allerdings auch auf Akutagawa als möglichen Prätext und überlegt, ob nicht die Zuschauer neuen Typs – „die Computer-Generation“, die die Klassiker nicht mehr kennt – über solche Bearbeitungen an die Originale herangeführt werden können.

Akunins *Čajka* wurde am 27. April 2001 in Moskau an der „Škola sovremennoj p'esy“ (Schule des zeitgenössischen Dramas) uraufgeführt. Deren Regisseur Iosif Leonidovič Rajchel'gauz gab kurz vor der Premiere der *Nezavisimaja gazeta* ein Interview. Er wies darauf hin, dass er Akunins *Čajka* in ganz engem Zusammenhang mit Čechov sehe, als „экзерсис по поводу чеховской“ (eine Fingerübung aus Anlass der Čechovschen).[9] Deshalb spiele sein Theater die Stücke auch abwechselnd, benutze aber unterschiedliche Säle und Bühnenbilder.

Wie schon die Erstveröffentlichung erhielt auch die Erstaufführung bei der Kritik nicht viel Lob, bisweilen nicht einmal Verständnis: Gleb Sitkovskij von *Večernij klub* meint zum Schluss seiner Rezension ironisch, der Regisseur solle doch in der nächsten Saison ein Stück auf die Bühne bringen, das die genauen Umstände des Todes der Möwe untersuche. Der „wiese Vogel“ (вещая птица) habe Selbstmord begangen, weil er vorausgesehen habe, was die Herren Akunin und Rajchel'gauz aus ihm machen würden.[10]

Marina Belova ging in den *Izvestija* stärker auf die Veränderungen im Theater ein: Akunin habe einen Bestseller geplant und geschrieben, und das Publikum gehe genau auf das Spiel ein: „Je absurder die Motive für das Verbrechen werden, um so lauter lacht und applaudiert der Saal“ (И чем абсурднее становятся мотивы преступлений, тем громче хохочет и аплодирует зал) (*Izvestija*, 2001). Folgerichtig schlägt sie vor, Rajchel'gauz solle doch aus dem Spiel und der Wahl der Varianten ein Prinzip machen, zumindest den Schauspielern die Möglichkeit geben, mit ihren Rollen zu experimentieren und neue Varianten zu erkunden. Auch Aleksej Filippov von will die Theater nicht dafür tadeln, dass sie auf die Nachfrage und die durch Fernsehen und Massenliteratur veränderten ästhetischen Prägungen bei einem nicht geringen Teil ihres Publikums reagieren: „Das Publikum wollte einen Krimi und hat ihn bekommen“ (Публика хотела получить детектив – и она его получила) (*Vremja, Moskovskie Novosti, 2001).*

---

[7] Pavel Basinskij: Čučelo čajki (2000) <http://www.pereplet.ru/text/svoy1.html>.

[8] „Персонажи и мотировки убийств примитивизируются до уповня анекдота и мультфильма.“ (Michail Kokovichin: Čajka menjaet kožu. In: Binokl'. Vjatskij kul'turnyj žurnal, 2000 <http://www.binokl-vyatka.ru/B12/chaika.htm>).

[9] Tat'jana Rybkina: Kto ubil Trepleva. In: Nezavisimaja gazeta, 23.3.2001 <http://ng.ru//culture/2001-03-23/7_akunin.html>.

[10] Gleb Sitkovskij: Počemu ne ljubjat Kostju Trepleva? In: Večernij klub, 18.5.2001.

Folgt man dem Gedanken der Kritiker, dass das Stück zumindest die Möglichkeit in sich birgt, den zitierten Prätext ins Bewusstsein einer größeren Zuschauerzahl zurückzurufen, zeigt sich, dass es nicht nur e i n Text ist, mit dem Akunins Komödie in einem intertextuellen Dialog steht.

2. *Akunin und die literarischen Traditionen*

Was einige der Kritiker Akunin als Eitelkeit vorhalten, ist der Bezug zu seinen eigenen Texten. Auf den Vorwurf Šamraevs, Theorien über den Mord an Treplev aufzustellen, sei nicht russisch, sondern deutsch wie Dorn selbst, anwortet dieser:

> Мои предки, фон Дорны, переехали в Россию еще при Алексее Михайловиче, очень быстро обрусели и ужасно расплодились. Одни превратились в Фондорновых, другие в Фандориных, наша же ветвь усеклась просто до Дорнов. (Čechov/Akunin, 133)

> Meine Vorfahren, die von Dorn, kamen schon zu Zeiten des Zaren Aleksej Michajlovič nach Russland, sie haben sich schnell russifiziert und fürchterlich vermehrt. Die einen veränderten sich zu „Fondorns“, die anderen zu „Fandorins“, unser Zweig wurde einfach zu „Dorns“.

Damit ist die Verbindung zu Akunins Krimireihe um den Helden Ėrast Petrovič Fandorin[11] hergestellt und der Weitergang der Handlung als kriminalistische Ermittlung schon implizit vorgegeben. Dieses Zitat ist sicher für die meisten Zuschauer erkennbar. Anders verhält es sich mit den eher versteckten Bezügen zu Čechov.

2.1. *Das fortgeschriebene Drama: Čechovs „Tatj'ana Repina“*

Unter den Dramen, die Anton Čechov geschrieben hat, gehört der Einakter *Tat'jana Repina* zu den weniger bekannten. Es wurde 1889 zum ersten Mal gedruckt und trägt seitdem den Zusatz unter dem Titel: „Посвящается А.С. Суровину“ (A.S. Suvorin gewidmet). Diese Widmung an Suvorin ist mehr als nur die übliche Dedikation, denn Čechov griff darin einen gleichnamigen Vierakter seines Freundes Suvorin auf, den dieser im Dezember 1888 zur Erstaufführung gebracht hatte: Eine in Liebesdingen unglückliche Schauspielerin nimmt Gift und sorgt mit und nach ihrem Tod für einige Verwirrung unter ihren früheren Bekannten.

Čechov war mit dem Stück anscheinend nicht ganz zufrieden, weshalb er das Ende umbzw. weiterschrieb, ein eigenes Theaterstück daraus machte und es Suvorin mit der Bitte um Vertraulichkeit zuschickte. Čechovs *Tat'jana Repina* spielt in einer Kirche, in der gerade eine Trauung gefeiert wird. Nicht unwesentliche Bestandteile des Textes sind direkt aus dem kirchlichen Formular entnommen. Suvorin merkte sofort, dass der Text deshalb die Zensur nicht würde passieren können, weshalb er ihn ohne Čechovs Wissen in ganz wenigen Exemplaren drucken und Leipzig als Verlagsort einsetzen ließ.[12]

Die Analogie der Situation fällt sofort ins Auge: Auch Akunin will ein bereits vorliegendes Drama fortschreiben und dem Bedarf des Publikums anpassen. Dabei bedient er sich um-

---

[11] In dem Roman *Azazel'* findet sich eine Parallelstelle: Im achten Kapitel will Graf Surov den jungen Fandorin ärgern: „Да что за фамилия такая! [...] Фандорин! Из греков, что ли? Фандораки? Фандоруполо?“ (Was ist denn das für ein Nachname! [...] Fandorin! Griechisch etwa? Fandoraki? Fandorupolos?). Das ärgert Fandorin tatsächlich, denn in der Schule hatte man ihm die Phantasieprägung „Funduk“ als Spitznamen gegeben, und er antwortet: „Наш род, граф, такой же русский как и ваш. Фандорины еще Алексею Михайловичу служили“ (Unser Geschlecht, Graf, ist genauso russisch wie Ihres. Die Fandorins haben schon Zar Aleksej Michajlovič gedient). (Boris Akunin: Azazel'. Pervoe delo syščika Ėrasta Petroviča Fandorina. Detektiv dlja razborčivogo čitatelja. Moskva 1998, S. 110). Als Fandorin sich dann *incognito* in England bewegt, benutzt er bei der Angabe der Personalien auf dem Anmeldeformular im Hotel den Familiennamen *fon Dorn* („von Dorn“).

[12] Vgl. A.P. Čechov: Tat'jana Repina. Kommentarii (12, 365).

fangreicher Zitate aus einem allgemein bekannten Text. Die Ausgabe wirbt auf der Rückseite mit den Fragen:

> Неужто у Вас никогда не возникало ощущения, что главное произведение русской драматургии обрывается на самом интересном месте? Неужто Вам не казалось странным, что автор назвал печальную историю о муке творчества и несчастной любви „комедией"?
>
> Hatten Sie nicht schon einmal das Gefühl, dass das Hauptwerk der russischen Dramatik an dem interessantesten Punkt abbricht? Erschien es Ihnen nicht merkwürdig, dass der Autor seine traurige Geschichte von der Qual der künstlerischen Arbeit und von unglücklicher Liebe eine „Komödie" genannt hat?

Wie Čechovs Fortschreibung des Suvorinschen Dramas eine Interpretation in eine bestimmte, im Ursprungsdrama schon angelegte Richtung darstellt, so ist auch Akunins *Čajka* eine Möglichkeit, Čechov zu verstehen, indem man versteht, dass man ihn missversteht, wenn man ihn als Krimi zu verstehen sucht.[13] Dass die acht Varianten immer absurder werden und keine Variante sich als „letzte" präsentiert, macht deutlich, dass die Lesart „*Čajka* als Krimi" eigentlich keine gültige Lesart sein kann. Es ist ein Spiel auf unterschiedlichen Ebenen und mit literarischen Konventionen, ein Spiel, das kein „positives" Ergebnis anstrebt, sondern das Nicht-Funktionieren der Rezeptionsstrategien bereits als Erkenntnis verbucht. Als Erkenntnis, dass es so nicht geht.

2.2. Der fortgeschriebene Čechov: Tennessee Williams' „The Notebook of Trigorin"

Was die russische Kritik übersah: Akunin war nicht der Einzige und nicht der Erste, der Čechovs *Čajka* weitergeschrieben hat. Am 5. September 1997 war in Cincinnati (Ohio) am dortigen „Playhouse in the Park" unter der Regie von Stephen Hollis Tennessee Williams' *The Notebook of Trigorin* postum uraufgeführt worden.[14]

Williams hatte schon 1935 – damals gerade 24 Jahre alt – Čechov für sich entdeckt und war begeistert. In einem Essay nannte er *Die Möwe* „the first and greatest modern play".[15] Auch später, als er selbst schon ein erfolgreicher Schriftsteller war, antwortete er auf die Frauge, wer die drei größten Schriftsteller seien, die ihn beeinflusst hätten: „Chekhov! Chekhov! Chekhov!"[16] Seit dem Anfang der 1980er Jahre hatte er die Idee, ein Stück zu schreiben, in dem all die Themen der Moderne, die bei Čechov mehr angedeutet als angesprochen waren, ausführlicher behandelt sein sollten. So entstand *The Notebook of Trigorin*, das in verschiedenen Bearbeitungsvarianten vorlag, als Williams am 24. Februar 1983 starb. Nach Streitigkeiten unter den Erben kam es in überarbeiteter Fassung 1996 an die Öffentlichkeit – pünktlich zum Jubiläum der *Čajka*, die genau 100 Jahre zuvor (am 17. Oktober 1896) zum ersten Mal gespielt worden war.

Williams hatte dem Titel gemäß Trigorin und sein Schreiben ins Zentrum der Aufmerksamkeit gestellt. Die Čechovsche Ausgewogenheit der *dramatis personae* (im Kern zwei Männer, zwei Frauen, zwei Schriftsteller, zwei Schauspielerinnen, jeweils aber einer anderen Generation angehörend) – struktural gedacht: ein abgezirkeltes System von Äquivalenzen und Oppositionen – wird bei Williams zu einer deutlichen Asymmetrie. Dadurch wird auch die Gender-Konstellation berührt. Dorn erhält viel stärker die Züge eines etwas in die Jahre gekommenen Provinz-Casanovas, der mit allen Frauen flirtet. Trigorin wird zum eigentlichen Künstler-Helden. Er ist bisexuell, und gerade darin ist seine außerordentliche ästhetische Pro-

---

[13] So wie die alte Dame in Thurbers Geschichte etwas von den Rezeptionsgrundlagen für *Macbeth* versteht, sobald sie versucht, ihn als Krimi zu verstehen.

[14] Für den Hinweis auf Williams danke ich Horst-Jürgen Gerigk.

[15] Allean Hale: Introduction: Two Masters, One Play. In: Tennesse Williams: The Notebook of Trigorin. A Free Adaption of Anton Chekhov's „The Seagull". Ed. Allean Hale. New York 1997, S. IX.

[16] Ebda., S. XI.

duktivität begründet. Sie beruht auf der Fähigkeit, Männliches und Weibliches, Intellekt und Gefühl, Kopf und Herz, in seiner Person zu verschmelzen. An Trigorin spielt Williams sein Konzept von Kunst und Gender durch, das der umfassenden Kunst auch eine möglichst weitumfassende Sexualität zuordnet.

Williams schreibt den Čechovschen Text im Sinn seiner eigenen (nach anthropologischen Begründungen suchenden) Poetologie fort. Akunin „borgt sich" entweder klammheimlich den bisexuellen Trigorin bei Williams aus, ohne dessen Poetologie zu übernehmen, oder er kommt bei unterschiedlicher Problemstellung zu einer analogen sexuellen Orientierung in der Konstruktion der Figur Trigorins.

2.3. Jedem seine Wahrheit: „Rashōmon" und „Yabu no naka"

Im Jahr 1915 hatte der japanische Prosaiker Akutagawa Ryūnosuke eine Novelle veröffentlicht, die er nach dem Ort der Handlung, dem Südtor der Stadt Kioto, *Rashōmon* betitelte.[17] Sieben Jahre später schrieb er die Novelle *Yabu no naka* (Im Dickicht), in der verschiedene Versionen eines Todesfalles durchgespielt werden. Akira Kurosawa hat daraus 1950 einen Film gemacht, diesem allerdings den Titel *Rashōmon* gegeben. Vor der Kamera legen verschiedene Personen jeweils ihre Version dar, was es mit einem toten Samurai und seiner vergewaltigten Frau auf sich hat. Zunächst berichtet ein Holzfäller, er habe nur die Spuren von Ereignissen gefunden: den Toten, einen Frauenhut und Stücke von einem Strick. Sogleich habe er den Fund angezeigt. Daraufhin sagt ein Räuber aus, dass er einen Samurai und dessen Frau gefangen genommen habe. Die Frau habe Gefallen an ihm gefunden und ihn angefleht, den ungeliebten Ehemann umzubringen, er aber habe diesen ehrlich im Zweikampf besiegt. Dann erklärt die Frau, sie habe sich zwar dem Räuber hingegeben, ihre Leidenschaft aber nur vorgetäuscht. Dann erzählt der Samurai durch einen Schamanen, er habe sich wegen des offensichtlichen Einverständnisses seiner Frau mit dem Räuber selbst getötet. Schließlich äußert sich der Waldarbeiter noch einmal vor einem Mönch zu dem Vorfall: Der Räuber habe den Samurai und dessen Frau gefangen genommen und um die Frau geworben. Diese habe darauf bestanden, dass die Männer um sie kämpfen sollten, was die beiden aber nicht wirklich wollten, so dass es zu einem lustlosen Schlagabtausch kam, bei dem der Samurai eher zufällig starb. Angewidert sei die Frau weggelaufen.

Vier Versionen – vier unterschiedliche Rekonstruktionen eines Vorgangs, dessen erzählte Versionen einander radikal widersprechen. Der Mönch stellt die Frage nach der Wahrheit, der Film aber gibt keine Antwort, denn keine Rekonstruktion wird in den Rang einer „endgültigen Version" der Ereignisse erhoben.

Zumindest der Film ist zum Klassiker geworden: was er (und auch schon die Novelle von 1922) thematisieren, ist die jeweils eigene Logik der Erzählung. Die Logik einer jeden Binnenerzählung enthält die jeweiligen individuellen und sozialen Besonderheiten des oder der Erzählenden und des Publikums, für das erzählt wird. Ein Samurai kann nicht erzählen, dass er sich unehrenhaft verhalten habe, und ein Räuber muss erklären, er habe seinen Ehrenkodex als Kämpfer nicht verletzt. Akunin aktiviert stattdessen die Suche nach der Logik einer zu erzählenden *fabula*, d.h. der Stimmigkeit dessen, was sich als Geschehen aus den Personenreden rekonstruieren lässt. Im Krimi bedarf die Vielzahl individueller in sich logischer Erzählungen nämlich einer einheitlichen Erzähllogik auf der Ebene der *fabula*. Der Dialog der Texte verweist so auf die Unterschiede von Moderne und Postmoderne.

[17] Ryūnosuke, Akutagawa: Rashomon. Ausgewählte Kurzprosa. Übers. v. Jürgen Berndt. Berlin ^{3}1985 (Orientalische Bibliothek).

2.4. Die Suche nach Schuldigen als Gesellschaftsspiel: „Dallas“, 349ste Folge

In den 80er Jahren führte die Fernsehserie *Dallas*, die in mehr als 70 Ländern der Erde mit großem Erfolg ausgestrahlt wurde, vor, wie das traditionelle Fernsehen sich einerseits in ein (latent) interaktives Medium verwandelte und sich andererseits als Teil eines ganzen Medienverbundes bemerkbar machte: Die Macher der Serie lancierten die Meldung in den Printmedien, dass in einer der nächsten Sendungen eine der Hauptfiguren, nämlich J.R. Ewing jr. erschossen würde. Tatsächlich endete die 13. Staffel der Serie, genauer die 349ste Folge mit dem Schuss auf J.R.

Da nicht gleich in der nächsten oder übernächsten Woche gezeigt wurde, wer der Attentäter war und ob es überhaupt einen solchen gab, wartete eine riesige Zuschauerschaft nicht nur in den USA, sondern auch in vielen anderen Ländern fieberhaft auf die neue Staffel. Man stellte Vermutungen an, zu welchem Ergebnis die Untersuchungsbehörden wohl kämen: In Leserbriefen, auf Diskussionsforen, in Interviews rätselte man mit, wer die Schüsse abgegeben haben könnte. Zigtausende von Amerikanern outeten sich als *Dallas*-Zuschauer und Teilnehmer an der Suche, indem sie sich z.B. die Frage aufs Auto klebten: „Who shot J.R.?“

> In den USA und Großbritannien nahmen clevere Buchmacher sogar Wetten über den Täter an. Als Larry Hagman [der die Rolle J.R. Ewings jr. spielte – N.F.] in England urlaubte, wurden ihm 100.000 Pfund für die Preisgabe des Geheimnisses geboten. Doch auch Hagman war nicht in der Lage zu sagen, wer der Täter war, denn Produzent Leonard Katzman hatte vorgesorgt: Die Szenen von der Festnahme des Täters wurden in Dallas gleich mehrfach gedreht. Mit verschiedenen Mitgliedern des Familienclans, von denen jeder ein Motiv hatte. Die „Schlüsselszenen“ aus den Drehbüchern wurden entfernt, so dass nur wenige Leute den Überblick hatten.[18]

Die Beziehung der *Čajka* zu *Dallas* ist nur auf den ersten Blick ungewöhnlich, schließlich gibt es doch die – schon früh von der Kritik bemerkte – Affinität der Akuninschen *Čajka* zu den Themen und Gestaltungsweisen von Fernsehunterhaltung und Massenliteratur. Überzeugender aber ist das terminologische Argument: Bei dem Wort *dubl'*, das Akunin zur Kennzeichnung der Varianten des 2. Aktes benutzt, handelt es sich um einen *terminus technicus* aus dem Film. Man bezeichnet damit Varianten einer Szene, die gedreht werden, weil sich der Regisseur die Auswahl der einzelnen *takes* bis zum Schnitt offen halten möchte.

3. Schluss – wenn es ihn denn überhaupt geben kann

Wenn im Titel des Beitrags die Frage gestellt wird „Who shot K.G.?“ (Wer schoss auf Konstantin Gavrilovič?), dann zitiert die Fragestellung die ein gutes Vierteljahrhundert alte Kampagne in den USA. Sie tut dies, um deutlich zu machen, dass die klassische Krimifrage „Wer war's?“ auch bei anscheinend völlig eingefahrenen Rezeptionsstrukturen ungewohnte Aspekte sichtbar machen kann. Selbst noch im Jahr 2004:

Glauben nicht gerade die Čechov-Forscher, schon alles über die *Möwe* zu wissen? Ist nicht schon alles erforscht? Klingelt nicht der Name „Stanislavskij“, wenn man die Regieanweisungen zum Schlussbild von Akunins *Čajka* liest? Fällt einem nicht anlässlich des zwei Mal zitierten „Flaschenhalses im Mondschein“ die berühmte Realismus-Definition Čechovs ein? Seit Akunin wissen die Čechov-Exegeten, dass sie eine zentrale Frage nicht werden beantworten können: Wer hat Konstantin Gavrilovič erschossen?

Diese Frage überhaupt zu stellen, bedeutet eine Aktualisierung zuzulassen, die die ganze moderne Unterhaltungskultur prägt: die Schwerpunktverlagerung von den Charakteren hin zum Sujet. So wie eine gute Regie auf der performativen Ebene Čechovs *Čajka* in aktuelle

[18] Dallas Fan Club (1991) <http://www.dallas-online.de/main/d-clubx.htm >.

Kontexte ajourniert, so interpretiert Akunins Fortschreibung Čechov unter den Rezeptionsbedingungen der nachklassisch gebildeten Fernseh-Generation, in deren Horizont Čechovs Komödie zur Farce wird. Aber: zu einer zugegebenermaßen höchst reizvollen.

Literatur

Akunin, Boris: Azazel'. Pervoe delo syščika Ėrasta Petroviča Fandorina. Detektiv dlja razborčivogo čitatelja. Moskva 1998.

Basinskij, Pavel: Čučelo čajki (2000) <http://www.pereplet.ru/text/svoy1.html>.

Čechov, A.; Akunin, B.: Čajka. Komedija i ee prodolženie. Moskva: Mosty kul'tury / Ierusalim: Gešarim 2000/5760. Auch: <http://www.akunin.ru/knigi/prochee/chaika/>, <http://magazines.russ.ru/novyi_mi/2000/4/akunin.html>.

Dallas Fan Club (1991) <http://www.dallas-online.de/main/d-clubx.htm >.

Hale, Allaen: Introduction: Two Masters, One Play. In: Tennesse Williams: The Notebook of Trigorin. A Free Adaption of Anton Chekhov's „The Seagull". Ed. Allean Hale. New York 1997.

Kokovichin, Michail: Čajka menjaet kožu. In: Binokl'. Vjatskij kul'turnyj žurnal, 2000 <http://www.binokl-vyatka.ru/B12/chaika.htm>).

Rybkina, Tat'jana: Kto ubil Trepleva. In: Nezavisimaja gazeta, 23.3.2001 <http://ng.ru//culture/2001-03-23/7_akunin.html>.

Ryūnosuke, Akutagawa: Rashomon. Ausgewählte Kurzprosa. Übers. v. Jürgen Berndt. Berlin ^{3}1985 (Orientalische Bibliothek).

Sitkovskij, Gleb: Počemu ne ljubjat Kostju Trepleva? In: Večernij klub, 18.5.2001.

Suerbaum, Ulrich: Krimi. Eine Analyse der Gattung. Stuttgart 1984.

Maja Turovskaja

О Чехове и Бродском.
Очевидное и вероятное

Если бы Бродский не написал в 1993 г. стихотворения *Посвящается Чехову*, сопряжение столь далековатых имен, возможно, могло бы показаться нонсенсом. В самом деле, известно, что Бродский Чехова не любил, во всяком случае объяснялся в нелюбви к нему в стихах и в прозе почти в одних и тех же выражениях на протяжении лет. В стихах: «Приобретая газету, ее начинаешь с той колонки, где ‹что в театрах› рассыпало свой петит. Ибсен тяжеловесен. А.П. Чехов претит. Лучше пройтись, нагулять аппетит» (*Шорох акации*, 1977). В прозе: «Итак, вы открываете местный ‹Time out› и обращаетесь к театру. Повсюду Ибсен и Чехов, обычная континентальная пища. По счастью, вы не знаете языка» (*Место не хуже любого*, 1986). Театрал сказал бы: «Не знаю языка, зато знаю Чехова.» Бродский этого не говорит – не знает? Получил ли он эту идиосинкразию, как мандельштамовско-ахматовское наследие? Серебряный век сменил собою Чехова, акмеизм не мог любить его по определению, как «певца серых сумерек» и автора *Хмурых людей*. Но И.Б. не был настолько верным учеником Ахматовой. Скорее всего, ее мнение лишь подтверждало его собственное. Не любил, как поэт par excellence прозаика par excellence, как кошка – собаку? (Чехов ведь тоже не жаловал поэзию.) Может быть его раздражала сама популярность Чехова на Западе, повсеместное присутствие его пьес? Популярность подозрительна – это напоминает об отталкивании И.Б. от Пушкина, назначенного «Главным поэтом». Может быть дело – как и в случае Пушкина – еще и в «dolce stile nuovo», в обманчивой легкости чеховского письма? Но так или иначе, сама потребность объясняться в «нелюбви», есть уже выражение повышенного интереса, способ вступить «в отношения» (так мальчишка дергает за патлы интересующую его девчонку). «Посвящение» как раз и дает исследователям повод для выяснения этих отношений.

Но, странным образом, поводом для предлагаемой работы послужили не эти стихи и не упоминания имени А.П. всуе, а скорее *Большая книга интервью*, обнаруживающая – на уровне почти статистическом, более объективном, нежели субъективном – похожесть поведенческих стратегий Чехова и Бродского, сходящихся, повидимому, в некоей точке. Это далеко не столь очевидно, как посвящение стихов и менее наглядно, но, как сказано, и более объективно. И. Б., быть может, даже не сознавал, что именно – помимо нелюбезной ему мировой популярности – заставляет его нет-нет, да и споткнуться об имя Чехова. Настоящий перечень соображений на тему не представляет собою законченной системы с выводом в конце. Скорее это тезисы к размышлению для чехо-, как и бродско-ведов, о том, сколь неоднозначны отношения с предшественниками и на сколь разных уровнях (осознанных и нет) эти отношения могут себя обнаруживать вразрез с простейшей эмоциональной реакцией («Чехов претит»).

1. Очевидное

Нравился Бродскому Чехов или нет, но изо всех прозаиков он один подвигнул его на на рифмы. *Посвящается Чехову* как бы портрет (пусть даже карикатура) обобщенной чеховской пьесы. Идея подобной «сводной» пьесы не принадлежит ни поэту, ни даже поэзии. Еще в 1977 г. она была опробована Адабашьяном и Михалковым в фильме *Неоконченная пьеса для механического пианино* – может быть самой удавшейся из чеховских экранизаций. Она лишь начиналась *Платоновым*; в дальнейшем же представляла авторские вариации на чеховские мотивы. Стихи в свою очередь набрасывают эскиз усредненной чеховской пьесы. Дело, разумеется, не в «обмене опытом», а в «первоисточнике». При всей разности сюжетов Чехов как будто пишет всегда одну и ту же пьесу и ее проекции в разных искусствах пересекаются нечаянно и непроизвольно. У автора – *Три сестры*; в кино три женщины вожделеют к Платонову; в стихотворении Эрлих вожделеет к трем женщинам – необязательная симметрия, лишь условно напоминающая о чем-то неопределенно – чеховском. При этом посылки кино и поэзии на первый взгляд кажутся противоположными. Фильм как бы должен поднять «Сине», пришлую музу-парвеню, до литературы. При россыпи отличных актерских работ, главным «действующим лицом» все же становится имение Войницевых. Его поздняя, истончившаяся красота (спасибо камере оператора Лебешева) кажется хронотопом конечности: «натура» еще есть, но она «уходящая»; жизнь еще идет, но она уже изжита. Муза поэзии (Эрато ли, или Эвтерпа, поминаемая И.Б.), меж тем, не без снисходительности смотрит на «популярную» Мельпомену-Талию (она же постылый реализм конца XIX века, она же «континентальная пища» конца XX-го):

Закат, покидая веранду, задерживается на самоваре.
Но чай остыл или выпит; в блюдце с вареньем – муха.
И тяжелый шиньон очень к лицу Варваре
Андреевне, в профиль – особенно. Крахмальная блузка глухо
застегнута у подбородка. В кресле, с погасшей трубкой,
Вяльцев шуршит газетой с речью Недоброво.
У Варвары Андреевны под шелестящей юбкой
ни-че-го.

Рояль чернеет в гостиной, прислушиваясь к овации
жестких листьев боярышника. Взятые наугад
аккорды студента Максимова будят в саду цикад,
и утки в прозрачном небе, в предчувствии авиации,
плывут в направленьи Германии. Лампа не зажжена,
и Дуня тайком в кабинете читает письмо от Никки.
Дурнушка, но как сложена! и так не похожа на
книги.

Поэтому Эрлих морщится, когда Карташев зовет
сразиться в картишки с ним, доктором и Пригожиным.
Легче прихлопнуть муху, чем отмахнуться от
мыслей о голой племяннице, спасающейся на кожаном
диване от комаров и от жары вообще.
Пригожин сдает, как ест, всем животом на столике.
Спросить, что ли, доктора о небольшом прыще?
Но стоит ли?

Душные летние сумерки, близорукое время дня,
пора, когда всякое целое теряет одну десятую.
«Вас в коломянковой паре можно принять за статую
в дальнем конце аллеи, Петр Ильич». «Меня?» –
смущается деланно Эрлих, протирая платком пенсне.
Но правда: близкое в сумерках сходится в чем-то с далью,
и Эрлих пытается вспомнить, сколько раз он имел Наталью
Федоровну во сне.

Но любит ли Вяльцева доктора? Деревья со всех сторон
липнут к распахнутым окнам усадьбы, как девки к парню.
У них и следует спрашивать, у ихних ворон и крон,
у вяза, проникшего в частности к Варваре Андреевне в спальню;

он единственный видит хозяйку в одних чулках.
Снаружи Дуня зовет купаться в вечернем озере.
Вскочить, опрокинув столик! Но трудно, когда в руках
все козыри.

И хор цикад нарастает по мере того, как число
звезд в саду увеличивается, и кажется ихним голосом.
Что – если в самом деле? «Куда меня занесло?» –
думает Эрлих, возясь в дощатом сортире с поясом.
До станции – тридцать верст; где-то петух поет.
Студент, расстегнув тужурку, упрекает министров в косности.
В провинции тоже никто никому не дает.
Как в космосе.[1]

В этом месте я отсылаю читателя к интертекстуальному анализу, сделанному А. Степановым в статье *Бродский о Чехове, отвращение, соревнование, сходство* (Звезда, 2004/1), смысл которого сформулирован уже в названии. Степанов выделяет ахматово-мандельштамовские шифры в фамилиях «Недоброво» и «Карташев»; он отмечает общее подобие неопределенной «группы лиц» чеховским персонажам; снижение их за счет «сексуальной ущербности» (которая, впрочем, лишь синекдоха его более общего презрения к «реализму»). Все вместе, однако, восходит скорее к стереотипам восприятия Чехова не только акмеистами, но в критике того времени и в массовом сознании. Анализ «квази-прозы» стихотворения показывает, что она, парадоксальным образом, не только не отвечает тезису Бродского о том, какой должна быть «проза поэта», но противоречит ему (в скобках замечу, что поэт в этом не одинок; режиссерская практика Тарковского, например, так же противоречила его представлениям о кино). Иначе говоря, И.Б. создает «структуру по чеховским лекалам», стремясь «настигнуть и удержать утраченное или текущее время». Огрубление чеховских средств при этом Степанов относит к функции взгляда современного человека. Уместным (даже напрашивающимся) кажется сопоставление с *Эклогой 5й (летней)* и догадка Степанова о смешении усадебного и дачного топоса у Бродского. Я бы даже сказала, что летняя эклога – впрочем, не она одна – служит своего рода прелюдией «чеховского». Ergo, – заключает автор –, диалог И.Б. с Чеховым включает унаследованное «неприятие», «соревнование», где И.Б., вопреки собственным декларациям, выступает «учеником» А.Ч. и сходство: «для обоих высшей ценностью оказывается неповторимое мгновенье». Не вдаваясь в столь подробный анализ, который не входит в мою задачу, я все же думаю, что на территории текста И.Б. плотнее входит в клинч с А.Ч., чем может показаться; что текст стихотворения, соответственно, диалогичнее и конечная созвучность Чехова–Бродского носит более широкий и общий характер. В связи с этим я остановлюсь лишь на некоторых наиболее явных разночтениях с автором статьи.

Первый пример: начальная строка «Закат, покидая веранду, задерживается на самоваре» фигурирует у Степанова лишь в скобках, иллюстрируя «уравнивание высокого и низкого». Меж тем, очевидно, что она является прямой отсылкой к Чехову и служит камертоном для всего стиха. Визитная карточка чеховского стиля, отрефлектированная им самим в *Чайке*: «У него на плотине блестит горлышко разбитой бутылки вот и лунная ночь готова» (Треплев о Тригорине; 13, 55) в свою очередь отрефлектирована в однородной по приему строке Бродского. А если мы запишем чеховскую фразу на манер стихотворной: «У него́ на плотине блестит го́рлышко разбитой бутылки» vis-a-vis строки Бродского: «Зака́т, покида́я вера́нду, заде́рживается на самова́ре» (вот, кстати, и «душные летние сумерки» готовы) – то станет заметно, что «прозаический» ритм сво-

[1] <http://filologinoff.livejournal.com/890917.html>

бодного стиха, отмеченный Степановым, задан уже этой первой референцией к Чехову. Зато следующая строка: «Но чай остыл или выпит; в блюдце с вареньем – муха» опрокидывает ее – через разделительный союз «но» – в резкую, снижающую пародийность à la акмеисты. Следующие строчки: «И тяжелый шиньон очень к лицу Варваре / Андреевне крахмальная блузка глухо / застегнута у подбородка» подробно описывают фото Елены Андреевны (Книппер) из спектакля МХТа *Дядя Ваня* – как минимум, версия «незнания» И.Б. нелюбимого автора недостоверна. Как бы высокомерна ни была Эвтерпа, но в палимпсесте Бродского провечивает пристальность к «континентальной пище». И снова – резкий снижающий вираж: «У Варвары Андреевны под шелестящей юбкой / ни -че -го».Очевидно, что эротизация намеренно – груба, анахронична и, повидимому, предполагает чей-то похотливый взгляд. Так завязывается пунктирный, шаткий и тем не менее сквозной, «сюжет» Эрлиха, его неопределенных и невоплощенных вожделений. В следующей строфе интонация уже присвоена им: «Дурнушка, но как сложена!...» и из этой, «несобственно-прямой», он появляется, наконец, – в третьей из шести строф стихотворения – собственной персоной, как бы воплощая приписываемый Чехову титул «певца серых будней» и «хмурых людей». Прочие, можно сказать, «обедают, только обедают».

Еще пример: я не могу себе представить («не верю», – сказал бы Станиславский), что строка, «и утки в прозрачном небе, в предчувствии авиации, / плывут в направленьи Германии» – столь резко акцентуированная в столь тесном пространстве стихотворения чужеродным словом «авиация», могла возникнуть из абстрактного «приближения мировой катастрофы» (которой?). Скорее всего «утки» – все же пародийная отсылка к реплике Маши Прозоровой: «А уже летят перелетные птицы... [...] Лебеди, или гуси... Милые мои, счастливые мои» (13, 178). И в еще более сниженном варианте – к празднословию Вершинина: «Если не дают чаю, то давайте хоть пофилософствуем. [...] Давайте помечтаем» (13, 145) и Тузенбаха: «Что ж? После нас будут летать на воздушных шарах [...]» (13, 146). Меж тем как даже утки предчувствуют авиацию. И уже из этой злой карикатуры, наперерез «мечтаниям» – возможный призвук будущего: «в предчувствии авиации в направленьи Германии». Еще пример строки: «Вас в коломянковой паре можно принять за статую / в дальнем конце аллеи» дают Степанову повод предположить пародийную отсылку к контаминации реплик Гаева и Раневской: «Вот эта длинная аллея идет прямо, как протянутый ремень [...]. [...] мама идет по саду... в белом платье!» (13, 209/10). Я тоже вижу здесь контаминацию, но более сложно-сочиненную. Ведь слово «статуя» – не чеховской родословной. Оно не просматривается ни в топосе «усадьбы», ни в ее тезаурусе. Зато в поэзии Бродского «статуя» – мотив не то, что постоянный – сквозной, даже навязчивый, не важно, проконсул ли это Корнелий Долабелла, «только-что-принял-душ», Мария Стюарт в Люксембургском саду, «фавны, наяды, львы», безымянный торс, императорский бюст или на худой конец просто мрамор. И не потому только, что поэт родился «в городе, где на домах росли статуи» (*В Италии*), но оттого что статуя, мрамор – знак, а в иных случаях сам процесс застывания, последнее слово, произносимое небытием «на языке развалин». Бродский, можно сказать, вдвигает слово «статуя» в чеховский хронотоп и получившийся развернутый квази-оксюморон («в коломянковой паре за статую») уже не Чехов и не Бродский, но контаминация или – по И.Б. – кентавр, «помесь прошлого с будущим», чехово-бродский образ, который мог бы еще показаться случайностью, если бы и сам хронотоп в его присутствии не изменил выражения. Если «близорукое время дня» еще может напомнить о чеховском пенсне (хотя близорукое и дальнозоркое время можно найти у И.Б. и помимо), то «пора, когда всякое целое теряет одну десятую», а тем более «близкое», которое «сходится в чем-то с далью» – мотивы узнаваемо-бродские, можно сказать привитые им к Чехову, как Чехов оказывается на поверку привит к нему самому

(«Я, певец дребедени, / лишних мыслей, ломаных линий»; или: «Частная жизнь. Рваные мысли, страхи. / Ватное одеяло бесформенней, чем Европа» – и это из *Римских элегий*, как Чехов в Ницце писал *Три сестры*). На этом чехово-бродском фоне замечание Степанова, что знаменитые анжабманы Бродского на этот раз служат разделению мечты и реальности: «и Эрлих пытается вспомнить, сколько раз он имел Наталью / Федоровну во сне» возвращает нас к теме «сексуальной ущербности» чеховских персонажей и «сексуальной» же критики Чехова Бродским. Его сексуальная критика меньше всего могла бы напомнить о высокомерии «настоящего мужчины» или, как говорят нынче, «мачо». В ее словарь – обогащенный поэтом à propos, без отточий, но и без модного эпатажа – входят всяческие комплексы от отрочества – «одрочества» до того, «как в паху прорастает мох»; от обезумевшей, головокружительной лирики разлуки до обертонов желчного цинизма – все, что так или иначе стало достоянием словесности – пусть уже не столь изящной – в ходе общей сексуальной революции 60-х. И не только словесности. Театр в свою очередь предпринял критику означенной «фигуры умолчания» у Чехова. Эфрос в Театре на Бронной в постановке *Трех сестер* 1968 г., кажется, впервые на нашей сцене «эротизировал» Чехова, а уж Наташу прямо сделал сексуально агрессивной (предваряя ее «романчик с Протопоповым»). Можно даже сказать, что подобной критике подвергся взгляд на самого автора под пером его английского биографа Рейфилда. Если прежние биографы застенчиво придерживались соответствующих купюр в чеховском эпистолярии, то у Рейфилда как раз они как бы выделены курсивом. Хотя, как известно, Чехов не был «иеромонахом» (кроме, разве что, моментов, отмеченных в письмах к брату Александру), надо сказать, что эротический этикет той поры существенно отличался от последующего столетия, не говоря о второй его половине. Именно в этом деликатном пункте лексикон чеховской эпохи оказался непереводим, я бы даже сказала, не схватываем лексиконом другой (как если бы переводить портреты Серова в манеру Малевича). Именно здесь время обнаружило зияние, которое недаром назовут «сексуальной революцией». В этой связи нельзя обойти еще одну, более раннюю референцию к Чехову, исходящую от его почитателя и едва ли не самого значительного из американских драматургов прошлого века (он же и поэт), Теннесси Уильямса. В своих мемуарах (1972) Уильямс писал: «В то лето [1934 – М.Т.] я влюбился в творчество Антона Чехова во многие его рассказы. Они приобщили меня к той особой литературной интонации, с которой я ощущал в то время близкое родство.» Действительно, аналитический английский язык Т.У. научил переливчатости, нюансам, настроению, атмосфере. «Теперь мне кажется, – прибавляет, однако, автор, – что он слишком многое обходит молчанием.» Это «многое» – все та же сакраментальная область секса. Именно в подавлении желаний, в сочетании похоти и робости, замечает Степанов, – «можно увидеть причину отталкивания поэта [Бродского – М.Т.] не только от Чехова, но и шире – от реализма, как такового. Реалистическое искусство Бродский, повидимому, воспринимает, как сексуально-ущербное.» Предтеча сексуальной революции, автор таких пьес, как *Трамвай «Желание»* или *Орфей спускается в ад* предпринял критику в свойственной ему драматической форме и, продолжая считать *Чайку* «величайшей из современных пьес», предложил свою версию – «Дневник Тригорина» (это отдельная тема, которой мы не касаемся). О Теннесси Уильямсе надо упомянуть и потому еще, что он, как и Бродский, осознавал литературу, как работу «против времени»; как потребность остановить мгновение, пусть и не прекрасное вовсе. Таким образом можно сказать, что «сексуальная» критика Чехова стала общим местом в конце XX века, стало быть речь не о частном «конфликте» Бродского с Чеховым, а о критике одного века другим. Точнее, одного Fin de siècle – другим. Можно также сказать, что ощущение времени – не утраченного, но текущего и истекающего, иссякающего – при этом заметно актуализировалось (вспомним фильм *Механическое пианино*), а статус «мгновения» существенно возрос, объединяя художников разных видов искусства, помимо их намерений и знакомств. Fin de siècle (как назвал И.Б. одно из своих стихотворений) можно принять – таким образом – в качестве ключевого понятия для выяснения отношений между Чеховым и Бродским. И здесь я хотела бы дополнить предположение Степанова о косвенном ученичестве – быть может неосознанном – второго у первого. Когда-то Чехов пожаловался в письме к Суворину (4 июня 1892 г.): «Кто изобретет новые концы для пьес, тот откроет новую эру. Не даются подлые концы! Герой или женись или застрелись – другого выхода нет» (П., 5, 72). Ему самому и пришлось открывать эту эру. В самом деле, Иванов и женится, и стреляется; Треплев стреляется; дядя Ваня лишь покушается на самоубийство, но возвращается после всеобщего отъезда вместе с бедняжкой Соней к скучной бухгалтерии. Бригада уходит из города, оставляя сестер «в меньшинстве»; все покидают проданный вишневый сад и только Фирс забыт в заколоченном доме (это уже привет Беккету). Нарастающий сквозняк отбытия–отсутствия–забвения в финалах чеховских пьес я назвала бы «фигурой вычитания». Для поэзии Бродского (как, впрочем, и для судьбы) «фигура вычитания» не менее сквозная, чем статуя и сродни мрамору: «Скоро, Постум, друг твой, любящий сложенье, / долг свой давний вычитанию заплатит» (*Письма римскому другу*). Или: «Теперь меня там нет. Означенной пропаже / дивятся, может быть, лишь вазы в Эрмитаже. / Отсутствие мое большой дыры в пейзаже / не сделало» (*Пятая годовщина*). «Фигура вычитания» и есть сжатая формула Fin de siècle. Ведь конец века это не только дата, достаточно условная. Это, в культурном ареале нашей цивилизации, еще и некоторый символический хронотоп, в котором время как бы разреживается и близое сходится с далью. Поздний Чехов (драматург в особенности) представляется мне не только тем деликатным и тонким психологом, бытописателем ущербности (не говоря о клише «певца сереньких будней»), каким его принято считать, но, главным образом, автором «конца века», уловившим подземные толчки наступающего кризиса цивилизации. Именно поэтому ему пришлось обновить драму и потому немногие чеховские пьесы в конце следующего века, соперничая с Шекспиром, составили «обычную континентальную пищу». В этом смысле – по преимуществу – поэт Бродский и стал продолжателем прозаика Чехова. На словах Бродский не только разделяет все клише восприятия Чехова – от современной ему критики до акмеистов – но, странным образом, кажется глухим к Чехову, как явлению языка и стиля. Он помещает его на «истоптанной тропе миметического письма», в ряду: «Короленко, Куприн, Бунин, Горький, Леонид Андреев, Гладков» и далее, до соцреализма включительно, в то время, как дорога Достоевского ведет к «модернизму» (*Катастрофы в воздухе*), хотя Чехов – такой же «отец» модернистской, даже абсурдистской драмы, как Достоевский – экзистенциализма. Из-за этой – довольно распространенной – аберрации зрения (подобной непереводимости эротического лексикона), он и пародию свою размещает вроде бы в среднем, бытовом, иначе – сюжетном слое чеховской пьесы, опуская все, что «выше любви», пользуясь словами Раневской (монолог о «мировой душе», чайку, звук лопнувшей струны, явление Прохожего, и проч.); а также все, что «ниже любви» (диалоги глухого Ферапонта с Андреем, Наташу с ее Бобиком, Шарлотту с фокусами, Епиходова с его револьвером – «Никак не могу понять направления, чего мне собственно хочется, жить или застрелиться, собственно говоря [...]» (13, 216), и т.д.). На самом деле почти метафизическое «выше» и почти абсурдистское «ниже» составляют ту единую среду – или «атмосферу», как говорили в МХТе, или пространство-время, оно же хронотоп, как говорят теперь, – в которой видимые глазу перипетии сюжета теряют свою движущую силу, (заметим, кстати, что мандельштамовское «сожительство» с соответствующими страстями, «обмороками» и «револьверами» перемещается в треугольник Дуняши, Яшки и Епиходова), а причины – привычную связь со следствием. Не потому же, в самом деле, пьесы Чехова завладели сценой конца следующего, XX века, что они о «сожительстве», а оттого, что они о «конце прекрасной эпохи» – ее верований, движущих сил, смысла жизни и проч. (Чеховская запись: «Теперь стреляются оттого что жизнь надоела и пр., а прежде – казенные деньги растратил.») К пьесам Чехова это относится, на мой взгляд, как к целому. «Люди обедают, только обедают, а в это время.» На «загадочные» вопросы, почему сестры не покупают билет и не едут «в Москву, в Москву»; почему Елена Андреевна «не дает», как у И.Б., Астрову; почему Лопахин не женится на Варе, а Раневская не торопится спасти имение и прочая и прочая, кроме частных ответов, существует общий: персонажи Чехова не хотят того, что они хотят, а объективно – не могут, ибо живут «на разломе эпох» (выражение Книппер-Чеховой). Именно это, общее, вроде бы опущено в стихотворении Бродского в пользу бессвязности неопределенных вожделений. Но только на первый взгляд. Внутренний диалог Бродского с Чеховым нарастает постепенно – от почти издевки («утки в предчувствии авиации»), через контаминацию мотивов («в коломянковой паре за статую») – к последней строфе, где «хор цикад нарастает» вместе со звездами, где Эрлих задается иными из «проклятых» русских вопросов «возясь в дощатом сортире с поясом» (прав Степанов, это уже не совсем усадьба, а отчасти современная дача, иначе – опять «кентавр»), пока в финальных строках стих, «обученный прозе», не вспоминает о своей ритмической природе, подчеркнутой энергичной пунктуацией, и не выходит на коду, последняя короткая строка которой парадоксально переводит стрелку в некоторое другое измерение: До станции – тридцать верст; где-то петух поет. Студент, расстегнув тужурку, упрекает министров в косности. В провинции тоже никто никому не дает. Как в космосе. Люди позапрошлого века жили под небом; мы существуем в присутствии космоса. Понятно, что космос, «где самый глубокий выдох не гарантирует вдоха, уход – возврата» (*Эклога 4я, зимняя*) – не последнее слово в частотном словаре Бродского, мы к нему привыкли. Но соударяясь с чеховской «провинцией», оно, подобно трансфокатору в кино, резко меняет оптику и обращает назад. «До станции тридцать верст, где-то петух поет» – это уже не с пристальной дистанции пародии, а издалека, с расстояния, где в «чеховской» детали сквозит абсурд существования: («Вершинин. Странно, вокзал железной дороги в двадцати верстах и никто не знает, почему это так. Соленый. А я знаю. [...] Потому что если бы вокзал был близко, то не был бы далеко, а если он далеко, то значит не близко»; 13, 128); где свихнувшийся петух перепутал закат с рассветом, а союз «как» опрокидывает пародию в метафизику. Здесь, может быть, помимо расчета и даже того не сознавая, Бродский выходит за избранный жанр и через прививку себя к Чехову и Чехова к себе («друг к другу мы / точно оспа привиты / среди общей чумы»; *Строфы*) прикасается к тому «означаемому», которое оба выражают столь по-разному, но которое как раз и служит их общей подоплекой. Это «означаемое» и есть упомянутый комплекс Fin de siècle, где на всех сценах «Дают / Причины Нечувствительность к Разлуке / со Следствием“ (*На выставке Карла Вейлинка*) – вечную пьесу Чехова «Момент сходства позиций», обозначаемый Степановым как «неповторимое мгновенье», которое для обоих оказывается «высшей ценностью», на мой взгляд, лишь средство передачи означенного комплекса. «Эпилог» переводит все стихотворение в иной регистр, где «за внешним неприятием у Бродского скрывается признание Чехова художником, способным видеть сквозь время» (Степанов).

При внимании можно обнаружить между Чеховым и Бродским еще некоторые соответствия, которые я не назвала бы сходствами, но которые относятся к тому же комплексу Fin de siècle, поре «когда всякое целое теряет одну десятую». К примеру, (сохранившаяся, правда, только в воспоминаниях), фантазия Чехова о некой пьесе на корабле, вмерзшем в льды где-то у полюса и о белом видении женщины, как бы воскресающем у Бродского: «Я слышу не то, что ты мне говоришь, а голос, Я вижу не то, во что ты одета, а ровный снег, И это не комната, где мы сидим, а полюс, Плюс наши следы ведут от него, а не к» (*Я слышу не то, что ты мне говоришь*). Это, разумеется, частность. Может быть важнее, что на расстоянии века они оба не считали себя и не были религиозными; но оба, пользуясь выражением Померанца, были религиозно-музыкальны, вспомним ли мы рождественские стихи Бродского или рассказ Чехова *Студент*, где связь евангельского прошлого с настоящим вдруг становится осязаемой («и ему казалось, что он только что видел оба конца этой цепи – дотронулся до одного, как дрогнул другой»). Во всяком случае, для обоих действительна была нарушившаяся связь времен и нащупывание, если не поиски этой связи, в том числе через евангельское предание.

2. Вероятное

До сих пор речь шла об очевидном отклике Бродского на присутствие Чехова в его жизни, как бы сам он это присутствие не оценивал. Но мне показалось интересно отметить след этого присутствия там, где поэт его быть может даже не сознавал. Меж тем оно заметно постороннему глазу как неочевидное, но существенное сходство поведенческих стратегий и – что более важно – наличие общего этического перекрестка. Первый из писателей, высланных в эмиграцию, Бродский, однажды и навсегда нарушил все положенные стереотипы «диссидентского» образа действий или, во всяком случае, «образа» (image), которого от него ждали. Советская действительность была насквозь политизирована. Запад казался издали пространством – антиподом. Увы, оказалось, что в русском поэте, прошедшем тюрьму, психушку, ссылку и высылку, Запад в свою очередь хотел видеть «политического активиста». Все русские писатели, когда-либо получавшие «Нобелевку» получили ее при сводничестве политики. На этот «парадокс о политике» Бродский ответил глухой обороной. *Большая книга интервью* наглядно демонстрирует, что перед лицом СМИ он стремился выглядеть не жертвой и не борцом, но литератором. Последовательно и до упора он дегероизировал свою биографию, стоически не желая отдатъ ни пяди не только традиционной русской «страдательности» со всеми вытекающими западными дивидендами, но и не менее традиционной «ностальгии». Ссылка и изгнание – два полюса «отчуждения», которым он, назло всем стереотипам, выражает благодарность. Или хотя бы воспитывает ее в себе. Каким бы капризным и деспотичным не выступал он в мемуарах (т.е. в частной жизни), свой образ поэта-эмигранта он осознает в рамках определенных этических максим. А так как сумма его высказываний в *Большой книге интервью* обнимает почти четверть века (1972–1995), а количество их в книге достигает шести десятков, то и сумма его ответов выходит на уровень почти статистический, т.е. объективный. К таким выношенным «максимам» принадлежит его шутка, что он «плохой еврей, плохой русский, плохой американец, плохой христианин» (679), и если хороший, то только поэт. «Думаю, что человек должен идентифицировать себя более точно, чем по вере или национальности. Сначала нужно понять труслив ты, честен или нечестен.» Или: «Для меня лучше быть в забвении в демократической стране, чем быть среди сливок тирании» (218). «Мне хотелось создать в себе нечто, возможно очень небольшое, но очень компактное по отношению к огромному давлению извне. […] Я полагал, что это должно быть или чувство […] человеческого достоинства или чувство смысла» (681). И, наконец: «Более или менее принадлежишь жизни и смерти, но больше никому и ничему» (220).

В другой, разумеется, фразеологии, определенной как расстоянием в столетие, так и иной жизненной ситуацией, максимы, в силовом поле которых И.Б. старался самоопределиться, если о ком и напоминают, то более всего о Чехове. Правда, в чеховское время они формулировались для себя и прочих не в интервью, а в письмах. Вот известный «символ веры» Чехова из письма к Плещееву (4.10.1888): «Я не либерал, не консерватор. Не постепеновец, не монах, не индифферентист. Я хотел бы быть свободным художником и – только [...]. Я ненавижу ложь и насилие во всех видах и мне одинаково противны как секретари консисторий, так и Нотович с Градовским. Фарисейство, тупоумие и произвол царят не в одних только купеческих домах и кутузках; [...]. Фирму и ярлык я считаю предрассудком» (П. 3, 11). Или из письма к Лаврову (10.4.1890): «Я не шантажировал, не писал ни пасквилей, ни доносов. Не льстил, не лгал, не оскорблял [...]» (П. 4, 56). В письме к брату Николаю он подробно объяснял, что есть воспитанный человек, а уж слова «выдавливать из себя по капле раба» настолько стали крылатыми, что у сегодняшних соотечественников, не готовых к повседневной «умственной работе», как сказали бы в чеховские времена, вызывают идиосинкразию. Хотя для Чехова, происходившего из крепостного сословия, они имели не только фигуральный смысл, а уж для нас должны бы служить заветом. В лексиконе Бродского они подобны «человеческому достоинству», а чеховские поиски «общей идеи» – «чусту смысла». Может показаться, будто фраза из *Записной книжки*: «Как я буду лежать в могиле один, так в сущности я и живу одиноким» относится по ведомству быта и семейных проблем. Меж тем, она для Чехова столь же экзистенциальна, как для Бродского «Более или менее принадлежишь жизни и смерти, но больше никому и ничему». Кстати же, именно эту чеховскую запись И.Б. цитирует в стихотворении *Новая Англия*: «Но землю, в которую тоже придется лечь, / тем более – одному, можно не целовать.» Позволю себе высказать предположение, что все это не есть случайные совпадения или даже сходства, но некоторый этический комплекс, восходящий к одному и тому же источнику. Таким «первоисточником», на котором невидимо скрестились пути столь разных авторов, можно считать фигуру Марка Аврелия и, шире – учение «стоиков».

Марк Аврелий не случайный гость русской культуры. Вспомним фильм Тарковского *Ностальгия*. «Искатель» Доменико пытается совершить акт самосожжения и выбирает для этого круп конной статуи императора, которая в свою очередь, даст Бродскому повод для его эссе *Hommage to Marcus Aurelius*. Явление в русской культуре императора-стоика всякий раз связано с ситуацией поиска и выбора.

Я не буду углубляться дальше в названную тему. Бродский рассказал о ней сам; по отношению к Чехову аналитическую работу сделал многолетний переводчик и исследователь Чехова Петер Урбан в своей аргументированной статье *Wie soll man leben? Čechov und die «Selbstbetrachtungen» des Marc Aurel*. «Die Frage, wie man leben solle, stand für Čechov von Beginn an im Zentrum [...]. [...] entsprechend häufig findet sich diese Frage in seinen Überschriften zu den ‹Selbstbetrachtungen›. Die zu diesen Überschriften gehörenden Texte Marc Aurels ergeben einen kurzen Katechismus der Lebensfragen [...]» – пишет Урбан[2] и прилагает к статье краткое «Избранное» Марка Аврелия «по Чехову». Бродский прилагает свое «Избранное» к упомянутому эссе *Дань Марку Аврелию* и они не совпадают. Но общий строй и настрой *Размышлений* служит обоим если не нитью Ариадны, то, как минимум, вектором избранной стратегии поведения. Еще гораздо более, чем схожие максимы, обьединяет обоих писателей потребность самовоспитания согласно этим максимам; потребность реализации их в собственном поведении. В конце концов дело не только в характере, но и в том, что «душа обязана трудиться». Оба сознавали это и каждый в свое время и в своих обстоятельствах были не только литераторами, но и деятелями. Причем отнюдь не «общественными деятелями» в смысле

---

[2] Peter Urban: «Wie soll man leben» – Čechov und die «Selbstbetrachtungen» des Marc Aurel. In: Anton P. Čechov – Philosophische und religiöse Dimensionen im Leben und im Werk. Hg. Vladimir B. Kataev, Rolf-Dieter Kluge, Regine Nohejl. München 1997, c. 16.

принадлежности к каким-то организациям, партиям или движениям. Оба были совершенно частными общественными деятелями, выполняющими свой личный, по-своему понимаемый долг. В этом смысле школы, построенные Чеховым, его помощь чахоточным писателям или библиотека в Таганроге сопоставимы с той поддержкой, которую поэт нобелиат оказывал соотечественникам, приглашая их на зарубежные конференции, рекомендуя их книги издательствам, просто поддерживая материально, когда была возможность (то, что при этом случались обиженные из числа старых знакомых общего рисунка не меняет; у А.П. были свои злопыхатели). Оба, далеко превосходя авторов своего круга, обладали безошибочным чувством «плеяды» и, каждый на свой лад, были для литературной среды целой «институцией». Как мы знаем, И.Б., имея за спиной и суму и тюрьму, по этой, идущей к лицу «изгнаннику» одежке, не хотел быть принимаем. Меж тем, сума и тюрьма всегда занимали видное место в русской культуре. Завистливый член плеяды «ахматовских сирот» Найман сочинил себе alter ego Германцева, чтобы хотя бы в воображении сравняться с И.Б. в судьбе. Совершенно иначе отнесся к спутнице словесности, тюрьме, Чехов. Без всяких внешних побуждений, как частное лицо, отправился он на каторжный Сахалин, поставив современников и потомков перед вечной загадкой этого паломничества. Но как бы по-разному не объясняли ее, не было ли это, кроме прочего, актом «самовоспитания»? Не было ли у А.П. чувства, что он не имеет права миновать эту неизбывную сторону русской жизни? Не просто познакомиться с ней, как путешественник, но и что-то сделать? Сделать перепись, написать книгу, которая, как это редко случается, оказала воздействие на жизнь. Другого такого путешествия русская литература не знает...

И последнее замечание. Как сказано, Бродского, повидимому, очень раздражала мировая популярность Чехова, как синоним «массовости», с одной стороны, и как общепризнанность с другой. Но став «поэтом-лауреатом» Америки, он предложил неслыханный проект: класть книжки стихов на тумбочку в гостиницах, рядом с аспирином и продавать их в супермаркетах, чтобы стихи в свою очередь стали «континентальной пищей». Так что и в этом сакраментальном пункте за декларативным неприятием крылось возможно, тайное сообщничество. Недаром любимый Бродским поэт Уистен Оден выразился в том смысле, что изо всех русских писателей он предпочитает Чехова. Может быть в свои поздние года (которые, как известно, «к суровой прозе клонят») Бродский продвинулся от оценки акмеистов в сторону европейского Одена. Во всяком случае именно Чехову он посвятил стихи, которые начинаются словом «закат», а кончаются словом «космос». Звуком, который вырывает Чехова из сферы «постылого реализма», а стихотворение из сферы «пародии» в ту метафизику существования «в конце прекрасной эпохи», которая позволяет каждому ставить и понимать его пьесы, как *Гамлета* – о себе.

«Отсутствие есть всего лишь домашний адрес небытия, предпочитающего в итоге, под занавес, будучи буржуа, валунам или бурому мху обои» (*Наряду с отоплением*). Я думаю, эти строки сгодились бы и на эпиграф...

Литература

Urban, Peter: «Wie soll man leben» – Čechov und die «Selbstbetrachtungen» des Marc Aurel. In: Anton P. Čechov – Philosophische und religiöse Dimensionen im Leben und im Werk. Hg. Vladimir B. Kataev, Rolf-Dieter Kluge, Regine Nohejl. München 1997, c. 3-17.

<http://filologinoff.livejournal.com/890917.html>

Raffaella Fortarel

Per Olov Enquists *Čechovs Drei Schwestern* – Wiederschrift oder Gegenschrift?

> WERSCHININ: Was wäre wenn man sein Leben von vorn anfangen könnte [...].
> OLGA: Damit man... sich korrigieren könnte?

Čechovs Drei Schwestern (Tjekhovs Tre Systrar) des Schweden Per Olov Enquist entstand als Auftragswerk für das Betty Nansen-Theater (Kopenhagen). Der dänische Regisseur Peter Langdal bat Per Olov Enquist, das Čechovsche Drama für drei ältere Schauspielerinnen zu adaptieren. Es entstand ein Theaterstück, in dem die drei schon alt gewordenen Schwestern zurückblicken, ihr Leben noch einmal in traumähnlichen Erinnerungen „durchwandern". *Tjekhovs Søstrene* wurde im April 2000 in Kopenhagen in dänischer Sprache uraufgeführt.[1] Ein Jahr darauf (Februar 2001) kam es im „Stadsteater" in Stockholm unter der Regie von Benny Fredriksson zur schwedischen Erstaufführung (Titel: *Systrarna*/Die Schwestern)[2], und im Herbst 2003 zur deutschen Erstaufführung in Innsbruck, im Tiroler Landestheater (Titel: *Tschechows Drei Schwestern*)[3]. Regie führte Maya Fanke. Das Stück verzeichnete sofort einen bedeutenden Erfolg. Die meisten Vorstellungen waren ausverkauft (acht Zusatzvorstellungen). Im Mai 2004 wurde die Produktion zum anerkannten „8. Österreichischen Theatertreffen" nach Graz eingeladen.

Mit zahlreichen Romanen, Drehbüchern und Dokumentationen zählt Per Olov Enquist zu den erfolgreichsten Gegenwartsautoren Skandinaviens. Er wurde 1934 in Nordschweden geboren und studierte 1955-64 Literaturwissenschaften in Uppsala. Seit Beginn der 60er Jahre war er als Theater- und Literaturkritiker, Kolumnist und Publizist im politischen Bereich für verschiedene Zeitungen tätig. In mehreren Bereichen engagierte sich Enquist kulturpolitisch, als Mitglied des Staatlichen Kulturrates, im Rundfunkrat und fünf Jahre lang im Vorstand des Schriftstellerverbandes. Er wohnte längere Zeit in West-Berlin, in Los Angeles, wo er eine Gastprofessur innehatte, in Paris und Kopenhagen. Seit 1993 lebt er in Schweden (Vaxholm).

Den literarischen Durchbruch schaffte er 1968 mit dem Roman *Die Ausgelieferten* (oder *Die Legionäre*, im Original: *Legioärerna*), der ihn mit einem Schlag zum führenden Vertreter der dokumentarischen Literatur in Skandinavien machte. Enquist setzt die Stilmittel der Recherche und Rekonstruktion ein und flicht historische, politische und persönliche Dokumente in seine Texte ein. Auch in seinen Stücken bedient er sich auffallend häufig eines dokumentarischen Stils, indem er bekannte Gestalten vor allem der skandinavischen Literaturgeschichte auf die Bühne stellt, so z.B. Strindberg in *Die Nacht der Tribaden* (Tribadernas Natt, 1975), ein Stück, das in den ersten fünf Jahren in über zwanzig Sprachen übersetzt wurde, Hans Christian Andersen in *Aus dem Leben der Regenwürmer* (Från Regnormarnas Liv,

---

[1] Der Titel der Aufführung lautet übersetzt: *Čechovs Schwestern.* Die Aufführung war ein großer Erfolg. Laut Prof. Kjeld Bjørnager, der die dänische Produktion gesehen hat und im September 2004 einen Vortrag an der Universität Oxford über Enquists Stück gehalten hat, hat man diesen Erfolg vor allem der großen Popularität der drei Schauspielerinnen zu verdanken: Bodil Udsen spielte Ol'ga, Ghita Nørby – Maša, und Susse Wold – Irina.

[2] Entgegen dem schwedischen Originalmanuskript verschwanden die „Drei" und „Čechov" aus dem Titel (Manuskript). In dieser Produktion traten Yvonne Lombard als Ol'ga, Bibi Andersson als Maša und Viveka Sehldahl als Irina auf. Zur Besetzung der skandinavischen Produktionen vgl.: <http://nerikes.se>.

[3] Premiere war am 28. September 2003 in den Kammerspielen des Tiroler Landestheaters. Es spielten: Julia Gschnitzer (Ol'ga), Agathe Taffertshofer (Maša) und Eleonore Bürcher (Irina).

1981), oder in *Die Bildermacher* (Bildmakarna, 1998) Selma Lagerlöf, die 1909 als erste Frau den Literaturnobelpreis erhielt. *Tschechows Drei Schwestern* (Systrarna, 2000) setzt diese „Serie" sozusagen fort.[4]

Das TLT[5] erhielt vom Suhrkamp-Verlag eine Übersetzung aus dem Schwedischen von Angelika Gundlach. Der Verlag teilte jedoch mit, es sei nicht die Endfassung.[6] Die Strichfassung der TLT-Produktion[7] unterscheidet sich von Gundlachs Übersetzung. Enquist selbst verwendete wahrscheinlich eine dänische Čechov-Übersetzung.[8]

Enqists Stück ist ungefähr so lang wie das Čechovsche, und das, obwohl Enquist immer wider Textteile auslässt, dafür einige umschreibt und ausweitet, bisweilen auch „paraphrasiert". Wenn Helga Reichart bemerkt, Enquist unterziehe mit seinem Stück Čechov „einer erfolgreichen Entschlackung der epischen Breite", so ist es eher ein Verdienst der Regisseurin. Die TLT-Strichfassung ist stark gekürzt worden.[9] Mehrere Überlegungen begründeten diese Entscheidung: Das Stück wurde ohne Pause durchgespielt (ca. 110 Minuten), es sollte vermieden werden, die „geballte Kraft" des Dramas zu beeinträchtigen. Außerdem sei Maya Fanke eine formbewusste Regisseurin, die das Stück aufgrund der Bühnentauglichkeit aufs Wesentliche reduziert habe. Die Streichungen seien notwendig gewesen, weil der Enquistsche Text redundant sei. Die Textänderungen und Eingriffe seien auch auf ein gewisses Misstrauen[10] gegenüber der Übersetzung, die eine holprige Sprache aufweist, zurückzuführen.[11]

So wie Čechovs *Drei Schwestern* weist auch Enquists Stück vier Akte auf, diese unterteilt der schwedische Autor jedoch in 13 Szenen. Die Titel der Szenen orientieren sich am. Schwerpunkt des Textteils und sind nur in drei Fällen „interpretatorischer Natur".[12] In der TLT-Inszenierung findet kein Bühnenwechsel statt. Ein Pfeifton[13] signalisiert den Wechsel der Akte.

---

[4] Zur Biographie Enquists vgl. folgende Seiten: <www.kirjasto.sci.fi>; <www.suhrkamp.de/autoren>; <www.3sat.de/kulturzeit>.

[5] Die Bezeichnung „Tiroler Landestheater" wird von nun an in der gängigen Abkürzung TLT angeführt.

[6] Interview mit der Chefdramaturgin Doris Happl am 28.9.2004. Vgl. Per Olov Enquist: Tjekhovs Tre Systrar. Kopie des schwedischen Originalmanuskripts vom Autor signiert. Endversion (6.12.1999). Theateragentur Nordiska Strakosch (Kopenhagen). Zu der im Suhrkamp-Verlag erschienen Übersetzung vgl. Anm. 15.

[7] Strichfassung des Tiroler Landestheaters (TLT): Tschechows Drei Schwestern von Per Olov Enquist. Dtsch. v. Angelika Gundlach. Suhrkamp, o.J.

[8] Vgl. Prof. Kjeld Bjørnager (dänischer Čechovübersetzer, Universität Aarhus): „I have been checking my sources to find out the translation that was the basis of P.O. Enqvist's play *Chekhov's Sisters*. So far I have only had my primary source confirm, that the Swedish Chekhov-translator Lars Kleberg by his publisher in Sweden (who happens to be Enqvist's publisher, too) got the information that Enqvist had said that the textual basis of his *Sisters* was a danish translation of Chekhov's play. As I do not recognize my translation in his play, it must be another one – and there are a couple of other possibilities." (Mailkontakt mit Prof. Bjørnager vom 17.2.–25.3.2005).

[9] Zählt man die Wörter im 1. Akt (ohne Regieanweisungen) so findet man bei Čechov ca. 4.500 Wörter, bei Enquist ebenso viele, und bei der TLT-Strichfassung, d.h. in der wieder um einiges gekürzten Inszenierung (gesprochener Text in der Vorstellung), ca. 2.500 Wörter.

[10] Nach Einsicht in den schwedischen Originaltext kann behauptet werden, dass die Unterschiede (scheinbaren Unstimmigkeiten) in den Zeit- und Personenangaben (welche Figur eine Replik spricht) von Enquist bewusst gesetzt wurden. An dieser Stelle sei Prof. Kjeld Bjørnager für die Zusendung der Manuskriptkopie Dank entgegengebracht.

[11] Interview mit der Chefdramaturgin Doris Happl, a.a.O.

[12] Die Szenenfolge weist eine durchlaufende Nummerierung auf. Im 1. Akt gibt es 5 Szenen (*Glückstag, Weißer Vogel, Drei kleine Mädchen, Der Geigenspieler, Verlorene Form*), im 2. und 3. Akt jeweils 2 Szenen (*Limbo, Der Sinn, Brand, Brüderchen*) und im 4. Akt 4 Szenen (*Leb wohl, Die Waldschnepfe, Die Gewappneten, Wenn wir es nur wüssten*). Die Szenentitel, die m.E. eine Interpretation suggerieren, sind Szene 5, 6 und 12.

[13] Ob der Pfeifton wohl als Symbol für einen nach Moskau abfahrenden Zug steht, der allerdings nur im Wunschdenken abfährt? Wie Čechov setzt auch Enquist verstärkt musikalische Mittel ein. Klänge, Töne und Geräusche finden sich in fast jeder Szene. In der TLT-Inszenierung (im Folgenden zitiert als TLT mit Seiten-

Die Szenenwechsel sind dabei nicht von Bedeutung. Sie dienen eher dem Leser als Orientierung, insofern sie auf die erzählerische Dimension des Enquistschen Textes verweisen. Sie zeigen, wie die einzelnen Textteile verstanden, also interpretiert werden können.

Čechov sieht für den 1. und 2. Akt zwei Räume vor: einen Salon mit Säulen und dahinter einen großen Saal.[14] Enquist gibt in seinen Regieanweisungen auch zwei Räume vor, die zugleich zwei Zeitebenen sind. Trotz der ausführlichen Regieanweisungen ist es schwer, den Raum klar zu definieren: es ist ein schmuddeliger, dreckiger Raum (nur die Gardinen an den Fenstern sind sauber). Hinter den großen Fenstern sehen wir Bäume in Herbstfarben. Die Gartentüren, deren Glasscheiben bis zum Boden reichen, sind jener Ort, von dem aus die Figuren auftreten. An den Fenstern sitzen Figuren, „wir wissen ja noch nicht"[15], ob sie vor oder hinter den Glaswänden sitzen. Die Perspektive bleibt, bewusst von Enquist so beschrieben, ungewiss: Die Figuren schauen „ruhig" und „sehen herein zu uns, nein, eher herein in den Raum, [...]" (Enquist, 3).[16] Im Raum herrscht eine traumähnliche Atmosphäre, mehrere Passagen deuten darauf hin.[17]

Das Bühnenbild von Julia Burde im TLT zeigt einen surrealen Raum in einer traumähnlichen, magischen Atmosphäre: Auf einer schrägen Bühne, die von einem halb durchsichtigen Korridor umgeben ist, stehen vereiste (oder verschimmelte?) Koffer, „die einst für den Umzug nach Moskau gepackt wurden" und auf denen man nun sitzt, „um sich von aller Mühsal auszurasten".[18] Die Bühne ist in ein weiß-blaues, beziehungsweise rötliches Licht „getaucht".

Bei Čechov treten insgesamt 14 Figuren auf, die beim Namen genannt werden, hinzu kommen noch die Maskierten und Musikanten. Enquist lässt 11 Figuren auf die Bühne kommen; es fehlen der Diener Ferapont, die Unterleutnants Fedotik und Rodė und die Maskierten und Musikanten. Auch in der TLT-Produktion begegnen wir 11 Personen.[19] Das Alter der Figuren ist unterschiedlich: Ol'ga bewegt sich im 1. Enquistschen Akt langsam, sie geht sogar am Stock (nicht in der Inszenierung Fankes), sie ist 73 Jahre alt. Da bei Čechov Ol'ga im 1. Akt 28 Jahre alt ist, dürften zwischen der Čechovschen Ol'ga und der Enquistschen 45 Jahre liegen. Enquist legt auf die exakten Zeitangaben (Jahr und Alter) keinen Wert – wahrscheinlich soll das Geschehen bewusst zeitlich ungenau und nicht erfassbar bleiben –; Irina ist nämlich im Enquistschen 3. Akt 52 Jahre alt (bei Čechov 23 Jahre), und nicht wie zu erwarten 68 Jahre.

---

angabe) beherrscht eine melancholische Pianomelodie (Arvo Pärt) leitmotivisch das Geschehen. In die Tondramaturgie werden auch rhythmische russische Volkslieder aufgenommen, so z.B. das Lied „Oči černye" (Schwarze Augen), das im 3. Akt die Geheimsprache (das „Tram-tam-tam") von Veršinin und Maša verdrängt (TLT, 34).

[14] In der TLT-Produktion gibt es keinen Bühnenwechsel, deshalb soll an dieser Stelle nur die Dekoration des 1. Aktes exemplarisch beleuchtet werden. (Der 3. Akt spielt sich bei Čechov in den Zimmern Ol'gas und Irinas ab, der 4. Akt in einem Garten; zu sehen sind auch eine Tannenallee, ein Fluss und der Wald. Diese Dekoration wird bei Enquist im Hintergrund angedeutet, in der TLT-Produktion verschwindet sie vollkommen aus dem Bühnenbild.)

[15] Per Olov Enquist: Tschechows Drei Schwestern. Dtsch. v. Angelika Gundlach. Frankfurt/M. 2001, S. 3. Im Weiteren zitiert als „Enquist" mit Seitenangabe.

[16] Sieben Figuren „gucken herein" (Enquist, 3): Es sind Nataša, Ol'ga, Maša, Irina, Čebutykin, Solenyj und Kulygin. Von der Gartentür kommen: Tuzenbach, Veršinin, Andrej und Anfisa.

[17] Vgl.: „Im Traum sind die Fenster immer groß; [...]."; „Was für ein traumähnlicher Raum."; „[...] die Gardinen flattern wie in einem Traum, [...]." (Enquist, 3/4).

[18] B. Warenski: Drei Bruchlandungen beim zweiten Versuch. In: Tiroler Tageszeitung 226, 30.9.2003, S. 12.

[19] In der TLT-Inszenierung erwähnt Ol'ga im 4. Akt in ihren Erinnerungen nicht Fedotik und Rodė, im Enquistschen Text hingegen schon (vgl. Enquist, 47).

Bei Čechov vergehen drei bis vier Jahre, im Enquistschen Stück mehr als acht.[20] Auch in diesem Bereich fallen die Zeitangaben ungefähr aus. Zu Beginn des 3. Aktes lesen wir in den Regieanweisungen:

> Ja, es sind ein paar Jahre vergangen. Wie viele? Wir können sagen – zwei. Nein, vier. Vier. Nein drei. (Enquist, 33)

Enquist sieht zwei Raum-Zeitebenen vor: Das „Damals" ist das Jahr der Uraufführung von Čechovs Stück, also 1901. Für das „Jetzt" wählt Enquist das Jahr 1917 – das Jahr der russischen Revolution. Ob das symbolischen Charakter hat und als Paradigma für eine revolutionäre Veränderung steht, sei dahingestellt.[21] Auch aus der TLT-Inszenierung geht nicht klar hervor, wie viel Zeit vergeht. Zeitangaben werden weder angesprochen[22] noch durch Alterungszüge in der Maske der Schauspielerinnen verdeutlicht.

Bei Enquist können sich alle drei Schwestern auf beiden Zeitebenen bewegen, ganz zu Beginn auch Nataša.[23] In der Inszenierung von Maya Fanke können nur die drei Schwestern zurückblicken und die Zeitebenen wechseln. Chefdramaturgin Happl erklärte, dass die Entscheidung, die langen Regieanweisungen am Beginn des 1. Aktes nicht vorzutragen, die Frage aufgeworfen habe, wie man dem Publikum wohl am besten die Existenz der zwei zeitlichen Ebenen vermittle: „Die Zuschauer verstehen die Trennung der zwei Zeitebenen umso klarer, je einfacher die Disposition der Figuren ist."[24] Geschickt wurde dies durch die Kostümwahl gelöst (Julia Burde): Nur die Kleidung der drei Schwestern ist „realistisch", alle anderen Figuren tragen Mäntel, auf denen die Kleiderkonturen angedeutet sind und die sie wie Geistergestalten aussehen lassen, d.h. die Kostüme verdeutlichen die „privilegierte Stellung" der drei Schwestern. Besonders ausgeprägt ist in der TLT-Inszenierung die Fähigkeit des Rückblickens bei Ol'ga, bei Maša und Irina hingegen eher selten – eine Bühnenbedingung, die beispielsweise für die Schauspielerin Bürcher (Irina) schwierig einzuhalten war.[25]

Sowohl bei Enquist als auch in der Inszenierung Fankes ist die Rolle Ol'gas eine zentrale. Sie verlässt nie die Bühne, ist also immer anwesend, sie ist Erzählerin, Regisseurin, „Filmvorführerin" und Protagonistin zugleich. Sie fungiert als Vermittlerin zwischen dem Bühnengeschehen und dem Publikum. Eingangs ernennt Enquist in den Regieanweisungen Ol'ga zur „Vertrauten"[26], die uns eine Geschichte erzählt, und die „will, dass wir verstehen" (Enquist, 47):

> Wir entscheiden, dass Olga zu uns spricht, als wäre es eine Anrede. [...] Olga ist unsere Vertraute, als wäre sie die, auf die man sich verlassen kann. (Enquist, 4)

---

[20] 1. Akt: 1901 und 1917; 2. Akt: vier Jahre später (1905 und 1921); 3. Akt: drei Jahre später (ungenaue Angabe, 2-4 Jahre); 4. Akt: einige Zeit (ungenaue Angabe). Zwischen den zwei Zeitebenen liegen 16 Jahre, eine Zeitspanne, die mit dem Alter Ol'gas nicht übereinstimmt (45 Jahre).

[21] Im Bühnenbild gibt es ein weiteres symbolisches Merkmal: Die Bäume hinter den Fenstern leuchten in Herbstfarben. Diese stehen entweder für den „Herbst des Lebens", aus dem die drei gealterten Schwestern blicken, oder sie stellen die Jahreszeit der Revolution, den Spätherbst, dar.

[22] Nataša ist zwar ab dem 2. Akt Mutter (von Bobik), jedoch wird in der TLT-Produktion das zweite Kind (Sofočka) nicht erwähnt, bei Enquist sehr wohl.

[23] Im Falle Tuzenbachs ist es nicht eindeutig nachvollziehbar (vgl. Enquist, 8, 13 u. 17). Da es sich um Einzelfälle handelt, ist anzunehmen, dass Enquist dem Baron nicht die Fähigkeit verleihen wollte zurückzublicken.

[24] Interview mit der Chefdramaturgin Doris Happl, a.a.O.

[25] Bürcher erzählt, sie habe sich in ihrer Rolle der Irina oft „unwohl" gefühlt, da sie fast ausschließlich ein junges Mädchen spielen musste (Interview mit Schauspielerin Eleonore Bürcher [Irina] am 6.10.2004).

[26] In gewissem Sinne nimmt Ol'ga auch eine Art „Mutterrolle" an, sie ermahnt wiederholt Andrej und ihre Schwestern.

Ol'ga wechselt am schnellsten und am häufigsten zwischen den zwei Zeitebenen. Diese zentrale Rolle wird sehr effektvoll mit Hilfe einer einfachen Lichtdramaturgie (Bernhard Salcher) unterstrichen: Ol'ga sitzt oft im linken, vorderen Eck der Bühne, auf das rötliches, warmes Licht fällt (Jetzt-Ebene), während der Rest der Bühne (das Damals) in eisig-kaltem, weißblauem Licht erleuchtet.

Das Enquistsche Stück beginnt mit ungewöhnlich langen Regieanweisungen.[27] Man hat den Eindruck, ein Regisseur (Autor) sei mit seinem Assistenten (Leser/Publikum) gerade inmitten von Filmdreharbeiten. Enquist wendet eine ganz bestimmte Erzählstrategie an, die eine eigene Unmittelbarkeit und Vergegenwärtigung des Sich-Formens des „Bühnengeschehens" schafft: „Wollen wir entscheiden [...]. Das entscheiden wir [...]. Sind wir fertig? [...] Wir fangen bald an" (Enquist, 3/4). Manchmal suggerieren die Regieanweisungen eine Marionettentheater-Atmosphäre, beispielsweise bei der Personenwahl: Der Autor erzählt von vier Gestalten, es sind Frauen, die in den Raum hineinschauen. Von der Ältesten heißt es:

> Jetzt haben wir uns entschieden. Sie heißt Olga, ist 73 Jahre alt. [...] Wollen wir entscheiden, was die vierte [die Rede ist von Nataša] macht? [...] Wir sagen, sie bedient die Alte. Irgendwie. Wäscht ihr die Füße? Das hat sie vielleicht eben getan. (Enquist, 3)[28]

Diese „Puppentheater-Stimmung" wird noch dazu von einem spielerisch-kindlichen Ton[29] unterstützt:

> Sind wir fertig? Bald. Wir fangen bald an. [...] Das wird nett werden! [...] Jetzt fängt es an. Das wird nett werden! (Enquist, 3/4)

Enquists Drama beginnt mit Natašas Frage „Warum seid ihr nie nach Moskau gekommen?". Diese erste Replik hat programmatischen Charakter. Auf diese Frage, gibt keine der drei Schwestern, die sich wie Nataša auf der Jetzt-Ebene befinden, eine Antwort. Ol'ga redet „vor sich hin", erzählt von dem Tag, „an dem es [alles] angefangen hat" (Enquist, 4/5) – eine Wendung, die im Stück immer wieder zu hören ist und die Vorstellung eines nahenden, im tödlichen Duell kulminierenden Unheils suggeriert. Nach einem häufigen Zeitebenenwechsel schließt das Stück dann klar an Čechov an, sobald Ol'ga sagt: „Es fing an dem Tag damit an, dass Tusenbach reingestürzt kam und sagte, es kommt ein neuer Batteriekommandant..." (Enquist, 7).

In der TLT-Produktion lässt Maya Fanke zu Beginn nur die drei Schwestern auf der Bühne stehen. Sie schreiben synchron mit gehobenem Arm in die Luft – eine Symbolgeste für den „neuen Lebensentwurf" (auf einer großen hinteren Leinwand sieht man, wie eine Hand auf einem Blatt Papier schreibt). Den ersten Satz spricht Maša: „Wir sind nie nach Moskau gekommen!", den die Regisseurin im ersten Teil des 1. Aktes ganze sechs Mal wie ein Echo aus dem Munde Ol'gas ertönen lässt. In der TLT-Fassung führen die Schwestern eingangs ein verwirrtes und scheinbar zusammenhangloses Gespräch – in den ersten drei Szenen wird der Enquistsche Text stark gekürzt und vollkommen neu „verflochten". Einerseits hört der Zuschauer in den Erinnerungen der Schwestern den Wunschtraum, nach Moskau zu fahren, heraus, andererseits stellt sich für ihn die Frage, ob das ganze Bühnengeschehen als Traum

---

27 Zu Beginn des 1. Aktes gehen diese über eine Seite hinaus.

28 Vielleicht baut Enquist dieses (christliche) Motiv der Fußwaschung als Zeichen von Natašas Despotismus ein.

29 Enquist erklärte im Interview, er (der Schriftsteller) sehe sich als ein Kind, das auf der Bühne sitzt, aktiv beobachtet und Stellung zum Geschehen bezieht (Telefongespräch mit Per Olov Enquist am 27.9.2004). Der erzählerische Ton suggeriert eine gewisse „Lust", interaktiv mit dem Publikum zu agieren, mit ihm in Dialog zu treten.

konzipiert ist oder eine „Wirklichkeit" darstellt.[30] Mit der Replik Ol'gas „Es fing an dem Tag damit an, dass Tusenbach, Soljony und Tschebutykin reingestürzt kamen" (TLT, 4) findet dann dynamisch (erhöhtes Sprechtempo und schneller Handlungsverlauf) durch den Auftritt der drei Männer der Einstieg in die Jetzt-Ebene statt.

Enquist hat den Čechovschen Text auf grundlegende, die zwischenmenschliche Beziehung betreffende Inhalte konzentriert. Dabei wird die persönliche Meinung des öfteren direkt ausgesprochen, d.h. die Figuren scheinen kein Blatt vor den Mund zu nehmen.[31] Zorn, Frust und Wut werden betonter und ungezwungener gezeigt. In der TLT-Inszenierung arten diese Gefühle auch wiederholt zu hysterischen Anfällen aus. Betonter Emotionalität[32] begegnet man auch in eindeutigen Regieanweisungen: *schreit wild, wütend, unbeherrscht, rasend, flehend, umarmt krampfhaft und weint*. Aggressionen, Nervosität und Spannungen werden schonungslos gezeigt.

Zu den gestrichenen Textstellen gehören natürlich die Repliken jener Figuren, die bei Enquist nicht vorkommen, mehrere kleinere Textpassagen und einzelne Repliken. Die Weiterführung von Gedanken wird manchmal durch ein einfaches „Und so weiter. Und so weiter" ersetzt, als gehe der Autor davon aus, dass der Zuschauer (Leser) den Fortgang der Worte der Figur kenne.[33] Manche Wortmeldungen stehen in einer neuen zeitlichen Folge, in einer anderen Anordnung als bei Čechov. Enquist nimmt manchmal Repliken nach vorn, oder er fügt sie später wieder ein beziehungsweise er nimmt einen „Sprecherwechsel"[34] vor. Es gibt mehrere subsumierte Textteile. Dabei handelt es sich um all jene Passagen, in denen Ol'ga (und manchmal auch Irina) das Geschehene nacherzählen und zugleich zusammenfassen. Neuen Text schreibt Enquist immer dann, wenn er Gedanken der Figuren ausführt oder aber auch paraphrasierend um- und weiterschreibt. Das, was Čechov zwischen den Zeilen aussagt und somit der persönlichen Interpretation überlässt, wird von Enquist mit Hilfe oft sehr direkter Mittel zur Sprache gebracht.[35] Manchmal werden Dialoge ausgebaut, um zusätzliche Spannung aufzubauen. Einen vollkommen neuen Textteil finden wir im 2. Akt: Enquist lässt Solenyj und Irina eine Seite lang einen Dialog persönlicher Natur führen, in dem sich Irina u.a. darüber wundert, dass ein Mensch zwar Angst davor hat, seine Gedichte der Liebsten vorzu-

---

[30] Chefdramaturgin Happl war der Ansicht, die chaotischen Erinnerungen deuteten auf einen Traum hin (Interview mit der Chefdramaturgin Doris Happl, a.a.O.). Frau Christine Riccabona, eine Mitarbeiterin des Literaturhauses am Inn (Innsbruck), meinte, dass es schwierig sei, sich festzulegen. In einem Traum erwarte man sich einen Bruch, eine surreale Dimension des Geschehens. Und doch: Das, was Fanke zeigt, sei zu realistisch, es sei zu sehr „Darstellung eines ordnenden Gehirns" (Gespräch am 29.4.2004).

[31] Als Kulygin beispielsweise im 1. Akt über die „Form des Lebens" spricht, sagt Maša erbost: „Was willst du. Was willst du" (Enquist, 18). Im 3. Akt sagt Maša bei Enquist anstelle des „Amo, amas, amat, ..." rasend: „Dies blöde Geschwätz!!! Ich werd verrückt!!!" (Enquist, 41). In der TLT-Inszenierung lässt Fanke Maša wirkungsvoll aggressiv fauchen. In den Enquistschen *Drei Schwestern* wird auch wesentlich mehr „geduzt". Im 3. Akt verlangt Nataša ständig, dass Ol'ga umzieht, sonst werden sie aneinander geraten. Nataša: „Jetzt hab ich's gesagt." Daraufhin Ol'ga: „Und ich hab's gehört" (Enquist, 36).

[32] Auch im schwedischen Original wird die verstärkte Emotionalität in der Interpunktion sichtbar: Drei hintereinander stehende Ausrufezeichen sind keine Seltenheit, sowie Wörter oder Satzteile, die unterstrichen gedruckt sind oder in Großbuchstaben aus dem Text hervorstechen.

[33] Veršinins Überlegungen darüber, dass man das Leben von vorn anfangen könnte, werden von Ol'ga durch das „Und so weiter. Und so weiter" zu Ende geführt (Enquist, 17).

[34] Vgl. Streit zwischen Andrej und Solenyj im 2. Akt darüber, wie viele Universitäten es denn in Moskau gäbe. Bei Enquist streiten Solenyj und Tuzenbach (Enquist, 30), damit die Spannung zwischen den beiden gesteigert werden kann (so wie auch das „Putt-putt-putt" gerne wiederholt eingesetzt wird). Manchmal kann man den Sinn eines „Sprecherwechsels" schwer nachvollziehen, wie z.B. bei der Replik „In 25 Jahren schieße ich Ihnen eine Kugel durch den Schädel". Bei Čechov sagt das Solenyj zu Tuzenbach (Anton Čechov: Drei Schwestern. Drama in vier Akten. Übers. u. hg. v. Peter Urban. Zürich 1974, S. 13; im Weiteren zit. als „Čechov"), bei Enquist Maša zu Čebutykin (Enquist, 10) und bei Fankes Inszenierung Solenyj zu Čebutykin (TLT, 7).

[35] Enquist scheut auch vor scharfer Wortwahl nicht zurück, so verurteilt Solenyj das Fremdgehen Natašas als „widerlich" (Enquist, 31). Ol'ga, Čebutykin und Irina nennen sie sogar eine „(verdammte) Hure" (Enquist, 31, 38/39 u. 42).

tragen, aber das Töten nicht fürchtet (vgl. Enquist, 31/32). Kurios ist auch, dass Enquist an einer Stelle eine Čechovsche Regieanweisung in eine Replik umwandelt.[36]

Die Regisseurin Maya Fanke kennt Čechovs *Drei Schwestern* sehr gut.[37] Sie hat sich wohl deshalb sehr an die Čechovsche Vorlage gehalten und manchmal Passagen, die Enquist gestrichen hat, wieder eingefügt. Auch in den Regieanweisungen orientiert sich Fanke eher an Čechov als an Enquist. Kurios ist eine Stelle, an der Fanke neuen Text als Antwort auf Enquists neuen Text einfügt. Im 1. Akt „spöttelt" Maša über Natašas Aussehen:

> MASCHA: Entsetzlicher Typ, kleidet sich entsetzlich, nicht daß es unmodern oder häßlich wäre, nur... entsetzlich. Irgendein eigenartiger... bunter Rock mit vulgären Fransen. Fransen überall, es hängt und franst sich, und drüber eine rote Jacke. Unbeschreiblich. Absolut unbeschreiblich. Und Backen so blank und glänzend. Gesund, würde ich sagen. Apfelbäckchen und Fransen. (Enquist, 14; Satzzeichen wie im Original; die TLT-Version weist einige Änderungen auf)
> WERSCHININ: Höre ich einen... leicht... kritischen Unterton? (TLT, 11)

Gerne lässt die Regisseurin mehrmals aussagekräftige Wörter oder Wortverbindungen von Ol'ga effektvoll unterstreichen. Es ist, als würde der „Film" gestoppt werden, um die Aufmerksamkeit des Zuschauers auf eine Aussage zu lenken.[38] An dieser Stelle sei auf ein paar Feinheiten der Regieführung Fankes hingewiesen. Ironisierend erklingt das „Aaaah!" und „Oooohhh!" des Figurenensembles, als bei Veršinin die Namen des Kopernikus und Kolumbus fallen. Wirkungsvoll spannend, herausfordernd und seinem Gegner gegenübertretend spielt Tuzenbach auf dem Akkordeon, das Solenyj auf dem Rücken trägt. Enquists Änderung des Ortes Čita (in Sibirien, wohin das Regiment verlegt werden soll) in China nützt Fanke für einen absurd-witzigen Streit zwischen Veršinin und Kulygin über die richtige Aussprache: Heißt es [K]ina oder [Sch]ina? Und auf die Worte Čebutykins „Ihr seht nichts", die das Verhältnis Natašas mit Protopopov ansprechen, werfen sich alle auf den Boden und stecken quasi ihre Köpfe wie Strauße „unter die Erde" – als wollten sie dem Publikum signalisieren, dass sie nichts sehen *wollen*.

Als wesentliche Streichung erweisen sich in der TLT-Strichfassung Natašas anfängliche Replik „Warum seid ihr nie nach Moskau gekommen?", Mašas (ironische?) Aussage am Ende des 3. Aktes[39], Ol'gas erboste und eifersüchtige Worte gegenüber Maša beim Abschied Veršinins (im Enquistschen Text offenbart Ol'ga ihre heimliche Liebe zu Veršinin[40]), sowie Mašas Geständnis in ihrem Monolog am Ende des Stücks, sie hätte Kulygin selbst umgebracht (Enquist, 58). In der TLT-Strichfassung fallen auch viele kleine Hinweise auf Ironie und Zynismus des Enquistschen Textes der čechovtreuen Inszenierung zum Opfer.

---

[36] Im 4. Akt sagt die „Enquistsche" Irina: „Ich bin glücklich, wenn ich morgen das *Gebet einer Jungfrau* von nebenan nicht mehr hören muß" (Enquist, 49; nicht kursiv im Original).

[37] „Maya Fanke hat selbst einmal in den *Drei Schwestern* gespielt, sie hat nämlich als Schauspielerin begonnen. Sie hat auch eine eigene Fassung der *Drei Schwestern* verfasst. Das Stück heißt *Nach Moskau*. Es erzählt Čechovs Drama aus der Sicht der Frauen. Dieses Stück hat sie 1994 in Aalen (ehemalige BRD) inszeniert." (Interview mit der Chefdramaturgin Doris Happl, a.a.O.).

[38] Vgl.: Als Andrej dem Publikum anvertraut, dass er vor den Schwestern irgendwie Angst habe, wundert sich Ol'ga: „Angst?" (TLT, 20). An einer anderen Stelle nimmt sie Mašas Worte voraus: (Maša) „Wir werden jammern: Wie schwer ist doch das Leben. *Pause*." (Ol'ga) „Und Angst vor dem Tod haben." (Maša) „Und Angst vor dem Tod haben." (TLT, 24). Auch Čebutykins gleichgültige, emotional abgestumpfte Haltung enthüllt sie: (Čebutykin) „Kann mich an nichts erinnern." (Ol'ga) „Kann mich an nichts erinnern." (Čebutykin) „Absolut nichts. [...] wir existieren nicht, das sieht nur so aus..." (Ol'ga) „Das sieht nur so aus." (TLT, 31).

[39] Über Irinas Entscheidung, Tuzenbach zu heiraten, sagt sie zweimal: „Oh, tut das jetzt weh" (Enquist, 46).

[40] Die Anspielungen Ol'gas am Anfang der Szene 3 (Enquist, 11) werden am Ende des Stücks (Anfang Szene 13; Enquist, 57) bestätigt. In der TLT-Strichfassung sind diese Worte Ol'gas gestrichen, so dass diese „verborgene" Liebe zu Veršinin in Fankes Inszenierung untergeht.

Der Enquistsche Text schlägt nämlich des öfteren einen kritischen Ton an. Leichter bis scharfer Zynismus, Ironie, Provokation, Wut und Zorn, Infragestellen, Vorwürfe und Kritik ertönen vor allem aus dem Munde der drei Schwestern, am häufigsten in Mašas Positionen.[41] Schonungslos parodiert wird an mehreren Stellen beispielsweise die unbändige Lust der Čechovschen männlichen Protagonisten zu „philosophieren", vor allem darüber, wie das Leben in hundert Jahren wohl sein wird. Maša jammert in solchen Augenblicken: „Nein, nein, nein... nicht schon wieder..." (Enquist, 39), oder sie sagt: „Abgesehen davon, so eine komische Nacht. Heute, mein ich. Nicht in hundert Jahren" (Enquist, 39). Sie ist es auch, die im 4. Akt die Worte Čebutykins „Vielleicht gibt es uns gar nicht", mit „blödes Gequatsche" heftigst anprangert (Enquist, 51). Humorvoll lesen sich auch jene Passagen, in denen über die Nachkommen philosophiert wird und Maša trotzig einräumt, dass sie „nichts gebärt", also keine Kinder von ihr abstammen werden (Enquist, 28, 29 u. 39). Seelenregungen werden im Allgemeinen offener angesprochen, das schlechte Gewissen und die skepsiserfüllte Hoffnung demaskiert. Kleine Wortänderungen können einer Aussage eine neue Konnotation geben.[42]

Die Qualität des Enquistschen Stücks liegt – so Happl – im Reiz, dass die drei Schwestern im Rückblick eine andere Sichtweise auf das Geschehene haben, weil sie ihre Vergangenheit kennen und deshalb wissend und ermahnend auf ihr Leben Einfluss nehmen könnten. Trotzdem brechen sie nicht aus.[43] Auf der Suche nach den „Fehlern", den Gründen ihres Scheiterns, ihrer Ängste, der Mutlosigkeit, Verzagtheit und Unentschlossenheit scheinen die Schwestern zu stagnieren:

> OLGA: Warum hatten wir, obwohl wir einander liebten, diese Angst davor, uns selbst in anderen zu sehen. Warum diese Angst. (Enquist, 51)

Trotz einer fast schon „psychotherapeutischen Methode", der Wahrheit näher zu kommen („Was hindert dich.", „Und was haben Sie dagegen getan?"), bleiben die Fragen nach der (Mit-)Schuld, nach dem Sinn des Leidens ohne Antwort:

> IRINA: Kannst du erklären... wie das... zusammenhängt... Olga...
> OLGA: Nein. Das kann ich nicht. Ich habe es auch schwer.
> IRINA: Was haben wir falsch gemacht?
> OLGA: Weiß nicht. (Enquist, 42/43)

Wenn Čechov Maša im 2. Akt noch „Aber es hat doch einen Sinn?" (Čechov, 42)[44] sagen lässt, so legt Enquist ihr die resignierende Einsicht „Also gibt es keinen Sinn!" (Enquist, 28) in den Mund.

Bei Enquist hält Maša am Ende des Stücks einen relativ langen Monolog, in dem Zorn und Verzweiflung über die Situation der Schwestern zum Ausdruck kommen. Ihre Überlegungen sind sowohl Vorwürfe an Ol'ga, als auch das eifrige Bekenntnis, sie habe noch nicht aufgegeben und lebe noch. Daraus entsteht die unerschütterliche Überzeugung und der brennende Wunsch, dass das Erlebte eigentlich nur ein „Lebensentwurf" gewesen sei, den sie einfach noch einmal umschreiben könnten. Diese Hoffnung wird jedoch durch die Worte Irinas bald

---

[41] Vgl. Mašas Zustimmung auf die sarkastische Bemerkung Solenyjs, er würde das Kind Bobik braten und essen: „Gut. Gut gesagt" (Enquist, 30).

[42] Ol'ga beschwert sich bei Natal'ja über ihr grobes Verhalten gegenüber der Njanja Anfisa (in den Originalen nicht kursiv): „Wir drei Schwestern sind vielleicht *falsch* erzogen, [...]" (Enquist, 35). Vgl. Čechov: „[...] wir sind vielleicht *merkwürdig* erzogen, [...]" (Čechov, 58); russ. Original: „[...] мы воспитаны, быть может, *странно,* [...]" (13, 159).

[43] Interview mit der Chefdramaturgin Doris Happl, a.a.O.

[44] Vgl. Russ. Original: „Все-таки смысл?" (13, 147).

darauf gebrochen, die meint: „Es umschreiben. Wenn wir das nur könnten. Wenn wir das nur könnten." Noch einmal wendet sich Ol'ga ans Publikum und schließt an Čechov an, indem sie die Erinnerungen an damals wach ruft. Bei Enquist spricht Irina die bekannten Schlussworte der *Drei Schwestern*, allerdings nicht in der unpersönlichen Form, sondern in der 1. Person Plural („wenn wir es nur wüssten"; Enquist, 60).

Das Finale der TLT-Produktion hält sich im Großen und Ganzen an Enquist. Gestrichen sind jedoch im Monolog Mašas die Aussage, sie habe Kulygin selbst umgebracht, sowie einige Stellen in kritischem Ton.[45] Unausgesprochen bleibt ferner die vielaussagende Replik Ol'gas: „Und deshalb war es wichtig, euch [Zuhörern] die Geschichte zu erzählen, obwohl wir selbst sie nicht verstanden haben" (Enquist, 58/59). Nach dem Monolog Mašas schließt sich in der TLT-Inszenierung förmlich der Kreis: Die drei Schwestern sitzen auf den Koffern, schreiben angedeutet durchs Handheben (Zitat der Geste am Beginn des Stücks), und alle drei wiederholen immer wieder den Satz „Wenn wir es nur wüssten". Dazu ertönt leitmotivisch die melancholische Pianomelodie Arvo Pärts.[46] Der Raum verdunkelt sich langsam und das Stück ist aus.

Das Enquistsche Stück stellt in erster Linie eine Möglichkeit dar, Čechovs *Drei Schwestern* zu rezipieren, zu interpretieren. Obwohl Enquist gewissermaßen eine Gegenposition verfolgt, handelt es sich bei seinem Text nicht ausschließlich um eine Gegenschrift, sondern auch um eine Wiederschrift, weil große Teile als Čechov-Text erkennbar sind. Einem durchschnittlichen Čechov-Kenner (der das Stück zwar gut, aber nicht jede Replik auswendig kennt) fällt es in einer ersten Begegnung schwer, die Abweichungen dieser Umschrift zu erkennen, oder nachzuvollziehen, wie čechovtreu beispielsweise die Inszenierung Maya Fankes denn nun wirklich ist.

Auch in den Rezensionen der Innsbrucker Aufführung wird kaum der Frage nachgegangen, inwiefern sich denn das Enquistsche Stück vom Čechovschen unterscheidet. Die Artikel bieten „Čechovsche Allgemeinplätze". Die Rede ist vom Scheitern, vom verpatzten Leben, von der trostlosen russischen Provinz, vom Aneinandervorbeireden und von der unbestimmten Sehnsucht nach einem erfülltem Leben. Nur Christine Frei stellt in ihrem Artikel die entscheidende Frage:

> Genügt es, die Fallstricke bereits zu kennen, um beim nächsten Mal nicht mehr darüber zu stolpern? Per Olov Enquist scheint der faktischen Wirkung der Selbsterkenntnis jedenfalls gründlich zu misstrauen.[47]

Frei schreibt, die Figuren ließen es erneut zu, verletzt und verlassen zu werden, seien Gefangene ihrer selbst, Zuschauerinnen in ihrem eigenen Leben. Das Stück sei beklemmend melancholisch, resignativ, „dass man am liebsten auf die Bühne stürmen möchte, sie aufzurütteln". Selbst Per Olov Enquist empfindet den Wunsch einzugreifen. Er möchte die Figuren fragen: „Why do you say this things? […] Come on, turn around! Try another way!"[48]

Der Kritiker Warenski hat zu Recht seine Rezension mit dem aussagekräftigen Titel *Drei Bruchlandungen beim zweiten Versuch* versehen (Warenski). Warum gelingt den Figuren kein

---

[45] Wie z.B. Mašas Worte: „Olga, es gibt keine Entschuldigung. [...] sie [Tuzenbach und Solenyj] haben von uns gesprochen, von den drei Schwestern, von unserer idiotischen Verzweiflung. [...] Er [Čebutykin] sollte den drei ständig weinenden Schwestern erzählen, er [Tuzenbach] sei tot!" (Enquist, 58/59).

[46] Stück *Spiegel im Spiegel*, 1978. Vgl. Programmheft zu *Tschechows Drei Schwestern* von Per Olov Enquist. Premiere 28.9.2003, Kammerspiele, Tiroler Landestheater. Regie: Maya Fanke.

[47] Christine Frei: Tschechovs drei Schwestern. In: Tip (lokale Wochenzeitung, die kostenlos an alle Haushalte geht), 24.10.2003. Vgl. dagegen Helga Reichart: Russlands Seele lässt grüßen. In: Salzburger Nachrichten, 30. September 2003.

[48] Telefongespräch mit Per Olov Enquist, a.a.O.

Neubeginn? Die Frage nach dem Scheitern der drei Čechovschen Schwestern würde ein Russe[49] wohl ganz anders angehen als ein Westeuropäer, so wie auch Enquists Stück in Russland wahrscheinlich anders rezipiert werden würde.

Literatur

Enqist, Per Olov: Tjekhovs Tre Systrar. Kopie des schwedischen Originalmanuskripts vom Autor signiert. Endversion (6.12.1999). Theateragentur Nordiska Strakosch (Kopenhagen).

Enquist, Per Olov: Tschechows Drei Schwestern. Dtsch. v. Angelika Gundlach. Frankfurt/M. 2001.

Enquist, Per Olov: Tschechows Drei Schwestern von Per Olov Enquist. Dtsch. v. Angelika Gundlach. Strichfassung des Tiroler Landestheaters (TLT). Suhrkamp, o.J.

Frei, Christine: Tschechovs drei Schwestern. In: Tip (lokale Wochenzeitung, die kostenlos an alle Innsbrucker Haushalte geht), 24.10.2003.

Programmheft zu *Tschechows Drei Schwestern* von Per Olov Enquist. Premiere 28.9.2003, Kammerspiele, Tiroler Landestheater. Regie: Maya Fanke.

Reichart, Helga: Russlands Seele lässt grüßen. In: Salzburger Nachrichten, 30. September 2003.

Warenski, B.: Drei Bruchlandungen beim zweiten Versuch. In: Tiroler Tageszeitung 226, 30.9.2003, S. 12.

<http://nerikes.se>
<www.kirjasto.sci.fi>
<www.suhrkamp.de/autoren>
<www.3sat.de/kulturzeit>

[49] Vgl. Prof. Serguei Dobrovolski über Čechovs *Drei Schwestern*: „Сестры не жалуются! Они находят в себе силы продолжать жить и оставаться людьми! [...] Я не вижу у сестер ни пессимизма, ни фатализма. Три сестры выполняют важную миссию: они несут в будущее благородство, интеллигентность, понимание жизни, душу своего поколения, сохраняют для будущих людей ростки культуры, порядочности, тонких эмоциональных отношений между людьми" (Die Schwestern beklagen sich nicht! Sie finden in sich die Kraft weiterzuleben und Menschen zu bleiben! [...] Ich sehe bei den Schwestern weder Pessimismus noch Fatalismus. Die drei Schwestern erfüllen eine wichtige Mission: sie tragen in die Zukunft Edelmut, Intelligenz, Lebensweisheit, die Seele ihrer Generation, sie bewahren für die Menschen der Zukunft die Keime von Kultur, Anständigkeit, subtilen emotionalen Beziehungen zwischen den Menschen; Mail vom 25.11.2004).

Klavdia Smola

Thomas Bernhards intertextueller Dialog mit dem Drama Čechovs
(am Beispiel des Stücks *Die Jagdgesellschaft*)

Im Œuvre Thomas Bernhards wird die russische Literatur des Öfteren erwähnt, zuweilen wird in einem Text von russischen Autoren wiederholt gesprochen oder von deren Lektüre erzählt, jedoch sind diese Verweise immer etwas unspezifischer Natur. Die Namen russischer Schriftsteller tauchen nicht selten in einem Kontext der Beichte auf, in dem der Erzähler oder der Protagonist seine Zuneigung zur russischen Literatur offenbart. In mehreren Fällen erscheint sie – oft zusammen mit anderen ausländischen Literaturen – als positives Gegenstück zur geliebt-gehassten deutschen und österreichischen Literatur. So der Erzähler im Roman *Auslöschung*:

> Die deutsche Literatur, habe ich zu Gambetti gesagt, ist selbst in ihren absoluten Höhepunkten niemals den von mir geliebten Literaturen wie der russischen oder der französischen und spanischen gleichzusetzen, auch der italienischen nicht. [...] wie genau trifft das Französische alles, selbst das Russische, ja selbst das Englische, sagte ich, von dem Italienischen und Spanischen ganz zu schweigen, das wir so gern im Ohr haben, während uns das Deutsche, obwohl es unsere Muttersprache ist, immer fremd und verheerend in den Ohren klingt[1]

An einer anderen Stelle heißt es:

> Ich hatte mir eine von mir sogenannte leicht bewegliche Bibliothek angeschafft mit den *wichtigsten Werken des bösen Geistes,* die ich ungehindert jederzeit überallhin mitnehmen konnte, so daß ich niemals ohne diese Bücher hatte sein müssen. [...] Der erste Band, den ich mir gekauft habe, war *Heinrich von Ofterdingen* von Novalis gewesen [...]. Von da bis zu Kropotkin und Bakunin war es noch weit, hatte ich zu Gambetti gesagt, zu Dostojewski, Tolstoi, Lermontow, den ich über alles liebe.[2]

Ähnlich im Roman *Alte Meister*: „[...] ich will meinen Schopenhauer allein besitzen, meinen Pascal, meinen Novalis und meinen innigst geliebten Gogol [...].“[3] In seinem letzten Stück *Heldenplatz*, in dem Österreich bekanntlich wie wohl in keinem anderen seiner Stücke kritisiert, ja verflucht wird und das einen Skandal in der österreichischen Öffentlichkeit verursacht hat, ist von der russischen Literatur *viermal* die Rede. Dreimal geht es dabei um die unerbittliche Forderung der alten und blinden Mutter an ihre Tochter, ihr Tolstoj vorzulesen. Diese Lektüre wird den beiden vom jüdischen Professor Josef Schuster, der sich das Leben genommen hat und typische Züge des Bernhardschen despotischen „Geistesmenschen“ aufweist[4], beinahe aufgezwungen. So sagt Frau Zittel über ihre Mutter:

> Entweder ich schneide ihr die Nägel/ oder ich lese ihr den Tolstoj vor/ Nur weil der Professor vor fünfzehn Jahren gesagt hat/ lesen Sie Ihrer Mutter doch Tolstoj vor/ eine sehr gute therapeutische Maßnahme/ lese ich ihr jetzt schon fünfzehn Jahre Tolstoj vor.[5]

---

[1] Th. Bernhard: Auslöschung. Ein Zerfall. Frankfurt/M. 1986, S. 238f.
[2] Ebda., S. 149f.
[3] Th. Bernhard: Alte Meister. Frankfurt/M. 1985, S. 255.
[4] Über die für das Werk Bernhards zentrale Gestalt des despotischen „Geistesmenschen“ vgl. z.B. U. Dronske: Sprach-Dramen. Zu den Theaterstücken Thomas Bernhards. In: Thomas Bernhard. Die Zurichtung des Menschen. Hg. A. Honold, M. Joch. Würzburg 1999.
[5] Th. Bernhard: Heldenplatz. Frankfurt/M. 1995, S. 12.

So oft wie diese Tatsache thematisiert wird, gehört sie zu einer der für die Figuren Bernhards charakteristischen Zwangshandlungen und zu einem Zwangsgedanken, von dem man sich lebenslang nicht befreien kann: „Seit fünfzehn Jahren kein Dankeswort/ ist der Tolstoj ausgelesen verlangt sie/ daß ich wieder von vorn anfange/ sie will nichts anderes.“[6] Auch im *Fest für Boris* zeichnet sich das sadistische Verhältnis zwischen der beinlosen Herrin und ihrer Dienerin unter anderem dadurch aus, dass russische Romane vorgelesen werden müssen: „Sie haben mir damals nacheinander die ganzen berühmten/ russischen Romane des neunzehnten Jahrhunderts vorgelesen/ Sie erinnern sich/ Oblomow/ Dolgorukij/ Verrückt [...].“[7] Und im *Heldenplatz* erzählt der Bruder des verstorbenen Professors:

> [...] je chaotischer um ihn herum/ desto größer seine Inspiration/ diesen Umstand teilt er ja mit allen diesen russischen Schriftstellern/ die er sein ganzes Leben so inständig verehrt hat/ Tolstoj Dostojewski Gogol Turgenjew/ das war seine Welt/ nicht einmal die Philosophie/ die russischen Dichter waren es/ nicht die französischen nicht die englischen/ die russischen/ und die Musik.[8]

Immer wieder wird die russische Literatur von einem im Mittelpunkt stehenden Außenseiter und Intellektuellen als etwas Fernes empfunden, das jedoch zum Eigenen und Nahen wird, was ihm sein Vaterland nicht geben kann.

In der *Jagdgesellschaft* (1974) findet man nicht nur Geständnisse wie etwa:

> SCHRIFTSTELLER: [...] Fortwährend lese ich/ Wie Sie wissen Lermontow/ [...] Zwei Stunden Lermontow/ und dann wieder zwei Stunden Lermontow GENERALIN: Oder zwei Stunden Majakowski/ und dann wieder zwei Stunden Majakowski SCHRIFTSTELLER: Oder Puschkin. (176/77)[9]

Hier führt der Schriftsteller weiterhin zweimal – einmal in der Schlüsselszene im Finale, im entscheidenden Augenblick der letzten Wahrheit und des Selbstbekenntnisses – große Zitate aus dem Roman Lermontovs *Ein Held unserer Zeit*, aus dem Kapitel *Der Fatalist* an, dabei zieht er das Buch jedes Mal aus seiner Weste. Damit wird das zentrale Thema der *Jagdgesellschaft*, das des Todes, mit dem Thema der Vorherbestimmung des menschlichen Schicksals intertextuell verbunden und verrätselt.[10]

Obwohl der Name „Čechov“ in der *Jagdgesellschaft* nicht vorkommt, haben die Bernhard-Forscher immer wieder von den Parallelen und Echos gesprochen, die dieses Drama mit dem Čechovschen *Kirschgarten* verbinden. Am Ende von Bernhards Stück beginnt man, den Wald, der vom Borkenkäfer befallen ist, abzuholzen: „Hacken und Sägen fangen an, den Wald niederzulegen, immer intensiver, immer lauter“ (249).[11] Dieses in der Tat intertextuell stark markierte[12] Finale erlaubt Herbert Gamper, auf eine tiefere Rezeption Čechovs durch

---

[6] Ebda., S. 50.

[7] Th. Bernhard: Ein Fest für Boris. In: Thomas Bernhard: Stücke 1. Frankfurt/M. 1988, S. 24.

[8] Bernhard: Heldenplatz, S. 103/04.

[9] Zitate aus dem Stück *Die Jagdgesellschaft* stammen hier und im Weiteren aus der Ausgabe: Thomas Bernhard. Stücke 1. Frankfurt/M. 1988. Die zitierten Seiten werden wie oben im Text in Klammern angegeben.

[10] Zur Semantik der Lermontov-Intertextualität in der *Jagdgesellschaft* vgl. u.a. H. Gamper: Thomas Bernhard. München 1977, S. 145f.; M. Mittermayer: Thomas Bernhard. Stuttgart, Weimar 1995, S. 149.

[11] F.N. Mennemeier bezeichnet dies als eine „Anspielung“ auf das Stück Čechovs (Modernes deutsches Drama. München 1975, S. 316), M. Mittermayer als „Analogie des Geschehensrahmens“ (Mittermayer, S. 149).

[12] Als intertextuell markiert kann diese Episode schon deshalb gelten, weil sie eben im Finale, also an einer „privilegierten Stelle“ des Textes lokalisiert ist. Vgl. dazu W. Füger: Intertextualia Orweliana. Untersuchungen zur Theorie und Praxis der Markierung von Intertextualität. In: Poetica 21 (1989), S. 199. Als „Referenzsignal“ (R. Lachmann: Gedächtnis und Literatur: Intertextualität in der russischen Moderne. Frankfurt/M. 1990, S. 60) dient hier aber auch das in den beiden Texten präsente *Absägen der Bäume* – ein „markantes Handlungsdetail“ (W. Schmid: Sinnpotentiale der diegetischen Allusion. Aleksandr Puškins Posthalternovelle und ihre Prätexte.

Bernhard zu schließen: Der Wald, in dem sich der General mit seiner Frau nach dem Zweiten Weltkrieg versteckt hat, ein Teil ihres Besitzes, ein Wald, in dem der General die erfrorenen Tiere mit den erfrorenen und getöteten Soldaten assoziiert, erhält eine durchaus „ambivalente“[13] Semantik, er steht für das bedingungslos Schöne, für die „Menschlichkeit, Kultur“[14], andererseits aber für die Schuld, für die Erinnerung an Verbrechen und Mord. Gamper spricht von der „jahrhundertelangen Schuld“ der Gutsbesitzer Čechovs, der alten Kultur, die mit dem Garten verbunden ist. Der Forscher zitiert an dieser Stelle Ernst Wendt, der auf die Differenzen und die, wenn man so sagen will, Eskalation der Čechovschen Problematik bei Bernhard aufmerksam macht: In der „Jagdgesellschaft“ trägt die Natur in sich schon „die Todeskrankheit“ (den Borkenkäfer), „von der die Welt als Ganzes – Mensch und Natur – befallen scheint“.[15] Dirk Jürgens bezeichnet den Bezug als eine „radikalere und fundamentalere“ Wiederholung des Čechovschen Konflikts[16], E. Nečeporuk behauptet, dass die Situation des *Kirschgartens* von Bernhard bewusst in die Gegenwart versetzt und „im Geiste des Absurden“ durchgespielt wird[17]. Die Verwandtschaft dieser zwei Werke ist für manche Literaturwissenschaftler so auffällig, dass die vergleichende Analyse mit folgendem Vorbehalt resümiert wird: „Damit soll nicht gesagt sein, DIE JAGDGESELLSCHAFT sei ein Plagiat des KIRSCHGARTENS; […].“[18]

Im Folgenden soll kurz der Handlungsablauf der *Jagdgesellschaft* von Thomas Bernhard skizziert werden. Die Generalin und der Schriftsteller spielen im Jagdhaus des Generals Karten. Die Bemerkungen der beiden zum Kartenspiel werden immer wieder durch ihre schmerzhaften Geständnisse und die philosophischen Überlegungen des Schriftstellers unterbrochen. So wird dieses Kartenspiel zum zwanghaften Zeitvertreib der Menschen, die „ihr Kopfweh“ (im direkten und übertragenen Sinne) nicht mehr aushalten können. Draußen schneit es, die beiden beklagen sich über die Kälte und darüber, wie schwer es sei, dieses Haus rechtzeitig einzuheizen. Aus dem Gespräch, das viel eher eine Abfolge monologischer Repliken ist, wird klar, dass der vom Borkenkäfer zerfressene und vom Ehepaar über alles geliebte Wald in Kürze gefällt werden muss und der General den Grauen Star und eine tödliche Nierenkrankheit hat und von seinen Ministern bald gestürzt werden wird. Das alles, die Wahrheit, verschweigt die Generalin ihrem Mann, um ihn zu schützen. Später erscheint der General selbst, der sich über den Begriff „Komödie“, wie er vom Schriftsteller verwendet wird, auslässt. Es wird über das Theater philosophiert. Während dann in der zweiten Szene der General mit den anderen im Wald jagt und man von draußen unentwegt Schüsse hört, spielen die Generalin und der Schriftsteller wieder Karten. Im Laufe des Stücks erfährt man, dass der General von den Visionen der im Krieg gefallenen Soldaten geplagt ist, wenn er im Wald spazieren geht und das erfrorene Wild sieht, und dass er und seine Frau nach dem Krieg umgebracht worden wären, hätten sie sich nicht in diesem Wald versteckt. Der Schriftsteller spricht vom Tod, der alles um und in uns beherrscht, und deklariert seine Philosophie: „[…] haben wir/ jeder von uns/ eine Todeskrankheit“ (219) und: wir „existieren nur in dem Zustand der Täuschung“ (223). Als dann der General mit den Ministern, dem Prinzen und der Prinzessin nach der Jagd wie-

---

In: Dialog der Texte. Hamburger Kolloquium zur Intertextualität [Wiener Slawistischer Almanach, Sonderband 11]. Wien 1983, S. 152). Darüber sowie zur intertextuellen Markierung und zur Zitat- und Allusionstheorie s. detaillierter in meiner Monographie: K. Smola: Formen und Funktionen der Intertextualität im Prosawerk von Anton Čechov. München 2004, S. 31-36.

13 Gamper, S. 147.

14 Ebda.

15 Ebda.

16 D. Jürgens: Das Theater Thomas Bernhards. Frankfurt/M. 1999, S. 107.

17 E.I. Nečeporuk: Čechov i avstrijskaja literatura. In: Literaturnoe nasledstvo. T. 100, Kn. 1: Čechov i mirovaja literatura. Moskva 1997, S. 259. Die Übersetzungen russischer Zitate ins Deutsche stammen hier und im Weiteren von mir.

18 Gamper, S. 148.

der die Bühne betritt, wirft er dem Schriftsteller vor, er hätte das, was er in diesem Haus gesehen hat, in seinem Stück dargestellt und hätte es auch noch „Komödie" genannt, und dass er alles, was er hier sieht, noch auf die Bühne bringen wird. Darauf folgt die Schlüsselszene des Dramas, in der der Schriftsteller den Anwesenden die ganze dem General vorenthaltene Wahrheit als Inhalt einer Komödie erzählt. Er propagiert den Zustand einer absoluten Freiheit und Wahrhaftigkeit, „Bodenlosigkeit" und „Unsicherheit": „Weil wir aufgegeben haben/ sind wir menschlich" (247). Der General, der während dieses Monologs ins Nebenzimmer geht, erschießt sich; man hört, wie die Bäume abgesägt werden.

Die Anspielung dieses Stücks auf die realen Vorkommnisse und die politische Problematik in Österreich formuliert am deutlichsten Dirk Jürgens:

> Geschichte ist ein konstitutiver Teil dieses scheinbar geschichtslosen Stücks, das in einem Land spielt, in dem ein General offenbar neben [...] den immer noch einflussreichen Angehörigen des Hochadels einem Diktator ähnlich regiert, ein Land, das den zweiten Weltkrieg mitgemacht hat und zum Erbe des „Dritten Reiches" gehört und dessen Parallele zu Österreich [...] unverkennbar ist. [...] Der Wald, in denen die Verbrecher und Großgrundbesitzer nach dem Krieg Unterschlupf gefunden haben – [...] ist im Absterben begriffen.[19]

Die Jagdgesellschaft erscheint als eine Art poetische Verdichtung, Modifikation und moderne Zusammenfassung charakteristischer Topoi und Motive gleich mehrerer großer Dramen Čechovs. Es ist nicht allein das viel zitierte *Motiv der Abholzung des Waldes bzw. des Gartens*, der als „ambivalenter" Hintergrund der Handlung fungiert, nämlich als Widerspiegelung der persönlichen Katastrophe und der Schuld, ja der „Todeskrankheit" der Besitzer auf einer Seite, und als Symbol der ausgenützten, schutzlosen, sterbenden Natur und Schönheit auf der anderen Seite.[20] Tatsächlich sind die bitteren Worte der Generalin „Wenn erst der Wald gefällt ist/ werden wir so viel Holz haben/ daß es uns erdrückt" (185) eine direkte Reminiszenz der noch als Warnung gedachten Worte Astrovs in *Djadja Vanja*: „Надо быть безрассудным варваром, чтобы жечь в своей печке эту красоту [...]" (13, 72; Man muss ein verstandesloser Barbar sein, um diese Schönheit im eigenen Ofen zu verbrennen, [...]). Nur: Während der Wald in *Djadja Vanja* noch eine relativ einfache Semantik aufweist – die der schutzlosen, aussterbenden Natur[21] –, wird der Wald Bernhards, der nicht zufällig bereits vom Käfer zerfressen ist, mit den komplizierten geistigen Vorgängen der Handlung verknüpft. Es ist der Ort der Schuld, der Todesangst und der Rettung (nach dem Krieg), des Todes selbst, der qualvollen Visionen, also der Erinnerung an die Geschichte. Wie schon Ernst Wendt bemerkt hat, werden bei Bernhard der Mensch *und* der sozusagen mehrfach geistig ausgenützte Baum, der Wald, der Raum der Natur, *von innen* zerstört, von einer globalen geistigen und Naturkatastrophe erfasst.[22] Der Mensch und die Natur sind also im tragischen Sinne als eins, als unzertrennbar gedacht.

Die bekannte Szene mit dem *Lottospiel* im letzten Akt von *Čajka*, in der dieses Spiel nicht mehr imstande ist, einen Teil der gewohnten, gemütlichen Alltagsumgebung zu bilden, sondern zur grausigen Dekoration der Verzweiflung und des Selbstmordes von Treplev wird – dieses Motiv verarbeitet Bernhard auf seine Weise. Das *Kartenspiel* zieht sich durch die ganzen zwei ersten von insgesamt drei Akten, auf eine vollkommen Čechovsche Art wird dieses Spiel von den Spielern kommentiert, während die Kommentare parallel zu den ganz anderen,

---

[19] Jürgens, S. 104.

[20] Vgl. dazu noch einmal Gamper, S. 135-148.

[21] Eine Semantik, die etwa der des Waldes und des „schönen Apfelbaumgartens" im *Heldenplatz* gleichkommt: dort wird durch beide eine Straße gebaut (vgl. Bernhard, Heldenplatz, S. 77f., 87). Auch im *Heldenplatz* ist die Verknüpfung zwischen dem Missbrauch der Natur und dem des Menschen explizit.

[22] „Als zum Schlachtfeld von Stalingrad verhext, ist der Wald ‚tot', und der später auftretende Borkenkäfer ‚verwirklicht' nur, was *ideell* bereits geschehen ist [...]." (Gamper, S. 133; Hervorhebung von mir – K.S.).

„wichtigen" Aussagen und Bekenntnissen laufen. Das Kartenspiel erscheint hier als eine zwanghafte, psychotische Ablenkungsstrategie, oder, nach Gamper, als „Ablenkungsmechanismus"[23], als Flucht vor dem Unvermeidlichen, schließlich vor der Existenz; zugleich wird beim Kartenspiel das Allerwichtigste gesagt: „SCHRIFTSTELLER: Wir sind zur Bewegungslosigkeit verurteilt/ Verstehen Sie/ wir sind tot/ alles ist tot/ alles in uns ist tot/ alles ist tot/ *wirft die Karten hin*/ gewonnen/ *lachend*/ gewonnen/ gewonnen" (217). Ein gemeinsames Spiel am Tisch, dieses harmlose Alltagsritual, das Čechov im Finale von *Čajka* kompromittiert hat, wird auch in der *Jagdgesellschaft* zu einem Begleiter der Katastrophe. Als direktes Zitat aus *Čajka*, das eben mit Hilfe der Kartenspielallusion intertextuell schon „vorbereitet" ist, wirkt schließlich am Ende der Schuss im Nebenzimmer: „Направо за сценой выстрел; все вздрагивают" (13, 60; Rechts hinter der Bühne ein Schuss; alle fahren auf) (Čechov) – „Ein Schuss aus dem Nebenzimmer/ Die Generalin springt auf, alle stehen auf [...]" (Bernhard, 249). Gamper spricht vom „Unterhaltungsmechanismus des Kartenspiels", der „immer hektischer wird, immer mehr von dem Lachen durchsetzt, das die Auflösung der Existenz anzeigt, und von den Schüssen aus dem Wald, die den Schuss kurz vor Ende des letzten Satzes antizipieren".[24] Dass unmittelbar darauf zu hören ist, wie der Wald abgeholzt wird, kann hier, wie erwähnt, als Allusion auf ein zweites bekanntes Finale Čechovs, das des *Kirschgartens*, gedeutet werden. Wird in der Prophezeiung des Schriftstellers „Dann wird kein Mensch mehr/ im Jagdhaus sein/ wenn der Wald liegt" (189) – nicht direkt auf die symbolische Abschiedsszene am Schluss des *Kirschgartens* verwiesen?

So präsentiert hier Thomas Bernhard eine bemerkenswerte Verschmelzung zweier von Čechov vorgegebener Arten von finalem Untergang und Vernichtung – die Vernichtung der Bäume und die des Menschen. Auf einem komplexen Wege intertextueller Verschiebungen entfaltet Bernhard, bezogen auf die moderne Problematik, das genuin Čechovsche Motiv der Vernachlässigung und schließlich Zerstörung des Menschen vor dem Hintergrund der Zerstörung der Tiere und der Bäume.[25] Diese *umfassend begriffene ökologische Fragestellung*, die in erster Linie auf *Djadja Vanja* zurückgeht, indirekt jedoch auch in *Čajka* durch das Symbol der getöteten und ausgestopften Möwe artikuliert wird, hat bei Bernhard angesichts der ungeheuren Maßstäbe des historischen Übels und der Vernichtung apokalyptische Züge. Der todkranke General, der im ebenfalls vollkommen kranken Wald spazieren geht und der in Stalingrad einen Arm verloren hat, halluziniert beim Anblick der toten Tiere abgerissene Körperteile der im Krieg Getöteten: „das erfrorene Wild/ sagt er/ und sofort/ alle diese Gesichter/ sehe ich einen Ast auf dem Boden/ glaube ich/ ein Arm/ ein Fuß/ der Kopf eines Toten" (248). So erhält das Motiv der Jagd im 2. Akt einen unverkennbar symbolischen Wert. Zur Illustration würde es genügen, folgende Repliken des letzten Aktes zu verbinden: „ERSTER MINISTER: Sechsundzwanzig Hasen/ Herr General/ vier Fasane/ zwei Dachse/ Das ist absolut ein Rekord" (224/25), und im Finale der Schriftsteller über die Soldaten: „[...] die Tausende und Hunderttausende/ Nichts als Erfrorene gnädige Frau" (248).[26] Eine solche fast deklarative, „mit Holzhammermanier vorgetragene Symbolik"[27] wäre als moderne Adaption dessen zu deuten, was in *Djadja Vanja* – noch mahnend, während es bei Bernhard bereits als eine neurotische Vision des Täters gestaltet ist – in den Worten Elena Andreevnas auf den Punkt gebracht wird: „Вот как сказал сейчас Астров, все вы безрассудно губите леса, и скоро на

---

[23] Gamper, S. 139.

[24] Ebda., S. 138.

[25] Obgleich dieses Motiv nicht ausschließlich und nicht erst dem Werk Čechovs entstammt, ist es in der *Jagdgesellschaft* ins dichte Netz der Čechov-Referenzen eingeflochten, was seine intertextuelle Herkunft aus Čechovs Werk nahe legt.

[26] Über die allegorische Verknüpfung der Motive „Jagd" und „Krieg" als Konkretisierungen des umfassenderen Motivs „Tod" in der *Jagdgesellschaft* vgl. Gamper, S. 138, u. Ch. Klug: Thomas Bernhards Theaterstücke. Stuttgart 1991, S. 273f..

[27] Gamper, S. 148.

земле ничего не останется. Точно так вы безрассудно губите человека [...]. Вам не жаль ни лесов, ни птиц, ни женщин, ни друг друга..." (13, 73/74) (Wie Astrov gerade sagte, ihr alle zerstört unüberlegt die Wälder, und bald wird auf der Erde nichts mehr bleiben. Auf genau diese Art zerstören Sie unüberlegt den Menschen […]. Sie haben Mitleid weder mit den Wäldern noch mit den Vögeln, Frauen oder mit Ihrem Gegenüber…).

In diesem Geflecht mehr oder weniger direkter Bezüge zu den Dramen Čechovs scheinen die literarischen Debatten – über die Schreibkunst und die dramatischen Gattungsbegriffe – sowie die ganze explizit vorgetragene Schriftstellerproblematik der *Jagdgesellschaft* von der Čechov-Intertextualität beeinflusst zu sein. Manfred Mittermayer schreibt: „Es ist der erste Theatertext, in dem Bernhard eine Schriftstellerfigur zum Medium der Selbstreflexion macht […]", insgesamt wird beim Ersteren von einer „poetologischen Selbstdarstellung"[28] Bernhards in diesem Stück gesprochen. In der Figur des Schriftstellers „reflektiert" Bernhard, nach Christian Klug, „seine eigene Ästhetik"[29]. Ähnlich wie der Autor von *Čajka* in der Figur Trigorins „ein Stück Selbstzitat"[30] vorgeführt hat, hat auch Thomas Bernhard in der Figur des Schriftstellers sein „kaum sehr verstecktes Selbstporträt"[31] geschaffen[32]; dabei sind die wesentlichen selbstreferenziellen Verfahren der *Jagdgesellschaft* nach Čechovschem Vorbild gestaltet.

Neben der spezifischen Semantik des Kartenspiels und dem Selbstmord im anderen Zimmer am Ende ist zunächst der vom General thematisierte Notierungszwang des Schriftstellers wohl die markanteste Allusion auf die Čechovsche *Čajka*:

> GENERAL […] *zum Schriftsteller/* Fortwährend notieren Sie/ auch wenn es den Anschein hat/ Sie notieren nicht/ […]/ Sehen sie diese Innenwände in seinem Gehirn/ schreibt er voll/ voll/ ein vollgeschriebenes Gehirn/ […]/ wie ein Wahnsinniger/ Die ganze Innenseite seines Gehirns/ die er selber schon nicht mehr lesen kann. (239)

Es bleibt dem Leser nicht verborgen, dass hier die Problematik Trigorins bis zum Äußersten und Absurden eskaliert; es sei hier das berühmte Geständnis von Trigorin zitiert:

> Ловлю себя и вас на каждой фразе, на каждом слове и спешу скорее запереть все эти фразы и слова в свою литературную кладовую: авось пригодится! […] Разве я не сумасшедший? (13, 29)
>
> Ich merke mir jede Phrase, jedes Wort, das ich und Sie gesagt haben, und sperre all diese Phrasen und Wörter in aller Eile in meine literarische Schatzkammer ein: vielleicht kann ich sie gebrauchen! […] Bin ich etwa kein Wahnsinniger?

In der Gestaltung des Schreibwahns – „Eine Unterbrechung/ der Arbeit/ und das Geschriebene/ vergessen/ wenn das möglich wäre" (so der Schriftsteller selbst; 189) – wird direkt die Beichte Trigorins nachgeahmt: „Бывают насильственные представления […]. День и ночь одолевает меня одна неотвязчивая мысль: я должен писать, я должен писать, я должен..." (13, 29; Es gibt Zwangsvorstellungen […]. Tag und Nacht verfolgt mich ein aufdringlicher Gedanke: ich muss schreiben, ich muss schreiben, ich muss…).

Und tatsächlich notiert Trigorin bekanntlich immer wieder das Beobachtete und Gehörte auf der Bühne, auf der er selber steht, in sein Notizbuch, wodurch in dieses Stück erneut (nach

---

[28] Mittermayer, S. 147f..

[29] Klug, S. 260.

[30] Anton Čechov: Tagebücher. Notizbücher. Hg. u. übers. v. P. Urban. Zürich 1983, S. 9; zit. nach: F.-J. Leithold: Studien zu A.P. Čechovs Drama „Die Möwe". München 1989, S. 94.

[31] Mennemeier, S. 317.

[32] Vgl. auch Klug, S. 283. Zur Selbstdarstellung Čechovs in Gestalt Trigorins s. zusammenfassend bei Leithold, S. 94-97.

den Äußerungen der Protagonisten über das Theater, Zitaten aus *Hamlet* und der Aufführung des Dramas Treplevs) das Phänomen der *Metafiktion* eingeführt wird. Es geht, um mit Werner Wolf zu sprechen, um das „Schaffen poetologischer Reflexionsräume; ästhetische Selbst- oder Fremdkommentierung".[33] Der Schriftsteller bei Bernhard tritt sozusagen in die Fußstapfen Trigorins, der über „das Sujet für eine kleine Novelle" nachdenkt, in der die „Vernichtung", das „Zugrunde-Richten" von Nina durch ihn selbst vorausgesagt bzw. vorausgestaltet wird. Der Schriftsteller Bernhards – das Reale ebenfalls in einer literarischen Vision verarbeitend – stellt im Finale der *Jagdgesellschaft* das ganze tragische Geschehen als Sujet für seine Komödie dar, worauf die Hauptperson dieses imaginären Stücks, der General, sich erschießt. So wird in den beiden „primären" Werken, denen von Čechov und Bernhard, zumindest die Frage aufgeworfen, ob die Kunst, das Schreiben nicht ihre menschlichen Opfer fordert, und im Allgemeinen die Frage nach der Schuld, ja der Destruktivität der Kunst. Denn obgleich der Schriftsteller bei dieser Entlarvungsgeste eine Art Gerechtigkeit vollstreckt – die Wahrheit aussprechen als den ersten Schritt zur Heilung der „Todeskrankheit" – erscheint hier das „Schreiben als ersatzweise Macht über Leben und Tod anderer, ersatzweise Tötung anderer, was, nach Canetti [...], die elementare, ursprüngliche magische Weise ist, gegen den Tod sich zu behaupten, [...]".[34] So wird der Schriftsteller zum geistigen Bruder des Generals; auf diese Weise „artikuliert sich", nach Ulrich Dronske, die „‚virtuelle oder potentielle Identität' zwischen Geistesmenschen und politischem Verbrecher", nämlich „in der Bernhardschen Konzeption des Geistesmenschen, der ‚eben ein Täter des Wortes, ein Geistestyrann'" ist, „‚ein Egomane mit Destruktionstrieb'".[35] Auf beide trifft schließlich die von Gamper verwendete Bezeichnung „eingeschlossenes Denken" zu, bei dem jeder Protagonist vom eigenen Trauma besessen ist und so die anderen zerstört.[36]

Das Stück Thomas Bernhards vermag also im letzten Drittel des 20. Jahrhunderts, vermittelt durch eine umfassende, werkübergreifende Čechov-Intertextualität, die *human-ökologische* Fragestellung gekoppelt mit der Kunstproblematik zu artikulieren.

Čechov folgend, schafft Bernhard ein *Metadrama*, in dem das aktuelle Bühnengeschehen als „theatralisch" reflektiert, seine Artifizialität und Literarizität widergespiegelt werden. Der Selbstkommentar erfolgt bei Čechov durch die kontrastive Gegenüberstellung des Aktuellen und des Fiktionalen (Treplevs Theater) sowie durch die Kritik Treplevs an der herkömmlichen theatralischen Praxis, die all dem, was gerade auf der Bühne zu sehen ist („wie Menschen essen, trinken, lieben"), bekanntlich nicht unähnlich ist. Das Spiel-im-Spiel zeigt sich in beiden Texten als Fragment einer Selbstreflexivität[37], die durch den Bezug zu *Hamlet* effektvoll abgesichert ist: In *Čajka* tauschen Treplev und Arkadina vor der Inszenierung einige *Hamlet*-Zitate aus, in der *Jagdgesellschaft* ist der Entwurf eines Komödiensujets als Instrument der Demaskierung, als das Wort der Wahrheit eine unverkennbare Allusion auf *Hamlet*.[38] Über den Kopf des Autors von *Čajka* jedoch, der darauf – gerade weil die Tragödie

---

[33] W. Wolf: Metafiktion. In: Metzler Lexikon Literatur- und Kulturtheorie. Ansätze – Personen – Grundbegriffe. Hg. A. Nünning. Stuttgart, Weimar 1998, S. 362.

[34] Gamper, S. 141f.

[35] Dronske, S. 116f. (mit Zitat aus B. Sorg: Die Zeichen des Zerfalls. Zu Thomas Bernhards *Auslöschung* und *Heldenplatz*. In: TEXT+ KRITIK. Zeitschrift für Literatur, H. 43, 1991, S. 82).

[36] Gamper, S. 135f., 140.

[37] Bei Bernhard ist das Spiel-im-Spiel allerdings keine reale Aufführung, sondern ein Nacherzählen (s. oben). In der *Čajka*- wie in der *Jagdgesellschaft*-Literatur wird dieses metatheatralische Verfahren ähnlich als reflexive Selbstwiederholung gedeutet: seine Funktion ist bei Čechov innerhalb „des Systems poetischer Spiegel, in denen verschiedene, aufeinander prallende ‚Spiegelbilder' festgehalten werden", zu verstehen (Z. Papernyj: „Čajka" A.P. Čechova. Moskva 1980, S. 57, vgl. bei ihm auch weiter über „mikrosjužety"); bei Bernhard ist die „bloße Verdoppelung auf der Bühne" ein schonungsloser „Spiegel" für die Anwesenden (Klug, S. 266).

[38] Über die – in der Fachliteratur viel diskutierte – *Hamlet*-Intertextualität in *Čajka* s. exemplarisch Papernyj, S. 58-60 u. Leithold, S. 112-125; zur *Hamlet*-Referenz in der *Jagdgesellschaft* wie sie auch hier interpretiert wird, vgl. W. Huntemann: Artistik und Rollenspiel. Das System Thomas Bernhard. Würzburg 1990, S. 162.

Shakespeares unmittelbar davor evoziert wird – demonstrativ verzichtet, im sekundär geschaffenen Stück (dem Treplevs also) das primäre Sujet nach *Hamlet*-Muster zu „verdoppeln“[39], greift Bernhard direkt auf das Vorbild des Shakespeareschen Metatheaters mit seinem bekannten Verfahren des *mise en abyme* zurück[40]. Das gerade Dargestellte, sprich das Tragische, wird hier selbstkommentierend und selbstironisch als komisch präsentiert.[41] Die innerkommunikativ „gelungene“ Wirkung des Stücks im Stück ist von Bernhard direkt derjenigen im Vor-vor-text (*Hamlet*) nachgedichtet.[42]

Die Metafiktionalität, die u.a. darin besteht, dass die „innerfiktionale“ Thematisierung des Literarischen eine Aussage des Autors über sein eigenes, dem Leser vorliegendes Werk impliziert[43], ist bei Čechov wie bei Bernhard präsent: Eine derartige „Doppelkodierung“ zeigt sich im ersten Fall in der erwähnten Äußerung Treplevs über das alte Theater, im zweiten noch offener in den Auslassungen des Generals über die der Realität Hohn sprechende Bezeichnung „Komödie“, die der Schriftsteller seinen Stücken zuweist[44].

Bernhard bedient sich des von Čechov in *Čajka* ausgiebig verwendeten Verfahrens der „mikrosjužety“[45], bei dem das primäre Bühnengeschehen in mehreren weiteren Texten bespiegelt wird. Es werden im Prä- und im Posttext, wie partiell schon gezeigt wurde, zum einen mit Hilfe der Schreiberfiguren (Trigorin, Treplev, der Schriftsteller) weitere literarische Texte produziert[46], zum anderen werden zur Selbstdeutung intertextuell – zitierend oder allusiv – Texte anderer Autoren herangezogen (bei Čechov Shakespeare, Turgenev, Maupassant, bei Bernhard Shakespeare und bemerkenswerterweise Lermontov).

Mit seinem *metafiktional* und *intertextuell* fundierten Drama hat Čechov das moderne, selbstreflexive Theater – wie es unter anderem von Thomas Bernhard realisiert wurde – mit geprägt.

D. Clayton spricht über die *Hamlet*-Tradition in *Čajka* in Verbindung mit dem Phänomen des Metatheaters und der für dieses Theater charakteristischen Tendenz zur ironischen Selbstreflexion. Vgl. D. Klejton: Čechov i ital'janskaja komedija masok. (U istokov uslovnogo teatra). In: Čechoviana. Čechov v kul'ture XX veka. Moskva 1993, S. 162f. Th. Grob betrachtet u.a. die *Hamlet*-Referenzen in *Čajka* als „potenziell“ metafiktional, „geht es doch mit Hamlet um eine Dramenfigur, die ein Stück (im Stück) verfasst […].“ (Th. Grob: Die inszenierte Kluft zwischen Kunst und Leben: Čechovs *Čajka* als metafiktionaler Text. In: Zeitschrift für Slavische Philologie LV [1995/96], S. 271).

[39] Vgl. dazu auch Th. Grob: „Vor dem Hintergrund der direkt vorangehenden *Hamlet*-Anspielung, die auf ein funktional klar definiertes Spiel im Spiel verweist, fällt vor allem der fehlende inhaltliche Bezug zum Gesamttext auf“ (Grob, S. 272).

[40] Das von Treplev verfasste Stück scheitert jedoch, nach Th. Grob, „als Form der *mise en abyme*“ und „der Selbstspiegelung des Textes“, zumal es nicht die „Funktion der Gideschen Hohlspiegel“ erfüllt (vgl. Fußn. 39 u. Grob, S. 272). Zur Theorie der *mise en abyme* vgl. z.B. S. Setzkorn: Vom Erzählen erzählen. Metafiktion im französischen und italienischen Roman der Gegenwart. Tübingen 2003, S. 48f.

[41] Das Bezeichnete ist für D. Clayton ausschlaggebend für die Poetik des Metatheaters, das „sich selbst und die eigene Existenz in Frage stellt“ und in dem „eine Diskrepanz zwischen dem tragischen Held und der komischen Handlung, an der der Held teilhat“, sichtbar wird (Klejton, S. 162; vgl. auch Fußn. 39). Diese Spezifik des Metatheaters behandelt Clayton gerade am Beispiel Čechovs, der für ihn deshalb als „Entdecker des neuen Weges im Theater“ gilt – „des Weges zur Theatralisierung und zur Abstraktheit“ (ebda., S. 163).

[42] Das tut Bernhard also wiederum den Vor-text (Čechovs) umgehend. Vgl. F.-J. Leithold über *Čajka* (Leithold, S. 115f.).

[43] Vgl. darüber W. Wolf: Ästhetische Illusion und Illusionsbrechung in der Erzählkunst. Tübingen 1993, S. 237.

[44] Die „Fiktionsironie“ (vgl. zum Begriff Wolf: Ästhetische Illusion und Illusionsbrechung in der Erzählkunst, S. 236-238) gipfelt in der *Jagdgesellschaft* in den Worten des Generals: „Der Vorhang geht auf/ Da sitzen wir/ und sind eine Komödie […]“ (238/39). Detaillierter über den metafiktionalen Charakter des Spiels im Spiel und der Figur des Schriftstellers in der „Jagdgesellschaft“ s. Klug, S. 287f. u. Gamper, S. 141.

[45] Vgl. Papernyj, S. 51-67.

[46] Wie Papernyj jedoch demonstriert, macht Čechov auch die nicht schreibenden Figuren zu Autoren der „Mikrosujets“: Medvedenko, Maša, Sorin bieten den anwesenden Schreibenden an, ihr Schicksal literarisch zu verarbeiten (vgl. Papernyj, S. 52-56). Bei Bernhard sind der Schriftsteller und der General als schreibende Selbstreflexive dargestellt.

Das Flechtwerk Čechovscher Motive in der *Jagdgesellschaft* ist also mit den Verfahren der *Dramenpoetik* Čechovs eng verknüpft. Man kann Čechovs große Stücke als Beginn einer modernen Theaterpoetik begreifen, die insbesondere in der Dramaturgie des Absurden und bei dem sich an sie anlehnenden Thomas Bernhard eine extreme Zuspitzung erfährt. Die „scheinbaren" Gespräche – eine Kette oft „abgebrochener", „unvollständiger" Aussagen, die rezeptiv „Unklarheiten" und „Unsicherheiten" hervorrufen[47]; „die monologische Struktur der Rede" und die damit verbundene geschwächte „kommunikative Funktion" der Sprache[48] – diese Tradition, die „die Sinnentleerung der Welt" „in Zusammenhang mit der Entwertung der Sprache" zeigt[49], hat Čechov als erster Dramatiker in aller Deutlichkeit vor Augen geführt. Als Erster hat er das Phänomen des „eingeschlossenen Denkens"[50] demonstriert, das – bei Čechov noch andeutungsweise, bei Bernhard schon exzessiv – in „Wiederholungszwängen und festgefahrenen Verhaltensschemata"[51] der dramatis personae seinen Ausdruck findet.

Thomas Bernhard knüpft mit seinem existenzialistischen, von einer verzweifelt-produktiven Negativität geprägten Weltbild an eine bestimmte Linie der Čechov-Rezeption an. Im Einzelnen rezipiert sein Theaterstück das Čechov-Bild von Vsevolod Mejerchold, Lev Šestov und Eugène Ionesco; dies kommt am deutlichsten in der Philosophie des Schriftstellers zum Vorschein, die poetologisch und weltanschaulich den realen Autor reproduziert. Es handelt sich um den Čechov, der seine Personen „vor die Notwendigkeit stellt", „aus dem Nichts zu erschaffen" und in „Hoffnungslosigkeit, Ausweglosigkeit" zu leben, dessen „einziger Held" „der hoffnungslose Mensch" ist und der „von Anfang an jeglichen Trost, metaphysisch und positiv" und jeglichen „Idealismus" „ablehnte".[52] Um den Čechov, in dessen Dramen Tod, Grauen und „apokalyptische Stimmungen" herrschen[53] und dessen Personen „in Spiele, Träume, Erinnerungen an die Vergangenheit, in die Utopie der Zukunft" „flüchten"[54].

Literatur

Bernhard, Th.: Alte Meister. Frankfurt/M. 1985.
Bernhard, Th.: Auslöschung. Ein Zerfall. Frankfurt/M. 1986.
Bernhard, Th.: Ein Fest für Boris. In: Thomas Bernhard: Stücke 1. Frankfurt/M. 1988, S. 7-77.

---

[47] S. Steinmann: Sprache, Handlung, Wirklichkeit im deutschen Gegenwartsdrama. Frankfurt/M. 1985, S. 25, 39.

[48] Dronske, S. 118.

[49] So I. Dlugosch über Čechov und die Dramatiker des Absurden. Vgl. I. Dlugosch. Anton Pavlovič Čechov und das Theater des Absurden. München 1977, S. 230. Mehr darüber bei ihr auf S. 145-154.

[50] Gamper (s. Anm. 37). Vgl. auch Steinmann, der von den „Figuren, die aus ihrer Begriffswelt nicht herauskommen", von ihrem „wahnhaften Sich-Bewegen in den immer gleichen Geistesräumen" spricht (Steinmann, S. 29, 37).

[51] Mittermayer, S. 135.

[52] L. Šestov: Tvorčestvo iz ničego (A.P. Čechov). In: A.P. Čechov. Pro et contra. Tvorčestvo A. P. Čechova v russkoj mysli konca XIX – načala XX v. (1887–1914). Sankt-Peterburg 2002, S. 571, 580, 584, 590. Interessanterweise charakterisiert Šestov die handelnden Figuren und die Situation in *Čajka* auf eine Art, dass sie sich sehr stark den dramatis personae und der Situation bei Bernhard annähern: „Здесь все действующие лица либо слепые, боящиеся сдвинуться с места [...] либо полусумасшедшие [...]. Знаменитая артистка Аркадина словно зубами вцепилась в свои семьдесят тысяч, свою славу и последнего любовника. Тригорин [...] изо дня в день пишет, пишет, не зная, для чего и зачем он это делает. [...] У него [bei Čechov – K. S.] люди всегда говорят, всегда думают, всегда делают одно и то же" (Šestov, S. 596f.; Hier sind alle handelnden Figuren entweder blind und fürchten sich, sich von der Stelle zu rühren [...] oder halb verrückt [...]. Die berühmte Künstlerin Arkadina hat sich förmlich mit den Zähnen in ihre siebzigtausend, ihren Ruhm und ihren letzen Liebhaber verkrallt. Trigorin [..] schreibt und schreibt tagaus tagein, ohne zu wissen, wozu und warum er das tut. [...] Bei ihm [Čechov] reden, denken und tun die Menschen immer dasselbe).

[53] Vgl. G.J. Brodskaja über die Čechovschen Stücke in der Aufführung von Mejerchold: G.Ju. Brodskaja: Čechovskij teatr Mejercholda. In: Čechoviana. Čechov i „serebrjanyj vek". Moskva 1996, S. 228, 236.

[54] Dlugosch, S. 236.

Bernhard, Th.: Heldenplatz. Frankfurt/M. 1995.
Brodskaja, G.Ju.: Čechovskij teatr Mejercholda. In: Čechoviana. Čechov i „serebrjanyj vek". Moskva 1996, S. 213-246.
Dronske, U.: Sprach-Dramen. Zu den Theaterstücken Thomas Bernhards. In: Thomas Bernhard. Die Zurichtung des Menschen. Hg. A. Honold, M. Joch. Würzburg 1999, S. 115-122.
Dlugosch, I.: Anton Pavlovič Čechov und das Theater des Absurden. München 1977.
Füger, W.: Intertextualia Orweliana. Untersuchungen zur Theorie und Praxis der Markierung von Intertextualität. In: Poetica 21 (1989), S. 179-200.
Gamper, H.: Thomas Bernhard. München 1977.
Grob, Th.: Die inszenierte Kluft zwischen Kunst und Leben: Čechovs *Čajka* als metafiktionaler Text. In: Zeitschrift für Slavische Philologie LV (1995/96), S. 264-289.
Huntemann, W.: Artistik und Rollenspiel. Das System Thomas Bernhard. Würzburg 1990.
Jürgens, D.: Das Theater Thomas Bernhards. Frankfurt/M. 1999.
Klejton, D.: Čechov i ital'janskaja komedija masok. (U istokov uslovnogo teatra). In: Čechoviana. Čechov v kul'ture XX veka. Moskva 1993, S. 159-164.
Klug, Ch.: Thomas Bernhards Theaterstücke. Stuttgart 1991.
Lachmann, R.: Gedächtnis und Literatur: Intertextualität in der russischen Moderne. Frankfurt/M. 1990.
Leithold, F.-J.: Studien zu A.P. Čechovs Drama „Die Möwe". München 1989.
Mennemeier, F.N.: Modernes deutsches Drama. München 1975.
Mittermayer, M.: Thomas Bernhard. Stuttgart, Weimar 1995.
Nečeporuk, E.I.: Čechov i avstrijskaja literatura. In: Literaturnoe nasledstvo. T. 100, Kn. 1: Čechov i mirovaja literatura. Moskva 1997, S. 227-266.
Papernyj, Z.: „Čajka" A.P. Čechova. Moskva 1980.
Schmid, W.: Sinnpotentiale der diegetischen Allusion. Aleksandr Puškins Posthalternovelle und ihre Prätexte. In: Dialog der Texte. Hamburger Kolloquium zur Intertextualität (Wiener Slawistischer Almanach, Sonderband 11). Wien 1983, S. 141-187.
Šestov, L.: Tvorčestvo iz ničego (A.P. Čechov). In: A.P. Čechov. Pro et contra. Tvorčestvo A. P. Čechova v russkoj mysli konca XIX – načala XX v. (1887–1914). Sankt-Peterburg 2002.
Setzkorn, S.: Vom Erzählen erzählen. Metafiktion im französischen und italienischen Roman der Gegenwart. Tübingen 2003.
Smola, K.: Formen und Funktionen der Intertextualität im Prosawerk von Anton Čechov. München 2004.
Sorg, B.: Die Zeichen des Zerfalls. Zu Thomas Bernhards *Auslöschung* und *Heldenplatz*. In: TEXT+ KRITIK. Zeitschrift für Literatur, H. 43, 1991, S. 75-87.
Steinmann, S.: Sprache, Handlung, Wirklichkeit im deutschen Gegenwartsdrama. Frankfurt/M. 1985.
Wolf, W.: Metafiktion. In: Metzler Lexikon Literatur- und Kulturtheorie. Ansätze – Personen – Grundbegriffe. Hg. A. Nünning. Stuttgart, Weimar 1998, S. 362/63.
Wolf, W.: Ästhetische Illusion und Illusionsbrechung in der Erzählkunst. Tübingen 1993.

III.2. Internationale Rezeption und Aufführungspraxis – Überblicksdarstellungen

Aleksandar Flaker †

Чеховский театр в Хорватии (по репертуару и личному опыту)

Начало века

Чехов вошел в хорватскою литературу сравнительно рано. Парадоксальным может показаться факт, что новой волне увлечений русской литературой способствовало молодое поколение сторонников явно антиславянской партии Старчевича. Именно оно обратило в 1880-х гг. внимание на радикальных демократов, посмертно «открыло» Достоевского, ввело в обиход газет сатиру Щедрина и юмор Чехонте. Выделяем имя Милана Марековича, первого переводчика *Чайки* в центральном литературном журнале *Виенац* 1897-го г., т.е. переведенной до премьеры пьесы в МХТ и до перевода (Р.М. Рильке) на немецкий язык (1900). Другому переводчику из этой группы принадлежит первое появление Чехова на сцене Хорватского национального театра (HNK): был это *Медведь* (И. Гойтан, 1897). Однако не только «водевильный» одноактовый Чехов, которого и впредь будут ставить, особенно в провинции, ставился в HNK. В 1902 г. на этой сцене появился *Дядя Ваня* (реж. Андрия Фиян), а уже во время войны, в 1916 г. играли и *Вишневый сад* под заглавием – *Trešnjik*, неточно переведенным, несомненно под влиянием венской премьеры *Kirschgarten* в том же году.[1] Надо однако заметить, что у публики эти пьесы не пользовались успехом: хватало их на 2–3 представления. Не везло сначала и Горькому: *Мещан* играли в 1903 г. 3 раза, а *На дне*, в концепции привезенной из Берлина 1903 г., дождалось всего 8 представлений. Важно однако то, что драматические произведения Чехова вошли в хорватский театр во время, когда благодаря интенданту Милетичу совершилось обращение к европейскому модерну, прежде всего к Ибсену, Метерлинку и Гауптманну[2], но и к воспринятому в русле «натурализма» Толстому, сыгравшему своим сценическим воплощением сурового деревенского быта крупную роль в развитии хорватской драмы по направлению к экспрессионизму Йосипа Косора.[3] Разумеется, пьесы Чехова в этом направлении не действовали: к сценам из русской усадьбы хорватская публика привыкла читая Тургенева, и сценическое пространство в пьесах нового автора новизной не отличалось. После 1905 г. поэт Краньчевич создал свое *Видение* (Vizija) русской революции, исходя из чтения Достоевского и Тургенева, а в цикле сонетов *Жизнь за царя* (Život za cara, 1904) модернист Милан Бегович повел читателя на поля Манджурии, к ужасам войны, изображенным в то время в *Красном смехе* Леонида Андреева, сразу же переведенном в Хорватии. В этих обстоятельствах то, что пьесы Чехова открывали новую эпоху в жизни не только русского театра, не было осознано.

---

[1] О немецкой рецепции Чехова ср. Rolf-Dieter Kluge: Anton P. Čechov in Deutschland. В: Anton P. Čechov – Werk und Wirkung. Hg. Rolf-Dieter Kluge. Teil II. Wiesbaden 1990, с. 1126.

[2] Ср. Batušić / Kravar / Žmegač: Književni protusvjetovi. Zagreb 2001, с. 42.

[3] Ср. J. Badalić: Rusko-hrvatske književne studije. Zagreb 1972, с. 406-415.

Канонизация и миф

Новый толчок появлению пьес Чехова на хорватских сценах дали русские эмигранты в Загребе. Они несомненно влияли на постановки оперы и балета[4], а в данных репертуара загребской Школы актера (Glumačka škola) находим имя А.А. Верещагина как режиссера *Юбилея* (1922, переведенного вернувшимся из военного плена и влюбленного в русскую литературу Йосипом Бадаличем), и Л. Мансветовой как постановщицы *Чайки* (1923, пер. М. Марекович). Верещагин в 1923 г. поставил в Сплите и три одноактные пьесы. Эти попытки представить публике «настоящего», русского Чехова появились почти синхронно с гастролями групп артистов МХТ в поисках убежища во время революционной смуты, и находящих его в гостеприимном Загребе. Так во время сезона 1920/21 три месяца на сцене Национального театра гастролировала группа, возглавляемая Качаловым, а в 1922 г. двенадцать дней выступала группа под руководством самого Станиславского с Ольгой Книппер-Чеховой. Первая группа показывала между прочим *Три сестры* и *Вишневый сад*. Было это время, когда сценой HNK правили Юлие Бенешич и режиссер Бранко Гавелла, который Станиславскому показал и свою постановку *Голгофы*, все еще экспрессионистского Крлежи.[5] Отклики на эти представления преимущественно были восторженными, и они долго считались образцами высокого театрального эстетизма: понятие «художественников» стало нарицательным. Основы мифа были положены.

Представления МХТа опровергал однако не только крайне авангардистский загребский журнал *Зенит*, но и побывавший в Москве соратник Крлежи Аугуст Цесарец, увлекшися «ЛЕФ-ом» и театром Мейерхольда, чью постановку *Cocu magnifique* противопоставлял той же пьесе, поставленной Гавеллей в Загребе.[6] Вслед за ним Крлежа положительно оценивал мейерхольдовские представления 1925 г., относясь к МХТу как пережитку прошлого. Однако, несмотря на острую критику даже поведения русских «путешествующих актеров», Крлежа признавал «мастерство гипноза» художественников и повторял свое впечатление от представления *Трех сестер*:

> Но несмотря на все сопротивления и снобизм справа и слева, я думаю что никогда – пока я живу – не забуду то мгновение, когда Книппер-Чехова нервно зажигала спички и тушила их, и смеялась и плакала, прекрасная женщина, смеялась и плакала, когда ей тот офицер (Качалов) говорил о любви. Были серокоричневые, пепельногрязные, мутные русские сумерки; сумерки русской провинции, арцыбашевской, чеховской, с калошами, керосинками и болотом, когда недовольные и бедные люди сидят в темных комнатах, на диванах, держатся за руки, и течет та пошлая, невероятно пошлая струя по их кровяным сосудам, а издали, с болотнистой улицы слышны голоса и затомленные, далекие, гаснут, исчезают. Вот оно, то великое мгновение, полное торжественной, преданной, непосредственной, великой близости, когда расширяются пространства, когда исчезает действительность и когда мещанский гипноз цедится со сцены в мозги и начинается игра дявольская, непонятная и магически темная.[7]

Сам Крлежа в 30-х годах отошел от раннего экспрессионизма своей поэзии и пьес и последовал урокам «скандинавской драматургии».[8] Мы только что не цитировали статью

---

[4] Đ. Kovačić: Prisutnost i odjeci ruske scenografije na zagrebačkoj glazbenoj sceni. Zagreb 1991.
[5] Ср. S. Batušić: Stanislavski u Zagrebu. Zagreb 1948.
[6] Ср. A. Cesarec: Djela, 4. Zagreb 1971, с. 281-296.
[7] M. Krleža: Eseji i članci, 2. Sarajevo 1979, с. 108. О московских впечатлениях от МХТа ср. M. Krleža: Izlet u Rusiju. Zagreb 1926, с. 102-104.
[8] Ср. N. Batušić: Trajnost tradicije. Zagreb 1995, с. 125-137.

о Чехове, а об *Отце* Стриндберга! А что в драматическом цикле о *Глембаевых* можно найти места, напоминающие Чехова, заметили уже хорватские театрологи.[9]

Вознобновление и крушение мифа

Гастроли МХТа не привели к новым постановкам Чехова на хорватских сценах. Они появились только при новых обстоятелствах после 1945 г., потребовавших обратиться к советской, т.е. прежде всего русской, культуре. Однако, в основном речь шла о текстах социалистического реализма и злободневных агитках, так что имя Чехова в это время появлялось на периферии: *Дядю Ваню* в переводе профессора русской литературы Й. Бадалича ставила Школа актера, а куриозным нам может показаться сегодня факт, что (молодые в то время) сюрреалист Радован Ившич как переводчик и Владо Хабунек как режиссер, при участии (в роли костюмографа) известной немецкой актрисы Тилли Дюрье (Durieux), нашедшей убежище в среде загребских антифашистов, поставили *Медведя* и *Предложение* в кукольном театре по образцу «гиньоля» (guignol). В этом же 1948 году Студенческий театр с энтузиазмом работал на *Трех сестрах* (реж. З. Рандич, М. Маротти), при чем публикация книги свидетеля гастроли МХТа, Славка Батушича[10], возобновляла миф о Станиславском и МХТе, поддерживаемый временной установкой на каноны советского искусства. Начались дискуссии о «системе», о которой молодежь знала очень мало, а в жизнь хорватского сценического искусства в полной мере вошел режиссер, который беседовал со Станиславским лично в 1922 г. и был его гостем при юбилее 1928 г. в Москве. Гавелла стал властителем дум театральной молодежи.[11]

Хорватский театр быстро пошел другой дорогой. Русские пьесы появлялись редко на сценах: 50-ые годы в основном освобождали хорватскую культуру от «социалистических» норм и наступило время расцвета, связанного с постановками нового «Загребского драматического театра» 1954-го г. (ZDK, с 1970 г. «Gavella»), начавшего деятельность с Крлежи в постановке Гавеллы, и в том же году предложившего публике Гарсия Лорку, Стейнбека, Артура Миллера и др. Только в 1962 г. появилась и чеховская *Чайка* (пер. Тарановский, реж. Шкилян), с которой в сущности начался новый период в деятельности ZDK.[12] Соответственно новым веяниям и HNK меняет репертуар, и в постановках словенца Бояна Ступицы (Шоу, Брехт, *Глория* Ранко Маринковича, и – по поводу юбилея – *Оптимистическая трагедия* Вишневского, 1957) пользуется успехом. Наконец, в 1962 г. как будто соревнуя с ZDK и HNK ставит Чехова: *Три сестры* в новом переводе (Циндрич) и постановке молодого Д. Шошича. Эти новые постановки появились на двух загребских сценах однако уже после гастроли МХТа весною 1956 г. Гастроль эта вызвана была возобновлением контактов между двумя государствами и сознанием того, что МХТ стал в Загребе защитным знаком русской культуры. На занавеси появилась чайка, и кроме Погодина (*Кремлевские куранты*) как образца соцреализма и классика Л. Толстого (*Плоды просвещения*), новые «художественники» показывали *Три сестры* в постановке Немировича-Данченко 1940-го г. Публика ожидала много, призрак Станиславского бродил еще по Загребу, об этом напоминал в программной тетради Славко Батушич. Но чеховское представление, несмотря на все тонкости, действи-

---

[9] Ср. B. Hećimović: 13 hrvatskih dramatičara. Zagreb 1976, с. 440-443 (о пьесе *Leda*); B. Hećimović: 3 Krležine kazališne kritike. В: Dani hvarskoga kazališta, 29. Split 2003, с. 72 (о пьесе *U agoniji*).

[10] Ср. Batušić: Stanislavski u Zagrebu.

[11] Ср. свидетельства в: M. Marotti: Novostvorena glumačka osobnost. Zagreb 2003, с. 19-30.

[12] N. Batušić: Povijest hrvatskoga kazališta. Zagreb 1978, с. 505.

тельно отсылало зрителя к началу века. Магии, о которой писал Крлежа не было. Кроме того во время загребской гастроли произошло трагическое событие, которое потрясло актеров. 13 мая 1956 г. покончил жизнь самоубийством Александр Фадеев. Выстрел был слышен в Загребе: в спектакле *Трех сестер* выступала его супруга Алла Тарасова. Самоубийство Маяковского обозначило конец авангарда, самоубийством Фадеева кончался социалистический реализм. В этом не было сомнения, автор *Оттепели* не случайно писал тогда программную статью *Перечитывая Чехова*: дорогой, проложенной Чеховым пошел русский рассказ, да и театр по-новому перечитывал классика. Чехов опять обозначил новый период русской литературы.

Лирическое отступление, первое

Несколько до гастроли МХТа в Загребе, я побывал в Париже, по студенческим билетам часто ходил в театр. En vogue был тогда TNP или «театр Вилара». В театре пахло левизной: в репертуаре имелась Mère Courage *Брехта, Симон Синьоре играла в* Sorcières de Salem *Миллера, я восторгался игрой Жерара Филипа в* Prince de Hombourg *Клейста: герой был призван к ответственности за победу, завоеванную личным почином! Играли и* La Cerisaie: *было это красочное представление, ударение постановка ставила на молодой паре, стилизованной, как мне казалось, под комсомольцев, вдали дымили фабричные трубы и ярко восходило солнце. Я был обижен. Пошел в другой, маленький театр. Там Саша Питоев (Sacha Pitoëff) ставил* Trois sorelles. *Не помню, говорили ли актеры/актрисы по-русски или по-французски, это не имело значения, текст я знал по студенческим репетициям. Важно было другое: сцена была плоская, ансамбль едва помещался за длинным столом, на котором горели свечи и освещали лица ансамбля. В основном говорили они сидя и видно было каждое мимическое движение на явно русских лицах. Где-то сзади мелькала детская коляска, едва была слышна уходящая музыка, и я испытывал какое-то магическое действие. Была ли это какая то «Русь уходящая» или просто другое чтение Чехова, то, которое, издеваясь над МХТом, испытывал Крлежа? Мне показалось, что это чтение было более убедительное, чем то, которое предлагал окостеневший МХТ.*

Чехов на подъеме

1960-е и 70-е годы – это годы, когда хорватские театры по новому старались подойти к Чехову, вспоминая, правда, уроки Станиславского, но действуя по своему усмотрению и не забывая о шагах, проделанных европейским, в том числе и польским, театром. Переводчик Гомбровича и восторгающийся Мрожеком полонист Малич по поводу премьеры *Трех сестер* 1962 г. замечал, что «нам сегодня, после Брехта и после Беккетта, Чехов не интересен по тем или иным стилевым приемам», а по «человеческому и поэтическому содержанию».[13] Хорватские театры будто бы стремились заполнить пробелы и освоить всего Чехова, при чем именно новые заглавия, требующие и новый подход режиссера, особенно привлекали публику. Так, например, *Иванов* в переводе Б. Мркшича

[13] Z. Malić: «Tri sestre» A.P. Čehova, «15 dana». 1962, c. 17, 13.

и постановке молодого И. Кунчевича с вполне современной сценографией Златка Каузларича-Атача достиг в «Гавелле» (1978) 68 представлений. Разумеется, не могло это представление конкурировать представлениям разъезжающего по целой стране «Театра в гостях» (Teatar u gostima), созданного группой первоклассных актеров, жадущих соприкосновения с публикой вне институциональных театров. И что мог бы подумать Крлежа, издевающийся над вечными в МХТе постановками «Онкла Ване» (именно так, немецким заглавием иронизируя устоявшийся репертуар), когда бы услышал, что *Дядю Ваню* в переводе и постановке Владимира Герича эта группа играла 112 раз!

Пьесы Чехова появились в этих годах и на сценах вне Загреба: *Вишневый сад* в 1978 г. играли в постановке В. Кляковича в Сплите, *Дядю Ваню* в 1961-м г. в Осиеке, а уже в 1960 г. в постановке Герича в Вараждине. Этот театр поставил в 1978 г. и *Чайку* (реж. П. Вечек). В Дубровнике Герич поставил *Три сестры* (1975), а Н. Вончина и М. Маротти создали *Триптих*, составленный из текстов *О вреде табака*, *Юбилея* и *Лебединой песни*. Монтаж таких текстов появился на итальянском языке в Риеке как *Cechoviana ovvero 17 svenimento* в постановке Дж. Маффиоли (G. Maffioli) в 1975 г., но уже раньше играла итальянская драма и *Zio Vanja* в постановке Н. Скальи (Scaglia). Надо еще отметить постановку коротких текстов под заглавием *Play Čehov* в новом внеинституциональном театре «ITD» (1978). Эта постановка вошла в серию постановок Ивицы Бобан и группы под именем *Pozdravi* (Приветствия), повторяющим заглавие кабаретного представления по театре Йонеско, и в этом эстрадном контексте вновь привлекла зрителя (39 представлений).

Если Крлежа в 20-х годах связывал Чехова с бытом русской провинции, то в новых постановках Чехов уже не воспринимался как славянский писатель или представитель русского реализма и «русской души», а преимущественно как родоначальник европейского театра XX века и наш современник. Надо здесь отметить, что например знаменитый в то время итальянский режиссер Джорджио Стрелер (Strehler), в 50-е гг. Преданный брехтовскому театру, в 70-е гг. воспринял поэзию чеховских текстов (*Il giardino dei ciliegi*, 1974) и несомненно влиял на постановки менее традицией обремененных чеховских пьес в Хорватии: *Иванова* или *Платонова*. Вторую из них поставил в 1989 г. итальянский режиссер, известный и в Германии, Паоло Маджелли (Magelli) в Осиеке, с тех пор посвятившийся русскому репертуару. Для постановки *Трех сестер* (1988) тот же театр приглашал обновляющую белградскую сцену Виду Огненович. Данные о постановках Чехова в репертуаре хорватских театров в 80-е гг. приводят, между прочими, не только имена переводчиков, постановщиков и сценографов, но и авторов сценической музыки. Так для *Платонова* музыку написал македонский композитор Любчо Георгиевски, для *Трех сестер* в загребскем «Гавелле» в 1984 г. известный джезист Невен Франгеш, он же сопровождал дубровницкий *Вишневый сад* (реж. И. Кунчевич), постановку же Виды Огненович в Осиеке дополнял И. Стефанович.

Лирическое отступление, второе

Начало 90-х гг. я провел в Вене. Была это в Бургтеатре эра Пеймана (Peymann), шли споры о наследии Томаса Бернхарда, ставили Дьердя Табори, играл превосходный Герт Фосс, а когда на сцене швейцарские трактористы разрушали ненавистный Цвингер, публика вставала и апплодировала не Вильгельму Теллю, а концу берлинской стены. В 1996 г. гастролировал в Akademie-Theater и Петер Цадек с Ивановым. *Нельзя сказать что немецкий постановщик вполне стоял вне (пейманновской) политики: в представлении мелькнул как-то даже вопрос об антисемитизме, но сцена поражала пустотой и отсуствием какого-либо быта, при чем поэтика Чехова звучала в каждой интонации немецкой Bühnensprache, жестах и мимике актеров. Был это какой-то сборный Чехов: «ивановский» и будущий: Чехов как таковой.*

Потом я как-то был у Херты Шмид в Потсдаме. Берлин был недалеко: наконец я понял, что помещение Брехта в сугубо мещанскую коробку Berliner Ensemble постепенно убивало его поэтику политтеатра, и что осталась только тоска по Dreigroschenoper *и брехтовским сонгам. В Берлине тех дней говорили о – Чехове. Повели меня на Lehniner-Platz, где Петер Штейн поставил* Три сестры. *Я не сразу понял, почему публика все еще раскупала билеты на представление, созданное в 1986 г.: но оно было тщательно продуманным выполнением завета Константина Сергеевича в Берлине, в котором сейчас у Бранденбургских ворот продавали матрешки. Станиславский уже никому не угрожал. Сам Штейн обяснил недавно в интервю, озаглавленном* Theater ohne Revolte *свою преданность Чехову:*

> *Die Tschechow Figuren interessieren sich nicht, ob der Tagesschau-Sprecher nun braun oder grün geschminkt ist oder ob im Augenblick in Ruanda Leute massakriert werden. Sondern sie fragen jeden Einzelnen, wie er mit der Welt, in der er lebt, umgeht.*[14]

В том же Берлине повели меня на фильм Луи Малл (Louis Malle) Vanya on 42nd St. *1994-го г. Картина восхищала полной преданностью чеховскому театру, в том числе и русскому самоварному быту, а воспользовалась и преимуществами кинематографа: возможностью приближения камеры к лицам актеров, их глазам, морщинам, мимике… А кроме того, фильм доказывал зрителю, что те же лица, в перерывах между актами, можем встретить среди гуляющих по нью-йорской улице. Чеховские персонажи получили значение современного обывателя, не интересующегося, по Штейну, «массакрируют ли людей в Руанде». Уже в Загребе я по телевидению с удовольствием смотрел австралийский фильм по* Трем сестрам; *шоссе были обозначены знаками, обращающими внимание на присуствие кенгуру, а сестры мечтали о центре бывшей империи: «в Лондон, в Лондон»! В Дубровнике же показывали пьесу польского автора Януша Гловацкого* Czwarta siostra, *обоснованную на мотиве мечты современных русских женщин – об Америке! Конец века принадлежал Чехову!*

Хорватский эпилог

В наше время поворот к русскому репертуару совершил уже упомянутый Паоло Маджелли. Он по новому поставил в 1994 г. (театр «Гараж») *Вишневый сад*, в 1997 г. на сцене ЗКМ (Загребский театр молодежи) появился блок, состоящий из *Дяди Вани* и *Трех сестер*. Две пьесы связывали актеры и актрисы, играющие в обоих пьесах, музыка Любче Константинова, личность постановщика и не на последнем месте театр, который во время интендантуры Слободана Шнайдера ставил спектакли Бреговца по текстам

[14] P. Stein: Theater ohne Revolte. B: Die Zeit, 30, 15.7.2004.

Крлежи или самого Шнайдера, продолжая традицию экспрессионизма, а совместно с театральной группой из города Сисак поставил Хармса и *Елку у Ивановых* Введенского. В такое «обериутское» соседство попал Чехов! Пьесы создавали впечатление сценического беспорядка, были крикливыми, а зрители свидетельствовали, что на сцене сжигали портрет Станиславского! Представления по мнению критики «не удовлетворили любителей лирического, тоскливого Чехова».[15] В следующем году Маджелли в «Гавелле» поставил *Месяц в деревне* Тургенева. Постановка напомнила – о Чехове. Персонажи с русскими именами появились вне усадебного быта, «вне географических и исторических координат», а актеры вызывали смех и аплодисменты, при чем смагченный успехом Маджелли критик воедино связывал «несчастно влюбленные или несчастно любимые женщины […] в постановках Маджелли: Любовь Андрееву в *Вишневом саду*, Елену Андрееву в *Дяде Ване*, Машу в *Трех сестрах* и Наталью Петровну» у Тургенева, обещая откликнуться и на этот вопрос.[16] Не разрешал ли этот вопрос Крлежа, когда писал об Ольге Книппер-Чеховой?

Литература

Badalić, J.: Rusko-hrvatske književne studije. Zagreb 1972.
Batušić, N.: Povijest hrvatskoga kazališta. Zagreb 1978.
Batušić, N.: Trajnost tradicije. Zagreb 1995.
Batušić, S.: Stanislavski u Zagrebu. Zagreb 1948.
Batušić / Kravar / Žmegač: Književni protusvjetovi. Zagreb 2001.
Cesarec, A.: Djela, 4. Zagreb 1971.
Hećimović, B.: 13 hrvatskih dramatičara. Zagreb 1976.
Hećimović, B.: Repertoar hrvatskih kazališta. 1/2: 1840–1860–1980. Zagreb: Globus, 1990; 3: 1981–1990. Zagreb: HAZU, AGM, 2002.
Kluge, Rolf-Dieter: Anton P. Čechov in Deutschland. B: Anton P. Čechov – Werk und Wirkung. Hg. Rolf-Dieter Kluge. Teil II. Wiesbaden 1990, c. 1020-1039.
Kovačić, Đ.: Prisutnost i odjeci ruske scenografije na zagrebačkoj glazbenoj sceni. Zagreb 1991.
Krleža, M.: Izlet u Rusiju. Zagreb 1926.
Krleža, M.: Eseji i članci, 2. Sarajevo 1979.
Malić, Z.: «Tri sestre» A.P. Čehova, «15 dana». 1962.
Marotti, M.: Novostvorena glumačka osobnost. Zagreb 2003.
Prica, Č.: A.P. Čehov. Četiri drame, priredio i s ruskog preveo. Zagreb: ŠK, 1997.
Senker, B.: Pozornici nasuprot. Zagreb 2003.
Stein, P.: Theater ohne Revolte. B: Die Zeit, 30, 15.7.2004.

[15] B. Senker: Pozornici nasuprot. Zagreb 2003, c. 195.
[16] Там же, c. 240/41.

Oldřich Richterek

Der tschechische Weg zur gegenwärtigen Rezeption, Aufführung und Interpretation von Čechovs Dramen

1. Der 100. Todestag des bedeutenden russischen Schriftstellers und Dramatikers A.P. Čechov ist ein würdiger Anlass, Bilanz zu ziehen und gleichzeitig den Blick auf das Umfeld zu richten; es ist natürlich, dass dabei die Probleme der interkulturellen Rezeption nicht abseits bleiben können. Das Thema „Čechov in Böhmen" wurde in der tschechischen literaturwissenschaftlichen Russistik schon mehrmals bearbeitet (selbstverständlich unter verschiedenen Aspekten, besonders aber im Hinblick auf die komparative Übersetzungsproblematik, auf die Untersuchung der tschechischen Rezeption und Interpretation des künstlerischen Vermächtnisses des Schriftstellers).[1] Es ist notwendig, an die Tatsache zu erinnern, dass das Werk Čechovs (zuerst seine Humoresken und Erzählungen, später auch die Vaudevilles und Dramen und parallel dazu der Roman *Drama na ochote* (Ein Drama auf der Jagd) vor fast 120 Jahren in die tschechische Kultur Eingang fand, d.h. noch in den achtziger Jahren des 19. Jahrhunderts, kurz nach dem erfolgreichen Eintritt von „Antoscha Čechonte" in die russische Literatur.[2] Ungefähr zur selben Zeit wurde auch von der Seite der tschechischen Kritik einer der bedeutendsten distinktiven Züge von Čechovs Poetik (und zwar die Beherrschung des konzentrierten Erzählens) entdeckt.[3]

1.1. Die erste tschechische Rezeption von Čechovs Werken spiegelte aber natürlich auch die anfängliche Verlegenheit, die gewöhnlich die Aufnahme, Interpretation und adäquate semantische Konkretisierung von Seiten des Lesers bzw. Zuschauers begleitete. Allgemein ist es notwendig, daran zu erinnern, dass vor allem das neuartige Drama des russischen Autors manche Vorbehalte hervorrief. Ein gewisses Missverständnis entstand vor allem aufgrund der spezifischen Spannung zwischen den komischen und dramatischen Elementen in der Struktur von Čechovs Dramen und aufgrund der traditionellen Zuschauerhaltung der Rezipienten, die in der Regel nur die erste, primäre semantische Ebene dieser „dramatischen Symphonien"[4] mit den Leitmotiven des vergeudeten Menschenlebens wahrnahmen. Symptomatisch war in diesem Zusammenhang u.a. eine Reaktion des zeitgenössischen tschechischen Kritikers O. Theer (der zu den bedeutendsten Schriftstellern gehörte) auf die Aufführung von Čechovs Drama *Djadja Vanja* beim Gastspiel des bekannten Moskauer Künstlertheaters im Prager Nationaltheater im Jahre 1906; er schrieb zwar, dass manchmal auf der Bühne eine wirkliche „Musik der Stimmung" erklang, aber gleichzeitig spezifizierte er diese Stimmung als „eine

[1] S. dazu z.B. I. Svatoňová: Ohlas Čechovovy prózy u české kritiky do roku 1914. In: Československá rusistika 1958, S. 153ff.; I. Svatoňová: A.P. Čechov na českých scénách 1889–1914. In: Čtvero setkání s ruským realismem. Praha 1958; J. Dolanský: Čechové a Čechov. In: Mistři ruského realismu u nás. Praha 1960, S. 401-416; K. Koževnikovová: Trojí česká podoba dramat A.P. Čechova. In: AUC, Philologica, Slavica Pragensia. Praha 1963, S. 43-55; J. Cigánek: A.P. Čechov. Praha 1964; J. Sekera: Angažované diagnózy. Lidové noviny, Praha 1973; O. Richterek: Umělecký styl prózy A.P. Čechova v interpretaci českých překladatelů. Hradec Králové 1987; O. Richterek: Dialog kultur v uměleckém překladu. Příspěvek k česko-ruským kulturním vztahům. Hradec Králové 1999, S. 45-79; O. Richterek: O češskom vosprijatii tvorčestva A.P. Čechova. In: Słowiańskie kontakty. Język i literatura. Zielona Góra 1995, S. 115-125 u.a.

[2] Die ersten tschechischen Übersetzungen von Čechovs Erzählungen erschienen schon im Jahre 1886. Vgl. dazu Svatoňová: Ohlas Čechovovy prózy u české kritiky do roku 1914, S. 153.

[3] Darüber schrieb damals u.a. J. Hrubý (Ruská literatura r. 1888. Osvěta 1889, S. 892).

[4] Dazu vgl. z.B. V.B. Kataev: Složnost' prostoty. Rasskazy i p'esy Čechova. Moskva 1998, S. 42.

Trauer, die durch Wodka angefeuert wurde, die jeden Augenblick in Weinen, in Tränen ausbrach".[5]

Es ist also möglich zu sagen, dass Čechovs Vaudevilles am Anfang eine größere Popularität genossen. Die semantische Tiefe der „traurigen Komödien", in denen gerade dieser Autor die russische Tradition „des Lachens durch Tränen" (*smech skvoz' slezy*) zur Kulmination brachte, blieb für das tschechische Publikum noch längere Zeit verborgen. In dieser Situation spiegelte sich u.a. auch ein bestimmtes Desinteresse für Čechovs große Dramen in der Zeit nach der Revolution in Russland selbst wider; der simplifizierte, „klassenbewusst" orientierte Zugang zu seinem Werk, der nur die äußere und obere semantische Schicht der nur fiktiv neutralen, aber gleichzeitig auch zeitlos lakonisch ambivalenten künstlerischen Ausdrucksweise wahrzunehmen imstande war, vermisste nämlich in diesen Dramen ein entsprechendes einfaches Revolutionspathos.

Erst heute nehmen wir zur Kenntnis, dass Čechov vor allem mit Hilfe dieses Erzählungs- und Abbildungsstils die spezifische „Erwartungsatmosphäre"[6], die für die ganze Menschheit und besonders für Russland zum Bestandteil der nationalen Identität wird, ausdrücken konnte. Erst heute begreifen wir mit deutlicher Bitterkeit, dass das Gefühl „der weggeflossenen Zeit, die eine radikal neue Situation einführen sollte", d.h. die Leitmotive dieser Erwartung, nur „eine Selbsttäuschung ist", die sich niemals realisiert und nur als „eine Episode aus der ewigen Kontinuität von menschlichen Leidenschaften, vom Streben zu überleben" bleibt.[7] Für unsere gegenwärtige Generation ist es schon keine Überraschung mehr, dass gerade diese Attribute von Čechovs künstlerischer Aussage, die dem Geist der russischen nachrevolutionären Gesellschaft nicht entsprachen, heute mit Recht zu den wertvollen Teilen des menschlichen und künstlerischen Vermächtnisses dieses Schriftstellers gezählt werden.

1.2. Die zeitgenössische Etappe des tschechischen Zugangs zum Werk Čechovs (es wäre möglich, sie als die „Etappe der Jahrhundertwende" zu bezeichnen) halte ich (im Kontext der o.g. Gesamtgeschichte der tschechischen Rezeption von Čechovs Schaffen) für die vierte. Ihre Anfänge sind meiner Meinung nach mit der allgemeinen politischen und kulturellen Entspannung in den sechziger Jahren des vorigen Jahrhunderts verknüpft. Es war eine merkbare qualitative Verschiebung im Vergleich mit dem Zeitabschnitt nach dem Zweiten Weltkrieg und besonders nach dem Jahre 1948, der sehr oft durch eine kritiklose Bewunderung für „alles Russische" und durch eine mechanische Übernahme der offiziellen sowjetischen Interpretationsschablonen gekennzeichnet war. Schon J. Cigánek, der Autor der ersten tschechischen Fachmonographie über Čechov[8], widerlegte die festgeschriebenen Annahmen von den „pessimistischen" Interpretationen der Poetik des Schriftstellers und orientierte die tschechischen Überlegungen auf seine einzigartige künstlerische Meisterschaft in der Darstellung „des Verlustes von Menschlichkeit und Menschenwürde". Für besonders wichtig halte ich Cigáneks Schlussfolgerung, den Versuch zu unternehmen, auch Čechovs Dramen neu zu interpretieren. Er entdeckte nämlich die Notwendigkeit, ihre „Gesamtatmosphäre wahrzunehmen", d.h., er machte auf die heute oft akzentuierte Verwandtschaft dieser traurigen Komödien mit musikalischen Kompositionen, vor allem mit Symphonien aufmerksam.[9] Es war eine deutliche Verschiebung im Vergleich mit der vorherigen komplizierten Suche nach einem eindeutigen Interpretationscode – nicht nur für die gewöhnlichen Rezipienten, sondern auch für manche

---

[5] Vgl. O. Theer: Pohostinské hry Moskevského uměleckého divadla. Lumír 1906, 5, S. 287.

[6] Es handelt sich um eine Bezeichnung, die der bekannte tschechische Forscher V. Svatoň benutzte. Vgl. V. Svatoň: Z druhého břehu. [Studie a eseje o ruské literatuře]. Praha 2002, S. 333.

[7] Ebda., S. 333-335. Zur Veranschaulichung kann z.B. die Atmosphäre im Theaterstück *Tri sestry* herangezogen werden.

[8] Vgl. Cigánek, a.a.O.

[9] Vgl. dazu z. V.B. Kataev: Složnost' prostoty, S. 42.

Theaterkritiker, die nicht imstande waren, den Rahmen der früheren Bühnenmethoden zu überschreiten.

Eine positive Rolle spielte natürlich die inzwischen gelockerte gesellschaftliche Atmosphäre, in der die ambivalente, vieldeutige semantische Struktur von Čechovs Dramen mehr und mehr ungewohnt aktuell wurde. Vor allem diese Tendenzen wirkten auch bei den fast überraschend neuen Inszenierungen, mit denen im Prager „Theater hinter dem Tor" (Divadlo za branou) der weltberühmte Regisseur O. Krejča (besonders bei der neuen szenischen Auffassung des Dramas *Drei Schwestern*) begann. Es war gerade Krejča, der in der tschechischen Kultur eine dynamische „semantische Variabilität" und eine zeitlose „Unerschöpflichkeit" des Erlebens und der Mitteilung in Čechovs Dramen entdeckte. Symptomatisch drückte er nach seiner Rückkehr aus der Emigration (sie entsprach der politischen Situation nach dem Jahre 1968) diese Feststellung wie folgt aus: „Die Dramen dieses Schriftstellers erzählen täglich von etwas anderem oder aber von demselben, aber mit Hilfe veränderter Farben und Bilder."[10]

2. Man kann sagen, dass A. P. Čechov heute zu den bekanntesten und gleichzeitig auch zu den beliebtesten ausländischen Schriftstellern in der Tschechischen Republik gehört. Im Jahre 2000 wurden z.B. in der Nationalbibliothek in Prag insgesamt 224 Exemplare von einzelnen Ausgaben der Bücher Čechovs registriert, einschließlich 160 verschiedene tschechische Übersetzungen (außerdem sind dort natürlich auch viele fremdsprachige Übersetzungen vorhanden). Etwa ein Viertel der tschechischen Übersetzungen erschien noch vor dem Jahre 1914, d.h. am Anfang der tschechischen Rezeption des Werkes Čechovs. Neben den neuen Ausgaben der älteren Übersetzungen von Prosawerken erschienen auch neue Versuche, die die gegenwärtige Zugangs-, Rezeptions- und Interpretationsatmosphäre reflektieren.

2.1. In diesem Zusammenhang möchte ich hervorheben, dass besonders die dramatischen Werke dank ihrer szenischen Eigenarten, die sehr eng mit vielen konkreten Zeitattributen und Korrelationen verbunden sind, einen variablen und sich ändernden Zugang benötigen. Bei den Übersetzungen von Prosawerken wird der Übersetzer gewöhnlich zum einzigen „Vermittler" in der gegenseitigen Kommunikation zwischen dem Verfasser und dem Leser (Rezipienten). Im Falle des Dramas treten in diesen Kommunikationsprozess noch andere maßgebliche Faktoren ein, die die Qualität und den Endcharakter jeder konkreten Rezeption in bedeutendem Maße beeinflussen. Es handelt sich in erster Linie um die *Regisseur- und Schauspielerauffassung* von dem besonderen semantischen Raum eines gegebenen Theaterstücks, um die Auffassung von dessen allgemeiner menschlicher und künstlerischer Botschaft. Mit dieser Auffassung ist auch die Auffassung von den einzelnen handelnden Personen sehr eng verbunden; sie bringen natürlich Leben in den semantischen Raum und gestalten ihn dadurch auch mit. Alles kann sich in kleinen und unmerklichen Nuancen bemerkbar machen – z.B. in der bildnerischen Ausgestaltung der Bühne, in der Gestik und Mimik der Schauspieler (einschließlich deren Position und Popularität in der Theaterwelt) und letzten Endes auch in der Auffassung vom Charakter, dem Vorhandensein und der Rolle aller Realien, mit deren Hilfe der semantische Raum des gegebenen Dramas in Szene gesetzt wird.

Die zeitgenössische tschechische Dramaturgie arbeitet meist mit den – heute fast schon „klassischen" – Übersetzungen einzelner Dramen Čechovs, die der populäre Schauspieler und Übersetzer L. Suchařípa angefertigt und ständig aktualisiert hat.[11] Er gehört auch zu den bekanntesten Bühnendarstellern mancher ihrer Hauptthelden, und man kann sagen, dass er sich eigentlich in einer Monopolstellung befindet, obwohl die tschechische Kultur noch weitere,

[10] Vgl. O. Krejča: Nevyhlašujeme žádný program. Lidové noviny, 8.12.1991, S. 6.

[11] Die letzte Übersetzungsvariante wurde im Jahre 2001 herausgegeben. Vgl. A.P. Čechov: Racek. Praha: Artur, 2001; A.P. Čechov: Tři sestry. Praha: Artur, 2001; A.P. Čechov: Višňový sad. Praha: Artur, 2001.

meiner Meinung nach ebenfalls höchst gelungene, semantisch und stilistisch äquivalente Übersetzungen zur Verfügung hat (z.B. von J. Topol, A. Morávková, R. Lošťák). Ich halte die Tatsache für wichtig, dass die Dramen Čechovs auch im letzten Jahrzent ihre Popularität nicht verloren haben, obwohl es sich um eine Etappe mit deutlichem allgemeinem Rückgang des Interesses für die russische Problematik in der tschechischen Gesellschaft handelt (im Zusammenhang mit den politischen Verschiebungen nach dem Jahre 1989). Es werden nicht nur die klassischen herkömmlichen Inszenierungen realisiert, sondern es gibt auch Versuche, explizit das Suchen Čechovs nach einem wirklich lebenserfüllten Theater in Konfrontation mit der Reizbarkeit des heutigen postmodernen „Bruches“ zu zeigen. In diesem Zusammenhang ist es z.B. lohnenswert, die Inszenierung des *Kirschgartens* auf der Bühne des Prager Nationaltheaters im Jahre 1996 (in einer neuen Regie von I. Rajmont) in Erinnerung zu bringen. Im Jahre 1997 wurde sogar die experimentelle Gestaltung des Dramas *Die Möwe* im Prager Theater „Na zábradlí“ (in einer Inszenierung von P. Lébl) als „die beste Inszenierung des Jahres“ eingeschätzt. In letzter Zeit löst auch die experimentierfreudige und dabei in hohem Maße eigenartige Auffassung des gesamten Zyklus der Dramen Čechovs von V. Morávek eine breite Diskussion aus (zuerst auf der Bühne des Klicpera-Theaters in Hradec Králové, später auch in anderen Städten). A.P. Čechov gehört an den tschechischen Theatern zu den am häufigsten gespielten Autoren. So wurden im Herbst des Jahres 2000 in der verhältnismäßig kleinen Tschechischen Republik auf den Bühnen von acht professionellen Theatern fast gleichzeitig zwölf Dramen oder Vaudevilles Čechovs aufgeführt. Unter ihnen waren natürlich nicht nur *Der Kirschgarten, Onkel Vanja, Drei Schwestern* oder *Die Möwe,* sondern auch *Platonov, Der Waldgeist* und *Ivanov*. Im Jahre 2004 wurde Čechov u.a. auf den Bühnen professioneller Theater in Prag, Hradec Králové, České Budějovice, Zlín, Brno, Nymburk und Ústí nad Labem aufgeführt. *Ivanov* wurde z.B. im Prager Theater „Na zábradlí“ (gleichzeitig mit *Onkel Vanja*) und in Ústí nad Labem inszeniert, *Drei Schwestern* spielte man im Prager Theater Dejvické und *Der Kirschgarten* in České Budějovice. Eine gewisse Rolle spielte dabei natürlich auch der 100. Todestag des russischen Schrifstellers in diesem Jahre.

3. Es erhebt sich natürlich die Frage, welche distinktiven Merkmale von Čechovs (heute eigentlich schon „klassischen“) Dramen ein Interesse seitens des Theaterpublikums und seitens der Regisseure, Schauspieler und der ganzen Theater- oder Kulturöffentlichkeit sowie die verhältnismäßig feste Position Čechovs in der tschechischen Gesellschaft stimulieren. Teilweise habe ich diese Probleme schon oben gestreift. Fast symbolisch könnten wir die Grundcharakteristik des gesamten Werkes Čechovs (d.h. nicht nur der Dramen, sondern auch der Prosa) mit den Worten des russischen Forschers A.P. Čudakov als *„eine Offenheit für die verschiedensten Lebenserscheinungen“* ausdrücken.[12] Vor allem diese Tatsache bringt meiner Meinung nach das künstlerische Vermächtnis dieses Schriftstellers fast allen Kulturen der Welt nahe, weil in ihm alle Begebenheiten *„im Alltagsleben zerfließen“*[13], d.h. diese Begebenheiten sind nur scheinbar zufällig und gewöhnlich, obwohl es in dieser Zufälligkeit und Alltäglichkeit möglich ist, eine Autorenabsicht hinsichtlich einer „Regisseurstrategie“ zu identifizieren.

3.1. Čechov bemühte sich als Autor außerdem niemals um eine Schaffung von „schwarz-weißen“ Gestalten mit einseitig ausgeprägtem Charakter. Vor allem aus diesen Prinzipien ist die sprichwörtliche *tragikomische tiefe innere Spannung* in seinen Dramen und reifen Prosawer-

---

[12] S. dazu A.P. Čudakov: Mir Čechova. Vozniknovenie i utverždenie. Moskva 1988, S. 210, 255.

[13] Vgl. dazu M. Rév: Evropejskaja drama rubeža XIX – XX vekov i Čechov. In: Studia Slavica Hung. 40 (1995), Budapest 1995, S. 107.

ken geboren, die wir heute zu den aktuellen distinktiven Zeichen seiner Poetik zählen.[14] In dieser Vollendung einer Tradition, die den neutralen Humor in einen nur fiktiven, täuschenden (*„обманный юмор“*[15]), in eine sog. *„Erzählmaske“*[16] verwandelt, und die in Čechovs Werk schon T. G. Masaryk als beträchtlichen Anteil an *Ironie und Selbstironie* registrierte[17], muss eine wichtige Ursache der andauernden zeitlosen Lebensfähigkeit des gesamten künstlerischen Vermächtnisses Čechovs gesehen werden.

3.2. In Čechovs künstlerischer Aussage stellen wir gleichzeitig – sogar im Kontext des mehr als hundertjährigen Abstandes – eine überraschend aktuelle Bedeutung einzelner Komponenten seiner oben erwähnten „Theatersymphonie“ fest. Eine spürbare Abschwächung der traditionellen literarischen und gleichzeitig eine Stärkung der visuellen, eventuell sogar der allgemein „nonverbalen“ Züge und Ausdrucksmittel[18] im semantischen Raum von Čechovs Dramen entsprechen nicht nur den sich ändernden Ausdrucksmöglichkeiten der heutigen Kunst (einschließlich deren postmoderner Varianten), sondern auch dem zeitgenössischen Rezeptions-, Apperzeptions- und Interpretationszugang von Seiten der Zuschauer, Leser und allgemein auch der Interpreten. Diese Zugänge schalten einerseits einseitige Meinungen und Schlussfolgerungen aus und bieten andererseits viele konkrete Anlässe und Inszenierungslösungen in der Arbeit und im Kunstschaffen von Schauspielern und vor allem von Regisseuren an, in denen die Hauptrolle die einzigartige allgemeine Stimmung von Čechovs Dramen spielt. Ihre zeitgemäße historische Thematik, das Schicksal einzelner Protagonisten einschließlich ihrer wechselseitigen menschlichen Beziehungen, die ursprünglich mit der Atmosphäre der russischen Provinz und dem sog. „Zerfall der Adelsnester“ eng verbunden war, gewinnt heute einen allgemein menschlichen Charakter, der zeitlos ist und nationale Grenzen überschreitet.

3.2.1. Auf diese Art wird z.B. auch der gesamte Zyklus von Čechovs bekanntesten Dramen in der Inszenierungsaufffassung des tschechischen Regisseurs V. Morávek präsentiert. Die einzelnen Vorführungen (vor allem *Der Kirschgarten, Drei Schwestern* und *Die Möwe*) sind nicht nur durch das Leitmotiv der „Autorenerleuchtung“ und Entdeckung der Armseligkeit des menschlichen Darbens und endloser Erwartung, die mit dem mitleidlosen Zeitverlauf konfrontiert wird, verbunden. Ihre Atmosphäre ist darüber hinaus sogar – z.B. mit Hilfe der Gestalt der Šarlotta (aus dem Werk *Der Kirschgarten*) – lebendiger Bestandteil; sie wird zu einem Hauptprotagonisten des gesamten Zyklus und gleichzeitig zu den gemeinsamen semantischen, stilistischen und vor allem auf die Zuschauer orientierten Kommunikationselementen aller drei Dramen akzentuiert. So entsteht also ein großartiges „Konzert“ vom unerfüllten Leben, vom ewigen menschlichen Scheitern, von den ewigen Illusionen der Menschen, ein Konzert, das u.a. auch fast provokatorisch mit der Atmosphäre der gegenwärtigen Jahrhundertwende korrespondiert.[19]

---

[14] S. dazu Efim Ėtkind: Ivanov i Rotšil'd. In: Voprosy literatury, 1995, Vyp. I, S. 145.

[15] Ebda.

[16] Der Terminus *„narativní maska“* wurde in die tschechische Literaturwissenschaft von M. Drozda eingeführt. Vgl. M. Drozda: Narativní masky ruské prózy. Od Puškina k Bělému. (Kapitoly z historické poetiky). Praha 1990, S. 19.

[17] Vgl. T.G.M. Masaryk: Rusko a Evropa. Díl III. Ústav T.G.M. Praha 1995, S. 326.

[18] Vgl. dazu z.B. die interessante Arbeit der deutschen Autorin Ch. Gräfin von Brühl, die sich vor allem für die nonverbalen Ausdrucksmittel im Čechovs dramatischem Werk interessiert. (Ch. Gräfin von Brühl: Die nonverbalen Ausdrucksmittel in Anton Čechovs Bühnenwerk. Frankfurt/M. u.a. 1997, S. 23).

[19] In diesem Zusammenhang möchte ich ein allgemeines Interesse für ähnliche Motive bei dem irischen Dramatiker Brian Friel in Erinnerung bringen. Seine Variation über die oben angedeuteten Themen *Afterplay* wurde ebenfalls im Prager Theater „Na Zábradlí“ gespielt. Es handelt sich um ein fiktives Zusammentreffen von zwei Gestalten – Sonja Serebrjakova (*Onkel Vanja*) und Andrej Prozorov (*Drei Schwestern*) – mit einem Versuch einer möglichen Fortsetzung ihres Lebens nach zwanzig Jahren, d.h. zwanzig Jahre nach ihrem fiktiven Bühnen-

4. Man kann also resümieren, dass es notwendig ist, vor allem die spezifische Ambivalenz Čechovs, die den Charakter aller seiner Theaterhelden und auch deren Schicksale ausdrucksvoll kennzeichnet, zu den in hohem Maße zeitnahen Merkmalen des dramatischen Werks dieses russischen Schriftstellers zu rechnen. Dank dieser distinktiven Eigenschaft ensteht ein seltener Raum für die Leser- und Zuschaueremphatie, für die Phantasie und vor allem für deren aktives vollwertiges Miterlebnis. Ein scheinbares Chaos, in dem viele Probleme ungelöst bleiben und das Leben (und natürlich auch die Zeit) vergeht, ruft bei den Rezipienten einen bestimmten Zweifel hervor und ein Bewusstsein von der Bedingtheit, der Relativität unseres Strebens und unserer großen Lebensziele.[20] Der bekannte tschechische Forscher und Theoretiker V. Svatoň hebt in diesem Zusammenhang u.a. das Kennenlernen der ewigen Kontinuität der menschlichen Leidenschaften, der erfolglosen Erwartung eines „neuen Lebens" hervor (die so oft und leichtfertig von den Politikern missbraucht wird), die bittere Erkenntnis von der (schon oben zitierten) „Selbsttäuschung" unserer menschlichen Vorstellungen und gleichzeitig auch die Notwendigkeit, nicht auf eine ewige „Lebensströmung", auf deren „bescheidene und zeitweilige Geschenke" zu vertrauen.[21] Besonders diese distinktiven Eigenschaften des dramatischen Werks Čechovs zählen meiner Meinung nach zu den relevanten Ursachen der auch heute andauernden Popularität und „Lebensfähigkeit" der menschlichen Welt- und Lebensanschauung dieses russischen Schriftstellers. Seine künstlerische Aussage enthält ein großes Angebot, das mit seinem starken Identifikationspotenzial den gegenwärtigen Zuschauer nicht nur in der Tschechischen Republik, sondern auch in der ganzen Welt wieder und wieder ins Theater einlädt, um ihm ein Stück seines eigenen Lebens und seiner eigenen erfüllten und unerfüllten Träume nahe zu bringen.

Literatur

Brühl, Ch. Gräfin von: Die nonverbalen Ausdrucksmittel in Anton Čechovs Bühnenwerk. Frankfurt/M. u.a. 1997.
Čechov, A.P.: Racek. Praha: Artur, 2001.
Čechov, A.P.: Tři sestry. Praha: Artur, 2001.

---

leben.

[20] Andererseits möchte ich bemerken, dass es meiner Meinung nach notwendig ist, vor allem diese Ambivalenz zu den wichtigsten stimulierenden Faktoren der gegenwärtigen variationsreichen Einmischungen in den ursprünglichen Text Čechovs zu zählen. Der große semantische Raum seiner Dramen provoziert nämlich zwar zum einen Einfühlung, Phantasie und eine aktive Teilnahme seitens der Rezipienten, Schauspieler, Regisseure und Kritiker, d.h. eine Teilnahme, die vor allem einen Prozess der Identifikation von individuellen Schicksalen der Rezipienten mit den Schicksalen der Helden Čechovs stimuliert. Er provoziert jedoch gleichzeitig auch ein Bestreben, diese individuelle Einfühlung dem Zeit- und Kulturkontext der Rezipienten und Interpreten entsprechend anzunähern. Irgendwo hier begann teilweise auch der tschechische Weg zur gegenwärtigen Auffassung der Dramen Čechovs. Obwohl der Zugang Stanislavskijs in den 50er Jahren des 20. Jahrhunderts bei uns „offiziell" noch sehr populär war, zeigte schon der zweite Besuch des MCHAT zu dieser Zeit, dass z.B. eine bestimmte übermäßige Vergrößerung von lyrischen Elementen und szenischen Realien in der tschechischen gesellschaftlichen und kulturellen Umwelt zu negativen Faktoren führen kann. Es war gerade der bekannte tschechische Regisseur O. Krejča, der mit einer Rückkehr zum wirklichen „ursprünglichen Text Čechovs" begann, um ihn von verschiedenen „Interpretations-Anschwemmungen" zu reinigen. Vor allem diese Tendenz wurde meiner Meinung nach jedoch nicht nur in den folgenden Aufführungen von Čechovs Dramen, sondern auch von verschiedenen Variationen über „Čechovs Themen" zu dominant. Vgl. dazu z.B.: Ivan Zmatlík: Čechov a Mrožek aneb Listování v paměti. Praha 2001, S. 67. Die „variantenreichen Zugänge" zum künstlerischen Vermächtnis der klassischen Literatur lösen natürlich einen scharfen Meinungsaustausch von Kritikern und anderen Kennern der Literatur aus. Es handelt sich um komplizierte Probleme des diachronischen Kulturdialogs, die einen breiteren Raum zur Diskussion benötigen. Ich selbst halte manche Eingriffe in den klassischen Text, die seinen semantischen Gehalt wesentlich verändern und verschieben, für unglücklich und unethisch. Vgl. dazu z.B. das interessante Buch des bekannten russischen Forschers V.B. Kataev: Igra v oskolki. Sud'by russkoj klassiki v ėpochu postmodernizma. Moskva 2002.

[21] Svatoň, S. 335.

Čechov, A.P.: Višňový sad. Praha: Artur, 2001.
Cigánek, J.: A.P. Čechov. Praha 1964.
Čudakov, A.P.: Mir Čechova. Vozniknovenie i utverždenie. Moskva 1988.
Dolanský, J.: Čechové a Čechov. In: Mistři ruského realismu u nás. Praha 1960, S. 401-416.
Drozda, M.: Narativní masky ruské prózy. Od Puškina k Bělému. (Kapitoly z historické poetiky). Praha 1990.
Ėtkind, Efim: Ivanov i Rotšil'd. In: Voprosy literatury, 1995, Vyp. I, S. 131-152.
Kataev, V.B.: Složnost' prostoty. Rasskazy i p'esy Čechova. Moskva 1998.
Kataev, V.B.: Igra v oskolki. Sud'by russkoj klassiki v ėpochu postmodernizma. Moskva 2002.
Koževnikovová, K.: Trojí česká podoba dramat A.P. Čechova. In: AUC, Philologica, Slavica Pragensia. Praha 1963, S. 43-55.
Krejča, O.: Nevyhlašujeme žádný program. Lidové noviny, 8.12.1991, S. 6.
Masaryk, T.G.M.: Rusko a Evropa. Díl III. Ústav T.G.M. Praha 1995.
Rév, M.: Evropejskaja drama rubeža XIX – XX vekov i Čechov. In: Studia Slavica Hung. 40 (1995), Budapest 1995, S. 105-111.
Richterek, O.: Umělecký styl prózy A.P. Čechova v interpretaci českých překladatelů. Hradec Králové 1987.
Richterek, O.: O češskom vosprijatii tvorčestva A.P. Čechova. In: Słowiańskie kontakty. Język i literatura. Zielona Góra 1995, S. 115-125.
Richterek, O.: Dialog kultur v uměleckém překladu. Příspěvek k česko-ruským kulturním vztahům. Hradec Králové 1999, S. 45-79.
Sekera, J.: Angažované diagnózy. Lidové noviny, Praha 1973.
Svatoň, V.: Z druhého břehu. [Studie a eseje o ruské literatuře]. Praha 2002.
Svatoňová, I.: Ohlas Čechovovy prózy u české kritiky do roku 1914. In: Československá rusistika 1958.
Svatoňová, I.: A.P. Čechov na českých scénách 1889–1914. In: Čtvero setkání s ruským realismem. Praha 1958.
Theer, O.: Pohostinské hry Moskevského uměleckého divadla. Lumír 1906.
Zmatlík, Ivan: Čechov a Mrožek aneb Listování v paměti. Praha 2001.

Kjeld Bjørnager

Драматургия А.П. Чехова в Дании

Чехов стал известен в Дании вначале как прозаик. В 1894 г. вышел сборник его рассказов, содержавший рассказы: *Детвора*, *Ванька*, *Событие*, *Кухарка женится*, *Беглец*, *Дома*. Сборник был переиздан в этом же, 1894 г., а затем еще раз, в 1914 г. Чехов слышал о первом издании своих рассказов в датском переводе и прореагировал на это такими словами: «Теперь я спокоен за Данию» (П. 5, 120). Книга в переводе Гирсинга (H.E. Giersing) имела успех, и Гирсинг издал затем в том же году *Дуэль* и *Палату № 6*. Прошло совсем немного времени, и чеховские рассказы завоевали право публиковаться в периодической печати…

Что же касается его пьес, то их путь на сцены датских театров шел гораздо медленнее и со значительными затруднениями.

Едва ли следует сомневаться в том, что датские театралы впервые узнали о чеховских пьесах в связи с гастролями Московского Художественного Театра в Берлине в 1906 г., но должен был пройти целый ряд лет, прежде чем возникла инициатива поставить Чехова в Дании, и произошло это при определенных обстоятельствах, заслуживающих внимания.

В архиве Королевского театра в Копенгагене хранится перевод пьесы *Дядя Ваня*. Перевод сделан в 1906 г. Герстенбергом (W. Gerstenberg), бывшим армейским офицером, который выучил русский язык, чтобы поступить в службу в российскую армию, что ему впрочем так никогда и не удалось сделать. Зато он стал первым переводчиком романов Толстого с русского языка на датский.

Театр не воспользовался переводом фон Герстенберга и не инсценировал *Дядю Ваню*. Может быть, потому что русская драматургия казалась слишком рискованным проектом для директоров театра в первое десятилетие XX века. Однако внимание Королевского театра привлекли некоторые пьесы Толстого. В 1900 г. была поставлена *Власть тьмы* и ее показывали 17 раз (что считалось для того времени совсем не плохо), потом в 1904 поставили французскую инсценировку романа *Воскресение*, и эта инсценировка выдержала 35 представлений. Такой успех пьес Толстого продолжался и в дальнейшем, в 1916 играли его *Живой труп*, 52 спектакля. А вот пьесы Горького провалились. В 1904 показывали *На дне*, пьеса выдержала всего только 7 представлений, и в 1909 *Мещане*, всего лишь 2 представления. Историк Королевского театра так комментирует эти попытки представить русскую драматургию датским зрителям: «Русские драматурги шокировали датских театральных критиков и театральную публику странностью и объемом своих пьес.»[1]

В 1912 г. удалось собрать группу энтузиастов для разовой постановки чеховской пьесы *Чайка*. Вдохновителями были И.С. Норман и Свен Ланге, которые и перевели пьесу – вероятно, с немецкого (текст, к сожалению, не сохранился). Был показан всего один спектакль – 21 апреля 1912 г. Но список артистов, участвовавших в постановке, совершенно замечателен. Это имена, которые впоследствие стали самыми знаменитыми артистами датских театров первой половины XX века (Bodil Ipsen, Johannes Meyer, Cajus Bruun, Louise Jørgensen, Wilhelm Bewer, Holger Reenberg, Olaf Fønss).

---

[1] Jens Engberg: Det Kongelige Teater i 250 år. Til hver mands nytte. København 1995 (I, 477: «De to russiske forfattere forskrækkede de danske anmeldere og teatrets publikum ved deres fremmedartethed og formet.»).

Театральная пресса много писала об этом событии, но дальнейших результатов, в смысле новых постановок чеховских пьес в театрах, не было.

Гастроли пражского отделения Московского Художественного театра в Копенгагене в 1922 г. стали самое крупное культурное событие года. Писали о событии даже начиная с переговорами в Берлине в декабре 1921 г. Норман, который был одним из организаторов спектакля *Чайка* в 1912 поехал в Берлин и брал интервью у Ольги Книппер-Чеховой. В интервью он объясняет, как он, вместе с Свеном Ланге, в 1912 переводил *Чайку* без разрешения наследников Чехова (т.е. Ольги Книппер-Чеховой) и организовали разовую постановку *Чайки*. Перед Ольгой Книппер-Чеховой Норман объяснил это как «допустимый разовый грабеж» – Ольга Книппер-Чехова на это ответила, что в Дании, кажется, «почти русский порядок».[2]

Эти гастроли были организованы руководителем Дагмар-театра Торкилем Росе, которому удалось привлечь широкую прессу к организованным им гастролям. Газеты отправили журналистов и фоторепортеров в маленький приморский городок Gedser, куда выдающиеся гости прибыли на пароме из Германии. В поезде из Gedser'а в Копенгаген мхатовскую труппу и организаторов гастролей фотографировали и интервьюировали. Каждый день во время пребывания труппы в Копенгагене в газетах появлялись репортажи, и не только о самих театральных представлениях, но в не меньшей степени о светской жизни в связи с гастролями. Знаменитые русские актеры жили не в отелях, а в домах датских актеров, и газеты публиковали фотографии совместных завтраков гостей и их хозяев. Были устроены чаепития, где выступали такие знаменитые датчане, как, например, видный критик Георг Брандес. За неделю до гастролей в Копенгагенском университете были прочитаны лекции о русской литературе и русском театре. Молодые переводчики выступали со своими переводами чеховских пьес, и были напечатаны краткие содержания пьес для раздачи зрителям. Даже провинциальная пресса освещала это событие.

В репертуаре гастролей был не только Чехов. Мхтовская труппа привезла также *На дне* Горького и *Братьев Карамазовых* Достоевского.

История этих гастролей своебразна. Вследствие революции и гражданской войны часть МХТа находилась в Западной Европе. Весной 1919 г. из-за сложного материального положения в Москве руководство МХТа решило отправиться на продолжительные гастроли. Но получить достаточное количество железнодорожных вагонов было невозможно, и поэтому решили послать небольшую группу с такими руководителями как Берсенев, Массалитинов и Подгорный а также артистами Книппер-Чеховой и Качаловым во главе. Гастрольная премьера состоялась в Харькове 5 июля 1919 г., играли *Дядю Ваню*. Для гастролей готовили в Москве кроме *Дяди Вани* еще *Вишневый сад*. Гражданская война отрезала их вначале от Москвы, а потом и от России. Они продолжали гастролировать в Крыму, в Одессе, в Ростове, Екатеринодаре. Позже в Грузии: в Поти, Тбилиси и Батуми. Эти спектакли были показаны также в Константинополе, в Софии, в Белграде, в Загребе, в Любляне, в Праге, в Пльзене, в Братиславе, в Берлине. Со временем репертуар расширился.[3]

19 января 1922 г. они приехали в Копенгаген, где их спектакли стали огромным событием в театральной жизни столицы Дании и всей страны.

Когда читаешь критические статьи, написанные по поводу гастролей МХТа, становится очевидно, что мхатовские гастроли стали поводом резкой критики состояния датского драматического искусства того времени. Например, один критик писал: «[…] датские артисты утверждают, что восприятию игры препятствует языковой барьер, я пола-

[2] Nationaltidende, 21.12.1921.

[3] Ср.: Артисты московского художественного театра за рубежом. Изд. «Наша речь», Прага 1923.

гаю, однако, что публика понимает русских лучше, чем она понимала в последние годы датских артистов.» Другой писал: «Мы отстали на полвека.» Встречается и такой комментарий: «Русские показали нам, каким может быть и каким должно быть театральное искусство.»[4] Один видный критик того времени высказывал такое пожелание датским артистам, беря за образец игру русских: «Если бы можно было себе представить, что все лучшие наши артисты собрались под одной крышей, руководимые одной волей, которая служила бы искусству, а не себе, датское театральное искусство процветало бы и давало бы самые прекрасные плоды.»[5]

Судя по реакции критиков, датское театральное искусство находилось в начале 1920-х гг. в кризисном состоянии. И когда приехала русская труппа и показала свои спектакли, критики воспользовались случаем, чтобы высказать датским актерам свое мнение о состоянии датского театра.

В статьях по поводу мхатовских гастролей можно найти также различные замечания более аналитического характера. Это замечания о характере игры, о стиле режиссуры и т.д. Здесь интересны некоторые подробности: дело в том, что гастролировавшая в Дании труппа не виделась со Станиславским и Немировичем-Данченко два с половиной года. Несмотря на это пражский МХТ принимали в Дании не просто как один из лучших театров Европы, но как самый выдающийся театр Европы.

Одним из критиков, освещавший гастроли МХТа, был Анкер Киркебью, очень тонкий знаток театра. Он был один из лучших журналистов Дании того времени, и он знал Россию и русскую культуру. Анкер Киркебью пишет в своей статье: «всем известно, что эта группа не МХТ, а только ‹отросток› МХТа. Но отросток с некоторыми лучшими артистами театра.» Киркебью ссылается на мнение русских эмигрантов, живущих в Копенгагене и пишет: «Мои русские друзья сказали мне, что свидание со спектаклями МХТа в Копенгагене для них оказалось встречей с бывшей возлюбленной в бедном платье, с увядшими чертами.» Но на датских зрителей эти спектакли произвели совсем другое впечатление. По мнению Киркебью «Ни одно театральное событие не производило более глубокого впечатления на зрителей нашего поколения». И в конце своей статьи он пишет, что гастролировавший театр был как бы отблеском театра в Москве, но «этот отблеск был так ярок, что все еще доставляет боль нашим глазам».[6]

За несколько месяцев до визита МХТа Копенгаген посетили такие знаменитые театральные труппы того времени, как труппа Макса Рейнхарта из Берлина и Французский Театр из Парижа.

Анкер Киркебью считает режиссерскую систему Станиславского родственной работе датского режиссера 1890-х гг. Вильяма Блока (William Bloch). Киркебью явно предпочитает это течение в режиссуре работам Рейнхарта, которые нашли в Дании продолжение в режиссуре Германа Банга, известного датского писателя, который работал много лет режиссером в Париже. Киркебью так характеризует режиссуру Рейнхарта: «она хлещет актеров, доводя их до того, что они делают лучшее, что они в состоянии делать, но форсированно-нервно и играют в гипнотическом экстазе, но когда самого маэстро нет за кулисами, то все проваливается.»[7]

Нет сомнения в том, что датские критики знали о МХТе и о художественных принципах МХТа еще до гастролей. Они видели в спектаклях подтверждение этих принципов. История МХТа и деятельность театра была изложена в двух обширных статьях Владимира Гроссманна и Александра Гроссманна – русских, живших несколько лет в

---

[4] Teatret XXI, 10, København 1922.
[5] Verden og vi. København 1922, c. 142.
[6] Teatret XXI, 10, København 1922.
[7] Там же.

Копенгагене.[8] Но очевидно, что датские критики и без таких объяснительных статей знали о МХТе и о Станиславском. Мы находим в статьях терминологию Станиславского. В них пишут об ансамбле, об уважении к искусству, о проживании роли на сцене. Были даже такие выражения, как «театр внутреннего переживания». Критики видели в спектаклях новое отношение к постановке, «самое важное – спектакль, а не отдельные актерские достижения». Писали об «искусстве вживания» в роль и о «непостижимой гармонии сыгранности», или – как писал один критик с ироническим преклонением – «какая ересь, артистов нет, одно только искусство».[9]

Один из самых видных критиков оценил спектакли по 5-балльной системе: *Три сестры* – 5, *Вишневый сад* – 4, *Дядя Ваня* – 4, *Братья Карамазовы* – 3, *На дне* – 3. И для сравнения он оценил все датское театральное искусство того времени в целом на единицу.[10]

Появились и иронические отклики на гастроли как, например, рисунок в центральной газете: Вид на зрительный зал. Среди толпы полуспящих зрителей сидит один человек с широко открытыми глазами и оживленным видом. Название рисунок: «Господин, знающий русский язык.»[11]

Анкер Киркебыю пишет: «Более глубокого впечатления вряд ли произвело какое-либо театральное событие последнего времени и несомненно визит театра из Москвы будет эпохальным для развития датского актерского искусства.» Копенгаген прощался с русскими гостьями очень нежно и дружески. На первой странице крупной газеты *Политикен* печатали в факсимиле и с подписью прощальные слова Ольги Книппер-Чеховой всем датским друзьям.

Во время гастролей у Торкилда Росе возникло желание сам поставить пьесы Чехова. Это стало возможно не сразу. Он перешел в Корелевский театр в 1926 г. и там он поставил в 1926 г. *Дядю Ваню* и потом в 1928 г. там же *Трех сестер*. Критики ругали спектакли за то, что они не были на уровне мхатовских в 1922 г. Это, конечно, можно было ожидать, но трудно жить с критическими высказываниями, которые говорить, что все плохо, «потому что артисты Королевского театра не являются русскими».[12]

Интерес Торкилда Росе к МХТу и к Станиславскому выражался не только в любви к пьесам Чехова. Торкилд Росе тоже адаптировал творческие привычки Станиславского. Хранятся в архиве Королевского театра и в Музее истории театра в Копенгагене режиссерские и суффлерские экземпляры Торкилда Росе. Они очень похожи на такие же книги Станиславсклого. На левых страницах напечатан текст, на правых страницах рукописные замечания режиссера, указания движений артистов на сцене и т.д.

Конец *Трех сестер* представлял для Торкилда Росе, как и для Станиславского, сценической проблемой. Три длинных монолога трех сестер. Помним как Немирович-Данченко писал Чехову: «Необходимы купюры», и еще «три монолога трех сестер – это нехорошо. И не в тоне и не сценично. Купюра у Маши, большая купюра у Ирины. Одна Ольга утешает и ободряет. Так?» (13, 433/34). Чехов сократил монолог Маши, а сохранил монолог Ирины полностью. Сокращение это все-таки сомнительное, потому что слова Маши о перелетных птицах перекликаются с ее словами в 2-м действии и углубляют смысл этих слов.

Торкил Росе не имел, разумеется, возможность посоветоваться с Чеховым, но очевидно, конец пьесы он нашел сценически очень сложным. Как видно, он решил свою

[8] Teatret XXI, 7. København 1922; Illustreret tidende 63, 16. København 1922.
[9] Teatret XXI, 7. København 1922.
[10] Там же.
[11] Politiken, 20.1.1922.
[12] Teatret XXVII, 99. København 1928.

проблему дополнительными купюрами (жирным шрифтом: сокращение Чехова по желанию Станиславского; курсивом и жирным шрифтом: сокращение Торкилда Росе в датском переводе 1928 г.):

Три сестры стоят, прижавшись друг к другу.

Маша. О, как играет музыка! Они уходят от нас, один ушел совсем, совсем навсегда, мы останемся одни, чтобы начать нашу жизнь снова. Надо жить... Надо жить... **Я буду жить, сестры!.. Надо жить... (Смотрит вверх.) Над нами перелетные птицы, летят они каждую весну и осень, уже тысячи лет, и не знают зачем, но летят и будут лететь еще долго, долго, много тысяч лет – пока наконец бог не откроет им тайны...**

Ирина (кладет голову на грудь Ольге). Придет время, все узнают, зачем все это, для чего эти страдания, ***никаких не будет тайн, а пока надо жить... надо работать, только работать! Завтра я поеду одна, буду учить в школе и всю свою жизнь отдам тем, кому она, быть может, нужна. Теперь осень, скоро придет зима, засыплет снегом, а я буду работать, буду работать***...

Ольга (обнимает обеих сестер). Музыка играет ***так весело***, бодро, и хочется жить! ***О, боже мой! Пройдет время, и мы уйдем навеки, нас забудут, забудут наши лица, голоса и сколько нас было, но страдания наши перейдут в радость для тех, кто будет жить после нас, счастье и мир настанут на земле, и помянут добрым словом и благословят тех, кто живет теперь. О, милые сестры, жизнь наша еще не кончена. Будем жить! Музыка играет так весело, так радостно, и, кажется,*** еще немного, и мы узнаем, зачем мы живем, зачем страдаем...
Если бы знать, если бы знать!

Музыка играет все тише и тише; Кулыгин, веселый, улыбающийся, несет шляпу и тальму, Андрей везет другую колясочку, в которой сидит Бобик.

Чебутыкин (тихо напевает). Тара... ра... бумбия... сижу на тумбе я... (Читает газету.) Все равно! Все равно!

Ольга. Если бы знать, если бы знать!

Занавес.

После постановок Торкилда Росе долго не решили ставить Чехова в датских театрах. В тридцатые годы только датское радио предъявил интерес и ставил *Вишневый сад* по радио. Только в самом конце сороковых годов театры осмелились опять обращатся к Чехову. И тогда ставили его последние пьесы с таким успехом, что они с тех пор являются классиками датского театра.

Литература

Артисты московского художественного театра за рубежом. Прага 1923.

Engberg, Jens: Det Kongelige Teater i 250 år. Til hver mands nytte. København 1995.

Liisa Byckling

Чеховские постановки в Финляндии

Первая чеховская театральная постановка на финском языке была осуществлена в 1910 г. в Выборге, где показали *Вишневый сад* (режиссер – Э. Кивиярви, помощник режиссера – Г. Александров). Рецензент журнала *Театр и искусство* писал, что не только главные, но и небольшие роли были сыграны рельефно, с тонким психологическим чутьем.[1] В Хельсинки до 1918 г. все чеховские пьесы шли в Русском Александровском театре, очень мало посещавшемся финнами.

Финская публика в Хельсинки, в сущности, впервые познакомилась с Чеховым-драматургом, когда *Дядя Ваня* (1914) и *Вишневый сад* (1916) были поставлены в Финском Национальном театре. Постановщиком был молодой критик и начинающий режиссер Эйно Калима (1882–1972). По образованию Калима был литературоведом-русистом; во время стажировки в Москве в начале века его самым большим театральным впечатлением был МХТ и его чеховские постановки.[2] «Переживание» и «правда внутреннего чувства» – ключевые слова Калимы в его работе критика и режиссера, проникнутой духом русской культуры. Калима сам создал уже ставшими классическими переводы чеховской драматургии. Все критики признавали жизненность и значительность содержания пьес Чехова, но некоторые отказали им в драматичности. Самый проницательный из критиков, Олаф Хомен, писал:

> Чехов сумел передать то, к чему стремились современные европейские символисты Метерлинк, Ведекинд и Гамсун. В чеховских пьесах перед зрителями предстают обнаженные души, сама сущность жизни человека.

Хомен видел в чеховской пьесе дисгармоническое общество, которое изнутри «бурлит, ломается, рассыпается до самого основания». «В этих картинах есть нечто, что хочется назвать поэзией мировой истории», – заключал критик свой тонкий анализ.[3]

В *Дяде Ване* финские рецензенты отметили хороший ансамбль актеров и поэтические декорации (художник Карл Фагер, кое-где отступивший от московского образца). Все критики сходились в том, что несомненными достижениями спектакля были Астров (Урхо Сомерсалми) и Соня (Айли Сомерсалми). «Передо мной настоящий помещичий сад, вполне дворянская обстановка дома, передо мной русские люди близкой нам эпохи. Передо мной настоящий Чехов», – писал о постановке *Дяди Вани* петербургский профессор К.И. Арабажин.[4]

Через два года Калима поставил *Вишневый сад*. Спектакль не произвел на Хомена особого впечатления. Он критикует в постановке Калимы излишне сильные националь-

---

[1] Русский зритель. В: Театр и искусство (1901) 40, с. 733.

[2] См. воспоминания Калимы: Sattumaa ja johdatusta (Случайное и провидческое). Porvoo, Helsinki 1962. См. также Л. Бюклинг: МХТ в жизни и творчестве Э. Калимы. В: Русско-финские театральные связи. Сборник статей. Отв. ред. А.Я. Альтшуллер. Ленинград 1989, с. 83-92.

[3] O. Homen: Hufvudstadsbladet, 31.10.1914. См. также Liisa Byckling: Finnish Criticism on Anton Chekhov. В: The Bulletin of the North American Chekhov Society. Vol. X, No. 2, Fall 2002. University of Toronto, с. 5-12.

[4] К.И. Арабажин: Финский театр и «Дядя Ваня». В: Театр и искусство (1914) 50, с. 958. В эти годы К.И. Арабажин был профессором русской литературы Хельсинкского университета.

ные акценты, некоторую вялость исполнения, отсутствие того легкого и ироничного тона, который отличает *Вишневый сад*.[5]

Финские критики встретили чеховские спектакли благожелательно, но в целом они заинтересовали узкий круг любителей интимно-психологического театра. Хотя чеховская драматургия была еще непривычна для финской театральной публики и спектакли быстро сошли со сцены, в исторической перспективе Калима достиг очень много – так оценивает значение этих ранних спектаклей историк Национального театра Р. Коскимиес. Калима показал актерам новые приемы мастерства и начал приучать зрителей к восприятию современной эстетики театра.[6]

После того, как Финляндия в 1917 г. отделилась от России и стала самостоятельным государством, интерес к русской литературе уменьшился. В период 1918–1944 гг. Драматургия Чехова сошла с финских сцен – за исключением некоторых русских любительских спектаклей. В межвоенные годы пьесы Чехова не ставились на сцене Национального театра. Из русской драматургии Эйно Калима, директор этого театра в 1917–1950 гг., ставил пьесы Гоголя, Евреинова, Мережковского, Толстого.

После Второй мировой войны интерес к Чехову возродился благодаря возвращению к русской классике и ее этическим ценностям. Появились первые спектакли. В 40-е гг. Эйно Калима мог вернуться к дорогим для него воспоминаниям о Москве начала века. Важную роль в новом понимании Чехова сыграл увиденный финским режиссером спектакль В.И. Немировича-Данченко *Три сестры* во МХТе в 1945 г., когда Калима ездил в Москву впервые после тридцатилетнего перерыва. В Национальном театре Калима поставил *Три сестры* в 1947 г. В стилистике спектакля сказалось влияние мхатовской постановки; декорации М. Варена были оформлены по образцу недавно увиденного Калимой спектакля.

Критик Нильс Лухоу писал о премьере *Трех сестер* как о значительном событии. По мнению критика Калиме удалось осуществить чеховскую специфику и раскрыть смысл пьесы в своей вдумчивой режиссуре. Лухоу отмечал:

> Чехова трудно играть. Но вчера мы увидели, как душевно артисты исполняли свои роли и Эйно Калима создал из этой кажущейся мозаики единое целое, пережитое и созвучное пьесе, которое удовлетворяло всем требованиям. [...] Калиме удалось самое трудное: он сочетал иронию трезвого отношения к людям с грустной симпатией и печалью. Калима создал чеховское настроение: пассивность, неудовлетворенность, философствование, смешную неадекватность довольных персонажей в кругу сестер – все это выступало в его режиссуре, которую можно назвать импрессионистической.[7]

После ухода на пенсию с поста директора Национального театра в 1950 г. Калима ставил все чеховские драмы по нескольку раз – в Финляндии, Швеции и Норвегии.[8] В пер-

---

[5] O. Homen: «Körsbärträdgårdet». B: Hufvudstadsbladet, 30.3.1916.

[6] Rafael Koskimies: Suomen Kansallisteatteri II. 1917–1950. Helsinki 1972, c. 330. См. также Лийса Бюклинг: Театральные связи. (Чехов в Финляндии). В: Чеховские чтения в Ялте. Чехов в меняющемся мире. Отв. ред. А.Г. Головачева. Москва 1993, с. 71-79.

[7] «Чехова совершенно обошли в репертуаре наших театров. Возможно, это объясняется тем, что его темы, обстановка и персонажи – русская интеллигенция на рубеже веков – считали слишком далекими от нас. Или тем, что его пьесы трудно играть, что ‹чеховская атмосфера› так же неуловима, как настроение этих людей, которые не противопоставлены друг другу автором, но которые погруженные в себя, проходят мимо друг друга в статичной ситуации, которая кажется ограниченным бытом, но открывает внутреннее душевное состояние и действие, по терминологии Станиславского.» (Nils Lüchou: «Tre systrar». B: Nya Pressen, 28.11.1947. B: Teaterstaden Helsingfors under tre decennier. Tammerfors 1960, c. 308-311).

[8] Так, напр., *Дядю Ваню* Калима ставил четыре раза – в г. Лахти, в Русской театральной студии, в г. Тампере, в Финском Национальном театре (в 1951, 1952, 1957, 1966 гг). *Вишневый сад* Калима ставил пять раз – три раза на сцене Национального театра (в 1916, 1953 и 1963 гг.), а также в Шведском театре, в

вую пору для режиссера и зрителей особенно актуально было человеколюбие писателя, его знание человеческой души. Неповторимыми эти спектакли были потому, что Чехов для Калимы был современным автором. Он знал жизнь чеховских героев интимным знанием, накопленным в дореволюционной России, знанием не только текста, но и того, что стоит за текстом. Калима создал классическую модель чеховского мира, где за невысказанностью и грустью людей оставалась поэзия уходящего времени и тепло русской усадебной жизни (*Чайка*, 1950). В Национальном театре сформировался ансамбль «чеховских актеров», понимавших режиссера почти без слов. Калима, впоследствии получивший известность как лучший истолкователь чеховской драматургии в Северной Европе, прежде всего передавал специфически русскую атмосферу – чуткость, поэтичность, славянскую задумчивость. Финскую ментальность Калима считал более близкой к славянской, чем скандинавскую. Финских артистов режиссер считал почти идеальными исполнителями чеховской драматургии – особенно, если бы им добавить эмоциональности. Режиссер отказался от натурализма раннего МХТа и стремился к поэтическому реализму – и в игре, и в оформлении спектаклей, созданным по его точным указаниям.

В 50-е гг. репутация Чехова окончательно утвердилась в Финляндии; в восприятии финнов первое место занимала чеховская драматургия.

Чеховские спектакли Калимы были для многих финнов сильнейшим переживанием их молодости. В 1955 г. молодой человек, ставший впоследствии выдающимся режиссером, Ральф Лонгбакка (род. в 1932 г.), полюбил раз и навсегда Чехова на спектакле *Дядя Ваня*.

> Когда я видел этот прекрасный, глубоко музыкальный и чрезвычайно тонкий спектакль, он заставил меня изменить свое мнение о штампованности финского театра. Чеховские спектакли были для меня – и для многих других – самое прекрасное в нашем театре того времени.[9]

После новой постановки *Чайки* (1961) критик писал: «Чеховские спектакли – самые замечательные театральные вечера в послевоенном финском театре.»[10] Национальному театру нельзя отказать в смелости – он показал *Чайку* в Москве в 1962 г. По мнению Н. Абалкина, финский театр верно ощущал Чехова и сумел создать на сцене чеховскую атмосферу. Но, заметил он, при более глубоком и более точном знании русского прошлого театру можно было бы избежать некоторых досадных неточностей в воспроизведений реальной жизненной обстановки в *Чайке*. Это – косвенное доказательство принципа «поэтического реализма», осуществленного Калимой, не стремившегося к правдоподобию. Сценический успех пьесы критик связывал главным образом с исполнением роли Нины актрисой Эва-Каарина Воланен.[11] В том же году финский спектакль был показан в Париже, где его видел художник Юрий Анненков, уловивший в Треплеве – Тармо Манни сходство с первым мхатовским исполнителем роли – В.Э. Мейерхольдом.[12] С годами понимание Калимой стало всё тоньше и глубже; постепенно он отказался от грусти и сумеречности первых спектаклей. Чеховский цикл Калимы стал

Рабочем театре г. Тампере. См. финские исследования: Annikki Hyvönen: Eino Kalima Tšehov-ohjaajana. Helsinki 1986; Pirkko Koski: Tšehovin näytelmien kanonisointi Suomessa. B: Pirkko Koski (toim.): Niin muuttuu mailma, Eskoni. Helsinki University Press 1999.

[9] Ralf Långbacka: Kohtaamisia Tšehovin kanssa. Helsinki 1987, c. 8.

[10] M. Savutie. B: Kansan uutiset, 20.1.1961.

[11] Н. Абалкин: Гости из Суоми. В: Театр (1962) 10, с. 173-179.

[12] Ю. Анненков: Всеволод Мейерхольд. Дневник моих встреч. Т. 2. Москва 1991, с. 8.

легендой, определившей восприятие русской классики в Финляндии в течение нескольких десятилетий.

Традиция истолкования Чехова Калимой была настолько незыблемой, что немногие режиссеры до шестидесятых годов отважились состязаться с традицией. Но в 60-е гг. Ситуация изменилась. Начался чеховский «бум». Процесс преодоления чеховского канона Калимы начал Ральф Лонгбакка, «сильнейший аналитик финского театра». В начале режиссерского пути Лонгбакка прославился своим толкованием современной западной драматургии, в особенности пьес П. Вайсса и Б. Брехта. Его первые чеховские спектакли *Дядя Ваня* (1961) и *Три сестры* (1962) (Шведский театр, Турку) несли в себе знак умеренного новшества. Хотя режиссер оценил персонажей более критически, чем Калима, в знак уважения к старому мастеру он посвятил спектакль *Дядя Ваня* ему. Задачей режиссера было сочетать брехтовский анализ с чеховской симпатией, определить не отдельные роли, а взаимоотношения характеров, показать, что проблемы чеховских героев не частные, а общественные. Спектакль *Чайка* (1966, Шведский театр, Хельсинки) был лишен традиционной чеховской атмосферы. То, что было потеряно – лиризм и поэтичность, – было заменено трезвым реализмом и интеллектуальным анализом.

В 70-е гг. появилось несколько интересных спектаклей, которые дали повод для бурной дискуссии о чеховском театре. В 1971 г. Георгий Товстоногов из Большого драматического театра (Ленинград) поставил *Три сестры* в Национальном театре. Режиссер считал, что общее историческое прошлое Финляндии и России дало финским артистам некоторое преимущество перед другими западными актерами в толковании Чехова. Постановка Товстоногова попала в переломную, горячую пору на «поле» чеховского театра. Товстоногов сумел показать дом Прозоровых с невиданной на финской сцене обстоятельностью и в непривычно медленном темпе. Новым было то, как режиссер подчеркивал конфликт между московской интеллигенцией и грубым провинциальным мещанством, и показ того, как в их столкновении утонченность этой интеллигенции потерпела поражение.

Одновременно Лонгбакка ставил *Трех сестер* в Лилла-театре в Хельсинки. Здесь акценты были сильно смещены. Лонгбакка стремился совместить беспощадность к героям с авторской симпатией к ним. Русский же режиссер относился к персонажам без сентиментальности, но и без обвинительного сарказма. Разница была в том, что у Лонгбакки присутствовала комедийность. Лассе Поюсти, исполнитель роли Вершинина в Лилла-театре, считал, что Товстоногов следует русской традиции, в его спектакле образы – «классические», а Лонгбакка разбил систему образов.[13]

В 1978 г. новая постановка *Чайки* Ральфа Лонгбакки стала доказательством свежего, зрелого режиссерского видения (Городской театр Хельсинки). Видимо, *Чайка* требует времени для настоящего полета. Характеры были многосторонние и жизненные, появился юмор в обрисовке лиц и ситуаций. Художник Каарина Хиэта не создала вида на озеро, он был «перенесен» в зрительный зал, а зрители пьесы Треплева сидели у рампы;

[13] *Три сестры* стали ареной творческого спора двух режиссеров. В своей книге *Встречи с Чеховым* Ральф Лонгбакка рассказал о многочасовой беседе с Товстоноговым после прогона спектакля в Лилла-театре: «Наша беседа превратилась в своего рода дуэль двух толкований Чехова. С одной стороны было толкование Товстоногова, более или менее связанное со Станиславским, с другой стороны, моя попытка применять к Чехову брехтовский анализ, метод диалектического реализма.» Беседа коснулась прежде всего трактовки образов и переходила от одной чеховской пьесы к другой. В конце беседы Товстоногов воскликнул: «С кем вы стоите, наконец?!» (Långbacka: Kohtaamisia Tšehovin kanssa, с. 199/200). Чеховские реминисценции входят в пьесу режиссера Р. Лонгбакки *Ольга, Ирина и я* (поставлена в Шведском театре г. Турку, 1993). Его действующие лица – исполнители главных ролей в *Трех сестрах* – собираются через тридцать лет после постановки, чтобы подвести итоги своей жизни.

музыка – соната для скрипки Баха – дала камертон спектаклю. Акценты были ясно расставлены между живым и мертвым искусством. Поэтому режиссер сурово трактовал Треплева (Яркко Рантанен) и Тригорина (Эско Салминен), но с сочувствием отнесся к Нине (Эйя Ахво). В спектакле была подлинно трагична судьба Треплева, который особенно запомнился молодому Йоакиму Гроту, будущему чеховскому режиссеру. Савутие писала:

> *Чайка* Лонгбакки освежает традицию и радует зрителя. Актуальной является мысль Чехова о важности мировоззрения. Зритель благодарен театру за такой продуманный, зрелый и вызывающий раздумья спектакль. Театр у нас не потерял своего значения! (Kansan uutiset, 18.12.1978)

Новаторским был спектакль *Три сестры* (Ком-театр, 1979) в постановке Кайсы Корхонен (род. в 1941 г.), впервые разрушивший идеал актерской игры в чеховском театре, сформировавшийся в спектаклях Калимы. Корхонен, режиссер левых убеждений, поставившая с успехом пьесы Горького, теперь отошла от театра социальных проблем к театру страстей.[14] По мнению Корхонен, пьесу читали как «метафору нашей жизни». «Мы, радикалы, были захвачены паникой, потому что наше красноречие не принесло результатов. Грань между ложными иллюзиями и необходимой верой оказалась очень тонкой.» Она писала:

> Мне нужно было поставить эту пьесу по внутренней необходимости. Это не было увлечением какой-либо художественной идеей. Здесь дело касалось лично меня. Я была возбуждена, мне было страшно, но я чувствовала свое право на постановку. [...] Никакого быта или конкретной обстановки или исторической картины. Пещера человеческой души, сердце, матка, кожа, инстинкты.[15]

Литературовед Ирмели Ниеми сравнивала способ этой постановки *Трех сестер* с методом «фиксирования эмоциональных вспышек» в *Записных книжках* Чехова, недавно изданных на финском языке.

Театральные сезоны 1983–1985 гг. были посвящены Чехову. Осенью 1983 г. в Хельсинки создалась интересная ситуация: *Вишневый сад* был поставлен одновременно в двух театрах: в Национальном театре режиссером был Анатолий Эфрос (Москва), в Лилла-театре – Кайса Корхонен. В Лилла-театре появился интимный, символический спектакль, обрамленный своего рода театральной рамой. Он начинается с пролога: молодой актер гримируется под Фирса, зритель погружается в сценическую иллюзию, откуда он вновь возвращается в жизнь. Финскому зрителю его замедленный ритм и задушевная атмосфера оказались более близкими, чем новая, сильно драматическая трактовка Эфроса, с бурным действием, которое разворачивалось свободно по всей сцене.[16]

В 1984 г. Хельсинки познакомились с тремя чеховскими пьесами, до сих пор почти неизвестными в Финляндии. Все премьеры состоялись одновременно на трех сценах

[14] Московский журналист Ольга Кучкина хвалила спектакль. Несколько возмущаясь внешним видом актеров – они были одеты в лохматых костюмах из невыделанной кожи как знаках их обнаженности – и восхищаясь музыкой небольшого оркестра, сидящего на сцене, Кучкина отмечала в этом внешне статичном спектакле «внутреннее движение»: «Какое богатство человеческих отношений! И как выражены – настоящим, живым, а не ‹неживым› (по слову Питера Брука) театром! Все почти всё время на сцене. И все смотрят или не смотрят друг на друга. И каждый взгляд исполнен смысла. [...] И затем – жесткий, беспощадный анализ, вскрывающий дисгармонию и несогласия. Жестокий Чехов? А нет ли основания и для такого Чехова – в этом мире, в этом времени?» (Ольга Кучкина: Зеленый цвет – цвет надежды. Москва–Хельсинки. Сост. Л.В. Карелин. Москва 1984, с. 200-202).

[15] Kaisa Korhonen: Uhma. Vimma. Kaipaus. Helsinki 1993, с. 184.

[16] См. А.В. Эфрос: «Вишневый сад» в Хельсинки. В: Русско-финские театральные связи, 1989.

Городского театра: *Иванов* (режиссер – К. Корхонен), *Платонов* (Р. Лонгбакка), *Леший* (Г. Шамбеки, Венгрия). Целью театра было дать картину мира молодого Чехова и его времени. В 1986 г. вышла книга Ральфа Лонгбакки *Встречи с Чеховым* (книга вышла на шведском языке, на финском в 1987 г.). Книга содержит подробный анализ больших пьес Чехова.[17]

В 1988 г. началось многолетнее сотрудничество Камы Гинкаса с Лилла-театром: состоялась премьера спектакля *Театр сторожа Никиты*. Эта инсценировка *Палаты № 6* была решена в стиле «жесткого Чехова». У режиссера получился очень сильный, мастерский спектакль с прекрасным актерским ансамблем и с четкой концепцией.

Современный финский театр Чехова создан усилиями двух поколений режиссеров. Первое пришло в театр в 80-е гг., второе – на рубеже тысячелетий. Они относились к Чехову без ложного пиетета, но с большим интересом к «полюсам» его сценического мира. Не всегда попытки сочетать современный гротеск с традиционной симпатией к героям были удачными, но каждый спектакль затронул какую-то глубокую струну в сердцах зрителей. Ставить Чехова считалось насущным хлебом каждого режиссера, не только в больших театрах, но и в провинции и в театральных институтах. На место социального анализа пришла идея театрализации чеховского мира и – одновременно – более задушевного отношения к его персонажам.

Остро тенденциозный спектакль был поставлен в 1989 г. в маленьком театре Марс. Постановка *Чайки* Йоакима Грота (род. в 1953 г.) – попытка найти «неожиданности» в давно известном тексте. Стиль спектакля был определен двумя обстоятельствами: прочтением ее как комедии и попыткой определить финские штампы «русскости» – «как мы воспринимаем Россию». На более глубоком уровне режиссер видел «невозможность свободы» чеховских героев. Петербургскому критику показалось, что спектакль опровергал все принятые решения образов, ситуаций.[18] Постановка Грота – реплика по адресу финской сценической традиции и самостоятельное прочтение *Чайки*. Это был «постмодернистский» – как его называли в финской прессе – спектакль, «спектакль цитат».

В 1990-е гг. чеховскую драматургию ставили режиссеры среднего поколения – Тютти Ойттинен, Пекка Милонофф и Йотаркка Пеннанен, молодые – Йоаким Грот и Атро Кахилуото, а также зарубежные режиссеры – Римас Туминас из Литвы и Кама Гинкас и Олег Табаков из Москвы. Элементы театрализации ввелись в ткань чеховских пьес в некоторых спектаклях. Оригинальный подход к Чехову нашел Атро Кахилуото (род. в

---

[17] Лонгбакка пишет, что в наше время, когда Ибсен и Стриндберг вызывают только эпизодический интерес и социальная драма натурализма кажется устаревшей, драматургия Чехова поразительно актуальна и созвучна меняющемуся миру. К Чехову можно подойти через Беккета и Брехта, а когда театр интересуется социальными проблемами, он их также находит у Чехова; когда лозунгом театра становится экзистенциализм, близкие ему проблемы театр находит и у Чехова. «Чехов стал ‹совестью театра›, так как он требует от режиссеров и актеров предельной честности, – рассуждает Лонгбакка, – он обличает ложь и пустоту, он заставляет нас искать в себе лучшего. Он ставит перед театром проблемы, а не предлагает правильных решений – поэтому его пьесы укоренены и в своем времени, и вневременны; они и провинциальны и всемирны. Подобно Шекспиру, Чехов стал ‹зеркалом всех времен›.» (Ralf Långbacka: Möten med Tjechov. Helsingfors 1986, с. 24).

[18] Н. Песочинский писал: «Спектакль смешной, особенно смешно от неожиданности такого прочтения. Но постепенно становится ясно, что не пустая буффонада была целью театра. Этот театр – финский взгляд на русский характер, причем с долей самоиронии по поводу упрощенности этого ‹туристского› взгляда. Русский характер предстает в спектакле крайне эмоциональным, даже истеричным, с резкими переходами настроений. [...] Фарсовый мир взрывается двумя персонажами: Треплевым (Йоаким Вигелиус) и Сориным (Маркус Грот). И становится ясно, что смысл пьесы не в бытописании пошлых людей. Треплев и Сорин, персонажи лирические, видят, как несчастливы все их близкие. И пошлый фарс как бы переворачивается в восприятии зрителей своей драматической стороной.» (Н. Песочинский, Н. Таршис: Два чеховских спектакля. В: Русско-финские театральные связи, 1989, с. 143).

1959 г.), поставив *Дядю Ваню* в летнем театре. Молодые актеры Студенческого театра играли спектакль под открытым небом, на лоне природы. «Нашему театру редко удавалось воплотить комизм Чехова так весело и так содержательно, – писал критик. – Режиссер следует мыслям, но не театральной традиции пьесы. Это поразительно свежий и трогательный спектакль» (Jukka Kajava. Helsingin Sanomat, 1.7.1991). В 1995 г. в Лилла-театре Кама Гинкас поставил спектакль *Жизнь прекрасна!* по юмористическим рассказам и повести *Дама с собачкой*. Здесь трагедия любви была показана в острой трагикомической форме. «Гинкас не выдумывает за Чехова диалоги. Весь текст рассказа разложен на реплики, артисты играют персонажей, и рассказывают о них. Такое двойное, зыбкое отстранение Гинкасу необходимо, потому что он ставит не частную лирическую историю, а, можно сказать, экзистенциальную драму», – писал о спектакле Роман Должанский.[19]

В 1996 г. одновременно с финской *Чайкой* (реж. Й. Пеннанен) состоялась премьера *Чайки* в постановке Камы Гинкаса со студентами Театральной академии. В помещении театра Вирус, на старом заводе Гинкас и художник Сергей Бархин создали интерьер, который одновременно являлся и экстерьером с его реальностью – землей, березами. «Спектакль изменил ориентацию зрителей – знатоков драматургии Чехова», – заключал критик. «В новейшем финском спектакле Чехов стал писателем-экзистенциалистом, который задает философские вопросы: ‹Откуда мы? Кто мы? Куда мы идем?›»[20]

Первый чеховский спектакль 1997 г. – *Вишневый сад* в постановке актера Маркуса Грота, исполнителя русских ролей в спектаклях Гинкаса. По замыслу скромный и традиционный спектакль Ком-театра соединял выпускников Театральной академии с опытными актерами, которые все заслужили похвалу за естественность игры, «без финских чеховских штампов».

> Без преувеличения: в этом спектакле присутствует весь спектр жизни. Поэтому даже ее финал светлый, а не грустный. История вишневого сада подходит к концу, но эти очаровательные люди продолжают свою жизнь. (Jukka Kajava. Helsingin sanomat, 26.2.1997)

В 1998 г. *Дядя Ваня* оказался «пьесой молодых», когда два 28-летних режиссера поставили ее в Хельсинки. Первым был Эса Лескинен в Груп-театре, который показал мир и людей, почти уничтоженных катастрофой. Диаметрально противоположной была неожиданная интерпретация Кристияна Смедса. В маленьком Такомо-театре *Дядю Ваню или Русские эскизы* играли пять актеров. Чеховская меланхолия отступает, когда лесной народ, одержимый мраком, вьюгой и водкой, бьется в тоске о пол и стены. Но также безудержно он умеет радоваться, петь и влюбляться. В финале выражается его кредо спектакля: хрупкая человеческая жизнь предстает в свете вечности. Из всех виденных нами спектаклей он самый увлекательный и оригинальный. Событиенм сезона являестя новая постановка Смедса, адаптация *Трех сестер* (Театр г. Каяни, 2004). Режиссер расширяет действие пьесы с помощью видеотехники и приближает ее трагические события к нашему дню в северо-восточной провинции Финляндии.

Благодаря драматургии Чехова знакомыми для финнов стали и строй русской души, и психология русского человека, вместившего в себе «мировую душу» человека нашего времени. Подведя итоги, можно сказать, что ни в одной северной стране Чехов не ставился столь усердно на сцене, как именно в Финляндии. В начале тысячелетии Чехов оказался актуальным, потому что он изображает время потрясений и тревогу людей

---

[19] Р. Должанский: «Дама с собачкой» в Хельсинки. В: Московский наблюдатель, май 1995, с. 77-81.

[20] Jukka Kajava. В: Helsingin sanomat, 28.4.1996. Полифонический строй этого спектакля был подробно анализирован. См. В. Семеновский: Шведская птичка. («Чайка» в Хельсинки). В: Московский наблюдатель (1997) 1-2, с. 67-70.

перед неизвестностью. Но у писателя есть и тайное предвидение будущего, которое так остро почувствовало молодое театральное поколение.

Литература

Абалкин, Н.: Гости из Суоми. В: Театр (1962) 10, с. 173-179.
Анненков, Ю.: Всеволод Мейерхольд. Дневник моих встреч. Т. 2. Москва 1991.
Арабажин, К.И.: Финский театр и «Дядя Ваня». В: Театр и искусство (1914) 50.
Бюклинг, Лийса: МХТ в жизни и творчестве Э. Калимы. В: Русско-финские театральные связи. Сборник статей. Отв. ред. А.Я. Альтшуллер. Ленинград 1989, с. 83-92.
Бюклинг, Лийса: Театральные связи. (Чехов в Финляндии). В: Чеховские чтения в Ялте. Чехов в меняющемся мире. Отв. ред. А.Г. Головачева. Москва 1993, с. 71-79.
Должанский, Р.: «Дама с собачкой» в Хельсинки. В: Московский наблюдатель, май 1995, с. 77-81.
Кучкина, Ольга: Зеленый цвет – цвет надежды. Москва–Хельсинки. Сост. Л.В. Карелин. Москва 1984, с. 200-202.
Песочинский, Н.; Таршис, Н.: Два чеховских спектакля. В: Русско-финские театральные связи. Сборник статей. Отв. ред. А.Я. Альтшуллер. Ленинград 1989.
Семеновский, В.: Шведская птичка. («Чайка» в Хельсинки). В: Московский наблюдатель (1997) 1-2, с. 67-70.
Эфрос, А.В.: «Вишневый сад» в Хельсинки. В: Русско-финские театральные связи. Сборник статей. Отв. ред. А.Я. Альтшуллер. Ленинград 1989.

Byckling, Liisa: Finnish Criticism on Anton Chekhov. B: The Bulletin of the North American Chekhov Society. Vol. X, No. 2, Fall 2002. University of Toronto, c. 5-12.
Hyvönen, Annikki: Eino Kalima Tšehov-ohjaajana. Helsinki 1986.
Kalima, Eino: Sattumaa ja johdatusta (Случайное и провидческое). Porvoo, Helsinki 1962.
Korhonen, Kaisa: Uhma. Vimma. Kaipaus. Helsinki 1993.
Koski, Pirkko: Tšehovin näytelmien kanonisointi Suomessa. B: Pirkko Koski (toim.): Niin muuttuu mailma, Eskoni. Helsinki University Press 1999.
Koskimies, Rafael: Suomen Kansallisteatteri II. 1917–1950. Helsinki 1972.
Långbacka, Ralf: Möten med Tjechov. Helsingfors 1986.
Långbacka, Ralf: Kohtaamisia Tšehovin kanssa. Helsinki 1987.
Lüchou, Nils: «Tre systrar». B: Nya Pressen, 28.11.1947. B: Teaterstaden Helsingfors under tre decennier. Tammerfors 1960, c. 308-311.

III.3. Internationale Rezeption und Aufführungspraxis an der Wende zum 21. Jahrhundert – Momentaufnahmen

Tat'jana Boldova

Антон Павлович Чехов на московской сцене

Московские театры так любили Чехова, что только с июля 2003 г. по июль 2004 г. Москва увидела десять премьерных спектаклей по чеховским пьесам. В результате на московской сцене сформировался специфический образ чеховского спектакля, основанный на мотиве жизни людей, оказавшихся на странных и запутанных перекрестках жизни, когда персонажи отторгнуты друг от друга внутренней глухотой и мечутся в своих домах-клетках. Когда имеешь дело с такой обоймой, с таким мощным залпом выстрелов по одному и тому же автору, просится некое обзорное осмысление.

Вишневые сады

В шестичасовом спектакле Эймунтаса Някрошюса, Театр «Мено Фортас» (Литва), намек на погост возникает с самого начала, и герои, по нескольку раз, проговаривая один и тот же текст или, совершая одни и те же движения, живут в давно остановившемся времени. За чертой. За порогом. Когда-то, размышляя о Чехове, Андрей Белый восхищался его непреднамеренным, осторожным символизмом. Някрошюс сгустил и уплотнил прозрачные чеховские символы до пугающей весомости.

Эймунтас Някрошюс пригласил в спектакль как заслуженных и именитых, так и совсем молодых актеров и собрал сильную и талантливую команду. Одна из главных удач спектакля – Ермолай Лопахин. Обычно эту роль трактуют плоско: грубый мужик, который не способен оценить бесполезную, не проносящую доводы красоту вишневого сада. Этот Лопахин совсем другой, тонкий и чувствительный. Видно, что он влюблен в этот чужой для него мир вообще и в Раневскую в частности. Побледневший, со смертельной решимости на лице он делает ей признание и, вытянувшись перед ней в струнку, видимо, от избытка чувств и нехватки слов вдруг затягивает какую-то русскую народную песню.

В финале все герои пьесы, кроме забытого Фирса, прячутся в глубине сцены за частоколом ветряков и, надев бумажные заячьи уши, обреченно дрожат, пока над сценой грохочут выстрелы. Все шесть часов, что идет спектакль, над сценой звучат короткие и печальные, как далекое эхо, музыкальные фразы, словно заранее отпевающие всех гостей этого праздника жизни.

Знаменитые сценические иероглифы Някрошюса – режиссерские жесты, которые можно «читать», но которыми нужней наслаждаться, как японской каллиграфией, – это, по сути, точки покоя и отдохновения, а не самодостаточные метафоры. Някрошюс обращается с чеховской пьесой как с мистерией, с историей, наиболее полно и точно описываемой с помощью простых древних образов, так что каждый герой у него, наверное, соответствует какому-то определенному архетипу. Подыскивает всему какие-то ритуальные, первобытные «объяснения». Можно сказать еще, что спектакль строится по принципу лабиринта, где много тупиков, где каждая следующая метафора – это развернутый в пространстве образ, не обещающий связи с предыдущим; метафоры не становятся ключом к прежде введенным шифрам и почти ничего не скажут о будущем.

Някрошюс обыгрывает почти каждое чеховское слово, каждому пытается найти метафорический эквивалент. Покупая сад, Лопахин вспоминает, что дед его и отец были здесь крепостными. Рассказывает и стучит – куда-то в пол. Как будто попадает в пространство древнего, продуваемого мира, где можно достучаться до деда и отца, которые должны знать, что их сын и внук купил вишневый сад. И они, кажется, слышат Лопахина, так как на ответ на его удары раздается глухой барабанный отзвук. И в этот перестук, сперва тихо, а потом громче и невыносимее, врывается щебет птиц. Лопахин прячется ото всех в свое пальто, пригибается, и уходит. Так кончается 3-й акт.

Някрошюс снимает трагический мотив: в финале Фирс просто медленно садится за стулом, из-за которого так же медленно подымался в начале спектакля. Дом не забывают, его взрывают. В наше время такой выход, конечно, «естественней». Не топоры стучат, а глухие взрывы.

У спектакля два финала: один – человеческий, другой – животный. В первом Лопахин признается Раневской, что купил сад. Сообщает робко, стесняясь собственного поступка, но по ходу монолога постепенно преисполняется достоинством. На контрасте с ним – неподвижное лицо Раневской, которая не может разрыдаться из-за кляпа во рту. Лаконичная и очень эффектная сцена. В финале никто не уезжает. Лишь отойдя на край сцены, надевают смешные заячьи ушки. А Фирс перед тем, как произнести свой последний монолог, выйдет на сцену с охапкой сена и на глазах пораженной публики начнет жевать его. Вслед за ним все прочие персонажи тоже превратятся в беззащитных зверьков, наденут на себя белые ушки и спрячутся за придвинутую к заднику решетку, поближе к украшающим задник белым бумажным вертушкам.

Но главным действующим лицом в спектакле была весна, ее приход, ее восприятие людьми, их радость. По сцене бродила, бегала, обнималась, расставалась человеческая стая, встречающая весну. В *Вишневом саде* эта человеческая стайка мечется по сцене, то водит хороводы, то рассыпается. Но они не весну встречают. Чувствуется, что люди здесь подчиняются и сопротивляются некой силе, которую невозможно обозначить одним словом. Кажется, Някрошюса интересуют не «действующие лица», а то, что на них действует. Что заставляет кого-то вопреки всему никак не реагировать на потерю вишневого сад, кого-то – покупать его, кого-то – прикидываться французом, кого-то – быть вечным студентом, давно презирая этот образ.

Вишневый сад Някрошюса был попыткой человека протестантской этики понять загадку российской истории. Някрошюс по пьесе путешествует, отвлекаясь, увлекаясь, возвращаясь назад. Он словно затевает старую игру, устанавливая притом новые правила. И цепляет друг за друга «взгляды»: Чехова – на Россию, свой – на Чехова и Россию, ту и эту, актерский – на режиссера, зрительский – на метаморфозы хрестоматийной истории. Все равнозначно и равноценно.

В *Вишневом саде*, который обычно ставят как историю о разоренном дворянском гнезде, на этот раз невероятно много любви, так много, что именно она, вернее ее невозможность, оказывается главной темой спектакля Някрошюса.

В «Российском молодежном театре» (постановка Алексея Бородина) стараются не отступать от Чехова. Так Гаев – «облезлый барин», Варя – нервная, угловатая, Раневская – немолода и надломлена и т.д. Спектакль, принципиально чуждый какой-либо концепции, кроме желания выслушивать этих милых, слабых и нескладных людей, проследить за их неумением адаптироваться к новым требованиям жизни. Перед зрителем разворачивается искусство медленного, подробного чтения, но на сей раз чтение это не столько вдумчивое, сколько исполненное щемящего сострадания. Ощущение хрупкой тревожной красоты, подлинной и вместе с тем уже немного игрушечной, не очень настощей, исходит от декораций: мохнатый ковер имеет цвет пепла, хотя на нем еще задержатся на некоторое время вполне живые, исключительно симпатичные люди.

Спектакль А. Бородина с поразительной для современного театра доверчивостью опирается на человеческий материал, на то, как протекают и развиваются взаимоотношения между людьми, обитающими в пространстве красоты, выставленной на торги. Душевные движения героев при том, по большинству своему, абсолютно естественны. А во «МХТе им. А.П. Чехова» (постановка Адольфа Шапиро) сам вишневый сад, прекраснее которого, по словам Лопахина, нет ничего на свете, уже превратился в символ. Сцена за занавесом оказывается совершенно пустой. А посередине – только детский велосипедик утонувшего сына Раневской маячит в глубине. Полотнища задника трепещут от ветра в такт тревожной музыке. Жесткая, трагичная концепция режиссера прочитывается с ходу.

В спектакле обнаруживается один не предусмотренный пьесой герой – мхатовский занавес. Художник Давид Боровский не оставил на подмостках почти ничего: ни вишневого сада, ни усадьбы. Все декорации заменяет один занавес, который не раздвигается, как обычно, а распахивается внутрь сцены огромными створками и заменяет собою стены дома. Именно к нему обращает Гаев свой монолог, посвященный столетнему шкафу. За него судорожно цепляется Раневская, прежде чем уйти со сцены. Декорации Давида Боровского изумительно просты и властны. Спектакль начинается при закрытом занавесе: посредине высовывается Лопахин, всматриваясь в зал произносит первую реплику («Пришел поезд, слава богу» – это звучит примерно как: «Ну что пора? Поехали!»), из-за кулис выбегает круглолицая Дуняша, из суфлерской будки высовывается Епиходов с цветами.

Потом занавес, вместо того, чтоб одернуться, начинает разъезжаться: его половинки уходят по дуге в глубь сцены. В итоге перед нами две зеленоватые диагонали: если напрячь воображение, можно предположить, что зелень справа и слева – это деревья, а между ними – аллея. Сужающаяся в перспективе, как оно и положено. И ничего больше: слева стоит никому не нужный книжный шкаф, сзади – совсем уж никчемный трехколесный велосипед; когда штанги, на которых крепится лжезанавес, раздвигаются, между зеленью возникают темные прогалы. Или легкие белые полотнища. Но больше – ничего, сцена пуста. Зрителю на выбор предоставляются две возможности. Первая: решить, что зеленая ткань действительно знаменует собою деревья и, это есть обреченный, уже утраченный сад. Вторая: сказать себе, что никакого вишневого сада не было вообще.

Ум, вкус, искусность, художественный такт являются в режиссере Адольфа Шапиро константными свойствами. Главное из профессиональных свойств режиссера Шапиро – острое понимание чужой беды и боли. Дар соболезнования, обязывающий до конца всех, кто сейчас мучается.

Дяди Вани

Дядя Ваня в «Театре п/р О. Табакова (Табакерке)» (постановка Миндаугаса Карбаускиса) рассуждает о трудах обаятельного профессора Серебрякова, лениво свалившись в гамак. Режиссер перераспределяет акценты, и массивный шкаф сам едет по сцене. А умница Соня с трудом гонит дядю «работать, работать». Лень и какое-то удушливое бездействие владеют персонажами спектакля М. Карбаускиса. Одна только нянька Марина – плотоядно улыбается в финале, предвкушая поедание домашней лапши, и домусыпальница, ею единственной, кажется, обжит со вкусом.

Когда раздвигается занавес по залу пробегает шелест первого восторга публики. На сцене – фасад деревянного усадебного дома, застекленная веранда. Дом вытесняет людей на авансцену, чувствуется, что все главное случится здесь перед домом.

В *Дяде Ване* есть ночное действие. День и ночь, свет и тьма, материя и тень, вероятно подтолкнули Карбаускиса к идее второго дня. Многие герои у него бликуют, двоятся, носят маски. Та же Елена Андреевна днем – тонкая, ломкая, капризная, а ночью – без пяти минут ведьма, проворная, проказливая, опасная. Тащит Соню за косу, как собаку на подводке, в свой мир, в свое зрелое, женское представление о любви. Дневной профессор Серебряков – титан, махина, многоуважаемый шкаф, ночной – целлулоидный пупс. Как всякий человек, говорящий только о своих болезнях, он до брезгливости смешон, но муки его настолько искренни, что не могут не вызывать хоть доли сочувствия.

В постановке М. Карбаускиса нет ничего авангардистского, и в то же время она приподнята над «бытом». Людей вполне реальных словно видишь не лицом к лицу, а на пресловутом расстоянии или в застеколье. Финальная сцена – апогей живописных изысканий Карбаускиса. Окно. Притворена одна створка. Соня, положив голову на руки, говорит дяде Ване, который не виден, про небо в алмазах, про песни ангелов, лучшую жизнь и про то, что «мы отдохнем». А художник Дамир Измагилов так выставил свет, что сцена эта тонет в золоте, как на полотнах фламандцев. В финале М. Карбаускис взял да и пожалел своих «прошлых людей». Притворил окошко, залил сцену утренним светом.

У Льва Додина, который привез в столицу спектакль «Малого драматического театра» (Санкт-Петербург), герои по очереди садятся за стол, стоящий у края сцены, и говорят слова. Зрители слушают – как под гипнозом. *Дядя Ваня* Льва Додина – это трагическая погруженность интеллигентных людей в тягучее болото уездной жизни. И в первую очередь доктор Астров – этот вечный притягательный центр для женщин, этот (по тексту) красивый, необыкновенный человек, в додинском спектакле также обманывает ожидания. К слову, одна из дьявольских особенностей чеховских мужчин – обманное впечатление героев-любовников. Герои давным-давно устали, измельчали и издергались так, что представляют собой пустую обертку от лакомства. В финале, когда снопы сена опускаются прямо в комнату дяди Вани и его племянницы Сони, понимаешь, какое «небо в алмазах» их ждет, и непрошеный комок подкатывает к горлу.

Три сестры

В «Театре п/р Армена Джигарханяна» (постановка Юрия Клепикова и Владимира Ячменева) в спектакле *Три сестры* избежали пафоса. Но какой сценический поворот получили образы сестер!

А у Юрия Соломина в «Малом театре» сестры страдают, как положено, в их провинциальной трясине. Но режиссер *Трех сестер* от нашего времени подчеркнуто дистанцировал. О чем лично и заявил в прологе и эпилоге своего спектакля, где звучит его «закадровый» голос, повествующий о том, что зритель увидит историю, случившуюся давным-давно, идеальную и единичную, которой можно посочувствовать, но весьма отрешенно. Правда, исходя из нынешней театральной ситуации, поневоле хочется порадоваться тому, что в спектакле «Малого театра» чеховские герои хотя бы психически нормальны, демонстрируют естественную ориентацию и цензурно выражаются.

Сидя в «Малом театре», зритель отдается мерному течению пьесы с его неожиданными и точными пассажами. Вот Андрей Прозоров произносит в последнем акте свой очередной монолог на тему «пропала жизнь», адресуя его лежащей в коляске Софочке. В финале не звучит громкая музыка, которая вроде бы должна сопровождать монолог Ольги согласно ремарке, а просто слышен стук мерно падающих капель.

Эти *Три сестры* ни единой минуты не выглядят анахронизмом, хотя подробно проработаны интерьеры, задник с березовой рощей, соответсвующие эпохе костюмы. Но здесь-то, с березовой рощи, и начинается самое интересное. Юрий Соломин пытается расслышать трагедию с первых, веселых аккордов Ирининых именин. Роща – место, где Соленый убивает Тузенбаха – постоянно присутствует в обратном строе спектакля, точно немой пророк и свидетель будущих несчастий. Да и сами именины – с подробным застольем, самоваром и пирогом – тоже читаются режиссером как предвестие.

Праздник начинается с поминок. Гости прозоровского дома встают, чтобы помянуть умершего ровно год назад отца. А еще раньше – в прологе к спектаклю – Юрий Соломин читает фрагмент письма Чехова к Книппер, где он говорит о своем истерзанном неразделенной любовью сердце.

Собственно, эта интонация поминовений, смертоносных предвестий и личных несчастий – главная в спектакле «Малого театра». С каждым новым вздохом его дыхание становится все горячее, а в сцене пожара почти обжигает количеством разбитых судеб и безнадежных любовей.

На старте нынешнего сезона режиссер Петр Фоменко представил на сцене филиала «Малого театра» чеховских *Трех сестер*. Фоменко создает легчайшие акварели на темы чеховских чувств, которые удивляют и покоряют. Так сцена затянута тонкими занавесами, которые скрывают и одновременно приоткрывают хрупкую красоту дома Прозоровых (художник Владимир Максимов). Режиссер не упускает ни одного из душевных движений чеховских персонажей, не позволяет смеяться над ними. В программке заявлено, что это «сценические этюды на пути к спектаклю», что объясняет далее присутствие на сцене героя, именуемого «Человеком в пенсне». Он сидит за конторкой в правом углу сцены, пишет что-то, затем читает вслух, рассказывает кто и что происходит на сцене. У него едва ли не самая трудная роль: сидеть, молчать, внимательно следить за игрой актеров, время от времени вставляя краткие реплики.

Последний акт спектакля получился самым красивым: желтые кленовые листья шуршат под тихими шагами сестер; звучит нежный разговор Ирины с Тузенбахом. После просьбы барона «рассказать ему что-нибудь» Ирина беспомощно переглядывается с Человеком в пенсне, тот пожимает плечами, и она произносит: «Не знаю, что сказать».

Петр Фоменко не проводит никаких аллюзий. В этом спектакле нет решительно ничего радикального. Но здесь нигде, ни в чем не прерван диалог между людьми. Здесь люди все еще не разобщены. И зритель с легкостью отдается завораживающей магии фантазии мечты о Москве, этой «тоске по лучшей жизни».

Чайки

Андрон Кончаловский в «Театре им. Моссовета» поставил на сцене бассейн с настоящей водой. В глубине сцены расположилась зеленая роща, обрамляющая невидимое из партера колдовское озеро (что оно там есть, публике сразу дали понять, запустив плескаться в нем голого юношу), а на его берегах – одетые во все светлое дамы и господа, ожидающие начала представления. Режиссер будто решил дать бой хрестоматийной скуке и настроить зрителя на комедию. Чайку убивают, и никому ее не жалко: ни персонажам, ни зрителям, ни режиссеру.

В спектакле «Театра им. Моссовета» дух стилизиванного ретро преобладал, то есть визуальная часть доминировала: костюмы в кричащей ретростилистике, скромный, но столь же стилизованный интерьер (то есть его продуманное обозначение отдельными вещами). Зритель увидел этакий альбом старинных фотографий, который предстояло рассматривать на протяжении всего действия. Кстати, действие рассмотрению не мешало, а лишь способствовало. Чеховские идеи превращались в живые картины или немые фотоснимки. Между третьим и четвертым действием на экране демонстрировались слайды, фотографии конца XIX – начала XX веков.

Текст пьесы, сохраненный, звучал без купюр и даже порой с вниманием к чеховским ремаркам. *Чайка*, как известно, крепкий орешек. Право, порой кажется, что Антон Павлович нарочно задал театру почти неразрешимую задачу. Он уже сто с лишним лет посматривает сверху на усилия постановщиков и актеров: «Предупреждал я вас в письме Суворину, что я совсем не драматург.»

В «Школе современной пьесы» было три *Чайки*. За классической, за постановкой Акунина последовало оперетта А. Журбина *Чайка*, поставленная Иосифом Райхельгаузом – с канканом и Заречной с чулком на голове. Герои чеховских произведений сегодня на московской сцене давно уже поют и пляшут, и зачастую ведут себя как отпетые авангардисты. Хотя речь не о самой попытке сыграть великую пьесу в водевильном ключе, ибо сама идея вполне допустима и даже симпатична. Речь о средствах воплощения. Хотя дуэт Нины Заречной и Тригорина про «Облако, похожее на рояль» (один из наиболее удачных в спектакле) звучит едва ли не гимном таланту и творческому воображению. В пьесе Чехова, если вдуматься, можно отыскать множество примет опереточного жанра: тут тебе и бутафорское озеро, и романтическая луна, и семь пудов любви с безнадежно перепутывающимися парами.

В целом спектакль можно трактовать, как апокалипсис, причем фантасмагорический. В течение двух с половиной часов в центре беседки (она же площадка для сольных монологов «преступников») лежит труп Треплева, покрытый простыней, над которым рыдает мать, одним глазом подсматривающая, какое впечатление это производит на окружающих.

Перед режиссером стояла сложная задача, когда герои вели себя напыщенно и глупо (не подозревая об этом), а зрители над ними потешались, забыв о сострадании к погибшему Треплеву. Иными словами, публика из присяжных заседателей условного суда превращалась бы в соучастников жестокого шоу-расследования. Провокация шла на всех уровнях, и положительных героев не было нигде: ни в зале, ни на сцене.

Итак, спектакль. Есть живой оркестрик, он сидит в глубине сцены на высоком балконе. Есть крошечный, из шести человек, хор и он же кордебалет, который в виде усадебных работников распевает: «Готово все к явлению мировой души» и проч. Есть яркие рисованные задники: то пейсажи с «колдовским озером», то интерьеры (одна из шуток: Тригорин демонстративно «опирается» на нарисованный стул, висящий где-то в перспективе). Нарядные костюмы, сначала у всех в желтых тонах, потом в зеленых, а в конце в черных, дамы все в фестончиках и декольте, мужчины в блестках. Текст Чехова то звучит со сцены в своем первозданном виде, то его хрестоматийные строчки становятся частью задорных куплетов либреттиста. Сюжет скорректирован с нуждами жанра. Треплев в финале не стреляется, а выходит на сцену с шампанским, намекая на возможный хеппи-энд.

Конечно, атмосфера всеобщего восхищения не могла разрядиться самоубийством главного героя. В финале выстрел раздается, и даже не один. Персонажи перечисляют версии: лопнула склянка в сумке у доктора, форточка захлопнулась или дверь. А оказалось – пробка вылетела из бутылки шампанского. Но главное, что стало в этом спектакле предметом добродушной рефлексии, это даже не сюжет, а бесконечные рассуждения чеховских героев о театре.

Скрипка Ротшильда

Спектаклем по чеховскому рассказу Кама Гинкас в столичном «Театре юного зрителя (ТЮЗе)», завершил трилогию *Жизнь прекрасна. По Чехову* (были *Черный монах* и *Дама с собачкой*). Вся сцена заставлена гробами, и для жизни в спектакле оставлено лишь узкое пространство между частоколом деревянных ящиков и рампой. Гробы, крутом гробы. На заднем плане стоит большое дерево, которое тоже, кажется, принимает очертания гроба: ствол кое-где уже обструган, правильной формы.

Маленький рассказ *Скрипка Ротшильда* превращается у К. Гинкаса в трехчасовой спектакль, он поставлен как пьеса с комментариями. Актеры комментируют свои действия, выхватывая друг у друга слова, – один начинает предложение, другой завершает. Актеры легко переходят от искреннего переживания историй своих героев к авторским комментариям. Это совпадает с той двойственной жизнью, которой «живут» предметы в этом спектакле.

Энергия больших и малых противоречий движет спектаклем. Яков читает Псалтырь из журнала, куда записывал до этого приходы и расходы, плату за гробы: «Упокой душу рабы твоей». А в журнале стоит – «два рубля, сорок копеек убытка, три рубля получено». Таков вот синтез «двух рублей» и Псалтыря, показывающий, что творится в душе гробовщика. Или на сцене лежит лодка. Среди гробов. Лодка, которую Гинкас вновь нагружает двумя противоположными смыслами. Плыть больше некуда? А может быть, надежда все же есть – на чем плыть?

Текстовая ткань спектакля от сильного растяжения лопается, образуя прорехи, заполняемые режиссерской фантазией. Особые взаимоотношения Чехова со временем, то сжатым в пружину, то тягуче растянутым в бесконечность нашли свое воплощение в постановке. У Гинкаса гробовщик Яков Бронза живет в окружении домовин, и черта остановившего времени, кажется, уже пройдена задолго до физической смерти. Напротив, именно последняя бросает луч обретенного смысла на все прошедшее.

Поскольку слов у Чехова в рассказе немного, Гинкас вслушивается в каждое, простукивает его, как доктор или как музыкант, или настройщик, пробуя его «на звук», трогая с осторожностью и затем, приближаясь ухом: слышит в одном голос Ротшильда, в другом, который прямее и грубее, – Якова, в третьем, едва различимом, – голос Марфы, одинаково тихий, не мешающий никому и при жизни, и после смерти. Случается, в коротком предложении он не без удивления обнаруживает интонации сразу трех героев. И делит поровну, как услышал. Гинкас ищет и находит ударные слова, паузами меж словами извлекает новые, забавные смыслы и созвучия. Не забывая напомнить внезапною шуткой, что жизнь груба. В ней прозы много. И смерть – не более чем забота о правильно и добротно слаженном гробе.

Кама Гинкас поставил ясный спектакль о самом страшном – о жизни, из которой сам человек вычеркнул смех, радость, нежность, закаты, старую вербу на берегу реки и саму реку с ее берегами и барками. Поставил историю человека, который на пороге смерти понял, как нелепо и страшно он жил. Даже смерть лучше такой жизни. Поздно что-либо уже исправить, если только завещать драгоценную скрипку тому самому Ротшильду. Хоть останется на белом свете душа, которая помянет добрым словом покойного гробовщика Якова.

Итак, московские театры завершили юбилейный год. Но разве возможно поставить в вину режиссерам и постановщикам их видение чеховских пьес? Сам Чехов отдавал себе отчет в том, что жанры, в которых он работает в драматургии, необычные, нетрадиционные, хотя он и не собирался взрывать сценические нормы театра. Он творил талантом, дарованным ему природой. Тайна этого таланта так и останется загадкой.

Małgorzata Semczuk

О новых интерпретациях произведений Чехова на польских сценах (1989–2000)

1989 год – начало перемен во всей Средневосточной Европе. Отметить надо факт, что все то, что началось в политической сфере нашло свое отражение в культуре и искусстве. Страны Средневосточной Европы, которые после окончания Второй Мировой Войны в большей или меньшей степени оказались в зависимом от СССР положении в разных областях своей общественно политической жизни, когда стали свободными, наслаждаясь независимостью, стали открыто проявлять фобии по отношению ко всему, что ассоциировалось с Советской империей. К сожалению, как это всегда бывает при случае революций (даже этих бескровавых) появляются и жертвы. В этом случае сильно пострадала русская культура.

То же самое случилось в Польше. После 1989 г. в нашем кино и на телевидении перестали показывать русские фильмы, из издательских планов были вычеркнуты русские литературные произведения (кроме критических по отношению к прошлому и произведений «самиздата»), в художественных галереях не упоминалось об экспонатах из России. Такое положение сохранялось приблизительно до половины 90-х гг. Прошлого века. После 1995 г. это положение хотя медленно, но становилось нормальным и сегодня, к счастью, эти бывшие «фобии» замечаются редко – особенно у молодого поколения.

В Польше единственной отраслью искусства, которая не подверглась общей «русофобии» был театр, некоронованным королем которого уже многие годы является А.П. Чехов. В 1989–2000 гг. на польских сценах было поставлено свыше 35 спектаклей, основанных на рассказах и одноактных пьесах этого выдающегося автора, а также 41 спектакль по его драмам – всего свыше 76 сценических постановок (почти 7 в год). Для сравнения – произведения Гоголя в это время появлялись на польских сценах всего 50 раз...

Ответ на вопрос, в чем заключается причина такого увлечения поляками Чеховым, далеко не прост. Ибо театр создают режиссеры, актеры, театральные художники и публика, которая, как видим, все время находит в творчестве этого драматурга и писателя что-то новое и важное для себя, так как мир Чехова заключается в настроениях, эмоциях и диалогах между героями. Он рассказывает о людях, которые расходятся в эмоциях и намерениях и одновременно, несмотря на жизненный опыт, живут реальной жизнью и вопреки всему, надеятся на лучшее будущее. А их жизненный опыт бывает скорбный, ибо чеховские герои живут в мире перелома, распада, прощания с постоянными и признанными ценностями и одновременно в ожидании нового еще до конца не известно какого. Однако они верят, что это новое будет положительным.

Именно такую интерпретацию чеховских произведений предлагает в последнее время польский театр, уходя от подчеркиваемой раньше ауры безнадежности и грусти.

Великолепным примером является варшавская постановка драмы *Три сестры* (1998, Театр Повшехны) Агнешки Глинской, одного из наиболее интересных польских режиссеров среднего поколения. В интерпретации Глинской сестры Прозоровы далеки от мученичества и трагизма, их мир весел, невозмутим (ведь это молодые женщины), хотя не лишен забот и огорчений. В спектакле главным персонажем является самая младшая Ирина, которая все время по девичьи смеется и щебечет, а в общении со старшими ведет себя как ребенок. Ее старшие сестры Маша и Ольга тоже не разочаровавшиеся – это красивые, ухаживающие за собой женщины, которые не потеряли надежды на улучшение судьбы. А классическое «В Москву!» произносят хором с улыбкой все домочадцы и гости. Эта инсценировка получила всеобщее одобрение польского зрителя, особенно молодежи, которая вероятно нашла в ней свои надежды на улучшение судьбы и мечту о лучшем будущем.

Особый интерес, хотя по другому поводу, вызвала постановка *Вишневого сада* в варшавском театре Народовы (2000). Режиссер Мацей Прус.[1] На русской премьере *Вишневого сада* зрители плакали: история разорившейся помещицы, которая вынуждена расстаться со своим вишневым садом, казалась им очень грустной. А ведь сам Чехов утверждал, что *Вишневый сад* – это комедия, и упрекал Станиславского в том, что он так «слезливо тянет» его пьесу. Сегодня вместо определения «комедия» следовало бы сказать «ностальгическая повесть о бренности времени». Именно так и представил пьесу Прус. О том, что зрители поняли и одобрили его замысел, свидетельствует приведенный в одной из рецензии рассказ:

> Во время антракта я спустился в буфет и услышал там рассказ молодой девушки, которая в *Вишневом саде* увидела свою жизнь. Многие годы ее семья медлила с продажей дома в одном из городов на востоке, хотя стены находились в ужасном состоянии, а содержание дома стоило очень дорого. Они не хотят его продать, так как с этими стенами связяно все их прошлое. Мало того – продолжала рассказывать девушка – около дома есть сад, но абрикосовый. Он приносит плоды каждые два года, и из них мама осенью делает компот. Когда открываешь такой компот, абрикосы как солнышко в середине зимы, закончила девушка. И что тут прибавить?[2]

Перемена эпох – именно на примере *Вишневого сада* – показана тоже во вроцлавской постановке этой пьесы (театр Вспулчесны, 1996). Режиссер грузин Андро Энукидзе. Сад был продан, всем отлегло от сердца и они собираются уехать в «новую жизнь»; еще только, как велит традиция, надо минутку посидеть, повспоминать, но не плача и не расстраиваясь. В душе полушутливом, полунасмешливом. Минута задумчивости перед отправлением в новую жизнь – это момент надежды: мы закончили один раздел нашей жизни и одновременно открываем новый, веря, что он будет не хуже того, который уже за нами. При такой интерпретации игра актеров (во главе с выдающейся актрисой Гражиной Барщевской в роли Раневской) не может быть однозначна, так как они одарены двойной натурой: отчасти смешны и забавны, отчасти полны ностальгии, радости и грусти. Они играют так, как ведут себя люди в переломных моментах своей жизни – они непредвидены. Ничего удивительного, что это представление в Польше в середине 90-ых гг. прошлого столетия было воспринято с полным энтузиазмом. Оно «попало в свое время».

Современный польский театр даже в *Дяде Ване* замечает нотку оптимизма, что показал лодзинский театр имени Ярача (2000). В спектакле, поставленном Яцеком Орловским, главный герой это не преисполненный горечи пятидесятилетний мужчина, но человек после сорока, полный динамизма. Он не жалуется на свою судьбу, не чувствует разочарования, хотя утверждает, что могло бы быть лучше. Но это не является для него причиной фрустрации, а началом рассуждений, что с этим делать? Даже в конце пьесы он не проигрывает и все время верит, что в его жизнии что-то изменится. Подобно ведут себя и другие герои этого спектакля. Каждый из них сохраняет надежду и банальными, повседневными занятиями, отрывистыми разговорами заполняет время ожидания счастья. В сущности же для всех важна только надежда на отмену судьбы.

---

[1] Этот режиссер уже третий раз принялся именно за эту пьесу Чехова (раньше – в 1972 г. в Театре Телевидения и в 1976 г. в варшавском театре Вспулчесны).

[2] Roman Pawłowski: „Wiśniowy sad“ w reżyserii Macieja Prusa w Warszawie. B: Gazeta Wyborcza, 14.9.2000.

Интерпретационных экспериментов не избежало и раннее произведение Чехова *Платонов*, которого автор никогда не увидел на сцене. После критики Марии Ермоловой, экземпляр был спрятан глубоко в ящик: нашли его спустя 20 лет после смерти писателя. Премьера же спектакля состоялясь заграницей. В Москве *Платонова* увидели только в 1960 г.[3]

Внимания заслуживают два, а на самом деле три спектакля.

В 1996 г. Кристиан Лупа, один из талантливых режиссеров среднего поколения, поставил *Платонова* как дипломный спектакль Краковского театрального училища, в форме контрапунктного диалога. Первая версия, названная режиссером «вишневая», сосредоточенная вокруг романа Платонова с генеральшей Войницев, была вариантом комическим. Версия вторая – «оливковая»[4]; ее действие сосредоточено на флирте Платонова с Соней. Она является также драмой провинциального общества. Однако, ни один из героев этой инсценировки не является лицом трагическим, мало того, по мере развития действия начинания героев становятся все более смешными. «Это наиболее смешной *Платонов*, какого мне приходилось видеть в театре» – писал один из критиков.[5] Мои пьесы – это комедии, подчеркивал всегда Чехов...

Второй спектакль, а в сущности второй и третий, были поставлены Ежим Яроцким. В 1993 г. во вроцлавском театре Польски он представил авторскую версию *Платонова*, устраняя почти целиком 3-е действие пьесы – что лишило главного героя комизма. Но спустя два с половиной года (1996) на той же сцене он померился с «упущенным действием».[6] В этом спектакле, рассказывая историю Платонова, режиссер наглядно показал зрителям, почему произведения Чехова считаются комедиями. Он многократно сопоставлял высказывания отдельных персонажей, добывая записанные в ремарках комические ситуации, усиливая высказывания при помощи сценических приемов, вызывая смех в казалось бы несмешных моментах. Один из критиков писал, что благодаря тому «он создал квинтэссенцию чеховского стиля»[7], ибо спектакль просто заставлял смеяться (появляется даже костяк в шкафу). И это был отнюдь не смех сквозь слезы, но смех очищающий, регенерирующий, содержащий особого рода автоиронии и дистанции к самому себе.

Чеховский комизм был извлечен тоже в краковской постановке в театре «Сту» Збигневом Запасевичем (1994).[8] Режиссер соединил в одно целое три драматические миниатюры: *Предложение, Медьведь, Юбилей* и отрывки *Лебединой песни* и *Разговоров о театре.* Спектакль был выдержан в конвенции фарса, водевиля: актеры произносили и интерпретировали свою речь, вполне сознательно сгущая краски, доходя даже до пародии (грим четко бросался в глаза и был настолько искусственный, что походил на цирковой, слой белой пудры на лицах, большие парики, приклеенные носы почти как у клоунов). К тому же и претенциозная, полная экспрессии жестикуляция. Вряд ли это была насмешка над Чеховым? Нет, ключ к этой интерпретации в созданном на основе *Разговоров о театре* персонаже старика, стоящего над гробом Старого Актера. Рассуждая о состоянии современного театра, о судьбе актера, пользуясь подлинным текстом Чехова, режиссер подчеркивал значение и указывал на роль зрителя в театре. Постановщики, драматурги и актеры обычно пытаются подражать реальным персонажам и ситуациям, а ведь зрителям все это уже надоело. Зритель посещает театр не с целью

[3] В Польше – в 1962 г.; варшавский театр Драматычны; режиссер Адам Ханушкевич; в главной роли Густав Холоубек.

[4] Заглавия происходят от колористики оформления.

[5] Piotr Gruszczyński: A miłości byś nie miał. В: Tygodnik Powszechny, 28.7.1996.

[6] Именно такое заглавие представления.

[7] Maryla Zielińska: Co za okolica. В: Teatr, 7.8.1996.

[8] Этот спектакль был записан год спустя для Театра Телевидения.

увидеть самого себя, но для того, чтобы узнать кое-что о себе. Посмотреть в зеркало, хотя бы и кривое, причем: чем оно кривее, тем лучше. Именно поэтому Запасевич отказался от реализма в пользу визита в салоне зеркал веселого городка: давайте посмотреть на себя по-другому – с автоиронической дистанцией. Разве не именно это внушал Чехов в своих письмах, комментариях, авторских высказываниях?

Чехов, о чем уже упоминалось, никогда не считал своих пьес драмами. Он был убежден, что пишет комедии и никогда не примирился с восприятием своих произведений как особого рода психоаналитические сеансы. И так, современный польский театр, который в толковании произведений русского классика сосредоточился на том, что смысла жизни надо искать прежде всего в самом себе, в повседневных поступках, отходит ли на самом деле от авторского замысла? Ведь сам автор говорил, что описывает жизнь, обыкновенную, повседневную жизнь, не глубокое горе. А в жизни всегда есть место для надежды и для того, что будет лучше.

Но чтобы было лучше, надо критически посмотреть на самого себя, увидеть комическое, увидеть искусственность и комизм собственного поведения. Это и есть то второе, чего у Чехова сегодня ищет польский театр, и как показывают приведенные выше примеры – театр это находит. Без изменения текста, без искусственных надинтерпретаций.

Возможно, и Чехов был бы доволен именно таким пониманием его текста?

Литература

Gruszczyński, Piotr: A miłości byś nie miał. B: Tygodnik Powszechny, 28.7.1996.
Pawłowski, Roman: „Wiśniowy sad“ w reżyserii Macieja Prusa w Warszawie. B: Gazeta Wyborcza, 14.9.2000.
Zielińska, Maryla: Co za okolica. B: Teatr, 7.8.1996.

Wojciech Dudzik

Anton Čechovs Dialog mit dem gegenwärtigen Theater – am Beispiel der Inszenierung der *Möwe* von Krystian Lupa in Warschau (2004)[1]

Am 1. März 1901 schrieb Čechov an seine künftige Frau Ol'ga Knipper: „Ich persönlich verabschiede mich vom Theater für immer, nie mehr werde ich fürs Theater schreiben" (Я лично совсем бросаю театр, никогда больше для театра писать не буду; P. 9, 211). Nicht zum ersten Mal kündigte Anton Pavlovič eine derartige Trennung an, doch auch dieses Mal verwirklichte er seine Absicht nicht; bekanntlich schrieb er zwei Jahre später noch den *Kirschgarten* und ließ das Stück danach im Moskauer Künstlertheater inszenieren (das war übrigens – obwohl der Autor mit ihr alles andere als zufrieden war[2] – die erfolgreichste Čechov-Inszenierung an diesem Theater: bis 1938 wurde sie 757 Mal gezeigt).

Das Theater verabschiedete sich von Anton Čechov ebenfalls nicht, und zwar für die Dauer des ganzen letzten Jahrhunderts nicht. Im Gegenteil: Nach Shakespeare gehört der russische Dramatiker wohl zu den meistgespielten Klassikern auf den heutigen Bühnen. Auch das moderne Theater führt einen ständigen Dialog mit ihm. Jedes Jahr finden in der ganzen Welt zahlreiche Čechov-Premieren statt; immer noch träumen viele Schauspielerinnen von den Rollen Sonjas, Ninas oder Mašas (Frauengestalten sind bei Čechov interessanter als Männergestalten); fast jedes Jahr in fast jedem Land versuchen Theaterregisseure *Die Möwe* oder *Onkel Vanja*, die *Drei Schwestern* oder den *Kirschgarten* neu zu interpretieren, wobei diese Versuche Čechov nicht immer zum Vorteil gereichen. Überall gibt es Regisseure, von denen man in Polen ironisch sagt: „Der Regisseur hatte eine Idee." Manchmal allerdings gelingt es den Regisseuren, in den Texten, die ohnehin voller Hintergründe sind, doch noch ganz neue Nuancen zu entdecken und ganz neue Bilder auf die Bühne zu zaubern. Ich denke hier beispielsweise an zwei sehr gute Inszenierungen des polnischen Bühnenkünstlers Jerzy Grzegorzewski: *10 Porträts mit einer Möwe im Hintergrund*, so der Titel der Aufführung im Stary-Theater in Krakau (Premiere: 22.11.1979) und zehn Jahre später im Studio-Theater in Warschau (Premiere: 24.2.1990), sowie *Onkel Vanja* im Studio-Theater in Warschau (Premiere: 20.3.1993) – obwohl beide Aufführungen dem Autor nicht „treu" blieben.

Exkurs

An dieser Stelle möchte ich mir eine kleine Abschweifung erlauben, eine Art kurzer persönlicher Erklärung abgeben. Ich bin Theaterwissenschaftler, und weiß natürlich, dass unter einem Bühnenwerk seit vielen Jahrzehnten ein autonomes Kunstwerk zu verstehen ist. Manche Philologen bzw. Literaturwissenschaftler sind allerdings heute noch nicht bereit, sich diese Ansicht zu eigen zu machen: sie behandeln Dramen als literarische Werke (statt als Theaterwerke) und untersuchen sie – gleichsam als Untersuchungsrichter – unter dem Aspekt, inwieweit der Regisseur dem Autor „treu" geblieben ist. Sie lassen außer Acht, dass die Bühne zu einer Gedenkstätte vorkommen würde bzw. zu einem Museum, wenn der Regisseur einem klassischen Dramatiker heute faktisch „treu" bliebe. Jede moderne Inszenierung der Klassik bedeutet eine Interpretation oder eine Art Übersetzung des Stücks in die moderne Theaterspra-

---

[1] Der mündliche Stil dieses Vortrags wurde in der gedruckten Fassung beibehalten.

[2] „Stanislavskij hat mein Stück ruiniert."; zit. nach: Manfred Brauneck: Die Welt als Bühne. Bd. 3. Stuttgart, Weimar 1999, S. 914.

che, die sich aber inzwischen auch sehr verändert hat. Anders sind nicht nur die Ausdrucksmittel geworden, sondern auch der heutige Zuschauer. Er ist nicht mehr der Zuschauer von vor 100 Jahren. Er blickt auf ganz andere Lebenserfahrungen zurück, seine Empfindung funktioniert anders, anders sind seine ästhetischen Erfahrungen und sein Geschmack. Man könnte einem Autor, der sein Stück vor 100 Jahren geschrieben hat, treu bleiben, wenn man auch das damalige Publikum rekonstruieren könnte. Doch dies ist genauso unmöglich, wie es nicht möglich ist, alle Absichten und Gedanken eines früheren Theaterautors darzustellen. Dazu möchte ich nur eine Äußerung des alten (schon über 80-jährigen) Vladimir Nemirovič-Dančenko in Erinnerung rufen, der während einer Probe die Schauspieler davor warnte, Čechov im „üblichen Stil" aufzuführen, der „heute Tradition und morgen Routine heißt". Und er fuhr fort: „Man muss diese ganze Kruste zerstören, um bis zum frischen Čechov vorzudringen."[3] „Frisch" bedeutet hier: für den heutigen Zuschauer bestimmt. Wir sollten also im Theater nicht von der Treue zum Autor sprechen, sondern vom Sinn der gesamten Inszenierung.

In der erwähnten Warschauer Inszenierung von *Onkel Vanja* aus dem Jahre 1993 strich der Regisseur z.B. mehr als die Hälfte des Textes und stellte darüber hinaus einige Fragmente und Dialoge um. Als Zuschauer hatte ich jedoch nicht das Gefühl, dass etwas fehle. Vielleicht deshalb, weil alle Pausen geblieben waren. Das ist kein Scherz, sondern ein Paradox. Die Präparierung des Textes (oder anders: die Dekonstruktion des Textes) erlaubte, das Hauptproblem des *Onkel Vanja* hervorzuheben, das hier (wie in fast allen Stücken Čechovs) darin besteht, dass es den Menschen nicht möglich ist, miteinander zu kommunizieren. Und aus dieser Inszenierung noch ein zweites Beispiel für eine gelungene Übersetzung des Dramas in die moderne Theatersprache: Der Regisseur verjüngte die Hauptpersonen, Vojnickij und Astrov, und besetzte diese Rollen mit Schauspielern, die im damaligen Polen von der Jugend als Idole betrachtet wurden. Auf diese Weise mutierte die Čechovsche Dekadenz, die historische Dekadenz der russischen Provinz in den letzten Jahren des 19. Jahrhunderts, zur Dekadenz am Ende des 20. Jahrhunderts, zur Dekadenz der infantilen Kultur mit ihrem falschen Kult der Jugend. Ein polnischer Theaterkritiker, Jerzy Koenig, schrieb mit Recht nach der Premiere: „Jerzy Grzegorzewski illustriert in seinem *Onkel Vanja* keine Dialoge Čechovs. Er theatralisiert die Welt der Čechovschen Ereignisse."[4] Ein anderer Kritiker, diesmal ein Literaturkritiker, verließ die Aufführung während der Pause mit den Worten: „Das ist kein Čechov mehr."[5] Ich bekenne mich zur Ansicht des zuerst zitierten Theaterkritikers und möchte hinzufügen: Grzegorzewski tritt mit seiner Inszenierung in einen seriösen Dialog mit Čechov ein. Und das ist allemal interessanter als eine Čechov-Gedenkstätte zu pflegen.

Ich kehre nun zu meinem Thema zurück. Im Dialog mit Čechov bleiben häufig auch die gegenwärtigen Theaterautoren. Sie spielen in ihren Stücken oft auf Worte, Sätze, Sujets von Čechov an. In den 90er Jahren entstanden in Polen sogar zwei Stücke, die ganz aus dem Geiste Čechovs geboren wurden. Beide stammen von erfahrenen und bekannten Dramatikern. Im Jahre 1993 schrieb Sławomir Mrożek *Liebe auf der Krim. Eine tragische Komödie in 3 Akten* (*Mylość na Krymie*; deutsche Erstaufführung: Renaissance-Theater Berlin 1997) und 1999 verfasste Janusz Głowacki *Die vierte Schwester* (*Czwarta siostra*; deutsche Erstaufführung: Staatstheater Mainz 2002). Mrożek wollte und wagte es, eine ironische Synthese der russischen Geschichte im 20. Jahrhundert zu schreiben. „*Liebe auf der Krim* ist ein Blick zurück in melancholischem Zorn – auf hundert Jahre verlorene Illusionen, auf die Absurditäten der Geschichte. Mrożek zieht Bilanz und erzählt sie als einen welthistorischen Sommernachtstraum" – konnte man in den Materialien zur deutschen Premiere am Renaissance-Theater

[3] Zit. nach der polnischen Ausgabe: Włodzimierz Niemirowicz-Danczenko: O teatrze. Warszawa 1957, S. 15.
[4] Jerzy Koenig: Postscriptum. In: Dialog 1993, Nr. 8, S. 78.
[5] Vgl. Leszek Kolankiewicz: Jak w roztrzaskanym zwierciadle. In: Wielki mały wóz. Gdańsk 2001, S. 64.

lesen.[6] Das stimmt, und es verwundert auch nicht, dass Mrożek dazu ausgerechnet auf Čechov zurückgriff. Im 1. Akt der *Liebe auf der Krim*, bei der wir es mit einer kleinen Čechovschen Vierecksgeschichte zwischen dem Poeten Ivan Zachedrynskij, der idealistischen Lehrerin Tat'jana Borodin, dem zaristischen Offizier Sejkin und der jungen Schauspielerin Lily zu tun haben – fallen am Ende die Worte: „Wir alle warten auf etwas..." und „Vielleicht wird etwas geschehen..." – also genau wie bei Čechov oder... Beckett. Diesmal handelt es sich jedoch nicht um Godot (obwohl nicht selten mit Recht von Parallelen zwischen Čechov und dem Autor von *Warten auf Godot* die Rede war), sondern um eine andere, ganz konkrete Person, die auch sogleich auf der Bühne erscheint: um Lenin. Und dann geschieht tatsächlich etwas: die Oktoberrevolution. Der 2. Akt des Stücks findet bereits nach der Revolution statt. Auf diese Weise konkretisiert Mrożek das, was Čechov ahnte. Jedes Mal. wenn wir die Welt Čechovs auf der Bühne beobachten (ganz gleich, welches Drama), sind wir überzeugt, dass danach noch etwas geschehen muss. Gerade diese „Danach-Geschichte" erzählt Mrożek – im 2. und 3. Akt seiner *Liebe auf der Krim*. Leider nicht so geschickt und interessant wie die Vorgeschichte... Das ist jedoch ein anderes Problem, das hier nicht näher erörtert werden soll. Mir ging es lediglich darum, ein Beispiel für einen seriösen Dialog eines modernen Dramatikers mit Čechov anzuführen.

Worum es mir im Weiteren geht, ist nicht der Dialog des gegenwärtigen Theaters mit Čechov – der immer noch intensiv und eigentlich selbstverständlich ist –, sondern umgekehrt: der Dialog Čechovs mit dem gegenwärtigen Theater. Wie das überhaupt möglich ist, zeigte die Insznierung Krystian Lupas am Dramatischen Theater in Warschau (Premiere: 1.10.2004).

Lupa (Jahrgang 1943) gehört schon seit vielen Jahren zu den großen Meistern des polnischen Theaters. Er interessiert sich vor allem für Ethik und für die psychischen Probleme des Menschen während der großen Kulturwandlungen. Er komponiert auf der Bühne eine autonome Wirklichkeit, in der empfindsame und – oft infolge eines Schuldgefühls – bis zur Wahnsinnsgrenze gequälte Menschen leben. Das Ziel der Aufführung besteht in der Annäherung der inneren Welten der handelnden Personen und in der Analyse der „verfluchten menschlichen Fragen". Der Regisseur fordert den Schauspielern volle Ergebenheit, Bereitwilligkeit und nicht alltäglichen Fleiß ab, die – nicht zuletzt dank der viele Monate andauernden Proben – eine auch auf polnischen Bühnen selten anzutreffende innere Wahrheit und Expression erzielen. Häufig beschäftigt sich Lupa auch mit großen Prosawerken, die er theatralisch – meist als lange, mehrstündige Aufführungen – adaptiert: *Die Schwärmer* nach Musil (1988), *Die Brüder Karamazov* nach Dostoevskij (1990, WA: 1999), *Das Kalkwerk* nach Bernhard (1992), *Die Schlafwandler* nach Broch (1995-98), *Meister und Margarita* nach Bulgakov (2002). Im Jahre 2004 realisierte Lupa in Griechenland während der Olympischen Spiele *Zarathustra* nach Nietzsche. Seine Inszenierungen – natürlich auch die „normalen" Theaterstücke (d.h. keine Prosabearbeitungen), wie z.B. Čechovs *Platonov* (1996), oder zeitgenössische Dramen, wie *Kunst* von Yasmina Reza (1997) und *Die Präsidentinnen* von Werner Schwab (1999) – wecken immer großes Interesse und große Erwartungen und lösen lebhafte Diskussionen aus. Aus diesen Gründen verhalten sich Kritiker wie Zuschauer Lupas Arbeiten gegenüber selten gleichgültig. Das war auch der Fall, als Lupa 2004 im Teatr Dramatyczny in Warschau mit den Proben zur *Möwe* begann.

Bald erwies es sich, dass Čechovs Werk dieses Mal für einen ganzen Theaterabend nicht ausreichte. Der Regisseur gelangte nämlich zu der Überzeugung, dass *Die Möwe* eine Fortsetzung erfordert. Er vertrat die Meinung, dass das Hauptproblem im Stück nicht ausführlich genug genutzt und dargestellt werde. Als das Hauptproblem sah der Regisseur das Wesen der Theater- und Schauspielkunst an, und nicht etwa Familienbeziehungen, unglückliche Liebe bzw. Literaturfragen. Aus diesem Grunde veränderte Lupa den Titel seiner Aufführung zu

---

[6] Zit. nach der Internet-Seite <www.renaissance-theater.de/rtberlin/archiv/ren_krim.htm>.

Unvollendetes Stück für einen Schauspieler[7] und begann nach einem Partner für Čechov zu suchen – um die vor allem im 1. Akt der *Möwe* begonnene Diskussion über die Theaterkunst fortzusetzen. Oder anders gesagt: Lupa begann zu überlegen, wie der Dialog Čechovs mit dem gegenwärtigen Theater aussehen könnte und wie er, der heutige Regisseur, dabei als Vermittler auftreten sollte? Wie können die von Čechov aufgeworfenen Fragen umfassend beantwortet werden? Wie können diese Fragen erweitert und vertieft werden? Wie lässt sich feststellen, ob irgendwelche Antworten überhaupt möglich sind.

Eine Partnerin für den russischen Klassiker fand der polnische Regisseur in der französischen Autorin Yasmina Reza.[8] Ihr letztes Stück *Une pièce espagnole*[9] sollte den Theaterabend im Teatr Dramatyczny ergänzen. „Ich möchte", – schrieb Krystian Lupa in seinem Tagebuch –, „dass beide Stücke [*Die Möwe* und *Une pièce espagnole* – W.D.] wie siamesische Zwillinge miteinander zusammenwachsen oder wie zwei Briefmarken aus einer und derselben Reihe aussehen." Beide beschäftigen sich mit demselben Problem: der Wahrheit im Theater; in beiden sind Schauspielerinnen als Hauptpersonen zu sehen, in beiden spielt man Theater (Theater im Theater). Reza zeigt in *Une pièce espagnole* Schauspieler privat und Schauspieler in ihren Rollen. Die Zuschauer haben die seltene Gelegenheit, Zeugen zu werden, wie ein Schauspieler in eine Rolle „hineingeht" und wieder aus ihr „herausgeht". Alles geschieht sogar auf drei Ebenen: Schauspieler spielen Schauspieler, die Schauspieler spielen. Um Missverständnisse zu vermeiden, muss ich das näher erklären. Auf der Bühne proben fünf Schauspieler das spanische Titelstück und stellen fünf Personen dar: Pilar hat auf ihre alten Tage einen Verehrer gefunden, den Witwer Fernan, und will ihn ihren Töchtern Aurelia und Nuria – mit denen sie jedoch in einem gespannten Verhältnis steht – vorstellen. Beide Töchter sind Schauspielerinnen. Aurelia lernt gerade den Text – und damit sind wir auf der zweiten Ebene – eines bulgarischen Stücks, in dem eine Klavierlehrerin einem desinteressierten Herrn ein Mendelssohn-Präludium beizubringen sucht. Stichwortgeber ist ihr Mann, der Säufer Mariano. Von Zeit zu Zeit tritt einer der fünf an die Rampe – die dritte Ebene – und kommentiert „privat" die spanisch-bulgarischen Verwicklungen oder das Gewerbe des Schauspielers. Dank der unvollständigen Verwandlung eines Schauspielers in eine Theaterperson (Rolle), dank der Entdeckung bzw. Entblößung der schamhaften Seiten der Schauspielarbeit und des Lebens (die Kommunikation in der spanischen Familie ist schon fast völlig zerstört, viel mehr als in Čechovs Familienwelt), wird hier versucht, etwas Wesentliches über die Wahrheit im Theater und im Leben zu sagen.

In beiden Stücken, in der *Möwe* und in *Une pièce espagnole*, spielen dieselben Schauspieler. Sie bilden nicht nur Parallelen zwischen ähnlichen Personen, sondern auch Brücken zwischen den beiden Teilen des Theaterabends. Auf diese Weise vermittelt Maja Komorowska, übrigens eine der besten polnischen Schauspielerinnen, einen gewissen Dialog zwischen Arkadina – einer Mutter, die Probleme mit ihren Mutter- und Liebesgefühlen hat –, und Pilar – auch einer älteren Mutter, die ihre analogen Probleme genauso wenig lösen kann. Die Tatsache, dass beide Frauen Schauspielerinnen sind, vergrößert ihre Schwierigkeiten: Sie spielen nämlich nicht nur auf der Bühne, sondern auch im Leben. Und sonst können sie nicht mehr. Ein anderes Paar bilden Polina, in der *Möwe* eine hoffnungslos verliebte Frau, die ihr Leben schon verloren hat, und Aurelia, die in *Une pièce espagnole* eine Schauspielerin spielt, die für ihre Karriere und für ihre Ehe keine Zukunft mehr sieht. Sorin aus der *Möwe* hat sein *alter ego* in Fernan gefunden, einem langweiligen Hausverwalter, der sich selbst als Erben von

[7] Dieser Titel ist wohl eine Anspielung auf den Film von Nikita Michalkov *Unvollendetes Stück für ein mechanisches Klavier* (Neokončennaja p'esa dlja mechaničeskogo pianino) aus dem Jahre 1977, der sich mit der Čechov-Welt beschäftigt und dessen Hauptperson Michail Vasil'evič Platonov ist.

[8] Reza wurde in Paris in einer kosmopolitischen jüdischen Familie geboren. Ihr Vater war zur Hälfte Perser, zur Hälfte Russe, ihre Mutter Ungarin. Zu ihren meistgespielten Stücken gehören vor allem *Kunst* (1994) und *Trois versions de la vie* (2000).

[9] Uraufführung im Januar 2004 am Théâtre de la Madeleine in Paris, Regie: Luc Bondy.

Onkel Vanja bezeichnet. Čechovs Trigorin bildet eine Parallele zu Rezas Mariano. Beide haben ein ähnliches müdes Gesicht, beide haben schon viel hinter sich. Es ist sehr wichtig, dass alle diese Parallelen vom Regisseur der ganzen Inszenierung hergestellt werden. Reza hat ihr Stück nicht so geschrieben, sondern Krystian Lupa hat es so gelesen. Im spanischen Stück gibt es noch eine Person, die zweite Tochter von Pilar, Nuria. Sie ist eine erfolgreiche Schauspielerin, die sich gerade für eine Film-Gala schick macht, bei der ihr ein wichtiger Preis überreicht werden soll. Beiseite bekennt sie jedoch, dass sie schon immer in einem Stück von Čechov habe spielen wollen. Um eine entsprechende Person für Nuria in der *Möwe* zu haben, führt der Regisseur in Čechovs Welt eine zusätzliche Figur ein und nennt sie „Zugelaufene Person". Sie ist wahrscheinlich aus dem spanischen Stück zugelaufen, und jetzt schweift sie in dieser geträumten Čechovschen Welt umher.

Die Warschauer Inszenierung zeigt den Zuschauern deutlich, dass Čechovs Welt auch nur eine Theaterwelt ist. Im Drama wurde die Handlung des 1. und 2. Aktes im Park am See lokalisiert. Dort gibt es eine einfache Holzbühne, auf der Treplevs Aufführung stattfindet. Im Dramatischen Theater sehen wir im Hintergrund der Bühne auch einen See, einen sehr großen See, mit sehr viel Wasser darin (insgesamt 12 Tonnen). Das Bühnenbild soll jedoch keine von Čechov skizzierte Landschaft nachbilden. Im Theater ist freilich alles (oder fast alles) möglich – ich habe schon einmal eine sehr schöne Landschaft auf der Bühne gesehen, sogar mit echtem Rasen und mit im Garten frei laufenden Hunden (in der Inszenierung von Turgenevs *Ein Monat auf dem Lande* (Mesjac v derevne) in Warschau im Jahre 1974). Krystian Lupa wollte jedoch keine Imitation der Natur auf der Bühne präsentieren. Das wäre künstlich oder naturalistisch. Er wollte vielmehr, wie sein Kollege Jerzy Grzegorzewski im *Onkel Vanja* 10 Jahre zuvor, Čechovs Welt theatralisieren (nicht imitieren). Lupa stellte sich also ein altes, leeres, ein bisschen ruinöses Theater vor, in dem seit langer Zeit keine Aufführungen mehr stattfinden. Dieses Theater wurde vom See überflutet. Die Bühnenbretter haben sich teilweise aufgeworfen, es gibt keine Kulisse mehr. In einer solchen Theaterlandschaft und nicht in der Naturlandschaft wird das Stück Treplevs gespielt. Auf einer solchen Bühne, im Wasser stehend, rezitiert Nina Zarečnaja ihren großen Monolog, was eine Aufopferung des Schauspielers demonstriert. Der See gilt auch als Ort eines metaphorischen Reinigungsbades, das an die kathartische Funktion des Theaters erinnert. Zu Beginn der Aufführung (also in der Welt der *Möwe*) erscheint der Diener Jakov, um im See zu baden. Bei Čechov teilt Jakov nur seine Absicht mit und geht weg. Bei Lupa springt er nackt ins Wasser und schwimmt während der weiteren Vorbereitungen zur Treplevs Aufführung. Jakov taucht dann am Ende des spanischen Stücks von Yasmina Reza wieder auf und wiederholt sein Bad im See, der wieder auf der Bühne gezeigt wird. Ich sehe darin ein Zeichen des Glaubens des Regisseurs an die Macht des Theaters, an die Möglichkeit der Wahrheit. Nach einem mehrstündigen Gespräch über die Lügen des Theaters, nach einer Aufführung, die keine Geschichte erzählt, sondern einen Diskurs führt, zeigt diese Schlussszene, dass das Theater immer noch – heute wie vor 100 Jahren – eine Ebene der Kommunikation zwischen den Menschen schafft, der Kommunikation, die im wirklichen Leben bereits zerstört wurde. Um dies zu beweisen, brauchte Krystian Lupa nicht nur das Fragezeichen der *Möwe*, sondern auch das Ausrufezeichen des spanischen Stücks.

Literatur

Brauneck, Manfred: Die Welt als Bühne. Bd. 3. Stuttgart, Weimar 1999.
Koenig, Jerzy: Postscriptum. In: Dialog 1993, Nr. 8.
Kolankiewicz, Leszek: Jak w roztrzaskanym zwierciadle. In: Wielki mały wóz. Gdańsk 2001.
Niemirowicz-Danczenko, Włodzimierz: O teatrze. Warszawa 1957.

<www.renaissance-theater.de/rtberlin/archiv/ren_krim.htm>

Tat'jana Šach-Azizova

Чайка во времени и пространстве

Чайка, ставшая истинным началом Чеховского театра и его символом, как символом театра XX века, до сих пор остается одной из самых современных, волнующих и неразгаданных пьес.

Причина тому – не только в ее обаянии, музыкальности, красоте, в тех возможностях, которые она дает театру, вобрав в себя начала разных течений и разных искусств не только в многозначности ее образов и героев.

Принадлежа в равной степени всем и никому в отдельности, встав в этом плане рядом с *Гамлетом*, *Чайка* выполняет в мировом театре особую миссию: она соединяет разорванное пространство – и разделяет время, отделяет друг от друга эпохи, обнаруживает новое в них.

Все это можно увидеть в театре последней трети XX века, когда режиссеры разных стран параллельно и независимо друг от друга воплощали общие темы времени.[1]

Четверть века назад, в 1979 г. состоялась моя первая встреча с «немецким Чеховым». В Дюссельдорфе проходил фестиваль, где Московский Художественный театр показывал свои спектакли, а Дюссельдорфский театр – *Чайку* в постановке Михаэля Грунера.

Тогда эта *Чайка* казалась странной. Картины природы с замечательными световыми эффектами, сменой времен дня. Эпическое, ровное течение жизни. Ощущение красоты и покоя над всем происходящим, поверх него – так, что пропадал драматизм, нерв действия.

К тому времени мы привыкли к иному Чехову – театр 60–70-х гг. нас к нему приучил: к жесткому и жестокому, тенденциозному, условно решенному. И от немецкой сцены ждали четкой, открытой концептуальности – ее не было, и спектакль вызывал критику, при всей своей постановочной культуре.

Через год удивит в Москве мхатовская *Чайка* Олега Ефремова. От него ждали острой социальности, современных проблем, продолжения тех мотивов, что звучали в его первой *Чайке*, поставленной в 1970 г. в «Современнике», хмурой и резкой, с выпадами в адрес интеллигенции, которая представлялась ему эгоистичной, разрозненной, не умеющей постоять за себя. Но прошло 10 лет, и что-то решительно изменилось – в самом режиссере, в его отношении к пьесе, во времени. На сцене было царство красоты, природы, «колдовского озера». Герои уже не раздражали режиссера, как прежде, – он смотрел на них с грустным пониманием.

Тогда же *Чайка* была поставлена в московском Большом театре – балет на музыку Родиона Щедрина, в хореографии Майи Плисецкой; спектакль, полный такой же таинственной красоты, драматизма и грустной поэзии.

Вспомнилась немецкая *Чайка*, и уже не казалась странной. В театре наметилась тенденция. Ее можно было бы обозначить как «тоска по красоте». Когда-то во мхатовских *Трех сестрах* начала XX века звучал мотив «тоски по жизни»; потом, в довоенном

---

[1] Судьбе *Чайке* в последней трети XX века посвящены следующие мои статьи: «Чайка» сегодня и прежде. В: Театр, Москва, 1980, № 7; Мир чеховской «Чайки»: поиски и варианты (из практики современного искусства). В: Художественное творчество. Вопросы комплексного изучения/1984. Ленинград 1986; Вечное движение. В: Театральная жизнь, Москва, 1997, № 2; Усмешка «Чайки». В: Чеховиана. Полет «Чайки». Москва 2001; Налет «Чаек». В: Театральная жизнь, 2001, № 6; Чехов сегодня: «Чайка». В: Чеховский вестник, № 14, Москва 2004, и другие.

спектакле, – «тоски по лучшей жизни». А здесь была *тоска по красоте*, словно из формулы Тузенбаха из тех же *Трех сестер*: «Какие красивые деревья и, в сущности, какая должна быть около них красивая жизнь!» – Но жизнь была некрасива…

Тогда еще раз подтвердилось, как время играет свои мотивы на нотах чеховских пьес, особенно – *Чайки*.[2]

Вспомнились 70-е гг., когда *Чайки* разных стран – Англии, США, России – принесли весть о судьбе недавнего авангарда, его печальном кризисе. Вчерашние Треплевы превращались в Тригориных или погибали от безнадежности, задыхаясь в новом безвременье. Шла *самокритика и критика поколения*, поначалу мечтавшего изменить мир (хотя бы собственный мир искусства), – горькая, ироничная, злая. С ней выступил в начале десятилетия Ефремов; ее подытожил в конце его, в своей острой и строгой *Чайке*, Александр Вилькин.

Впереди были 80-е гг. с их *тоской по красоте*, и 90-е, которые станут поистине временем *Чайки*. На пороге их (во всяком случае, в России), когда в настроениях общества депрессия сменилась активностью, ощущение тупика – свободой, ветер перемен ворвался и в театр Чехова. Молодые, новые люди театра видели в нем равного, товарища, сегодняшнего драматурга, с бесстрашной насмешкой взрывавшего застой и рутину. Они принесли в свои спектакли парадокс, гротеск и пародию, стихию театральной игры. И недаром именно с *Чайки*, спектакля с вызывающе дерзким названием – «Отчего застрелился Константин?» – выстраивал свой театр абсурда Юрий Погребничко.

Чайки, как вестницы *новизны*, роились в начале 90-х гг., в российской провинции, в молодежных театрах и студиях, скапливались в фестивалях.[3] В середине 90-х гг., вокруг 100-летия *Чайки*, творилось нечто странное. На театральном небосклоне не просто скапливалось все больше «Чаек», но зачастую они устремлялись в одном направлении, словно указанном чьей-то властной рукой. Режиссеры из разных концов России и зарубежья, разных театральных склонностей, не сговариваясь, почти одновременно принялись ставить *Чайку* как *комедию*, то ли доверившись загадочному определению Чехова, то ли проверяя его. При этом – комедию особую, где иронии и насмешке дозволено было бушевать до последнего акта. Потом наступал перелом – в антракте (по чеховской ремарке, за это время проходит два года), и зрителя ждала драма, горькая и суровая. Драма грустных итогов, расплаты за свои и чужие грехи, за душевную пустоту или затянувшуюся игру в жизнь.

Иные из этих «Чаек» сгруппировались на Втором фестивале имени Чехова в Москве (1996), где можно было наблюдать и поиски жанра, и общий мотив у режиссеров столь несходных, как многоопытный мастер Марк Захаров в московском Ленкоме или молодой Петр Лебл из пражского театра «За брану». Мотив *итогов*, столь близкий настроениям конца века, как XIX-го, так и XX-го; итогов скептических, с той иронической оценкой бытия, что так близка Чехову.

Вновь время говорило с нами через *Чайку*, и мы узнавали его (и себя в этом времени), благодаря столетней, но нестареющей пьесе. Вечное обновление – таков мог быть

---

[2] Хронику постановок *Чайки* последней трети XX и начала XXI века см. в приложении, в конце данной статьи.

[3] Фестивали в современных условиях стали местом сбора и смотра театральных сил; здесь старое встречается с новым и выявляются темы времени. В полной мере это относится к чеховскому театру, в том числе к *Чайке*. Смысл ее и значение могли открыться в новых демократических фестивалях 92-го г. – фестивале театров для молодежи в Екатеринбурге или российском, рожденном «снизу», фестивале «Играем Чехова». Спектакли самых разных жанров собрал фестиваль «Полет ‹Чайки›» в Санкт-Петербурге (1996), приуроченный к 100-летию со дня первой постановки пьесы. Показательный и строгий отбор спектаклей – в Международном театральном фестивале им. А.П. Чехова, периодически проходящем в Москве с 92-го г. *Чайка* постоянно присутствует в месте своего рождения – в чеховской усадьбе Мелихово, в Международном театральном фестивале «Мелиховская весна», и так далее.

ее девиз, закон ее театральной судьбы: новые грани смысла; новое, стоящее за ним время. Но впереди был новый век, XXI-й, а с ним – опять испытание на вечность, на прочность.

Это испытание *Чайка* выдержала. Время и пространство по-прежнему не властны над ней; она может появиться всегда и везде, в любой ситуации, жизненной и культурной, в мирную пору – и в пору битв и катаклизмов. По-прежнему мы ждем от нее разъяснений и откровений о нашей собственной жизни, но получаем нечто неожиданное – то ли *Чайка* своей миссии изменила; то ли так изменилось время.

Изменения эти очевидны на шкале Чеховских фестивалей, в периодичности которых словно звучит ритм времени. В первом году нового века (2001) сюда слетелось пять «Чаек» – из Москвы, Санкт-Петербурга, из Вены. Привычка к четкой тенденции, потребность в ней заставляла и здесь искать общий мотив; искать код времени. Но мотивы эти были разнообразны.

Петербуржец Лев Додин из Малого драматического театра, мастер масштабных спектаклей, который и раннюю чеховскую *Пьесу без названия* ставил как сложное, эффектное зрелище, предложил тихую, скромную *Чайку*, без постановочных излишеств, простую и о простых вещах – о тоске одиночества, поисках родственной души, внезапных встречах и неизбежных утратах. Как будто слышался голос самого режиссера, усталый и грустный, – или нам хотелось расслышать его в его интимной, доверительной тональности спкетакля.

Чайке из венского Бургтеатра, режиссера Люка Бонди. Внимательно, неторопливо и отстраненно здесь вглядывались в каждую деталь сцены, в каждое человеческое лицо, не упуская ни одного момента бытия, ни одного душевного движения. Не слишком прикрепленная к быту, возможная всегда и везде, разыгрывалась вечная история несложившихся судеб, фатальных неудач в жизни, творчестве, в любви.

Как и у Додина, не было здесь предпочтения героев младших – старшим или наоборот; все перед лицом театра (как ранее – автора) оказывались равны; поиски «новых форм» не делались доминантой, не оттесняли житейской драмы. Сам же новатор-Треплев, трепетный и беззащитный, был интересен в той же мере, как его противница-мать, воплощение театра, актерства, со своим победительным обаянием.

Вот, казалось бы, и тенденция – возврат к психологическому театру, победа «внутреннего» над «внешним», интерес к людям, к человеческой материи пьесы прежде всего. Она тенденцией и осталась, и далее не исчезнет, но не была единственной.

Одновременно, рядом и против нее заявила о себе другая тенденция – властного авторского театра, провокативного и агрессивного, резко отрывающегося от традиций. В московском Театре Наций, в спектакле Андрея Жолдака *Опыт освоения «Чайки» системой Станиславского* трудно было определить, что первично, – эпатаж, или эксперимент как таковой, или все-таки пьеса Чехова. Каждый сюжетный ход и реплика текста, каждый момент сценического и внесценического бытия героев обыгрывались так вольно, что спектакль превращался в извержение неуемной режиссерской фантазии. Более того, они обрастали подробностями, имевшими отношение скорее к лаборатории Жолдака, чем к трактовке чеховской пьесы, пусть даже весьма вольной.

Все здесь кипело, шумело, носилось, как перпетуум мобиле. Персонажи скользили на скейтбордах в предполагаемом «колдовском озере». Музыка и грохот камнепада перекрывали друг друга. Высоко над «озером», на смотровой площадке, Нина читала свой монолог о Мировой душе; потом оттуда низвергался Треплев и «плыл» по «озеру» из последних сил, пугая неистовым своим напряжением.

Путем максимальных нагрузок, парадоксальных решений, неожиданных и алогичных заданий, но не лишая героев характерности, сохраняя – при всех отступлениях – линию действия, режиссер стремился привести актеров к ненаигранной внутренней правде, что и случалось в финале, когда в недолгом эпизоде покоя звучал в натуральном виде не препарированный, подлинный чеховский текст.

Так в соседстве этих трех «Чаек» обнаруживались полюса не только театра, шире – культуры, но и настроений нового рубежа веков. С одной стороны, признание прав создателя-автора, чувство корней, традиции, «связи времен». С другой – ощущение разрыва времен, пропасти, преодолеть которую можно было только отчаянным рывком, скачком, полным риска. Вместо исторической и культурной корректности по отношению к прошлому и иному – волюнтаризм, чреватый как открытиями, так и провалом, не признающий над собой никакого закона, кроме целенаправленной воли творящего. Первое предлагало основу, почву, норму, второе – свободу; в одном и том же случае они редко соединялись на-равных – такова была диалектика процесса.

Здесь следует оговорка. Говоря о случае, обычно имеют в виду спектакль; таких, диалектичных спектаклей действительно было мало – чаще можно было говорить о вкраплениях одного начала в другое, соединениях их, не всегда органичных. Но возможен случай более сложный, когда проба разных начал, разных подходов к классике происходит в масштабах какого-либо театра, последовательно, с чистотой каждого отдельного опыта. Так было в московском театре «Школа современной пьесы», где режиссер Иосиф Райхельгауз в течение нескольких лет представил три разные версии *Чайки*. В афише они обозначены так: «Чайка» А.П. Чехова; «Чайка» Б. Акунина; «‹Чайка›. Классическая оперетта».

Первой была собственно *Чайка*, сыгранная в камерном зале, с той сосредоточенностью на лицах и судьбах, которая требует сейчас для себя именно такого пространства. В центре был Треплев (Виктор Шамиров) – не как ранний модернист, новатор, непонятый и непризнанный, но как личность особого склада, странная, одинокая от рождения, отторгающая контакты. Драма нетипичного человека была рассмотрена отстраненно, но вдумчиво, со вниманием и пониманием.

В следующем спектакле это сменилось острым и беспощадным анализом. Зрителю была предложена версия не самоубийства, но убийства Треплева, с последующим расследованием этого, когда каждый (включая жертву) оказывался не без греха. В форме иронического детектива проводился нешуточный опыт – ревизия того человеческого материала, из которого сделаны были герои. При этом не вполне чеховские, хотя наделенные их биографиями и приметами; не-чеховские по душевному складу, где привычная нам рефлексия была заменена волей к действию, агрессивному и жестокому. Рассказанная Чеховым история, с продолженным и измененным сюжетом, была увидена нынешним скептическим взглядом. То ли таковы на этот взгляд чеховские герои; то ли (скорее) в их облике, достаточно для автора условном, предстали сегодняшние персонажи.

Третья *Чайка* – не только по своей принадлежности к иному, музыкальному театру, но по своему пафосу, мелодике, стилю – опровергала первые две. Автор либретто (Вадим Жук) и композитор (Александр Журбин) предложили не мюзикл, где нужен особый мелос и возможен трагичный исход, но «классическую оперетту» – жанр, исполненный оптимизма. Вместо строгого анализа, скепсиса и сарказма – радость жизни, игра, уход от прозы житейской. По вековым правилам оперетты – облегченность сюжета и текста, живость ритмов, зажигательные мелодии, куплеты и танцы. И – непременный для жанра happy end, что как бы бросало вызов пьесе: Нина здесь – состоявшаяся, победительная актриса; Треплев не уходит из жизни, а звук выстрела, хлопок за сценой происходит от бутылки шампанского.

Все это было сочинено и поставлено по правилам водевиля, сформулированным самим Чеховым – для себя и других, и действительно могло перечеркнуть пьесу, если бы в данном случае ставилась только *Чайка*. Но – не только, не столько *Чайка*, сколько фантазия на ее темы, сыгранная в старом театре, любительском, дачном или отдаленно провинциальном. Спектакль был не о *Чайке*, а об этом театре, разыгрывавшем *Чайку*; отсюда – намеренно старомодное оформление, с забытыми уже рисованными декорациями; несовременные мотивы и ритмы; наивность и воодушевление труппы, ее упоение и азарт, передававшийся в зал.

Театр играл спектакль о самом себе – о театре; тоска по празднику, столь острая в тревожные, хмурые наши дни, сменяла строгость первой и сарказм второй *Чайки*. Все в целом складывалось в портрет времени, с его сшибающими и дополняющими друг друга контрастами.

То, что *Чайка* перешла в данном случае в сферу музыкального театра, – не ново. Эта пьеса давно уже была присвоена разными видами искусств – по ней снимались фильмы, сочинялись оперы и балеты. О балете Большого театра речь уже шла выше; характерно, что по атмосфере и стилю, по лирико-драматической наполненности он был родственен своему «побратиму» – драматическому спектаклю МХТа. Единая тенденция времени пронизала и подчинила их, чего уже не было в начале нового века.

В первые годы его появились и были показаны в России еще две балетные версии *Чайки*. Если быть точными, то собственно балетной была одна, поставленная в Гамбургском балете хореографом Джоном Ноймайером; вторая, названная «пластическим спектаклем», таковой и была – молодой белорусский режиссер Павел Адамчиков поставил ее с артистами драматического театра в Минске.

Общими у них (помимо самого факта перевода текста на язык тела и жестов) были неизбежные смещения смысла и поиски современных звучаний. Адамчиков, сохраняя узнаваемость героев, ставил историю, которая может происходить сейчас и всегда, – историю человеческих отношений, сложную и драматичную, с «пятью пудами любви», как в пьесе. Ноймайер переносил сюжет в сферу балета и выделял две главные для себя темы: любовь и искусство, упор делая на втором, на столкновении старого с новым.

Не только версия белорусов с ее сегодняшней пластикой, но и вполне классический по языку балет Ноймайера использовали не то, что, казалось бы, было родственно *Чайке* – музыку Чайковского, Рахманинова, Скрябина или Шопена –, но нечто, как будто с *Чайкой* несочетаемое. Ноймайер выбрал музыку Шостаковича, Адамчиков – современные эстрадные мелодии. С драматическими спектаклями (далеко однако не всеми) их роднила самая потребность в новизне, в модернизации, иное, чем диктовала традиция, ощущение внутренней музыки пьесы.

Чайка переводилась на язык не просто другого искусства, но и другого времени с его разнородностью, пестротой, скудостью общих тенденций. Словечко чеховского Фирса *«враздробь»* делалось девизом во всем; личное, частное становилось мерилом.

Чеховские сезоны, вобравшие в себя Год памяти Чехова (2004), подтвердили это и усилили.

Необозримое множество откликов поражало: в науке – количеством подходов, методик, концепций, демонстрировавших разного Чехова; в театре – количеством версий, отчего казалось порой, что перед нами – разные пьесы. Одновременно появлялись полярные по решению, по театральной принадлежности своей *Три сестры* и *Вишневый сад*; не миновало это и *Чайку*.

Спектаклям по *Чайке* была присуща и яркая, демонстративная зрелищность, элемент провокации, желание увлечь публику, – и камерность, скромность решений; дистанцирование от пьесы, ее содержания и героев, – и личная, интимная интонация.

Первый вариант был представлен режиссером известным и многоопытным, находящимся как бы в ранге Тригорина, – Андреем Кончаловским, поставившим *Чайку* в театре имени Моссовета.

Второй – неровной по сумме своего театрального опыта (но в основном – молодой) группой, где были режиссер-дебютант Павел Сафонов, и режиссер провинциального театра Геннадий Шапошников, и режиссер абсурдистской закваски Алексей Левинский. К ним можно присоединить спектакль из Будапешта режиссера Арпида Шиллинга, показанный в Москве в конце Года Чехова. Все они (условно, конечно) находились в данном случае в ранге Треплева.

Сафонов ставил *Чайку* на сцене театра имени Вахтангова, соединив в спектакле мастеров, корифеев с молодыми, интересуясь всеми, всем выстроив эффектные роли, но явно склоняясь в сторону молодых. Склоняясь душевно, как к людям своего поколения и положения, новичкам в искусстве, впервые заявляющим о себе; их чувствуя и сочувствуя им, волнуясь за их (и свою) судьбу. Отсюда – тревога в воздухе этого спектакля, сгущенная в камерном зале, где поначалу он шел; нервные ритмы, небытовая, порывистая пластика молодых, некое «треплевское» начало, дарованное им, на фоне точно и иронично прописанных портретов старших.

Шапошников в своей *Чайке*, в камерном опять-таки зале театра на Покровке, представил происходящее репетицией в летнем дачном театре, где игра соединялась с жизнью, переходила в нее, и персонаж сливался с актером до нераздельности. И еще здесь было обаяние театра как такового – в этой группе, компании актеров, теснящихся на небольшой сцене так родственно и семейно, с такими свойскими отношениями, как это бывает в маленьких дружных труппах. В компании этой однако особой симпатией театра были отмечены молодые – Треплев, Нина и Маша, люди одного поколения.

У Шиллинга *Чайка* игралась без декораций, в небольшом зале, где актеры в современном обличье смешаны были с публикой, сидели среди нее, вступали в общение с ней. Игралась, словами режиссера, «сегодняшняя история о сегодняшних людях», более резко и откровенно, чем диктовала традиция, – но так, как свойственно нынешним молодым, не боящимся острых акцентов и субъективности. И первому среди них – горячему парню Треплеву (Жолт Надь), с простым и открытым лицом, который играл свою душевную мелодию на скрипке, поначалу аккомпанируя собственному спектаклю, а в конце – вместо выстрела – яростно разламывая ее.

И, наконец, Левинский, поставивший *Чайку* со своими студентами-любителями, в студии под названием «Театр». Любители эти не стремились выглядеть чеховскими героями, да и актерами вообще – странные существа со скудной пластикой, с бескрасочными голосами, как бы вовсе не заботящиеся о сценичности. Словно труппа бродячих комедиантов, усталых, плохо одетых, ослабших от скитаний и голода, подавала реплики, формально читая текст пьесы. Потом происходило что-то, сквозь суховатую эту читку проступал актерский лиризм, присвоение тех чувств и тех судеб, что предложены автором, и в бледной, скованной девушке Нине (Надя Плунгян) загорался душевный огонь. Вновь – личный звук, пусть негромкий и робкий, в намеренно «бедном» театре…

Звук этот можно было уловить и в *Чайке* Кончаловского, когда среди играющих в жизнь персонажей, оттесняя их, прорезая сценические эффекты, появлялась юная и наивная, скромная, не-театральная Нина (Юлия Высоцкая). Он говорил о той внутренней связи, что сохраняется у нас с Чеховым, его миром и его пьесой, да и о нас самих, и о нашем времени со всеми его контрастами и полюсами. А то, что этот звук исходил большей частью от молодых, уже обещало тенденцию и возвращало *Чайку* к дневниковой чеховской записи, которая не нуждается в расшифровке: [«Вещать новое и художественное свойственно наивным и чистым <...>.»].[4]

Приложение

Данные о постановках «Чайки», упоминаемых в тексте статьи

1970: – Москва, театр «Современник». Постановка Олега Ефремова.
1978: – Москва, театр им. Маяковского. Постановка Александра Вилькина.
1980: – МХАТ им. Горького. Москва, Большой театр. Постановка Олега Ефремова. Музыка Родиона Щедрина. Хореография Майи Плисецкой.
1987: – «Отчего застрелился Константин?» Москва, Молодежный театр на Красной Пресне (ныне: театр Около Дома Станиславского). Постановка Юрия Погребнички. (Вторая, более поздняя редакция спектакля носила другое название: «Вот тебе и театр…»).
1994: – Чехия, Прага, Дивадло на Забрадли. Постановка Петра Лебла.
– Москва, театр «Ленком». Постановка Марка Захарова.
1998: – Москва, театр «Школа современной пьесы». Постановка Иосифа Райхельгауза.
2001: – Санкт-Петербург. Малый драматический театр. Постановка Льва Додина.
– «Чайка» Бориса Акунина. Москва, театр «Школа современной пьесы». Постановка Иосифа Райхельгауза.
– «Опыт освоения пьесы *Чайка* системой Станиславского». Москва, Театр Наций. Постановка Андрея Жолдака.
– *(Гастроли).* Австрия, Вена, Бургтеатр. Постановка Люка Бонди.
2002: – *(Гастроли).* Германия, Гамбургский балет. Хореография Джона Ноймайера.
2003: – *(Гастроли).* «Больше, чем дождь». По А. Чехову. Минск, Белорусский фонд развития культуры. Постановка Павла Адамчикова.
– Москва, театр имени Евг. Вахтангова. Постановка Павла Сафонова.
– Москва, Российский театр На Покровке. Постановка Геннадия Шапошникова.
2004: – «Чайка. Классическая оперетта». «Школа современной пьесы». Постановка Иосифа Райхельгауза.
– Москва, театр имени Моссовета. Постановка Андрея Кончаловского.
– Москва, студия «Театр». Постановка Алексея Левинского.
– *(Гастроли).* Венгрия, Будапешт, театр «Кретакор». Постановка Арпида Шиллинга.

Литература

Шах-Азизова, Т.: «Чайка» сегодня и прежде. В: Театр, Москва, 1980, № 7.
Шах-Азизова, Т.: Мир чеховской «Чайки»: поиски и варианты (из практики совре-менного искусства). В: Художественное творчество. Вопросы комплексного изучения/1984. Ленинград 1986.
Шах-Азизова, Т.: Вечное движение. В: Театральная жизнь, Москва, 1997, № 2.
Шах-Азизова, Т.: Усмешка «Чайки». В: Чеховиана. Полет «Чайки». Москва 2001.
Шах-Азизова, Т.: Налет «Чаек». В: Театральная жизнь, 2001, № 6.
Шах-Азизова, Т.: Чехов сегодня: «Чайка». В: Чеховский вестник, № 14, Москва 2004.

---

[4] А.П. Чехов: <Записная книжка I> (17, 35).

Stefan Tigges

Die Möwe als Schauplatz ästhetischer Diskurse.
Tendenzen in der europäischen Aufführungspraxis

Bei einem Blick in die Spielpläne der europäischen Theaterlandschaft zu Beginn des 21. Jahrhunderts fällt auf, dass *Die Möwe* zu einem wahren Höhenflug angesetzt hat. Wo liegt die Motivation der Dramaturgie-Abteilungen, gerade dieses Stück fast zeitgleich wieder aufzuschlagen? Und: Was macht den Reiz der ästhetischen Umsetzung in einer zunehmend postdramatisch geprägten Aufführungspraxis aus?

Čechovs Theatertexte, so eine erste Diagnose, erscheinen im Zusammenspiel mit ästhetisch radikalen szenischen Über- oder Neuschreibungen erstaunlich modern und fordern die Theater mit ihrer formalen ästhetischen Sprengkraft im Kontext avancierter Aufführungsstrategien geradezu heraus. Dabei scheinen die gesellschaftlichen wie auch die künstlerischen Krisenphänomene, die sowohl bei Čechov als auch in der Gegenwart signifikant auftreten, eine zentrale Rolle zu spielen. Čechovs dramatische, neben sich stehende Familie, die durch die zumeist orientierungslosen „handlungsunfähigen Subjekte" (Gerhard Bauer) auseinander bricht, die weder zu sich selbst noch zu ihren Mitmenschen eine tiefer gehende verbindliche Beziehung aufzubauen vermögen, den Lebenssinn aufgrund ihrer „relativen Gesellschaftstauglichkeit" (Gerhard Bauer) nur streifen bzw. verfehlen und ihre „simultanen Miniaturkrisen" (Theresia Birkenhauer) individuell in tragischer Schärfe beleuchten, spricht uns heute unmittelbar an.[1] Die von Čechov aufgeworfenen Fragen haben sich aufgrund der elementaren gesellschaftlichen Umbrüche, der anwachsenden prekären Existenzformen und Individualisierungsauswüchse sowie der zunehmend provisorisch und unverbindlich erscheinenden Gesellschaftsmodelle noch zugespitzt, bleiben in ihrem Grundgehalt unbeantwortet und sind deshalb so aktuell.

Die Saloninterieurs, Parks, Kirschgärten, Krocketplätze und Seen der heruntergekommen Gutsanwesen aus den Čechov-Tableaus sind auf den Bühnen fast ausnahmslos Campingplätzen, Wartesälen, Plattenbauten, Containern, Designambiente oder leer gefegten Räumen gewichen. In den letzten Jahren wurde in den Theatern ordentlich entrümpelt und entrussifiziert. Statt taumelnder Landbourgeoisie in Leinenanzügen sehen wir strauchelnde New-Economy-Vertreter, beobachten den freien Fall des (Bildungs-)Bürgertums und begegnen jungen, verstörten Menschen mit gravierenden Identitätskrisen, denen ein angstgesteuertes Lebensgefühl entströmt und die in nostalgischen Rückblicken längst kein Fluchtmittel mehr erkennen. Zukunftsprojektionen entfallen ebenso, dafür scheinen die Protagonisten mit ihren existenziellen Fragen in der Gegenwart eingeklemmt zu sein.

Wie auch immer die einzelnen Bühnenräume gestaltet sind, gemeinsam ist allen Čechov-DarstellerInnen, dass sie im Verlauf der Formung ihrer identitätsstiftenden Bühnenrollen mit erschriebenen Figuren konfrontiert werden, die verzweifelt mit ihrer Rolle ringen und versuchen aus ihrem/dem Drama auszusteigen, womit im Proben- und Aufführungsprozess ein fruchtbares Reibungsmoment auftritt: die Čechovsche Krise der Repräsentation und Verkörperung findet ihr ästhetisches Echo in gegenwärtigen theaterästhetischen Transformationsprozessen, in denen die Figurenzersplitterung fortschreitet, die Strategien der Selbstdarstellung durch die kostümverhüllten bzw. entkostümierten Körper der SchauspielerInnen treten und die Lebens- und Bühnenrollen im Kunstraum radikal neu verhandelt werden.

Anders formuliert: Čechovs dramatisches Personal interessiert gerade durch seine Rollennöte bzw. sich abzeichnende Rollenlosigkeit und die damit verbundenen spezifischen

[1] Vgl. Gerhard Bauer: Lichtstrahl aus Scherben. Čechov. Frankfurt/M. 2000.

Sprachkrisen die gegenwärtigen Theater, da diese im Vollzug der Überwindung von Repräsentationsästhetiken das Rollenspiel grundsätzlich in Frage stellen, Körper und Sprache sich in unterschiedliche Richtungen bewegen lassen, eine „Wirklichkeitswerdung" der Kunst (Thomas Oberender) anstreben, das Moment der Selbstdarstellung sowie Autoreflexivität motivieren und den „Schauplatz der Sprache" (Theresia Birkenhauer) als eine radikal neue experimentelle Versuchsanordnung begreifen.

In diese Richtung zielen auch Čechovs ästhetische Bestrebungen, indem er die (von Peter Szondi reflektierte) *Krise des modernen Dramas* verhandelt, neue dramaturgische, andere bzw. undramatische Formen entwickelt, die Aufmerksamkeit auf das bewusst *offen* belassene Drama der Wahrnehmung sowie die Bühne als Ort der Darstellung lenkt und als „playwright" (Klaus Bednarz) in seinen eigenen Theatertexten Regie führt bzw. experimentell multiperspektivisch szenisch schreibt, die Handlung durch ein situatives Geschehen ersetzt bzw. die Handlung in die Sprache einziehen und diese damit handeln lässt sowie neue Räume und Zeitfenster (Verhältnis von dargestellter Zeit und der Zeit der Darstellung) öffnet, die entscheidend den Mitspielgrad des Publikums aktivieren.[2]

„Die Möwe" als Drama über die Kunst

Steht das Schlagen der Äxte am Ende des *Kirschgartens* für den, wenn auch berechtigten, Ruin des heruntergewirtschafteten Gutshofs und des gescheiterten Lebensentwurfs der Ranevskaja, deren Kirschbäume noch in ihrer Anwesenheit abgeholzt werden, so wird am Anfang der *Möwe* Treplevs hölzerne Bühne für eine „Liebhaberaufführung" noch zusammengezimmert und damit an einer auf den ersten Blick nur kurzweiligen Kunstutopie gezimmert. Elementar ist jedoch, dass die Arbeit am Holz hier eine eindeutig positive Aufladung erfährt, die sich als ernst zu nehmender Utopieentwurf lesen lässt, der in seiner Radikalität seinesgleichen sucht und die Theatermoderne dramatisch auf den Kopf stellt.

In der *Möwe* formuliert Čechov über sein zentrales ästhetisches Sprachrohr Treplev ein symbolistisch durchdrungenes programmatisches „ästhetisches Manifest der Theatermoderne" (Maria Deppermann), das in das gesamte Drama strömt, die nachfolgenden Theater-Avantgarden durch die gezündeten ästhetischen Diskurse (Treplevs monologisches symbolistisches Traum- bzw. Metatheater, Entwürfe von neuen Spielästhetiken und die Suche nach neuen Raum- und Zeitmodellen) entscheidend prägt und bis in die gegenwärtige (postdramatische) Aufführungspraxis nachklingt.[3] Diese wiederum interessiert sich für ihre Wurzeln und damit speziell für das symbolistische Theater (Stéphane Mallarmé, Maurice Maeterlinck) und erkennt darin „aufgrund seiner undramatischen Statik und der Tendenz zu monologischen Formen einen entscheidenden Schritt auf dem Weg zum postdramatischen Theater".[4]

---

[2] In diesem Kontext erweist es sich als wichtig, die *Theater im Theater-Szene* nicht ausschließlich binnendramatisch zu lesen, sondern die Reaktionen des Schauspielerpublikums als an die Zuschauer gerichtete theaterästhetische Diskurse zu begreifen, um kollektiv über die dem Drama/Theater implantierte ästhetische Matrix nachzudenken.

[3] Vgl. Maria Deppermann: Beitrag Dramaturgie der Stille – Čechov und Maeterlinck. Prolegomena zu einem Vergleich. In: Anton P. Cechov – Philosophische und religiöse Dimensionen im Leben und Werk. Hg. Vladimir B. Kataev, Rolf-Dieter Kluge, Regine Nohejl. München 1997, S. 151-174, sowie der Beitrag von Maria Deppermann im vorliegenden Band.

[4] Vgl. Hans-Thies Lehmann: Postdramatisches Theater. Frankfurt/M. 1999, S. 95.

Theresia Birkenhauer erkennt vor allem in den dramaturgischen Verfahren, d.h. in den „entwickelten Darstellungskonzepten jenseits der Figur" ästhetische Parallelen zwischen Čechov und Maeterlinck und kommt nach einer Analyse von *Onkel Vanja*, die sich grundsätzlich auch auf die *Möwe* beziehen lässt, zu dem Ergebnis, dass Čechovs Dramen eine „neue szenische Textur" zu Grunde liegt, die „die Homogenität des dramatisch Dargestellten bricht", und Čechov damit einen „Aufführungsmodus entwickelt, der erst im gegenwärtigen Theater realisiert wird". (Theresia Birkenhauer: Schauplatz der Sprache – das Theater als Ort der Literatur. Maeterlinck, Čechov,

Damit ist es zwingend notwendig, Čechovs Dramatik werkästhetisch aus der Tradition des Realismus/Naturalismus zu befreien und die Stücke unmittelbar im symbolistischen Avantgardekontext neu zu lesen.[5]

Ein weiterer, wenn auch radikal anmutender Schritt wäre demzufolge, Čechovs Theaterstücke mit und seit der *Möwe* als *prä-postdramatisch* einzustufen und diesen Befund anhand avancierter szenischer Realisierungen genau zu überprüfen.[6]

Für das postdramatische Theater bedeutet dies wiederum, dass es entgegen seinem Selbstbild mehr mit der Form des Dramas verbunden ist, in diesem seine ästhetischen Wurzeln findet, und sich am Beispiel der aktuellen Aufführungen der *Möwe* belegen lässt, dass sich der Konflikt zwischen Literatur und Theater jenseits des „Bild[s] des Verlustes" (von Text und Sprache) produktiv entschärft, und heutige Aufführungsformen die Spielvorlage im Sinne Čechovs als diskursive „literarische Praxis" begreifen, die *Möwe* aus ihren dramatischen Fesseln befreien und sich gerade hier exemplarisch Theresia Birkenhauers Einschätzung realisiert: „Wenn Literatur ein In-Szene-Setzen der Rede ist, dann sind dramatische Texte wie Inszenierungen Ergebnisse einer fortgesetzten Praxis des Schreibens und Lesens."[7]

Čechov bezeichnet die *Möwe* in einem Brief als „Novelle", bemerkt, dass er gegen alle „Regeln der dramatischen Kunst" verstoßen habe, „absolut kein Dramatiker" sei, und lenkt somit die Aufmerksamkeit auf Treplev, der neue Formen einfordert, damit gleichermaßen Theatertexte als auch Spielästhetiken meint und mit seiner verstörenden Ästhetik – wenn auch von den übrigen Künstlern unverstanden – auf offener und gesprengter Bühne den herkömmlichen naturalistisch-realistischen Theaterästhetiken den Kampf ansagt.[8]

Der Dramatiker bleibt entgegen Peter Szondis Einschätzung – Szondi charakterisiert u.a. Čechovs Stücke als grundsätzlich *absolute Dramen*, die sich dadurch auszeichnen, dass der Autor abwesend sei – äußerst präsent und denkt permanent über die miteinander fein verwobenen und verdichteten theaterästethischen, kunst- und lebensphilosophischen Fragen laut nach, wobei Čechov Motive aus eigenen Erzählungen integriert, sich selbst aus Briefen über seine dramatischen Sprachrohre zitiert, auf einer weiteren intertextuellen Ebene über Literatur und Theater (u.a. Maupassant, Shakespeare) reflektiert und damit die literarischen Genregrenzen aufweicht.[9]

Genet, Beckett, Müller. Berlin 2005, S. 29). Vgl. auch Theresia Birkenhauer: „Der Vorhang senkt sich langsam" – Zu Tschechows *Onkel Wanja*. Zeitstrukturen dramatischer und szenischer Narration. In: Zeitlichkeiten – Zur Realität der Künste. Theater, Film, Photographie, Malerei, Literatur. Hg. Theresia Birkenhauer, Annette Storr. Berlin 1998, S. 50-84.

[5] Für den russischen Symbolisten Andrej Belyj ist der (russische) Realismus mit Čechov endgültig „erschöpft". Belyj weist dementsprechend auf den Einfluss Maeterlincks hin: „Alles was uns Maeterlinck sagte, erahnen wir unwillkürlich in Tschechows Schaffen. Hier hat Maeterlinck uns nur den Schlüssel an die Hand gegeben, damit wir mit Worten in die entlegenen Zonen der Tschechowschen Intimität vordringen können." (Andrej Belyj: A.P. Čechov. In: *Der Kirschgarten*. Programmheft der Schaubühne Berlin, 1989 [Regie: Peter Stein; Dramaturgie: Dieter Sturm]. Belyjs Aufsatz aus dem Jahre 1907 ist hier erstmals vollständig auf Deutsch erschienen).

[6] Vgl. meine Untersuchung: Von der Weltseele zur Über-Marionette: Čechovs Traumtheater als radikale avantgardistische Versuchsanordnung. Bielefeld 2009. Darin wird nach einer auf die Frage der Kunstformen und ästhetischen Sprengkraft des Dramas konzentrierten dramaturgischen Analyse der Versuch unternommen, zwanzig Aufführungen aus sieben europäischen Ländern aus dem Zeitraum 2000–2006 auf ihr innovatives ästhetisches Potenzial zu untersuchen, um schließlich die *Möwe* durch die Aufführungspraxis neu zu lesen.

[7] Birkenhauer: Schauplatz der Sprache, S. 127.

[8] Vgl. Anton Čechov in einem Brief (21.11.1895) an seinen Verleger Suvorin. In: Anton Čechov. Über Theater. Hg. Jutta Hercher, Peter Urban. Frankfurt/M. 2004, S. 240. Hier ließe sich auch danach fragen, ob zwischen der aktuellen *Möwe*-Renaissance und der wachsenden Bedeutung von (russischen) Prosa-Dramatisierungen auf deutschsprachigen Bühnen ein Zusammenhang herzustellen ist.

[9] Vgl. Peter Szondi: Theorie des modernen Dramas (1880–1950). Frankfurt/M. 1963, S. 32-39.

So spielt z.B. das Motiv des Mondes in Treplevs Aufführung eine zentrale Rolle und taucht später in abgewandelter Form in einer Erzählung Trigorins auf, aus welcher der junge Schriftsteller im 4. Akt zitiert. Diese

Damit lädt er seinen Theatertext einerseits durch Treplevs (Alp-)Traumfragment lyrisch auf und episiert ihn andererseits in einem komplexen und geheimnisvollen Verweisspiel, was die Regie zunehmend interessiert, die weitere intra- und intertextuelle Splitter in die Aufführungen integriert, die von Čechov motivierte Technik der Intertextualität als einen Motor für inter-, trans- und multimediale Spiele begreift und damit zugleich den autoreflexiven ästhetischen Diskurs ölt, indem sie diese Fragen speziell über die dramatischen bzw. ästhetischen Sprachrohre steuert.

Interessant für die symbolistische Matrix der *Möwe* – hier spielen die Grenzen des sprachlichen Ausdrucks und die aus Treplevs Metatheater austretenden dramaturgischen *weißen Flecken* (die „états d`intérieurs", die Leere, das Nichts, das Unausgesprochene, das Unaussprechbare, das Schweigen, das Nichtgezeigte, das Nichtdarstellbare) sowie das offene und die Handlung bzw. den Dialog ablösende ereigniszentrierte Moment eine zentrale Rolle – , die im gegenwärtigen Theater zunehmend radikal beleuchtet wird, ist nun vor allem, dass Čechov die nach der Uraufführung formulierte wie auch später noch anhaltende Kritik bereits in seinem Stück vorwegnimmt, kritisch reflektiert und szenische Diskurse entfacht, die noch heute die Bühnen bewegen.

Die Kritik – Maeterlinck musste sich mit seinem Theaterwerk anfänglich praktisch den gleichen Vorwürfen stellen – bemängelte vor allem das radikal ausgelöschte dramatische Potenzial (Handlungslosigkeit/verweigerte und nicht auf der offenen Bühne gezeigte Handlung, fehlende Plotentwicklung, gestörte Kommunikation, Monologlast, Orientierungslosigkeit, Offenheit/Unabgeschlossenheit, die lebensblassen Figuren, das Zeitloch zwischen dem 3. und 4. Akt) und bezeichnete das Stück als unspielbares „lyrisches Lesedrama".[10]

Mondscheinpassage entspringt wiederum einem Brief Čechovs an seinen Bruder Aleksandr vom 10.5.1886, die vom Autor fast identisch in der Erzählung *Der Wolf* (1886) übernommen wird. Čechov rät seinem jüngeren Bruder: „In Naturbeschreibungen muss man sich an kleine Einzelheiten halten, die man so gruppiert, daß sie beim Lesen, wenn man die Augen schließt, ein Bild ergeben. Du hast zum Beispiel die Mondnacht, wenn Du schreibst, dass auf dem Mühlenwehr der Hals einer zerbrochenen Flasche blitzt wie ein heller Stern [...]" (Urban, Briefe 1, 128) (В описаниях природы надо хвататься за мелкие частности, группируя их таким образом, чтобы по прочтении, когда закроешь глаза, давалась картина. Например, у тебя получится лунная ночь, если ты напишешь, что на мельничной плотине яркой звездочкой мелькало стеклышко от разбитой бутылки [...]; P. 1, 242).

[10] Čechov äußert sich zuerst durch die Stimme Ninas: „Ihr Stück ist etwas schwer zu spielen. Es hat keine lebendigen Figuren. [...] Ihr Stück hat wenig Handlung, alles nur Deklamation" (Urban, 586; В вашей пьесе трудно играть. В ней нет живых лиц. [...] В вашей пьесе мало действия, одна только читка: 13, 10/11), dann über Arkadina, die eine radikale antisymbolistische Position einnimmt („Ach ja? Aber dazu hat er kein gewöhnliches Stück gewählt, sondern uns gezwungen, uns diese dekadenten Fieberphantasien anzuhören"; Urban, 591; Да? Однако же вот он не выбрал какой-нибудь обыкновенной пьесы, а заставил нас прослушать этот декадентский бред; 13, 15) und schließlich im 4. Akt über Trigorin, dessen ästhetisches Urteil sich aus Ninas und Arkadinas Repliken zusammensetzt und dementsprechend die (künstlerische) Ernsthaftigkeit Trigorins in Frage stellt: „Er hat kein Glück. Er trifft einfach seinen wahren Ton nicht. Alles ist so merkwürdig verschwommen, manchmal beinahe wie Fieberphantasien. Keine einzige lebendige Person" (Urban, 637; Ему не везет. Все никак не может попасть в свой настоящий тон. Что-то странное, неопределенное, порой даже похожее на бред. Ни одного живого лица; 13, 54). Dorns Position lässt sich ebenso als antisymbolistisch einstufen, wenngleich der Arzt die einzige Person im Stück ist, der Treplevs Aufführung wirklich ernst nimmt und dessen Texte gelesen hat: „Ein Kunstwerk muß einen klaren, bestimmten Gedanken ausdrücken. Sie müssen wissen, wofür Sie schreiben, denn sonst, wenn Sie diesen malerischen Weg ohne ein bestimmtes Ziel beschreiten, werden Sie sich verlaufen, und Ihr Talent wird Sie ins Verderben stürzen" (Urban, 596; В произведении должна быть ясная, определенная мысль. Вы должны знать, для чего пишете, иначе, если пойдете по этой живописной дороге без определенной цели, то вы заблудитесь и ваш талант погубит вас; 13, 19). Dagegen zeigt Čechov in einem Brief vom 3.12.1892 an Suvorin durchaus Verständnis für einen gewissen Grad an ästhetischer Orientierungslosigkeit, woraus sich schließen lässt, dass Treplevs zielloses und in die Tiefen des Unbewussten vordringendes Traumtheater nicht per se zu verurteilen ist: „Daß die jüngste Generation von Schriftstellern und Malern beim Schaffen keine Ziele hat, ist eine vollkommen gesetzmäßige, folgerichtige und interessante Erscheinung [...]" (Urban, Briefe 3, 72; то, что у позднейшего поколения писателей и художников нет целей в творчестве, – явление вполне законное, последовательное и любопытное [...]; P. 5, 137). Arkadinas Replik

In der gegenwärtigen Aufführungspraxis der *Möwe* lassen sich drei grundlegende ästhetische Modelle feststellen:

1) Aufführungen, denen nur ein geringer Grad an (auto-)reflexivem Potenzial innewohnt, die Fragen der ästhetischen Diskurse kaum oder gar nicht verfolgen, Repräsentations- und Deklamationsästhetiken verhaftet sind und damit ästhetisch positionslos bleiben, lediglich als „szenische Abschrift" (Hans-Thies Lehmann) fungieren, zwischen „Werktreue" und „Aktualisierungsfallen" manövrieren und die Sprache nicht als zentralen Schauplatz verhandeln.

Hier entfällt sowohl die explosive Kraft von Treplevs Traumtheater, das als Metadrama weder in das gesamte Drama noch als Metatheater in die gesamte Aufführung strömt, wie auch das Moment der platzenden Kunst- und Lebensnähte im Raum des Dramas und der Aufführung, womit der polyphone symbolische Gehalt der *Möwe* binnendramatisch trockengelegt und in einer Guckkasten-Ästhetik realistisch erschöpft eingeschlossen wird.[11]

2) Aufführungen, die sich ästhetisch fundierter positionieren, die Aufführungsgeschichte reflektieren und damit speziell über Treplevs ästhetisches Programm Bezüge zu den modernen Avantgarde-Strömungen herstellen, die wiederum mit aktuellen ästhetischen Diskursen kommunizieren können. Dementsprechend liegt die Qualität der Aufführungen sowohl in den vermittelten ästhetischen Transformations- Leistungen (Fortschreibung und Übersetzung der modernen Avantgarden), dem Beitrag zu einer künstlerischen und kulturellen archivierenden Gedächtnisleistung sowie in der Begründung von szenischen Versuchsanordnungen, in denen Körper, Sprache, Raum und die Zeit produktiv miteinander spielen und dabei spannungsreiche Spielkonstellationen (Sprachbilder – Bildsprache) erfahrbar werden.

Szenischen Realisierungen dieser Gruppe gelingt es dementsprechend, zentrale Motive der *Möwe* (z.B. die Kunstfigur der Weltseele) in einem erweiterten reflexiven Kunst- und Lebensraum – der vergrößerte Bühnenraum wird hier zu einem autonomen Bildraum transformiert – avantgardistisch zu verweben, wobei Verweise auf Hofmannsthal (*Chandos-Brief*), Mallarmé, Maeterlinck, Craig (*Der Schauspieler als Übermarionette*), die Ästhetiken der Bauhaus-Künstler (Oskar Schlemmers *Triadisches Ballett* und Walter Gropius/Erwin Piscators *Total-*

---

aus dem 2. Akt „Ach, was kann langweiliger sein als diese liebe ländliche Langeweile! Es ist heiß, still, niemand tut etwas, alle philosophieren…" (Urban, 601/02; Ах, что может быть скучнее этой вот милой деревенской скуки! Жарко, тихо, никто ничего не делает, все философствуют...; 13, 24) ist in diesem Sinne nicht nur als ein ironischer binnendramatischer Kommentar zu verstehen, sondern als eine ästhetische symbolistisch geprägte Metadiagnose, die die grundsätzliche Statik des gesamten Dramas und insbesondere den formalen Aufbau des 2. Aktes thematisiert.

[11] Axel Siefer (Stadttheater Osnabrück, Premiere 31.3.2001) verlegt den Schauplatz mitten in einen Bürgerkrieg, der sich dem durch Stacheldraht abgesicherten Gut in Form einer visuellen und akustischen Kriegskulisse bedrohlich nähert, bis das Haus im 4. Akt zerstört ist und die Bewohner unter Zeltplanen im Garten Asyl finden.

Dagegen entscheidet sich Katharina Thalbach (Maxim-Gorki-Theater Berlin, Premiere 28.10.2000) in ihrer (n)ostalgischen Lesart für eine Art Künstlerasyl, indem sie den Bühnenraum in einen plakativen Kunstkäfig verwandelt, in welchem die Darsteller ihr komisch-groteskes Menschendrama spielen, die Symbolik verkitscht und der ästhetische Diskurs nebenbei abgehandelt wird.

Bei Albrecht Hirche im Schauspiel Basel haust das zumeist krankhaft nervös bis neurotisch pervers gezeichnete Čechov-Ensemble in einem proletarischen Plattenbau-Milieu, stellt dort in infantilisierender (Kinder-)Unterwäsche seinen seelischen und körperlichen Zerfallsprozess zur Schau, bis die Depressionen überhand nehmen, die Tranquillizer-Pillen ausgehen, der Quassel- und Laberton abbricht und die (Treplevsche) Kunst baden geht bzw. das Drama endgültig plakativ vernichtet ist.

Anna Badora (Schauspielhaus Düsseldorf, Premiere 24.3.2001) platziert ihre Darsteller auf einem gläsernen Laufsteg, auf dem sie ihre Figurenhülsen und ihren aufgesagten Text programmatisch ausstellen und dabei nur gläsern und steril wirken, da sie weder in das/ihr Drama einsteigen noch authentisch aus diesem heraustreten, mit der Sprache arbeiten, Geheimnisse und Fragen entfachen bzw. ein produktives Rollenspiel motivieren, so dass die Aufführung letztlich symbolisch tragisch abstürzt.

theater/Simultanbühne) geleistet werden, aber auch Spielästhetiken Majakovskijs oder Meyerholds berührt werden können.[12]

3) Aufführungen, die direkt oder indirekt auf gegenwärtige Manifeste verweisen bzw. selbst ein ästhetisches Manifest formulieren, ästhetisch bewusst stören, und deren performative Äußerungen (noch) in einem gewissen Sinne auf die ästhetische Praxis der sechziger Jahre abzielen, jedoch wesentlich diffiziler mit historischen Avantgardeströmungen in Verbindung zu bringen sind, da die Wurzeln zunehmend gekappt werden und sich die Aufführungen in Analogie zu Volker Klotz' Verständnis des „offenen Dramas" programmatisch in Form einer *écriture scénique* unabgeschlossen äußern.[13]

Die Sprache fungiert hier weniger in ihrer Funktion der Mitteilung von aus der Spielvorlage austretenden dramatischen Realitäten, als dass sie unverkleidet, d.h. dramenentbunden ihre eigenen Realitäten entfaltet und so als szenisch verhandelter experimenteller Spielraum erfahrbar wird.[14]

Dabei geht es nicht um die Frage, wie sich die *Möwe* aktualisieren und sich in unsere gesellschaftlichen Realitäten übersetzen lässt, sondern darum, dass in der Aufführung aus den „engen Spielräumen der dramatischen Dialogstruktur" (Heiner Goebbels) ausgebrochen und nach einem künstlerischen Ausdruck gesucht wird, der unmittelbar empfundenes und gegenwärtiges (medial aufgeladenes) Lebensgefühl mit dem *Quelltext* konfrontiert, sich auf die Suche nach *Schreibspuren* begibt und die dramatischen Splitter samt den Figuren(-hülsen) szenisch polyphon ereignisgebunden rückkoppelt.[15]

Ästhetische Strategien dieser Art führen einerseits zu einer produktiven Befreiung, indem die *Möwe* radikal neu gelesen und die Sprache ästhetisch anders erfahren wird, laufen andererseits aber Gefahr, dass sich das Drama dem zu einer außerordentlichen Mitkomposition geforderten Publikum, dessen literarischer/dramatischer Mitwissergrad zunehmend sinkt, nur

---

[12] So verweist z.B. Peter Dehler in seiner *Möwe*-Inszenierung am Mecklenburgischen Staatstheater Schwerin (Premiere 27.2.2004) mit der Ästhetik von Treplevs raumsprengender Theaterkonstruktion auf die russischen Konstruktivisten/Futuristen (Tairov, Lisickij), zitiert Meyerhold, indem er Treplev in Produktionskleidung (blauer Overall) auftreten lässt bzw. den Raum mittels einer ausgefeilten Lichtregie in Wasser taucht und damit möglicherweise eine Analogie zu Vladimir Majakovskij herstellt, der das „Eintauchen ins Wasser zu einem Symbol revolutionärer Wiedergeburt und Reinigung" machte.

Der Choreograph John Neumeier übersetzt dagegen den ästhetischen Diskurs der *Möwe* in die Tanzpraxis und reflektiert in seinem Literatur- bzw. Handlungsballett Formen der Tanzgeschichte. Während der Ballettmeister Trigorin das akademisch-klassisch-romantische Ballett verkörpert, verweist Treplev mit seinem Tanzstück „Die Seele der Möwe" auf die Ästhetik des Ausdruckstanzes (John Cranko) und zitiert mit einer Bühnenraumkomponente Kasimir Malevičs *Schwarz-weißes Quadrat mit Diagonale* (1913). In einer späteren Choreographie treten Tänzer auf, die mit ihren maschinellen Bewegungsabläufen sowohl auf Oskar Schlemmers *Triadisches Ballett* als auch auf Meyerhold verweisen, indem sie mit ihren weißen Papierkostümen entmenschlicht in Form von strengen geometrischen Formen auftreten bzw. die Tänzer als mobile Plastiken vor Malevičs Quadrat Körperpyramiden bilden und im Geiste des Konstruktivismus zu Ingenieuren ihrer eigenen Körper werden und den Regeln der *Biomechanik* entsprechend „die Ausdrucksmittel ihrer Körper richtig ausnutzen" und das/ihr „Material" kunstvoll „verwalten".

Daniel Call, der in seiner Inszenierung der *Möwe* (Volkstheater Rostock, Premiere 19.2.2002) eine aggressive, trivialisierende sowie infantilisierende Kitsch- bzw. Trash-Ästhetik wählt, das gesamte Drama dekonstruiert und popkulturell auflädt, zitiert mit Treplevs Theater durch Ninas mechanisch-maschinelle Roboterkörpersprache weniger den Maschinenkult der modernen Avantgarden als den in den achtziger Jahren aus Amerika nach Europa kommenden Breakdance-Kult, der sie als hilflose Maschinenstürmerin und gesteuertes artifizielles Automatenwesen erscheinen lässt. Dagegen zeichnet Albrecht Hirche (Schauspiel Basel, Premiere 9.1.2003) die junge Schauspielerin während Treplevs Aufführung als Kunstselbstmordattentäterin mit auf die Ästhetik Jeff Koons verweisenden Hasenohren, wobei ihr Sprengstoffgürtel, den sie um die Taille trägt, nicht explodiert und die gesamte „Performance" ebenso wenig überzeugt.

[13] Vgl. Volker Klotz: Geschlossene und offene Form im Drama. München 1975.

[14] Vgl. Birkenhauer: Schauplatz der Sprache, speziell S. 11-26 u. S. 319-326.

[15] Vgl.: Der Zuschauer als Souverän. Heiner Goebbels im Gespräch mit Dorte Lena Eilers und Frank Raddatz. In: Theater der Zeit 12 (2007), S. 8-15, hier S. 10.

noch in einem figurenlosen sowie vernarbten Zustand vorstellt und somit in seinem Grundgehalt von den medial überforderten Zuschauern nicht mehr gelesen werden kann.

Bearbeitungen Überschreibungen Spielfassungen

Spiegelt sich in der französischen Aufführungspraxis in Analogie zu der landesspezifischen Sprechtheaterkultur nach wie vor eine klassische Texttreue wider, fallen in der deutschsprachigen Theaterlandschaft einige radikale dramaturgische Eingriffe auf, die weniger als Angriffe auf das Original, sondern vielmehr als ein neu aufflammendes Interesse am Text und insbesondere am ästhetischen Diskurs verstanden werden sollten.[16]

Es zeigt sich, dass gerade junge Regisseure Čechov beim Wort nehmen und dessen motivierten ästhetischen Diskurs als „szenischen Essay" (Hans-Thies Lehmann) auf offener Bühne fortsetzen, laut über die Bedeutung und Funktion des Theaters (gesellschaftlicher Auftrag, Spielästhetiken) nachdenken und dabei im Sinne von Treplevs alptraumartiger Vision einen katastrophalen Systemschaden diagnostizieren, der durch die ausufernde kapitalistische Depression eine Endzeitstimmung auslöst. Der künstlerische Diskurs wird damit zu einer kritischen Selbstspiegelung der Produktionsbedingungen und des (Kunst-)Marktes transformiert.[17]

---

[16] So greifen Philippe Calavrio (Théatre National de Bretagne 2002) und Stéphane Braunschweig (Straßburg 2001) jeweils auf die von André Markowicz und Francoise Morvan übersetzte „Version originale" (1895/1996) zurück, die im Gegensatz zu der „Version académique" (1896) länger ausfällt, grundsätzlich den tragisch-existenziellen Grundton hervorhebt, sich durch die subtil behandelten symbolistischen Motivketten, Bühnennähe sowie Musikalität auszeichnet und in der Nachfolge der Übersetzungen von Arthur Adamov/Michel Cadot, Antoine Vitez und Maguerite Duras die gelungenste Modernisierung darstellt. Beide Regisseure greifen trotz ästhetisch signifikant divergierender Lesarten kaum in den Text ein und inszenieren die Vorlage ohne nennenswerte Dekonstruktionen (Striche, Umstellungen, Neuschreibungen).

Thomas Braschs Čechov-Bearbeitungen, in denen der Autor vor allem den Komödiencharakter unterstrich, die Lebens- und Kunstnähte platzen ließ, in den „fremden Fabeln nach der eigenen Fabel" und „eigenen Transportwegen" suchte und den Bearbeitungen damit zahlreiche Kommentare einschrieb, unterscheiden sich grundlegend von der Ästhetik Markowicz' und Morvans und spielen wohl aufgrund ihrer derb-komischen Aufladung, die den Text zum Teil entliterarisieren und trivialisieren, gerade heute wiederholt eine Rolle. So griffen u.a. Katharina Thalbach (Maxim-Gorki-Theater, Berlin 2000) und Albrecht Hirche auf die *Möwe*-Bearbeitung von Brasch zurück. In der Fassung von Brasch kommentiert Treplev z.B. im 4. Akt die Folgen seines Freitods: „Schon komisch, zum Schreien komisch, wie viel Tränen das jetzt wieder geben wird. Kanns gar nicht genug geben, Tränen, literweise am besten. Kullern und fallen und rollen und spritzen und springen und ergießen sich und stürzen herab, die Tränen. Was können die noch." (Anton Tschechows Stücke, übers. u. bearb. v. Thomas Brasch. Frankfurt/M. 1985).

Andererseits eliminierten Regisseure wie Andrea Breth (Schaubühne 1995) und Thomas Langhoff (Deutsches Theater 2001) in ihren Inszenierungen im ausgehenden 20. Jahrhundert das komische Moment – folgten in diesem Sinne der Lesart von Peter Steins Schaubühnen Čechov-Deutungen der achtziger Jahre – und wählten tief tragische bis nihilistische Sichtweisen, die aus ihren metaphysischen Sprachräumen strömten, wobei jedoch nostalgisch-sentimental gefärbte elegische Rückblicke entfielen und die *Möwe* aufgrund des zeitlichen Kontextes (Nachwendezeit, Ende der DT-Ära) als ein historischer Endpunkt bzw. ästhetischer Nullpunkt gelesen wurde. Dies spiegelt sich dann auch in den Spielfassungen wider: Während Langhoff sich für die Übersetzung Peter Urbans entschied und darin die tragische Grundnote unterstrich, wählte Andrea Breth die zu DDR-Zeiten entstandene Übersetzung von Gudrun Düwel, die den existenziellen Ton durch die Fokussierung von Ich-Perspektiven verdichtet und den Ton im Kunst-Diskurs verschärft, indem sie Treplev als Mensch und Künstler in seiner Ernsthaftigkeit programmatisch aufwertet, ohne dabei aber die bürgerlichen Künstler (Trigorin, Arkadina) entscheidend abzuwerten.

[17] Nicolas Stemann inszenierte 1997 im Rahmen des „Junge Hunde Festivals" auf Kampnagel in Hamburg *Terrorspiel. Nach Die Möwe,* operierte mit dem Original wie mit einem Steinbruch, aus dem er einzelne Motive und Repliken herausschnitt und mit literarisch-philosophischen Fragmenten (Camus), Filmsplittern (Tarantino) und dramenwissenschaftlichen Theorien (Szondi, Hielcher) sampelte. In Form eines programmatisch auseinanderfleddernden autoreflexiven medialen Remixes, dem jedoch die dialektische Schärfe einer New Yorker Whooster Group-Ästhetik (*Drei Schwestern*) fehlte – diese wurde hier durch zahlreiche Bildschirme, die als autonome Mitspieler fungierten, zitiert –, begriff er seine Performance als einen *szenischen Essay*, in dem er den

Dementsprechend formuliert in Falk Richters Inszenierung (Schauspielhaus Zürich/Schaubühne Berlin 2004) die Nina-Darstellerin in ihrem überschriebenen Weltseele-Monolog: *Kalt! Ich spüre nichts mehr. Ich bin leer. Ich kann nicht mehr. Eine Leere hat die Welt zerfressen und ich wünschte, ich wäre nie geboren. Dieses Universum muss vernichtet werden. Diese Schöpfung war ein Fehler, ein Irrtum...*, während ihre Basler Kollegin gleich ein autodestruktives Manifest formuliert, das den Untergang der (Schauspiel-)Kunst beschreibt und mit der „bürgerlichen moralischen Anstalt" endgültig abrechnet: *Tag der Schöpfung, the day of creation. Elephantengang, Affengesten, Hundeatem, Ameisengedanken, Kartoffelherz. Wer ist das? Der Schauspieler. Hemmung, Unsicherheit, Schande, Strafe, Verzweiflung. [...] Das Lesen fickt das Gelesene. Die Wiederholung fickt die Sprache. [...] Die Probe als Schlachthof der Ideen. Die Bühne als Schlachthof der Kreativität. Das Theater als Schlachthof der Kommunikation. Das ist eine Tragödie. Die einzige, die im Theater (immer und überall) aufgeführt wird.*[18]

Stefan Pucher, der mit seiner Dramaturgin Gabriele Bußacker auf die Übersetzung von Andrea Clemen zurückgreift und an dem Text bzw. mit der Sprache am radikalsten arbeitet, indem er die Chronologie des Stückes aufhebt, die Spielvorlage in Form von (audio-)visuellen Retrospektiven und Previews vor- und zurückspult, Motive sampelt und sie durch Čechov- oder Marc Aurel-Zitate reloaded, die er seinem ästhetischen Sprachrohr Treplev in den Mund legt, interessiert sich vor allem für den (theater-)ästhetischen Diskurs im Stück.

Treplevs programmatisches Manifest, das von Jens Roselt in Form einer zeitgenössischen kritischen (Theater-)Apparat-Reflexion (Repräsentationskrise, Suche nach Authentizität und neuen Dramaturgie-Formen, Produktions- und Rezeptionswandel, Kunstmarkt) umgeschrieben wurde, klingt im Hamburger Schauspielhaus (Premiere 30.11.2000) völlig neu:

ästhetischen Diskurs als wüsten Kunstkrieg interpretierte und das Theater als medial verseuchtes System darstellte, in dem die erfolgreichen 68er als Hüter von Game- und Late Night-Shows (Arkadina, Trigorin) die Medien-Ordnung manipulierend und brutal bestimmen und den jungen Kunststürmern Treplev und Nina keinen Einlass gewähren, bis diese desillusioniert Oliver Stone zitieren: „Wir sind die geborenen Killer" und symbolisch das Regiepult mit Motorsägen massakrieren.

[18] Albrecht Hirche folgt der Bearbeitung von Thomas Brasch nur bedingt und ersetzt vor allem den Monolog der Weltseele durch einen eigenen Text. Falk Richter, der die Übersetzung von Ulrike Zemme wiederholt überschreibt, indem er z.B. die Maupassant-Lektüreszene und Dorns Genua-Motiv durch ein Zitat aus Michels Houellebecqs *Elementarteilchen* ersetzt, fokussiert vor allem den jungen Schriftsteller und Regisseur Treplev, der bei ihm als „Zeitgenosse" selbstironisch mit dem (Berliner) Theatersystem abrechnet: „Außerdem weiß sie, dass ich das etablierte Theater verabscheue. [...] für mich ist das heutige Theater reine Routine, harmlos, abgesichert, immer das gleiche, weit und breit nichts, das mich berührt, alles lässt mich kalt, ich erfriere in diesen stumpfsinnigen Theaterräumen, wo hochbezahlte Starschauspieler eitel über die Bühne tappen und in den immer gleichen Stücken zeigen, wie toll sie von rechts nach links über die Bühne gehen können und wie toll man ihre langweiligen Gesichter ausleuchten kann. Sie bilden sich ein, sie könnten eine Wahrheit über das Menschsein verkünden und wissen nichts, absolut nichts vom Menschen. Alle sind zynisch, keiner meint mehr irgendetwas ernst, alle wiederholen sich und jagen irgendwelchen Auszeichnungen und Preisen hinterher, jeder guckt nur, wie er sich am besten mit seinem sinnlosen Scheiß auf dem Markt behaupten kann und möglichst viel abkassiert, die fünfzigste Nora-Interpretation oder wenn der Krieg ausbricht inszenieren wir noch mal schön alle Nathan der Weise – und alle haben panische Angst, dass sie was falsch machen könnten und den Kritikern nicht mehr gefallen und ihre gesicherte Position auf dem Markt verlieren und erstarren in Angst und schicken ihre immer gleichen Schauspieler durch die immergleichen Inszenierungen in den immergleichen Stücken..."

Rüdiger Burbach wählt dagegen eine verstörende kosmisch ausufernde Lesart des Weltseele-Monologs, den er von Stefan Maus neu schreiben lässt: „Ultrarezeptives Visioplasma explodiert aus der Knochenhöhle meines dritten Auges, schmiegt sich an einen Spiralnebel, an das große kosmische Diaphragma, schraubt sich mit ihm in intergalaktische Weiten, wo es späht und starrt und linst. Submolekulares Audio-Gel, schmalzresistent und sirenenproof, rinnt aus meinen Ohrmuscheln. Lässt mir keines der alten, uralten Lieder. *(singt)* – Yesterday, when all the troubles seemed so far away – spült durch die Halfpipe meiner Knorpeltrichter, wird weit hinaus in den dritten Quadranten der vierten Dimension geschleudert, gut 2,7 Kilometer jenseits von Eden, wo es hört und horcht und lauscht [...]."

Das Theater öffnet sein Maul und herauf steigt der modrige Geruch des 19. Jahrhunderts. Was man hier für eine richtige Figur hält, ist eine Schabracke aus Vorurteilen und Allgemeinplätzen, die man wie eine bildungsverbürgerte Maske vor sich her trägt. Mich macht das ekeln.

Scharlatane sind unter uns. Sie behaupten zu wissen, was eine richtige Figur sei. Glauben Sie den Herrschaften kein Wort. Die haben im Theater nichts zu suchen. Sie sind zu feige, hinter sich selbst zu gucken und sich auf das Spiel einzulassen, das wir das neue Theater nennen.

Figuren im neuen Theater reden nicht mehr oder weniger in Sprechblasen als diejenigen Kritiker und Zuschauer, welche den angeblichen Mangel an menschlicher Fülle selbstgefällig annahmen. Im Foyer stehen Leute, die von Tiefe sprechen. Spucken Sie ihnen ins Gesicht! Wenn ich keine richtige Figur bin, dann sind Sie keine richtigen Menschen.

Ich soll einen Menschen darstellen. Wer behauptet zu wissen, was eine richtige Figur sei, muss deshalb zunächst wissen, was ein Mensch sei. Was uns im Innersten zusammenhält. Das weiß ich nicht! Deshalb steh' ich hier! Das ist der einzige Grund, Theater zu machen!

Um diese bohrende Frage immer wieder anzugehen, ohne eine abschließende Antwort zu erhalten. Was ist eigentlich ein Mensch? Von allen Seiten muss man sich herantasten. Das Problem, das man selbst ist, in den Blick nehmen. Aus abwegigen und kuriosen Perspektiven und aus dem vordergründigen, banalen. Im wahrsten Sinne des Wortes spielt der Schauspieler dieses Problem auf der Bühne durch, immer wieder, jeden Abend aufs Neue. Nicht weil er ein fertiges Konzept des Menschen hätte, welches es vorzuführen gilt, sondern weil das Schauspielen selbst im Konzept des Menschen ist, welches durchgeführt werden muss. Das Theater behauptet viel, wenn der Abend lang ist. Das Theater weiß, was es von seinen Autoren will:

„Spielbare Stücke" fordert der Dramaturg, während er den Stücken des klassischen Repertoires ihre Spielbarkeit austreibt.

„Aktuelle Bezüge und tagespolitische Brisanz" fordert die Kritik, die Shakespeare für ichren einzigen Zeitgenossen hält.

„Gute Unterhaltung" fordert das Abonnement, das nur zufrieden ist, wenn Goethes Faust es dreieinhalb Stunden richtig gelangweilt hat.

„Griffige Figuren" fordern die Schauspieler, die nichts begreifen wollen außer sich selbst.

„Konkrete, praktikable Raumlösungen" fordert der Bühnenbildner, der den Athener Wald gerade in einen gekachelten Wartesaal verlegt hat.

Über allem thront der Regisseur. Er wünscht: „Autoren, die was zu sagen haben" und wird doch stets taub, wenn jemand anderes spricht als er selbst.

[...] Neue Stücke sind nicht der Grund für Unzufriedenheit, vielmehr zeigt sich in ihnen die Unzufriedenheit des Theaterbetriebs mit sich selbst. Das Theater ist ein Apparat, der sich selbst befriedigt hat und dem nun derart die Luft ausgegangen ist, dass er neue Stücke nicht mehr zu Gummipuppen aufzublasen vermag, die er zu erneuter Befriedigung gebrauchen würde. Das Theater hat ein schlechtes Gewissen. Zu recht! Das Theater weiß gar nichts! [...]

Das Moment der (selbst-)kritischen künstlerischen Sinnsuche spielt dementsprechend in der gesamten Aufführung als szenische Versuchsanordnung eine zentrale Rolle, womit sich Treplevs Metadrama als Metatheater trotz einiger aus der Umschreibung und Strichen resultierender symbolischer Verknappungen als produktiv *ausgesprochenes* Bilderchaos weiter entfacht, das Theater die Zuschauer unmittelbar anspricht und herausfordert, Čechov radikal neu begegnet und dessen/Treplevs Suche nach neuen Kunst- und Lebensformen äußerst ernst nimmt.

Sprechende offene Bühnenräume und experimentelle Spielästhetiken

Treplev: „Das nenne ich ein Theater. Vorhang, dann die erste Kulisse, die zweite und dahinter – der leere Raum. Keinerlei Dekoration. Der Blick geht direkt auf den See und den Horizont. [...]“[19]

Fusionieren in Treplevs Theatervision der Kunst- und Lebensraum, die die Ästhetik der Guckkastenbühne sprengen und den Raum in ein „Totaltheater“ transformieren, so unterstreichen die Szenographen und Lichtbildner in avancierten Aufführungen genau diesen Aspekt, indem sie einerseits mit den symbolischen Kunst- und Lebensräumen spielen, deren Grenzen im Sinne von Treplevs symbolistischem Metatheater verschwimmen und andererseits den Spielraum expandieren lassen (Spielverlagerung in den Zuschauerraum), was zu einer aktiven Publikumsteilnahme führt, womit die Kunst unmittelbar in die Lebenspraxis einbricht. Dabei erscheinen die ästhetischen Strategien (visuelle Dramaturgien) höchst verschieden, intendieren jedoch alle eine neue Form der *Publikumsdramaturgie*.

Dass Sprechtheater-Ästhetiken im Sinne Adolphe Appias („Mit dem Licht malt der Wort-Ton-Dichter sein Bild“) auch dramaturgisch signifikant visuell ausgerichtet sein können, zeigt die Inszenierung von Stéphane Braunschweig, der speziell mit dem Licht Treplevs Theater in die gesamte Aufführung blendet und eine Raumbühnenästhetik entwickelt, in der es zu einer symbolischen Fusion von miteinander sprechenden kunst- und lebensphilosophischen Räumen kommt. Dies geschieht gerade in dem Moment, wenn der aus zwei schrägen Seitenwänden und einer im Hintergrund platzierten steil ansteigenden Treppe bestehende weiße abstrakte Raum während die Aufführung Treplevs – dessen Bühne programmatisch gestrichen ist – durch ein bläuliches Lichtflackern symbolisch unter Wasser getaucht wird, die Körper der Darsteller mit dem Raum verschmelzen und das Bild an ein Unterwasserstillleben erinnert, in dessen (unbewussten) Tiefen sich der Raum und die Zeit neu konstituieren und sich ein tragisches Drama abspielt.

Nach Treplevs Tod wird der realistisch-abstrakte Raum erneut aufgehoben, indem die Schauspieler wieder in die Unterwasserwelt abtauchen und sich der Lebenskreislauf symbolisch schließt.[20]

Dass eine Theateraufführung einer Reise auf einem Floß gleichen kann und das Drama bzw. die schiffbrüchigen Figuren trotz tragischer Strömungen federleicht erscheinen können, zeigt Luc Bondy (Burgtheater 2000), der die *Möwe* in einem poetischen und oszillierenden Realismus badet und anschließend vieldeutig und in nuancierten symbolischen Zwischentönen zum Trocknen hängt.

Gilles Aillauds Bühnenraum lässt vor allem Treplevs Bühne viel Platz, deren verwitterte, in unterschiedlicher Länge geschnittene und zusammengenagelte Holzbohlen mehr als die Hälfte der Bühne bedecken. Darüber hängt während der ersten drei Akte ein großes rotes Tuch, das zuerst als Vorhang für Treplevs Aufführung dient und darauf als verblichenes Sonnensegel über seiner Bühne schwebt. Alleine mit der symbolischen Umcodierung der Stoff-Fahne gelingt es der Regie, ihre zentrale Botschaft in den Publikumsraum zu senden: Kunst

---

[19] Urban, 581 (Вот тебе и театр. Занавес, потом первая кулиса, потом вторая и дальше пустое пространство. Декораций никаких. Открывается вид прямо на озеро и на горизонт. [...]; 13, 7).

[20] Andrea Breth lässt die Schauspieler im Rahmen von Treplevs Aufführung – auch hier ist dessen Bühne gestrichen – mit Hilfe der Lichtregie ähnlich durch den Raum schwimmen, hebt die Grenzen des Sees als Kunst- und Lebensraum auf und kontrastiert diese Szene in Analogie zu Treplevs späterer Bemerkung, dass ihm der See wie ausgetrocknet erscheine, mit einem Bild, das den Bühnenboden wie eine Treibsandfläche erscheinen lässt, auf der die tragischen Protagonisten keinen Halt mehr finden können.

Peter Dehler spielt in seiner Schweriner Inszenierung ebenso auf die Seesymbolik an, indem er im letzten Akt Treplevs Schreibtisch und Bühne durch die Beleuchtung wie Inseln in den (Lebens-)See abtauchen lässt und das Ensemble nach der Lottoszene auf einer Art rotem Teppich sitzt, der aus dem (Kunst-)See auftaucht.

und Leben sind unmittelbar miteinander verwoben. Zudem wird Treplevs Theater in einem Rekordtempo vom Leben geschluckt, da seine Spielstätte zum elementaren Spielraum für alle folgenden wesentlichen Szenen wird und das gesamte Drama somit auf seiner Bühne stattfindet, d.h. Treplevs frühzeitig gescheitertes „Endspiel" nun als „Lebens-Drama" nachgespielt wird.[21]

Im 4. Akt richtet Bondy nochmals einen ironischen Blick auf den jungen Schriftsteller. An einer Wäscheleine, die quer über die Bühne gespannt ist, hängen Treplevs Manuskripte. Stellt Bondy hier Treplevs „Bilderchaos" aus, das nach einem Schnellwaschgang nun trocknen und wie sein ehemaliger Theatervorhang ausbleichen soll?

Stefan Pucher reflektiert den Text primär in seiner räumlichen Dimension, indem er sich gleich für mehrere miteinander spielende sowie konkurrierende Spielräume (Bühne: Barbara Ehnes) und gegen eine additive Sinnerzeugung entscheidet, mit Textoberflächen spielt, diese mit seinen Darstellern affirmativ überschreibt, audiovisuell überblendet, symbolisch auflädt und dabei durch weitere Spielstrategien in den Textkörper vordringt, der sich im gesamten Theaterraum diskursiv ausdehnt und das Publikum herausfordert.

Dabei setzt Pucher mittels einer Collage-Ästhetik auf Simultaneitäts- und Parallelisierungsstrategien, wechselt immer wieder die Erzählperspektive, arbeitet mit Störungen (Spielverweigerung vs. Überfülle), verlagert permanent die „Wahrnehmungsmilieus" (Petra Maria Meyer) und kreiert Bild-Räume, die sich zellenartig teilen, vermehren und in denen die Schauspieler und der Text auf mehreren Ebenen präsent sind.

Der Text kann sowohl als Hörspiel eingespielt, von den Darstellern von Balkonen gesprochen, als *Möwe*-Movie auf die Leinwand projiziert, musikalisch kommentiert oder auch auf der Bühne (live) gesprochen, choreographiert und ausgeblendet werden. Čechovs See gefriert bei Pucher zu einer Eisfläche, auf der die Darsteller auf Schlittschuhen meist einsam ihre Runden drehen, ihren Text bewegen, ihre Rolle suchen sowie hinterfragen und tragisch aneinander vorbeischliddern, ohne sich dabei wirklich anzunähern.

Das Spiel findet jedoch auch in einem dreigeteilten transparenten Container statt, der auf Eisenträgern steht und über die Kunsteisfläche gebaut ist.[22]

---

[21] Bondy, der auf die Auftragsübersetzung von Ilma Rakusa zurückgreift, zeigt kein übermäßiges Interesse an Treplevs Kunstvision, interessiert sich mehr für den gestörten Beziehungsreigen der erhitzten Gemüter und sympathisiert eher mit dem Schriftsteller Trigorin und dessen leichten künstlerischen Neurosen. Auch wenn sich Treplevs debütantisch anmutende Aufführung – Nina hält während ihres Monologs, den sie in einem weißen Tuch verhüllt verstört und „entmenschlicht" deklamiert, eine lange Stange mit einem Puppenkopf hoch und verweist damit möglicherweise auf symbolistische Strömungen und die Ästhetik Edward Gordon Craigs – als eine Avantgarde-Parodie verstehen lässt, zieht diese, wie am Beispiel seiner Bühne skizziert, durch die Hintertüre wieder als ästhetischer Diskurs in die gesamte Aufführung ein.

Ein weiterer bühnenbildnerischer Kunstgriff besteht darin, dass der Innen- und Außenraum auch durch eine Hinterwand mit einem Fenster und einer Türe, auf die eine abstrakte Seelandschaft bzw. ein vorstellbarer überlanger Vogelschnabel gemalt sind, durch die Lichtregie und einige Auf- und Abgänge (die Schauspieler laufen aus oder in den See) konsequent durchlässig ist und Bondy damit subtil Čechovs Hinterbühne/Off beleuchtet, ohne den Protagonisten ihre letzten Geheimnisse zu rauben.

Plakativ gerät dagegen die Lesart von Eric Lacascade (Centre Dramatique National de Normandie, Caen, 2000), der Treplevs Drama als Signum einer beziehungslosen, einsamen und abgestorbenen Welt versteht, im letzten Akt das Ensemble knöcheltief in einem weißen Federberg wie in einem Ozean von toten Vögeln tragisch langsam sich bewegen und Treplev am Ende der Aufführung in einem mythisch-rituellen Todestanz darin versinken lässt.

[22] Falk Richter wählt eine ähnliche, jedoch weniger multimedial aufgeladene Raumästhetik, indem er nach den ersten drei Akten, die auf einer Art überdimensionalen Tischtennisplatte stattfinden, das Spiel in einen mehrteiligen Glasbaukasten verlegt, in den sich seine Protagonisten zurückziehen, um dort ihre tragischen Risse in den Zwischenräumen von Figur–Rolle–Privatperson zu analysieren. In der Schlussszene steigen die Schauspieler schließlich konsequent aus ihren Rollen aus und beobachten aus der ersten Parkettreihe den auf dem Glashausdach stehenden Treplev bei seinem Suizid.

Darin können sowohl verschiedene Originalszenen simultan live gespielt werden – die Darsteller/Kandidaten untersuchen und proben hier zeitversetzt ihr (persönliches) Drama, indem sie radikal aus ihren Figuren aussteigen und ihre Mitmenschen in den anderen Boxen beobachten –, Probenausschnitte oder Live-Bilder von den Eisfläche-Szenen gezeigt als auch die Ereignisse gedoppelt werden, indem unten gespielt wird und oben die Filmsequenzen zu sehen sind.[23]

Pucher gelingt es, mit dem gesampelten Rohmaterial bzw. aufgebrochenen Drama (Aufhebung des dramatischen Fiktions- und Repräsentationsrahmens) heutiges medial-geprägtes Lebensgefühl (Subjektkrisen) zu thematisieren, die Aufmerksamkeit auf die transmedialen Spielformen zu lenken, dabei die Krise des Dramas/Theaters und die Rolle des Publikums transparent werden zu lassen, um letztlich Čechov mit seinen entscheidenden Fragen wieder zu treffen.

Jacques Delcuvellerie bewegt Publikum und Darsteller in Form einer Zeitreise durch verschiedene Spielräume, reflektiert auf eine sehr persönliche Weise die (theater-)ästhetischen und gesellschaftlichen Transformationsprozesse der sechziger Jahre, bis er im Verlauf der vier Akte, denen jeweils eine spezifische Raumkonzeption und zunehmend historisierende Kostümwechsel mit der Ausnahme Treplevs und Ninas zugrunde liegen, immer klassischere Spielformen wählt und am Ende der Aufführung das Drama einrahmt und musealisiert ausstellt.[24] Sind Treplevs/die ästhetischen und gesellschaftlichen Befreiungsversuche heute endgültig fehlgeschlagen und handelt es sich bei dem bürgerlichen Rückfall um eine kulturpessimistische Diagnose? Die Aufführung beginnt zumindest revolutionär, indem die Zuschauer inmitten der Künstler auf dem Boden sitzen und Treplevs Happening in einer *Living-Theatre*-Atmosphäre verfolgen, psychedelische Rockmusik aus den Lautsprechern dröhnt und dessen Seekulisse auf eine Projektionsfläche geblendet wird.

Während das Publikum im Verlauf des 2. Aktes von Holzbänken aus, die inmitten einer aus Designmöbeln bestehenden Spielszene platziert sind, unmittelbar am Sitzdrama der Darsteller teilnimmt, dabei durch einen Kameramann live aufgenommene springende Bilder auf vier Plasmabildschirme geworfen werden, durch die jeweiligen Rollenbefragungen und Bespiegelungen sowie Verdopplungen eine voyeuristische Fernsehstudio-Ästhetik suggeriert wird, der eine wachsende Leere und Stagnation entströmt, arbeitet Delcuvellerie programmatisch mit dem Text und der Zeit. Durch den zeitweiligen Einsatz von Microports, die immer wieder *akustische Sprünge* verursachen, wird die Sprache einerseits aufgewärmt und intimisiert, andererseits durch elektronische Abkühlungen distanziert, womit die Repliken sowohl an den Darstellern haften bleiben als auch durch den Raum irren und sich in der Weite verlieren. Das Publikum teilt demzufolge die Kommunikationsprobleme, die Beziehungslosigkeit sowie die sprachlichen Ausdrucksgrenzen direkt mit den Darstellern, die speziell die Aufmerksamkeit auf das Unausgesprochene/Unaussprechbare lenken.

Am Ende der Aufführung haben sich die Utopien verdunkelt, die Darsteller tragen Kostüme der Jahrhundertwende, scheinen in ihrem Text und in ihrem Drama gefesselt zu sein, wirken tragisch desillusioniert und stehen dem Publikum gegenüber, das mittlerweile in auffälli-

---

[23] Pucher nimmt in der Inszenierung grundsätzlich radikal die Perspektive Treplevs ein, der nach seiner Performance im Aufführungsprozess wiederholt die Regie übernimmt, Szenenanweisungen spricht, Szenen wiederholen lässt, auch einmal die Maske hereinruft, um seinen Verband erneuern zu lassen und damit sein Drama in das gesamte Drama überführt.

[24] *La Mouette* von Jacques Delcuvellerie und dem Kollektiv Groupov hatte am 26.9.2005 am Théatre National Bruxelles Premiere. Es fällt grundsätzlich auf, dass Čechovs persönlichster Theatertext die Regisseure zu ebenso persönlichen ästhetischen Positionierungen drängt und der Kunstdiskurs der Vorlage dadurch eine interessante Aufwertung erfährt bzw. gerade jüngere Regisseure mit ihren szenischen Realisierungen einen Drang zur ästhetischen Polarisierung und komplexen ästhetischen Assoziationen entwickeln.

ger Distanz frontal zu ihnen auf einer Tribüne Platz genommen hat und mit einer bleiernen Schwere konfrontiert wird.

Der schwedische Dramatiker und Regisseur Lars Noren wählt einen ganz anderen ästhetischen Ansatz und inszeniert die *Möwe* (Riks Drama/Riksteatern Stockholm, 2002) im Arbeitslicht als szenische Probe, in der die „privaten" Schauspieler am Probentisch ihren Text lesen, einzelne Szenen auf Treplevs auf dem Boden ausgebreitetem Vorhang probieren, – dabei an Bondys Lesart der Transformation von Treplevs Bühne erinnern –, sich vom Requisitentisch bedienen, gemeinsam laut über die Spielvorlage bzw. ihre Rolle(n) nachdenken und dabei die Techniker und Souffleusen einbeziehen. Noren betont in seinem *szenischen Essay* in Analogie zu den *weißen dramaturgischen Flecken* primär die Rollennöte, das Moment des (dramatisch) Unfertigen sowie Provisorischen und lädt das Publikum dazu ein, den inszenierten Probenort als kollektiven Reflexionsraum zu verstehen.

Im Verlauf der Probe, in der das Ensemble permanent präsent ist, werden Figurenskizzen und szenische Auslegungen entwickelt, die langsam zu einer offenen Aufführung zusammenwachsen, deren Illusionsgrad und Repräsentationsrahmen aber immer wieder gebrochen wird, da die Schauspieler aus ihren Rollen springen, einzelne Szenen zurückspulen und neu performen und die Relationen von dargestellter Zeit und der Zeit der Darstellung thematisieren bzw. deren Grenzen zum Teil aufheben.

Noren reflektiert jedoch erstaunlicherweise weniger die Funktion und Bedeutung von Treplevs Theater, dass er jämmerlich scheitern lässt, als den gesamten Theatertext, dem er sich vor allem als Dramatiker nähert und ihn trotz einiger ästhetischer Unstimmigkeiten in die künstlerische (Lebens-) Praxis übersetzt.

Arpad Schilling gelingt es mit seinem ungarischen Ensemble „Krétakör" (dt. Kreidekreis), die von Noren angestoßene theoretische und spielerische Behandlung des Dramas subtil weiterzuentwickeln und das Drama *wirklich* werden zu lassen.[25]

Schilling konzipiert *SIRàJ* – der Titel spielt darauf an, dass es sich um eine „Variation" der *Möwe* handelt – für „reale" Räume, verzichtet auf Bühnenbild, Kostüme, Technik sowie künstliche „Theatertöne", lässt die Grenzen zwischen Theater und Wirklichkeit bzw. Figur und Schauspieler verschwimmen und erinnert damit an die Ästhetik der dänischen „Dogma"-Regisseure, die in ihren Filmen ähnliche Ziele verfolgen. Das völlig „ungeschützte" intime Spiel der Darsteller, die während der Aufführung permanent präsent sind und absolut demokratisch behandelt werden, womit Haupt- und Nebenrollen praktisch entfallen, findet in einem intimen Raum statt, den sie mit nicht mehr als fünfzig Zuschauern teilen.

Schilling vertraut ganz dem Text und lässt seine Schauspieler keine Figuren spielen, sondern diese in das Drama hineinwachsen und aus diesem in ihrer „Privatheit" authentisch heraustreten und extrem gegenwärtig wirken, womit die *Möwe* zu einem *Drama der Gegenwart* wird.[26]

Wie in keiner anderen Inszenierung sprechen die Darsteller mit ihrer „persönlichen" Geschichte das Publikum unmittelbar an, wodurch das Drama kollektiv *neu* erlebt wird, die Zuschauer in die „Privatsphäre" der Protagonisten einbrechen und die Čechov-Figuren eine völlig neue *Rolle* spielen.

Die variationsreiche, äußerst subtile Aufführung besticht gerade dadurch, dass hier bewusst mit offenen Spiel-Ästhetiken operiert wird, die gerade nicht das Drama interpretatorisch er-

---

[25] Die Uraufführung fand 2003 im Kaminzimmer eines klassizistischen Jahrhundertwende-Gebäudes in Budapest statt. Die Produktion gastierte anschließend u.a. bei den Wiener-Festwochen (Vestibül/Burgtheater), im Hau 3 (Berlin) sowie in mehreren französischen Theatern.

[26] Die Gegenwärtigkeit bzw. Gegenwartsverdichtung wird auch dadurch motiviert, dass Schilling das Zeitloch zwischen dem 3. und 4. Akt eliminiert, ohne dass dadurch symbolische Verluste oder Fabelrisse auftreten.

schließend verschließen oder die Figuren im Drama bzw. die Schauspieler in ihren Rollen einsperren oder die Figuren an die Sprache ketten, sondern einen experimentellen Spielraum entwerfen, in dem speziell durch die offenen Spielästhetiken und die befreite Sprache spielerisch der haarscharfe Raum zwischen Realität und Fiktion reflektiert wird.

Dabei wird schnell deutlich, wie eng die Schicksale der Figuren miteinander verbunden sind, die sich generationenübergreifend spiegeln, womit Schilling unterstreicht, dass er weniger einen Kampf der Generationen inszeniert, in welchem die jüngere der älteren Generation zum Opfer fällt, als vielmehr generationsübergreifende (innere) menschliche und künstlerische Konfliktlinien skizziert, die die dramatische Familie als Kollektiv betreffen. Schilling forscht gemeinsam mit dem Publikum nach Erklärungen für die individuellen Nöte jeder einzelnen Figur und sucht dann nach tragischen Verbindungsebenen bzw. Abhängigkeiten.

Nachdem der Beginn der Aufführung an Louis Malles *Vanya on 42nd Street* erinnert hatte – die zunächst nicht erkennbaren Schauspieler lösen sich langsam aus dem Publikum, um sich „privat" zu unterhalten und dann mit ihren Rollen zu verschmelzen – und sich der Trigorin-Darsteller vom Publikum einen Stift für eine Sujet-Notiz geliehen hatte, findet Schilling ein vielsprechendes Schlussbild, dass Treplevs qualvolle Suche nach neuen (Kunst- und Lebens-) Formen subtil zusammenfasst: Treplev, der während seiner Aufführung Nina mit der Geige begleitet und dabei keinen wirklichen Ton getroffen hatte, lässt sein Instrument zu Boden fallen, zertritt dieses akribisch und bringt damit seinen sinnlichen Absterbensprozess zum Ausdruck.[27]

Die Blicke in die gegenwärtige Aufführungspraxis der *Möwe* zeigen, dass es zunehmend problematisch ist, an der ästhetischen Kategorie des *Regietheaters* festzuhalten, d.h. die Aufführungen nach der interpretatorischen Freiheit des Regisseurs in der Behandlung des Textes in Relation zum „Original" zu vermessen, da im begrenzten Blickwinkel zwischen „Werktreue" und „Aktualisierung" das den Aufführungen innewohnende hohe reflexive Potenzial und die im Rahmen der Publikumsdramaturgie sich ereignenden ästhetischen Erfahrungen unzureichend beachtet werden.

Die heute sich manifestierende ästhetische Sprengkraft der *Möwe* wird durch Theresia Birkenhauers treffende Diagnose umso deutlicher: „Gegenwärtiges Theater ist weniger oppositionell, denn im hohen Maße reflexiv, auf die Texte und die Aufführungstradition bezogen. Die Auseinandersetzung mit den tradierten Formen des Theaters äußert sich nicht, wie noch zu Zeit der historischen Avantgarden, in ästhetischen Traktaten und Manifesten als programmatische Idee, sie formuliert sich in den Inszenierungen der künstlerischen Arbeit."[28]

Literatur

Bauer, Gerhard: Lichtstrahl aus Scherben. Čechov. Frankfurt/M. 2000.

Belyj, Andrej: A.P. Čechov. In: *Der Kirschgarten.* Programmheft der Schaubühne Berlin, 1989.

Birkenhauer, Theresia: „Der Vorhang senkt sich langsam" – Zu Tschechows *Onkel Wanja.* Zeitstrukturen dramatischer und szenischer Narration. In: Zeitlichkeiten – Zur Realität der Künste. Theater, Film, Photographie, Malerei, Literatur. Hg. Theresia Birkenhauer, Annette Storr. Berlin 1998, S. 50-84.

Birkenhauer, Theresia: Schauplatz der Sprache – das Theater als Ort der Literatur. Maeterlinck, Čechov, Genet, Beckett, Müller. Berlin 2005.

Birkenhauer, Theresia: Verrückte Relationen zwischen Szene und Sprache. In: Politik der Vorstellung. Theater und Theorie. Hg. Joachim Gerstmeier, Nikolaus Müller-Schöll. Berlin 2006, S. 178-193.

---

[27] Noren erzielt eine ähnliche Wirkung, indem er den Treplev-Darsteller auf einem Stuhl frontal zum Publikum platziert, ihn dabei eine Zigarette rauchen und innerlich absterben lässt.

[28] Theresia Birkenhauer: Verrückte Relationen zwischen Szene und Sprache. In: Politik der Vorstellung. Theater und Theorie. Hg. Joachim Gerstmeier, Nikolaus Müller-Schöll. Berlin 2006, S. 179.

Anton Čechov. Über Theater. Hg. Jutta Hercher, Peter Urban. Frankfurt/M. 2004.
Deppermann, Maria: Beitrag Dramaturgie der Stille – Čechov und Maeterlinck. Prolegomena zu einem Vergleich. In: Anton P. Cechov – Philosophische und religiöse Dimensionen im Leben und Werk. Hg. Vladimir B. Kataev, Rolf-Dieter Kluge, Regine Nohejl. München 1997, S. 151-174.
Der Zuschauer als Souverän. Heiner **Goebbels** im Gespräch mit Dorte Lena Eilers und Frank Raddatz. In: Theater der Zeit 12 (2007), S. 8-15.
Klotz, Volker: Geschlossene und offene Form im Drama. München 1975.
Lehmann, Hans-Thies: Postdramatisches Theater. Frankfurt/M. 1999.
Szondi, Peter: Theorie des modernen Dramas (1880–1950). Frankfurt/M. 1963.
Tigges, Stephan: Von der Weltseele zur Über-Marionette: Čechovs Traumtheater als radikale avantgardistische Versuchsanordnung. Bielefeld 2009.
Anton Tschechows Stücke, übers. u. bearb. v. Thomas Brasch. Frankfurt/M. 1985.

Gudrun Goes

Drei Schwestern auf deutschen Bühnen.
Übersetzungen, Bühnenfassungen, Wirkungsstrategien und Zuschauer

Auf dem ersten Badenweiler Čechov-Symposium 1985 hob Rolf-Dieter Kluge die Inszenierung der *Drei Schwestern* von Ingmar Bergmann 1978 am Residenz-Theater in München und die von Peter Stein 1984 an der Schaubühne in Berlin als maßstabsetzend hervor.[1] Im Umfeld von Anton Čechovs hundertstem Todestag hat Barbara Lehmann mit Peter Stein ein Interview geführt, in dem er bekräftigte: „Tschechow-Figuren fragen jeden einzelnen, wie er mit der Welt, in der er lebt, umgeht. Sie erzeugen einen enormen moralischen Anspruch [...]. Tschechow-Figuren sind [...] auch stellvertretend für den Menschen überhaupt und nicht für eine bestimmte Gesellschaftsschicht."[2] Für Stein folgen die Figuren Čechovs bestimmten Obsessionen.[3]

Der Theaterkritiker Gerhard Stadelmaier sieht heute andere Gründe, Čechov zu inszenieren als jene von Stein 1984, der in seiner Inszenierung die Melancholie der gescheiterten 68er-Intellektuellen ‚entdeckte'. Es würde ältere Schmerzen geben, die Čechovs Figuren zu unseren Zeitgenossen werden ließen.[4] 1997 wurden Čechov und sein Stück *Drei Schwestern* mit folgenden Worten in der deutschen Presse beschrieben: „Alle lieben Tschechow. Er ist der bluesigste Russe des 19. Jahrhunderts. Alle lieben die Drei Schwestern: Sie sind (inklusive der bösen Schwägerin) die petit-point gestickten ‚Golden Girls' für die ganze Theaterfamilie."[5]

Der russische Dramatiker Anton Čechov, ein Autor aus einer anderen Kultur und Sprache, hat seine Fremdheit für den deutschen Zuschauer fast verloren. Für die Rezeption seiner Werke, besonders seiner Bühnenwerke, spielt die geistige Nähe eine große Rolle, die Ähnlichkeit der Fragen, die er an die Menschen stellt, auch wenn Čechov, wie Gerhard Bauer in seiner Arbeit sehr nachdrücklich betont, seinen geistigen Reichtum aus seiner Fremdheit gewinnt.[6] Theatralische Konventionen wirken hier nicht hemmend, sondern weisen auf gemeinsames, zwischen Schauspielern und Zuschauern geteiltes Wissen.[7] Das Gefallen oder Missfallen an einer Inszenierung wird an ganz unterschiedlichen Befunden festgemacht: zu nah am Text von Čechov oder zu weit weg, dem Stück wurde die Substanz genommen u.Ä. Als Diskussionspunkt erweist sich in den Kritiken der Begriff der „Werktreue"; er suggeriert „die Möglichkeit, auf das literarische Werk wie auf einen Fixpunkt Bezug nehmen zu können, so daß bei der Transformation nicht von unterschiedlichen ästhetischen Objekten auszugehen wäre, sondern von einer festen, für alle gleichen Bedeutung. Dieser richtigen Bedeutung des literarischen Werkes müßte dann die eine richtige Umsetzung in eine Aufführung entsprechen".[8] Ist dies wirklich so? Werktreue meint heute nicht mehr so sehr die Unantastbarkeit des Dichterwortes als vielmehr die Verbindlichkeit einer bestimmten Inszenierungsform, die in einer bestimmten

---

[1] Vgl. Rolf-Dieter Kluge: Anton Čechov in Deutschland. In: Anton P. Čechov. Werk und Wirkung. Hg. R.-D. Kluge. Wiesbaden 1990. Teil II, S. 1120-1139.

[2] Barbara Lehmann: Theater ohne Revolte. Gespräch mit Peter Stein. In: Die Zeit, 15.7.2004, S. 31.

[3] Vgl. ebda.

[4] Vgl. Gerhard Stadelmaier: Wir sind alle Russen. In: FAZ, 10.7.2004, S. 41.

[5] Irene Bazinger: Der Schein kann trügen. In: Jungle World, 25.9.1997, o.S.

[6] Vgl. Gerhard Bauer: Lichtstrahl aus Scherben. Frankfurt/M. 2000, S. 377f.

[7] Vgl. Erika Fischer-Lichte: Zum kulturellen Transfer theatralischer Konventionen. In: Literatur und Theater. Hg. B. Schultze, E. Fischer-Lichte. Tübingen 1990, S. 33-62.

[8] Erika Fischer-Lichte: Semiotik des Theaters. Bd. 3. Tübingen 1999, S. 54.

Zeit entwickelt und als gültig anerkannt wurde. Erika Fischer-Lichte spricht auch vom Begriff der Adäquatheit, den sie aber nicht in Bezug auf die faktische Beziehung zwischen Drama und Inszenierung verwendet, sondern als Ergebnis eines subjektabhängigen Deutungs- und Wertungsprozesses versteht: Adäquatheit ist dann gegeben, wenn die Inszenierung sich als Interpretant für die möglichen Bedeutungen des zugrunde liegenden Dramas begreifen lässt.[9] Bekannt ist, dass der Dramentext invariant bleibt, das Drama im Kontext der Rezeption dagegen nicht. Die Aufführung eines Stückes stellt eine Synthese der Lesarten der an der Inszenierung Beteiligten dar und kann zu einem ‚Interpretationsüberschuss' führen. Jede Analyse dieses Vorgangs, die kontextuell eingebettet ist, wird im Vorfeld jene Diskussionen um das Werk heraussuchen, die sich als Brennpunkte der Interpretation erwiesen haben.[10]

Die Interpretationsgeschichte gerade des Stückes *Drei Schwestern* ist eine lange (vgl. die Arbeiten von Szondi, Klotz, Hübner, Schmid, Kósny, Dlugosch, Striedter, Bauer), auch seine Aufführungsgeschichte. Gerade in diesem Drama Čechovs gewinnen die einzelnen Akte als Stationen der Figuren auf ihrem Weg in die Entfremdung und Desillusionierung an Bedeutung. Vielfach (vgl. Schmid, Oates) wird auf die direkte Nähe zum absurden Theater hingewiesen, auf den Zusammenhang zwischen den drei Schwestern und den anderen Figuren als deren Chor. Es wird Čechovs Angriff auf die konventionelle Sprache und der Zusammenhang von Nihilismus und Idealismus deutlich gemacht. Jeder Zugang zum Stück beginnt meist figural und beschreibt auch das verbale und nonverbale Spannungsverhältnis des Stückes. Herta Schmid schreibt dazu:

> Die verborgene Wahrheit der dramatischen Personen kann nicht mehr an die Oberfläche der Rede treten, sie kann nur noch auf der dritten Textebene des dramatischen Autors symptomatisch dem Werkrezipienten suggeriert werden. Die durch Sprache zu erhellende Bewußtseinsebene der vorgeführten Personen gehört nur noch partiell den Personen selber […] und dingliche Requisiten erhalten eine Bedeutungsdichte, die von den Personenkommentaren nicht mehr voll ausgeschöpft werden kann. Čechov nähert sich dem Dingdrama, das Wortdrama wird rezessiv.[11]

Auch Gerhard Bauer charakterisiert das Sprechen der drei Schwestern, als ob nicht sie, sondern andere für ihr Leben verantwortlich seien.[12] Erika Fischer-Lichte meint, dass die

> im Interpretationsprozeß gefundenen Bedeutungen, die schon im Hinblick auf eine Applikation, d.h. hier auf ein bestimmtes zeitgenössisches Publikum und die aktuelle Situation, konstituiert sein mögen, in diesem Sinne den eigentlichen Ausgangspunkt für den Prozeß der Transformation darstellen. Für diese Bedeutungen müssen nun – wiederum im Hinblick auf ein konkretes Publikum und die aktuelle Kommunikationssituation – aus dem Repertoire der theatralischen Zeichen diejenigen ausgewählt werden, die nach Meinung des Produzenten des theatralischen Textes imstande sein können, als angemessene und geeignete Interpretanten für die am literarischen Text konstituierte Bedeutung zu fungieren. Die Auswahl ist dabei in keiner Weise bereits vom literarischen Text vorgezeichnet, bestimmt oder eingeschränkt. Denn aus ihm lassen sich nur die Bedeutungen gewinnen, für die theatralische Zeichen als Interpretanten gefunden werden sollten, nicht jedoch diese Zeichen selbst. Ihre Auswahl ist vielmehr [...] vom geschichtlichen und lebensgeschichtlich bedingten Standort der an ihr Beteiligten – der Schauspieler, des Regisseurs, des Bühnenbildners – beeinflußt […].[13]

---

[9] Vgl. Erika Fischer-Lichte: Was ist eine ‚werkgetreue' Inszenierung? In: Das Drama und seine Inszenierung. Hg. E. Fischer-Lichte. Tübingen 1985, S. 47 u. 46.

[10] Vgl. Guido Hiß: Der theatralische Blick. Berlin 1991, S. 158.

[11] Herta Schmid: Visualität und politische Dimensionen im Drama von Ibsen über Čechov, Bulgakov, Brecht, Hochhuth, Gombrowicz, Mrózek und Havel. In: Bühne und Öffentlichkeit. Hg. N. Franz, H. Schmid. München 2002 , S. 43.

[12] Vgl. Bauer, S. 175.

[13] Fischer-Lichte: Semiotik des Theaters, Bd. 3, S. 41f.

Vor dem Hintergrund des Gesagten möchte ich im Folgenden die Aufnahme von Anton Čechovs Stück *Drei Schwestern* auf deutschen Bühnen in den 1990er Jahren und zu Beginn des 21. Jahrhunderts untersuchen.[14] Ich ermittelte in den 90er Jahren 32 Aufführungen der *Drei Schwestern*, dazu kommen bis Ende 2003 nochmals 19 Inszenierungen dieses Stückes. Es handelt sich dabei um Inszenierungen, die in aller Regel nicht mehr zu erleben, sondern nur noch in verschiedenen Teilschritten zu rekonstruieren sind. Das Artefakt der Aufführung, so Erika Fischer-Lichte, kann nicht vom Prozess seiner Hervorbringung losgelöst und unabhängig von seinen Produzenten überliefert werden.[15] Eine Analyse von Aufführungen der Vergangenheit scheint deshalb so gut wie ausgeschlossen zu sein. Man kann verschiedene Notationsverfahren einbeziehen, um den Prozess der Aufnahme der Inszenierungen, nicht der Produktion selbst, zu analysieren. Dazu wurden unterschiedliche Dokumente ausgewertet: die gewählte Übersetzung, die Bühnenfassung des Regisseurs und die konzeptuelle ‚Handschrift' des Regisseurs. Die weitere Realisierung des Spiels auf der Bühne erfolgte durch die Auswertung von Interviews, Programmheften, Videoaufzeichnungen, Rezensionen, Kontextbedingungen, Bühnengestaltung u.a. Die Analyse der Rezensionsdokumente berücksichtigte die Art des Mediums, die Kontexte des Verfassers und die Prinzipien der affektiven, kognitiven und ästhetischen Effizienz in den Aussagen. Die Charakterisierung der Prädispositio-nen des Publikums implizierte die Frage nach dem Warum der Aufführung in dieser konkret zu bestimmenden Zeit und tangierte wiederum die Regiekonzepte.

Das Stück *Drei Schwestern* wurde u.a. in Mülheim an der Ruhr von Roberto Ciulli (1991), in Magdeburg von Axel Richter (1995), in Wiesbaden als Regiedebüt von Roland Schäfer (1995), in Berlin von Christoph Marthaler (1997), in München von Matthias Hartmann (1997), in Dresden von Gerald Gluth (1998), in Mannheim von Bruno Klimek (1998), in Hamburg von Jürgen Flimm (1999) inszeniert.

Das Jahr 1990 ist durch den gesellschaftlichen Umbruch in Deutschland und den Beginn einer gesamtdeutschen Čechov-Rezeption gekennzeichnet. Čechovs Stück *Drei Schwestern* ist in diesem Zeitraum ununterbrochen auf deutschen Bühnen zu sehen. Der meistgespielte Dichter bleibt in dieser Zeit Shakespeare. Allerdings avancieren Aufführungen von Čechovs Dramen nie zu ‚Bestsellern', was die Zuschauerresonanz betrifft. Die quantitativ größte Aufführung mit 30.500 Besuchern gab es in Hamburg.

Čechov gehört zu den Klassikern auf dem Theater. Die Entscheidung, dieses oder jenes Stück von Anton Čechov spielen zu wollen, ist keine abstrakte, sondern auf einen konkreten Regisseur, auf ein bestimmtes Theater, auf Schauspieler und manchmal auch auf Personen bezogen, die mit dem ausgewählten Stück erreicht werden sollen.

Von welcher Prädisposition des Publikums für Anton Čechovs *Drei Schwestern* ist in den 90er Jahren des 20. Jahrhunderts auszugehen? Gemeint sind da vor allem die im zu untersuchenden Zeitraum verpflichtenden Muster und Normen der Theaterkultur wie auch gesellschaftliche Vermittlungsbedingungen, die ideologisch-thematische Schicht des Werkes selbst und die literarische, die die Genreerwartung berücksichtigt. Der Zuschauer kann durch eine kanonisierte Rezeption des Stückes oder anderer Werke des Dichters geprägt worden sein. Durch die starke Verbreitung der Werke von Anton Čechov in Deutschland kann also dieser Faktor sehr stark ausgeformt sein.

Jede Inszenierung impliziert in ihrer Wirkungsstrategie ein Bild vom möglichen Zuschauer. Noch in den 80er Jahren hat der Übersetzer Thomas Brasch formuliert:

---

[14] Die anfangs nicht sehr erfolgreiche deutsche Aufführungsgeschichte dieses Stückes beginnt 1926 am Schiller-Theater in Berlin. H. Krause (Das vorrevolutionäre russische Drama auf der deutschen Bühne. Emstetten 1972, S. 119) blickt auf die frühen Inszenierungen der *Drei Schwestern* (40er bis 60er Jahre) und hebt hervor, dass der allgemein angewandte Darstellungsstil die szenische Gestaltung der Melancholie war.

[15] Vgl. Fischer-Lichte: Semiotik des Theaters, Bd. 3, S. 7f.

> Tschechows Stücke sind leider immer so gespielt worden, daß die melancholischen Bauchschmerzen des Kleinbürgertums melancholisch abgebildet wurden. Das ist gegen Tschechow. Aber das ist genau der Grund, warum Tschechow hierzulande so gern und so falsch gespielt wird. Der Mittelstand möchte sich in seiner Melancholie wiedererkennen und wird daher oft zum bemitleidenswerten Held des Theaters gemacht.[16]

Fast ähnlich klingt die Aussage von Eva Behrend 2002: „Die meisten der letzten Schwestern suchten zeitgeistige Nerven des westeuropäischen Bildungsbürgertums."[17] Die gesellschaftlichen Veränderungen nach 1989 kamen einem Bruch gleich. Dieser Bruch konnte Leere und Warten erzeugen, neue Sehnsüchte nähren, die Kapitulation vor der Komplexität gesellschaftlicher Erfahrungen meinen und neue Lebenslügen und auch Hoffnungen produzieren. So unpolitisch, wie Stadelmaier meinte, blieben die Čechov-Konzeptionen der Regisseure also nicht. Sie zielten auf Zuschauer mit Aufbruch- und Umbruch-Befindlichkeiten und fokussierten auch eine Welt der Oberflächlichkeiten. In den 90er Jahren ist der gesprengte oder der neu erzählte Čechov zur Theaterkonvention geworden.[18] Dabei ergänzten sich neue Sinnsuche und Spiritualität mit Endzeitdramatik. Einige Kritiker empfanden das „Gegen-den-Strich-Bürsten" im Theater der 90er Jahre als Reaktion auf unsere kaputte Zeit.[19] Den Regisseuren bescheinigt Stadelmaier ein großes Achselzucken den dramatischen Inhalten gegenüber, man spiele vor allem seinen Stil, verwerte seine Marotten.[20]

In den 90er Jahren und Anfang 2000 wurde Čechovs Stück *Drei Schwestern* in 12 verschiedenen Übersetzungen gespielt. Am häufigsten wurde die Übersetzung von Peter Urban genutzt (zehnmal u.a. in Hamburg/Thalia, Berlin/Volksbühne, Heidelberg), gefolgt von der von Gudrun Düwel aus den 60er Jahren (sechsmal u.a. in Wiesbaden und in Berlin am DT), und der von Thomas Brasch (fünfmal u.a. in Magdeburg, Dresden). Interessanterweise wurde die kaum gespielte Übersetzung von Tzumikow[21] aus dem Jahre 1902 in München und Wien umgesetzt, die von Richard Hoffmann[22] aus den 50er Jahren in Mannheim. Neben den Text-Varianten der bekannten Übersetzer Andrea Clemen (einmal), Barbara Lehmann (zweimal, u.a. in Stuttgart) und Ulrike Zemme (zweimal, u.a. in Saarbrücken) gibt es auch die der Dichter Alexander Nitzberg (2003 in Hamburg) und Werner Buhss (2003 in Cottbus).[23] Diskussionen um vorgelegte Übersetzungen kreisen meistens um die Fragen, wie der Übersetzer „nicht nur Aussagen übersetzen muß, sondern auch Kontexte und Situationen, und zwar so, daß man sie unmittelbar versteht, um darüber lachen oder weinen zu können".[24] Die Theatralität der Sprache sieht Juri Levy in der Tatsache, dass die sprachliche Äußerung des Schauspielers auf der Bühne gewöhnlich mehrere semantische Funktionen hat. An den

[16] Thomas Brasch: Interview. In: Arbeitsbuch Thomas Brasch. Hg. M. Häßel, R. Weber. Frankfurt/M. 1987, S. 318.

[17] Eva Behrend: Zurück zur Hysterie. In: Theater heute 43 (2002) 12, S. 38.

[18] Vgl. ebda.

[19] Vgl. Lehmann, S. 31.

[20] Vgl. Gerhard Stadelmaier: Wohin treibt das Theater? In: FAZ, 21.10.2004, S. 1.

[21] Heute wirkt Tzumikows Übersetzung, die als einzige autorisierte gilt, an einigen Stellen etwas ‚veraltet'. Der Text liest sich zwar flüssig, Sprichwörter und Phrasen wurden von ihm aber sehr freizügig übertragen. Er orientierte sich stark an der Aufführungspraxis von Stanislavskij und kannte den Kontext von Čechovs Zeit gut. Obwohl man diese frühe Übersetzung positiv einschätzte, wurde sie kaum beachtet, sondern man spielte früher eher die von August Scholz.

[22] Richard Hoffmanns Übersetzung bleibt dicht am Original, besitzt ein Gespür für Nuancen der Čechovschen Sprache, versucht sogar, die russische Wortstellung einzuhalten; allerdings birgt diese Nähe auch Gefahrenquellen. Der österreichische kulturelle Hintergrund des Übersetzers ist an einigen Stellen spürbar. Diese Übersetzung wurde erst ab 1965 gespielt.

[23] Dazu gesellen sich immer wieder neue, oft nur für die Inszenierung angefertigte Übersetzungen. Wolf Christian Schröder schreibt seit Jahren selbst Theaterstücke und schuf für das Theater in Göttingen eine eigene Übersetzung. Auch Erich Ruge verfasst eigene Stücke und übersetzt für das Theater.

[24] Georges Mounin: Die literarische Übersetzung. Tübingen 1980, S. 138.

Übersetzer ergeht der Hinweis, dass eine Replik verschiedene Bezüge herstellen kann.[25] Daraus ergibt sich auch die Forderung der Bühnenwirksamkeit für die Übersetzung. Den Čechovschen Dialog prägen schauspielerische Elemente, wie Bewegungen, Gesten und Gebärden und Redeweise, diese müssen gewahrt bleiben, wie Karla Hielscher herausgearbeitet hat.[26] Juri Levy meint, dass die Forderung nach einer repräsentativen Standardübersetzung für ein Stück weit weniger berechtigt sei als auf anderen Gebieten. Er plädiert sogar dafür, von den bekannten Klassikern verschiedene Übersetzungen zu spielen. Allerdings rät er auch, dass der Dramaturg (wenn er denn der Sprache des Originals mächtig ist – G.G.) das Original zum Vergleich in die Hand nehmen sollte.[27]

Die Übersetzung von Gudrun Düwel wurde sehr positiv eingeschätzt, sie löste andere auf der Bühne ab. Das geschliffene Deutsch mit dem Gespür für die lebendige Sprache überdeckt allerdings manche Feinheiten des Čechovschen Stils. Düwels Übersetzung galt bzw. gilt als gut spielbar.[28] Auch Peter Stein nutzte sie für seine Inszenierung 1984.

Peter Urban hat mit seinen Übersetzungen das Čechov-Bild entscheidend geprägt und ihm eine neue Qualität gegeben. Gerhard Bauer hält Peter Urban heute für den besten Čechov-Übersetzer.[29] Eine zentrale Zielsetzung bei der Übersetzung eines Dramentextes ist für ihn, dass diese die gleiche Wirkung erzielen sollte wie das Original. Die sprachlich charakteristischen Eigenheiten einer jeden Figur behält er in seiner Übersetzung bei. Er verliert auch die schauspielerische Funktion der Satzgestaltung nicht aus den Augen, die die Übersetzung auch spielbar macht. Peter Urban erreicht Bühnennähe durch syntaktische Feinheiten und erkennt die theatralische Bedeutung der Čechovschen Interpunktion. Er interpretiert nichts und dichtet nichts hinzu.[30] Ulrike Zemme sucht eher einen auf die heutige Umgangssprache bezogenen Redestil. Andrea Clemens Herangehensweise an die Übersetzung nähert sich der von Peter Urban an. Den Zugang zur Übersetzung von Čechovs Dramen hat Thomas Brasch, der die vielen Irrtümer aufspürte[31], die aus der Stanislavskij-Inszenierung stammten und tradiert und immer wieder übersetzt wurden, folgendermaßen beschrieben: Čechov ist als ein russisches Klischee übersetzt worden, es ist die Entfernung zur europäischen Dramatik übersetzt worden und nicht seine Nähe. Brasch hebt hervor, dass auf keinen Fall ein Milieu hergestellt werden darf.[32] Im Programmheft der Darmstädter Inszenierung lesen wir:

> Die Übersetzung von Thomas Brasch zeichnet sich aus durch ihre Klarheit der Sprache und distanzlose Nähe zu den Figuren. Brasch gelingt es, der Sprache Tschechows in Deutschland die Schärfe zu geben, die sie auch im Russischen hat und sie von allen Schnörkeln zu befreien.[33]

---

[25] Vgl. Juri Levy: Die literarische Übersetzung. Frankfurt/M. 1969, S. 139.

[26] Vgl. Karla Hielscher: „Aber die Wege, die ich gebahnt habe, bleiben heil und unversehn...“. Aktuelles zu Anton Čechov. In: Osteuropa 54 (2004) 7, S. 37.

[27] Vgl. Levy, S. 158.

[28] Vgl. Christa, Margarete Christa: The German Versions of Chekhov's Three Sisters. New York 1988, S. 416.

[29] Vgl. Bauer, S. 25.

[30] Vgl. Christa, S. 416.

[31] Auch Kreutzberg glaubt, dass die deutschen Übersetzungen von den *Drei Schwestern* nur Spiegelbilder von Missverständnissen seien, und deshalb habe er eine eigene angefertigt, eine, die konkret auf die Besetzung der Figuren zugeschnitten wurde und die seine Inszenierung im Blick hatte. Er hat den Text gekürzt, biographische und kulturelle Kontexte und Vorwissen der Figuren gestrichen. Bemüht um eine einfache Satzkonstruktion entstanden auch weniger überzeugende Repliken.

[32] Vgl. Thomas Brasch: Es darf kein Milieu hergestellt werden. In: Programmheft des Schauspiels Darmstadt 2002, S. 23.

[33] Matthias Lösch: Wir müssen doch irgendwie leben. In: Programmheft des Schauspiels Darmstadt 2002, S. 4f. Karla Hielscher (vgl. Hielscher, S. 20) kritisiert diese Übersetzung sehr und warnt Theater davor, sie zu spielen, obwohl dies ja häufig geschieht.

Anlässlich der Čechov-Feierlichkeiten 2004 fällt das Resümee von Gerhard Stadelmaier über die Inszenierungen der Dramen Anton Čechovs sehr kritisch aus; eigentlich lässt er nur Peter Zadeks *Kirschgarten* und Andrea Berths *Onkel Vanja*-Inszenierung als Maßstab gelten. Er verteufelt geradezu die Art des jüngeren Theaters, Čechov zu spielen, dem es nicht gelinge, das Geheimnis von Čechovs Menschen zu offenbaren. Viele Regisseure hätten einfach die Reifeprüfung mit Čechov nicht bestanden.[34] Ich will und kann in meiner Analyse die Frage nach der „Reifeprüfung" nicht beantworten.

Für die Inszenierungen der *Drei Schwestern* der 90er Jahre steht am Anfang der Name von Peter Stein[35]; denn irgendwie hat jede neue Inszenierung mit ihm zu tun, fast immer mit seiner Demontage[36]. Ein Name, der wiederum dafür steht, ist Roberto Ciulli mit seiner 1991er Inszenierung am Theater Mülheim an der Ruhr. Es war eine Čechov-Inszenierung, die durch die Brille von Beckett gesehen war. Der Blick von Čechovs Protagonisten richtete sich in die Zukunft, die aber dunkel blieb. So könnte nicht nur die Strategie von Ciullis Inszenierung beschrieben werden, sondern auch die Modernität des Čechovschen Werks für die 90er Jahre. Thorsten Merten, Schauspieler und Regisseur der *Drei Schwestern*-Aufführung in Schwerin 2002 hob in einem Interview hervor, dass ihn Čechovs Zeitlosigkeit interessiere, der Verlust von Utopien und Perspektiven.[37]

Man spricht von den Möglichkeiten einer linearen, strukturellen und globalen Transformation vom literarischen zum theatralischen Text (oder vom Dramentext zum Drama – G.G.) hin, dabei weiß man, dass selten ein Vorgang in seiner Reinkultur vorzufinden ist. Was die Inszenierungen der *Drei Schwestern* betrifft, so kann man von einer globalen Transformation ausgehen. Es wird also ein theatralischer Text geschaffen, „der in seiner Gesamtheit imstande sein soll, als Interpretant für den Sinn des dramatischen Textes zu fungieren".[38] Generell können heutige Inszenierungen weder auf einen gültigen Code zurückgreifen, noch sind sie gezwungen, detaillierte, auf einen theatralischen Code vergangener Zeiten bezogene Angaben zu befolgen.[39] Wenn also der Bezug auf einen gemeinsamen zugrunde liegenden Code als Norm heute nicht mehr garantiert ist, aus dem sich entsprechende intersubjektiv gültige Wertungskriterien ableiten ließen, kann die Kluft zwischen dem auf der Bühne de facto Realisierten und dem vom Zuschauer a priori Erwarteten und Postulierten so groß sein, dass sich das Problem der Äquivalenz sinnvoll nicht mehr diskutieren lässt.[40]

Das Bestreben, eine eigene Bühnenfassung, nicht nur eine Kürzung des Textes, vorzulegen, ist relativ groß. Meist kündigt die im Programmheft angezeigte Spieldauer schon auf eine Veränderung hin. Die Kürzungen werden natürlich kaum vom Publikum wahrgenommen, auch die professionelle Kritik beschreibt äußerst selten diesen Vorgang. Ich möchte nur einige wenige Beispiele hervorheben: Robert Ciulli hat den Dramentext der *Drei Schwestern* stark gekürzt. Er ließ die ersten drei Akte als Einheit spielen, im 4. Akt treten nur noch die drei Schwestern auf. Auch Christoph Marthaler wollte an der Berliner Volksbühne ursprünglich nur die drei Schwestern und die Bediensteten auf die Bühne stellen. Er hat eine Fassung hergestellt, die nicht nur die Syntax der Repliken, sondern auch den Inhalt und den Ablauf des Geschehens verändert hat. Seine Fassung kommentiert sehr genau die Auftritte der einzelnen Figuren; er

---

[34] Vgl. Stadelmaier, a.a.O.

[35] Alle redeten damals von dieser ganz dicht am Text inszenierten Aufführung, die eigentlich ganz unspektakulär, aber wunderbar ‚leicht' war und keinen neuen Zugriff auf das Stück darstellte. Die Folie Stanislavskijs ‚schimmerte' durch.

[36] In den Theaterkritiken stehen sein Name und auch der von Stanislavskij für das Kriterium einer positiven oder auch negativen Einschätzung der jeweiligen Inszenierung.

[37] Vgl. Martin Zelt im Gespräch mit Thorsten Merten: Die Sehnsucht, sich zu erkennen. In: Schweriner Volkszeitung, 26.2.02, o.S.

[38] Fischer-Lichte: Semiotik des Theaters, Bd. 3, S. 45.

[39] Vgl. ebda, S. 50.

[40] Vgl. ebda, S. 48.

erinnert dabei an Stanislavskij, den er aber nicht kopiert. Seine Gesamtkonzeption wurde durch die Entscheidung geprägt, die drei Schwestern durch drei alte Schauspielerinnen zu besetzen. Sie wiederum signalisieren, dass man von diesem Ort in der Provinz nicht mehr loskommen wird.[41]

Immer geht es in den Inszenierungen um den Verlust von Utopien, will man die Figuren als Gefangene der Zeit, ihrer Unzulänglichkeit zeigen oder Langeweile kultivieren, immer ohne Zukunft bleibend. Der Einfluss von Michel Houellebecqs *Elementarteilchen* ist in einigen Aufführungen spürbar. Dazu passt der bewusste Einsatz von dunklen Lichtverhältnissen auf der Bühne. Von Moskau wird nur noch selten eindringlich oder wehmutsvoll gesprochen, weil man den drei Schwestern schon zu Beginn die Erinnerung genommen hat.

Die eigens für Inszenierungen angefertigten Übersetzungen prägen die Zeit, die Enthistorisierung des Stückes (es werden ihm die kulturellen Kontexte genommen) und die Neubewertung unterschiedlicher Figuren, die Herausarbeitung ihres komödiantischen Potenzials. Plötzlich gerät Andrej ins Zentrum des Spiels, aber auch Ol'ga oder die interessanten Spielvarianten, die mit der Rolle von Nataša entstehen: Nataša als Opfer, die es ihren Peinigern heimzahlen will (München), Nataša als Frau, die sich Andrej wie ein Raubtier erobert (Berlin), Nataša als Luxusweib (Mülheim) oder Nataša, deren Karriere im Mütterlichkeitswahn gipfelt (Wiesbaden). Die Rollen von Anfisa und Ferapont werden einmal gestrichen, ein anderes Mal auch aufgewertet. Besonders sollte man auf das von den Inszenierungen gewählte Finale schauen und sich dabei in Erinnerung rufen, welchen Stellenwert gerade Gerhard Bauer der Gestalt des Čebutykin dabei einräumt.

> So unkommunikativ, so absorbiert von seinem eigenen Versagen diese Nebenfigur des Dramas ist, so antwortet Čebutykin doch stärker auf das Lebensproblem der drei Schwestern als irgendeine der handlungsrelevanteren Figuren. Sein Hang zur Desillusionierung, aber auch zum Überwintern in der kleinsten, schäbigsten Größe gibt dem großen dreifach gestaffelten Klagelaut der Titelfiguren ein genaues und kompetentes Echo.[42]

Bis auf Brasch halten sich alle Übersetzer an das Original, was die Übertragung der Schlussszene betrifft, Čebutykin und Ol'ga sprechen die letzten bedeutungsvollen Sätze. In Braschs Übertragung spricht Čebutykin das letzte Wort. Die Mülheimer Inszenierung verzichtet auf diese beiden letzten Repliken. In der Berliner Aufführung von 1997 bleibt Čebutykin am Ende stumm, aber er darf während der Handlung seine Frustration hinausbrüllen; diese Chance haben die anderen Figuren nicht. In Hamburg ist Čebutykin weniger auf das Ende hin angelegt, sondern eher der das Geschehen kommentierende zynische Arzt. Die von Bauer erkannte Relevanz dieser Figur wird in den wenigsten Inszenierungen so tiefgründig wahrgenommen.

Die Aufführungen der *Drei Schwestern* zeigen in den 90er Jahren eine bewusst ambivalente Haltung in ihrer Interpretation des Militärs und des damit verbundenen überlieferten Kodex auf der Bühne; eher zeugen die Inszenierungen von einer Rücknahme des Militärischen.[43] Wenn das Militär, wie u.a. in Berlin, auf der Bühne nicht präsent ist, dann kann es auch keinen Verlust mehr für die Schwestern bedeuten, wenn es abzieht. Hier ist also eine Reibungsfläche für die Schwestern verloren gegangen.

---

[41] Vgl. auch Roland Schäfer, der in der Wiesbadener Inszenierung nicht nur den historischen Kontext vernachlässigt oder ins Heute geholt hat, sondern alle Dialoge radikal beschnitten. Da er zum Hauptakteur seiner Aufführung die Zeit gemacht hat, führte er eine die Handlung begleitende Figur ein, den „Sawremennik". Seine Redeanteile, die das heutige Geschehen meinten, wurden glücklicherweise vor der Premiere gestrichen. So wandelte er nur stumm beobachtend über die Bühne.

[42] Bauer, S. 360f.

[43] In Mülheim tragen die Figuren keine Uniform, sie bleiben fast stumm und sind austauschbar geworden. In der Münchner Inszenierung sind die Soldaten Personen auf Zeit. In Berlin wird Tuzenbach der Lächerlichkeit preisgegeben, ein Cello spielender Mann, der ein Gigolo-Tänzchen wagt.

Der geistige Raum ist fast immer eine Umbruchszeit, der äußere Raum ist eine aufgerissene Bühne, die keinen Platz mehr für den Selbstbetrug der Figuren hat, man spielt fast immer an der Rampe, und eine in ein Nichts führende Treppe hat die Bühne erobert. Statt Nischen gibt es ein Loch in der Bühne, in das man hineinschreien oder -schauen kann. Man bevorzugt in einigen Szenen das statische Spiel, Ausdruck des Stillstands, aber auch abgeleitet vom Photographieren während des Spiels, das Personen unbeweglich festhält. Bei Anne Viebrock (Berlin) wohnen die drei Schwestern in einem desolaten Treppenhaus, sie müssen sich über eine Treppe quälen. Sehr häufig wird im 4. Akt auf die Gartenlandschaft auf der Bühne verzichtet. In Wiesbaden gibt es dafür einen verhängten Hof. Fast alle Inszenierungen haben also ein Raumkonzept realisiert, das selbst schon ein bedeutungstragendes Element der Aufführung geworden ist. Die Bühne wurde als Ort zu einem ästhetischen Ereignisfeld, von jeglicher Kausalität befreit.

Vergeblich etwas zu tun scheint zu einer Art Schlüsselwort geworden zu sein. Die Innenwelt der Protagonisten wird nach außen gekehrt, dazu werden Dekorationen, Farben, verschiedene Details (immer wieder Müll, Schnee, Holzwolle) genutzt. Das Tragikomische in seiner Balance wird selten erreicht, das Regietheater hat das Theater der Schauspieler ‚besiegt'.

Für Inszenierungen der *Drei Schwestern* wird eine eigene Musik komponiert. Christoph Marthaler hat das musikalische Kompositionsprinzip des Dramas überdeutlich hervorgehoben, indem er einen Pianisten einführt, der spielend, aber als stumme Figur auf der Bühne präsent ist. Das Bühnengeschehen wurde auf diese Weise wie bei einem Stummfilm musikalisch untermalt und kommentiert.[44]

In den 90er Jahren gelangten die drei Schwestern in Mülheim an ein frühzeitiges Ende, als Marionetten blieben sie austauschbar; in Wiesbaden standen sie sich selbst im Wege, als Gefangene der spießigen Provinz in sich selbst; in München wirkten sie eindimensional; in Berlin waren sie „drei Gänse" und Dresden zeigte drei singende Stars. In Göttingen blieben sie in einem Zelt sitzen, in Hildesheim wurden sie vom Vater fremdbestimmt. In Hamburg stützte Flimm die kulturhistorischen Details. Allein in Mannheim entsprachen sie der traditionellen Folie, sie beherrschten die Bühnen als *die* drei Schwestern. Da ihr Regisseur Klimek Čechov wie Schiller inszenierte, stellte er in seiner Inszenierung die Frage nach der Verantwortung des einzelnen Menschen für sein Tun. Karla Hielscher konstatierte für die 80er Jahre Inszenierungen der *Drei Schwestern* als mitleidslose Endzeitspektakel und will einen tiefgreifenden Wandel in der Čechov-Rezeption auf dem Theater der 90er Jahre beobachtet haben: mehr komödiantische Züge wurden herausgearbeitet, mehr Mitgefühl für die Gestalten, warmherzige Menschlichkeit.[45] Ich kann das durch meine Analyse nicht voll bestätigen, zumal auch die Inszenierungen nach 2000 zum Teil eine gnadenlose Endzeitsicht und das eingesperrte Ich (sehr konkret in einem Goldfischbassin in Stuttgart realisiert) zeigen und fragmentarisch wirken. Aus dem verhängten Hof oder Treppenhaus wurden kahle Wände, die einstürzen können. Die Männer spielen wieder Krieg. Immer häufiger zeigt sich aber auch hoffnungsvoll, dass sich Čechovs Stück der Demontage verweigern kann.

Literatur

Bauer, Gerhard: Lichtstrahl aus Scherben. Frankfurt/M. 2000.
Bazinger, Irene: Der Schein kann trügen. In: Jungle World, 25.9.1997, o.S.
Behrend, Eva: Zurück zur Hysterie. In: Theater heute 43 (2002) 12, S. 38/39.

[44] In Darmstadt hat der Komponist Benjamin Meyer eine Musik zu den *Drei Schwestern* komponiert. Er vergleicht die drei Schwestern mit einem Streichquartett, drei Schwestern und der Bruder oder drei Schwestern und die Schwägerin. Andrej soll die erste Geige verkörpern, Irina die zweite Geige, Ol'ga die Bratsche und Maša das Cello. Meyer wollte das Stück nicht kolorieren, sondern die Innenwelt der Figuren porträtieren.

[45] Vgl. Hielscher, S. 20.

Brasch, Thomas: Interview. In: Arbeitsbuch Thomas Brasch. Hg. M. Häßel, R. Weber. Frankfurt/M. 1987, S. 318-319.
Brasch, Thomas: Es darf kein Milieu hergestellt werden. In: Programmheft des Schauspiels Darmstadt 2002.
Christa, Margarete Christa: The German Versions of Chekhov's Three Sisters. New York 1988.
Fischer-Lichte, Erika: Was ist eine ‚werkgetreue' Inszenierung? In: Das Drama und seine Inszenierung. Hg. E. Fischer-Lichte. Tübingen 1985, S. 3-49.
Fischer-Lichte, Erika: Zum kulturellen Transfer theatralischer Konventionen. In: Literatur und Theater. Hg. B. Schultze, E. Fischer-Lichte. Tübingen 1990, S. 33-62.
Fischer-Lichte, Erika: Semiotik des Theaters. Bd. 3. Tübingen 1999.
Hielscher, Karla: „Aber die Wege, die ich gebahnt habe, bleiben heil und unversehrt...". Aktuelles zu Anton Čechov. In: Osteuropa 54 (2004) 7, S. 19-34.
Hiß, Guido: Der theatralische Blick. Berlin 1991.
Kluge, Rolf-Dieter: Anton Čechov in Deutschland. In: Anton P. Čechov. Werk und Wirkung. Hg. R.-D. Kluge. Wiesbaden 1990. Teil II, S. 1120-1139.
Lehmann, Barbara: Theater ohne Revolte. Gespräch mit Peter Stein. In: Die Zeit, 15.7.2004, S. 31.
Levy, Juri: Die literarische Übersetzung. Frankfurt/M. 1969.
Lösch, Matthias: Wir müssen doch irgendwie leben. In: Programmheft des Schauspiels Darmstadt 2002.
Mounin, Georges: Die literarische Übersetzung. Tübingen 1980.
Schmid, Herta: Visualität und politische Dimensionen im Drama von Ibsen über Čechov, Bulgakov, Brecht, Hochhuth, Gombrowicz, Mrózek und Havel. In: Bühne und Öffentlichkeit. Hg. N. Franz, H. Schmid. München 2002, S. 39-61.
Stadelmaier, Gerhard: Wir sind alle Russen. In: FAZ, 10.7.2004, S. 41.
Stadelmaier, Gerhard: Wohin treibt das Theater? In: FAZ, 21.10.2004, S. 1.
Zelt, Martin im Gespräch mit Thorsten Merten: Die Sehnsucht, sich zu erkennen. In: Schweriner Volkszeitung, 26.2.02, o.S.

Sophia Gurvich

Театр Чехова в Израиле на рубеже веков

Тема «Чехов в Израиле» стала для меня очень личной в последнее десятилетие XX века, когда я осенью 1990 г. переехала с семьей из Москвы на постоянное жительство в Тель-Авив. Одним из первых поразивших меня впечатлений в новой стране стала необычайная популярность Чехова в ее культурной жизни. Образцы его прозы изучают в школе – дважды: в 7 и 11 классах, по выбору преподавателя, но из числа рекомендованных методистами; к примеру, для младших – это *Ванька*, *Хамелеон*, *Пари* – или водевиль *Медведь*, для старших – *Тоска*, *Человек в футляре*, *Учитель словесности*, *Скрипка Ротшильда*, *Дама с собачкой*, *Дуэль*, *Мужики*. Следовательно, сборники его рассказов и отдельные произведения издаются на иврите многотысячными тиражами. Выходят или готовятся научные монографии. Наконец, его пьесы идут на израильской сцене каждый сезон – и подчас в 2 или 3 театрах, общенациональных и самодеятельных коллективах, на иврите и русском. А в Высшей школе сценического мастерства Бен Цви студенты целый учебный год заняты изучением сценических открытий чеховской драмы, историей ее интерпретаций. Чехов по репертуарности на Израильской сцене занимает второе место среди зарубежных драматургов (после Шекспира).

Все это побуждало возвращаться мыслью к некой загадке такой популярности чеховской драмы «тихих», будничных конфликтов – в стране непрерывной военно-политической напряженности, грома террористических взрывов, уносящих всё новые жертвы, перманентного нахождения государства на грани вооруженного конфликта с арабскими соседями. И когда из Москвы, из Института Мировой литературы РАН ко мне обратилась Редакция его академического органа – «Литературного наследства», готовившего том *Чехов и мировая литература*, с просьбой написать для него раздел «Чехов в культуре Израиля», эти спонтанные раздумья обрели целеустремленную форму, став очередной составной частью моей исследовательской работы в Тель-Авивском университете.

В работе над ивритскими материалами к теме приняли участие и местные ученые-энтузиасты Гарай Голомб и Эстер Натан. Названный обзор появился в кн. III упомянутого разросшегося труда о Чехове в мире.[1] Но мои наблюдения над «инобытием» творчества Чехова в Израиле были доведены в этой работе только до середины 1990-х гг., когда этот труд был завершен по плану ИМЛИ – и утвержден на его Ученом совете. Над временем же *выхода* книг из печати властны не авторы: habent sua fata libelli. И недавно, проглядывая работу, находящуюся, наконец, на стадии корректуры, я испытывала неудовлетворенность тем, что не имела возможности расширить ее рамки за счет последующих фактов. Рада, что ныне могу сделать это с помощью более поздних театральных впечатлений, обобщая намечающиеся в них, на мой взгляд, новые перспективы.

Загадка особого отношения к Чехову в Израиле первоначально побуждает мысль к решениям, лежащим на поверхности – но и наполняющим исследование живой пульсацией движущейся жизни. Так, ощутимо подпитывает его популярность на Земле Обетованной исконная *настроенность на чеховскую волну в более чем миллионной массе репатриантов из Советского Союза разного времени приезда*, с ее значительной интеллигентской «прослойкой». Она (во всяком случае, в первом поколении) остается верна

[1] См.: Чехов в культуре Израиля. Обзор Софьи Гурвич-Лищинер при участии Гарая Голомба и Эстер Натан. В: Литературное наследство. Т. 100: Чехов и мировая литература. Кн. 3. Москва 2005, с. 259-286.

российским культурным корням. А в связи с этим, вслед за израильскими театрами, и гастролеры везут благодарной публике Чехова. В этом плане наиболее значительный успех выпал на долю «Современника», привозившего в 2000 г. *Вишнёвый сад* с Неёловой (Раневской). И в репертуаре модернистских западных трупп на ежегодном театральном фестивале в Иерусалиме – встретишь то «вариации на тему *Трех сестер*» из Нью-Йорка, то из Вены пьесу Т. Бернгардта *Ритер, Дани и Фос*, – по отзывам критики, «смесь *Трех сестер*» и «семейных драм Стриндберга». А это значит, что театр Чехова, даже тогда, когда не присутствует непосредственно в сводной афише, продолжает служить эстетическим эталоном, с которым сравнивается (или камертоном, по которому настраивается?) текущая сценическая продукция в мире.

Так, естественнно в наши раздумья вливается и резонная мысль о связи наблюдаемого чеховского подъема в Израиле *непосредственно с чеховским бумом в мировом театре последних лет XX и начала XXI в.* Что не снимает проблему, а лишь переводит во всеобъемлющий план. Для более специфического же ее прояснения был включен в названную предшествующую работу экскурс в конкретно-исторические обстоятельства, определившие динамику зарождения интереса к Чехову, начиная с рубежа XIX–XX веков – в умах российской еврейской интеллигенции. Затем прослежены моменты не только роста, но и уменьшения в отдельные (особенно жесткие для выживания) годы роли его театра в духовном климате израильского общества.

Не повторяя сказанного, отмечу лишь главное. Широкий и твердый художнический взгляд реалиста Чехова, бескомпромиссно вводящий российские еврейские судьбы в единый ряд драм и трагедий «жизни вообще» (П. 9, 547), отвергая поверхностную, экзотически-этнографическую их трактовку, и был, пожалуй, одним из весомейших оснований для устремленности еврейского читателя к Чехову. Путь к его творчеству расширялся с развитием в эти годы национального самосознания в среде еврейской интеллигенции. И в общественном поведении Чехов импонировал ей своей независимостью, – в частности, благородной солидаризацией с Э. Золя в защите Дрейфуса. Еврейская молодежь склонна была и в текущей политической злободневности видеть Чехова чуть ли не активным защитником ее политических прав. И затем, когда самые горячие адепты сионистской идеологии из студенческой среды, поверив, что спасение народа – в создании отдельного национального государства, отправились в Палестину – строить на песке и болотах Обетованную Землю, у них были, таким образом, весомые побуждения – и общечеловеческие, и особенные – еврейские – везти в своих тощих рюкзаках русские томики Чехова (рядом с Толстым).

Отсылаю читателя к работе из «Литературного Наследства», где рассмотрены сложные пути укоренения художественного мира Чехова на земле Палестины, а потом, после провозглашения в 1948 г. государства, – в культурной жизни Израиля. Напомню лишь о трех особенно ярких прорывах (или, точнее, процессах) в разных ее областях, – процессах, соотносимых между собой и в конечном счете составивших закономерное единство. *В области художественного перевода* на иврит главных пьес драматурга, после многих более или менее удачных опытов, начиная с 1920-х гг., – таким прорывом в Израиле в 1960-е гг. стало появление один за другим их переводов, выполненных **Авраамом Шлёнским** (1900, под Кременчугом – 1973, Тель-Авив). В 1973 г. они вышли единой книгой. Благодаря его редкому дару большого поэта и великого переводчика, у народа Израиля с этого момента есть, наряду с одним из совершеннейших пере-водов *Евгения Онегина*, – образцовый перевод драм Чехова. «Они явились для меня буквально откровением», побудив к изучению иврита, – вспоминает поэт Александр Белоусов из Иерусалима о впечатлениях московской юности, переписки с Шлёнским и получения от него книги. Разумеется, переводческая работа и далее нестановима, как неостановимо живое развитие языка. Но для следующих поколений переводчиков наличие такого образца точности и языковой гибкости составляет незаменимую отправную точку в новых исканиях.

1960–70-е гг. принесли также прорыв в научном осмыслении творчества Чехова. Он связан в большой мере с деятельностью известного критика, литературоведа, поэтессы **Леи Гольдберг** (1911, Кёнигсберг – 1970, Иерусалим). После защиты диссертации по филологии в Бонне, она в 1935 г. приехала в Палестину. В 1968 г. вышла на иврите ее книга *Русская литература 19 века*, включавшая, наряду с главами о Пушкине, Лермонтове, Гоголе, Герцене, Толстом, Достоевском, две главы о Чехове. Одна – об общем своеобразии его художественного мира, поэтичности его «точной и строгой» манеры, сложном составе юмора и т.д. Вторая глава – «Комедия ‹Вишневый сад›». В центре внимания исследовательницы жанровый строй пьесы, но под этим углом зрения она анализирует ее поэтическую структуру в целом. Полемизируя с израильскими коллегами, видящими в пьесе трагедию, она не принимает и трактовку пьесы некоторыми советскими чеховедами как сатиры, доказывая: это специфическая чеховская *комедия*: в отличие от сатиры, ее цель – принятие мира. Конфликт здесь – между добрыми, но инфантильными, наивными людьми. Автор, единственный взрослый человек в пьесе, видит, что смешно, глупо, трогательно в этих детях, неспособных нести на себе груз трагедии. Лея Гольдберг посвятила чеховской поэтике и книгу *Искусство повествования* (вышла посмертно, 1975), включившую в приложении перевод *Скрипки Ротшильда*, с подробнейшим анализом, выявляющим нераздельность трагического и смешного в картине жизни.

В этих работах научная мысль Израиля выходит на уровень современного состояния чеховедческой проблематики в мире, давая иногда оригинальные соображения и выводы, вошедшие в мировой научный оборот (первая ее книга в 1973 г. переведена на английский язык). Острый взгляд ученого устремлен на многие из актуальных и сегодня сторон поэтики чеховской драмы, достойно участвует в их анализе. Но уже, таким образом, в 70-е гг. усиливается в целом международный обмен идей в чеховедении. Поступают в книгохранилища Израиля исследования на русском, английском, других языках. В 1989 г. переведена на иврит французская монография А. Труайя.[2] На гуманитарном факультете Тель-Авивского университета, совместно с факультетом театра была организована в 1984 г. Международная Чеховская конференция. На грани XXI века в библиотеках университетов Тель-Авива, Хайфы, Еврейского университета Иерусалима хранилось, согласно каталогам, – ответственно – 41, 49 и 49 книг Чехова и о нем.

Следует сказать и о систематической, вдохновенной *педагогической* деятельности проф. Леи Гольдберг. Уже с 1960-х гг. на ее постоянных семинарах по русской классике в Еврейском университете Иерусалима воспитывалось новое, молодое поколение ученых-чеховедов. В их числе – Гарай Голомб, Эстер Натан, Арна Голан, Малка Шакед и др. Здесь прививались интерес и любовь к Чехову будущим писателям, актерам, режиссерам – тем, кто определяет и по сей день чеховскую атмосферу в разных областях израильской культуры.

И уже тогда же, в 70-е гг., с этой эмоциональной аурой связаны такие незаурядные спектакли, как *Чайка* 1974 в Камерном театре Тель-Авива (по отзывам прессы, она произвела переворот в умах и вкусах, показав, что Чехов «ближе нам», чем сегодняшние израильские пьесы) и *Вишнеый сад* 1975 в Хайфском городском театре, обязанный своим успехом талантливой **Рут Сегаль** в роли Раневской (компетентные зрители увидели в ней «эталон сценического воплощения этого характера»).

---

[2] Henri Troyat: Tchékhov. Paris 1984.

Однако, говоря о третьем «прорыве», непосредственно театральном, сценическом, а вместе с тем установившем новый тип отношений между актерами и зрителем – отношений полного духовного слияния, я имела в виду не названные спектакли, а в определенной мере подготовленный ими габимовский спектакль *Дядя Ваня* 1986 г. (реж. **Ханан Снир**). Он стал уникальной легендой израильской сцены. Пройдя более 200 раз, он вызывал неизменно восторженный отклик переполненного зала. Роль Войницкого играл **Нисим Азикри** (1939–1990). Это была, в оценке критики, «роль его жизни». Весь актерский ансамбль: **Йоси Поляк** (Астров), **Миша Ошеров** (Серебряков), **Татьяна Олиер-Канелис** (Соня), **Ада Таль** (няня), **Этель Ковенская** (Мария Васильевна; начала путь в Моск. ГОСЕТ'е), – был на высоте предложенного режиссером и заглавным исполнителем накала эмоций. Премьера состоялась в мае, а в сентябре, с 6 по 19, сценический коллектив национального театра предпринял *беспрецедентную культурную, «театральную акцию»* – отправился по всей стране, от Кирьят-Шмона на севере до Эйлата, южной ее оконечности, давая спектакль в каждом из намеченных в маршруте 10 поселений. Здесь же организованы были мастерклассы, встречи актеров с молодежью в кружках самодеятельности, выставки, посвященные Чехову, пьесе, самому спектаклю. Была опубликована реклама его, точнее – развернутая, полная многих откликов на игру актеров информация о нем – в виде и формате специального номера центральной газеты страны *Едиот ахронот* (Последние известия). Старейший актер и режиссер Шимон Финкель (1905–1999), более 70 лет отдавший *Габиме*, с воодушевлением рассказывал мне в 1995 г. о неповторимом состоянии общего духовного подъема, сопровождавшем «колоссальный успех» спектакля.

Думается, на этом плацдарме чеховского подъема или «бума» последних десятилетий XX века уместно перейти к более близким сценическим впечатлениям, на грани двух веков и в начале XXI приоткрывающим новые глубины чеховского гения и новые тенденции в их интерпретации. Первое, и самое общее, впечатление то, что на рубеже тысячелетий драматургия Чехова живет на израильской сцене во всем объеме и жанровом разнообразии – с первых одноактных «шуток» или «этюдов» до поздних, важнейших шедевров – «сцен из деревенской жизни» (так определен автором жанр *Дяди Вани*), «драмы» *Три сестры*, «комедий» *Чайка* и *Вишневый сад*, ставших классическими. К этому надо добавить еще постановки современных пьес «по мотивам», отражающие одну из специфических тенденций данного этапа в освоении театра Чехова в Израиле (но об этом немного позже).

Таким образом, можно говорить об охвате в целом эмоционального богатства чеховской картины жизни – от неудержимого комизма острейших ситуаций и характеров до глубинной неизбывности человеческих трагедий. Такие акценты и нюансы эмоций большей частью бережно выделены в разных спектаклях – на разных ступенях израильского сценического искусства, включающих не только главные национальные театры, но и порой самостоятельные, любительские коллективы.

Так, ранние «шутки» *Медведь* и *Предложение* поставлены юношеским театром-студией «Мозаика» (Тель-Авив). Театр под художественным руководством **Игоря и Людмилы Мушкатиных,** режиссеров-репатриантов из Санкт-Петербурга, существует в развивается уже 15 лет. Спектакль, названный (в инсценировке Игоря Мушкатина) строкой из монолога персонажа – *«Вот именно и тому подобное»*, – идет на русском языке 3-й сезон с неизменным успехом. В нем ярко выразилась устремленность к предельному заострению комических потенций чеховского театра. Юные исполнители играют с явным удовольствием, с веселым энтузиазмом, доводя в его сценических ситуациях, в автоматизме действий и мыслительных усилий героев порой *до гиперболы нелепости, до гротеска* резкое обнажение пустоты, никчемности провинциального помещичьего житья. Гротескная атмосфера спектакля делает для зрителя очевидными нити связи, протягивающиеся от его драматургии к современному театру абсурда.

Что касается второго эмоционального полюса чеховской ойкумены – трагизма его видения жизни, то его, думается, наиболее остро передает представленная в 1999 г. Камерным театром Тель-Авива пьеса *Ашкава* (Погребение), – по мотивам рассказов Чехова *Скрипка Ротшильда, Тоска, Горе*. Написанная известным израильским драматургом **Ханохом Левином** (1943–1999, Тель-Авив), она была поставлена им самим и стала последним его спектаклем перед смертью, последовавшей после тяжелой болезни. Этот спектакль потряс зрителей Израиля и нескольких стран Европы (куда Кемерный привозил его на фестивали и гастроли) трагедией одиночества человека в мире. Перед ними предстала в разных вариантах характеров персонажей (и до сих пор поражает – ибо сценическая жизнь пьесы продолжается! – безукоризненной естественностью в игре таких мастеров, как **Йосеф Кармон**, **Захарира Харифаи**, **Ицхак Хазкаи** и др.), потрясенная человеческая душа, мечущаяся в неизбывном страдании, в жажде понимания – и невозможности найти путь со своим горем к сердцу другого человека. Что касается диапазона нынешних чеховских замыслов коллектива этого театра, заметим, что в 2004-м г. в Камерном готовился новая постановка *Вишневого сада*.

Обращаясь же в целом к кардинальной линии интерпретации главных пьес Чехова, следует остановиться подробнее на знаменательном спектакле театра «Гешер» (Мост) *Три сестры* (премьера 23.12.1997; шел 3 сезона с ярким успехом – на иврите, с синхронным переводом на русский). Думается, этот театр символизирует вообще на переломе веков новую стадию взаимопроникновения культур. Театр основан группой молодых актеров, репатриировавшихся во главе с их учителем, известным режиссером **Евгением Арье**, осенью 1990 г. из Москвы. За годы работы театр стал, благодаря энтузиазму талантливого коллектива и неисчерпаемой художественной энергии руководителя – одним из лучших театров Израиля. Все спектакли его, ставящиеся, как правило, на иврите и русском (и все чаще – просто с синхронным переводом на русский), идут с неизменным аншлагом и признанным успехом: театр (или его отдельные артисты) завоевал несколько национальных премий и представлял Израиль не раз достойно на международных конкурсах и фестивалях.

Спектакль *Три сестры* соединил в себе лучшие традиции классически бережного отношения к слову Чехова – с дыханием сегодняшнего дня, с тем новым его прочтением, которое чутко отражает духовную ситуацию *завершения* века, начало которого, с его надеждами, мечтами о мире будущего, ознаменовалось пьесой и отразилось в ней. Быть может, именно внимательное вглядывание в чеховский текст «новыми, нынешними очами» – и позволило уловить, акцентировать в нем тот – самый глубинный и для многих неожиданный – пласт пророчески-тяжких прозрений, который открывается нам только теперь, в годы посткоммунистического духовного обвала.

В спектакле явственно звучит тревожный – и требовательный – обращенный ко всем и *к каждому* чеховский мотив гибели идеалов, лучших человеческих порывов – к красоте, любви, высотам науки, разрушаемых болотом пошлости жизни, общей атмосферой безмыслия, обыденности. Но притом каждый в замечательном ансамбле исполнителей своеобразно выделяет эти акценты утраты, снижения устремлений. Это и острая до трагического гротеска в своем исступленном чувстве Маша (**Евгения Додина**), и красавица Ольга, усталая на всю жизнь (**Наталья Войтулевич),** и рассеянно погруженный в себя Андрей (**Израиль Демидов),** и задерганный бытом подполковник Вершинин (**Игорь Миркурбанов**), и врач из интеллигентов-просветителей Чебутыкин (**Борис Аханов**), на наших глазах погружающийся в полное равнодушие, – каждый посвоему высвечивает особенно актуальные сегодня смыслы пьесы: вскрывает поверхностность, червоточину, нежизненность – в *самом содержании* этих идеалов.

Нам, с высоты наступившего XXI века, яснее ясного бросается в глаза, что разговоры героев о жизни через «200–300, а то и тысячу лет» лишены реальной перспективы, что труд без одушевляющей его человеческой сердцевины ведет лишь к головной боли, что поверхностное подражание Лермонтову (даже усложненное некими рефлексами из Достоевского) в этих обстоятельствах оборачивается тупой бравадой и бессмысленной жестокостью, что любовь в мире окружающей пошлости превращается лишь во временную отдушину, не приносящую счастья. Чебутыкин же, теряя гуманистический смысл своего ежедневного дела – спасения жизни реального человека, а вместе с тем «забывая» и чувство, и духовную мощь человеческой мысли, некогда осветившие его мир, – становится молчаливым соучастником убийства. Научные потенции Андрея, очевидно, и исконно были незначительны (как и иные его «таланты»). А мечты его и сестер «в Москву» снижены уже во 2-м действии его же конкретизацией этой тяги: «[...] посидел бы теперь в Москве у Тестова [...]» (13, 141). В ответ еще резче звучат гротескным эхом в устах собеседника – Ферапонта – передаваемые слухи о смерти одного из московских купцов от объядения блинами. Так в спектакле Арье Чехов оказался созвучен нынешним трагическим постмодернистским обличениям обанкротившихся абстрактных идеалов.

Но при этом особое место в режиссерском замысле и самом спектакле занимает Ирина в блестящем, темпераментном исполнении молодой актрисы израильской школы **Эфрат Бен-Цур**. Ярчайший сгусток самой бьющей ключом жизни, она вносит в спектакль тот кипучий, юный и южный жизненный напор, который поначалу удивляет, а постепенно убеждает: да, очевидно, таким должен вживаться чеховский театр в культуру этого открытого, темпераментного, молодого – и древнего – народа. И этот образ непреложно утверждает: за трагизмом разбитых надежд и загубленных стремлений – то, что важнее любых идей, мечтаний, споров о далеком будущем – безграничную ценность самой жизни в ее реальных, ежедневных проявлениях, красоту и достоинство человека, природы, мира.

Этот чеховский спектакль стал значительной вехой на пути не просто творческого сближения сценических традиций, а на пути органического синтеза, означающего качественно новый этап развития гуманистической художественной культуры Израиля. Что подтвердили и последующие театральные события. Так, в связи со столетием памяти Чехова «Гешером» поставлен в апреле 2004 г. спектакль «по мотивам». Режиссер **Евгений Арье** обратился к пьесе ирландского драматурга **Брайена Фрила** *На два голоса*. В ней его привлекла возможность воссоздать в едином спектакле, в остром контрасте двух жизненных историй – силу подлинной любви, насыщающей души людей поэзией, красотой, – и драматизм безнадежности человеческого существования – при ее утрате.

Первая – на сюжет *Дамы с собачкой* – необычайно поэтична – по музыкальной, в прямом смысле, режиссерской разработке мелодии светлого чувства, возвышающего персонажей над пошлой обыденностью курортного романа. С тонкой грацией, почти не касаясь в своих легких движениях земли, разыгрывают эту мелодию молодые талантливые актеры израильской школы – уже названная выше **Эфрат Бен Цур** и **Ехескель Лазаров,** органически передавая поэтику замысла режиссера. А рядом – второй сюжет – фантастическая встреча Андрея Прозорова из *Трех сестер* (**Израиль Демидов**) и Сони Серебряковой из *Дяди Вани* (**Наталья Войтулевич**) – почти через 20 лет после основного действия пьес. Встреча в дешевом московском кафе. Встреча, в которой за корой внешнего первоначального бодрячества вскрывается блестящими актерами тягостная глубина безысходности, наступающей, когда реальность беспощадно ломает веру в высоту человеческих чувств и поэзию жизни.

Думается, кстати, что сама тенденция охотного обращения израильских театров в последние годы к пьесам по чеховским «мотивам» своеобразно отражает бóльшую степень укорененности уже чеховской драмы, его сюжетов, героев, проблем в сознании израильского зрителя, определенную подготовленность этого зрителя к восприятию оригинальных, современных вариаций на чеховские темы, вариаций, в которых четко прослушивается его строгий «колокольчик» ответственности человека. А тонкая режиссерская разработка рассмотренных спектаклей этого рода усиливает активность такого интеллектуального и эмоционального восприятия.

Таким образом, рассмотренные недавние спектакли, как чеховские, так и «по мотивам», свидетельствуют в целом о новой ступени выявления израильскими театрами остроты и многогранности художнических открытий Чехова в «мощном» драматическом обобщении движущейся жизни. Эти свойства «золотого театрального материала» Чехова глубоко ощутил молодой режиссер **Шахар Сегель**. В 1995 г. он признавался: «Впервые прочитав его пьесы, я был поражен, покорен их мощью [...]. В Чехове ты находишь и мастера театра абсурда, и истинного реалиста, но, главное, там есть театральное волшебство.»[3] К новой глубине осознания и воплощения этого «волшебства» и устремлен сегодня израильский театр.

Литература

Чехов в культуре Израиля. Обзор Софьи Гурвич-Лищинер при участии Гарая Голомба и Эстер Натан. В: Литературное наследство. Т. 100: Чехов и мировая литература. Кн. 3. Москва 2005, с. 259-286.

Troyat, Henri: Tchékhov. Paris 1984.

[3] См. также в нашей статье для «Литературного наследства» (Т. 100. Кн. 3) о беседах в 1994-95 гг. с другими деятелями театра и литературы Израиля относительно значения Чехова в их мировидении и творчестве.

IV. DIE ROLLE ČECHOVS UND DER ČECHOV-FAMILIE IN DER DEUTSCHEN KULTUR

Heinz Setzer

Tod und Wiedergeburt.
Anton P. Čechov in Badenweiler

Das Thema „Čechov in Badenweiler“ scheint, wenn es auf seinen Kern, die Fakten des Aufenthalts des Schriftstellers im Kurort konzentriert wird, auf den ersten Blick ein wenig ertragreiches Gebiet zu sein, denn Badenweiler bezeichnet sowohl eine literarisch unfruchtbare Zeit Čechovs und gleichermaßen sein physisches Ende.

In dürren Worten lässt sich der Sachverhalt so zusammenfassen: Čechov kam am 22. Juni 1904 mit seiner Gattin Ol'ga Leonardovna Knipper-Čechova in Badenweiler an, wurde medizinisch untersucht und betreut, erhielt die damals bestmögliche Therapie für Tuberkulosekranke, wechselte dreimal seine Unterkunft, schrieb über 20 Briefe, Telegramme und Postkarten, unternahm einige Spaziergänge und Kutschfahrten in den Schwarzwald und erlag am 15. Juli bei einer Krisis seiner Erkrankung.

Doch ein solch kurzer lexikalischer Zirkelschlag verbirgt mehr, als er verrät.

Čechovs Aufenthalt in Badenweiler ist das Erleben einer wachsenden Zurkenntnisnahme der Hoffnungslosigkeit und eines verzweifelten, durch Medikamente gemilderten Ausharrens bis zum Herzstillstand, ein ertragenes Leiden, das sein Arzt, Geheimrat Dr. Josef Schwoerer (1849–1944), heroisch und stoisch nannte.[1] Sogar auf den zeitlich fernen amerikanischen Autor Raymond Carver (1938–1988) wirkten die Briefe und Erinnerungen daran so erschütternd, dass er in seiner letzten Erzählung *Errand* (1988) die letzten Stunden Čechovs nachempfand.[2]

Als der Kurort vier Jahre nach Čechovs Tod bei der Einweihung des weltweit ersten Čechov-Denkmals am 25.7.1908 auf dem Badenweilerer Burgberg den Schriftsteller und Dramatiker wieder für sich entdeckte, verbarg der Kurort nur zu gerne die Leiden des Kranken hinter der glänzenden Fassade des bedeutenden Autors. Weil man in der Erinnerung an den berühmten Kurgast dessen Krankheit verdrängte, war eine begeisterte Anerkennung als russischer wie als „Badenweiler“ Schriftsteller bei der Denkmalseinweihung erst möglich, was das Bild Čechovs bis heute prägt.

Für die Kurgemeinde Badenweiler bedeutete diese Wiedergeburt bei der Denkmalseinweihung einen Neubeginn der Rezeption, dessen Wirkung sich erst heute, 100 Jahre danach, richtig ermessen lässt.

Versucht man beide Perspektiven, die Krankengeschichte Čechovs und die des gesellschaftlichen Kontextes zu vereinen, entsteht ein höchst ausdrucksvolles Zeitgewebe:

Die Reise der Čechovs nach Badenweiler als Folge des Rates seines Moskauer Arztes, Dr. Julius von Taube, geschah mitten in der wohl dramatischsten Umbruchsphase des Kurortes: dem Wechsel vom TBC-Kurort zum balneologischen Heilbad.

Bereits seit Mitte der 1890er Jahre versuchte Badenweiler seinen bisherigen europäischen Ruf als sowohl Tuberkulose- wie auch Thermalwasser-Kurort konsequent durch den des balneologischen Heilbades und klimatisch besonders begünstigten Schwarzwaldortes seit den Zeiten der Römer zu ersetzen. Die Rolle Badenweilers als inoffizielle Sommerresidenz der Großherzöge von Baden kam dem exklusiven Kurort-Renommee zusätzlich zustatten.

---

[1] Siehe Bericht Dr. Schwoerers in Russkie vedomosti, 1904, Nr. 184, 4. Juli (P. 12, 368). Die Gattin Dr. Schwoerers, Elizaveta Vasil'eva (1873–1963), entstammte der Moskauer Kaufmannsfamilie der Ersten Gilde der Živagos. Im Hause Schwoerer sprach man auch Russisch, er selbst fuhr häufig zur Bärenjagd nach Russland, wurde in Familienkreisen berichtet.

[2] Nach Abschluss der Erzählung erfuhr Carver, dass er an Krebs erkrankt war.

Natürlich war das Klima und die „schmeichelnde Luft“, wie Čechov sie nannte, auch nach der Jahrhundertwende nicht schlechter geworden, und nach wie vor wurden auch für das Krankenbild Tuberkulose, das im Volksmund nur Schwindsucht hieß, die damals besten Gegen- und Stärkungsmittel geboten[3], doch nun traten medizinwissenschaftlich begründete Thermalwassertherapien an die vorderste Stelle der Heilfürsorge.

Gerade ein Jahr nach Čechovs Tod, 1905, begann mit dem Ausbau des alten Thermalwasser-*Marmorbades* zum medizintechnisch auf den neuesten Stand aufgerüsteten *Markgrafenbades* der endgültige Durchbruch zum modernen Heilbad. Neben allen Arten von Wasserbehandlung wurden sogar licht- und elektrotherapeutische Behandlungen angeboten. Mit der Einweihung des *Radium-Emanatoriums* 1913, mit dem man die kurz zuvor entdeckte Strahlung des im Wasser enthaltenen Radiums medizintechnisch nutzbar machen wollte, war der vorerst letzte Stand jener Entwicklung erreicht. Diese vom Staat finanzierte therapeutische Innovation war die einzige Anlage dieser Art im Großherzogtum Baden. Eine der Hauptinitiatoren jener balneologischen Entwicklung war die Eigentümerfamilie Joner des luxuriösen *Römerbades*, eben jenes Hotels, in dem die Čechovs zu Beginn abgestiegen waren.[4]

Aus diesen Gründen der Umorientierung, die allerdings wohl so kaum ausgesprochen wurden, sondern in dem Hinweis verborgen waren, dass man dem Kranken im größten Hotel des Ortes nicht die nötige Ruhe bieten könne, hatte man den Blut hustenden Schriftsteller gleich am Folgetag gebeten, in ein ruhigeres Quartier umzuziehen. Dies war die am Ende des Kurparks gelegene *Pension Friederike*, das heutige *Hotel Eckerlin*, das damals knapp außerhalb der inneren Kurzone lag, von der man TBC-Kranke im offenen Stadium fernhalten wollte.

Zwar war der Tuberkelbazillus als Ursache der „furchtbarsten Volkskrankheit“, so ein damaliges Handbuch, bereits seit 1882 bekannt, doch gab es bis in die Mitte der 1950er Jahre kein wirksames Gegenmittel außer der sogenannten „hygienisch-diätetischen Heilmethode“, welche Körperhygiene, gute Kost, frische Luft, ein angenehmes Klima und äußerste Ruhe erforderte, Bedingungen, die den Ruf Badenweilers als Kurort mit begründet hatten.[5] Der Besuch des Thermalbades war den Kranken nicht gestattet. Bei Hustenanfällen in geschlossenen Räumen, so die häufigste Praxis im 19. Jahrhundert, wurden Kranke „verschattet“, was bedeutete, dass der Begleiter des Kranken dessen Kopf mit einem Tuch abdeckte und aus dem Raum führte. Im Kurpark standen von 1898 bis 1905 sogar Tafeln, welche das Ausspucken auf den Wegen verboten, da man Ansteckungsgefahr befürchtete. Čechov besaß allerdings die neueste Präventivmaßnahme, die erstmals 1889 vorgestellte Spuckflasche *Blauer Heinrich*, ein kleines blaues Gefäß mit automatischem Klappverschluss, in welches das Sputum ohne Ansteckungsgefahr abgesondert werden konnte.[6]

Die Čechovs verhielten sich der TBC-Therapie entsprechend: Kutschfahrten am Schwarzwaldrand und kleine Spaziergänge brachten Abwechslung, ansonsten sollten Aufregungen vermieden werden. Doch die Ruhe seiner als kleinbürgerlich empfundenen Pension Friederike

---

[3] Neben guter Ernährung und Wassertrinken gehörte seit Mitte des 19. Jahrhunderts dazu auch die fette Molke von Ziegen und Eselinnen, letztere konnten auf Wunsch sogar direkt vor dem Hoteleingang gemolken werden. Vgl. Dr. Gustav Wever: Der klimatische und Molken-Kurort Badenweiler mit seinen Umgebungen. Badenweiler 1866, S. 15f. Ob das Hausmelken noch zu Čechovs Zeiten praktiziert wurde, ist nicht bekannt.

[4] 1824 kaufte Johann Jacob Joner den Badgasthof, der mehrmals umgebaut und erweitert wurde und bis 2005 in Familienbesitz blieb. Er galt von Anfang an als das „Flaggschiff“ der Hotellerie Badenweilers. Die Joners hatten maßgeblichen Anteil an der Entwicklung zum modernen Staatsbad.

[5] Vgl. Prof. Dr. Adolf Thiele: Die Schwindsucht. Ihre Ursachen und Bekämpfung gemeinverständlich dargestellt. Verlag des Deutschen Zentral-Komitees zur Bekämpfung der Tuberkulose. 3. verbesserte Aufl. Berlin 1919, S. 47ff.

[6] Vgl. Rolf Langendörfer: Kranker Anton und „Blauer Heinrich“. Kranke und Gesunde im Badenweiler von 1904. In: Badenweiler Journal, Sonderausgabe zur Gründung der Dt. Tschechow-Gesellschaft, 95. Jahrg., 16.7.2009, S. 19-22.

ging Čechov, trotz des prächtigen Ausblicks von der dortigen Terrasse bis in die Rheinebene, so auf die Nerven, dass er bereits nach einer Woche erneut auf Umzug drängte – dieses Mal in das *Hotel Sommer*, der heutigen Rehabilitationsklinik *Park-Therme*. Das zweite Renommierhotel Badenweilers war ähnlich wie das *Römerbad* im Zentrum des – wegen außergewöhnlicher Umstände – völlig überfüllten Kurortes gelegen. Ermöglicht wurde dieser Umzug durch die Beziehungen Dr. Schwoerers zu dem Hotelier Ernst Gloeser.

Die Čechovs mussten sogar innerhalb des Hotels Sommer nochmals umziehen, da Čechov die Zimmerseite zur Hauptstraße nun als zu laut erschien. Sie erhielten dann das heutige Zimmer 106 mit Balkon, das auf den im Sommer 2004 eingeweihten *Anton-Tschechow-Platz* hinausgeht. Zu sehen gab es von dem Balkon einiges: Linkerhand hatte man Blick auf das damalige israelitisch-traditionelle Gasthaus *Elsässischer Hof*, das heutige Rathaus und den Markgrafenbrunnen, rechts befand sich vor dem *Marmorbad,* wie das Thermalbad von 1875 damals noch hieß, eine Pension, die auch die Poststation beherbergte. Dieses Haus wurde 1905 zugunsten eines großen Erweiterungsflügels für das Thermalbad abgetragen.[7] Der Name *Marmorbad* wurde 1908 bei der Einweihung, zwei Wochen vor der Čechov-Denkmalsenthüllung, in den Namen *Markgrafenbad* geändert und behielt diesen Namen bis 1994, als der mehrmals umgestaltete und erweiterte Badekomplex den heutigen Namen *Cassiopeia-Therme* erhielt.

Post empfangende und versendende Menschen waren ein Anblick, den Čechov genoss, nach den Erzählungen Ol'ga Knippers war für ihn der eifrige Postbetrieb Badenweilers der Beweis für ein „kulturelles Land".[8]

In den Erinnerungen Ol'gas erscheint Badenweiler als prächtiger Ort, doch in den Augen Čechovs findet der Kurort nur bedingt Gnade: Schon in Berlin hatte er sich höchst gallig über den schlechten Modegeschmack der deutschen Frauen geäußert – hier kritisiert er zudem das angeblich talentlose Kurorchester – das vier Jahre später auch bei der Einweihung seines Denkmals spielen sollte. Für den Kurort hat Čechov ein paradoxes Wortspiel parat: Badenweiler sei ein origineller Kurort, aber worin die Originalität bestehe, könne er noch nicht sagen.[9] Dieses selbstironische Spiel der Unentschiedenheit ist offenbar Ausdruck seines eigenen schwankenden Befindens als Kranker. Er führt dieses Spiel bis zum bitteren Ende weiter, zum Schluss gesteigert bis zum Fluchtverhalten, das ihn vier Tage vor seinem Tod in geradezu verzweifeltem Ton an seinen Fachkollegen Dr. Rossolimo schreiben lässt, ihm so schnell wie möglich Informationen über die Rückreise per Schiff zu senden.[10]

Die anfängliche Begeisterung über die gute Ernährung in Badenweiler und seine Gesundheit, welche, wie Čechov schrieb, nach „Pud"-Gewichten[11] zunehme, lässt nach spätestens zehn Tagen nach, als das Klima umschlägt: In Westeuropa beginnt die größte Hitzewelle der letzten zwölf Jahre, und das beschauliche Badenweiler wandelt sich zu einer Auffangstation von Reisenden, die aus dem noch heißeren Süden Europas zurückströmen, insbesondere aus Italien, Čechovs nächstem avisierten Reiseziel.

Auch Badenweiler leidet ungewöhnlich unter der Hitze, im Kurpark können sogar die Pflanzen nicht mehr gegossen werden, auf den Feldern verdorrt das Getreide. Die positiven Einflüsse des Badenweilerer Mikroklimas werden hierdurch zunichte, Čechovs Kreislauf wird überlastet, Kampherspritzen, Sauerstoff und Morphium können die Auszehrung der Körperkräfte nicht auf Dauer aufhalten.

---

[7] In allen Biografien wird die Post mit dem Briefkasten, der Čechovs Interesse gemäss Ol'gas Erinnerungen erregt hatte, auf der linken Seite befindlich beschrieben, wo sich die „Kaiserliche Post" im heutigen Rathausgebäude befunden habe. Doch der Umbau vom Gasthaus zur Post und kommunalen Verwaltungsgebäude war erst 1910 beendet.

[8] Vgl. Bericht des Korrespondenten G.B. Iollos (P. 12, 375).

[9] Brief an V.M. Sobolevskij vom 12./25.7.1904 (P. 12, 121).

[10] Brief an Dr. G.I. Rossolimo (1860–1928) vom 28.6. (11. 7.) 1904 (P. 12, 130/31).

[11] Brief an M.P. Čechova vom 12./25.6.1904 (P. 12, 122).

Auch die Zeitungsnachrichten vom russisch-japanischen Kriegsschauplatz verleihen keine Ruhe: am Tag von Čechovs erstem schweren Asthmaanfall wird in den meisten der 42 allein im Kurhaus ausliegenden Zeitungen, davon drei russischen, die hoffnungslose Lage der eingeschlossenen russischen Armee in Port Arthur kommentiert. Leo Rabenek erwähnt in seinen Erinnerungen, dass Čechov durch die Zeitungsberichte den Kriegsverlauf in China intensiv verfolgte.

Sechs Tage vor seinem Tod schreibt Čechov an seine Schwester Marija: „Здоровье мое становится все лучше, крепче, ем я достаточно“ (Meine Gesundheit wird immer besser, kräftiger, und ich esse ausreichend).[12] Allerdings erwähnt er gerade zwei Tage später in einem Brief an Rossolimo, er habe 15 Pfund Gewicht verloren und Asthmaanfälle habe er nur dann nicht, wenn er sich nicht bewege. Es ist ein Vexierspiel mit der eigenen Krankheit, das sich wie erwähnt in der letzten Woche bis zum Fluchtverhalten steigert, denn im gleichen Brief fleht er Rossolimo an, die Rückreise nach Russland per Schiff vorzubereiten.[13]

Die Schulmedizin Dr. Schwoerers ist am 15. Juli am Ende ihres Lateins. Das zum Mythos gewordene Glas Champagner, das Čechov mit Genuss „wie ein Junger“[14] ausgetrunken haben soll, war ein letztes harmloses Hausmittelchen zur Kreislaufbelebung, aber vor allem ein nobles ärztliches Ritual des Abschiednehmens, das Čechov gewiss auch in diesem Sinne verstanden hatte. Völlig irritierend muss der Moment nach dem Tod erschienen sein: Ol'ga und Leo Rabenek, die einzigen Anwesenden außer Dr. Schwoerer, hatten beide den Tod Čechovs für ein normales Einschlafen gehalten.[15]

Nach Čechovs Tod am Freitag, den 15.7. um drei Uhr morgens, verblieb der Leichnam zuerst im Hotelzimmer, in der folgenden Nacht wurde er, von den anderen Kurgästen unbemerkt, in einem großen Wäschekorb unter Fackelbeleuchtung in die katholische Marienkapelle verbracht und dort aufgebahrt, wo die Bewohner des „russischen Dörfchens“, wie die Kurgäste aus Russland in der Presse genannt wurden, von ihm Abschied nehmen konnten.

Damit wäre das Kapitel Čechov in Badenweiler eigentlich beendet – doch die Wiedergeburt begann bereits drei Jahre später mit der Idee, ihm in seinem Sterbeort Badenweiler ein Denkmal zu setzen. Treibende Kräfte für dieses höchst aufwändige und komplizierte Projekt, in das neben den örtlichen Verwaltungsorganen vor allem mehrere Ministerien in der Residenz Karlsruhe involviert waren, waren der künstlerische Leiter des Moskauer Künstlertheaters, Konstantin Sergeevič Stanislavskij, dann Čechovs Witwe sowie vor allem der russische Gesandte am Badischen Hofe, Ministerresident Dmitrij Adol'fovič von Ėjchler.

Aufgrund der durch das Ableben des regierenden Großherzogs Friedrich I. im Jahr 1907, der das Denkmalsprojekt persönlich bewilligt hatte, bedingten Staatstrauer, wurde die bronzene Čechov-Büste, geschaffen vom russischen Honorarkonsul und Bildhauer Nikolaj von Schleiffer, am Westhang des Burgbergs mit Blick in die Rheinebene, bis heute einer der schönsten Plätze Badenweilers, erst am 25.7.1908 eingeweiht. Von Ėjchler, der in Karlsruhe residierte, in Baden-Baden eine Amtsdependance besaß, hatte sich 1905 in Badenweiler eine große Sommervilla errichten lassen und kannte die örtlichen Gegebenheiten bestens.

Das Festritual folgte dabei einem im denkmalverliebten Wilhelminischen Reich üblichen ganztägigen Ritual, allerdings mit russischer Prägung: mit orthodoxem Trauergottesdienst und Denkmalsweihe, russischem Nationalkonzert, Festessen und der Aufführung des Einakters *Der Bär*, bei dem übrigens die Schwester von Thomas Mann, Carla, die Hauptrolle der Popo-

---

[12] Brief an M.P. Čechova vom 26.6. (9.7.) 1904 (P. 12, 130).

[13] Brief an G.I. Rossolimo vom 28.6. (11.7.) 1904 (P. 12, 130/31).

[14] Vgl. Leo Rabeneck: Die letzten Minuten Tschechows. Kommentierte Erstübersetzung aus d. Russ. v. Heinz Setzer. In: Badenweiler Journal, 90. Jahrg., 3.7.2004, Ausgabe zum Internat. Tschechow-Gedenkjahr 2004, S. 6. In den Erinnerungen O. Knippers wird dieses Nichtbemerken allerdings nicht erwähnt.

[15] Ebda., S. 7.

va spielte. Von Ėjchler übergab das Denkmal als Vertreter Russlands dem „Badischen Volke" und empfahl es dem Schutz der Regierung. Dies bedeutete mehr als nur eine private Ehrung, es war auch eine diplomatische Note zur Verbesserung der deutsch-russischen Beziehungen, die durch den Militärpakt Russlands mit Frankreich beeinträchtigt waren. Der Petersburger Literaturwissenschaftler Prof. Veselovskij sprach über die literarische Bedeutung des Verstorbenen, der Schriftsteller Boborykin betonte Čechovs Engagement für die gesellschaftliche „Neugestaltung Russlands".[16] Stanislavskij sprach für das Moskauer Künstlertheater und erklärte, dass die jetzige Huldigung des deutschen Volkes Čechov wohl gefallen hätte. Die Kurzeitung fasste die Wertschätzung so zusammen: „Tschechow ist einer von uns", womit er für Badenweiler wiedergeboren war, aber nicht als kranker Kurgast, sondern als großer Schriftsteller.

Die marmorne Gedenktafel von 1908, die heute noch an Čechovs Balkon am ehemaligen Hotel Sommer hängt, ist wohl das weltweit älteste erhaltene Denkmal für ihn in situ. Die Inschrift: „Hier lebte Anton Tschechoff im Juli 1904" belegt das ungeschriebene Gesetz des Kurbetriebs: in Kurorten stirbt man nicht.

In den nächsten sechs Jahrzehnten war man deshalb in Badenweiler stets bemüht, die Ursache von Čechovs Tod in Badenweiler durch sein stetig wachsendes Renommee als Schriftsteller vergessen zu machen.

Vor einem halben Jahrhundert, zur ersten Gedenkfeier nach dem Zweiten Weltkrieg zum 50. Todestag Čechovs, schrieb der Korrespondent der Ostberliner *Täglichen Rundschau* angesichts dieser Tafel: „Lachend schüttelten wir alle den Kopf."[17] Dies war ein durchaus unangemessener Kommentar, denn die Hotelierfamilie Gloeser hatte die Tafel mit großem Engagement und eigenem Risiko über zwei Weltkriege hinweggerettet, statt sie, wie zuletzt im Dritten Reich gefordert, zu vernichten.

Čechov war schon 1908 zu einem Imageträger für Badenweiler geworden, 1909 stellten die Russen mit 12% aller Kurgäste die größte ausländische Gästegruppe überhaupt. Bei der zweiten Čechov-Gedenkfeier am 15.7.1914 wurde sogar offiziell die Errichtung einer orthodoxen Kirche aufgrund der enorm gestiegenen Anzahl russischer Gäste verkündet, Čechovs Todesursache blieb dabei unerwähnt. Elf Tage später begann der Erste Weltkrieg, die engen Verbindungen Badenweilers zu Russland wurden abgebrochen. Das Čechov-Denkmal wurde 1918 in einer geheimen Metallsammelaktion für Kriegszwecke eingeschmolzen, nur der Sockel blieb erhalten. Als 1929 O. Knipper und K.S. Stanislavskij zum 25. Todestag Čechovs erneut in Badenweiler weilten, nahm die Presse keinerlei Notiz davon.

Die zweite „Auferstehung" Čechovs begann 1954, die nachfolgenden 50 Jahre bis heute lassen besonders deutlich die Impulse der in Deutschland unikalen Gedenkkultur Badenweilers nachvollziehen. Der Kurort war sich nach dem Krieg von Anfang an bewusst, dass man mit der Čechov-Gedenkpflege mitten im „Kalten Krieg" einen kulturellen Sonderweg beschritt, der ohne Beispiel war.

Schon 1954 begann die Gemeinde unter dem Bürgermeister und Gesandten a.D. Dr. Ernst Eisenlohr (1882–1958, Amtszeit 1945–1955) alle verfügbaren Materialien zu Čechov als Aktenkonvolut zusammenzutragen. Als daraus am 12.6.1956 offiziell das Čechov-Archiv entstand, das heute wohl das älteste, kontinuierlich erweiterte kommunale Archiv für einen russischen Schriftsteller in Deutschland darstellt, geschah dies auch, um die „Aussöhnung mit dem ehemaligen Kriegsgegner Sowjetunion" zu dokumentieren, wie eine Protokollnotiz des Gemeinderates ausführt.[18]

---

[16] Kurzeitung für Badenweiler und Umgebung. Ausgabe vom 28.7.1908, Nr. 26.

[17] Kurzeitung vom 13.7.1954.

[18] Zur Geschichte des Archivs vgl. H. Setzer: Das Čechov-Archiv in Badenweiler. In: Itinera slavica. Festschrift für Rolf-Dieter Kluge zum 65. Geburtstag. Hg. Heide Willich-Lederbogen, Regine Nohejl, Michaela Fischer, Heinz Setzer. München 2002 (= Die Welt der Slaven. Sammelbände. Sborniki, Bd. 16), S. 241-254.

Es war das große Verdienst aller Bürgermeister und Kurdirektoren bis heute, Ehrgeiz und Bescheidenheit zugleich an den Tag zu legen. Ehrgeiz, mit Čechov das kulturelle Profil des Kurortes zu schärfen und als Wahrer einer grenzüberschreitenden Humanitätstradition zu präsentieren, aber Bescheidenheit deswegen, weil man sich bewusst war, dies nicht aus eigenen Kräften leisten zu können und deshalb zielgerichtet auf Kooperationsmöglichkeiten mit Fachpartnern setzte.

Diese Haltung zeigte sich bereits 1954 bei der Wiederbegründung der Čechov-Gedenkkultur nach 40-jähriger Unterbrechung, die in Zusammenarbeit mit der René Schickele-Gesellschaft sowie einem überregional agierenden „Cercle littéraire" von Schriftstellern und Journalisten durchgeführt wurde.[19]

Ab 1955 folgte über acht Jahre hinweg die enge Zusammenarbeit mit der „Deutschen Gesellschaft für Osteuropakunde e.V." in Stuttgart und ihrem publizistischen Leiter, dem „Sowjetologen" Prof. Dr. Klaus Mehnert, was 1963 nach vielen Hindernissen zur Einweihung des Čechov-Gedenksteins am Schwanenweiher als Ersatz für das zerstörte Bronzedenkmal führte. Dies bedeutete zugleich einen der ersten Schritte zu einer politischen Annäherung der Bundesrepublik an die Sowjetunion über die Kulturgeschichte.

1960, zum 100. Geburtstag Čechovs, kam dem Kurort die internationale Presse zu Hilfe: „Seine [Čechovs] Schauspiele beherrschen die Spielpläne in Berlin und Wien, Paris und New York"[20] – so und ähnlich schrieben damals viele deutsche Zeitungen. Oder „Es gibt keinen schwierigeren Theaterautor als Tschechow".[21]

Es waren somit wieder die Impulse von außen, welche dem Kurort den geistigen Höhenflug der Gedenkkultur vorgaben. Statements wie Čechov sei ein Paradoxon, er unterliege nicht dem literarischen Alterungsprozess[22], waren Wasser auf die kulturellen Mühlen des Kurorts. Die damaligen Bürgermeister Dr. Friedrich von Siebold[23] wie Dr. Rudolf Bauert [24] als Triebkräfte der Čechov-Gedenkpflege konnten durch die allgemeine öffentliche Akzeptanz Čechovs dem Gemeinderat verständlich machen, man betreibe keine literaturhistorische Heldenverehrung, sondern zeitgenössische Literaturrezeption mit internationaler Bedeutung.

Eine entscheidende, bis in die Gegenwart reichende Phase der Badenweilerer Čechov-Aktivitäten entstand durch die Einbeziehung der nach dem Krieg neu begründeten westdeutschen Slavistik. 1963 hielt Prof. Dr. Alfred Rammelmeyer aus Frankfurt bei der Feierstunde am traditionellen Čechov-Gedenktag, dem Sterbetag, die erste universitäre Laudatio. Und sogar der deutsche Bundeskanzler Ludwig Ehrhardt zollte Badenweiler Anerkennung und ließ am 19.4.1964 die offizielle Rundreise der ersten sowjetischen Journalistengruppe, die nach dem Zweiten Weltkrieg das „neue" Deutschland besichtigte, an dem im Vorjahr eingeweihten Gedenkstein mit einer Kranzniederlegung starten. Čechov war wieder wie zuvor 1908 zu einem sinnstiftenden Faktor grenzüberschreitender, nicht nur kultureller Kontakte geworden. Ab nun wird kein Jahr vergehen, ohne dass der Sterbetag Čechovs mit einer Gedenkveranstaltung, sei es Vortrag, Lesung, Ausstellung, Theater, Konzert oder Essay, in Erinnerung gehalten wird.

---

[19] Die später als Dostoevskij-Übersetzerin bekannt gewordene Slavistin Swetlana Geier hielt bei der Čechov-Gedenkfeier die Laudatio. Zu diesem Cercle littéraire zählten u.a. der Maler Ernst Bizer, Schickeles Freundin und Schriftstellerkollegin Annette Kolb, die Schriftstellerin Ingeborg Hecht-Studniczka, die Schauspielerin Anni Mewes, der Schauspieler Charles Regnier, der Schriftsteller und Übersetzer Ernst Sander, der Schriftsteller und Journalist Franz Schneller sowie der Hauptlehrer und Ortschronist Johannes Helm.

[20] Neue Tagespost, Osnabrück: Der Dichter der Möwe, 16.1.1960; Göttinger Tageblatt: Tschechows 100. Geburtstag, 15.1.1960; ähnlich Stuttgarter Nachrichten: Arzt und Dichter im Kirschgarten, 16.1.1960.

[21] Westdeutsches Tageblatt, Dortmund: Meister der andeutenden, vieldeutigen Rede, 23.1.1960.

[22] Ebda.

[23] 1897–1984, Amtszeit 1955–1961.

[24] *1932, Amtszeit 1963–1991.

Durch die weiter entwickelte konsequente Anbindung der Gedenkkultur an die Universitäten, die fast alle slavistischen Lehrstühle in Deutschland mit einbezieht, gelingt es Badenweiler zudem, den anfangs noch geäußerten Verdacht des Provinziellen und Anekdotischen der Gedenkpflege zunichte zu machen.

1979 begann auch die Kooperation mit dem russischen Čechov-Zentralmuseum in Moskau, dem Museum und der Čechov-Gedenkstätte in Melichovo und dem Museum in Jalta. Als Anerkennung für seine Aktivitäten schenkte die Sowjetunion dem Kurort im gleichen Jahr fast 50 großformatige Čechov-Fotografien für eigene Ausstellungszwecke.

1980 beginnt durch Prof. Dr. Rolf-Dieter Kluge und Prof. Dr. Maria Deppermann von der Universität Freiburg die wissenschaftliche Bewertung des Čechov-Archivs, was sich als gewichtiger Schritt für die Zukunft erweisen sollte.[25] Dieser Archivbestand, der viele neue Details in die Forschung einbringen sollte, und die bisherigen Čechov-Traditionen des Kurortes ließen damals die Überlegungen reifen, eine internationale literaturwissenschaftliche Čechov-Konferenz mit weltweiter Resonanz verwirklichen zu können.

Mit dem Ersten Internationalen Čechov-Symposium „A.P. Čechov – Werk und Wirkung", das dann 1985 unter der Ägide des mittlerweile an der Universität Tübingen lehrenden R.-D. Kluge in Badenweiler durchgeführt wird, erlangt der Kurort weltweit den Ruf einer Begegnungs- und Diskursstätte der Čechov-Forschung.[26]

Die Fernwirkung dieses Kongresses führte für Badenweiler 1992 zur Errichtung eines neuen Denkmals an alter Stelle am Burgberg, das von den Čechov-Enthusiasten der ehemaligen ostibirischen Sträflingsinsel Sachalin und dem dortigen Leiter des Museums „Das Buch A.P. Čechovs: Die Insel Sachalin", Georgij Miromanov, gestiftet wurde.[27] Mit diesem Denkmal waren die „Kriegsverluste" der Čechov-Gedenkkultur behoben. Die Denkmalsweihe, so sahen es gleichermaßen der Stifter Miromanov und die deutschen Mitwirkenden, war im Namen Čechovs zum Symbol einer neuen Blüte der deutsch-russischen Beziehungen nach dem Untergang der UdSSR geworden.

Das 1994, gleichfalls wieder von Tübinger Slavisten in Badenweiler realisierte Zweite Internationale Čechov-Symposium[28] brachte für den Kurort ein mindestens gleichbedeutendes Ergebnis wie der erste Kongress: Es führte 1998 unter der kommunalen Leitung von Bürgermeister Karl-Eugen Engler zur Eröffnung des Literarischen Museums „Tschechow-Salon", des ersten Čechov-Museums der westlichen Welt.[29]

Damit wurde erstmals eine Dauerinstitution in Badenweiler geschaffen, welche durch ihre slavistische Fachbetreuung und ab 1999 durch die Veranstaltungsplattform des Museums unter dem Titel „Internationales Literaturforum Badenweiler" zu einer intensiven literarischen Veranstaltungs- und Begegnungskultur zwischen West und Ost geführt hat. Auch diese Gründungsinitiative Badenweilers zog einen weiteren Ausbau grenzüberschreitender Beziehungen

---

[25] Vgl. M. Deppermann: Anton P. Tschechow – ein Russe in der Regio. Unbekanntes aus dem Tschechow-Archiv Badenweilers, sowie Rolf-Dieter Kluge: Die Bedeutung des Tschechow-Archivs in Badenweiler. In: Kur- und Badeblatt, März 1982, F. 1, Extraausgabe, S. 27-29.

[26] 14.-18.10.1985. Der Kongressband „A.P. Čechov – Werk und Wirkung" (Hg. R.-D. Kluge), erschien in zwei Bänden 1990 bei Harrassowitz, Wiesbaden in der Reihe Opera Slavica, NF: Bd. 18 und bot erstmals eine Synopsis der bisherigen internationalen Forschung.

[27] Die feierliche Einweihung der neuen Bronze-Büste, auf dem alten Sockel von 1908, geschaffen von dem Sachaliner Künstler Vladimir Čebotarev, fand am 14.5.1992 unter Teilnahme vieler Vertreter des öffentlichen Lebens, der Gemeinde Badenweiler, des Initiators Miromanov und der Tübinger Slavisten statt.

[28] 20.-24.10.1994, mit dem Kongressband: A.P. Čechov – Philosophische und religiöse Dimensionen im Leben und im Werk. Hg. Vladimir B. Kataev, Rolf-Dieter Kluge, Regine Nohejl. München: Otto Sagner, 1997 (= Die Welt der Slaven. Sammelbände. Sborniki, Bd. 1).

[29] K.-E. Engler *1961, Amtsantritt 1991. Am 22.7.1996 beschloss der Gemeinderat die Museumsgründung und beauftragte den wiss. Mitarbeiter am Tübinger Slavischen Seminar, Heinz Setzer, mit der Konzeption und Ausführung. Das Museum wurde am 21.7.1998 im Kurhaus feierlich unter Teilnahme von rund 800 Gästen des In- und Auslandes eröffnet.

nach sich: 2002 unterzeichnete Bürgermeister Engler in Čechovs Heimatstadt Taganrog, im Rahmen der „Ersten Deutschen Woche in Taganrog“, einen Kulturpartnerschaftsvertrag mit dem dortigen Oberbürgermeister Sergej Šilo[30] und den höchsten kulturellen Amtsvertretern der Gebietsregierung Rostov-am-Don.

Gedenkjahre mit ihrer symbolischen Aufladung an Bedeutsamkeit sind nicht gefeit gegen memoriale Entgleisungen und hohle Rituale. Befürchtungen, die sich auch in Badenweiler hätten bestätigen können, erhielt es doch zu seiner bisher bereits bestehenden Čechov-Denkmallandschaft gleich noch vier weitere Denkmäler bzw. Gedenkstätten hinzu: die *Möwe*-Skulptur und eine bronzene Portraitmedaille des Künstlers Aleksandr Tarantinov als Geschenk des baden-württembergischen Partnerlandes Sverdlovsk sowie des Gebietes Rostov-am-Don, der *symbolische Kirschgarten* als Projekt Taganrogs und den *Anton-Tschechow-Platz* als Beitrag Badenweilers zum Gedenkjahr.

Erfreulich war bei dieser Art „denkmalsgestützter Wiedergeburt“, dass sie auf keinen Genie- und Heroenkult zielt, sondern durch die Art und Weise der Präsentation Anstöße zu vermitteln sucht, sich Čechovs Leben, Werk und Wirkung geistig-assoziativ wie symbolisch zu vergegenwärtigen und die literarischen und humanen Traditionen in Badenweiler in der Begegnung zwischen West und Ost lebendig zu halten. In dieser Hinsicht ist der in Badenweiler verstorbene Čechov eine geistige Klammer für Europa. Mit dem *symbolischen Kirschgarten* etwa, realisiert durch die beiden Kirschbaumsetzungen neben dem Denkmal am Burgberg wie auf dem neuen Tschechow-Platz, ebenso wie durch die Plastik der *Möwe*, sind vor allem ästhetische Kunst- und Naturformen entstanden, die den Diskurs mit dem literarischen Werk als Hoffnungsgrund für eine neue Harmonie von Gesellschaft, Ästhetik und Natur zum Ziel haben.

Die publizierten Redebeiträge zur Gedenkfeier zeigen, dass diese geistig-literarische und nicht an der platten materiellen Memorialkultur interessierte Bewusstmachung des literarischen, ethischen und geistigen Erbes Čechovs gleichermaßen im Westen wie im Osten der tragende Tenor war.[31]

Literatur

A.P. Čechov – Werk und Wirkung. Hg. R.-D. Kluge. Teil I und II. Wiesbaden: Harrassowitz, 1990.

A.P. Čechov – Philosophische und religiöse Dimensionen im Leben und im Werk. Hg. Vladimir B. Kataev, Rolf-Dieter Kluge, Regine Nohejl. München: Otto Sagner, 1997 (= Die Welt der Slaven. Sammelbände. Sborniki, Bd. 1).

Deppermann, M.: Anton P. Tschechow – ein Russe in der Regio. Unbekanntes aus dem Tschechow-Archiv Badenweilers. In: Kur- und Badeblatt, März 1982, F. 1, Extraausgabe, S. 27-29.

Kluge, Rolf-Dieter: Die Bedeutung des Tschechow-Archivs in Badenweiler. In: Kur- und Badeblatt, März 1982, F. 1, Extraausgabe, S. 27-29.

Langendörfer, Rolf: Kranker Anton und „Blauer Heinrich“. Kranke und Gesunde im Badenweiler von 1904. In: Badenweiler Journal, Sonderausgabe zur Gründung der Dt. Tschechow-Gesellschaft, 95. Jahrg., 16.7.2009, S. 19-22.

---

[30] Vier Wochen nach der Unterzeichnung wurde OB Šilo auf offener Straße erschossen. Sein Amtsnachfolger, Nikolaj Fedjanin, führt seither die Partnerschaft mit gleichem Elan weiter.

[31] Festschrift: Grußworte und Festrede zum 100. Todestag von Anton P. Tschechow. 15.7.2004 Badenweiler, auf Deutsch und Russisch. [Eigenverlag der Gemeinde Badenweiler]. Mit Redebeiträgen von: Aleksandr Bedrik (Vizegouverneur des Gebietes Rostov-am-Don); Bürgermeister Karl-Eugen Engler (Badenweiler); Oberbürgermeister Nikolaj D. Fedjanin (Taganrog); Prof. Dr. Rolf-Dieter Kluge (Universitäten Warschau und Tübingen); Aleksandr Orlov (Botschafter der RF beim Europarat in Straßburg); Vladimir Polenov (Stv. Botschafter und Geschäftsträger der Botschaft der RF in Berlin); Eduard Rossel (Gouverneur des Gebietes Sverdlovsk); Heinz Setzer (Leiter des Literar. Museums „Tschechow-Salon“); Dr. Sven von Ungern-Sternberg (Regierungspräsident, Vertretung der Landesregierung Baden-Württemberg); als Einlegeblatt: Dr. Christina Weiss (Staatsministerin der Bundesrepublik für Kultur und Medien).

Rabeneck, Leo: Die letzten Minuten Tschechows. Kommentierte Erstübersetzung aus d. Russ. v. Heinz Setzer. In: Badenweiler Journal, 90. Jahrg., 3.7.2004, Ausgabe zum Internat. Tschechow-Gedenkjahr 2004.
Setzer, H.: Das Čechov-Archiv in Badenweiler. In: Itinera slavica. Festschrift für Rolf-Dieter Kluge zum 65. Geburtstag. Hg. Heide Willich-Lederbogen, Regine Nohejl, Michaela Fischer, Heinz Setzer. München 2002 (= Die Welt der Slaven. Sammelbände. Sborniki, Bd. 16), S. 241-254.
Adolf Thiele, Adolf: Die Schwindsucht. Ihre Ursachen und Bekämpfung gemeinverständlich dargestellt. Verlag des Deutschen Zentral-Komitees zur Bekämpfung der Tuberkulose. 3. verbesserte Aufl. Berlin 1919.
Wever, Gustav: Der klimatische und Molken-Kurort Badenweiler mit seinen Umgebungen. Badenweiler 1866.

Renata Helker

Olga Tschechowa[1] – schöne Matriarchin einer deutsch-russischen Künstlerfamilie[2]

Die Lebensgeschichte Olga Tschechowas beschreibt eine Karriere der kulturellen Symbiose zwischen Tradition und Moderne – zwischen dem Erbe einer großbürgerlichen Erziehung im Russland der Jahrhundertwende und der Vitalität weiblicher Selbsterfindung. „Ich bin in einer Welt von Kunst und Schönheit aufgewachsen"[3], memorierte Olga Tschechowa ihre Kinder- und Jugendjahre in Tiflis, St. Petersburg und Moskau; in den Legenden ihrer Lebenserinnerungen wurden Wirklichkeiten zuweilen verklärt, die tatsächlichen Gegebenheiten verschwanden. Gleichwohl lässt sich aus den Erzählungen über die eigene Herkunft eine frühreife künstlerische Durchsetzungskraft herauslesen.

Olga Tschechowa gründete ihren Ruhm als Schauspielerin auf eine Filmkarriere im internationalen Ausland. Durch eine Heirat war sie in den Besitz eines Familiennamens gelangt, der in der Welt der Kunst ein hohes Renommee besaß – ihren Mythos als Künstlerpersönlichkeit aber verdankte sie etwas anderem: Schönheit und Kultiviertheit, der Modernität ihrer Darstellung als Schauspielerin und einem Selbstbewusstsein, in dem sich die Sozialität der eigenen Herkunft gern zu erkennen gab.

Olga Tschechowa wurde als Olga Konstantinowna Knipper 1897 in Alexandropol geboren und erhielt die großbürgerliche Erziehung einer höheren Tochter. Der Vater, Konstantin Knipper, war Ingenieur und Erbauer der Transkaukasischen Eisenbahn; die Mutter, Helene-Louise Knipper, führte einen Salon, in dem einst berühmte zeitgenössische Künstler verkehrt haben sollen. Weltoffenheit und Fleiß gehörten zu den Prinzipien der Erziehung, die die Eltern Olga und ihren Geschwistern Ada und Lew auferlegten.

Den Knippers und den Tschechows war die Begabung für Kunst gemein, unterschiedlich war die soziale Herkunft. Auf der Familie Tschechow lastete das Erbe früherer Leibeigenschaft, die Knippers dagegen hatten sich als deutsche Emigranten in Russland ins Großbürgertum hochgearbeitetet. Die Vorfahren stammten aus dem Saarland. Bis ins 16. Jahrhundert lässt sich der Stammbaum der Knippers zurückverfolgen, und noch heute gibt es in Saarbrücken und Umgebung diverse repräsentative Bauwerke, an deren Errichtung die Baumeister und Architekten der Familie beteiligt waren.[4] 1865 war der Großvater Olga Tschechowas, Leonhardt Knipper, nach Russland ausgewandert, um dort – wie die Familienlegende berichtet – sein Glück zu suchen. Leonhardt Knipper war Ingenieur und Kaufmann und leitete als Direktor die Papierfabrik des Fürsten Gagarin in Jaroslaw im Ural.

---

[1] Die Wiedergabe des Namens entspricht der im Westen eingebürgerten Schreibweise. Um einen ständigen Wechsel der Transkriptionsformen zu vermeiden, wird im vorliegenden Vortrag generell auf die wissenschaftliche Transliteration russischer Namen verzichtet (Anm. d. Hg.).

[2] Modifizierte Version des Textes „Olga Tschechowa – Die schöne Matriarchin". In: Renata Helker: Die Tschechows – Wege in die Moderne. Berlin 2005. Abdruck mit freundlicher Genehmigung des Henschel-Verlags Berlin und des Deutschen Theatermuseums München.

[3] Olga Tschechowa: Meine Uhren gehen anders. Bergisch Gladbach 1976, S. 38.

[4] Johann Adam Knipper d.Ä. (1746–1811) leitete mit seinen Söhnen Johann Adam d.J. (1784–1870) und Johann Jacob Knipper (1780–1846) zahlreiche Bauprojekte, unter anderem die Wiederherstellung des Residenzschlosses, die Errichtung der Orangerie und des Freilichttheaters am Ludwigsberg in Saarbrücken. Später war Johann Adam Knipper d.J. hauptsächlich mit dem Bau von Herrensitzen, Kirchen, Friedhofsanlagen und Gartenterrassen beschäftigt. Wegen seiner Gartenhäuser, die eine von Balthasar Wilhelm Stengel begründete barocke Tradition fortsetzten, ist sein Name noch heute in der Kunstgeschichte der Stadt lebendig.

Kaum zu durchschauen ist das komplexe verwandtschaftliche Beziehungsgeflecht, in dem die Mitglieder der Familie einander zugeordnet sind. Zweimal heiratete eine Knipper mit dem Vornamen Olga in die Familie Tschechow ein: im Jahr 1901 wurde Olga Leonardowna Knipper, Schauspielerin am Moskauer Künstlertheater, die Ehefrau des Dichters Anton Tschechow, 1914 ehelichte ihre Nichte Olga Konstantinowna Knipper den Schauspieler Michail Tschechow, einen Sohn von Tschechows ältestem Bruder Alexander. Beide Frauen wurden Jahre später die überragenden Integrationsfiguren der weit verstreuten, in Russland und Deutschland lebenden Familie.

Ein künstlerischer Beruf sollte Olga Tschechowa – wie zuvor schon ihrer Tante – den Weg bahnen, das Leben einer modernen, unabhängigen Frau zu führen. An der Moskauer Akademie begann sie zunächst, Bildhauerei zu studieren. Durch ihre Ehe mit Michail Tschechow gelangte sie unmittelbar in die künstlerische Wirkungsstätte des Moskauer Künstlertheaters. Entgegen der Legendenbildung Olga Tschechowas, wonach sie bei dem Schauspielmethodiker Konstantin Stanislawski dessen „System“ studiert haben will, verfügte Olga Tschechowa über keine abgeschlossene Schauspielausbildung. Unterricht in den Grundlagen der Schauspielkunst erhielt sie von ihrem Ehemann Michail Tschechow, der später eine eigene Schauspiellehre entwickelte. Olga Tschechowa war weder Mitglied eines der Studios des Moskauer Künstlertheaters, noch stand sie jemals auf der Bühne dieses legendären Theaters. Für die wohlbehütete Tochter war Michail Tschechow ein faszinierender Bohémien und die Heirat mit ihm eine Rebellion gegen die Konventionen des Elternhauses. An seiner Seite war es Olga Tschechowa nicht möglich, dem Leben eine eigene Perspektive zu geben. Michail Tschechow bezog seine Frau zwar fortwährend in seine vielfältigen Arbeiten – seine schauspielerische Praxis, seine philosophischen Studien und schriftstellerischen Übungen – mit ein, versuchte sie aber gleichermaßen nach seinen Vorstellungen zu „modellieren“. 1917 wurde die Ehe, aus der Olga Tschechowas einziges Kind hervorging, geschieden.

Die politischen Umbrüche und Entwicklungen in Russland und Deutschland beeinflussten die familiären Beziehungen der Tschechows auf vielfältige Weise und mit nachhaltigen Folgen. Die Oktoberrevolution von 1917 markierte den ersten Bruch in der Geschichte der deutsch-russischen Künstlerfamilie. Was das Ende des Absolutismus für Olga Tschechowa bedeutete, darüber ließ sie nie einen politischen Kommentar verlauten. Die Zerrüttung des alltäglichen Lebens und der einsetzende Hunger trafen sie jedoch mit existenzieller Wucht. Noch unter den traumatischen Revolutionserfahrungen stehend, reiste sie 1920 nach Deutschland und begann in Berlin eine Filmkarriere. In Russland blieben ihre Eltern Konstantin und Helene-Louise Knipper, ihre Tochter Ada, ihre Schwester Ada, ihr Bruder Lew, der später ein bekannter Komponist wurde, und die Tante, die Schwester ihres Vaters, Olga Knipper-Tschechowa.

Als Olga Tschechowa in ihrem ersten deutschen Stummfilm eine Hauptrolle angeboten wurde, ahnte sie nicht, dass gerade ihr Mangel an darstellerischer Professionalität sie für den Film von Friedrich Wilhelm Murnau, einem der herausragendsten Talente des Weimarer Kinos, prädestinierte. *Schloß Vogelöd* (1921) erzählt eine Geschichte von verirrten Gefühlen und verbotenen Wünschen, von erzwungenem Triebverzicht und hysterischen Verdrängungen. Im Zentrum des Handlungsgeschehens steht die Baronin Safferstädt (Olga Tschechowa), die ihren jetzigen Gatten zum Mord an seinem Vorgänger verleitete, nachdem dieser, von einer Reise gänzlich verändert wiedergekehrt, die Liebe seiner Gattin beharrlich zurückgewiesen hatte und nur noch über Büchern zu grübeln begann.

Der Film vollzieht einen Bruch mit den Erzählvorstellungen alter Romangeschichten und traditioneller Bühnendramen, ebenso entledigt er sich der Darstellungsformen bürgerlicher Schauspielkunst. Die Intensität der Ausdrucksgestaltung entspringt nicht der Kontinuität psychologischer Einfühlung, sondern einer extremen Veräußerlichung von Gefühlsbewegungen.

Olgas Tschechowas tableauhaftes Spiel – die verkrampften Handhaltungen, das tiefe Atmen, der bis in die Erstarrung gebannte Körper – figurieren „das Bild einer Frau im Zustand der Hysterie. Die Baronin hat keinen Zugang zu ihrem Innenleben – zu den Gedanken, Gefühlen und Trieben, die sie bewegen, bedrängen und verwirren. Sie ist eine Ich-Verlorene, den traumwandelnden Figuren der Nosferatus und Somnambulen des frühen deutschen Films nicht unähnlich".[5]

Als nicht ausgebildete Schauspielerin war Olga Tschechowa der Zugang zur klassischen Theaterkunst verwehrt, nicht aber der zum Medium *Film*, das eine neue Visualität repräsentierte, in der sich die Maximen und Formen der traditionellen Ausdruckskunst als obsolet darstellten. Mag das Kino auch dem Kunstideal Olga Tschechowas zunächst widersprochen haben, so bot sich ihr nur im Film die Möglichkeit, sich als Schauspielerin zu profilieren.

In den frühen zwanziger Jahren war sie noch nicht auf einen bestimmten Frauentyp festgelegt. Olga Tschechowa spielte Bauernmädchen und Naturschönheiten, emanzipierte Ladies und geplagte Adelige, komische Ehefrauen und verführerische Mütter, einmal eine melodramatische Idealistin und immer wieder Damen der Gesellschaft, wie Gräfinnen, Baroninnen, Industriellengattinnen und Femme fatales. Manchmal wurde ihr berühmter Name auch für antibolschewistische Russenfilme gebraucht. Als eine der meistbeschäftigten Schauspielerinnen des Weimarer Kinos genoss sie in den Medien die öffentliche Präsenz eines Stars, bald galt sie als eine der schönsten Frauen des deutschen Films. Zu Filmruhm und Wohlstand gekommen, holte sie ihre Mutter, Tochter, Schwester und Nichte zu sich nach Berlin. Der Frauenhaushalt lebte im großen Stil – in einem matriarchalen Lebensmodell: Ada führte die Geschäfte der erfolgreichen Schwester, die Mutter übernahm die Erziehung der Kinder und erhielt das russische Milieu, Olga Tschechowa verdiente das Geld. Im Jahr 1926 wurde sie deutsche Staatsbürgerin.

Auch im internationalen Ausland war Olga Tschechowa eine gefragte Filmdarstellerin. In Frankreich drehte sie mit dem Regisseur René Clair den Film *Der italienische Strohhut* (1927), in dem sie eine Dame darstellt, deren Seitensprung zu bizarren Verwicklungen führt.

In dem englischen Film *Moulin Rouge* (1928) von Ewald André Dupont – einer der ambitioniertesten und aufwendigsten Produktionen, die eine britische Filmgesellschaft bis dahin realisiert hatte – stellte Olga Tschechowa eine gefeierte Varietétänzerin dar, die eine Liebesaffäre mit dem Freund ihrer Tochter hat. Hollywood verließ Olga Tschechowa nach nur einem Film (*Liebe auf Befehl*, 1930) für immer. Der hohe technische Standard der Filmproduktion beeindruckte sie zwar, die Praxis des amerikanischen Studiosystems aber widersetzte sich ihren idealistischen Vorstellungen als Künstlerpersönlichkeit. Sie vermochte nicht, sich den Methoden der „Starfabrikation" des amerikanischen Kinos anzupassen.

Olga Tschechowa war die Grande Dame des deutschsprachigen Films. Ihre Darstellung war traditionell und modern zugleich. Schönheit und Eleganz bildeten die Imago einer exklusiven Weiblichkeit, die in der aristokratischen Welt des Fin de Siècle und den dekadenten Salons der Belle Époque ideal platziert war. Ihr Bild als Mondäne konnte auch auf Melodramatisches verweisen: auf einen unlösbaren Widerspruch zwischen dem, was sich zeigen soll, und dem, was verborgen bleiben muss. In der Arthur Schnitzler-Verfilmung *Liebelei* (1932/33) von Max Ophüls verkörperte Olga Tschechowa als Baronin Eggersdorf eine Frau, für die eine Liebesgeschichte kein amouröses Abenteuer, sondern bitterletzter Lebensernst ist. Um die Jahrhundertwende in der Tradition eines großbürgerliches Milieus aufgewachsen, kannte Olga Tschechowa die Verhaltensformen von Frauen, die in den Konventionen einer von Männern

[5] Renata Helker: „Schön und von besonderer Kultur" – Olga Tschechowa in *Schloß Vogelöd.* In: Carl Mayer – Scenar(t)ist. Hg. Michael Omasta, Brigitte Mayr, Christian Cargnelli. Wien 2003, S. 127.

bestimmten Gesellschaft verstrickt sind. Sie spielte die Baronin mit Contenance und ließ darin das Tragische aufscheinen.

Den Blick ins Innerste ihrer Frauenfiguren verwehren auch ihre Darstellungen in *Maskerade* (1934) und *Bel Ami* (1938) von Willi Forst. In den Filmen des österreichischen Regisseurs inkarnierte Olga Tschechowa die Frau, die die Idee des Schönen kultiviert – einen weiblichen Dandy, der die Besonderheit seines Wesens wie ein naturgegebenes Privileg präsentiert. Ihre Eleganz war hier gänzlich dem sinnlichen Schauwert der Inszenierung verpflichtet: die Garderobe mondän, die Manieren beeindruckend in ihrer offenkundigen Überlegenheit – generös gewährt sie den Männern den Handkuss, souverän trifft sie unter ihnen ihre Wahl, ihr Begehren zeigt sich kühl, doch auch genießerisch in der Lust, erstaunen zu machen. Im Spiel der Verführung artikulieren die Frauenfiguren Olga Tschechowas ihre Aktivität und Autonomie, die Erotik wird zum Schauplatz einer Grenzüberschreitung – der vitalen Selbstentäußerung eines neuen Weiblichkeitsbewusstseins.

Willi Forst und Max Ophüls zählten zu den wenigen Regisseuren mit überdurchschnittlichem Format, unter denen Olga Tschechowa arbeitete. Im Kino des Dritten Reiches bot man ihr oft Rollen an, die unter ihren darstellerischen Möglichkeiten lagen. Nach der durch die Nationalsozialisten erzwungenen Emigration der jüdischen Filmkünstler, die zu den bedeutendsten des Weimarer Kinos gehörten, gab es im deutschen Film kaum mehr begabte Regiepersönlichkeiten, zudem stand der Typ der Grande Dame im Widerspruch zu dem von der Filmpolitik des NS-Regimes verordneten Frauenbild. Gleichwohl erfuhr Olga Tschechowa als Filmstar mit internationalem Renommee die Wertschätzung der Mächtigen des Dritten Reiches. Von Hitler und Goebbels wurde sie zum Repräsentieren gebeten. So gern sich auch die führenden Politiker des NS-Regimes bei offiziellen Anlässen auf dem gesellschaftlichen Parkett mit Olga Tschechowa zeigten und den propagandistischen Wert ihres kosmopolitischen Flairs zu schätzten wussten, im Kino gewährte man ihr oft nur Nebenrollen. Die meisten ihrer Filme lassen sich den so genannten Unterhaltungsfilmen zuordnen. Gänzlich entziehen konnte sich Olga Tschechowa Produktionen mit propagandistischer Zielsetzung nicht; zu ihnen zählen Filme, die während des Zweiten Weltkriegs entstanden sind, wie *Der Fuchs von Glenarvon* (1940) und *Menschen im Sturm* (1941). Über die realpolitische Bedeutung ihrer Kunst, der Indienstnahme durch die Politik der Nationalsozialisten, dachte sie wohl genauso wenig nach wie über die systemerhaltende Funktion ihrer Repräsentationsauftritte.

Olga Tschechowa war nicht nur eine singuläre Erscheinung im deutschen Film, sie war auch eine der ersten Frauen, die als Filmregisseurin und Filmproduzentin tätig wurden. 1928 gründete sie eine eigene Filmgesellschaft – die Tschechowa-Film GmbH Berlin/London, die insgesamt fünf Filme produzierte: *Weib in Flammen* (1928), *Die Siegerin* (1929), *Diane* (1929), *Die Liebe der Brüder Rott* (1929); bei der letzten Produktion der Gesellschaft führte sie selbst Regie. Der Film hieß *Poliche – Der Narr seiner Liebe* (1929), die Hauptrolle spielte Olga Tschechowas Ex-Ehemann Michail Tschechow.

Michail Tschechow kam im August 1928 nach Berlin, nachdem Stalins Kurswechsel in der Kulturpolitik zu massiven Beeinflussungsmaßnahmen seiner Arbeit als Studioleiter des MChAT 2 geführt und man Tschechow schließlich wegen antisowjetischer Haltung mit Verhaftung gedroht hatte. 1912 war er auf Empfehlung von Olga Knipper-Tschechowa ans Moskauer Künstlertheater engagiert worden. Mit den bedeutendsten Repräsentanten der russischen Theaterreform – mit Konstantin S. Stanislawski, Jewgenij B. Wachtangow, Wladimir I. Nemirowitsch-Dantschenko und Wsewolod E. Meyerhold – führte er die seine Entwicklung als Schauspieler, Regisseur und Theaterpädagoge prägenden künstlerischen Auseinandersetzungen. Auf der Grundlage der Schauspielmethodik Konstantin S. Stanislawskis entwickelte er eine eigene Schauspiellehre; sein Buch *Die Kunst des Schauspielers* gilt seit dem Erscheinen im Jahr 1946 als ein unverzichtbares Standardwerk der Schauspielkunst.

In Berlin hoffte Michail Tschechow, seine Schauspielerlaufbahn weiter fortsetzen zu können. Sein Wunsch, an einer Bühne Max Reinhardts den *Hamlet* oder *King Lear* zu spielen, erfüllte sich nicht. Gleichwohl arbeiteten Tschechow und Reinhardt zweimal miteinander (*Artisten*, 1928 und *Phaea*, 1930) und der berühmte deutsche Theatermann konnte nicht genug darüber sprechen, mit welcher Feinheit Tschechow die größten Wirkungen erzielte.

Dass in einer Produktion zwei Mitglieder der berühmten Künstlerfamilie mitwirkten, spannte die Erwartungen hoch. Die Presse nahm den Film freundlich auf und stellte Olga Tschechowa in die Reihe der aufstrebenden weiblichen Regietalente wie Dorothy Arzner, Germaine Dulac und Luise Fleck; sie sei jedoch „viel kultivierter, viel mehr mit Fingerspitzengefühl ausgestattet, viel einfallsreicher als ihre Konkurrentinnen, ja sogar als die Mehrzahl der männlichen Regisseure. Aber noch treibt das Verantwortungsgefühl sie dazu, überdeutlich zu werden. Sie nimmt das Thema zu schwer, verliebt sich in das Detail und meißelt die Hauptlinien der Handlung nicht scharf genug heraus“.[6] *Poliche – Der Narr seiner Liebe* war Olga Tschechowas einzige Regiearbeit im Film. Die Tschechowa-Film GmbH Berlin/London ging 1929 in Konkurs.

Als Anfang der zwanziger Jahre die großen Gastspielreisen des Moskauer Künstlertheaters begannen, erhielt Olga Tschechowa oft Besuch von ihrer Tante Olga Knipper-Tschechowa – zum letzten Mal 1937, als das Moskauer Künstlertheater anlässlich der Weltausstellung in Paris ein Gastspiel gab. Familienfotos dokumentieren das letzte Beisammensein in Glienicke bei Berlin, wo Olga Tschechowa ein Landhaus besaß. Die Mitglieder der in der Sowjetunion und in Deutschland lebenden Familie begegneten einander nie wieder.

In den nachfolgenden Briefen träumte Olga Knipper-Tschechowa davon, wieder zu ihren Verwandten in den Westen fahren zu können: „[...] ach, wenn das nur möglich wäre.“ Doch abgesehen davon, dass die sowjetische Regierung ihr nach dem Zweiten Weltkrieg Besuche nach Westeuropa nicht mehr erlaubte, ließ auch ihr gesundheitlicher Zustand solche Reisen kaum mehr zu. „Ich habe mich irgendwie vom Leben zurückgezogen“, schrieb sie 1947 ihrer Nichte Ada. „Der Alltag läßt mich kalt, zeitgemäßer Rhythmus übersteigt meine Kräfte. Für Theater habe ich kein Interesse mehr. Meine Theaterzeit ist zu Ende. Ich spiele nicht. An den ‚Kirschgarten‘ mag ich gar nicht denken. Es war schön und das ist gut so.“[7]

Olga Tschechowa wurde wegen der Namensähnlichkeit oft mit ihrer Tante Olga Knipper-Tschechowa verwechselt. Einen Leninorden sollte sie von der UdSSR nach Verlautbarungen der deutschen Nachkriegspresse erhalten haben. Tatsächlich wurde nicht ihr, sondern ihrer Tante für deren Verdienste als Schauspielerin des Moskauer Künstlertheaters diese Auszeichnung verliehen. Die irreführenden Behauptungen um die Verleihung des Leninordens gründeten sich auf Gerüchte, wonach Olga Tschechowa im Dritten Reich als Agentin für die Sowjetunion spioniert haben soll. Obwohl Olga Tschechowa eine Verleumdungsklage erhob und vor Gericht den Prozess gewann, tauchen bis heute Vermutungen über eine Agententätigkeit auf. Gleichwohl konnten auch Dokumente aus dem KGB-Archiv, die 1992 der Familie Knipper in Moskau übergeben wurden, nicht nachweisen, dass Olga Tschechowa eine Spionin des sowjetischen Geheimdienstes war. Die Akten machen jedoch deutlich, welche Bedeutung der KGB der klugen deutsch-russischen Schauspielerin in den inneren Zirkeln der NS-Macht zumaß.

Vielleicht fungierte sie als inoffizielle Informantin, ließ sich unfreiwillig aus Sorge um Familienangehörige in Deutschland und der UdSSR vom sowjetischen Geheimdienst in die Pflicht nehmen. Olga Tschechowa fühlte sich als deutsche Schauspielerin. Ihre Existenz und Karriere hing vom Erfolg ihrer Anpassung an den NS-Kulturapparat ab, aber dennoch hatte sie sich eine großbürgerlich geprägte Verachtung für das Regime zu Eigen gemacht. Sie war

---

[6] Kinematograph 1929, Nr. 17.

[7] Brief von Olga Knipper-Tschechowa an Ada Knipper, 17.1.1947. Aus: Privatarchiv Knipper/Tschechowa, Renata Helker (Berlin). Übers. v. Ellinor Figon.

weder eine NS-Anhängerin, noch identifizierte sie sich mit den Ideen des Kommunismus. Ihre politischen Ansichten waren konservativ: Künstler stünden über der Politik, seien unabhängig von jedweder Ideologie. Eine gänzlich andere Orientierung fand ihr Bruder, der Komponist Lew Knipper. Als ehemaliger Weißgardist wurde er zunächst gezwungen, für den sowjetischen Geheimdienst tätig zu werden, später ergab er sich aus Überzeugung der Politik der Sowjetunion. „Für mich sind persönliches Leben, künstlerisches Schaffen, ja absolut alles mit den Fragen des Parteilebens verknüpft", schrieb er an seine Tante Olga Knipper-Tschechowa. „Du willst das nicht wahrhaben, Du denkst, ich *will* so sein – als ob ich nicht längst so *wäre.*"[8]

1949 zog Olga Tschechowa nach München. Ihre Schwester Ada Knipper entschied sich nach der deutschen Teilung für die DDR, wo sie eine anerkannte Übersetzerin des Gesamtwerks von Anton Tschechow wurde. Mit 52 Jahren war Olga Tschechowa eine schöne und vitale Frau geblieben. Sie erhielt nur noch wenige Filmangebote, spielte an verschiedenen Theatern und gründete noch einmal eine eigene Filmgesellschaft, die Venus-Film, mit der sie an ihre frühere Popularität als Schauspielerin anzuknüpfen hoffte – die Produktionsfirma ging nach drei Filmen in Konkurs.

In den fünfziger Jahren begann Olga Tschechowa eine Karriere als Kosmetikerin, schrieb mehrere Schönheitsratgeber und gründete 1955 ein eigenes Kosmetikunternehmen mit Niederlassungen in Wien, Mailand und Madrid. Wie in den Jahren zuvor fühlte sie sich als Familienoberhaupt und verantwortlich, für die finanziellen Belange und materiellen Nöte der Angehörigen einzutreten. Das Wohlergehen der ihr Nahestehenden gehörte zum Selbstverständnis der von ihr gewählten Rolle. Als Matriarchin war sie innerhalb der Familie eine „untouchble person", die den Erfolg ihrer eigenwilligen Lebensgestaltung genoss.

Vera Tschechowa, ihre Enkelin und Tochter von Ada Tschechowa, begann ihre Karriere, als der westdeutsche Film sich vom alten Kino zu emanzipieren suchte. *Das Brot der frühen Jahre* (1962) von Herbert Vesely war der erste Film, in dem sie eine bedeutende Rolle spielte.

Anders als ihrer Mutter, gelang es Vera Tschechowa, sich als Schauspielerin durchzusetzen.

Auf der Bühne arbeitete sie mit renommierten Regisseuren wie Rudolf Noelte (*Der grüne Kakadu*, 1959*)*, im Neuen Deutschen Film mit George Moorse (*Liebe und so weiter*, 1968) und Wilma Kottusch (*Zeit der Empfindsamkeit*, 1978). Mit ihrem damaligen Ehemann, dem Schauspieler und Regisseur Vadim Glowna, drehte Vera Tschechowa unter anderem *Desperado City* (1981), *Dies rigorose Leben* (1982) und den Dokumentarfilm *Tschechow in meinem Leben* (1984), der unmittelbar in die Geschichte der weit verzweigten Künstlerfamilie führt – ein filmisches Tagebuch, das die Reise Vera Tschechowas zu ihren fernen Verwandten nach Moskau schildert und eine Spurensuche zu Anton Tschechows Andenken unternimmt.

Als nach dem Ende der achtziger Jahre die Rollenangebote geringer wurden, wandte sich Vera Tschechowa als Autorin und Regisseurin dem Dokumentarfilm zu – mit Porträts über prominente Politiker und Filmkünstler hat sie sich inzwischen auch als Dokumentarfilmerin durchgesetzt. Arbeit und individuelle Leistung gelten auch ihr – wie einst ihrer Großmutter Olga Tschechowa – mehr als der Nimbus eines klangvollen Namens.

[8] Brief von Lew Knipper an Olga Knipper-Tschechowa, 25.4.1937. In: Anthony Beevor: Die Akte Olga Tschechowa. München 2004, S. 158.

Olga Tschechowa schöpfte ein Leben lang aus den Quellen ihrer großbürgerlichen wie auch soliden Erziehung. Ihre elegante Erscheinung war kein Ornament, das nostalgisch an den Glanz einer untergegangenen Epoche zu erinnern suchte, sondern Ausdruck einer Haltung, in der sich die Selbstdisziplin eine modernen, unabhängigen Frau spiegelte. Bis zu ihrem Lebensende im Jahr 1980 ließ Olga Tschechowa es sich nicht nehmen, täglich mit eigenem Auto in ihr Kosmetikunternehmen zu fahren und die Geschäfte zu führen.

Literatur

Helker, Renata: „Schön und von besonderer Kultur" – Olga Tschechowa in *Schloß Vogelöd.* In: Carl Mayer – Scenar(t)ist. Hg. Michael Omasta, Brigitte Mayr, Christian Cargnelli. Wien 2003, S. 123-128.

Helker, Renata: Die Tschechows – Wege in die Moderne. Berlin 2005.

Kinematograph 1929, Nr. 17.

Lew Knipper an Olga Knipper-Tschechowa, 25.4.1937. In: Anthony Beevor: Die Akte Olga Tschechowa. München 2004, S. 158.

Olga Knipper-Tschechowa an Ada Knipper, 17.1.1947. Aus: Privatarchiv Knipper/Tschechowa, Renata Helker (Berlin). Übers. v. Ellinor Figon.

Tschechowa, Olga: Meine Uhren gehen anders. Bergisch Gladbach 1976.

Die Welt der Slaven
Sammelbände • Сборники

Herausgegeben von Peter Rehder und Igor Smirnov

Verlag Otto Sagner • München - Berlin

Bd. 1: **Anton P. Čechov - Philosophische und religiöse Dimensionen im Leben und im Werk. Vorträge des Zweiten Internationalen Čechov-Symposiums, Badenweiler 20.-24. Oktober 1994.** Herausgegeben von Vladimir Kataev, Rolf-Dieter Kluge, Regine Nohejl.
1997. Hardcover. XXII, 641 S. 72.00 €. (3-87690-675-X)

Bd. 2 / 4 / 8 / 12 / 15 / 20 / 22 / 24 / 27 / 29 / 33 / 37 / 40 / 43: **Beiträge der Europäischen Slavistischen Linguistik (Polyslav).** Band 1-14. Herausgegeben von M. Bayer, M. Betsch, R. Blankenhorn, J. Błaszczak, B. Brehmer, K. Böttger, S. Dönninghaus, M. Giger, E. Graf, K. B. Karl, G. Krumbholz, M. Lazar, J. Rabiega-Wiśniewska, N. Thielemann, B. Wiemer, V. Ždanova, R. Zimny.

Bd. 1:	1998. Hardcover. X, 212 S.	44.00 € (ISBN 3-87690-705-5)
Bd. 2:	1999. Hardcover. VIII, 320 S.	57.00 € (ISBN 3-87690-738-1)
Bd. 3:	2000. Hardcover. X, 232 S.	48.00 € (ISBN 3-87690-773-X)Ω
Bd. 4:	2001. Hardcover. VIII, 292 S.	50.00 € (ISBN 3-87690-803-5)
Bd. 5:	2002. Hardcover. X, 303 S.	54.00 € (ISBN 3-87690-825-6)
Bd. 6:	2003. Hardcover. X, 281 S.	53.00 € (ISBN 3-87690-852-3)
Bd. 7:	2004. Hardcover. X, 251 S.	48.00 € (ISBN 3-87690-882-5)
Bd. 8:	2005. Hardcover. X, 252 S.	48.00 € (ISBN 3-87690-924-4)
Bd. 9:	2006. Hardcover. VIII, 168 S.	36.00 € (ISBN 3-87690-969-1)
Bd. 10:	2007. Hardcover. VIII, 208 S.	38.00 € (ISBN 3-87690-988-2)
Bd. 11:	2008. Hardcover. VIII, 297 S.	64.00 € (ISBN 3-86688-008-5)
Bd. 12:	2009. Hardcover. VIII, 223 S.	46.00 € (ISBN 3-86688-055-9)
Bd. 13:	2010. Hardcover. X, 312 S.	58.00 € (ISBN 3-86688-084-9)
Bd. 14:	2011. Hardcover. VIII, 269 S.	46.00 € (ISBN 3-86688-137-2)

Bd. 9: **Hypertext *Отчаяние*/ Сверхтекст *Despair*. Studien zu Vladimir Nabokovs Roman-Rätsel.** Herausgegeben von Igor Smirnov. Internetredaktion: Harry Raiser, Natalja Sander, Lora Schlothauer.
2000. Hardcover. 279 S. 50.00 €. (ISBN 3-87690-777-2)

Bd. 10: **Entgrenzte Repräsentationen // Gebrochene Realitäten. Danilo Kiš im Spannungsfeld von Ethik, Literatur und Politik.** Herausgegeben von Angela Rihter unter Mitwirkung von Tatjana Petzer.
2001. Hardcover. 226 S. 39.00 €. (ISBN 3-87690-783-7)

Bd. 16: **Itinera Slavica. Studien zu Literatur und Kultur der Slaven. Festschrift für Rolf-Dieter Kluge zum 65. Geburtstag.** Herausgegeben von Heide Willich-Lederbogen, Regine Nohejl, Michaela Fischer, Heinz Setzer.
2002. Hardcover. 308 S. 60.- €. (ISBN 3-87690-824-8)

Bd. 17: **Bühne und Öffentlichkeit. Drama und Theater im Spät- und Postsozialismus (1983-1993).** Herausgegeben von Norbert Franz und Herta Schmid.
2002. Hardcover. 200 S. 46.- €. (ISBN 3-87690-833-7)

Bd. 18: **Kapitel zur Poetik: Vrchlický und der tschechische Symbolismus. Beiträge zum Internationalen Bohemistischen Vrchlický-Synposium an der Universität Potsdam 4. bis 7. Dezember 1997.** Herausgegeben von Herta Schmid unter Mitwirkung von Birgit Krehl und Irina Wutsdorff.
2003. Hardcover. 270 S. 54.- €. (ISBN 3-87690-834-5)

Bd. 19: **Rusistika • Slavistika • Lingvistika. Festschrift für Werner Lehfeldt zum 60. Geburtstag.** Herausgegeben von Sebastian Kempgen, Ulrich Schweier, Tilman Berger.
2003. Hardcover. 532 S. 90.- €. (ISBN 3-87690-837-5)

Bd. 21: **Germano-Slavistische Beiträge. Festschrift für Peter Rehder zum 65. Geburtstag.** Herausgegeben von Miloš Okuka und Ulrich Schweier.
2004. Hardcover. 568 S. 90.- €. (ISBN 3-87690-874-4)

Bd. 23: **Der Text und seine Spielarten im polnischen Barock. Bausteine zu einer Epochenanalyse.** Herausgegeben von Herta Schmid unter Mitwirkung von Holt Meyer und Bernhard Hartmann.
2005. Hardcover. 208 S. 44.- €. (ISBN 3-87690-925-2)

Bd. 25: **Čechovs Einakter Tatjana Repina. Analyse und Umfeld eines verkannten Meisterwerks.** Herausgegeben von Jenny Stelleman und Herta Schmid unter Mitwirkung von Ursula Hanuš.
2006. Hardcover. 351 S. 64.- €. (ISBN 3-87690-929-5)

Bd. 26: **Exklusion. Chronotopoi der Ausgrenzung in der russischen und polnischen Literatur.** Herausgegeben von Wolfgang Stephan Kissel und Franziska Thun-Hohenstein.
2006. Hardcover. 303 S. 44.- €. (ISBN 3-87690-931-7)

Bd. 28: **Iter philologicum. Festschrift für Helmut Keipert zum 65. Geburtstag.** Herausgegeben von Daniel Bunčić und Nikolaos Trunte.
2006. Hardcover. 342 S. 68.- €. (ISBN 978-3-87690-971-4)

Bd. 30: **Wortkunst • Erzählkunst • Bildkunst. Festschrift für Aage A. Hansen-Löve.** Herausgegeben von Rainer Grübel und Wolf Schmid.
2008. Hardcover. 326 S. 68.- €. (ISBN 978-3-86688-005-4)

Bd. 31: **Bosnisch • Kroatisch • Serbisch. B•K•S als Fremdsprachen an den Universitäten der Welt.** Herausgegeben von Biljana Golubović und Jochen Raecke.
2008. Hardcover, X, 216 S. 38.- €. (ISBN 978-3-86688-032-0)

Bd. 32: **Deutsche Beiträge zum 14. Internationalen Slavistenkongress Ohrid 2008.** Herausgegeben von Sebastian Kempgen, Karl Gutschmidt, Ulrike Jekutsch, Ludger Udolph.
2008. Hardcover, 532 S. 98.- €. (ISBN 978-3-86688-007-8)

Bd. 34: **Die slavischen Grenzen Mitteleuropas. Festschrift für Sergio Bonazza.** Herausgegeben von Stefano Aloe.
2008. Hardcover. 202 S. 38.- €. (ISBN 978-3-86688-036-8)

Bd. 35: **Kapitel aus der Poetik. Die zehner Jahre in der tschechischen Literatur zwischen Symbolismus und Avantgarde.** Herausgegeben von Birgit Krehl und Herta Schmid.
2008. Hardcover, 299 S. 38.- €. (ISBN 978-3-86688-043-6)

Bd. 36: **Proceedings of the Second International *Perspectives on Slavistics* Conference, Regensburg 2006.** Edited by Sandra Birzer, Miriam Finkelstein, Imke Mendoza.
2009. Hardcover, VIII, 318 S. 68.- €. (ISBN 978-3-86688-045-0)

Bd. 38: **Русский язык в условиях культурной и языковой полифонии.** Ответственный редактор Владислава Жданова.
2009. Hardcover, 137 S. 28.- €. (ISBN 978-3-86688-056-6)

Bd. 39: **Text – Sprache – Grammatik. Slavisches Schrifttum der Vormoderne. Festschrift für Eckhard Weiher.** Herausgegeben von Juliane Besters-Dilger und Achim Rabus.
2009. Hardcover, 416 S. 74.- €. (ISBN 978-3-86688-081-8)

Bd. 41: **Postoutenko, Kirill: Soviet Culture: Codes and Messages.**
2010. Hardcover, VI, 166 S. 38.- €. (ISBN 978-3-86688-085-6)

Bd. 42: **Studien zu Sprache, Literatur und Kultur bei den Slaven. Gedenkschrift für George Y. Shevelov aus Anlass seines 100. Geburtstages und 10. Todestages.** Herausgegeben von Andrii Danylenko und Serhii Vakulenko.
2012. Hardcover, XLIV, 520 S. 64.- €. (ISBN 978-3-86688-205-8)